Fürstin Adelheid von Pless

Baron Carl Claus von der Deckens Reisen in Ost-Afrika in den Jahren 1859 bis 1865

Fürstin Adelheid von Pless

Baron Carl Claus von der Deckens Reisen in Ost-Afrika in den Jahren 1859 bis 1865

ISBN/EAN: 9783743482111

Hergestellt in Europa, USA, Kanada, Australien, Japan

Cover: Foto ©Andreas Hilbeck / pixelio.de

Fürstin Adelheid von Pless

Baron Carl Claus von der Deckens Reisen in Ost-Afrika in den Jahren 1859 bis 1865

Baron

Carl Claus von der Decken's

Reisen in Ost-Afrika

in den Jahren 1859 bis 1865.

Herausgegeben im Auftrage der Mutter des Reisenden,

Fürstin Adelheid von Pless.

Erzählender Theil.

Mit zahlreichen Abbildungen, gezeichnet von E. Heyn, O. Heyn, G. Sundblad und Anderen, und Karten von B. Hassenstein.

Erster Band.

Leipzig und Heidelberg.
C. F. Winter'sche Verlagshandlung.
1869.

Baron

Carl Claus von der Decken's

Reisen in Ost-Afrika

in den Jahren 1859 bis 1861.

Bearbeitet

von

Otto Kersten,

früherem Mitgliede der von der Decken'schen Expedition.

Mit einem Vorworte von Dr. **A. Petermann.**

Die Insel Sansibar. Reisen nach dem Niassasee und dem Schneeberge Kilimandscharo.

Erläutert durch 13 Tafeln, 25 eingedruckte Holzschnitte und 3 Karten.

Leipzig und Heidelberg.

C. F. Winter'sche Verlagshandlung.

1869.

Ihrer Königlichen Hoheit

der

Frau

Kronprinzessin Victoria von Preussen

Princeß Royal von Großbritannien und Irland

in tiefster Ehrfurcht gewidmet.

Vorwort von A. Petermann.

In der zweiten Hälfte des September 1860, also vor länger als acht Jahren, betrat ein Deutscher Entdeckungsreisender das ostafrikanische Gestade von Sansibar, um sich von hier aus zu geographischen Forschungen in das weite unbekannte Innere des Kontinentes zu begeben.

Seit Jahrhunderten hatte man den großen — Europa so nahe gelegenen und doch so wenig bekannten — afrikanischen Kontinent von Norden, von Süden und von Westen her zu erforschen getrachtet, während die Ostküste wenig beachtet blieb. Da berichteten deutsche Missionäre, Krapf, Rebmann und Erhardt, die sich auf dieser Küste niedergelassen hatten, von Schneebergen und einem immensen Binnensee *).

Von einem See in Inner-Afrika hatte man schon früher gehört, daß derselbe aber von einem so ungeheuren Umfange, wie die Missionäre berichteten, und daß es unweit des Aequators riesige Schneeberge gebe, — war etwas Neues, und konnte nicht verfehlen, in der geographischen Welt Aufsehen zu machen. Eine Reihe von wissenschaftlichen Entdeckungsreisenden begaben sich bald nach diesem vielversprechenden Forschungsgebiet: erst die Engländer Burton und Speke in den Jahren 1857 und 1858, dann Speke vereint mit Grant, endlich auch Albrecht Roscher aus Hamburg im Jahre 1859.

Der Deutsche Entdeckungsreisende, der im September 1860 jenes afrikanische Gebiet betrat, war Baron Carl Claus von der Decken, ein Mann in seiner

*) Ich habe wohl unter den Ersten der geographischen Welt von diesen Nachrichten Kunde gegeben (s. Geogr. Mittheilungen 1855 pp. 233 u. 234, 1856 pp. 19 ff. nebst Karte) und dadurch sowie durch meine damalige Correspondenz mit Colonel Sykes — zu jener Zeit in der höchst mächtigen und einflußreichen Stellung als Direktor der weiland ostindischen Compagnie — nicht unwesentlich beigetragen zu den so wichtigen ostafrikanischen Entdeckungsreisen von Burton, Speke und Grant, Roscher, von der Decken u. a.

besten Manneskraft, mit reichen Privatmitteln, wie sie selten einem Deutschen Reisenden zur Verfügung standen, und von glühendem Enthusiasmus beseelt, der geographischen Wissenschaft zu nützen; Stellung, Familienglück, Europäischen Komfort, Reichthum — Alles im Stich lassend und sein Alles einsetzend, um dem schwarzen Kontinente einen Theil seiner Geheimnisse zu entreißen.

So schwierig und gefahrvoll die Lösung solcher Aufgaben in der Regel auch sein mag, so ist wohl nur wenigen hoffnungsvollen Reisenden eine solche Kette von Mißgeschick und Hindernissen entgegen getreten, als Baron von der Decken. Aber sie konnten einen Mann mit solcher Ausdauer und Zähigkeit nicht entmuthigen, sondern nur seine Vorsätze immer von Neuem stählen. Viermal nahm er neuen Anlauf, zuletzt mit zwei trefflichen in Europa eigens erbauten Dampfern, die raschen und sicheren Eingang in die unerforschten Gebiete Ostafrikas erzwingen, ihm selbst völlige Unabhängigkeit und Unbeschränktheit gewähren sollten. Aber auch hier verfolgte ihn das „treue Unglück", und wir sehen den opferbereiten Mann im September 1865 nach fünf Jahre langen ungeheuren Opfern aller Art sein eigenes Leben auf dem Felde Deutschen Forschungsdranges dahingeben.

Es ist Baron von der Decken trotzdem nicht beschieden gewesen, große gordische Knoten geographischer Räthsel zu durchhauen, epochemachende Reisen durchzuführen, eklatante Entdeckungen zu machen, etwa wie es Burton und Speke in demselben Gebiete geglückt war. Die Ergebnisse seiner Anstrengungen sind mehr als ein Ausbau der Geographie anzusehen, aber sie sind deshalb nicht minder ehrenvoll, als die glänzenden und gefeierten Errungenschaften jener Mitarbeiter auf demselben Gebiete.

In den meisten ähnlichen Fällen erlischt mit dem Tode des Handelnden auch die Verfolgung der Aufgabe, der er sein Leben gewidmet. In diesem Falle folgten dem Dahingeschiedenen ins Grab bald hintereinander auch noch der Bruder, die Mutter — gerade diejenigen Persönlichkeiten, die dem Kämpfenden und dem Gegenstande seines Strebens die nächste Sympathie zugewandt hatten. Aber von der Decken hatte sich auf seinen Entdeckungsreisen mit gleichgesinnten Männern umgeben gehabt, durch welche er seinem Werke Fortdauer gab auch nach Opferung seines eigenen Lebens.

So sehen wir die Produktion dieses ausgezeichneten Werkes, dem es mir zur ehrenvollen Aufgabe geworden ist, dieses Vorwort zu widmen. Gewiß ist es ein seltener Fall, und muß es ganz besonders dankbar anerkannt werden, daß von den Decken'schen Entdeckungsreisen, nachdem sie von Anfang bis zu Ende von Mißgeschick und Unglück verfolgt gewesen, ein Werk zu Tage gefördert worden ist, in jeder Beziehung so sorgfältig, gründlich und ausgezeichnet, als ob der Urheber selbst noch am Leben wäre.

Ein wirklich gutes Reisewerk ist eine Seltenheit, eine schwierige, nicht oft gelöste Aufgabe. Ist es anziehend, lesbar und unterhaltend, so hat es in der Regel wenig oder keinen geographischen Werth; ist es dagegen gediegen und inhaltreich, so ist es gewöhnlich seiner Form nach langweilig und abstoßend. Das vorliegende Werk vereinigt in seltener Weise beide gute Eigenschaften. Es führt uns zunächst den heldenmüthigen Kampf vor, den dieser Deutsche Edelmann mit Einsetzung seiner eigenen Person, seiner reichen Mittel und seiner zahlreichen Gefährten fünf Jahre lang gegen die Ungunst der Verhältnisse durchführte; es beschreibt uns seine verschiedenen Reisen, auf dem Festland und auf den Inseln, im Tiefland und in der Nähe des ewigen Schnees.

Sodann versetzt es uns in der anziehendsten Weise in das ganze Leben und Treiben Ostafrikas, der Eingeborenen wie der dort ansässigen Europäer; hier erhalten wir u. a. einen förmlichen Roman, der sich zwischen den letztern und des Sultans Familie abspielt. Dann wird die Insel Sansibar, die Metropole Ost-Afrikas, zum monographischen Gegenstand einer eingehenden Schilderung der wunderbaren Natur des tropischen Afrika, seiner physikalischen Geographie, der Vegetation, des mannigfaltigen Thierlebens. Was in vielen anderen Werken trockne Appendices bildet mit langen Listen und lateinischen Namen, das ist hier geschickt in die Erzählung eingeflochten und der Art genießbar gemacht, daß es zu einer angenehmen Lectüre wird. Und so wird uns nicht blos das reiche Leben auf und in der Erde geschildert, sondern auch in der Tiefe des Meeres, und wie mannigfaltig dieses letztere ist, geht daraus hervor, daß es u. a. nicht weniger als 428 verschiedene Arten von Fischen bei Sansibar giebt. Wiederum in anderen Abschnitten wird uns die interessante bis in die Zeiten von Tyrus und Salomo hinaufreichende Geschichte Ostafrikas vorgeführt; die Beschreibung des Handels von Sansibar, dessen Werth sich gegenwärtig auf zehn Millionen Thaler beläuft; zur Abwechselung eine hübsche Schilderung der niederen Thierwelt u. s. w.

Kurzum wir erhalten in diesem Werke ein höchst wechselvolles Gemälde der fünfjährigen Reisen von der Decken's, des ostafrikanischen Festlandes und der Inselgruppen, vom Schneeberg Kilimandscharo bis Madagaskar, das eben so anziehend als gediegen und lehrreich ist.

Einer der überlebenden Gefährten des unglücklichen Reisenden, mein lieber Freund Dr. Otto Kersten, hat sich das hohe Verdienst erworben, unter Beihilfe ausgezeichneter naturwissenschaftlicher Fachgelehrten, in diesem Buche dem

Baron von der Decken und seinem Forschungswerke das beste Denkmal zu setzen und die geographische Literatur um ein ausgezeichnetes Werk zu bereichern. Wie der Text, so sind auch die Illustrationen ausgezeichnet und wahrhaft künstlerisch ausgeführt, und Nichts ist gespart worden, um die Aufgabe möglichst vollkommen zu lösen.

Ganz besondere Erwähnung verdienen auch die Karten; denn es kommt gewiß höchst selten vor, daß ein so umfangreiches und werthvolles Material von Beobachtungen, Messungen, Aufnahmen und Entdeckungen, wie es hier vorlag, von der bewährten Hand eines Bruno Hassenstein eine so höchst mühsame, gründliche, sachgemäße Verarbeitung, eine so ohne alle Rücksicht auf Kosten bemessene geschmackvolle und saubere Ausführung durch Stich und Druck gefunden hat.

So lebt von der Decken's Werk fort: einmal in dieser trefflichen Publikation des Dr. Kersten, und dann auch in den seit seinem Tode durch seine ausgezeichneten Reisegefährten theils in Aussicht stehenden, theils bereits von Neuem mit bedeutendem Erfolg und Resultaten ausgeführten neuen Forschungsreisen*). Möchten noch viele wichtige Resultate als Folge des großartigen Unternehmens erstehen, das ein Deutscher Edelmann mit so ungeheuren Opfern ins Werk gesetzt hat.

Gotha, 17. Oktober 1868.

A. Petermann.

*) So die interessanten und werthvollen Reisen Richard Brenner's in den Jahren 1866 und 1867, von denen es mir in der liebenswürdigsten Weise gestattet war, in dem 10. Heft der „Geographischen Mittheilungen" für 1868 eine Uebersichtskarte zu publiciren.

Vorwort des Herausgebers.

Nicht eine Reisebeschreibung im gewöhnlichen Sinne des Wortes soll dieses Buch sein, sondern eine malerische Schilderung der wunderreichen Gebiete, welche Baron Carl Claus von der Decken und seine Begleiter in jahrelangen Wanderungen durchstreiften, und nicht für Fachmänner allein ist es bestimmt, sondern zur Unterhaltung und Belehrung für Jedermann, der Antheil nimmt an den hochherzigen Bestrebungen begeisterter Männer zur Erforschung unseres Erdballs.

Um alle Fragen beantworten zu können, welche man über die Natur des Landes und die Artung der Bewohner an Reisende zu stellen gewohnt ist, mußte ich Mancherlei aufnehmen, was Dem oder Jenem zu viel erscheinen mag. Ich habe hiermit der Gesammtheit und nicht gewissen engbegrenzten Kreisen gerecht werden wollen und würde mich über Vorwürfe Dieser durch den Beifall Jener zu trösten wissen.

Bei meiner Arbeit benutzte ich die Tagebücher des Barons und seiner Begleiter sowie meine eigenen Aufzeichnungen und Erfahrungen. Selbstverständlich konnte ich allen Stoff nicht hieraus allein schöpfen, sondern mußte auch bei Anderen suchen. Was dem Plane des Ganzen zu entsprechen schien, habe ich aufgenommen, die Quellen aber stets bezeichnet, soweit Dies anging, ohne den Zusammenhang allzu sehr zu stören.

Mit großem Danke muß ich die Gefälligkeit zahlreicher, an betreffender Stelle genannter Freunde anerkennen, welche mich mit Berichtigungen, Kartenskizzen und sonstigen Angaben unterstützt haben. Hier sei besonders erwähnt, daß die Beschreibungen der ersten Dschaggareise und die dazu gehörigen Karten sehr unvollständig geblieben sein würden, wenn nicht Herr George Thornton in Bradford, durch die freundliche Vermittelung des Herrn H. W. Bates,

Sekretär der Londoner geographischen Gesellschaft, mir alle hierauf bezüglichen Tagebücher und Zahlenangaben seines verstorbenen Bruders Richard zur unumschränkten Benutzung überlassen hätte.

Betreffs des Planes und der Ausführung des Buches verdanke ich Vieles meinem hochverehrten Freunde A. E. Brehm, dem begeisterten Schilderer des Thierlebens. Obwol selbst gedrückt von der Last seiner Arbeiten, stand er mir monatelang mit Rath und That zur Seite, weil er sich erwärmt hatte für die Ziele des ihm befreundeten Reisenden und für die Sache, welche zu vertreten es galt. Mängel, welche Kundige finden werden, bitte ich, nachsichtig beurtheilen zu wollen. Ich habe, wie ich behaupten darf, redlich gestrebt und keine Mühe gescheut, um dem Buche das Beste zuzuwenden und die vorzüglichsten Kräfte zu gewinnen — und wenn Das, was ich erreichte, doch wenig ist von Dem, was ich zu erreichen hoffte, so trifft mich wenigstens der Vorwurf der Lässigkeit nicht.

Nur wer da weiß, wie schmerzlich es ist, an der Ausführung seiner Entwürfe durch Mangel an Mitteln gehindert zu sein, wird den Umfang der Dankbarkeit ermessen können, zu welcher ich der Familie von der Decken für die großartige Unterstützung verpflichtet bin, durch die allein es mir möglich ward, meiner Aufgabe einigermaßen gerecht zu werden. Meine hohen Auftraggeber scheuten keine Opfer, um die Ausstattung zu einer würdigen zu gestalten, in der gewiß richtigen Erwägung, daß diese Reisen, welche soviele theure Menschenleben gekostet, ihren Abschluß und eigentlichen Nutzen erst finden könnten durch eine gediegene Darstellung und größtmögliche Verbreitung der Ergebnisse.

Ursprünglich war das von der Decken'sche Reisewerk bestimmt, ein Denkmal zu sein des Reisenden Carl Claus, welcher der Wissenschaft und dem Vaterlande sein Leben und einen großen Theil seines Vermögens geopfert; nunmehr ist es zugleich eine Erinnerung an den trefflichen Bruder des Reisenden, Baron Julius von der Decken auf Melkhof, welcher am 16. Juni 1867 zu Vichy im südlichen Frankreich verschied, nachdem er den Plan zur Herausgabe dieses Buches gefaßt und ihn auf das Kräftigste gefördert hatte, eine Erinnerung nicht minder auch an Beider Mutter, die Frau Fürstin Adelheid von Pleß, welche das Vermächtniß ihrer Söhne übernahm und es in aufopferndster Weise weiter führte. Auch ihr war es nicht vergönnt, das Werk erscheinen zu sehen, an welchem sie, trotz monatelanger, unsäglicher Leiden den lebhaftesten Antheil nahm; doch wurde der schwergeprüften Frau vor ihrem Ende noch die Freude, daß Ihre Königliche Hoheit, die Frau Kronprinzessin Viktoria von Preußen, die Höchstihr zugedachte Widmung anzunehmen geruhte — ein neuer

Beweis des ausgezeichneten Wohlwollens, mit welchem die Hohe Frau durch mächtige Fürsprache in ihrem Heimatlande die Unternehmungen des Reisenden gefördert und nachmals Theil genommen an seinem traurigen Schicksal sowie an dem Schmerze der Seinigen.

Was von der Decken begann, ist noch keineswegs zu Ende gebracht; nur als ein Anfang zur Erschließung des Landes, welches trotz seiner reichen Schätze so lange fast unbekannt geblieben, kann das bisher Erreichte betrachtet werden. Decken's Reisen werden andere zur Folgen haben, unternehmende Kaufleute und Ansiedler sich nach dem fernen Osten wenden und in nicht gar zu ferner Zeit jene Gebiete einen ungeahnten Aufschwung nehmen. Vielleicht trägt auch Decken's Reisewerk mit bei zur Beschleunigung dieser Entwickelung; denn laut gnädiger Verfügung der Frau Fürstin Adelheid von Pleß ist ein etwaiger Ertrag desselben bestimmt, eine Stiftung zur Förderung der Erdkunde zu bilden.

Möge das vorliegende Buch schon um deswillen einen Platz in Haus und Familie sich erobern; möge es anregen, dem hehren Vorbilde eines von der Decken nachzueifern; möge es den Blick des Einzelnen wie des Vaterlandes auf jenen gesegneten Erdstrich lenken, daß sie festhalten und nützen, was mit sovielen Opfern errungen!

Altenburg, im Oktober 1868.

Otto Kersten.

Inhaltsverzeichniß des ersten Bandes.

Erstes Buch. Sansibar.

Erster Abschnitt.
Der erste Tag in Sansibar.

Zweiter Abschnitt.
Die Insel.

Dritter Abschnitt.
Nähr- und Nutzpflanzen.

Vierter Abschnitt.
Ein Blick auf die Thierwelt der Insel.

Fünfter Abschnitt.
Die Bevölkerung.

Sechster Abschnitt.

Staatliche Verhältnisse.

Zweites Buch. Niassa-Reise.

Siebenter Abschnitt.

Kiloa.

Achter Abschnitt.

Die erste Reise ins Innere.

Neunter Abschnitt.

Rückblick und Ergebnisse.

Drittes Buch. Der Kilimandscharo.

Zehnter Abschnitt.

Mombas.

Elfter Abschnitt.

Das Missionsgebiet.

Zwölfter Abschnitt.

Bis an die Grenze der Wildniß.

Dreizehnter Abschnitt.

Reiseleben.

Vierzehnter Abschnitt.

Das Binnenland und seine Bewohner.

Fünfzehnter Abschnitt.

Der See Jipe.

Sechzehnter Abschnitt.

Das Dschaggareich Kilema.

Siebzehnter Abschnitt.

Das Land Madschame.

Achtzehnter Abschnitt.

Letzte Versuche.

Neunzehnter Abschnitt.

Die Rückreise.

Bilder und Karten des ersten Bandes.

Die Bilder sind, falls nichts Anderes bemerkt, nach selbstgefertigten Photographien gezeichnet, die Karten nach allen vorhandenen Quellen und den Aufnahmen von der Deckens und seiner Begleiter.

I. Eingedruckte Holzschnitte.

II. Tafeln.

III. Karten.

Bemerkung über die richtige Betonung

der im Buche und auf den Karten vorkommenden Namen.

Alle mehrsilbigen Suaheliwörter — welche man leicht daran erkennt, daß sie auf einen Selbstlauter ausgehen — haben den Ton auf der vorletzten Silbe (wie Kisimkási, Schangáni, Nasimója), falls Dies nicht ausdrücklich anders angegeben ist. Die arabischen Namen — welche zumeist auf einen Mitlauter ausgehen — haben fast durchgängig den Ton auf der letzten Silbe (wie Imām, Omān, Sultān, Maskāt). Weil einem arabisch gebildeten Ohre Nichts abscheulicher klingt als die bei uns so verbreitete Aussprache Súltan, Hárem u. s. w., haben wir die richtige Aussprache und Betonung in möglichst auffälliger Weise durch das bei uns übliche Dehnungszeichen „h“ (wie Sultahn, Harehm, Imahm) bezeichnet. Hierbei bemerken wir jedoch ausdrücklich, daß dieses „h“ nicht als wirklicher Buchstabe in dem arabischen Worte selbst vorkommt; wandert daher der Ton bei Zufügung einer Endsilbe, so fällt es, eben weil es blos Dehnungszeichen ist, selbstverständlich wieder weg, Sudahn z. B. wird Sudānese. Werden arabische Wörter durch Anhängung eines Selbstlauters suahelisirt, so haben sie wie echte Suaheliwörter den Ton auf der vorletzten Silbe, gleichviel ob diese vorher schon betont war oder nicht, z. B. Arāb (Araber) ist im Suaheli M'arābu, Sultān (Herrscher) wird Sultāni. Die Wörter Kiloa und Sansibar haben den Ton auf der drittletzten Silbe.

Berichtigungen.

Auf Seite 49 Zeile 12 von unten lies Neu-Guinea statt „Neuseeland“.

- - 57 - 3 von unten lies gewonnen statt „sich herangebildet“.

- - 148 - 17 von unten lies 13 statt „18“.

- - 164 - 10 und 13 von unten lies Ramisu statt „Narissu“.

- - 164 - 4 bis 6 von unten muß es heißen: Unser Weg zog sich in einer sanft ansteigenden Ebene dahin zwischen einzelnen Hügeln, welche &c.

- - 164 - 1 von unten lies Westen statt „Osten“.

- - 169 - 11 von unten lies Mibumu statt „Mibubu“.

- - 170 - 11 von unten lies nördlich statt „nordwestlich“.

- - 174 - 19 von oben lies Kigurula statt „Kunguruha“.

- - 242 - 4 und 5 von unten lies Kabiaro statt „Kilibassi“.

- - 257 - 11 von oben schalte (29) hinter „Seefläche“ ein.

- - 271 - 7 von unten lies Marenga statt „Maranga“.

- - 329 Anm. (9) Zeile 5 von unten lies Quid autem statt „Guid autun“.

- - 332 Anm. (18) Zeile 4 von unten lies östlich statt „westlich“.

Stadtviertel Malindi. Paläste des Sultans. Zollhaus. v. d. T

Sansibar v

O'Swald u. Co. Englisches Consulat. Englische Mission.

aus.

Sansibar.

Erster Abschnitt.

Der erste Tag in Sansibar.

Ankunft. — Lage der Stadt. — Kalkbrennereien auf offenem Markte. — Festung und Zollhaus. — Ein Markt. — Paläste des Sultahns. — Sklaven in Ketten. — Des Sultahns Marstall. — Hindustraße und Schule. — Arabischer Kirchhof. — Negerwohnungen. — Die Rasimoja. — Tanz und Waffenspiel. — Sklavenmarkt. — Abends auf dem Dache.

Eine dreimonatliche Seefahrt nähert sich ihrem Ende. Die bisher gleichmütigen Seeleute werden lebendiger und beginnen zu erzählen von Sansibar und seinen Bewohnern, von der Behaglichkeit der europäischen Haushaltungen, von der herrlichen Pflanzenwelt, von den lieblichen Orangen und von manch' Anderem mehr. Ras Puna, das letzte Vorgebirge der Küste, kommt in Sicht, später das sandige Eiland Latham, welches man freilich nur an den über ihm schwärmenden Vogelscharen erkennt, bald darauf auch Ras Kisimkasi, die Südspitze von Sansibar. Von jetzt an steuert man nicht mehr wie auf dem pfadlosen Meere allein nach dem Kompasse, sondern nach dem Auge und nach dem Lothe. In kurzen Zwischenräumen erschallen die Befehle des Schiffers, eine Aenderung des Kurses gebietend. Auf seiner Spezialkarte, welche schon am gestrigen Tage hervorgeholt worden war, findet er Namen und Lage aller, auch der kleinsten Inseln, Felsen und Bänke verzeichnet; mit der Bussole peilt er Winkel nach den Landspitzen, trägt die entsprechenden Linien in die Karte ein und bestimmt so jederzeit die Lage des Schiffes mit einer den Neuling befremdenden Sicherheit.

Sehnsüchtig vertieft sich der Reisende in den Anblick des gelobten Landes, welches seiner Phantasie schon lange vorschwebte und jetzt fast greifbar vor ihm liegt mit seinen sanften Höhen und seinen grünen Palmenwäldern; denn wunderbar ist das Schauspiel, welches die bunte Inselwelt beim Durchsegeln gewährt, und Nichts kommt dem prächtigen, lebensvollen Wanderbilde gleich an Reiz und Schönheit. Fern am Gesichtskreise steigt ein schmaler, graublauer Streifen auf, nimmt bei dem Näherkommen nach und nach eine duftige Azurfarbe an und läßt endlich das saftige Grün der Bäume unterscheiden: es ist eine der zahlreichen, kleinen Inseln, welche fortan abwechselnd auftauchen und wieder verschwinden. Das Schiff nähert sich der einen, fährt in einen Kanal zwischen mehreren ein; zu beiden Seiten sieht man noch andere, diese von jener mehr oder weniger bedeckt, die eine in unmittelbarer Nähe, die anderen in größerer Ferne: jede neue Minute bietet ein neues Bild.

Der günstige Wind erweckt die Hoffnung, noch heute die Hauptstadt der Ostküste erreichen zu können; aber der Wind in unmittelbarer Nähe des Landes ist trüglich und wechselvoll: die Sonne sinkt hinter dem afrikanischen Festlande hinab, noch liegt das Ziel sieben Seemeilen entfernt, und der Schiffer sieht sich genöthigt, bei der nah gelegenen Insel Schumbi Anker zu werfen; denn schnell verbreitet sich hier Dunkelheit über Land und Meer, und es wäre gewagt, zur Nachtzeit die Reise durch die gefahrenreiche Straße fortzusetzen.

Lange noch wandelt der Reisende, dankbar auf die glücklich überstandene Seereise zurückblickend, auf dem Deck umher, schaut hinüber nach dem helllodernden Feuer der Kalköfen auf Schumbi, hinab in die leuchtende Flut und empor zu dem sternen besäeten Tropenhimmel; schweigend geht er, weil er seine gehobene Stimmung nicht gestört wissen will, an seinen Gefährten vorüber und begibt sich endlich, schon im Wachen träumend, zum letzten Male in die enge Koje.

Das Rasseln der Ankerkette, welche die Matrosen unter Gesang emporwinden, ruft ihn in der Frühe des Morgens wieder auf Deck. Nach kurzer Fahrt bei frischer Brise belebt sich die See. Zahlreiche Baumkähne, vor dem Winde segelnd mit Hilfe der zwischen Stöcken aufgespannten Taschentücher und Schürzen, oder von rüstig arbeitenden, leibhaftigen Negern mit schaufelartigen Rudern vorwärts getrieben, gleiten vorüber. Eines der kleinen Fahrzeuge, reich beladen mit Ananas und Orangen, läßt sich ein Tau zuwerfen; der schwarzbraune Obsthändler klettert an Bord, wird von den Seeleuten freundlich als alter Bekannter begrüßt, erzählt in geschwätziger Weise „habari ja Ungudja“, d. i. Neuigkeiten von Sansibar, und vertheilt die köstliche Last seines Bootes an die willigen Käufer.

Noch ist die Morgenluft nicht völlig geklärt. Ihre Feuchtigkeit bewirkt eine Luftspiegelung. Entferntes Gebüsch ragt, leise zitternd, in verzerrter Länge empor; noch fernere Gegenstände erscheinen in der Mitte zerrissen, der obere Theil wie über dem unteren schwimmend; aber je näher man kommt, um so fester werden die Formen, um so natürlicher die Verhältnisse. Kurze Zeit nur wirkt das blasse Trugbild; die nahe Wirklichkeit nimmt den Reisenden bald wieder in Anspruch. Ein langes, niedriges, weißgetünchtes Haus rechts am sandigen Strande, der sogenannte Hindutempel, lenkt zuerst die Aufmerksamkeit auf sich, sodann das große Eckhaus des europäischen Stadttheiles, welchem der Schiffer zusteuert, und das zwischen beiden Steingebäuden sich ausdehnende, von Negern bewohnte Hüttenviertel von Schangani. Nunmehr kann man auch Schiffe im Hafen, entferntere Häuser und die lustig im Winde wehenden Flaggen des Sultahns und der Konsulate unterscheiden. Endlich biegt das Schiff um die letzte, sandige Spitze, Ras Schangani — und wie mit einem Zauberschlage liegt die Stadt in ihrer vollen Größe und Pracht vor Augen: eine lange Reihe palastähnlicher, blendend weißer Steinhäuser, wie sie der Reisende in der Hauptstadt eines ostafrikanischen Sultahns gewiß nicht zu finden erwartet hatte.

Längst schon ist das ansegelnde Schiff von den auslugenden Europäern bemerkt und erkannt worden. Die hiesigen Vertreter des Rheders haben zur Bewillkommnung die Hausflagge gehißt, ein Boot bemannt und fahren entgegen. Ihre schmucke, frisch gemalte Gig, welche sich unter dem regelmäßigen Taktschlage der schwarzen, saubergekleideten Ruderer rasch nähert, ist dem Schiffer wohl bekannt; ein Wurftau wird bereit gehalten, und nach wenigen Minuten steigen die Herren vom Boote an der schwankenden Treppe empor, um die Angekommenen zu begrüßen und mit sich an das Land zu nehmen.

Der Anker fällt, als das Schiff dicht vor dem Handelshause angelangt ist. Wenige Ruderschläge genügen, das leichte Boot an das Land zu bringen. Ein Europäer nach dem anderen wird von der schwarzen Mannschaft auf das Trockene getragen. Die Gesellschaft tritt nach wenigen Schritten in ein freundliches, innen und außen weiß getünchtes Steinhaus ein, wo ihrer bereits ein kräftiges Frühstück wartet. Fremde und Eingewohnte sind bald näher bekannt geworden; diese erbieten sich bereitwilligst, jene noch heute, sobald die Abendkühle eingetreten, in die Stadt einzuführen.

Die Stadt Sansibar, auf der Insel gleichen Namens unter 6° 9′ 36″ südlicher Breite und 39° 14′ 33″ östlicher Länge von Greenwich gelegen, nimmt die etwa 280 preußische Morgen große Fläche einer Landzunge ein, welche vom Meere und einer von Norden her tief in das Land einschneidenden Lagune umschlossen wird. Diese kleine Halbinsel hat eine nahezu dreieckige Gestalt. Ihre östliche Spitze bildet Ras Schangani; von hier aus zieht sich der Strand nach Nord- und Südosten, dort in einen Kopf sich verdickend und im Süden in einen schmalen Hals auslaufend, welcher die Verbindung mit dem Hauptlande der Insel herstellt. Der nordwestliche Theil der Stadt ist der schönste: er besteht aus großen Steinhäusern, welche sich in Gestalt eines Halbmondes um die Paläste des Sultahns und um das Fort gruppiren. Zwischen letzterem und dem großen Eckhause in Schangani haben sich die Europäer angesiedelt; die Mehrzahl der anderen Häuser wird von Arabern und Indiern bewohnt. An die massiv gebaute Stadt reihen sich drei Hüttenviertel, welche man als Vorstädte bezeichnen kann: im Nordosten Malindi, im Süden Schangani und im Osten, jenseits der Lagune, mit der Halbinsel durch eine Brücke rohester Art verbunden, ein mehr ländlich gehaltener Stadttheil, welcher bis jetzt noch keinen besonderen Namen erhalten hat, von Fremden aber als Madagaskarstadt bezeichnet wird.

Die Straßen des europäischen Viertels sind anstatt des Pflasters mit einem groben Estrich aus Kalk und Sand bedeckt und jederzeit reinlich. Auch die Gassen in der Nähe der Paläste des Herrschers sind von dieser Neuerung berührt worden; in den übrigen Stadttheilen aber betritt man nur ungepflasterte, enge, schmuzige Wege, in welchen vorstehende Dachsparren den unachtsamen Wanderer gefährden und längeres Regenwetter tiefen Koth entstehen läßt.

Eine Reihe von Inseln und Sandbänken umgibt in weitem Halbkreise die bebauete Landzunge und grenzt gegenüber der stattlichen Front der Steinhäuser einen vor Wind und Wogen geschützten Ankerplatz von etwa einer Viertelgeviertmeile Fläche ab. Dieser Hafen wird von den europäischen Schiffen und von zahllosen Küstenfahrzeugen aller Art besucht; in den ersten Monaten des Jahres aber, wenn heftige Nordwinde im Nordhafen hohen Seegang bringen und das Anlegen der Boote erschweren, ankern viele Schiffe und Schiffchen auch vor Schangani, im Süden der Stadt.

Wer an sich selbst erfahren hat, was es besagen will, nach dreimonatlicher Seefahrt Land, und zwar neues, fremdes Land zu betreten, wird sich das unbeschreibliche Vergnügen des Reisenden, welcher sich zu seinem ersten Gange durch die Stadt Sansibar anschickt, ausmalen können.

Die Sonne sendet ihre Stralen bereits schräg herab, die Abendkühle tritt ein, und das Treiben der Menschen in den Straßen wird lebhafter, wechselvoller. Wir verlassen das Haus, welches uns bis dahin ein überaus angenehmes, weil kühles Obdach gewährte, und treten im Geleite unserer eingewohnten Freunde eine Wanderung an, welche uns mit der Hauptstadt und ihrem Leben oberflächlich bekannt machen soll.

Zuerst wenden wir uns, eine enge Gasse durchschreitend, dem Zollhause zu, der Börse Sansibars, dem Mittelpunkte des gesammten Handelsverkehres, welcher die Völkerschaften von Norden und Süden hier zusammenführt. Nachdem wir das reinliche, europäische Viertel verlassen haben, gelangen wir auf einen freien Platz, welcher durch seinen Schmuz und die hier herrschende Unordnung den uns geläufigen Vorstellungen von morgenländischen Städten vollständig entspricht. Vor uns liegt ein mächtiges Steingebäude, das Fort; nach rechts sehen wir einige kleine Hütten, errichtet aus Stangen und Lehm und bedeckt mit Palmenblättern, ein Gegenstück zu den schönen, ansehnlichen Häusern, welche wir hinter uns ließen; jenseits derselben erhebt sich ein schon vor Jahren begonnenes, aber lange unvollendet gebliebenes, großes Gebäude; inmitten des von so verschiedenartigen Baulichkeiten umschlossenen kleinen Platzes lodern zahlreiche Feuer einer Kalkbrennerei. Wie im Morgenlande betreibt man auch hier alle Gewerbe auf offener Straße und findet nichts Auffälliges darin, daß öffentliche Plätze den Zwecken Einzelner dienen. Auf Knüppel von Mangleholz, welche man in Gestalt von Meilern zusammenschichtet, legt man die an felsigem Strande gesammelten Blöcke von Korallenkalk, umgibt den urwüchsigen Brennofen mit einer aus Stangen und groben Matten gefertigten Schutzwand und beginnt das Geschäft, unbekümmert, ob Rauch und Glut die Vorübergehenden belästigen. Hier liegt bereits gelöschter Kalk in halbkugligen, schöngeglätteten Haufen zum Verkaufe bereit, dort sieht man nur noch die weißen Stellen, auf denen solche gestanden; hier sind Neger beschäftigt, Meiler zu errichten und Korallenstücke herbeizuschleppen, dort stramme junge Mädchen, runde Holzschüsseln zierlich auf dem Kopfe tragend, den gebrannten Kalk seinem Bestimmungsorte zuzuführen, oder aber in großen, kugelförmigen, rothfarbigen Thongefäßen, Mtungi genannt, Wasser herbeizubringen und auf die noch warmen Steine auszugießen.

Der Neuling fühlt sich wunderbar angezogen von dem so fremdartigen Treiben und möchte ihm gern seine volle Aufmerksamkeit widmen, zögen die Führer den Widerstrebenden nicht mit sich fort, um im Fluge ihm noch mehr von dem unendlich vielen Neuen zu zeigen. An den schmuzigen Negerinnen aber, welche links vom Wege sitzen und fremdartige Früchte und rundliche Kuchen verkaufen, bringen sie ihn nicht sogleich vorüber; er muß verkehren mit den schwarzen Schönheiten oder richtiger Häßlichkeiten, und weil es mit Worten nicht gehen will, wenigstens mit Zeichen, auch trotz des Ergötzens seiner Führer, denen nicht blos die Kuchen sondern auch die Negerinnen längst gleichgiltig, ja fast widerlich geworden sind.

Rechts am Anfange des sich längs des Forts hinziehenden Weges liegen mächtige Haufen von röthlichem Steinsalze, welche von Arabern aus dem Norden zur Zeit des günstigen Monsuns herbeigebracht und für männiglich zum Verkaufe ausgestellt werden; linker Hand läuft in gleicher Richtung eine Mauer hin, welche mit zahlreichen Oeffnungen in Gestalt gedrückter Spitzbogen durchbrochen ist und eine Durchsicht auf den belebten Strand und auf die mit Fahrzeugen aller Art bedeckte Wasserfläche gestattet. Ursprünglich war diese Mauer als Batterie zur Vertheidigung des Hafens bestimmt, wurde aber niemals entsprechend ausgerüstet. Wol liegen bronzene Geschützläufe, alte europäische Schiffskanonen vor den Mauern der gegenüberliegenden Feste in großer Anzahl aufgeschichtet; aber es fehlt an Lafetten, an Munition und an Leuten zur Bedienung: einstweilen dienen sie nur Verkäuferinnen und Müßiggängern als bequeme Sitze.

Einen einzigen Blick gestatten die Begleiter, dann geht es vorwärts, dem Eingange des Festungswerkes zu. Vor dem hohen, gewölbten Thore lagert eine Anzahl bewaffneter Araber und Suaheli, in höchst malerischer Weise, d. h. in allen denkbaren Stellungen, auf dem Boden und auf steinernen Bänken ausgestreckt, alte Matten und bloße Erde zur Unterlage, eifrig bestrebt, sich ihren schweren Dienst, bestehend aus vierundzwanzigstündigem Müßiggange, durch Kartenspiel und nicht eben feine Unterhaltung zu erleichtern. Suaheli und Araber ähneln sich in der Farbe der Haut, welche bei den verschiedenen Stämmen alle Schattirungen von Milchkaffeegelb bis Schwarzbraun aufzuweisen hat; erstere unterscheiden sich aber durch ihre weichen, runden Gesichtszüge und den meist spärlichen Bartwuchs von den Arabern mit der kühn geschnittenen Nase, der schön gewölbten Stirne und dem prächtigen schwarzen Barte. Und doch sind diese Araber den edlen Söhnen der Wüste nicht zu vergleichen, gehören vielmehr einer entarteten Mischlingsrasse an. Selten nur findet man unter ihnen einen Mann mit reinem Blute, und fast eben so selten die beobachtbaren Tugenden des unvermischten Stammes. Durch ihre Trägheit und durch die Art und Weise ihrer Verwaltung hemmen sie den Aufschwung des Landes; ja, schon ihre Gegenwart bringt Rückschritt und Verfall mit sich. Das Fort, ein Hauptstützpunkt ihrer Macht, legt davon ein sprechendes Zeugniß ab. Wol nimmt sich die große, viereckige, von fünf runden Thürmen überragte Steinmasse von fern gesehen stattlich aus; bei genauer Betrachtung aber findet man, daß sie mehr einer Ruine als einem vertheidigungsfähigen Festungswerke gleicht. Die an vielen Stellen von Kalkbewurf entblößten Mauern, welche aus kleinen Steinen und Mörtel zusammengekittet sind, werden von dem anprallenden Regen in ihre Bestandtheile zerlegt und zerbröckeln schnell, ohne daß man Dem Einhalt thäte; in den so entstandenen Löchern und auf der Krone der Mauern siedeln sich, die Zerstörung beschleunigend, Gras und Gebüsch an; und im Inneren, wo die Soldaten aus Beludschistan ärmliche Hütten für sich und ihre Familien errichtet haben, sieht es noch wüster aus. Solche Gedanken beschweren den Neuling jedoch nicht. Ihn fesseln die fremdartigen Gestalten, ihre malerische Tracht und ihre Bewaffnung; er vergißt zunächst selbst der Lumpen und des Schmutzes und urtheilt als Maler, nicht aber als Splitterrichter.

Hier Müßiggang und Verfall, dort Geschäftigkeit und gedeihliche Entwickelung: das Zollhaus — ein von allem bisher Gesehenen verschiedenes, lebensvolles Bild! Indier in langen, blendend weißen Hemden, Araber, Neger, Perser und Europäer sieht man in regstem Verkehre. Vor mächtigen Waagen sitzt der Banian Ludda, eine behäbige Gestalt, der Vertreter des indischen Zollpächters, und läßt sich von seinen Gehilfen die Waaren vorwägen, von welchen er Zoll erhebt. Scharen von Arbeitern vermitteln die Ab- und Zufuhr. Elephantenzähne von zwei bis acht Fuß Länge, rother Pfeffer, Gewürznelken und Simsimsaat in spitzigen Mattensäcken, riesige Thontöpfe voll ausgelassener Butter, Kopal in Säcken und Kisten, Baumwollenzeuge in Ballen, Häute und Sklaven: das sind die Haupthandelsgegenstände, welche den weiten Hof beengen und in immer neuer Menge vom Strande her aus soeben angekommenen Fahrzeugen herbeigeschleppt werden.

In seinem Aeußeren entspricht das Zollhaus, Foréſa der Suaheli, keineswegs den Schätzen, welche hier durch die Hände des Banians laufen, um weiter verschifft oder am Platze umgesetzt zu werden; soviel auch in letzter Zeit an den verschiedenen Baulichkeiten gebessert und geändert worden ist, so kann es doch in einigen seiner Theile kaum als mehr denn ein elender Schuppen gelten. Aber in diesem Schuppen regt sich hundertgestaltig das Leben, schwirrt es wie Bienen durcheinander, vom Morgen bis zum Abende, wogt es, ohne Unterbrechung fast, von Kommenden und Gehenden, tauschen Europa, Asien und Amerika ihre Schätze mit Afrika! Dieser Schuppen ist wirklich der Mittelpunkt der Stadt und der Insel. —

Laute Rufe: „sumilla, sumilla“ (macht Platz, macht Platz)! Geschäftige Lastträger wollen sich einen Weg durch das Gedränge bahnen. Diese sogenannten Kuli, meist aus Hadramaut im südlichen Arabien stammend, sind rüstige, kräftig gebaute Menschen. Schweißtriefend, jedoch unter stetem Gesange, traben sie mit gleichmäßigen Schritten vorüber, immer zu je zweien oder vieren auf ihren Schultern eine lange Stange tragend, in deren Mitte mit Kokosstricken die Waarenbündel befestigt sind. Der Vorderste singt im Takte der Schritte schnell die erste Hälfte eines kurzen Verses und bricht mitten im Worte ab, welches jedoch, unmittelbar darauf einfallend, der Hintermann fortsetzt. Anfangs erscheinet dies Gebaren sonderbar und spaßhaft; bald aber sehen wir ein, daß ohne Gesang und strenges Takthalten die Schwingungen der Last unregelmäßig werden und den schnellen Lauf der Träger hemmen würden.

Ohne gestoßen und getreten worden zu sein, haben wir uns glücklich durch das Gewühl gearbeitet und einen kleinen Platz hinter dem Fort erreicht. Auch hier herrschet reges Leben und Treiben; aber der Aufenthalt ist weniger gefährlich als auf der engen Straße, weil die Menge nur aus feilschenden Marktleuten besteht. Man verkauft übelriechenden, getrockneten Haifisch, die riesige Jack- oder Stinkfrucht und an Ort und Stelle fertig gekochte, einfache Gerichte, welche ebenfalls keine für uns erträglichen Düfte verbreiten, so daß wir uns, wollend oder nicht, genöthigt sehen, dem unser Auge fesselnden Getreibe zu Gunsten unserer Nase baldmöglichst den Rücken zu kehren.

Wenige Schritte bringen uns auf einen nach der See zu sich öffnenden freien Platz, in dessen Mitte sich ein schlanker Mast erhebt, geziert mit der blutrothen Flagge des Sultahns. Zu rechter Hand liegt der neue Palast des Herrschers, vor uns der alte, welcher bereits von Seid Said, dem Vater Seid Madjids, erbauet wurde. Beide können als Muster arabischer Bauart dienen. Sie wirken hauptsächlich durch ihre Massenhaftigkeit und durch die blendende Weiße der Uebertünchung, beleidigen aber bei genauer Betrachtung den Schönheitssinn durch ihre schiefen und krummen Linien und die Ungleichmäßigkeit der Bogen und gewähren, abgesehen von ihren das Dach krönenden Zinnen, dem Auge keinen anderen Ruhepunkt als die zahlreichen, viereckigen Fensteröffnungen. Nur die große Freitreppe des einen und die schöne Schnitzarbeit an der Thür des anderen Hauses sind unserer Beachtung werth. Zu beiden Seiten der stattlichen Eingänge befinden sich lange, gemauerte Sitze, auf denen sich Dienerschaft und Gefolge in gemächlicher Stellung unterhalten, ähnlich wie in manchen unserer Städte die Hausbewohner sich am Abende auf Plauderstühlchen zu Seiten der Thüre niederlassen, um die Erlebnisse des Tages auszutauschen. Auf jenen Steinbänken, Barasa genannt, empfangen die reicheren Araber häufig ihre Besuche; die dann mit Matten und Teppichen belegten Sitze bieten, wenn sie sich mit den bunt gekleideten Männern bedeckt haben, ein fesselndes Bild.

In einer Ecke des Platzes, vor der unansehnlichen Hausmoschee des Sultahns, gewahren wir eine Anzahl Sklaven, welche, an Hals und Füßen mit Ketten gefesselt und an schwere Ebenholzstämme angeschlossen, ohne Schutz den sengenden Sonnenstralen ausgesetzt sind; einige von ihnen sind sogar verstümmelt: dem Arme des Einen fehlt die Hand! Aber trotz ihrer schrecklichen Lage sehen alle diese Schwarzen keineswegs traurig aus. Es will uns scheinen, als ob erschreckliche Stumpfheit des Geistes ihnen ihr Elend tragen hilft; denn eine besonders glückliche Begabung bei ihnen zu vermuten, welche sie leicht über ein Anderen unerträglich erscheinendes Ungemach hinwegsetzt, wäre doch wol gewagt. Wir werden belehrt, daß die Unglücklichen entlaufene Sklaven sind, welche man wieder einfing und hier im belebtesten Theile der Stadt zur Schau stellte, um ihrem rechtmäßigen Eigenthümer Gelegenheit zu geben, sie wieder abzuholen. Diejenigen, denen man die Hand abhieb, sind unverbesserliche Diebe, an denen die arabische Gerechtigkeitspflege ihre ganze Strenge bekundete. Sehr beruhigend auf uns wirkt ferner die Bemerkung unserer erfahrenen Freunde, daß die meisten dieser Leute weniger in Folge schlechter Behandlung, welche sie erduldet, als aus Uebermut entlaufen sind, und daß sie, nachdem sie ihr Mütchen gekühlt, sich sogar freuen, wieder zu ihren Herren zu kommen, denn sie wissen, daß ihrer kaum eine empfindliche Strafe wartet, und sie fortan wieder mit Nahrung und Kleidung versorgt werden müssen.

Die Straße verengt sich. Eine Seite derselben wird gebildet durch ein Anhängsel des alten Palastes, welches den Harehm in sich schließt: ein großes, einförmiges Steingebäude, mit kleinen, vergitterten Fenstern, hinter denen hier und da ein feuriges Augenpaar hervorblitzt; die rechte Seite der Straße nimmt der Marstall ein. Ihn dürfen wir betreten; die Stallbeamteten empfangen uns sogar sehr freundlich und zeigen uns bereitwillig, was wir zu sehen wünschen. Zu unserer nicht geringen Ueberraschung fällt uns hier ein fettes, von zahlreicher Ferkelschaar umgebenes Mutterschwein zuerst in die Augen. Was soll das unreine und verachtete Thier unter den reinen und geachteten Rossen? Was soll ein Geschöpf, dessen Namen der Araber nur mit Widerstreben in den Mund nimmt, in Gesellschaft seiner Lieblingsthiere? Die Lösung des Räthsels ist eine einfache und erbauliche: man hofft, daß die Schweine dem auch hier anerkannten schlechten Geschmacke der bösen Geister, welche möglicher Weise in die Pferde fahren könnten, mehr zusagen und so durch ihre Gegenwart die Pferde schützen. Hierzu dienen die grunzenden Borstenthiere, keineswegs aber zum Essen, wie wir wol anfangs wähnen konnten. Im Allgemeinen ist man jedoch hier gleichgiltig in Glaubenssachen und nachsichtiger als in Arabien. Niemand z. B. findet es auffallend, wenn ein Msungu — so nennt man hier die Europäer und Amerikaner — Verlangen nach

Schweinebraten hegt; ja, das Wort „Trinkgeld" übt eine solche Macht, daß der strenggläubige Stalldiener sogar zur Befriedigung solch' unverzeihlichen Gelüstes behilflich ist: wer ein Ferkelchen verzehren will, kauft es hier im Marstalle des Sultahns.

Die Pferde, welche in großer Auswahl vorhanden sind, stammen ausnahmslos aus Arabien und müssen jährlich von dorther ergänzt werden, weil sie in dem feuchten Klima der Insel nicht gedeihen. Es befinden sich vorzüglich schöne Thiere unter ihnen, und sie sind um so mehr der Gegenstand unserer regsten Theilnahme, als Seid Madjid sie den weißen Fremdlingen bereitwilligst zur Verfügung stellt. Wer zu einem Spazierritte ein Pferd braucht, wendet sich einfach an einen der Stalldiener des Herrschers und empfängt von diesem, selbstverständlich gegen ein kleines Trinkgeld, das für ihn passende Thier ohne jegliche Weigerung.

Uns wieder rückwärts wendend, gelangen wir nach der Hindustraße, dem sogenannten Bazar, welcher in süd-nördlicher Richtung fast die ganze Stadt durchzieht und weiterhin auch

einen Ausläufer nach dem Hüttenviertel Malindi sendet. Laden reihet sich an Laden oder Wohnung an Wohnung; denn das Eine und das Andere ist hier fast gleichbedeutend. Alles liegt offen vor den neugierigen Blicken des Besuchers. Im Vordergrunde kauert auf ebener Erde eine kleine, weizengelbe, in grellfarbene, seidene Kleider gehüllte, in Unreinlichkeit und dumpfer Luft verkümmerte Indierin und wartet der Käufer; den übrigen Platz füllen die verschiedenartigen Waaren aus: Reis, Bohnen, Negerhirse, Citronen, Betelblätter, die Früchte der Arekapalme, Droguen und Farbehölzer, Baumwollenstoffe, Töpfe, Teller, und was die Bevölkerung Sansibars sonst noch bedarf. Ein Laden ähnelt dem anderen. Er ist ein mit Waaren vollgepfropfter Raum ohne Vorderwand, welcher ungefähr zwei Fuß über dem Erdboden erhöht liegt." Die überhangenden Palmenstrohdächer verursachen hier eine fortwährende Dämmerung; ein unbeschreiblicher Schmuz herrscht überall; und die Ochsen,

Schafe und Ziegen, gleichberechtigte Mitbewohner der Straße, tragen auch nicht dazu bei, die Annehmlichkeit des Aufenthaltes zu erhöhen, zumal wenn sie, in plumper Dummheit lüstern in die Gemüseläden blickend, Vorübergehenden den Weg versperren.

Der indische Basar erinnert in mancher Hinsicht an die Judenviertel unserer Städte, insbesondere wegen der Dichtigkeit und Ausschließlichkeit der Bevölkerung. Es wimmelt hier, abgesehen von den Käufern, zu jeder Tageszeit von Indiern verschiedenen Alters, namentlich aber von Kindern, welche sich, scheinbar ohne jegliche Aufsicht, nach Belieben umhertreiben. Das Erscheinen eines Msungu ist für die muntere Gesellschaft ein Ereigniß. Er wird augenblicklich umlagert und schon von Weitem mit: „jambo, jambo, nipe pesa“ (guten Tag, wie ist dein Befinden, gieb mir einen Dreier) empfangen. Einer der Keckeren verlangt sogar zwei Pesa und Dies mit einer so liebenswürdigen Unverschämtheit, daß man seine Bitte unmöglich abschlagen kann. Die Kinder sind wie die Hindufrauen in hellfarbige Seidenzeuge gekleidet und mit dicken, silbernen Spangen an Händen und Füßen, mit breiten silbernen oder goldenen Halsringen und ähnlichen Schmuckgegenständen ausgeputzt, betteln aber trotzdem zu ihrem Vergnügen oder um sich einige Naschpfennige zu erwerben, welche die Eltern ihnen verweigern. Doch nur der jüngere Nachwuchs tummelt sich um diese Zeit frei auf der Straße; die älteren Brüder widmen sich ernsterer Beschäftigung. Von der Ferne her schallt uns ein tolles Stimmengewirr entgegen, und bei dem Näherkommen sehen wir eine der Buden erfüllt mit Knaben, welche, ohne auf einander Rücksicht zu nehmen, ihre Sprüche herplappern. Einzelne, jedenfalls die Vorgeschrittensten, sind beschäftigt, auf mächtigen Tafeln vorgemalte Buchstaben und Zahlen nachzukritzeln und sich so die Anfangsgründe vom Schreiben und Rechnen anzueignen. Der ernste, alte Schulmeister sitzt mitten unter ihnen, lauscht, als ob er hundert Ohren hätte, nach jedem falschen Tone und übersieht scheinbar gleichzeitig Aller Tafeln. Einer unserer Begleiter ist grausam genug, mit einer einzigen Handbewegung die Zucht und Ordnung, welche der würdige Mann mühsam geschaffen, über den Haufen zu werfen und einen Aufruhr der gräßlichsten Art unter den Zöglingen zu erregen: — er wirft eine Hand voll Pesa in das Schulzimmer. Endloses Jubelgeschrei belohnt den witzigen Einfall; aller Gehorsam, alle Furcht vor dem langen Zuchtstocke, mit welchem der Schriftgelehrte so unfehlbar zu treffen weiß, ist vergessen, und der Aufruhr wird nicht eher gestillt, als bis auch die letzte der Münzen aufgesammelt ist. Hoffentlich wird der brave Schulmeister einsichtsvoll genug sein, alle Schuld dem übermütigen und für ihn unbelangbaren Msungu, nicht aber seinen schuldlosen Schülern zuzumessen; der Blick, welchen er den Scheidenden nachwirft, scheint für Ersteres zu sprechen.

Inmitten der Lebenden ruhen die Todten. In der Nähe der Hindustraße liegt ein kleiner, mit Gräbern bedeckter, von ruinengleichen Häusern umgebener Platz, welcher bereits größtentheils wieder mit Gebüsch überwachsen ist. Solcher Friedhöfe giebt es noch mehrere in der Stadt; denn ein Jeder hat hier das Recht, die Leichen seiner Angehörigen auf eigenem Grund und Boden zu begraben, und die mahammedanische Sitte ehrt das Andenken der Todten mit ungleich größerer Strenge als wir. Bei uns zu Lande schont das Wachsthum der Städte die Ruhestätten der Todten nicht; unter den Muslimin würde es als unsühnbares Verbrechen gelten, Kirchhöfe in neue Stadttheile umzuwandeln. Selbst jene halbzerfallenen Häuser rings um den Kirchhof herum werden, der mahammedanischen Sitte entsprechend, noch lange Jahre unangetastet bleiben; denn kein Araber fühlt sich bewogen, ein Haus, dessen Besitzer während des Baues starb, zu vollenden. Die von lebendigem Grün umrankten morschen Grabsteine inmitten dieser Ruinen erscheinen als sprechende Sinnbilder der Vergänglichkeit. Zur Nachtzeit muß ein solcher Ort, mehr noch als unsere Kirchhöfe, einem Furchtsamen Entsetzen einzuflößen geeignet sein, zumal, wenn bei geisterhaftem Voll-

Kirchhof in Sansibar.

mondscheine eine der hier so häufigen, weißen, sperbewaffneten Gestalten plötzlich aus dem Schatten hervorträte.

Allgemach sind wir in das von Negern bewohnte Hüttenviertel eingetreten. Hinter jeder einzelnen Behausung befindet sich ein Hofraum; eine hohe Wand, welche aus Stangen und daran befestigten, grob geflochtenen Matten besteht, grenzt ihn ab und entzieht das Leben und Treiben der weiblichen Bewohnerschaft unberufenen Blicken. Die Männer sitzen, wenn sie nicht in der Stadt oder auf der Pflanzung beschäftigt sind, unter einem vorspringenden Sonnendache in dem vorderen Raume des Hauses, die einen mit Nähen und sonstigen Arbeiten beschäftigt, die anderen schwatzend und faulenzend. Es will uns scheinen, als ob ein Dorf des inneren Afrika hierher verpflanzt worden sei. Zu dem Schmuze und der Unreinlichkeit, welche wir überall bemerken, gesellen sich noch ganz absonderliche Gerüche: der getrocknete Haifisch, die Jackfrucht und die schwitzenden Neger stinken um die Wette. Also hinaus in das Freie, der See zu, von welcher uns eine frische Brise entgegen weht!

Nach wenigen Schritten liegen die letzten Häuser hinter uns, und vor uns dehnt sich eine sandige, hier und da in frischem Grüne prangende Ebene aus, welche weiterhin durch einen prachtvollen Kokospalmenwald begrenzt wird. Sie läuft in die bereits erwähnte Landenge aus, und da, wo sich diese am meisten verschmälert, leuchtet uns der von fremdartigen Bäumen umstandene Hindutempel entgegen. Zu unserer Rechten rauscht das Meer, den Blicken einstweilen noch durch einen dichtbewachsenen Kirchhof verborgen, zur Linken dehnt sich die Lagune aus. Der glattgetretene Pfad, auf welchem wir wandeln, führet dem Inneren der Insel zu, am Hindutempel vorüber, und theilt sich jenseits desselben in mehrere Arme, welche wie der Hauptweg jederzeit belebt sind.

Dieser Platz führt den klang- und bedeutungsvollen Namen Nasimoja: eine Palme. Nach ihm lenken die Europäer alltäglich ihre Schritte, um reine Luft zu athmen und sich im Abendsonnenscheine der lieblichen Landschaft und des regen Treibens zu erfreuen. Hier gibt es jederzeit Etwas zu sehen oder zu beobachten. Dem Naturkundigen bieten die Lagune, das Gebüsch und der Palmenwald der Unterhaltung genug: in der Lagune wimmelt es von buntfarbigen Krabben, in den Büschen rascheln schillernde Eidechsen, im Walde zeigen sich wenigstens einige Vertreter der höheren Thierklassen. Doch selbst der eifrigste Forscher achtet auf das ihn anheimelnde Treiben der Thiere erst später, weil ihm anfänglich die Menschen noch theilnahmswerther erscheinen. Auf einem kleinen, feurigen Esel reitet ein Araber vorüber, seiner Schamba oder Pflanzung zu, die Beine fast auf dem Boden schleifend, so daß es aussieht, als ob das Eselein ihn kaum erschleppen könne, zieht ab und zu mit kräftigem Schwunge die Fersen in die Höhe und schlägt sie dem flinken Grauthiere in die Weichen, um es zu noch schnellerem Laufe anzutreiben, und ist bald dem Auge entschwunden. Ihm entgegen, von den Pflanzungen her, kommen arabische Frauen an, zur Stadt heimkehrend; auch sie reiten auf Eseln wie die Männer ihres Volkes und fast in derselben Weise, nur daß sie zumeist ihre Beine bis zu dem Sattel aufziehen und anstatt der schwächlich erscheinenden grauen, schöne, große, weiße, aus Maskat hierher gebrachte Reitesel benutzen. Alle tragen eine reichgestickte Maske vor dem Gesicht und einen Schleier auf dem Kopfe, und alle halten sich so unbeweglich, daß sie mehr bunten, auf den Rücken der Thiere befestigten Kleiderbündeln als lebenden Wesen gleichen; doch ihre dunkelen Augen, welche zwischen Maske und Schleier hervorblitzen, sind unablässig beschäftigt, das ringsum Vorgehende zu erspähen. Die umgestaltende Zeit hat eben auch hier an der strengen Sitte Arabiens gerüttelt: viele der verschleierten Schönheiten nehmen sogar ein ihnen gespendetes „jambo" recht freundlich auf, und von denjenigen, welche den Gruß durch kein Zeichen erwiedern, darf man mit Sicherheit annehmen, daß sie sehr häßlich sind.

Anziehender noch als die blaßgelben Frauen, sind junge, schmucke Negerdirnen, welche fast unablässig mit ihren gefüllten Wassertöpfen vorüber ziehen. Ihr schöner Wuchs wird nicht durch eine Ueberfülle von Tüchern verhüllt: ein langes Stück blauen Baumwollenstoffes, welches sich eng an den drallen Körper schmiegt und dessen anmutige Formen verräth, bildet ihre ganze Bekleidung; ihr Handwerksgeräth besteht außer der Mtungi aus einer langgestielten, halben Kokosnuß, ihrem Schöpflöffel. In wahrhaft stolzer Haltung, das schwere Gefäß frei auf dem Kopfe tragend oder mit den tadellos geformten Armen stützend, schreiten sie keck an uns vorüber und werfen, wie in gefallsüchtigem Spiele, die lang herabhängenden Zipfel ihres Kopftuches bald über die rechte, bald über die linke Schulter. Die anmutige Haltung, die einfache und doch so kleidsame Tracht, das anspruchlose und doch freie, ein gewisses Selbstbewußtsein verrathende Wesen dieser Wasserträgerinnen ist geeignet, die Aufmerksamkeit selbst des Kaukasiers zu erregen und Gedanken hervorzurufen, welche der Neuling kurz vorher für unmöglich gehalten haben würde.

In dieses alltägliche Treiben mischen sich Vornehme des Landes, auf prachtvollen Rossen in der dem Araber eigenthümlichen Reitart vorübersprengend; auch dieser oder jener Msungu versucht, auf dem Rücken eines eigenen oder dem Marstalle Seid Madjids entlehnten Rosses seine Reiterkünste zu zeigen, um sich die unter diesem Himmelsstriche unumgänglich nöthige Bewegung zu verschaffen: kurz, die Nasimoja ist für Sansibar ein Korso, eine Alameda, ein Boulevard, ein Prater, ein Spaziergang im ausgedehntesten Sinne des Wortes.

Bei der Heimkehr klingt uns sonderbare Musik an. Dumpfe Trommelschläge begleiten ein kreischendes Singen und Trillern: eine Ngoma wird gefeiert, eine Festlichkeit, welche ihren Namen von der nie fehlenden, großen Trommel (Ngoma) entlehnt hat. Nachdem wir uns durch das dichte Gedränge Weg gebahnt, sehen wir eine Schar von tanzenden Männern und Frauen vor uns, letztere aufs Beste geschmückt und bemalt, alle erhitzt und schweißtriefend in Folge der heftigen Bewegungen und Beugungen des Körpers. Durch das Schreien und Singen auf das Aeußerste erregt, sind sie einer Ermüdung scheinbar ganz unzugänglich; immer von Neuem führen die Weiber bald unter sich, bald in Gesellschaft der Männer ihre sonderbaren Reihentänze auf, und die Zuschauer spenden ihnen umsomehr Beifall, je toller und unanständiger sie sich renken, je ohrbeleidigender sie lärmen.

Vor einem anderen, nicht minder dichten Zuschauerkreise vergnügen sich buntgekleidete Suri-Araber mit Tanz und Waffenspiel. Inmitten des durch die Zuschauer gebildeten Platzes springen sie mit eigenthümlichen Sätzen umher und lassen die dünnen Klingen ihrer Schwerter in der Luft erzittern, wählen sich einen Gegner und führen plötzlich mit scharfer Schneide einen Hieb nach dessen Beinen; aber zur rechten Zeit springt der Bedrohte hoch empor, und die gefährliche Klinge fegt den Boden. Unmittelbar darauf wird der Angegriffene zum Angreifer; das alte Spiel wiederholt sich, und zwar ohne ersichtlichen Wechsel. Derartige Schauspiele sieht man hier fast tagtäglich, insbesondere zur Zeit des Nordostmonsuns, welcher die arabischen Seeleute aus dem Norden herbeiführt. Anfänglich ziehen den Europäer die Tänze und Waffenspiele auf das Höchste an; da sie sich jedoch immer und immer gleichmäßig wiederholen, geht man bald an ihnen vorüber, ohne sie zu beachten. Uebrigens werden diese Spiele nur als Vergnügungen des Pöbels angesehen: der vornehme Araber hält es unter seiner Würde, auch nur einen Blick darauf zu werfen.

Vor der Heimkehr wenden sich unsere Führer noch einem kleinen, von niederen Steinhäusern und Lehmhütten umschlossenen Platze zu, auf welchem alle Negerstämme vertreten zu sein scheinen. Wir sehen breitköpfige Wamakua und Wahiao, letztere an den spitzgefeilten Schneidezähnen kenntlich, Waniassa, durch narbenbedecktes Gesicht und Leib von den Anderen unterschieden, und Andere ohne Namen, eine wahre Völkergalerie Ost-Afrikas: — wir befinden uns auf dem Sklavenmarkte von Sansibar, im Mittelpunkte des Menschenhandels dieser Gegend. Hier versieht sich der Araber aus dem Norden, bevor er heimkehrt, mit seinem Bedarf an Sklaven, hier erkauft der große Grundbesitzer die Arbeitskräfte für seine Schamba, hier legt der kleine Kapitalist seine Dollars in lebender Waare an; hier sieht man Sklaven beiderlei Geschlechtes in allen Stufen des Alters und der Leibesbeschaffenheit: nervige Gestalten und Schwächlinge, hübsche, ja sogar schöne Mädchen und abschreckend häßliche Weiber; nirgends aber gewahrt man herzerschütternde Auftritte, wie man sie zu finden erwartete. Die Schwarzen sind gut genährt und gekleidet, und ihre runden, glänzenden Gesichter lassen weder Spuren ausgestandener Leiden noch Traurigkeit erkennen.

Den mannbaren Negerinnen ist eine besondere Ecke des Marktes eingeräumt worden. Hier stehen sie zur Brautschau aus in festlichem Schmucke: die Haare wunderlich geflochten und in der Stirngegend mit Kurkuma bemalt, die Augenränder und Brauen mit Ruß und Antimon geschminkt. Mit lauter Stimme preist der Händler diese feinere Waare an, dem Kauflustigen alle Eigenschaften derselben rühmend, und die Mädchen hören seinen Worten ohne Sorgen, vielleicht ohne Gedanken zu; denn wenn sie wirklich solche hegen, so können sie doch nur der Erwägung gelten, daß ihr zukünftiges Loos sich gegen das frühere verbessern, nicht aber verschlechtern wird.

Die Sonne sinkt hinter den Häusern hinab; wir wenden uns heimwärts. An den verschiedenen Brunnen gestalten sich Bilder, welche uns durch das Getümmel der versammelten, schöpfenden und schwatzenden Schönen an das Vaterland erinnern, so groß der Unterschied zwischen dem jetzt Erschaueten und dem von Daheim her Gewohnten auch sein mag. Gerade mit Sonnenuntergang gelangen wir an dem Hause unserer Gastfreunde an, und in demselben Augenblicke erschallen vom Palaste des Sultahns her Flintenschüsse und ein gellender Lärmen: die Leibgarde Seid Madjids führet mit Trommeln und Pfeifen einen Zapfenstreich auf, vielleicht um den Gläubigen zu künden, daß die Zeit des Abendgebetes gekommen. Unsere Gastfreunde aber prüfen zu gleicher Zeit den Stand ihrer Uhren; denn in Sansibar ist es sechs Uhr Abends, wenn die Sonne zu Rüste geht, genau genug für bürgerliche Zwecke, da die Zeit des Sonnenunterganges im Laufe des Jahres kaum um fünfzehn Minuten verschieden ist. Die kurze Dämmerung gestattet uns eben noch, vom Dache des Hauses aus einige Minuten lang die großartige Vogelschau der Stadt zu genießen. Zwischen dem belebten Meere und den mit Palmen- und Gewürznelkenpflanzungen gekrönten Höhen des Inneren dehnt sie sich weithin aus, eine wunderbar zackige Masse von Mauerzinnen, pfeilerbegrenzten flachen Dächern und palmenstrohgedeckten Giebeln, über welche die nun ihres Schmuckes entkleideten Flaggenstöcke emporragen. Jetzt wird es auch lebendig auf den Söllern; die arabischen Frauen, welche die Sitte des Landes übertages im Inneren des Hauses zurück hielt, kommen hervor, um in der Kühle des Abends zu lustwandeln und, geschützt durch das Dunkel, sich freier zu bewegen, als sie bisher es durften, freier sogar, als es ihrem Herrn und Gebieter recht sein mag. Wie im Morgenlande dürfen sie auch hier nur unter zahlreichem Geleite von Dienern und Dienerinnen das Haus verlassen; wie im Morgenlande bewacht und hütet man sie eifersüchtig und sperrt sie ein, um ihrer Treue sicher zu sein; und wie dort wissen sie die alten Märchen aus „Tausend und eine Nacht" wahr zu machen: gegen die Eifersucht wehrt sich die weibliche Schlauheit, gegen die Strenge die Lust am Ränkespinnen. Hier oben auf den platten Dächern, in dem Dämmerlichte der Nacht entsteht gar manches Geschichtchen, von dem der ehrbare Araber sich Nichts träumen läßt. Grüße, von dem übermütigen Msungu den halbentschleierten Schönen gespendet, werden freundlich aufgenommen und freundlich erwiedert, anfänglich vielleicht nur, um etwas Abwechselung in die öde Gleichmäßigkeit des Tageslaufes zu bringen, später — nun, auch hier sucht und findet die Liebe ihre heimlichen Wege.

Sansibar

vom Dache des englischen Missionsgebäudes gesehen.

Zweiter Abschnitt.

Die Insel.

Passate und Monsune. — Ihre Bedeutung für Sansibar. — Regenzeiten. — Klima. — Lage. — Meeresströmungen. — Gezeiten. — Bodenbeschaffenheit. — Gewässer.

Auf jener ewig denkwürdigen Fahrt, welche zur Entdeckung Amerikas führte, bemerkten die ohnehin schon mißvergnügten Begleiter des Kolumbus, daß ein niemals wechselnder Nordostwind sie täglich weiter von ihrer Heimat wegführte — eine Wahrnehmung, welche sie mit Schrecken erfüllte; denn eine Rückkehr bei diesem steten Gegenwinde schien ihnen unmöglich zu sein. Ihre Besorgniß war unbegründet: sie fanden auf der Heimreise, als sie in nördliche Breiten gelangten, wieder veränderliche Brisen vor, mit deren Hilfe sie endlich nach langer Fahrt ihr Vaterland erreichten.

Spätere Seefahrer beobachteten auch jenseit des Gleichers, nachdem sie mit lang andauernden Windstillen zu kämpfen gehabt hatten, eine gleich regelmäßige Luftströmung, welche hier jedoch aus Südost wehete. Man erkannte bald, wie außerordentlich derartige regelmäßige Winde die Schiffahrt erleichtern und nannte sie deshalb R e i s e w i n d e — P a s s a t e —, welche Benennung die Engländer in H a n d e l s w i n d e (trade-winds) umänderten.

Lange Zeit hatten die Gelehrten über die Ursachen dieser räthselhaften Luftströmungen nachgedacht, ehe sie die Ueberzeugung gewannen, daß dieselben durch die Einwirkung der Sonnenstralen und durch die Umdrehung der Erde im Vereine hervorgebracht werden. Gegenwärtig stellt man sich den Hergang folgendermaßen vor: Um den Erdgleicher, wo die Hitze am größten und somit die Luft am leichtesten ist, steigt ununterbrochen ein breiter Strom der feuchten, warmen Luft empor und fließt, in gewissen Höhen angelangt, über den kühleren Luftschichten weg nach beiden Polen hin ab, sich allmählich senkend, bis er etwa in unseren Breiten die Oberfläche der Erde wieder erreicht. Zum Ersatze hierfür strömen dem heißen Erdgürtel von beiden Seiten her kältere Luftmassen zu. Aus Gegenden, in welchen die Erdumdrehung eine langsamere ist, in andere, schneller ostwärts eilende gelangend, bleiben sie, je weiter sie vordringen, um so mehr hinter der Erdoberfläche zurück: ihre Richtung wird somit eine mehr und mehr westliche, so daß sie im Norden der Linie von Nordost, im Süden von Südost zu wehen scheinen.

Die Passate sind, da sie aus kälteren Gegenden in wärmere strömen, wesentlich trockene Winde und im Stande, noch große Mengen Feuchtigkeit aufzunehmen. Ihr Gebiet wird von einem lichtblauen Himmel überwölkt, an welchem nur leichte Federwolken wie lange Wetterbäume in immer gleichmäßiger Richtung dahin ziehen. Nur zu gewissen Jahreszeiten, jährlich ein- oder zweimal, zu den sogenannten Regenzeiten, fallen hier mächtige, wässerige Niederschläge. Im Gebiete des aufsteigenden Luftstromes hingegen entstehen zur Zeit der größten Tageshitze hoch oben massige, weiße Haufwolken, welche sich fast täglich in heftigen Regengüssen entladen.

Wenn die Erde gleichmäßig mit Wasser bedeckt wäre, würden auch überall die Passate und ihre Rückströme mit größter Regelmäßigkeit herrschen; da aber das Festland sich in unregelmäßiger Vertheilung über das Weltmeer erhebt und nach anderen Gesetzen erwärmt wird als das Wasser, so erleiden die eben dargestellten Vorgänge mannigfache Abänderungen.

Zuerst fällt der Gürtel der Windstille und des Regens zu allen Jahreszeiten, welchen man auch den meteorologischen Aequator nennen kann, nicht mit der gleichweit von beiden Polen entfernten größten Kreislinie, dem mathematischen Aequator zusammen, sondern hält sich, obgleich seine Lage je nach der Jahreszeit um einige Breitengrade schwankt, im Durchschnitte etwa 5° nördlich von demselben. Diese Theilung der Erde in zwei ungleiche Witterungshälften entspricht genau der ungleichen Vertheilung von Land und Wasser auf beiden Seiten der Linie: die nördliche Halbkugel ist vermöge ihrer überwiegenden Festlandmasse die wärmere, und in Folge dessen liegt die Linie der größten Wärme, von welcher sich der aufsteigende Luftstrom erhebt, dem Nordpole näher. Auch die Breite des Gürtels der Windstille ist aus denselben Gründen nicht überall und zu allen Jahreszeiten gleich groß, d. h. sie beträgt bald mehrere Grade und ist bald so gering, daß der Schiffer unmerklich aus einem Passate in den anderen gelangt. Aus der Kenntniß dieser Gesetze zog die Schiffahrt den größten Nutzen: die Seefahrer wissen jetzt recht wol, daß es zu gewissen Jahreszeiten vortheilhaft ist, den Gleicher näher der Küste Amerikas, zu anderen ihn näher der Küste Afrikas zu durchschneiden; sie wissen mit ziemlicher Bestimmtheit, wann und wo sie den günstigsten Reisewind antreffen werden, und vermögen ihre weiten Reisen mit Hilfe dieser Kenntniß in der Hälfte der früher dazu erforderlichen Zeit zu vollenden.

Eine andere Abweichung von den dargelegten Gesetzen der großen Luftströmungen ist mehr örtlicher Natur und erklärt sich dadurch, daß im Sommer, wann das Festland stark erwärmt wird, warme Luftströme von demselben emporsteigen, und von dem Meere her ausgleichende Winde nach ihnen zu wehen — ein Vorgang, welcher sich im Winter umkehrt, weil dann das Meer der wärmere Theil ist. Diese Störung wird nur wenig bemerkbar sein, wo sich ein Festland, wie z. B. Amerika, von Norden nach Süden durch alle Breiten hindurch erstreckt: weshalb denn auch im atlantischen und stillen Meere, welche diesen Welttheil umschließen, die Passate in ungestörter Regelmäßigkeit herrschen; sehr bedeutend aber muß die Wirkung der Ablenkung bei der Ländermasse der alten Welt sein, welche, größtentheils im Norden der Linie gelegen, in westöstlicher Richtung durch 210 Längen-Grade sich ausdehnt und die gleichmäßige Vertheilung von Land und Wasser so beträchtlich stört. Bis in hohe Breiten hinauf, welche von Schnee und Eise starren, streckt Asien seine wenig ausgebildete Nordküste; unermeßliche Hochebenen ziehen sich in dem warmen Gürtel von China bis nach Kleinasien und von Arabien bis nach Senegambien; eine große, festländische Insel mit baumleeren Hochebenen liegt in den äußersten Längen Asiens und in südafrikanischen Breiten; und zwischen diesen abwechselnd gluthauchenden und eiskalten Gebieten dehnt sich ein weites Meer, welches, auf drei Seiten von Land eingeschlossen, eigentlich nur als Binnenmeer oder als ungeheurer Meerbusen betrachtet werden kann. Hier können erklärlicher Weise nicht dieselben Winde wehen wie im freien, offenen Weltmeere, welches durch alle Breiten reicht: das indische Meer hat, wie auch der westliche, zwischen Java, Hinterindien und Australien gelegene Theil des stillen Weltmeeres, sein eigenes Windsystem; die Passate ändern hier ihre Richtung mit dem Stande der Sonne und wehen im Sommer und im Winter aus verschiedener, sich entgegengesetzter Richtung. Diese abgelenkten Passate nennen wir Monsune.

Während nun die Passate erst seit einigen Jahrhunderten Wichtigkeit für Völkerleben und Völkerverkehr erlangen konnten, haben die Monsune schon seit Jahrtausenden einen unberechenbaren Einfluß auf die in ihrem Gebiete wohnenden Menschen ausgeübt. Ohne sie würden Chinesen, Indier und Araber schwerlich schon in altersgrauer Zeit ihre Bildung und Gesittung sich erworben, ohne sie würden Schiffahrt und Handel hier niemals in solchem Maße und so frühzeitig sich entwickelt haben. Sie ermöglichten es diesen Völkerschaften, ohne eigentliche Kenntniß der Gewässer und ohne Schiffahrtskunde auf einfach gefügten Fahrzeugen weite Strecken zurückzulegen, indem sie in der einen Hälfte des Jahres die Schiffe nach entlegenen Gebieten beförderten, in der anderen Hälfte mit derselben Sicherheit wieder zurückbrachten.

So, wie es vor Jahrtausenden war, ist es noch heute: mit dem Wechsel der Monsune kommen und verschwinden Tausende von Fahrzeugen in den Häfen jener Küsten. Von ihnen hängt die Witterung ab: sie tragen bis weit hinein in das Innere die wassergeschwängerten Wolken und bringen dem durstigen Lande den erquickenden Regen, welcher allein Wachsthum der Pflanzen und Bodenanbau ermöglicht und die zahlreichen Flüsse und Seen speist.

In der westlichen Ecke dieses Monsungebietes nun liegt die sogenannte Sansibar- oder Suahelikuste (1), der Schauplatz der Reisen von der Deckens. Hier, sowie in den damit in Verbindung stehenden Ländern, Vorderindien, Arabien und Madagaskar, weht vom November bis März der sogenannte Nordostmonsun, vom April bis Oktober der Südwestmonsun (2). Ihr Einsetzen geschieht im Allgemeinen mit großer Regelmäßigkeit, jedoch in den verschiedenen geographischen Breiten zu verschiedenen Zeiten, weil ein Wind, welcher durch die abwechselnde Hitze und Kälte der Hochebenen Innerasiens hervorgebracht wird, nicht zu gleicher Zeit in Madagaskar und an der arabischen Küste beginnen kann. Kleinere Abweichungen in Richtung und Dauer zeigen sich in der Nähe des Landes, wo die täglich wechselnden Land- und Seebrisen auftreten; größere machen sich bisweilen in ungewöhnlichen Jahrgängen bemerklich — nie ohne verhängnißvolle Folgen für die Bewohner der betreffenden Küsten. Setzt z. B. der entgegengesetzte Wind einmal zu früh ein, so haben viele der Fahrzeuge, welche ihn benutzen wollten, nicht mehr Zeit zur Vollendung ihrer Reise: die einen verunglücken auf offener See, in den Stürmen bei dem Wechsel der Monsune, andere müssen nach Monate langer Fahrt in den Ausgangshafen zurückkehren, ohne ihr Ziel erreicht zu haben; kurz, Tausende von Handelsleuten werden hierdurch zu Grunde gerichtet oder wenigstens arg geschädigt.

Wie bei uns, wenn der Wind sich dreht, gewöhnlich eine Zeit lang Windstille und schlechtes Wetter herrscht, so geschieht es auch dort, nur in großartigster Weise bei dem zweimaligen Wechsel der Monsune. Man kann mithin zwei Regenzeiten unterscheiden: die sogenannte große, im März und April, und die kleine, etwa im Oktober. Unter Regenzeit darf man sich jedoch keineswegs einen Jahresabschnitt vorstellen, während dessen es den ganzen Tag über oder wenigstens jeden Tag regnen müsse; es regnet im Gegentheile an einem Tage einige Stunden lang heftig, am anderen fallen nur einige leichte Schauer nieder, an noch anderen fällt kein Tropfen; den größten Theil des Tages über ist aber der Himmel von einem prächtigen Blau, dessen Tiefe noch durch einzelne, blendend weiße Haufwolken gehoben wird: — Regenzeit also nennt man diese Uebergangspunkte deshalb, weil während derselben die Summe der Tage, an welchen Niederschläge fallen, und die Menge dieser Niederschläge viel bedeutender ist als zu anderen Zeiten des Jahres.

Allen achtsamen Europäern, welche zum ersten Male nach Sansibar kommen, muß es auffallen, daß die Regenzeiten sich hier nicht so scharf ausprägen als anderswo zwischen den Wendekreisen. Die Erklärung dieser Erscheinung ist sehr einfach: ein Theil des Sansibargebietes liegt zugleich auch in dem Gürtel des Regens zu allen Jahreszeiten, ist ein Grenzgebiet zwischen zwei mächtigen Reichen, welches bald unter diese, bald unter jene Herrschaft gelangt und das Gepräge von beiden trägt. Eine eigentlich trockene Jahreszeit kann man auf der Insel Sansibar nicht unterscheiden; der trockenste Monat des Jahres ist indeß der November: im Jahre 1859 wurde in diesem Monate ein Regenfall von nur einem Zoll beobachtet. Die jährliche Regenmenge kann man auf das Vierfache der bei uns zu Lande fallenden Niederschläge, auf ungefähr 120 englische Zoll annehmen, von denen drei Viertheile in den vier Monaten Februar bis Mai fallen. Diese Angabe bezieht sich übrigens nur auf Sansibar, dessen Witterungsverhältnisse uns durch die Beobachtungen des englischen Arztes Frost bekannt geworden sind, während in Kiloa, Mombas, Lamu u. s. w. bisher noch keinerlei Messungen angestellt wurden.

Das Klima von Sansibar zählt zu den feuchten; denn die Luft ist immer nahezu mit Wasser gesättigt. Wie auf allen tropischen Inseln und im offenen Meere zeigt ein Thermometer, dessen Kugel mit einem Stücke feuchten Musselins umwunden und so dem erkältenden Einflusse der Verdunstung unterworfen ist, nur etwa zwei bis vier Grade weniger als ein anderes, nicht umhülltes, oder, was etwa dasselbe sagen will, die Menge des Wasserdampfes in der Luft beträgt immer über zwei Drittel von Dem, was bei der gegebenen Temperatur überhaupt davon aufgenommen werden kann. Bezeichnend für das Klima ist fernerhin eine fast vollkommen gleichmäßige Wärme. Im Allgemeinen schwankt sie zwischen 21° und 24° R.; bei Tag und Nacht und in allen Monaten des Jahres hält sie sich in diesen engen Grenzen; höchst selten steigt sie einmal bis zu 26°, und eben so selten, fast nur nach Gewittern und nur für kurze Zeit, sinkt sie bis unter 19° herab.

Da Sansibar nur sechs Grade südlich vom Gleicher liegt, kann man eigentliche Jahreszeiten hier nicht unterscheiden. Die heißeste Zeit des Jahres ist die vor der großen Regenzeit in den Monaten Dezember bis Februar. Vom 21. oder 22. Juni an, wann die Sonne ihre geringste Mittagshöhe von 60° erreicht, steigt die Wärme regelmäßig. Am 9. Oktober steht die Sonne im Zenith, sinkt dann am 22. Dezember im Norden bis 73° herab und steigt wieder zum Zenith empor, ihn am 5. März zum zweiten Male durchwandernd. Um diese Zeit ist die Schwüle drückend; der Europäer fühlt sich unbehaglich und ist unlustig zur Arbeit. Im Februar beginnen Gewitter und heftige Regengüsse, treten auch wol Stürme auf, die Atmosphäre reinigend und erfrischend. Vom Juni an, nach Beendigung der großen Regenzeit, bis September ist dann das Wetter angenehm kühl, ja oft kalt; denn eine Abkühlung auf 20° bis 21° R. kommt den an 24° bis 25° Gewöhnten schon recht empfindlich vor.

Es mag befremdlich erscheinen, daß hier in der Nähe der Linie die Wärme nicht höher steigt, da ja ein Thermometerstand von 26° und noch mehr auch in unseren Breiten nichts Ungewöhnliches ist. Diese scheinbare Unregelmäßigkeit erklärt sich daraus, daß die Sonne in Sansibar nur 12, bei uns aber 16 bis 17 Stunden scheint, hier also durch Ausdauer ersetzt, was ihr vielleicht an Kraft fehlt. Uebrigens ist die Mittagshöhe, welche bei uns die Sonne im Juli, zur Zeit der größten Hitze erreicht, durchaus nicht geringer als die niedrigste Mittagshöhe in Sansibar. Der Unterschied beider Klimate beruht darin, daß bei uns die größte Wärme nur kurze Zeit andauert — so lange die Sonne ungetrübt scheint — und niemals lange genug, um den Erdboden beträchtlich über die mittlere Temperatur von 7° bis 8° R. zu erwärmen, während auf Sansibar jahraus jahrein fast dieselbe Wärme herrscht. Auch in den heißesten Tagen bleiben unsere Keller kühl, bleibt unser Brunnenwasser erfrischend; wir finden in den Mittagsstunden Schutz im Hause; und sobald ein trüber Tag eintritt, ist die Hitze verschwunden. In Sansibar hingegen fehlt solche nächtliche oder jährliche Abkühlung: das Meer, der Erdboden, die Häuser, das Trinkwasser, Alles hat eine Temperatur von 22° bis 23° und noch mehr; denn diese ist die mittlere Jahreswärme. Der Mangel an Abwechselung, nicht aber die Höhe der Wärme ist es, welche den Aufenthalt auf tropischen Inseln unangenehm macht und einen schwächenden und entnervenden Einfluß auf den Europäer ausübt. Man gewöhnt sich indeß gar bald daran, findet eine stete Wärme von gegen 23° R. recht behaglich und vermißt sie schmerzlich, wenn einmal das Thermometer ausnahmsweise unter 20° herabsinkt.

Früher glaubte man, daß das Klima von Sansibar sehr ungesund sei, und hielt es für höchst gefährlich, selbst nur eine Nacht im Inneren der Insel zuzubringen; jetzt weiß man, daß dieses Eiland eines der gesundesten Tropenländer ist, und daß Derjenige, welcher hier mäßig lebt und sich regelmäßig Bewegung macht, sich lange Jahre hindurch ungestörter Gesundheit erfreuen kann. Dadurch soll jedoch nicht die erschlaffende Einwirkung der gleichmäßigen Wärme in Abrede gestellt werden; auch wollen wir nicht behaupten, daß man sich in diesem warmen Lande ebensoviel als in unserem gemäßigten Himmelsstriche zumuten könne: im Gegentheile, wir haben an uns selbst erfahren, daß man ungestraft sich weder leiblicher, noch geistiger Anstrengung längere Zeit nacheinander aussetzen darf.

Die Insel Sansibar liegt zwischen 5° 43′ und 6° 28′ südlicher Breite und zwischen 39° 13′ und 39° 37′ östlicher Länge von Greenwich in einer langen, schmalen Ausbuchtung, welche das Festland vom Ras Puna bis nach der Ostlandspitze hin bildet, und ist durch einen nur 20 bis 25 Seemeilen (3) breiten Kanal von dem Festlande getrennt. Ihr und der nördlicher liegenden Insel Pemba Ostufer bilden gewissermaßen die Fortsetzung der durch die Bucht unterbrochenen Küstenlinie, welche sich in einem einwärts gekrümmten Bogen vom Kap Delgado bis nach dem Somalilande hinzieht; es gewinnt dadurch den Anschein, als ob beide Inseln ursprünglich mit dem Festlande Eins gewesen, und der Meeresarm, welcher sie von demselben trennt, erst durch Strömungen und sonstige Umstände entstanden wäre.

Auf der Ostseite der Insel nimmt die Tiefe des Meeres schnell zu; der Kanal hingegen ist, besonders in seinem engeren südlichen Theile, seicht und mit zahlreichen Riffen und Sandbänken durchsetzt: Sondirungen von der Majaspitze nach dem Festlande schräg gegenüber ergeben keine größere Tiefe als 20 Faden. Weiter im Norden wird der Kanal tiefer, und zwischen Pemba und der Küste findet man bereits in nicht großen Entfernungen vom Lande mit 100 Faden keinen Grund mehr.

Trotz der zahlreichen Untiefen, Riffe und kleinen Inseln, welche den Sansibarkanal erfüllen, ist die Schiffahrt in demselben weder sehr gefährlich noch schwierig; denn außer den starken Strömungen, welche sowol innerhalb wie außerhalb des Kanals herrschen und bisweilen, vorzüglich im Süden und auf der Ostseite der Insel, eine stündliche Geschwindigkeit von drei und mehr Seemeilen erreichen, haben die Schiffer wenig zu fürchten. Wird ein Schiff von dieser Strömung ergriffen, so kann es bei den in der Nähe des Landes häufig eintretenden Windstillen leicht von seinem Ziele abgetrieben werden; und es ist auch wirklich vorgekommen, daß Schiffe in solchem Falle nicht in den Kanal einzulaufen vermochten, sondern unwiderstehlich nordwärts an der Ostseite der Inseln hin, sogar bis über Pemba hinaus getrieben wurden, erst jenseits dieses Eilandes, wo die Strömung geringer ist, wieder bis in das innere Fahrwasser gelangten und so, bisweilen erst nach Wochen, Sansibar erreichten. Man muß also, wenn man sich der Insel von Süden her nähert, ängstlich darauf achten, sich von Ras Puna an in der Nähe der Festlandküste zu halten, um nicht die Einfahrt zu verfehlen.

Bekanntlich werden die großen Strömungen im weiten Meere hauptsächlich durch die Erdumdrehung hervorgebracht: das Wasser bleibt hinter der Erdoberfläche zurück, prallt von den Ostküsten der Kontinente ab und weicht, je nach deren Gestaltung, nach verschiedenen Richtungen hin aus. An der Ostküste von Afrika wendet sich der Hauptarm, die sogenannte Strömung von Mosambik, zwischen Madagaskar und dem Festlande hindurch südwärts, ein schwächerer Arm vom Kap Delgado an nordwärts. Die Richtung der oberflächlichen Meeresströmungen wird durch die Monsune wesentlich beeinflußt: der Nordost hält den großen nördlichen Strom auf, der Südwest beschleuniget ihn. Im Kanale von Sansibar, überhaupt in der Nähe des Landes, machen sich noch andere durch den Wechsel der Gezeiten entstehende Strömungen bemerkbar. Der Schiffer muß daher genau mit dem Eintritte von Ebbe und Flut bekannt sein, will er die durch sie hervorgerufenen Verhältnisse geschickt benutzen.

Die Hafenzeit oder die Zeit des höchsten Wasserstandes am Tage des Vollmondes ist für die ganze Suahelikūste etwa 4 Uhr bis 4 Uhr 45 Minuten. An jedem folgenden Tage tritt das Hochwasser etwa 50¹/₄ Minute später ein, so daß es nach Ablauf eines halben Mondesmonats wieder auf dieselbe Stunde fällt. Der Unterschied des Wasserstandes bei Ebbe und Flut beträgt an den verschiedenen Orten der Küste 12 bis 16 Fuß. Die Hochfluten finden zwei bis drei Tage nach Voll- und Neumond statt; man hat hierbei bemerkt, daß die Morgenfluten stets höher sind als die des Abends. Nach dem Eintritte der Mondesviertel ist der Unterschied der Wasserhöhe nur etwa halb so groß.

Die Gezeiten sind für die Bewohner der Insel und Küste von großer Wichtigkeit; sie üben bedeutenden Einfluß auf Handel und Verkehr aus, und ihnen hat man es gewiß nicht zum kleinsten Theile zu verdanken, daß diese Gestade ein verhältnißmäßig gesundes Klima haben. Auf Sansibar ist der Strand innerhalb der Flutlinie gewöhnlich mit Unrat von Menschen und Thieren bedeckt, welcher, wenn er nur einige Tage lang liegen bliebe, die Luft in unerträglicher Weise verpesten würde: da aber kommt täglich zweimal die Flut und nimmt Alles hinweg, was unsere Sinne beleidigt. Sehr verschieden ist der Anblick des Landes je nach dem Stande der Gezeiten. Wenn das Wasser sinkt, sieht man da, wo vor Kurzem die Flut an steilen Kalkfelsen noch heftig brandete, einen langen, blendend weißen, sandigen Strand entstehen; zahlreiche Bänke und Riffe kommen aus mißfarbigen Untiefen zum Vorschein, und Scharen emsiger Fischer sind auf ihnen beschäftigt, allerlei genießbares Gethier zu fangen. Erhebt sich dann mit dem Eintritte der Flut der vorher ruhende Wind wieder, so kehren die Fischersleute mit Beute beladen zu ihren Hütten zurück; die schaumumkränzten Riffe verschwinden, und bald ist auch der vorher so belebte Strand wieder von den schwellenden Wogen bedeckt.

Sansibar ist eine Koralleninsel. Ihre Grundmasse wird gebildet von einem festen Gesteine, welches hauptsächlich aus den abgestorbenen Bauten von Madreporen besteht. Sie gehört zu der langen Reihe von Korallengebilden, welche Afrika an seiner Ostküste von dem rothen Meere an bis nach Natal mit nur geringer Unterbrechung umsäumen, theils als Kalkfelsen, welche sich noch weithin unter dem Wasser als gefährliche Riffe hinziehen, theils als kleine, langgestreckte Inseln, welche in geringer Entfernung davon und in gleicher Richtung mit ihr laufen. Ehe die große Hebung der Ostküste von Afrika stattfand, ruhte der jetzt bereits verwitternde Madreporenfelsen auf dem Boden des Meeres, vermutlich eine lockere Trümmermasse bildend, entstanden aus kalkigem Schlamme und abgebrochenem Korallensteine, welche sich zwischen den Bauten der noch lebenden Thiere abgesetzt und letztere allmählich erstickt, getödtet hatten. Von dieser Masse wurden auch andere Thiere mit umschlossen, zahlreiche Muscheln, Seeigel und Seesterne, welche theils auf den Korallenästen lebten, theils in den Lücken zwischen ihnen Wohnung hatten. Die ursprünglich lockere Ablagerung wurde später durch Aussonderung von im Meere aufgelöstem Kalke innig zusammengekittet; als sie über die Oberfläche des Wassers hervortrat, wirkte der kohlensäurehaltige Regen in ähnlicher Weise, indem er den Kalk oben auflöste und unten in Gestalt von Kristallen wieder absetzte. Auf diese Art entstand allmählich ein festes Gestein, welches an seinem Bruche Nichts mehr von seiner gemischten Zusammensetzung aus Bauten von Thieren verräth, vielmehr durch das blätterige, kristallinische Gefüge, welches es so häufig angenommen, auf durchaus unorganischen Ursprung schließen läßt. Oft kommen erst bei vorgeschrittener Verwitterung die einzelnen Bestandtheile der Masse zum Vorscheine: die besser erhaltenen Seethiere und Seeigel, oder die Steinkerne, welche ihre Schale ausfüllen, lassen sich dann leicht aus dem weicheren, sie umgebenden Steine lösen. Alle Versteinerungen, welche man auf diese Art sammelt, gehören noch lebenden Arten an.

Am Strande, wo die Wogen ihre zertrümmernde und auflösende Wirkung ausüben, geht die Verwitterung sehr schnell vor sich; die weicheren der eingeschlossenen Thiere oder der zwischen den festeren Theilen sitzende Sand wird herausgespült; es bilden sich zahllose Löcher und Poren, so daß der Fels einem versteinerten Schwamme nicht unähnlich wird. Es werden auch größere Grotten und Höhlen ausgewaschen, in welche zur Flutzeit die Wogen eindringen, das Gewölbe mehr und mehr erweiternd, bis es endlich zerbricht, falls nicht die herabgefallenen Trümmer noch rechtzeitig einen schützenden Damm bilden. Aehnliche Höhlen, entstanden durch das eigenthümliche Wachsthum der Korallenbildungen, und gewöhnlich mit einem ziemlich breiten Eingange von oben versehen, finden sich auch an verschiedenen Stellen im Inneren der Insel. Man hat Wunderdinge von jenen Höhlen und ihren verwickelten Gängen berichtet; wir besuchten in Folge dessen einige der bekanntesten in der Nähe von Dunga, etwa in der Mitte der Insel, fanden aber nichts Ungewöhnliches. Die hier und da mit unscheinbarem Tropfsteine bekleideten Löcher waren theilweis mit Bäumen und Gebüsch überwachsen und dienten großen Gehäusschnecken zum Aufenthalte; von Versteinerungen vermochten wir Nichts zu entdecken.

Die Oberfläche des Korallenkalkes ist glanzlos, rauh und mit zahllosen harten, schneidenden Spitzen besetzt; sie gleicht in ihrem Aussehen dem zackigen Inneren mancher Quarzdrusen. Man findet an dem Strande sowie im Inneren des Landes öfters ausgedehnte Korallenfelder von solcher Beschaffenheit; sie verursachen dem Reisenden große Hindernisse: das beste Schuhwerk zerreißt nach kurzer Zeit, und Pferde und Esel sind nur mit Gefahr für ihre Hufe vorwärts zu bringen.

Auch dieses festere Gestein enthält noch zahllose feine Poren und Spalten, durch welche überall, wo eine thonige Decke fehlt, das Regenwasser schnell hindurchsickert. Auf Sansibar steht es hauptsächlich an der Ostküste und im südlichen Theile der Insel überall zu Tage; da, wo dies nicht der Fall, ist es mit einer Schicht fruchtbarer Erde bedeckt. Man unterscheidet von letzterer zwei Arten: einen rothen Lehm, auf welchem die Erzeugnisse der Tropenwelt in größter Ueppigkeit gedeihen, und eine graue, ebenfalls thonhaltige, jedoch mehr lockere und sandige Erde, welche zwar nicht mehr für den Anbau von Gewürznelken und Nahrungspflanzen, um so besser aber für Kokospalmen, Affenbrodbäume und andere genügsame Gewächse geeignet ist.

Von den 29 geographischen Geviertmeilen Flächeninhalt des Eilandes ist in Wirklichkeit etwa die Hälfte bis zwei Drittel bebauungsfähig; der Rest stellt ein trockenes, ödes Steinfeld mit höchst spärlichem Pflanzenwuchse dar.

An einigen Orten der Insel findet man nicht unbeträchtliche Ablagerungen eines graubraunen, nur leicht zusammengebackenen Sandsteines. Da, wo keine Pflanzendecke sie schützt, lösen die heftigen Regengüsse das schwache Bindemittel der Masse schnell auf und spülen die einzelnen Körnchen hinweg; es bleiben dann nur noch die festeren Theile der Schichten in Gestalt von eigenthümlich geformten Säulen stehen. Unsere nach einer Photographie gefertigte Zeichnung veranschaulicht eine derartige Bildung, wie sie sich an der Ostküste der Insel eine bis zwei Seemeilen südlich von der Stadt findet.

In der Nähe des Meeres, da, wo der Strand anfängt sich mit Gras und Busch zu bedecken, zeigen sich hier und da dünne Schichten eines schwarzen Eisensandes, etwa eine Hand breit unter der Oberfläche abgelagert. Es scheint dies dasselbe Eisenerz zu sein, welches man im Inneren von Ostafrika und in Madagaskar häufig findet. Hier auf Sansibar kommt es in allzu geringer Menge vor, um eine Ausbeutung zuzulassen.

Unsere Insel erhebt sich wenig über dem Meeresspiegel, an den höchsten Stellen kaum über hundert Fuß; nur eine kleine Hügelkette, welche das Innere von Norden nach

Süden durchzieht, überragt das sanft ansteigende Land noch um einige hundert Fuß. Die bedeutendste Bodenerhebung bildet der einzeln stehende Kegelberg Kumkene (Kumbini der Karten), im Südwesten auf einem Vorgebirge der Insel gelegen; er mag die Höhe von 400 Fuß erreichen.

Das Innere der Insel, so klein sie auch ist, war bisher noch wenig bekannt: die ansässigen Europäer besuchten allerdings öfters die dort gelegenen Schamba's oder Pflanzungen, ihre Erfahrungen kamen jedoch der Erdkunde nicht zu Gute. Ganz vor Kurzem indeß veröffentlichte der seit zehn Jahren in Sansibar wohnende Geschäftsführer des französischen Konsulates, Jablonski, einige Angaben über die Bodengestalt des Inneren. Nach ihm erhebt sich das Land von Osten und Westen her und senkt sich in der Mitte wieder zu einem muldenförmigen, steinigen Längsthale ein, zu dessen beiden Seiten sich die oben erwähnten Hügel hinziehen. Sehr bestimmt und ausführlich äußert sich auch der französische Reisende Grandidier, welcher das Innere der Insel von der Stadt aus nach Norden und Süden durchzog, und die Ostküste auf zwei verschiedenen Wegen besuchte. Eine Skizze der Ergebnisse dieser Wanderung (an welcher Theil zu nehmen wir leider durch Krankheit verhindert waren) und die vortrefflichen und zahlreichen Angaben, welche uns Jablonski gefälligst überließ, setzten uns in den Stand, unser Kärtchen von Sansibar besser auszufüllen, als es nach eigener Erinnerung möglich war.

Das eigenthümliche Gefüge der Steinmassen, welche die Insel bilden, macht das Vorkommen längerer Wasserläufe unmöglich. Nur einige kleine Bäche, unter denen der von Muera der bedeutendste, d. h. wenigstens während der feuchten Jahreszeit eben wasserreich genug eine Mühle zu treiben, bleiben von dem in Menge fallenden Regen übrig; aber auch sie verlieren sich, sobald sie den lehmigen Boden verlassen, in den Spalten des Korallenkalkes, um an der Küste wieder als kleine Quellen zum Vorscheine zu kommen. Einer dieser Bäche, der von Bububu, fünf Seemeilen nördlich von der Stadt, wird durch einen Kanal bis an den Strand geleitet; die Schiffe der Europäer füllen hier, wo die Boote zur Flutzeit bequem anlegen können, ihre Wasserfässer. Ein dem Hafen näherer Bach, der von Mtoni, liefert weniger gutes Wasser.

In allen Theilen der Insel, wo der Boden mit einer undurchlässigen Schicht bedeckt ist, kommen kleine Teiche und Sümpfe vor. Sie sind mit Schilf und blaßblauen Wasserlilien bewachsen und gewähren Wasservögeln und Fröschen einen angenehmen Aufenthalt, liefern auch wol den Eingebornen Wasch- und Trinkwasser, tragen aber, da sie bisweilen ganz austrocknen, gewiß nicht wenig dazu bei, das Innere der Insel in den Ruf der Ungesundheit zu bringen. Die Stadt wird aus solchen in der Nähe gelegenen Pfützen durch eine zahlreiche Schar von Negerdirnen mit Trinkwasser versorgt.

Dritter Abschnitt.

Nähr- und Nutzpflanzen.

Einleitung. — Die Pflanzendecke in verschiedenen Theilen der Insel. — Reis, Mtama, Mais, Bohnen, Erbsen. — Mhogo, Batate, Yam. — Gemüse. — Die Kokospalme — Dattel- und Sagopalme, Banane. — Mango. — Jackfrucht. — Papay. — Melone. — Ananas. — Orange. — Granatapfel. — Litschi. — Guyave. — Jamrose. — Anone. — Gewürznelke. — Muskatnuß. — Zimmtbaum. — Rother Pfeffer. — Sesam. — Zuckerrohr. — Indigo. — Baumwolle. — Kaffee.

Sansibars Pflanzenwuchs ist von wunderbarer Ueppigkeit. Wer die schöne Insel kennen lernt, ist entzückt von der Fülle und dem Reichthume, welcher sich seinem Auge bietet. Es vereinigt sich hier Alles, um eine großartige Entwickelung der Pflanzen zu ermöglichen: der Boden ist vortrefflich, die Luft warm und mit Feuchtigkeit geschwängert wie die eines Gewächshauses — kein Wunder also, daß die Fruchtbarkeit eine ganz ungewöhnliche.

Die Pflanzendecke der Insel ähnelt der des naheliegenden Festlandes, ist jedoch weniger ursprünglich als diese, weil auch Ostindien an ihr Theil hat, weil die wichtigsten der hier angebauten Gewächse von dort herstammen, von dort eingeführt wurden. Reichlicher, hundert- und tausendfältiger Ertrag lohnte und lohnt die geringe Mühe des Anbaues. Das ganze Eiland, mit Ausnahme einiger durchaus unfruchtbaren Gebiete, ist gleichsam ein einziger blühender und duftender Garten. Ueberall gewahrt man Ueberfluß und Wohlstand: bei der Fülle der Erzeugnisse Sansibars und bei der Bedürfnißlosigkeit seiner Einwohner gibt es auf der glücklichen Insel keine Armut.

Es gewährt ein unbeschreibliches Vergnügen, die endlosen Pflanzungen zu durchwandern und die herrlichen Gewächse und Früchte näher kennen zu lernen, von denen man schon in der Heimat so viel gehört und gelesen. Die Fülle der Eindrücke ist fast überwältigend; daher gelingt es auch nicht so bald, selbst nur mit den wichtigsten der zahllosen Erzeugnisse des Pflanzenreiches bekannt zu werden. Erschwert wird Dies für den Fremden und Laien noch dadurch, daß es bis jetzt noch an einem guten und allgemein faßlichen Buche fehlt, welches auch die Pflanzen der heißen Erdstriche mit genügender Ausführlichkeit und Anschaulichkeit behandelt. Wir selbst, sowie die meisten der in Sansibar ansässigen Europäer, sind nicht Pflanzenkundige; wir haben erst nach der Rückkehr in das Vaterland vermocht, durch Zusammensuchen der verschiedenen Beschreibungen, welche sich in Büchern und Zeit-

Sansibar-Bäume (Mango- und Jackfruchtbaum).

schriften zerstreut finden, unserer Beobachtungen die nöthige wissenschaftliche Unterlage und Stütze zu gewähren. Gerade deshalb halten wir uns für entschuldigt, wenn wir den Versuch wagen, an dieser Stelle darzulegen, was wir darüber hier gelernt und dort erfahren haben. Unsere Schilderung will weder auf Wissenschaftlichkeit, noch auf Vollständigkeit Anspruch erheben, sondern einfach bezwecken, ein, dem Fachmann sicherlich überflüssiges, dem Laien vielleicht nicht ganz unwillkommenenes Allgemeinbild zu geben und letzterem die wenig dankbare Mühe eigenen Suchens zu ersparen.

Jedes Fleckchen bebauungsfähiges Land wird auf Sansibar für die Bedürfnisse der zahlreichen Bevölkerung ausgenutzt; doch sind es hier nicht gras- und krautartige Gewächse, welche, wie in den gesegneten Fluren unserer Heimat, der Landschaft ihren Charakter verleihen, sondern hauptsächlich Bäume. Auch den Suaheli spendet die Familie der Gräser das tägliche Brot; aber ihr Boden bringt Kostbareres hervor als gewöhnliche Nährpflanzen: und deshalb bestellen sie ihn vorzugsweise mit Handelsgewächsen, welche höheren Gewinn bringen als Reis, Negerhirse u. dergl., welche Getreidearten sie ja leicht von dem Festlande, bezüglich von Indien her beziehen können. Kokospalme und Gewürznelkenbaum sind die tonangebenden Pflanzen in der fruchtbaren Nordwesthälfte der Insel: letzterer gedeiht am besten in der Nähe der rothen Hügelkette, welche sich hier in mehreren Armen von Norden bis zur Mitte herab zieht, erstere auf dem grauen, mehr sandigen Thonboden in der Nähe des Meeres.

Die einzelne Kokospalme fesselt den Neuling — ein Kokospalmenwald vermag Niemand zu befriedigen. Ein Baum gleicht dem anderen; der Boden zwischen ihnen nährt kaum ein Kräutlein, und sei es noch so dürftig; es fehlt der erquickende Schatten; der vergebens ein Obdach suchende Wanderer findet zuletzt sogar das sanfte Rascheln der harten, glänzenden Blätter abscheulich. Derartige Waldungen sind weit einförmiger als unsere Nadelwaldungen, klang- und sanglos, bar jeder Anziehung. Aber auch die Kokospalme kann zum Schmucke der Gegend werden, da, wo sie einzeln aus dem Laubgewoge der Fruchtbäume sich erhebt und der sonst gleichmäßigen Pflanzung Wechsel und Leben verleiht. Hier erst würdigt man den edlen Baum; hier erst begreift und versteht man seine Schönheit.

Solcher Art sind die Kokoswälder Sansibars. Ueberall gewahrt man in ihnen zahllose Hütten der Neger und stattliche Landhäuser der reichen Besitzer. Gemüsegärten und Fruchtbaumpflanzungen umgeben die Wohnungen der Menschen, und riesige Mangobäume, welche an Schönheit der Krone dem Nußbaume nicht nachstehen, ihn aber an Großartigkeit und an Dauer des Blätterschmuckes bei weitem übertreffen, spenden köstlichen Schatten.

Einen Gegensatz zu den mächtigen, dunkelgrünen Laubgewölben des Mangobaumes bilden die mehr gelbgrünen Gewürznelkenbäume mit ihrer kegelförmig zugestutzten Krone von verhältnißmäßig niedrigem Wuchse. Der Kokospalme gleich saugen sie das fruchtbare Erdreich derartig aus, daß in ihrem Schatten keine andere Pflanze gedeiht; aber in den weiten Strecken, welche die schnurgeraden, sich kreuzenden Alleen dieser Bäume bedecken, gewahrt man nur selten die kleinen, soviel Abwechselung gewährenden Hütten und Pflanzungen der Neger: während die Kokospalme der Baum des Armen genannt werden darf, weil sie ihm, ohne lange Zeit hindurch zinslose Auslagen zu erfordern, alle seine Bedürfnisse gewährt, gehört der Gewürznelkenbaum, welcher nur einseitigen Gewinn und nicht Nahrung oder sonstige Nutzung spendet, den reichen Grundbesitzern an, deren einzelne und abgeschlossene, inmitten der Arbeiterwohnungen gelegene Steinhäuser er im Verein mit Orangen- und anderen Obstbäumen umschließen, sie gleichzeitig mit einem unbeschreiblich angenehmen Wohldufte begabend, welcher, für den Fremden fast betäubend, jedes Zimmer füllt. Nelken- und Orangenbäume bilden wechselvolle Parks, welche, wenn auch an landschaftlichen Reizen den unserigen nicht gleichkommend, doch ungemein anziehend genannt werden dürfen.

Einen traurigen Gegensatz hierzu bilden die steinigen Ebenen in der Mitte der Insel, Korallenfelder, welche nur im Norden und Westen von fruchtbarem Gelände eingeschlossen sind, im Osten und Süden aber in noch ödere und wildere Hügelketten übergehen. So unfruchtbar dieser Boden anscheinend aber auch ist, unter dem glücklichen Himmel gedeihen doch überall, wo sich nur eine kaum bemerkbare Spur von Ackerkrume befindet, nützliche, wenn schon meist unansehnliche Gewächse in großer Mannigfaltigkeit. Hier pflanzen die Neger ihren Kafferhirse* und andere ihrer Nährpflanzen auf kleinen, von Steinwällen umgebenen Feldern: inmitten dieser Landschaft, welche uns nach Dem, was wir vorher sahen, wie eine Wüste erscheint, liegen kleine, liebliche Oasen, Stellen, auf denen eine dünne Thon- oder Lehmschicht von größerer Ausdehnung den Kalkfelsen überdeckt und das Gedeihen höherer Gewächse ermöglicht. An solchen Stellen haben die Neger vorzugsweise ihre Hütten errichtet und um sie her die steinigen Boden liebenden Papay- oder Melonenbäume gepflanzt; an solchen Stellen erheben sich anstatt der Wipfel der Kokospalme, die noch schlankeren und zierlicheren der stolzen Areka und die erhabenen Kronen der Dulehbpalme über dem in der Mitte angeschwollenen Stamme.

Je weiter ostwärts, der jenseitigen Küste zu, man sich wendet, um so öder wird das Land. Ohne jeglichen Kräuterschmuck starren die scharfen, schneidenden Zacken des Korallenkalkes dem Wanderer entgegen — ein erhebliches Hinderniß für jede Reise, sei es daß sie zu Fuße oder zu Pferde zurückgelegt werden soll. Bald endigen die Pfade; Reit- und Lastthiere müssen zurückgelassen werden, und mühevoll sucht sich der Wanderer einen Uebergang durch dieses versteinte Meer, aus dem sich, Eilanden vergleichbar, Hügelketten erheben, begrünt zwar, aber mit dichtem, wilden, fast undurchdringlichen Gestrüpp, aus dem sich nur selten eine Tamarinde, ein Kopalbaum erhebt. Gewahrt man in der Ferne wieder einige Palmenwipfel, so folgt daraus mit Bestimmtheit, daß man sich wieder in der Nähe menschlicher Wohnungen befindet. Die Kokospalme wächst hier nur in großer Nähe des Strandes, und sie allein ist es, welche der Ostküste der Insel eine gewisse Aehnlichkeit mit der Westküste verleiht; denn im Uebrigen unterscheidet sich die Pflanzenwelt beider sehr wesentlich. Den Strand begrünen zierlich gefiederte Bäume, welche entfernt an unsere Nadelhölzer erinnern: die Kasuarinen, welche überall an der ostafrikanischen Küste und auf den sie umgebenden kleineren Eilanden, sowie auf der östlichen oder Windseite der großen Inseln heimisch sind. Zu ihnen gesellen sich noch die Pandanus oder Schraubenpalmen, sonderbar gestaltete Büsche und Bäume mit gezähnelten, schilfartigen Blättern, welche sich schraubenförmig am Stamme emporziehen oder sich aus ihm entrollen. Hier und da, wo ein spärliches Gerinnsel süßen Wassers sich in das Meer ergießt, gedeiht auch die dunkellaubige Mangle: ein wunderbares Gewächs, welches zur Flutzeit mitten in den salzigen Wogen steht, zur Ebbezeit aber, nur von dünnen, weitverzweigten Wurzeln getragen, gleichsam in der Luft schwebt. In diesem Theile der Insel und auf der Hügelkette, welche sie von Norden bis Süden hin durchzieht, ist der Pflanzenwuchs schon in geringer Entfernung von den zahlreichen in der unmittelbaren Nähe des Meeres gelegenen Dörfern noch ganz ursprünglich; und wenn man im Nordwesten, dem mit Alluvium bedeckten Theile der Insel, nur selten ein nicht angepflanztes Gewächs trifft, so findet man hier keine Spur der menschlichen Thätigkeit. Hier würde der Pflanzenkundige eine reiche Ernte halten, während die übrigen Theile der Insel nur dem Laien Neues bieten. Durch hier angestellte Untersuchungen über die Beschaffenheit der Pflanzendecke würde man auch feststellen können, ob Sansibar früher mit dem Festlande und den anderen kleinen, dazwischen liegenden Inseln wirklich Eins gewesen ist, wie so viele Anzeichen vermuten lassen.

Der bei weitem größte Theil aller Bewohner Sansibars lebt von Reis. Früher war der Anbau dieses Getreides so bedeutend, daß man bei der allerdings geringeren Bevölkerung noch auszuführen vermochte; jetzt hat er so abgenommen, daß von den 70,000 Hektolitern, welche man, nach Guillain, jährlich gebraucht, die Insel kaum den dreißigsten Theil selbst hervorbringt, und das Fehlende von Madagaskar und Indien herbeigeführt werden muß.

Der Reis gedeiht besonders in den tiefen Stellen der feuchten Thäler im Nordwesten der Insel, welche sich während der Regenzeit in Lachen und Teiche verwandeln und in dem Maße, wie sie austrocknen, bestellt werden.

Aermere Leute nähren sich hauptsächlich von Mtama oder Kafferhirse, einer weit verbreiteten Pflanze, in Indien Jowari, in Egypten und Nubien Durrha, und in Westindien Guineakorn genannt. Die Mtamapflanze wird bedeutend höher als der bei uns gebauete Hirse; im Sudahn erreicht sie etwa fünf bis sechs, in Sansibar aber bis zu achtzehn Fuß Höhe. Die Blätter sind bei großen Pflanzen bis $2^1/_2$ Fuß lang und zwei Zoll breit; die Blüten ähneln, wenn sie aus der Spitze des Stengels in großen Rispen oder Aehren herauskommen, den männlichen Blüten des Mais, neigen sich aber, wenn die Frucht sich bildet, abwärts unter der Last der Körner, welche in so beträchtlicher Anzahl dicht gedrängt daran sitzen, daß das ausgesäete Korn thatsächlich hundertfältig trägt. Die Körner sind rund, und da, wo sie festsitzen, zugespitzt, denen des Mais nicht unähnlich, nur oben bauchiger und unten etwas spitzer, auch nicht so abgeplattet wie diese; eine strohige, festsitzende Hülle umgibt jedes einzelne. Das reine Korn wird hieraus durch Stampfen in einem hölzernen Mörser gewonnen und als rother und weißer Mtama unterschieden. Eine etwas kleinere Art derselben Frucht heißt Mawele.

Der Mtama wird theils gekocht, theils, nachdem er gröblich zermahlen, zu kleinen, flachen, braunen Broden verbacken.

Verschiedene Arten Bohnen — Kunde — und eine kleine, grünlichgraue Erbsenart — Dschiroko — werden gleichfalls angebaut und von den Aermeren in nicht unbeträchtlicher Menge verbraucht. Viel weniger Verwendung findet der in anderen Ländern so unentbehrliche Mais, hier Mahindi d. h. indisches Korn genannt; er wird hauptsächlich nur als Zukost oder des Wohlgeschmackes der gerösteten Kolben wegen genossen. Dasselbe gilt für die ölhaltigen Erdnüsse, von Arachis hypogaea L., und die Pistaziennüsse, von Pistacia vera L., obwol besonders erstere auch hier leicht ebenso große Wichtigkeit erlangen könnten wie an der Westküste Afrikas.

Kaum minder wichtig als Reis und Kafferhirse sind die hiesigen Stellvertreter unserer Kartoffel. Unter ihnen ist vor Allem der Mhogo, in seinem vermeintlichen Vaterlande, Südamerika, Maniok oder auch Kassava genannt, zu erwähnen — eine wahre Faulenzerpflanze und wie geschaffen für die trägen Neger, ein Gewächs, dessen grüner Stengel, einfach in die Erde gesteckt, schon nach drei Monaten starke, mehlhaltige Wurzeln zur Nahrung gibt.

Der Mhogo, gegenwärtig in fast allen warmen Ländern eingebürgert, gehört zu der Familie der Wolfsmilchpflanzen, welche in allen ihren Theilen, in Blättern, Stengeln und Wurzeln einen milchigen, oft giftigen Saft enthalten. Diese Familie ist außerordentlich vielgestaltig. Schon bei uns kennt man mehrere, im Aeußeren sehr abweichende Arten; noch größer ist aber die Mannigfaltigkeit bei den baum- und strauchartigen, oft auf das Täuschendste den Kakteen und Euphorbien ähnelnden Formen, welche in warmen Gegenden zu Hause sind und hier die verschiedenartigste Verwendung finden. Sie liefert der Arzneiwissenschaft die aromatische Kaskarillrinde und das scharfe, heftig abführende Krotonöl (von Croton Eluteria Sw. und Croton Tiglium L.), der Gewerbthätigkeit das jetzt fast unentbehrliche Kautschuk oder Federharz (von Siphonia oder Jatropha elastica Pers.), anderer Erzeugnisse nicht zu gedenken. Bedeutsamer als alle übrigen Arten ist

Jatropha manihot L., unser Mhogo, dessen Wurzeln mit mehreren verwandten von geringerer Güte zur Nahrung dienen.

Ein Mhogofeld erinnert an eine Baumschule. Dünne, knotige Stöcke erheben sich bis zu Manneshöhe und senden, vorzüglich von der Krone, nach allen Seiten langgestielte, handförmige Blätter aus. Der mittlere Lappen des Blattes ist etwa sechs Zoll lang, jeder der beiden nächsten um einen Zoll, jeder der beiden letzten drei Zoll kürzer. Von ihrer Ansatzstelle aus nehmen die Lappen bis auf Dreiviertel ihrer Länge an Breite zu, bis zu zwei Zoll etwa, und laufen dann in eine Spitze aus. Die spindelförmigen Wurzelknollen werden oft weit über einen Fuß lang und vier bis fünf Zoll dick. Ihre volle Reife erreichen sie in neun bis zwölf Monaten, obschon sie bereits nach einem Vierteljahre Ertrag liefern.

Die Kassavewurzel Amerikas enthält ein scharfes Gift; dasselbe ist jedoch sehr flüchtig und wird schon durch das Trocknen der Knollen, durch Kochen im Wasser oder durch Rösten in der Asche zersetzt. Ihre auf Sansibar angebauten Verwandten sind nicht so giftig; deshalb hat man auch die dort übliche, umständliche Zubereitung nicht nöthig, sondern thut genug, wenn man die Wurzel röstet oder sie, nachdem man sie geschält, in der Sonne trocknet. Hierbei scheint ein Gährungsprozeß einzutreten, wenigstens verbreiten die trocknenden Wurzeln einen sehr starken Geruch, welcher auf das Täuschendste an die Malzdünste in unseren Brauereien erinnert. Wenn man, vielleicht noch durstig von einem langen Tagemarsche, in einer Negerhütte übernachtet und von solchem würzigen Dufte umweht wird, vermag man vor Heimweh und Sehnsucht nach einem guten Trunke kräftigen Bieres kaum einzuschlafen und empfindet oft wirkliche Tantalusqualen, weil die Einbildungskraft Einem immer und immer wieder vorspiegeln will, die geträumte Brauerei könne keine hundert Schritte entfernt sein, während man bei Erkundigung erfahren muß, daß der berauschende Duft von trocknendem Mhogo herrührt.

In Gestalt und Färbung ähnelt der Mhogo wie er auf den Markt gebracht wird, schmuzigen Stücken gebrannter oder gebleichter Knochen; die Neger verzehren das trockene Gericht ohne weitere Zubereitung. Auf die Tafeln der Europäer kommt er fast nie, weil man die wie Kartoffeln zubereiteten Wurzeln zu grob, die daraus gebackenen Kuchen zu faserig findet, während die Kreolen bekanntlich Nichts lieber essen als ihren Maniok, und, wenn sie längere Zeit in Europa leben, sich auch hier mit vieler Mühe und Kosten das beliebte brasilianische Nationalgericht zu verschaffen suchen.

Der Mhogo ist nicht sehr nahrhaft, weil er außer den Fasern nur Stärkemehl enthält. Vor einigen Jahren ging man mit dem Gedanken um, europäische Armeen mit dem außerordentlich billigen Mehle der Maniokwurzel zu beköstigen, fand aber bald, daß das leichte Stärkemehl wol für die Tropenbewohner genügende Nahrung gewähre, nicht aber auch mehr bedürfende Nordländer sättigen kann.

Die zweite der auf Sansibar gebauten Kartoffelarten, die sogenannte süße Kartoffel oder Batate, gehört einer anderen Familie, jener der windenartigen Pflanzen an, steht somit unserer europäischen Kartoffel, einer Nachtschattenpflanze oder Solanee, botanisch nah. Ein Feld jener Kartoffelpflanze kommt uns ebenfalls fremdartig genug vor: man gewahrt blühende Beete kriechender Winden und glaubt, daß vielleicht die Samen derselben benutzt werden könnten, denkt aber sicherlich nicht daran, daß es dicke Knollen sind, welche hier erzeugt werden um zur angenehmen Nahrung zu dienen.

Die Batate, Convolvulus Batatas L., wächst krautartig. Ihre zahlreichen, kriechenden, blaßgelben, runden Stengel erreichen sechs bis acht Fuß Länge und senden von jedem Gelenke oder jeder Biegung knollentragende Wurzeln aus. Die winkeligen, eckigen Blätter sitzen auf langen Stielen. Die Blüten, welche die bekannte Gestalt derer unserer Winden zeigen, haben eine purpurrothe Färbung.

Auch die Batate scheint für arbeitsscheue Menschen geschaffen zu sein. Jede Ranke, welche in den Boden gesteckt wird, breitet sich aus und setzt oft vierzig bis fünfzig Knollen an, welche in acht bis neun Monaten geerntet werden können; sogar jeder in der Erde gebliebene Rest einer Wurzel wuchert weiter, falls ein einziger Regenschauer rechtzeitig zu Hilfe kommt. Die süßlichen, mehligen Wurzeln sind ziemlich nahrhaft und vermögen, vorzüglich gebraten, die heimischen Kartoffeln, diese dem verwöhnten Europäer fast unentbehrliche Frucht, vollständig zu ersetzen.

Die Batate gedeiht in allen warmen Ländern ohne sonderliche Pflege und liefert reichlichen Ertrag. In Brasilien bringt man sie sonderbarer Weise nur als Leckerei auf die Tafeln der reichen Pflanzer, während die Arbeiter fast ganz auf die mittelmäßige Kassave angewiesen sind. Nach Europa gelangte die Batate früher als die bei uns heimisch gewordene gewöhnliche Kartoffel: sie wurde schon in der Mitte des fünfzehnten Jahrhunderts von Franz Drake und Sir John Hawkins in England eingeführt, und ihr Name war es, welchen dann die brauchbarere Kartoffel (englisch potato) erbte.

Zuletzt sind noch die dem Namen nach überall bekannten Yams zu nennen, die Knollen einer kletternden, den Schwertlilien nahe stehenden Pflanze, Dioscorea sativa L., und anderer ähnlicher Arten. Man baut sie häufig in der Nähe der Kokospalmen, an welchen die Ranken eine natürliche Stütze finden. Die Yampflanze stammt aus dem Osten und soll von da nach Westindien und Südamerika verpflanzt worden sein, gewissermaßen im Austausche gegen Kassave und Batate. Sie wird bis zwanzig Fuß hoch. Ihre glatten, scharf zugespitzten Blätter sitzen an langen Stielen, von deren Basis die kleinen Blüten ausgehen. Die große, nicht selten zwanzig bis dreißig Pfund schwere Wurzel wird bis fußdick und sieht äußerlich dunkelbraun, fast schwarz, innerlich weiß aus.

Auch die Fortpflanzung der Yams ist sehr einfach. Es genügt, daß man, wie bei unseren Kartoffeln, ein mit einem Auge versehenes Stück der Wurzel in die Erde legt. Schon nach drei bis vier Monaten sind die Knollen genießbar. Sobald man dieselben aus der Erde gegraben, trocknet man sie in der Sonne und kann sie dann, falls man sie vor Feuchtigkeit schützt, längere Zeit aufheben. Yams sind auf europäischen Schiffen ein beliebter Ersatz für europäische Kartoffeln; man ißt sie gekocht an Stelle des Brodes, auch gebraten und sonst noch in anderer Weise zubereitet, und schätzt sie vorzüglich wegen ihrer langen Haltbarkeit, welche in warmen Gegenden die unserer Kartoffeln bei weitem übertrifft. Ihr Geschmack ist zwar nicht gerade fein, aber doch zusagend.

Von den sogenannten grünen Gemüsen kennt man auf Sansibar nur wenige. Die beliebtesten sind die Ambrevaden, die Schoten eines unserem Goldregen ähnlichen Strauches, welche man wie grüne Bohnen ißt, und die Früchte der bekannten Eierpflanze, die Auberginen, welche man gekocht oder gebraten genießt. Auch die Wassermelone kann hierzu gerechnet werden, weil man sie bisweilen als Zuthat zur Suppe benutzt. Unsere Zwiebeln gedeihen gut, weniger die Rettige und Radieschen; diese entarten schnell, wie die meisten anderen Gemüsearten, deren Samen man aus Europa kommen läßt.

Von weit umfassenderem Nutzen als alle diese Nährpflanzen ist die Kokospalme. Ihr Dasein ist mit dem des Menschen innigst verknüpft: wo man ihre gefiederten Kronen sieht, darf man mit Sicherheit auf bewohnte Hütten schließen. Sie gewährt dem Tropenbewohner das Nöthige zum Häuserbau, spendet ihm Nahrung, Wein und Oel: ohne sie würde er nicht zu leben wissen. Sie ist auch der zumeist in die Augen fallende Baum Sansibars. Noch ehe man die grüne Insel betritt, sieht man ihre schlanken Wipfel sich scharf vom Himmel abzeichnen; sogar in der Stadt selbst gewahrt man hier und da einen einzelnen

Baum; tritt man aber hinaus in das Freie, auf die Rasimoja oder nach irgend einer anderen Richtung hin, und geht seines Weges weiter, so wandelt man bald inmitten der Wälder dieser stolzen Palme.

Von allen Arten des Geschlechtes der Kokospalmen geht uns ausschließlich die nußtragende (Cocos nucifera L.) an. Ihre Heimat soll Südostasien sein; man findet sie dort auf einigen kleinen Inseln im wilden Zustande. Jetzt ist sie in allen Tropengegenden zu Hause. Ein Umstand begünstigt ihre Ausbreitung und Wanderung: sie liebt die Nähe des Meeres, weil sie des Salzes zu ihrer Nahrung bedarf. Ihre reifen Nüsse fallen, wenn sie der Mensch nicht pflückt, auf den sandigen Strand; die Flut spült, die Strömung des Meeres trägt sie hinweg an die fernsten Gestade, an unbewohnte, vielleicht noch in der Bildung begriffene Inseln, wo sie keimen, gedeihen und sich bald einen weiteren Verbreitungskreis erobern.

Im Inneren des Landes, wo ihre Wurzeln nicht von salzhaltigem Wasser genährt werden, wo die Seebrisen nicht mehr so salzführend sind, wie in der Nähe der Brandung, gedeiht die Kokospalme weniger gut und reift die Früchte langsamer — sie befindet sich hier eben nicht an ihrem Lieblingsorte, in ihrer Heimat. Die Eingeborenen, welche den nutzenbringenden, ja unentbehrlichen Baum anpflanzen, kennen seine Bedürfnisse und lassen es ihm nicht am Nothwendigsten fehlen. Wenn sie eine Pflanzung anlegen, graben sie in den lockeren Sand des Strandes und benachbarten Küstenstriches einige Fuß tiefe und eben so weite Löcher und setzen in die noch mehr vertiefte Mitte, auf eine Unterlage von Asche und Salz, die reife Nuß mit der Keimstelle nach oben ein. Unter dem Drucke des schwellenden Kernes zerspringt die Schale, und schon nach vier Monaten sprossen die jungen Pflänzchen über den Erdboden empor. Noch mehrere Jahre lang erfordern sie große Sorgfalt: anfangs werden sie täglich dreimal, wenn sie älter geworden täglich zweimal begossen; die Erde in ihrer Nähe wird jeden Monat mit Asche und Salz bestreut und auch in der Folge alljährlich einmal noch gründlicher gedüngt, indem man den Boden aufgräbt und an jedem Stamme einen Korb Asche ausleert. Sind die Pflanzen zwei bis drei Jahre alt, so werden sie in anderen, gleichfalls gedüngten Boden versetzt, welchen man durch Gräben vor dem Regenwasser schützt. Auf gutem Boden erntet man bereits im vierten Jahre nach der Pflanzung, auf trockenerem, von der See entfernteren erst im zehnten oder zwölften Jahre die ersten Früchte. Siebzig Jahre lang währt die Fruchtbarkeit fort, dann vermindert sie sich; im achtzigsten bis hundertsten Jahre endet der Ertrag.

Der verhältnißmäßig dünne, deshalb schlanke Stamm der Kokospalme erhebt sich zur stattlichen Höhe von achtzig bis hundert Fuß und ist zumeist schön gerade gewachsen; einzelne Stämme zeigen aber auch wunderbare Biegungen und Krümmungen. Sein Holz besteht aus harten, starken Fasern, welche sich netzförmig kreuzen, ist im Inneren zellig und locker, in seinen äußeren Theilen jedoch außerordentlich fest; die Rinde ist nackt und mit bleibenden Narben, den Spuren der abgefallenen Blattstiele bedeckt. Die Krone bildet sich aus gefiederten Blättern von zwölf bis vierzehn Fuß Länge, deren kräftige Rippen am Stamme in ein lockeres Gewebe oder Netzwerk gehüllt, deren schmale Einzelblättchen glänzend dunkelgrün von Farbe, hart, steif und einen bis einen und einen halben Fuß lang sind, so daß die Breite des gefiederten Gesammtblattes über zwei Fuß beträgt. Schon junge und niedrige Bäume zeigen fast die volle Entwickelung von Krone und Stammdicke und scheinen deshalb bei flüchtiger Betrachtung den erwachsenen sehr unähnlich zu sein.

Am Ende des Stammes brechen die Blüten in Gestalt einer Traube hervor, jede in eine lange Scheide gehüllt, welche sich zur Zeit der Reife öffnet. Die Kokospalme blüht das ganze Jahr hindurch und trägt jederzeit Nüsse in allen Zuständen der Reife. Aus einer Blütentraube entstehen deren gegen zwanzig, man läßt aber gewöhnlich nur sieben bis zehen sich entwickeln, damit allen die nöthige Nahrung zukomme. So lange die Nüsse noch unreif, haben sie eine grüne Färbung, werden aber allmählich glänzend braunroth; sie erreichen etwa Kopfgröße und erhalten dann eine dreikantig-eiförmige Gestalt, am Stiele sich verbreiternd, unten in eine stumpfe Spitze auslaufend. Die etwa zolldicke, äußere Hülle besteht aus starken Fibern, welche eine vortreffliche Verwendung zu allerlei Tauwerk finden. Nach Entfernung der Faserhülle hat die reife Nuß, Nasi der Suaheli, nur noch doppelte Faustgröße, eine weniger längliche Gestalt und zeigt in der Stielgegend drei Narben oder Vertiefungen, welche ihr, von oben betrachtet, eine gewisse Aehnlichkeit mit einer Affenschnauze (4) geben. Ihre Schale ist hornig und sehr hart, doch von einer gewissen Sprödigkeit, sodaß sie leicht mit einem Steine oder Messer zerschlagen werden kann.

Unreife Nüsse, Matafu, deren Schale noch weich ist, enthalten eine helle Flüssigkeit von erfrischendem, milchähnlichem Geschmacke, ein Lieblingsgetränk der Eingeborenen und Fremden, uns unter dem Namen Kokosmilch bekannt. Dieser Name rührt von dem Geschmacke des Fruchtwassers her, nicht aber von einem milchartig trüben Aussehen, wie wol Viele meinen. In Europa bekommt man nur den schlechten Saft der reifen Kokosnüsse zu schmecken, welche von den Schiffern in Menge als Ballast und Lückenfüller mitgebracht werden.

Bei dem weiteren Wachsthume der Nuß setzt sich an ihrer inneren Wandung ein bläulich durchscheinender Schleim ab, welcher allmählich dicker und fester, nußartig wird und bei völliger Reife die Dicke eines halben Zolles erreicht. Man kann dann die äußere Schale mit einiger Vorsicht zerbrechen, ohne daß der wie Weinstein in einem alten Fasse abgelagerte Nußkern beschädigt wird. Die Flüssigkeit im Inneren ist nun wässerig und säuerlich und wird von keinem Tropenbewohner mehr genossen.

Ganz abgesehen von dem Stamme, welcher vortreffliches Bauholz liefert, und den Blattrippen, welche ebenfalls beim Bauen Verwendung finden, ist fast jeder einzelne Theil des Kokosbaumes von der Wurzel bis zur Krone nutzbar; sogar die jungen Blätter dienen zur Nahrung. Sie, der sogenannte Palmenkohl, sind aber ein sehr kostbares Gemüse; denn, schneidet man das Herz der Palmenkrone, welches an zwanzig bis dreißig Pfund wiegt, zum Küchengebrauche ab, so geht der Baum unfehlbar ein. Es werden immer blos einzelne, alte, schlechttragende Stämme zur Gewinnung des Kohles gefällt; deshalb ist dieser eigentlich auch nur dann billig und kommt in Menge auf den Markt, wenn eine große Anzahl Palmen vom Sturme geknickt worden sind.

Ausgewachsene Blätter werden von den Negern mit wunderbarer Geschicklichkeit und Schnelligkeit zu allerlei Körben und Säcken, besonders zur Aufnahme von Früchten, verarbeitet, hauptsächlich aber beim Häuserbaue in dreierlei Weise verwendet. Man schneidet sie in der Mitte der Rippe auseinander, flicht sodann, nachdem man den Blattstiel möglichst dünn geschnitzt, jede Hälfte des Blattes für sich zu Mahuri, einem leichten, aber dichten Gewebe, den gewöhnlichen Zäunen oder Hauswänden ärmerer Leute. Man benutzt ferner die ungetheilten Blätter zum Decken der Dächer, nachdem man durch Zusammenklappen und Ineinanderflechten der beiden gefiederten Seiten das sogenannte Makuti daraus bereitet hat. Dieses wird, zu angemessener Länge geschnitten, auf die Sparren des Daches, am Firste beginnend, die Rippenseite nach oben, befestiget, ein Stück immer dicht unter das andere, bis die Enden der Blätter die Hauswand überragen. Durch Makuti schützt man auch die leichten Mattenwände der Häuser gegen Wind und Regen, indem man sie wie bei dem Dachdecken ziegel- oder schindelförmig damit belegt. Die dritte Verwendung des Blattes ist mit keiner vorherigen Verarbeitung verknüpft. Man klappt die beiden Seiten einfach übereinander und benutzt das so entstehende, lockere Hansa in ähnlicher Weise wie das Makuti. Ein so gedecktes Dach gleicht unseren Strohdächern, gewährt für gewöhnlich vollständigen Schutz gegen Regen, leistet aber starkem Winde, weil dieser die einzelnen Blätter in die Höhe hebt, keinen Widerstand. Im Allgemeinen nennt man alles zum Dachdecken verwendete Palmenstroh Makuti, da man an vielen Orten keinen Unterschied zwischen Hansa und Makuti macht. Endlich wird das getrocknete Blatt auch noch zur Feuerung oder als hell leuchtende, schnell bereitete Fackel benutzt.

Aus dem Safte der Kokospalme wird der berühmte Palmenwein gewonnen, hier Tembo, in Indien Toddy benannt. Man erhält ihn, indem man den Stamm anbohrt, gewöhnlich aber, indem man eine etwa monatalte Blütentraube abschneidet und am Ende eine Kürbisflasche zur Aufnahme des Saftes festbindet. Das geschieht gegen Abend, da man nur während der Nacht den Baum bluten läßt. In der Frühe des Morgens werden die gefüllten Kalebassen abgenommen, die verwundeten Stellen aber mit Gras und Bast fest zugeschnürt, um ferneres Ausfließen des Saftes zu hemmen. Die süße Flüssigkeit geht so schnell in Gährung über, daß schon der am Morgen vom Baume geholte Tembo eine champagnerähnliche, angenehm prickelnde, süßschmeckende Flüssigkeit darstellt, welche von einigen Europäern dem wirklichen Weine vorgezogen wird, den Negern aber als das köstlichste aller Getränke gilt. Im Dunkelen setzt sich die weinige Gährung fort, und es bildet sich eine starke, geistige Flüssigkeit, aus welcher man an vielen Orten durch Destillation einen guten Arak bereitet; im Sonnenlichte hingegen, sowie wenn der Saft während des Tages abgezapft wird, tritt schnell Essiggährung ein, und entsteht dann eine scharfe, sauere Flüssigkeit, welcher schwimmende Hefentheilchen ein trübes, weißliches Aussehen verleihen. Man zapft gewöhnlich nicht länger als vierzehn Tage an demselben Baume, weil dieser entgegengesetzten Falles leidet und keine Früchte mehr trägt; an gewissen Orten hingegen verwendet man bestimmte Bäume ausschließlich zur Gewinnung von Palmenwein, wenn auch meist nur sehr hohe, alte, schlechttragende Stämme.

Wenn wir die Kokospalme genauer kennen lernen wollen, müssen wir hinaus auf die Schambas oder Pflanzungen wandern. Wir kehren in einem beliebigen Besitzthume ein und rufen dem ersten besten Sklaven zu: „lete matafu!", „bringe uns Kokosnüsse zum Trinken!" Ohne Weiteres gehorcht er unserem Befehle, da er sicher ist, den Kaufpreis als Trinkgeld zu erhalten, und sein Gebieter ihm derartige Freigebigkeit nicht verwehrt, vielmehr es sich zur Ehre rechnet, die Wasungu mit den Erzeugnissen seiner Schamba unentgeltlich zu bewirthen.

Wer die hohen Stämme betrachtet, wundert sich, daß Jemand für den Lohn weniger Kupfermünzen nach unserem Belieben hinaufklettert; ein Neger aber findet solche Arbeit leicht. Er setzt die Fußspitzen in die Blattnarben, welche am Stamme verblieben, umfaßt diesen mit den Händen und steigt so bequem empor. An anderen Orten hilft sich der gewandte Kletterer vermittelst eines um die nackten Füße geschlungenen Ringes von Kokosstricken empor, mit Arm und Brust an dem narbigen Stamme sich festklammernd, während er die Füße mit dem Stricke um ein gutes Stück in die Höhe zieht, — und sich mit den Fußsohlen gegen den Baum stemmend, während er Brust und Arme weiter nach oben schiebt. Auf diese oder jene Weise gelangt er schnell in die schwindelerregende Höhe der schwankenden Krone, pflückt eine Anzahl der grünen Nüsse ab und wirft sie auf den Boden herab. Die zolldicke, zähe Faserhülle mindert die Heftigkeit des schweren Falles, weshalb die Nüsse unversehrt in der Tiefe anlangen. Um die gewonnenen Früchte weiter zuzurichten, schlägt ein zweiter Neger zunächst jede einzelne mehrmals auf einen in die Erde gerammten, spitzigen Pfahl von zwei bis drei Fuß Höhe, schält und schneidet hierauf die losgelöste Faserhülle bis auf ein schmales Säulchen ab, welches er in der Stielgegend stehen läßt, und überreicht die sauber geschälte, hellfarbige Nuß einem dritten Sklaven, welcher sie öffnen soll. Durch einige wohlgezielte Schläge mit dem plumpen Messer, welches der Neger stets bei sich führt, zerbricht dieser die Schale am unteren Ende der Nuß, und nachdem er die entstandene Oeffnung

Oeffnen der Kokosnüsse in Bet el Ras.

noch ein wenig erweitert und gereiniget, reicht er dem Fremdlinge, nicht ohne eine gewisse Würde, den erfrischenden Trank in seinem natürlichen Gefäße dar.

Zur Zeit des Ramadahn, während dessen die Araber übertages Nichts genießen dürfen, sieht man geschälte Matafu gegen Abend massenhaft auf dem Markte aufgespeichert; denn sie bilden die erste Erquickung, welche sich der verschmachtete Muselmann nach Verlauf des Fasttages gestattet.

Bei guten Nüssen muß die später so feste Schale noch so dünn und weich sein, daß sie dem leichten Drucke der Finger federnd nachgibt. Der Preis einer Matafu ist ein Pesa, etwa ein Drittelgroschen unseres Geldes; zwei Nüsse, welche ungefähr ebensoviel Flüssigkeit als ein gewöhnliches Bierseidel fassen, genügen zur Stillung des Durstes: das erquickliche Getränk ist also sehr billig.

Die in den reifen Nüssen abgelagerte Masse, welche in Indien sowol als an der Suahelitüste den Namen Kopra führt, bildet einen bedeutenden Handelsgegenstand. Namentlich die Franzosen führen ganze Schiffsladungen aus, und zwar nach Marseille, wo man das süße, aber leicht ranzig werdende Oel davon preßt. Dieses wird in neuerer Zeit massenhaft zur Seifenbereitung verwandt, da es hierfür ebensowol geeignet ist, als das viel theuerere Olivenöl. Reife Kokosnüsse werden in großer Menge theils in der Stadt, theils auf dem Lande in der Nähe der Pflanzungen zum Durchschnittspreise von zwei Pesa aufgekauft. Ihre Verarbeitung zur Gewinnung der Kopra ist eigenthümlich genug und geeignet, uns eine Vorstellung von den in den europäischen Handlungshäusern vorkommenden Zubereitungsarbeiten zu geben. Um einen mächtigen Haufen der geschälten Nüsse steht eine Schar halb nackter, nur mit einem Lendenschurze bekleideter, kräftiger Neger, deren Arbeitsgeräth ein schweres, hippenartiges Messer ist. Mit Gesang eröffnen und vollbringen sie ihre Arbeit. Beim Auftakte ergreifen sie mit der linken Hand eine Nasi, bei dem Niedertakte führen sie, während sie dieselbe in der Luft fallen lassen, einen kräftigen Messerhieb, der die Nuß halbirt. Hierin besitzen sie eine so große Fertigkeit, daß sie fast in jeder Sekunde eine Nuß öffnen. Bald triefen die glänzend schwarzen Leiber von Schweiß; aber munter singend arbeiten die Leute rüstig weiter. Die in den Nasi enthaltene Flüssigkeit läuft unbenutzt in den Sand und verbreitet nach kurzer Zeit unangenehme, faulige Gerüche.

Jetzt werden die halbirten Nüsse, das Innere nach oben, zum Trocknen ausgebreitet. Das milchweiße, undurchsichtige Fleisch zieht sich allmählich zusammen, erscheint dann gelblich, hornartig durchscheinend, löst sich endlich ganz von der Schale los und wird nun herausgenommen und zur vollständigen Trocknung auf einem flachen Dache ausgebreitet, die jetzt fertige Kopra hierauf noch etwas gekleinert und in Mattensäcken verpackt nach Europa geschickt, um dort ausgepreßt zu werden. Es ist, wie erklärlich, unvortheilhaft, die ganze, sperrige Nußmasse zu versenden, von welcher man doch nur das Oel braucht; deshalb hat man neuerdings versucht, das Oel am Platze selbst mit einer hydraulischen Presse zu gewinnen, wie man es schon längst in Indien that.

Kopra ist so fettreich, daß schon durch den Druck mit dem Finger Oel hervortritt. Die Neger bereiten ihren Brennölbedarf dadurch, daß sie die zerquetschte Kopra mit Wasser auskochen; zur Gewinnung von Speiseöl aber schaben sie mit einem gezahnten Eisen, welches die Gestalt vom Querschnitte einer Birne hat, die weiße Masse aus der Nasi heraus, feuchten das Schabsel mit etwas Wasser an, drücken mit den Händen eine milchige Flüssigkeit aus und erhitzen diese über Feuer, bis sich das süße Oel in hellen Tropfen absondert und zu einer zusammenhängenden Decke vereiniget. Die Reisspeisen, welche mit dem so bereiteten Kokosöle oder mit der öligen Milch selbst zubereitet werden, haben einen ausgezeichneten Wohlgeschmack; jedes Körnchen behält, obwol es gar und weich ist, vollständig seine Gestalt, während der Reis, wie man ihn bei uns gewöhnlich kocht, entweder hart bleibt, oder an den Enden blumenkohlartig aufschwillt.

Der Nutzen der Kokosnuß ist jedoch noch nicht erschöpft. Man verarbeitet auch ihre harte Schale zu Schöpflöffeln, Bechern und allerlei Schnitzereien, oder verwendet die Faserhülle zum Scheuern von Hausflur und Zimmern und zur Bereitung vortrefflicher Stricke, welche allgemein unter dem in Indien üblichen Namen Coir bekannt sind. Zu letzterem Zwecke röstet man die fest zusammengebackene Masse in ähnlicher Weise wie unseren Flachs. Nachdem man sie, mit Sand und Steinen beschwert, Monate lang im Seewasser faulen gelassen, reinigt man sie durch Klopfen mit Stöcken oder Steinen, reibt und wäscht sie noch einmal im Wasser aus und trocknet sie. Das so gewonnene Werg, von welchem vierzig Kokosnüsse etwa sechs Pfund liefern, führt den Namen Makumbi und findet die verschiedenartigste Verwendung. Man benutzt es an Stelle der Kälber- und Pferdehaare zum Stopfen von Matratzen, Sofas und Sätteln, gebraucht es, da es niemals fault, sehr gern zum Kalfatern der Schiffe, fertigt Besen und Pinsel zum Anstreichen der Häuser daraus und verspinnt es zu Stricken jeder Art: das Tauwerk aller Fahrzeuge der Indier, Araber und Suaheli besteht aus Kokosbaststricken; auch europäische Fahrzeuge benutzen diese wegen ihrer großen Leichtigkeit zu laufendem Tauwerke. Von größtem Nutzen sind die starken Ankertaue aus diesem Stoffe, weil sie sich vortrefflich in Seewasser halten, außerordentlich nachgiebig sind und an Festigkeit den besten Hanfkabeln nicht nachstehen. Schiffe, welche die Häfen Indiens zur Zeit der Stürme verlassen, versehen sich immer mit neuen Ankertauen von Coir.

In neuerer Zeit sind Kokosbaststricke auch vielfach in Europa verwendet worden; Jedermann kennt die rostbraunen, vortrefflichen, ja fast unverwüstlichen Fußreiniger von Coir, welche früher aus Amerika und England zu uns gebracht wurden. Man fertigt sie, indem man dünne Kokosstricke derart zusammenflicht und knüpft, daß der obere Theil des Teppichs oder der Decke mit dicht nebeneinander befindlichen Schleifen von ein bis zwei Zoll Länge bestanden ist, welche sodann aufgeschnitten und gekämmt oder gestriegelt werden, bis die aufgelösten Fasern wie die Borsten einer Bürste emporstehen.

An der Ostküste von Afrika, sowie gewiß auch an vielen anderen Orten, dient das einheimische Tauwerk vorzüglich noch bei Anfertigung von Ruhebänken — Kitanda — und von sogenannten genäheten Schiffen. Eine Kitanda ist ein viereckiger Rahmen aus hartem Holze, welcher auf vier roh zugehauenen oder gedrehten Füßen ruht. Von jeder der mit vielen Löchern durchbohrten Seiten desselben sind Kokosstricke nach der gegenüberliegenden gezogen, so daß ein regelmäßiges Netzwerk und damit eine federnde Unterlage für Matratze oder Kissen entsteht. Die Kitanda dient als Sofa, als Bett und als Stuhl, den Aermsten ohne jegliche Ueberdeckung, den Reicheren, nachdem eine mehr oder minder fein geflochtene, bunte Grasmatte darüber gebreitet wurde.

Bei dem Baue der genäheten Fahrzeuge oder Mtepe vertritt der elastische Kokosbaststrick die Stelle der eisernen Nägel und Bolzen, mit welchen unsere Schiffe zusammengefügt sind. Jede der an beiden Rändern mit zahlreichen Löchern durchbohrten Planken wird durch einen starken Strick fest und dauerhaft mit der anderen vereinigt. Der Ausdruck „Nähen" paßt also trefflich für diese Art von Schiffsbau. Die jetzigen Mtepe haben ganz dasselbe Aussehen wie vor Jahrtausenden, als sie in dem Periplus des erythräischen Meeres beschrieben wurden. Für Schiffahrt auf unsicherem Fahrwasser eignen sie sich vorzüglich; denn sie nehmen durchaus keinen Schaden, wenn sie auf einer Klippe oder auf einer Sandbank aufrennen: die nächste Flut macht sie wieder frei, während ein europäisches, mit Eisen gefügtes Fahrzeug in derselben Lage unfehlbar zertrümmert werden würde.

Wer die vielfachen Nutzanwendungen der Kokospalme und ihrer Theile kennt, lernt begreifen, daß sie ein Segen für alle Bewohner der Wendekreise, ja geradezu unentbehrlich ist. So wenig sonst der Neger für die Zukunft sorgt — bei der Kokospalme, welche ihm das Leben so leicht, bequem und angenehm macht, thut er es. Wenn er gezwungen war, eine dieser Palmen zu fällen, oder wenn der Wind ihm einige entwurzelte, pflanzt er gewiß für jede derselben zwei frische Nüsse. Jeder Grundeigenthümer hält sich einige Samenbeete, von denen er jährlich die stärksten Bäumchen verpflanzt, um den Abgang im fruchttragenden Kokoswalde zu ersetzen. —

Auch die Dattelpalme, Phoenix dactylifera L., findet sich auf Sansibar. Die Eroberer der Insel brachten sie aus dem südlichen Arabien mit, gleichsam als Erinnerung an die ferne Heimat, welche Viele von ihnen für immer aufgaben. Dieser stolze und zierliche Baum, dessen Früchte in Nordafrika Menschen und Thieren zur täglichen Nahrung dienen, ist hier ein Fremdling geblieben; ihm fehlt die Trockenheit der Wüste mit ihrem schroffen Wärmewechsel, mit der sengenden Hitze des Tages und der Kühle der Nacht. Allerdings gedeiht die edele Palme scheinbar recht wohl auf der Insel und trägt üppige Wedel an dem schlanken Stamme; ihre Früchte aber sind spärlich und von höchst mittelmäßigem Geschmacke. Deshalb dient sie, wie die Sagopalme, Cycas circinalis L., welche in Indien der Sagogewinnung wegen so häufig angebaut wird, nur zur Zierde der Gärten der Reichen.

Von größerer Bedeutung für Sansibar ist der Pisang oder die Banane, Musa paradisiaca L., eine zehn bis zwölf Fuß hohe Staude, welche man überall in der Nähe der ländlichen Wohnungen, ja sogar inmitten der Stadt antrifft. Bei uns nur ihres schönen Wuchses, der Pracht ihrer sammtartigen, zart lichtgrünen Blätter wegen gepflegt, wird ihr in warmen Ländern ihrer nahrhaften und wohlschmeckenden Früchte halber allerorten hohe Verehrung zu Theil. Eine ausführliche Beschreibung dieses überaus wichtigen Kulturgewächses versparen wir uns jedoch bis zur Schilderung der Reise nach Dschagga, dem Kilimandscharolande, wo die Banane in einer Ueppigkeit und Güte wie nirgends gedeiht.

Unsere Insel bringt vortreffliches Obst in Menge hervor. Als das köstlichste von allem bezeichnen wir die Mango, deren Baum uns durch seine prächtige, dunkelgrüne Laubkrone an die schönsten Waldbäume unserer Heimat erinnert. Er stammt aus Indien, gelangt jedoch auf dem Boden Sansibars zu noch größerer Entwickelung als in seinem Vaterlande. Allüberall in der Nähe der Wohnungen hat man ihn angepflanzet, theils als Schattenspender, theils seiner erfrischenden, lieblich schmeckenden Früchte wegen.

Der Mangobaum gehört zur Familie der Terpentinpflanzen, welche in den Tropenländern zu Hause ist und eine Menge durch vorzügliche Eigenschaften ausgezeichneter Gewächse umfaßt: so die Terpentinpistazie, von welcher der sogenannte cyprische Terpentin, die Pistacia lentiscus L., von welcher das aromatische Mastixharz stammt, die Pistacia vera L., die Pflanze der süßen, ölreichen Pistazienнüsse, und Anacardium occidentale L., welches die wohlschmeckenden Akaschuäpfel und die unter dem Namen Elephantenläuse bekannten Bohnen hervorbringt. In unserem Norden wird dieselbe Familie durch den giftigen Rhus- oder Sumachbaum mit den scharlachrothen, länglichen, kegelförmigen Früchten vertreten.

Der Stamm des Mangobaumes erreicht zehn bis fünfzehn Fuß im Umfange und sendet seine glattrindigen, grünen Aeste und Zweige in weitem Umkreise aus. Die Blätter sind lanzettförmig, denen der Wallnuß ähnlich, die Blüten klein und weißlich, in pyramidenförmige Bündel gestellt. Die Frucht schwankt, je nach der Art, zwischen der Größe eines Apfels bis zu der eines Kinderkopfes, ist nierenförmig, länglichrund und etwas flach gedrückt, an Festigkeit einer weichen Birne gleich, sieht unreif grün aus, wird aber später ganz oder theilweise orangegelb. Eine dünne, glänzende Haut überzieht das röthlichgelbe Fleisch, welches so zart ist, daß es auf der Zunge zerfließt. Der darin liegende Kern ist ziemlich groß, von ähnlicher Gestalt wie der Pfirsichkern, aber durch zahlreiche weiche Fasern fest mit dem Fleische verwachsen, und enthält in harter Schale eine weiße, mandelförmige, schlecht schmeckende Nuß. Man hat viel über den Geschmack der Mango gestritten. Die Einen, vorzüglich Diejenigen, welche in Amerika davon gegessen, vergleichen ihn mit dem eines Gemenges von Werg und Terpentin; Andere hingegen können die Lieblichkeit der Frucht nicht genug rühmen. Beide haben Recht: Jene meinen die halb wilde Mango, welche allerdings ganz von Fasern erfüllt ist und durchdringend und widerlich nach Terpentin schmeckt und riecht; Diese kosteten die seit Jahrhunderten kultivirte Mango Indiens, welche zwischen dem harten Kerne und der Schale das köstlichste, saftigste Fleisch in Fülle enthält und den harzigen Geschmack gänzlich verloren hat. Der Unterschied zwischen beiden Früchten ist ebenso groß wie der zwischen Holzäpfeln und feinen Reinetten.

Leider läßt sich der Mangobaum schwer fortpflanzen. Der Kern verliert, wenn er nicht frisch aus der Frucht genommen und gepflanzt wird, schnell seine Keimkraft; die junge Pflanze wächst nur sehr langsam, und die Früchte, welche sie endlich nach langer Zeit bringt, gleichen den wilden an Geschmack und Größe. Zwar kann man Bäumchen aus Stecklingen ziehen, doch liefern auch diese erst nach dem Pfropfen gute Früchte. Auf Sansibar trägt der gepflegte Baum jährlich zweimal, am reichlichsten zur Zeit unseres Frühlings. Die Früchte sind dann vortrefflich und außerordentlich billig: für einen Groschen kauft man deren zwanzig und mehr. Ihr Genuß soll der Gesundheit sehr zuträglich sein. Nach Europa lassen sie sich nicht versenden, falls man sie nicht etwa luftdicht in Wachs einschließt. Die feine Gelée und allerlei Eingemachtes dagegen, welches man aus den unreifen Früchten bereitet, kann man leicht in größeren Städten erhalten.

Mit der Mango darf man die Mangostane nicht verwechseln: eine Frucht Indiens, deren Wohlgeschmack fast noch höher gepriesen wird. Der botanische Name des Baumes ist Garcinia mangostana L.; er gehört einer ganz anderen Familie an als die hier in Rede stehende Terpentinpflanze Mangifera indica L., und kommt, soviel wir wissen, nicht auf Sansibar vor. Doch hat der Reisende auf den indischen Postdampfern oder auf den Inseln Bourbon und Mauritius öfters Gelegenheit, seine vortreffliche Frucht zu kosten.

Auf den Märkten und Straßen der Stadt gewahrt man häufig neben der köstlichen Mango gelbe, über und über mit Zacken besetzte, widerlich riechende Früchte von der Größe unserer Riesenkürbisse: Jackfrüchte, von Artocarpus integrifolia L., eine Lieblingsspeise der Eingeborenen. Der wunderbare Baum, welcher sie hervorbringt, übertrifft an Größe unsere Eichen, macht also die Moral der Fabel von dem schlafenden Wandersmanne und der Eichel vollständig zu Schanden. Er zählt zu der Familie der brodfrucht- oder maulbeerartigen Pflanzen, welche, wie die ihr nahestehende der Euphorbiaceen oder Wolfsmilchgewächse, sich durch wunderbare Eigenschaften auszeichnet. Sie umfaßt die berüchtigte Antiaris toxicaria Leschen — den javanischen Giftbaum, welcher das Upasgift hervorbringt — neben den nahrhaften Feigen; einer ihrer Angehörigen, der Kuhbaum, Galactodendron Humb., spendet den Südamerikanern eine der thierischen ähnliche, wohlschmeckende Milch, und der Brodfruchtbaum, Artocarpus incisa L., den Südseeinsulanern Früchte von Brodform und Brodgeschmack. Der Riese dieser Familie, der heilige, ostindische Feigenbaum, Ficus religiosa L., welcher durch seine zahllosen, stammartigen Luftwurzeln oft eine waldgleiche Ausdehnung erlangt, liefert in seinem Harzsafte, welchen der Stich einer Schildlaus ausfließen macht, den Rohstoff des allbekannten Schellack.

Alle Theile des Jackfruchtbaumes enthalten einen klebrigen, etwas milchigen Saft, welcher die Finger in unangenehmer Weise zusammenkittet, wenn man Zweige oder Blätter bricht, oder die Kleider beschmuzt, wenn man sich aus Unachtsamkeit gegen den Stamm lehnt.

Dieser ist gerade, sein Wipfel so dicht, daß kein Sonnenstral durchdringen kann. Die Blätter, welche dem Namen integrifolia nach ungetheilt sein sollten, sind vielgestaltig: in der Jugend tief eingeschnitten, drei- oder fünflappig, an Gestalt den Blüten der Lilie ähnlich, nur von bedeutenderer Größe, in erwachsenem Zustande dagegen kleiner, vier bis sechs Zoll lang; sie haben dann eine länglichrunde, etwas zugespitzte Form, und eine oben schwarzgrüne, unten gelbe Färbung. Die gelblichgrünen, stumpfen und dicken, männlichen Blütenkätzchen von höchstens zwei Zoll Länge sitzen am Ende der kleinen Zweige, die weiblichen bei jungen Bäumen an den Zweigen, bei solchen von mittlerem Alter am Stamme, bei alten an den Wurzeln. Aus ihnen entwickelt sich die länglichrunde, hartrindige, mit Warzen und Höckern bedeckte Frucht, welche bisweilen das ungeheuere Gewicht von achtzig bis hundert Pfund erreicht. Ihr ziemlich festes Fleisch soll nahrhaft sein und einen angenehmen, zuckerigen Geschmack haben, besitzt aber einen abscheulichen Geruch, welcher sich noch steigert, wenn es nicht mehr ganz frisch ist. Trotzdem wird die Frucht von den Negern und Arabern, ja selbst von dem Herrscher Sansibars sehr hoch geschätzt. Es wird behauptet, daß man sich mit der Zeit an ihren Geruch gewöhnen könne; wir aber haben nie vermocht, auch nur zu kosten, nachdem wir einmal den fürchterlichen Duft einer Ladung unverkäuflicher Jackfrüchte, welche vor unserem Hause in Mombas an den Strand geworfen werden war, einige Tage lang zu ertragen genöthiget waren.

Einige Hundert Samen von der Größe, Farbe und Festigkeit kleiner Kastanien liegen in dem Fleische der Jackfrucht eingebettet. Sie werden in geröstetem Zustande gleichfalls verzehrt und sollen den Maronen ähnlich, aber weniger fein schmecken.

In Indien reift die Jackfrucht im Dezember; auf Sansibar wird es nicht viel anders sein, jedoch meinen wir, zu allen Jahreszeiten reife Früchte auf dem Markte gesehen zu haben. Es verhält sich damit wahrscheinlich wie mit den anderen dortigen Gewächsen: sie blühen und reifen zu jeder Jahreszeit, zu einer bestimmten aber am reichlichsten und besten.

Der Jackfrucht ähnelt die Durion- oder Stinkfrucht in hohem Grade, sowol im äußeren Ansehen, wie in ihren Eigenschaften. Der Durionbaum, Durio zibethinus, hat die Gestalt und Größe eines Birnbaumes; seine Blätter sind denen des Kirschbaumes ähnlich, doch nicht gezähnt, sondern glattrandig, die Blüten groß und gelblichweiß. Die kopfgroße Frucht sieht äußerlich wie die Brod- und Jackfrucht aus, nimmt aber im Zustande der Reife eine bräunlichgelbe Farbe an und öffnet sich an der Spitze; sie enthält im Inneren fünf große Längszellen, welche mit einem milchweißen, zarten Fleische erfüllt sind und je ein bis vier Samen von etwa Taubeneiergröße umhüllen. Das Fleisch schmeckt würzig und kräftig, wie thierischer Nahrungsstoff, zugleich kühl und säuerlich wie Obst, etwa dem spanischen Getränke mangio blanco, Hühnerfleisch mit Essig destillirt, ähnlich, soll nahrhaft sein, und, auch reichlich genossen, den Magen nicht verderben, wol aber den Geschlechtstrieb reizen. Es verbreitet ebenfalls einen unausstehlichen Geruch nach Schwefelwasserstoff und ähnlichen Gasen, welcher indeß ihre Verehrer, alle Eingeborenen, nicht abschreckt.

Gleich dem Mango- und Jackfruchtbaume ist auch der Papay- oder Melonenbaum, Carica papaya L., reich an dicken, harzigem Safte; alle Theile der Pflanze, sogar die Schale der Frucht, enthalten eine milchigscharfe Flüssigkeit, welche auf der Haut Entzündung hervorruft. Die Wurzeln riechen unangenehm, wie fauliger Rettig. Der Melonenbaum gehört zur Familie der kürbißfrüchtigen Pflanzen oder Peponiferen. Sein schlanker Stamm steigt palmenartig zwanzig bis dreißig Fuß empor und entfaltet sich dann zu einer Krone von langgestielten Blättern, zwischen denen, wie bei der Palme, die Früchte und Blüten sitzen. Die männlichen und weiblichen Blüten wachsen auf verschiedenen Bäumen; bei beiden ist der außerordentlich kleine und fünfzähnige Kelch frei. Die Frucht, von der Größe und Gestalt einer etwas fünfkantigen Melone, hat ein ziemlich festes Fleisch, in welchem viele Samenkörner liegen, riecht eigenthümlich angenehm, schmeckt süß und erfrischend und ist bei den Eingeborenen sehr beliebt. Man rühmt ihre kühlenden Eigenschaften und genießt sie gekocht wenn noch unreif, im Zustande der Reife aber ohne besondere Zubereitung oder mit Zucker und Pfeffer, wie hier und da auch die Melonen gegessen werden. Eingemachte Papayfrüchte sollen an Wohlgeschmack den Mangos wenig nachstehen.

Der Melonenbaum stammt wahrscheinlich aus Amerika, doch kommt er auch in Indien an unbebauten Orten vor, so daß man annehmen muß, er sei dort ebenfalls heimisch. Jetzt findet er sich in allen warmen Ländern. In Indien wächst er an den ungewöhnlichsten Stellen empor, über Gartenmauern, Wasserleitungen und Kuppeln der Moscheen, und zerstört in seiner weiteren Entwickelung durch den Druck seiner Wurzeln ganze Gebäude. Niemand wagt, den gefährlichen Baum abzuhauen, weil er für heilig, für den Aufenthalt der Götter gilt. Auf Sansibar gewahrt man ihn, besonders auf dem steinigen Boden im Inneren der Insel, überall bei den Negerhütten. Dieselbe Familie liefert auch den unentbehrlichen Kalebassenbaum, dessen wir bei den Reisen auf dem Festlande, wo seine Wichtigkeit am meisten in die Augen fällt, ausführlicher gedenken werden, und die erfrischenden Zucker- und Wassermelonen. Letztere, Cucumis citrullus Ser., trifft man fast in allen Gärtchen, welche die Hütten umgeben. Man benutzt sie als erfrischendes Getränk sowie auch als gekochtes Gemüse; alle Schiffe versorgen sich reichlich damit, ehe sie in See stechen. Am meisten lernt man sie an den trockenen Küstenstrichen auf dem Festlande schätzen, wo das Trinkwasser oft spärlich und übelschmeckend ist.

So köstlich viele der bisher erwähnten Früchte dem auf Sansibar Eingebürgerten dünken: der Neuling muß sich erst an sie gewöhnen. Mit Ausnahme der Mango verachtet er anfänglich fast alle ihm noch unbekannten und wendet sich dafür bekannteren, insbesondere den Ananas zu. Ihre Unschädlichkeit und Billigkeit gestatten Jedermann, an ihnen sich satt zu essen: wir selbst haben öfter den würzhaften Saft von zwei bis drei der großen Früchte genossen, ohne irgend welche unangenehmen Folgen zu verspüren; wir haben uns hierdurch auch nicht in allzugroße Unkosten gestürzt, denn für einen Groschen unseres Geldes kauften wir drei bis sechs Stück von den besten.

Die Ananas, Bromelia ananas L., kommt sowol wild als angepflanzt auf Sansibar vor. Die wilden, welche meist als Umfassung der Gärten dienen, haben einen wässerigen, wenig duftigen Saft; die durch längeren Anbau veredelten hingegen stehen den in unseren Gewächshäusern gezogenen in Nichts nach. Die Meinungsverschiedenheit der Gelehrten, ob sie ursprünglich nur in Südamerika oder auch in Westafrika heimisch gewesen sei, soll uns nicht kümmern, da es uns gleichgiltig sein kann, welchem Erdtheile die Bromelia entstammt, welcher wir die ausgezeichnete Frucht verdanken.

Mit vollstem Rechte werden die Orangen des Landes geschätzt. Sie übertreffen in der That die Erwartungen Aller; denn wenn wir auch bei uns die Hunderte von Bäumen gesehen, welche den Eingang zu fürstlichen Schlössern schmücken und mit dem Dufte ihrer Blüten die Gärten erfüllen, und wenn wir auch die lieblichsten Apfelsinen Italiens gekostet, so haben wir doch noch keinen richtigen Begriff von der Pracht einer tropischen Orangenwaldung, von dem Wohlgeschmacke der Orangen Sansibars, welche hierin die aller übrigen Länder zu überbieten scheinen.

Auf Sansibar kommen die Orangen (Citrus aurantium L.) in großer Mannigfaltigkeit vor. Die häufigste Sorte ist die süße Orange, unsere gewöhnliche Apfelsine. Ihre Bäume stehen auf den Schambas einzeln oder zu prächtigen Hainen vereint und tragen das ganze Jahr hindurch gleichzeitig Blüten, unreife grüne und röthlichgelbe reife Früchte.

Von ihnen kosten je nach der Jahreszeit zwanzig bis dreißig Stück einen Groschen; sie dienen daher Einheimischen wie Fremden als angenehme und erfrischende Nahrung.

Da man in Sansibar alltäglich Orangen verzehrt, oft sogar schon Morgens vor dem Frühstück ein halbes Dutzend „zur Beförderung der Verdauung", versteht man auch, Dies auf die vortheilhafteste und angenehmste Weise zu thun. Während man bei uns die äußere Schale sorgfältig ablöst, um sie noch für die Küche zu verwenden, darauf die einzelnen von einer trockenen Haut überzogenen Fächer trennt, zerdrückt und mit Zucker bestreut genießt, oder auch von der Frucht oben eine Scheibe abschneidet, den ganzen Inhalt der Schale, Kerne, Fachwerk und Saft durcheinander rührt, um den gezuckerten Saft zu trinken, spießt der gewandte Orangenesser Sansibars die Frucht an eine Gabel, befreit sie mit dem Messer in derselben Weise, wie man einen Apfel schält, vollständig von der ölhaltigen und der darunter liegenden trockenen Schale, schneidet das Fleisch von dem häutigen Kerne vorsichtig ab, um nicht die bitteren Samen zu verletzen, und genießt die reinen, von allen Seiten saftigen Scheibchen, ohne dem Munde allzuviel Ballast zuzumuten. Wer diese, wenn auch vielleicht etwas verschwenderische Art der Zubereitung kennt, wird sich schwerlich wieder einer anderen bedienen.

Außer den echten Orangen mit dunkelgelber und ziemlich glatter Schale gibt es noch andere, den Pompelmusen ähnliche Arten, mit dicker, stark drüsiger, unregelmäßig aufgetriebener, sich leicht loslösender Schale. Die häutige Umhüllung der einzelnen Fächer ist ebenfalls stärker und trockener, und der Saft nicht so reichlich, dagegen noch süßer als bei jenen. Die eine Art wird oft ein halb Mal größer als die Apfelsine, eine zweite erreicht höchstens die Größe eines Borsdorfer Apfels.

Unsere Citronen werden in Sansibar, überhaupt in ganz Indien, durch die saueren Limonen vertreten, glattschalige, hellgelbe Früchte von der Größe eines kleinen Apfels, welche weit saftiger sind und eine angenehmere Säure haben als unsere größeren, länglichrunden, dickschaligen Citronen mit dem kegelförmigen Knopfe an beiden Enden. Auch sie werden in viel angemessenerer Weise als bei uns verwendet. Während wir die Citronen in der Mitte durchschneiden und mit ziemlichem Kraftaufwande zugleich mit dem Safte auch die bitteren Kerne herauspressen, schneidet man dort, ohne die Kerne zu berühren, flache Scheibchen von der Frucht ab und preßt aus ihnen mit Leichtigkeit den klaren, scharfen und doch so würzigen Saft.

Die unseren Aepfeln verwandten Granatäpfel, Punica Granatum L., welche in Südeuropa, Persien und anderen Orten wegen ihres angenehmen, säuerlichen und kühlenden Saftes so sehr beliebt sind, kommen in Sansibar nur einzeln vor; man pflanzt den Baum mehr zur Zierde, denn des Ertrages halber. —

Häufig sieht man die Litschi, eine feine und seltsame Frucht, auf den Tafeln der Europäer. Obgleich die Menge des Fleisches zwischen Kern und Schale nur gering ist, genießt man sie doch wegen ihres lieblichen Geschmackes gern. Zwanzig bis dreißig der prächtig rothen, pflaumengroßen, über und über mit Stacheln bedeckten Beeren sind zu einer Traube vereinigt; ihre dornige, lederartige Schale schließt ein blasses, durchscheinendes Fleisch von einer gewissen Festigkeit und von dem Geschmacke der Muskatellertrauben ein, in welchem ein glatter, lichtbrauner, glänzender Kern von Form und Größe einer Olive liegt. Wenn die umfangreiche Krone des Baumes mit den sechs bis zwölf Zoll langen Trauben der rothen Früchte prangt, gewährt sie einen prächtigen Anblick, weil diese sich von den großen, glänzendgrünen, lorbeerähnlichen Blättern überaus schön abheben.

Der Litschibaum, Nephelium Litschi L., gehört der Klasse der ahornartigen Pflanzen an und hat seine botanische Stellung in der Nähe der Hesperiden oder Orangengewächse; er stammt aus China und wird dort hoch geschätzt. Eine Abart von ihm, der Longan, welcher Beeren von nur Haselnußgröße trägt, unterscheidet sich von ihm blos dadurch, daß er Blüten mit acht, jener aber solche ohne Blumenblätter hat.

Hieran reihen sich noch einige vortreffliche Obstsorten, von denen zwei, Guyave und Jamrose, den myrtenartigen Pflanzen, und die dritte, die Anona, den muskatnußartigen zugerechnet wird.

Die Guyave ist jetzt in den warmen Ländern aller Erdtheile verbreitet; man weiß jedoch, wie bei so vielen anderen nützlichen Pflanzen, nicht sicher, ob der Osten oder der Westen ihre Heimat ist. In wildem Zustande buschähnlich, gedeiht sie unter der Pflege des Menschen zur Baumgestalt und bis zur Größe unserer Aepfelbäume. Das Holz ist hart und zäh. Die Blätter sind zwei bis drei Zoll lang und einander paarweise gegenüberstehend. Die Blüte ist weiß und wohlriechend, die Frucht von der Größe eines Gänseeies, schwefelgelb, sehr glatt, etwas dickschalig und durch die Blütenreste, welche dem Stiele gegenüber sitzen bleiben, unseren Aepfeln und Birnen ähnlich. Die Guyaven haben einen eigenthümlichen Wohlgeruch und ein zart rosenfarbenes, angenehm süßes und würzhaftes Fleisch. Ihr ausgezeichneter Geschmack kommt erst dann zur vollen Entwickelung, wenn sie mit Zucker eingesotten werden. Die so entstehende rothe Gelée wird als das Feinste gerühmt, was Indien bietet.

Man unterscheidet hauptsächlich zwei Arten von Guyaven, die rothe, Psidium pomiferum L., und die weiße, Psidium pyriferum L.

Die Jamrose, Eugenia jambosa L., mit großen, weißen, troddelähnlichen Blumen, ist eine gleichfalls apfelähnliche Frucht von dem schönsten Rosengeruche, aber, wie uns scheint, von weniger feinem Geschmacke als die Guyave.

Beide Fruchtarten werden keineswegs in großer Menge gebaut, noch weniger aber die Anone, welche es vorzüglich verdiente, weil der Geschmack des nach Rosen duftenden Fruchtfleisches so überaus angenehm ist, ähnlich geronnener Sahne mit Zucker vermengt und mit den feinsten Fruchtsäften gewürzt. Die Anone, Anona squamosa D. C., Atte der Franzosen, ist in zehn oder zwölf Arten über alle Tropenländer verbreitet; die besten sollen sich in Amerika finden; indessen sind die von Sansibar und Bourbon so vortrefflich, daß sie kaum Etwas zu wünschen übrig lassen. Die glanzlose, gelbgrüne Frucht, welche die Gestalt eines jungen Kieferzapfens und die Größe eines starken Apfels hat, wird von einer ziemlich dicken Schale umschlossen und enthält ein blendend weißes, butterweiches Fleisch mit eben so vielen glänzend schwarzen Samenkernen, als die Rinde der Frucht Hervorragungen hat. —

Unter den Handelsgewächsen Sansibars verdient an erster Stelle der Gewürznelkenbaum genannt zu werden. Nelkenpflanzungen bedecken einen großen Theil des bebaubaren Landes und bringen jährlich über eine halbe Million Pfund der besten Näglein hervor; ihr Duft erfüllet meilenweit die Luft, und an ihm erkennet der Schiffer die Insel schon lange, bevor sie sichtbar ist.

Schon seit zweitausend Jahren kennt man die Näglein als Gewürz, aber erst seit Anfang des fünfzehnten Jahrhunderts ihre Heimat und Abstammung. Man kaufte sie von den Egyptern und Arabern; diese aber waren mit ihnen wiederum erst durch die Chinesen bekannt geworden, welche in grauer Vorzeit den Gewürznelken- und Muskatnußbaum entdeckt hatten. Im Jahre 1411 lernten endlich die Portugiesen die Molukken als das Vaterland beider Baumarten kennen und gaben jenen Eilanden deshalb den Namen Gewürz-Inseln. Zwei Jahrhunderte später (1622) mußten sie diesen Besitz den Holländern überlassen, welche in richtiger Erwägung der Wichtigkeit desselben, aber habsüchtigen und engherzigen Sinnes, die Nelken allerorts vernichteten, ausgenommen auf der leicht zu bewachenden und gesunden Insel Amboina. Anderthalb Jahrhunderte lang hatten sie sich den Alleinhandel mit dem kostbaren Gewürze gesichert; endlich aber gelang es einem Franzosen, Poivre, unter manchen Fährlichkeiten eine Anzahl Nelkenpflanzen von den Molukken wegzuführen. Seine Ladung brachte er theils nach den Maskarenen und Seschellen, theils nach Cayenne. Auf der erstgenannten Inselgruppe gediehen sie vortrefflich, wenn auch nicht in derselben Güte, wie in ihrer Heimat; für Bourbon wurden sie sogar eine Quelle des Wohlstandes, weshalb man auch dort den mutigen Einführer mit Ehrenbezeugungen überhäufte.

Als man auch an anderen Orten Gewürznelken baute, sank der Preis derselben mehr und mehr, so daß endlich die geringeren Sorten auf Bourbon nur noch in besonders guten Jahren die Mühe des Einsammelns lohnten, insbesondere nachdem der großartige Verbrauch dieses Gewürzes in den Färbereien aufhörte, weil die Chemiker billigere Ersatzmittel dafür gefunden hatten.

Auf Sansibar und auf der Insel Pemba wurden die ersten Nelkenbäume in den zwanziger Jahren dieses Jahrhunderts durch die Araber eingeführt. Sie gediehen über alle Erwartung und verdrängten, weil sie höheren Gewinn abwarfen, bald einen großen Theil des übrigen Anbaues: ausgedehnte, mit Kokospalmen bestandene Flächen wurden gerodet, um ihnen Platz zu machen. In Folge dessen sank aber allmählich der Preis immer tiefer, und damit war ihrer weiteren Verbreitung eine Grenze gesetzt.

Wie Guyave und Jamrose gehört auch die Gewürznelke zu der Familie der myrtenartigen Pflanzen, welche zwischen den Terpentingewächsen und den heimischen apfelfrüchtigen ungefähr mitten inne stehen. Der Baum gleicht einigermaßen dem Lorbeerbaume; seine Krone bildet einen anmutigen, länglichen Kegel, und die gelbgrünen Blätter, welche zu Anfange der Regenzeit in Büscheln am äußersten Ende der Zweige hervorkommen, haben die Festigkeit und den Glanz der Lorbeerblätter. Die Knospen, in getrocknetem Zustande Gewürznäglein genannt, haben am Baume eine grüne Färbung und werden erst nach dem Welken gelblichroth und endlich braun, wobei ihr köstlicher Pfirsichgeruch an gewürzhafter Schärfe gewinnt. Läßt man sie sich entwickeln, so bildet sich eine muskatnußgroße, schwarze Beere, welche einen länglichen, dunkelfarbigen Stamm von beträchtlicher Größe enthält. Auch sie wird getrocknet und als sogenannte Mutternelke für den Küchengebrauch verwendet, hat aber einen ungleich milderen, also weniger würzigen Geschmack als die Näglein. Das schwere, flüchtige Oel, welchem diese Geschmack und Geruch verdanken, ist übrigens in allen Theilen der Pflanze enthalten, wenn auch am reichlichsten in den Blütenknospen. Man gewinnt es aus den frischen Nelken durch Auspressen, besser aber aus den getrockneten durch Destillation.

Die Fortpflanzung des Baumes ist mühelos. Schon die abfallenden, reifen Beeren keimen und entwickeln sich, so daß es also nie an jungem Nachwuchse zum Ersatze des Abganges an alten Bäumen fehlt. Dies aber ist um so schätzbarer, als die Bäume ein ziemlich sprödes Holz besitzen, und bei heftigen Stürmen leicht umbrechen. In jungen Pflanzungen muß der Boden jährlich zwei- oder dreimal ausgejätet werden; später bedarf es dessen nicht mehr: die älteren Bäume entziehen dem Boden soviel Nahrungsstoff, daß zwischen ihnen nichts Anderes aufkommen kann. Fruchtbares Erdreich, feuchte Luft und Schutz vor heftigem Winde sind unerläßliche Bedingungen bei Anlage einer Pflanzung dieser Bäume. Sie gedeihen am besten in nicht zu großer Entfernung vom Meere und in geringer Höhe über der Oberfläche desselben; in höher als fünfhundert Fuß gelegenen Orten kommen sie wol noch fort, geben aber keinen Blütenertrag mehr. Für gewöhnlich beschränkt man das Wachsthum des Baumes behufs möglichst bequemer Ernte seiner Blüten und läßt ihn höchstens zwanzig Fuß hoch werden. Ein solcher Busch gibt durchschnittlich einen Ertrag von zwei bis vier Pfund Näglein (auf Sansibar mehr?), ein Baum aber bis fünfzehn Pfund, ungerechnet einige Tausend hängen gebliebener Beeren. Bei ungestörter Entwickelung erreicht er eine beträchtliche Höhe und Ergiebigkeit: so ist nach Bory de St. Vincent der „giroflier Poivre“ auf Réunion, vermutlich derselbe, welchen Poivre zuerst dort gepflanzt hat, ein prächtiger, stattlicher Baum, welcher in guten Jahren sogar bis einhundert und zwanzig Pfund Nelken lieferte.

Nicht immer ist der Ertrag der Nelkenernte derselbe, sondern, wie der unserer Obstbäume, beträchtlichem Wechsel unterworfen: nur aller drei bis vier Jahre hat man eine

besonders reiche Ernte zu erwarten, welche dreimal mehr ergibt als gewöhnlich. Da nun die grossen arabischen Grundbesitzer auf Sansibar den Haupttheil ihrer Einkünfte aus Gewürznelkenpflanzungen ziehen, gerathen sie bei jeder Mißernte in Verlegenheit, bei mehreren nacheinander oft tief in Schulden. Die Ernte selbst beschäftigt sehr viele Leute; man kann rechnen, daß jeder Stamm einem Manne einen Monat lang zu thun gibt. Nach Guillain beginnt man in trockenen Jahren mit dem Pflücken der Knospen Mitte Oktobers, setzt im November und Dezember aus und nimmt im Januar die Arbeit von Neuem auf, so daß es scheint, als ob zwei Ernten im Jahre stattfänden, während Dies in Wahrheit nicht der Fall ist. In feuchten, d. h. gedeihlichen Jahren gibt es schon viel früher reichlichen Ertrag und acht Monate nacheinander ununterbrochene Arbeit. Gewöhnlich beschäftigen sich mehrere Neger zugleich mit der Ernte eines Baumes. Sie steigen auf einer wahrhaft urwüchsigen Baumleiter, d. h. auf einem etwa zwanzig Fuß hohen, aus drei Stämmen zusammengefügten und mit Querstäben versehenen Gestelle an den Bäumen empor, pflücken die hinlänglich gereiften Blütenknospen und breiten sie dann auf geflochtenen Matten in der Sonne zum Trocknen aus. Vor dem Versande zur See müssen die Nelken noch einmal auf den flachen Dächern gedörrt werden, wobei sie einen fast betäubenden Geruch verbreiten. Die Holländer sollen ihre Nelken außerdem noch mit Rauch behandeln; vielleicht rührt die äußerlich schwarze Farbe der Molukkennelken hiervon her.

In den Gärten der reichen Araber gewahrt man häufig zwei andere ausländische Gewürzpflanzen, den Zimmetbaum, Laurus Cinnamomum L., ein Lorbeergewächs, und den den brodfrucht- und wolfsmilchartigen Pflanzen nahestehenden Muskatnußbaum, Myristica moschata Thunbg. Letzterer besonders gedeiht vortrefflich und ist vielleicht berufen, einst eine ähnliche Rolle wie der Gewürznelkenbaum zu spielen. Dessen Geschichte ist auch die seinige; es gelang jedoch den Holländern nicht, ihn gleichfalls auf Amboina zu beschränken: er wollte nur auf dem ungesunden Eilande Banda gut gedeihen und ließ sich nicht einmal hier gefangen halten, sondern verbreitete sich, wie man glaubt durch Holztauben verschleppt, immer wieder nach anderen, nahe gelegenen und entfernteren Inseln.

Der Muskatnußbaum wird noch größer als der Gewürznelkenbaum; seine Zweige gehen von der Basis des Stammes aus und stehen etwas weniger dicht als bei jenem, und die oben schön grünen und unten grauen Blätter sind im Verhältniß zu ihrer Länge breiter und in ihren Umrissen zierlicher. Die weißen, glockenförmigen, kelchlosen Blüten sitzen klein und unscheinbar zu zweien bis dreien auf einem dünnen Stiele; die verschiedenen Geschlechter wachsen auf verschiedenen Bäumen, und zwar scheint es, als ob die fruchtbringenden weiblichen seltener als die männlichen sind, etwa im Verhältniß von eins zu sechs. Die Frucht, anfangs ein kleiner, röthlicher Knopf, entwickelt sich allmählich zur Gestalt und Größe einer kleinen Pfirsiche, ist jedoch etwas länglicher und an Farbe heller und glänzender als diese. Wenn sie sich der Reife nähert, spaltet sich ihre einen halben Zoll dicke, fleischige Hülle ringsum in der Richtung einer schon vorher sichtbaren Querfurche und läßt eine schön braunschwarze, glänzende Nuß durchscheinen, umhüllt von einem prächtigen, karminfarbenen Netze, der sogenannten Macis (fälschlich Muskatblüte genannt), eine würzige Masse, welche nach dem Trocknen eine mehr gelbliche Farbe annimmt und bei uns in Apotheken und Küchen Verwendung findet. Die eigentliche Muskatnuß, der Kern der jetzt entblößten, glänzendbraunen Nuß, wird so fest von einer harten Schale umschlossen, daß sie im frischen Zustande unbeschädigt nicht erlangt, sondern erst nach dem Trocknen in der Sonne und am Feuer, wenn sie so weit zusammengeschrumpft ist, daß sie in der Schale klappert, gewonnen werden kann. Die herausgenommenen Kerne werden dreimal in Seewasser und Kalk eingeweicht und zu Haufen aufgeschichtet, wobei sie sich stark erhitzen und ihre Keimkraft verlieren; sie halten nun ihren würzhaften Geschmack besser und werden endlich, in trocknen Kalk gepackt, versendet.

Man unterscheidet Royal- und grüne Muskatnüsse. Die ersteren, größeren haben eine Macis, welche die Nuß überragt, während diese bei den letzteren nur bis zur Mitte derselben reicht. Gute Muskatnüsse sollen groß, rund, schwer, von hellgrauer Farbe und im Durchschnitte fein marmorirt sein. Sie enthalten ungefähr $^1/_{32}$ ihres Gewichtes von einem flüchtigen Oele, welches ihnen ihre würzhaften Eigenschaften verleiht, und $^1/_4$ bis $^1/_3$ von einem gelben, fetten, doch ebenfalls wohlriechenden Oele.

Anfangs verursachte der Anbau der Muskatnuß außerhalb der Molukken viele Schwierigkeiten, weil man nicht wußte, daß beide Geschlechter auf verschiedene Bäume vertheilt sind. Als man dies nach längerer Zeit erkannt, pflanzte man, der Befruchtung wegen, einige männliche Bäume mit unter die weiblichen, ein Verfahren, durch welches man natürlich viel Raum verlor. Endlich entdeckte *Hubert*, ein einsichtiger Pflanzer auf Bourbon, durch viele Versuche, daß man auf männliche Pflanzen auch weibliche Zweige *pfropfen* könne und umgekehrt. Von nun an pfropfte man allen weiblichen Bäumen ein einziges männliches Reis auf; den männlichen Bäumen aber schnitt man sämmtliche Zweige ab bis auf einen, welcher zur Befruchtung dienen sollte, und ersetzte sie durch weibliche. Hierdurch wurde der Ertrag einer Muskatpflanzung viel sicherer und reichlicher. —

Von den bisher erwähnten Pflanzen liefern nur zwei, die Kokospalme und der Gewürznelkenbaum, werthvolle Handelsgegenstände; es bleiben jedoch noch zwei, allerdings weniger stattliche, darum aber nicht minder wichtige Gewächse zu erwähnen übrig, der *Sesam* und der *rothe oder Guineapfeffer*. Von letzterem finden sich großartige Pflanzungen in dem steinigen Inneren der Insel, wo man kaum vermuten kann, daß irgend eine Pflanze Wurzel zu schlagen und fortzukommen vermag. Der hier auf kleinen, fast verkümmerten Sträuchern erwachsene Pfeffer scheint von besserer Beschaffenheit zu sein, als der von den großen, üppigen Büschen, welche man häufig an der Küste und in der Nähe der Häuser antrifft. Die *Pfefferpflanze*, Capsicum annuum L., eine Solanee oder nachtschattenartige Pflanze, stammt aus den heißen Gegenden, ist aber seit drei Jahrhunderten auch bei uns so eingebürgert, daß sie, wenigstens während des Sommers, in freier Luft aushält. Die Blätter sind lang, schmal und von dunkelgrüner Farbe, die Blüten klein und weiß. Die rothen und gelben Schoten, *Pilpili* der Suaheli, sind von wechselnder Gestalt, einige lang, andere kurz, rund oder herzförmig und werden im Lande allgemein zum Würzen der Speisen gebraucht, in viel größerer Menge aber nach Europa ausgeführt.

Bei der großen Schärfe des rothen Pfeffers ist es gefährlich, sich da aufzuhalten, wo er vor der Verschiffung getrocknet wird; denn leicht geräth ein Stäubchen davon in die Augen und verursacht hier die heftigsten Schmerzen. Auch durch die Kleider dringt der feine, scharfe Staub und ruft an den empfindlichsten Stellen ein unerträgliches Jucken hervor. Selbst die dickhäutigen Neger, welche mit dem Trocknen und Verladen des Pfeffers beschäftigt sind, müssen sich nach geschehener Arbeit gründlich durch ein Seebad reinigen, falls sie die Nacht über Ruhe haben wollen.

Simsim oder Sesam, von den Suaheli Mafuta, d. i. Fett oder Oel genannt, wird in sehr beträchtlicher Menge von Sansibar ausgeführt, und zwar theils der in den feuchten Thälern und Ebenen der Insel selbst gebaute, theils der von der Küste herbeigebrachte. Diese, nach Herodot schon seit den ältesten Zeiten benutzte, wichtige Oelpflanze soll ursprünglich auf Ceylon und an der Malabarküste heimisch gewesen sein, ist aber gegenwärtig über alle heißen Erdstriche verbreitet, gedeiht in dem fernen Japan, in Oberegypten, in Senaar, in Abessynien, Dongola, und wurde durch die Neger, welche seine Samen leidenschaftlich lieben, auch nach Amerika gebracht.

Der Sesam, Sesamum indicum oder orientale L., gehört zur Familie der Bignoniaceen, welche den lippenblütigen Pflanzen und den Verbenen nahe steht. Sein vierkantiger, krautartiger Stengel wird etwa zwei Fuß hoch und sendet einige seitliche Zweige aus, an denen sich kleine, bräunlichweiße, zu einer losen Traube vereinigte Blüten entwickeln. Die senfkorngroßen, als *rother und weißer Simsim* unterschiedenen Samen werden, gut getrocknet und in spitze Mattensäcke verpackt, an trockenen Stellen des Schiffes verladen, da sie durch Feuchtigkeit verderben. Das durch Pressen aus ihnen gewonnene Oel schmeckt anfangs unangenehm, bekommt aber später einen vortrefflichen, süßen Geschmack; es eignet sich zu derselben Verwendung, wie das feinste Olivenöl, hat vor diesem noch den Vorzug, daß es nicht ranzig wird. Die Samen werden häufig geröstet und mit Wasser gemischt als eine Art Pudding gegessen; ihr Geschmack soll erwärmend sein wie der von schwachem Senfe.

Es finden sich auf Sansibar noch mancherlei Gewächse, welche anderwärts von großer Wichtigkeit sind, und auch hier einer gewinnbringenden Ausbeutung fähig sein würden, wären die Araber weniger träge und unwissend, und hätten die Europäer ebensoviel gewerblichen als kaufmännischen Unternehmungsgeist. Unter diesen Pflanzen der Zukunft steht das Zuckerrohr, Saccharum officinale L., obenan. Es wird fast nur zur Leckerei gebaut: die Neger lieben leidenschaftlich den süßen Saft, welchen sie beim Auskauen des geschälten Rohres saugen. Im Inneren der Insel, auf den Grundstücken reicher Besitzer, gibt es zwar einzelne, größere Pflanzungen von Zuckerrohr; man preßt auch hier und da den Saft mittelst einer einfachen Maschine aus, verarbeitet ihn aber nur für den Selbstgebrauch zu einem dünnen Sirop, nicht aber zu festem, verkäuflichen Zucker. Ein in früheren Jahren angestellter Versuch eines Franzosen von Réunion, festen Zucker von den Pflanzungen des Sultahns zu gewinnen, scheiterte. Der Sultahn lieferte nämlich das Zuckerrohr und die nöthigen Arbeitskräfte; der Franzose sollte die Verarbeitung besorgen, hatte aber nur schlechte Maschinen und geringe Geldmittel zur Verfügung, so daß er nach einigen Jahren das Unternehmen wieder aufgeben mußte. Trotzdem unterliegt es keinem Zweifel, daß ein geschickter Mann mit genügendem Kapitale vortreffliche Geschäfte mit der Zuckergewinnung machen würde; denn das hiesige Zuckerrohr ist von ausgezeichneter Güte, erreicht eine bedeutende Höhe strotzt von Saft und gelangt bereits in neun Monaten zur Reife, während an anderen Orten dazu fünfzehn Monate und noch länger erforderlich sind; endlich ist der Boden noch nicht ausgesaugt, wie in anderen Zuckerländern: kurz, alle Bedingnisse zum Gedeihen dieser Industrie sind vorhanden. In neuester Zeit hat denn auch ein Engländer den alten Versuch wiederholt und in so weit Erfolg gehabt, daß er bereits kleine Mengen Zuckers auf den Markt bringen konnte.

Auch der Indigo, Indigofera tinctoria und Anil L., eine Schmetterlingsblumenpflanze, wächst häufig und zwar wild auf der Insel. Vor vielen Jahren hatte der Sultahn Seid Said daraus unter dem Beistande eines Franzosen Indigofarbe gewinnen wollen; die Pflanzung gelang, die Ernte war reich, lieferte aber nicht ein Loth des edlen Stoffes; denn der fremde Schwindler verstand sich ebensowenig auf die Indigobereitung als der Sultahn selber. Seitdem hat man sich nie wieder mit der Erzeugung des kostbaren Farbestoffes beschäftigt, obgleich sicherlich die darauf verwendete Mühe sich reichlich lohnen würde.

Eine gleiche Bewandtniß hat es mit dem Kaffee. Ein englisches Haus hatte Kaffeesamen von Bourbon und Mekka kommen lassen und ausgedehnte Pflanzungen angelegt, war aber genöthigt, die Geschäfte auf Sansibar aufzugeben, ehe ein entscheidendes Ergebniß erzielt worden war. So wird es wol noch lange dauern, bis wieder einmal ein ähnlicher Versuch gemacht wird, zumal es scheint, als ob der Kaffee auf den trockenen Hügeln der Küste besser fortkommen müßte als auf der feuchten und niedrig gelegenen Insel.

Die Baumwollstaude gedeiht gleichfalls, namentlich auf hoch gelegenen und etwas trockenen Orten; ihre Wolle soll indessen kurz und wenig fein sein, auch der häufig und unregelmäßig fallende Regen der Güte des Produktes schaden oder doch die Ernte unsicher machen.

Vierter Abschnitt.

Ein Blick auf die Thierwelt der Insel.

Korallenthiere. — Thierleben auf einer Koralleninsel. — Heuschrecken- und Einsiedlerkrebse. — Verdienste der „lächerlichen" Krabben. — Insektenarmut. — Der Riesentausendfuß. — Gefährliche Hundertfüße. — Salz- und Süßwasserfische. — Lurche. — Der Waran. — Unsere Kenntniß der Vogelwelt. — Raub-, Sperr-, Sing- und Klettervögel. — Wildtauben und Hühner. — Sumpf- und Schwimmvögel. — Affen. — Komba. — Fliederthiere. — Raubthiere. — Nager: Hamsterratte. — Wiederkäuer: Zwergantilopen. — Wildschwein. — Ein Gast vom Festlande. — Hausthiere.

Erst wenn der glücklich heimgekommene Reisende an die Bearbeitung seiner Beobachtungen und Erinnerungen geht, wird er sich bewußt, daß er die Gelegenheit zu beobachten und zu sammeln nur dürftig benutzte. Zahlreiche Lücken seines Wissens, entstanden in Folge von Unachtsamkeit oder Mangel an Erfahrung, rufen ein Gefühl der Reue, zugleich aber den Wunsch in ihm hervor, das Land, in welchem er beobachtete und sammelte, noch einmal zu besuchen, um frühere Nachlässigkeit wieder gut zu machen, begangene Fehler zu vermeiden. Glücklich Derjenige, welchem ein gütiges Geschick Dies ermöglichet!

Auch wir haben schwere Unterlassungssünden zu beklagen; denn wir müssen gestehen, daß unsere Sammlungen mangelhaft, unsere Beobachtungen ungenügend sind: und nur der Gedanke, daß wir die Erfahrung, welche wir durch Verarbeitung des vorliegenden Stoffes inzwischen gesammelt, vormals noch nicht besaßen, daß wir nicht recht wußten, worauf es eigentlich ankommt bei dem Beobachten und Sammeln, läßt uns auf Entschuldigung hoffen und uns einigermaßen Beruhigung finden.

Ganz besonders haben wir die Thierkunde vernachlässiget; wir haben, wie wir offen gestehen müssen, den vorhandenen Reichthum nur in geringem Maße ausgebeutet. Dies erkennen wir jetzt lebhafter als je; denn ohne die Gefälligkeit erfahrener Freunde würde es uns ganz unmöglich gewesen sein, auch das oberflächlichste Bild der Thierwelt Sansibars zu entwerfen: ein solches Bild aber ist bei einer Insel, welche Thieren ihr Dasein verdankt, geradezu unerläßlich, und deshalb haben wir, wohl oder übel, den Versuch gewagt, dort und hier zu Lande Erfahrenes zusammenzustellen.

Das Thierleben verbirgt sich, so zu sagen, dem Auge des Laien; von der Fülle und dem Reichthume an Thieren, wie man Beides in einem Tropenlande zu finden erwartet, gewahrt er wenig; das Eiland erscheint ihm öde und todt. Trotzdem erfährt man, daß Dies in Wahrheit nicht der Fall; denn wenn auch die höhere Thierwelt in jeder Hinsicht weit hinter der des benachbarten Festlandes zurücksteht: Heimatsrecht hat auch sie sich auf der Insel erworben; ja, wie es scheint, gehören dieser einzelne Thiere ausschließlich an, da sie bis jetzt nur noch auf den benachbarten, zu der Hauptinsel gehörigen Eilanden gefunden wurden.

Ungleich bedeutsamer als die höhere, stellt sich die niedere Halbscheid des Thierreichs dar. Der Laie bekommt zwar nur den allergeringsten Theil der wirbellosen Thiere zu Gesicht, kann jedoch einzelne von ihnen nicht übersehen, weil die Spuren ihres Vorhandenseins ihm überall in die Augen springen: Sansibar ist eine Koralleninsel, welche von riffbauenden Polypen dem Meere abgewonnen wurde; und wenn auch diejenigen, welche die Grundpfeiler aufgethürmt, schon längst vernichtet und untergegangen sind, so arbeitet das geschäftige Heer ringsum im Meere doch heutigen Tages noch unermüdlich, als wolle es die Gruppe der Inseln nach und nach zu einem einzigen Eilande gestalten.

Unsere Korallen — Meermädchen in wörtlicher Uebersetzung des dichterischen Namens, welchen die Alten ihnen verliehen — sind nicht diejenigen, mit denen sich die Sage so vielfach beschäftigte, von denen uns Ovid in seinen Metamorphosen erzählt, daß Perseus sie, die früheren Meerespflanzen, durch das Haupt der von ihm getödteten Gorgo versteinerte, und deren Verwandte fortan ebenfalls zu Stein werden sollten, sobald sie mit der Luft in Berührung kommen*), nicht die Edelkorallen, welche unter Beschwerden und Gefahren von dem Meeresgrunde heraufgeholt werden, sondern Madreporen, Heteroporen und Milleporen, Asträen und Mäandrinen oder Schwamm-, Kronen- und Punktkorallen, Stern- und Labyrinthkorallen und viele andere Arten, welche wir unter dem Namen Madreporen zusammenfassen oder allgemein als Steinkorallen bezeichnen können. Ihre gewaltigen Steinbauten ragen hier und da mitten aus dem tiefen Meere hervor, umsäumen die Küste als schäumende Riffe, treten im Inneren des Landes selbst als ausgedehnte Felder zu Tage und machen wegen ihrer zahllosen Spitzen und Zacken die Gegend für den Fußgänger fast ebenso unzugänglich, als diejenigen, welche noch überflutet werden, die Schiffahrt gefährden. Wie keine andere Thierklasse üben sie noch jetzt einen gewaltigen, umgestaltenden Einfluß aus in gewissen Meeresgegenden, insbesondere im stillen Weltmeere, wo sie vor unseren Augen eine Meerenge, die Torresstraße, zubauen und so die beiden ungeheueren Inseln Australien und Neuseeland miteinander verkitten.

Die Korallenthiere oder Polypen gedeihen nur in völlig klarem Wasser; da, wo trübe Flüsse sich in das Meer ergießen, wo die Wogen Schlamm und Sand von dem Grunde aufwühlen, ersticken sie unter dem niedersinkenden Schmuze, welchem sie sich, freier Bewegung ermangelnd, nicht entziehen können. Je nach ihrer Körperbeschaffenheit und Lebensweise siedeln sie sich an verschiedenen Stellen an: die riffbauenden Polypen außerhalb, wo ihnen das brandende Meer ihre Nahrung in Fülle zuspült, die größeren, skelettlosen Fleischpolypen aber vorzugsweise in dem ruhigeren Wasser abgeschlossener Buchten, in Kanälen und in Lücken und Höhlen der Riffe. Alle Polypen sterben, wenn sie für kurze Zeit außer Wasser gerathen; sie können daher in lebendem Zustande nur unterhalb der niedrigsten Flutmarke vorkommen. Dies gilt vorzüglich von den kleinen Baumeistern der Riffe, so daß alle ihre Gebilde, welche wir, wenn auch nur zeitweise, außerhalb

*) Ovid. Met. IV. 749. „Sic et curalium, quo primum contigit auras
Tempore durescit: mollis fuit herba sub undis.“
(So erstarrt die Koralle noch jetzt in schneller Verwandlung
An der feindlichen Luft, das zarte Gebilde der Salzflut).

des Wassers antreffen, untergegangenen Geschlechtern angehören. Ebensowenig vermögen aber diese Thierchen in allzugroßen Tiefen zu gedeihen: es ist mit Bestimmtheit nachgewiesen worden, daß sie in mehr als 120 Fuß Tiefe nicht mehr leben, vermutlich weil dort der Luftgehalt des Wassers in einer für sie nachtheiligen Weise abnimmt. Riffe in größerer Tiefe müssen also unzweifelhaft durch eine Senkung des Meeresbodens aus ihrer früheren Lage gerückt worden sein.

Polypen hat man in allen Meeren der Erde bis nach den Polen hinauf gefunden, die riffebauenden Arten jedoch massenhaft nur in tropischen Meeren, deren Wärme niemals bis unter 16° R. herabsinkt, vor Allem aber in heißen Gegenden, wo sich die Temperatur des Wassers immer zwischen 22° und 24° hält. Da nun die lebenden Korallenthiere größtentheils mit den Baumeistern der tausend und hunderttausend Jahre alten Bildungen übereinstimmen, welche bis hinauf nach den Polen gefunden werden, so liegt hierin der beste Beweis, daß ehemals auch jene Meere eine bedeutend höhere Wärme besaßen.

Bekanntlich unterscheidet man hauptsächlich drei Arten von Korallenbauten: Saum-, Küsten- oder Strandriffe, welche sich unmittelbar an das Ufer des Festlandes oder der Inseln anschließen, und diesem einen mehr oder minder breiten, bis mehrere Stunden weit in die See hineinlaufenden Rand zufügen; Damm-, Wall- oder Kanalriffe, welche durch einen Meeresarm von dem Lande getrennt sind und sich entweder weithin in gleicher Richtung mit demselben ziehen oder es, bei kleineren Inseln, in einiger Entfernung ringförmig umschließen, und Lagunenriffe oder Atolls, welche mit keinem über das Meer emporsteigenden Lande in Beziehung stehen, sondern in einfacher, kreis- oder länglichrunder Form einen einer Untiefe des Seebodens entsprechenden Theil des Meeres umziehen.

An der Ostküste von Afrika, woselbst, nach den zehn bis zwanzig Fuß hohen Korallenfelsen zu schließen, eine beträchtliche Hebung des Landes stattgefunden haben muß, kommen nur die beiden ersten Arten vor. Bei Küstenfahrten hat man hier öfters Gelegenheit, die untermeerischen Korallenbänke zu bewundern, welche, obwol sechzig, achtzig bis hundert Fuß unter Wasser liegend, doch so klar und deutlich zu erkennen sind, daß man sie mit den Händen greifen zu können meint. Ein feenhafter Garten mit den herrlichsten Gesträuchen, Bäumchen und Blumen von unbeschreiblicher Zartheit und Farbenpracht breitet sich da unten aus: — und alle diese Blumen leben, scheinen zu athmen und bewegen sich, und zwischen ihnen tummeln sich kleine, mit den herrlichsten Regenbogenfarben geschmückte Fische, scheinbar spielend, in Wirklichkeit aber, um mit scharfem, hornartigen Kiefer die fleischigen Köpfe der zarten Gebilde abzunagen. Sendet man, um das seltene, schöne Schauspiel ganz in der Nähe betrachten zu können, einen im Tauchen erfahrenen Fischer hinab, oder zieht man einen der schönsten Blumenstöcke mit eisernem Haken empor, so zeigt sich dem erstaunten Blicke nur ein grauer, mit schlüpfrigem Schleime überzogener Stein. Man glaubt, sich mit dem Fangeisen geirrt zu haben und macht noch einen Versuch — er liefert wiederum dasselbe Ergebniß: die Thierchen, welche so sehr entzückten, haben ihre zierlichen Fangarme eingezogen, sind in der feindlichen Luft zu einer dünnen Schleimhaut zusammengesunken, und die herrlichen Farben, welche der Lichtbrechung unter Wasser und wol auch der Lebensthätigkeit ihren Ursprung verdankten, einem häßlichen, schmuzigen Graubraun gewichen. Man hat es mit Schönheiten zu thun, welche bei der leisesten Berührung, bei der geringsten Veränderung der Lebensverhältnisse vergehen, welche sogar schon in einem weniger salzhaltigen Wasser rasch verenden.

Auch die über die Meeresoberfläche erhobenen, abgestorbenen Korallengebilde verdienen eine genauere Betrachtung, da sie durchaus nicht so öde sind, als der Anschein vermuten läßt. Wiederholt haben wir uns das Vergnügen gemacht, zur Ebbezeit eine der kleinen, mit flachen Riffen umsäumten Inseln zu besuchen, welche den Hafen von Sansibar umschließen. Die kleinste derselben, Kibandigo, von den Europäern „Blumenkorb" genannt, fällt schon vom Lande aus durch ihre sonderbare, in dieser Gegend übrigens nicht seltene Gestalt auf: in Pilzform erhebt sich der fast kreisrunde Felsen aus dem Meere, unten dünn, nach oben zu in sanfter, einwärts gehender Krümmung allmählich breiter werdend, die Oberfläche dicht mit überhängendem Gesträuche bewachsen, so daß der Vergleich mit einem Blumenkorbe sich Jedem aufdrängt. Die Luft ist still, das Meer ruhig; von schwarzen Ruderern vorwärts getrieben, nähert man sich schnell dem Ziele. Schon lange, bevor man den Strand erreicht, verfärbt sich das tiefe Blau des Meeres in ein anfangs dunkles, dann immer heller werdendes Grün; noch in ziemlich weiter Entfernung von der Insel stößt das Boot auf den Grund — es hat den Rand des nur von geringer Wasserhöhe bedeckten Saumriffes erreicht. Hier heißt es aussteigen und sich den Negern übergeben, welche, nachdem sie das Fahrzeug sicher verankert, ihre Fahrgäste auf eine trockene Stelle des Landes tragen und trotz der schweren Last die furchtbaren Zacken des Gesteines mit nackten Füßen so ruhig und sicher überschreiten, als ob sie kein Gefühl besäßen.

Schon das halbtrockene Steinfeld bietet des Anziehenden viel. In den zahlreichen, stehen gebliebenen Salzwasserlachen wimmelt es von den wunderbarsten Thierformen, bunten Seerosen, ungestalten Holothurien oder Seewalzen, langarmigen Haarsternen, von denen einige Arten bei der Berührung einen brennenden Schmerz verursachen, Seeigeln, Seeraupen und anderen tropischen Meerthieren, welche einzeln aufzuzählen es uns an Raum gebricht. Wer jemals eines der neueren, großartigen Seewasseraquarien gesehen hat, wird es begreiflich finden, wenn man Stunden mit der Beobachtung des Lebens und Treibens solcher Geschöpfe verbringt, daß der volle Eifer des Sammlers sich bald bemerklich macht. Das Sammeln selbst ist jedoch nicht so leicht; denn alle diese Thiere sitzen zwischen engen Ritzen und in tiefen Löchern und strecken nur ihre empfindsamen Organe hervor; bei der geringsten Gefahr aber ziehen sie sich zurück und heften sich dort so fest an, daß man sie zerreißen würde, wenn man sie gewaltsam loslösen wollte. Auch die häufig sich hierher verirrenden Papageifische, so genannt wegen der Bildung ihrer Schnauzen und vielleicht auch wegen der Pracht ihrer Farben, entziehen sich aller Verfolgung; sobald man sich ihnen mit der Hand oder mit einem Netze naht, verschwinden sie zwischen den zackigen Aesten der Korallen, welche sie gewandt umschwärmen. Der Sammler hat es übrigens nicht nöthig, sich selbst mit dem Fange zu bemühen, da er in der Stadt bei einem jungen Indier Alles vorräthig findet, was er wünscht, oder es doch nach vorheriger Bestellung schnell von ihm erlangt.

Leichter wird es, sich durch eigene Thätigkeit eine reichhaltige Sammlung von Weichthieren aller Klassen zu erwerben; denn der berühmte Reichthum des indischen Weltmeeres zeigt sich auch in der Nähe der Insel. Sie wäre ein Ort für den Forscher, welcher das in so vieler Hinsicht noch unbekannte Leben dieser Thiere zu beobachten wünscht; es würde ihm niemals an Stoff mangeln. Selbst das Innere der Steine, welche man losbricht oder vom Boden aufliest, ist belebt; in jedem Brocken fast findet wenigstens der Laie ihm fremde, neue Geschöpfe. Kleine, eigenthümliche Krabben, mit hartem, glänzend gefärbtem Panzer — Trapezien und Porzellaniden — verschiedene Bohrmuscheln, unter ihnen auch die nach ihrer Gestalt sogenannten Meeresdatteln — Lithodomus — sitzen in Menge in theils selbst gebohrten, theils vorhanden gewesenen Löchern und Höhlen, halb und ganz eingeschlossen, so daß man kaum begreifen kann, auf welche Weise diese Thiere ihre Nahrung erlangen.

An und auf den Koralleninseln tummeln sich verschiedenartige Krebsthiere, die einen im freien Wasser, die anderen in Muschelschalen, deren Höhlung ihren weichen Schwanz aufnehmen mußte, diese zwischen, jene in dem Gestein selbst, d. h. in den Zellen, Höhlen und Löchern desselben. Eine namhafte Anzahl von ihnen gehört zu den scheerenlosen, genannt Langusten oder Heuschreckenkrebse, Kruster, welche die verschiedenen Gestalten der Geradflügler oft auf das Täuschendste nachahmen, unter denen man die Formen des wandelnden Blattes, der Mantis oder Gottesanbeterin, der Grille und der Heuschrecke wiederfindet. Die Grillenkrebse (Scyllarus) und die echten Heuschreckenkrebse (Palinurus) fallen auf durch Gestalt und Größe: erstere durch ihre Breite und Häßlichkeit, letztere durch Schönheit der Farben und durch ihre walzrunden Geißeln oder Fühler, welche den fußlangen Körper oft noch an Länge übertreffen. Sie werden von den Fischern am häufigsten zum Verkaufe gebracht, weil sie von Fremden und Einheimischen in mannigfacher Zubereitung gern genossen werden.

Mehr als alle übrigen nehmen die Einsiedlerkrebse die Aufmerksamkeit des Laien in Anspruch, obwol er ganz ähnliche und genau ebenso lebende Thiere auch in der Flutmarke seiner heimischen Meere hätte beobachten können. Bekanntlich suchen diese Krebse ihren ungepanzerten und in Folge dessen sehr weichen und empfindlichen Hinterleib vor Verletzung zu schützen, indem sie ihn in ein Muschelgehäuse verbergen, welches sie dann, wie der frühere Besitzer, auf Schritt und Tritt mit sich umherschleppen und nur von Zeit zu Zeit mit einem anderen vertauschen, wenn sie sich zu enge fühlen in dem alten. Greift man ein solches, von dem fremden Gaste belebtes Gehäus an, so ziehen sich die gepanzerten Spinnenfüße mit größter Schnelligkeit in dasselbe zurück und zeigen nur noch die eine, große Scheere, welche genau wie ein Deckel auf die Mündung paßt, und einen kleinen Theil des Kopfes. Unter den größeren Arten der Weichschwänze ist der gemeine Beutelkrebs, Beurskrab der Holländer, Birgus latro F., der berühmteste, weil er die am Strande herabgefallenen Kokosnüsse öffnet und das darin enthaltene Fleisch verzehrt. Dies hat man nun allerdings vielfach bestritten; die Thatsache unterliegt jedoch keinem Zweifel. Bemerken wollen wir übrigens, daß wir den Beutelkrebs in Sansibar selbst bisher nicht vorgefunden, sondern nur auf den Komoren beobachtet haben.

Unter den Krabben, Kruster mit verkümmertem, gegen die Unterseite des Bruststückes eingeschlagenen und dort in einer Vertiefung ruhenden Hinterleibe, machen auf unserer Insel die etwa handgroßen Grapsiden sich zuerst bemerklich. Mit spinnengleicher Leichtigkeit und Behendigkeit klettern sie in seitlicher Richtung an den senkrechten Felswänden umher, ein sonderbares, klapperndes Geräusch verursachend, und nur mit Mühe gelingt es, der schnellen Thiere habhaft zu werden. Sie sind ziemlich flach gebaut und noch einmal so breit als lang, zu beiden Seiten ihres Rückenschildes mit langen, dornenartigen Ausläufern bewaffnet, und haben einwärts gekrümmte, in eine scharfe Spitze auslaufende Füße, welche durch Bau und Stellung für das Felsklettern ganz vorzüglich geeignet sind.

Eine Eigenthümlichkeit der meisten Landkrabben, welche auf Denjenigen, welcher sie zum ersten Male sieht, einen höchst lächerlichen Eindruck macht, ist das Seitwärtslaufen: daher denn auch der Sippenname Gelasimus, die Lächerlichen. Zu ihnen gehören die Arten, welche die Lagune in der Nasimoja bevölkern und dort durch ihre Bewegungen wie durch ihre prächtigen Farben den Neuling unwiderstehlich anziehen. Eine ihrer Scheeren ist unförmig groß, die andere verschwindend klein, die größte Ausdehnung des gepanzerten Körpers die der Breite. In dieser Richtung laufen sie, und zwar mit bewunderswerther Schnelligkeit, doch nur so lange sie sich nicht bedroht glauben; denn in solchem Falle schlüpfen sie wie der Blitz in ihre feuchten Löcher, mit Scheeren, Kiefern oder Kiemen ein eigenthümliches Geräusch, wie von im Wasser platzenden Luftblasen, verursachend.

Alle Krabben, besonders aber die schlamm- und sandliebenden „Lächerlichen“, sind ausgezeichnete Aasvertilger und verdienstvolle Diener der Sicherheitspolizei. Sie entfleischen ein offen daliegendes oder in den Sand vergrabenes Thier viel schneller, als es bei uns die fleißigen Ameisen thun. In der Nasimoja bietet sich öfters Gelegenheit, Dies zu beobachten. Die Suaheli sind faul und gleichgiltig wie auch die Araber: ein gestürztes Kameel, ein verendetes Pferd, ein verreckter Esel wird von der Stadt aus höchstens bis zum Strande geschleppt und dort der Verwesung anheimgegeben. Die von dem Aase ausgehenden Pestgerüche drohen wenigstens die lustwandelten Wasungu zu verscheuchen; der verwesende Leib erfüllt mit Grauen: aber ehe einige Tage verstrichen, ist der Weg wieder frei, und nur die glatt genagten Knochen liegen noch auf dem sumpfigen Boden, Dank der fleißigen Arbeit der Krabben, denen, obschon die halbwilden Hunde die gröbere Abdeckerarbeit verrichteten, doch das Meiste zu thun blieb.

Wer sich beim Besuche einer Koralleninsel nicht der Forschung widmen will, kann sich durch Sammeln für die Küche verdient machen, d. h. von den hier überaus zahlreichen, zwar kleinen, aber höchst schmackhaften Austern so viele einheimsen, als ihn eben gelüstet; und wer noch besserer Jagd obliegen will, findet in den Zwergantilopen ein verlockendes Wild. Doch der Jäger thut wohl, der Warnung der Kundigen zu achten. Schon Mancher ist erst nach unendlicher Mühe, mit zerschundener Haut und ohne Stiefeln und Kleider wieder aus dem Dickichte herausgekommen, in welches er den Antilopen zu Gefallen eindrang; denn rauh wie der Boden sind auch die Pflanzen, welche er trägt: die unbarmherzigen Dornen zerreißen den festesten Segeltuchanzug. Kleiderlos war der Unglückliche dann genöthigt, auf der Insel auszuharren, bis ihm die Dämmerung gestattete, ohne Verletzung des Schamgefühls sich wieder in der Stadt zu zeigen.

So sieht es im Allgemeinen auf allen Koralleninseln Ostafrikas aus: die kleineren, steinigen sind fast ausschließlich von Thieren des Meeres bewohnt; die größeren, welche sich dann schon von Weitem durch die Alles überragenden Kokospalmen verrathen, dienen oft Kalkbrennern und Fischern zum Aufenthalte und beherbergen außer einigen Hausthieren auch nicht selten größere Thiere des Festlandes.

Das Meer um Sansibar ist reich, unendlich reich, das Land hingegen sehr arm an Thieren. Demjenigen, welcher sich mit Sammeln von Käfern und Schmetterlingen beschäftigte, leuchtet diese Wahrheit am ersten ein: von den wunderbaren Gestalten, welche die Tropengegenden Amerikas und Asiens erzeugen, bemerkt man auf Sansibar wenig oder Nichts. Gewiß wird man bei Jahre lang fortgesetzter, aufmerksamer Beobachtung der Kerbthierwelt auch hier noch manches Schöne und Neue finden; im Allgemeinen aber ist die Aussicht auf eine reiche Ernte nicht eben groß. Die Insel ist zu klein und bietet in ihrer Pflanzendecke zu wenig Mannigfaltigkeit, als daß man hier eine große Fülle der doch hauptsächlich von Pflanzen lebenden Kerfe erwarten könnte. Wir sprechen hierbei nur von Artenarmut, nicht jedoch von Insektenmangel; denn einzelne Arten, vorzüglich von Gerad- und Hautflüglern, kommen in Alles erdrückender Anzahl vor.

Als besonders wichtig haben wir nur eine Honigbiene von etwas kleinerer Gestalt als die europäische zu erwähnen, welche Honig von grünlicher Farbe und sehr würzigem Geschmacke liefert. Ausführlicheres hierüber werden wir später mitzutheilen haben, da die Bienenzucht oder vielmehr Honiggewinnung hauptsächlich auf dem Festlande betrieben wird. Auch über die Spinnen, welche von den an der Küste lebenden nicht verschieden sind, soll weiter unten berichtet werden.

Eine ziemlich vollständige Sammlung der auf Sansibar vorkommenden Kerbthiere ist von Cooke, einem jungen Amerikaner, angelegt worden, welcher von dem Bostoner Museum des Sammelns wegen auf einige Jahre hierher geschickt worden war. Weil Cooke sich so eingehend mit der Fauna Sansibars beschäftigt hatte, unterließen wir es leider, selbst eine Sammlung anzulegen; wir waren damals der irrigen Ansicht, der Hauptzweck unseres Sammelns müsse sein, neue Arten zu finden: Dies aber schien uns bei dem bereits so lange thätigen Sammeleifer jenes Herrn unmöglich zu sein. Seitdem haben wir uns vergeblich bemüht, von Cooke oder von dem Bostoner Museum, welches die gesammelten Thiere besitzt, wenigstens ein Verzeichniß derselben zu erhalten: man hat uns nicht einmal einer Antwort gewürdigt. So sind wir leider außer Stande, hierüber Etwas zu berichten. Hoffentlich wird durch den Eifer eines späteren Forschers und Sammlers die Gefälligkeit, welche man uns „drüben" verweigerte, bald überflüssig gemacht werden.

Die Klasse der Tausendfüßer oder Myriopoden bietet uns auf Sansibar einige sehr auffällige Formen. Ein Spirostreptus, unserem heimischen Julus, dem gemeinen Viel- oder Tausendfuße nicht unähnlich, erreicht Riesengröße: er wird mehr als sieben Zoll lang und über fingerdick. Die allgemeine Körperfärbung dieses Thieres ist ein glänzendes Dunkelbraun; nur beim Biegen und Wenden des Körpers kommt eine mehr röthlichgelbe Schicht der Ringe zu Vorschein. Die Zahl der Körperringe beträgt über sechzig, die der Fußpaare über einhundert und funfzehn. Wenn dieser „Wurm" langsam auf dem Grase oder auf den Büschen umherkriecht, meint man wirklich tausend durcheinander krabbelnde Füße zu gewahren. Der Riesentausendfuß ist übrigens ein sehr harmloses Thier, welches wahrscheinlich nur von Pflanzen und deren faulenden Ueberresten lebt und niemals auch nur den Versuch macht, einem Menschen Etwas zu Leide zu thun. Gleichwol würde man, bei unserer angeborenen oder anerzogenen Scheu vor allem Kriechenden und Vielfüßigen, das friedliche Thier mit seinen zahllosen, spitzigen Füßen höchst ungern über die Haut laufen lassen. Wenn es berührt wird, rollt es sich zusammen und verharrt in dieser Stellung mit solcher Kraft, daß es nur mit Anwendung beträchtlicher Gewalt wieder gestreckt werden kann. Sein Körper ist wie der aller Verwandten mit einem harten und festen Panzer überzogen, welcher nur durch derben Druck der Finger zerquetscht werden kann. Beim Aufbewahren in Weingeist wird er spröde; der Inhalt des Leibes löst sich mit tiefrother Farbe, und der fast leer übrigbleibende Panzer zerbricht, sobald man ihn zu biegen versucht. Das beste Mittel, einen Julus in natürlicher Gestalt für die Sammlung zuzubereiten, besteht darin, daß man ihn in ein Stück Schilf oder Bambusrohr laufen läßt und darin durch Hitze tödtet. Läßt man ihn in einem langen und weiten Gefäße sterben, so rollt er sich zu einer schneckenförmigen Scheibe zusammen, welche man nicht öffnen kann, ohne sie zu zerbrechen.

Die einzigen gefährlichen Myriopoden sind die Skolopendren, Centipeden oder Hundertfüße, welche an jedem Körperringe nur ein einziges Fußpaar haben. Die im Sansibargebiete vorkommenden Arten sind den unserigen ähnlich, jedoch um Vieles größer. Von den Negern werden sie mit Recht mehr gefürchtet, als die kleinen Skorpione des Landes. Wir selbst haben ein Beispiel von der Wirkung ihres Bisses gesehen: ein Franzose wurde des Nachts und zwar am Bord eines Kriegsschiffes in die Wange gebissen und fand, als er sich nach dem Feinde umsah, in seinem Bette einen Hundertfuß. Das Gesicht schwoll in Kurzem so heftig an, daß die Augen kaum mehr zu sehen waren, und als sich die Geschwulst wieder verloren, fielen die Barthaare auf einer großen Stelle ringsum vollständig aus.

Ueber Das, was der Wissenschaft von den Fischen Sansibars zu kennen wichtig ist, sind wir, Dank dem Forschungseifer des Oberst Playfair, gewesenen englischen Konsuls und politischen Agenten am Hofe Seid Madjids, genau unterrichtet. Playfair sammelte im Verlaufe weniger Jahre 500 verschiedene Fischarten, und von diesen etwa sechs Siebentel (428 Arten) in Sansibar selbst, die übrigen auf den Seschellen Komoren, Tschagosinseln, in Mosambik und Aden. Unter Sansibar versteht gedachter Forscher nun allerdings sämmtliche Besitzungen des Sultahns von Sansibar, also denjenigen Theil der Küste, welcher zwischen Mukdischa (5) unter 2° nördlicher Breite und Kap Delgado unter 10° 40' südlicher Breite liegt; alle hier vorkommenden Arten dürfen aber dreist auch als Bewohner der See in unmittelbarer Nähe der Insel Sansibar selbst angesehen werden, weil von den 428 Arten 300 auch in anderen Theilen des indischen Weltmeeres gefunden worden sind. Die Aussonderung aller nur an der Küste gesammelten Arten ergibt in der That 395 für den Hafen oder das Fischereigebiet von Sansibar allein. Außerdem wurden hiervon 192 Arten auch im rothen Meere, 108 in der Nähe der verschiedenen Inseln längs der Ostküste von Afrika, sieben in den Kapgewässern, fünfundzwanzig im atlantischen Weltmeere und drei im mittelländischen Meere beobachtet.

Eine genaue Aufzählung der Fische Sansibars würde bei dem gegenwärtigen Stande unserer Kenntniß nichts Anderes sein, als eine Wiedergabe der wissenschaftlichen Namen; es muß deshalb genügen, wenn wir hier blos zwei der wichtigsten Familien erwähnen. Die reichhaltige Familie der Barsche (Percidae) wird vertreten durch siebenundvierzig Arten, und die der Lippfische (Labridae), zu denen die uns bereits bekannten Papageifische (Scarus) gehören, durch fünfundsiebzig Arten, die Meisten mit wohlschmeckendem Fleische. Die große Anzahl der Lippfische, und der durch neunundzwanzig Arten vertretene Haftkiefer (Plectognathi), ist besonders auffällig, da von den übrigen zweiundfunfzig erwähnten Fischfamilien nur noch zwei bis vierundzwanzig Arten enthalten, sieben zehn bis zwanzig, die übrigen aber unter zehn Arten; sie findet ihre Erklärung in der Beschaffenheit des Meeresbodens und der Küsten, ist eine Folge des Vorherrschens der Korallengebilde, an welche vorzugsweise beide Familien gebunden sind.

Nach dem oben Gesagten erscheint es erklärlich, daß die süßen Gewässer dem Forscher so gut als keine Ausbeute gewähren, dieser vielmehr seine Aufmerksamkeit und Thätigkeit fast ausschließlich dem Meere zuwenden muß. In der That hat man im Süßwasser bis jetzt nur drei Fischarten gefunden: den Clarias gariepinus oder mosambicus Ptrs. — aus der vorzugsweise tropische Flußfische enthaltenden Familie der Welse — welcher auch in den süßen Gewässern bis herab nach dem Kaplande vorkommt; den Gobius giuris, eine Meergrundel, ein bis Indien in süßem und brackischem Wasser häufiger Fisch, und den Fundulus orthonotus (Cyprinodon orthonotum Ptrs.), einen Karpfenfisch, in den Brunnen Sansibars lebend, und bisher auch an der Küste bis Kilimane herab und auf den Seschellen gefunden. Letzterer ist ein nur zwei bis vier Zoll langes Thierchen, welches ganz besonders dadurch merkwürdig ist, daß Playfair unter vielen Hunderten der von ihm untersuchten Exemplare bei den von Sansibar und von dem Panganiflusse kommenden niemals ein Weibchen, bei denen von den Seschellen aber kein Männchen gefunden hat.

Die Klasse der Lurche scheint auf unserem Eilande außerordentlich schwach vertreten zu sein, wobei freilich bemerkt werden muß, daß diesen Thieren bisher schwerlich die nöthige Aufmerksamkeit gewidmet worden sein dürfte. Wir haben nur zweier Frösche, welche von uns auf Sansibar gesammelt worden, Erwähnung zu thun. Beide bewohnen die kleinen Lachen und Sümpfe, an einzelnen Stellen in namhafter Anzahl, machen sich aber weit weniger bemerklich als ihre deutschen Verwandten; wenigstens erinnern wir uns nicht, jemals von ihnen Concerte, wie unsere gemeinen Frösche und Unken sie uns geben, vernommen zu haben.

Ungleich öfter bemerkt auch Derjenige, welcher nicht auf Jagd und Fang dieser Wirbelthiere ausgeht, ein oder das andere Kriechthier. Man hört viel von Schlangen erzählen und vernimmt, wie bei uns zu Lande, Schauergeschichten von den giftigen Arten der Ordnung; es fragt sich jedoch noch sehr, ob wirklich giftige Schlangen auf der Insel selbst gefunden werden: denn gerade das als besonders gefährlich verschrieene Kriechthier, der Kiumabuzi oder Ziegenbeißer, ist gar keine Schlange, sondern eine Echse. Die Eingeborenen unterscheiden eine große Schlange, eine grüne Schlange und eine weiße Schlange mit rothem Rücken, fürchten aber nur den eben genannten Kiumabuzi, einen vollkommen unschuldigen Seitenfaltler. Eidechsen sind zahlreich und eigentlich überall zu finden, da sie in einzelnen Arten auch das Innere der Stadt bewohnen, ja selbst die Häuser bevölkern. Hier, im Palaste des Sultahns wie in der Hütte des Negers, bemerkt man namentlich einen der von allen Unkundigen mit Abscheu betrachteten Gecko oder Haftzeher — doch wir werden auf diese so häßliche und doch so anziehende Echse zurückzukommen haben.

Zu den ersten Thierbekanntschaften, welche der Fremde macht, gehört die eines großen Waran, welcher sich überall auf der Insel, sowie längs der ganzen Küste findet und gewöhnlich als mit dem Nilwaran gleichartig angesehen wird, von diesem aber verschieden sein dürfte, da seine Lebensweise eine andere zu sein scheint. Nach Peters Untersuchungen unterscheidet er sich von der eben erwähnten Art nicht allein durch die glänzendere Färbung, sondern auch dadurch, daß bei ihm die Nackenschuppen ein wenig größer sind als die Rückenschuppen, während bei dem Nilwaran das Gegentheil stattfindet. Somit scheint der alte Sparrmann, welcher das Thier als Kapwaran (Varanus capensis) der wissenschaftlichen Welt bekannt machte, vollkommen in seinem Rechte gewesen zu sein.

Ueber das Freileben gedachter Schuppenechse erfährt man wenig, weil sie in Folge vielfacher Nachstellung abseiten der Eingeborenen bei Ankunft eines Menschen eiligst zu entfliehen und sich ihrem Schlupfwinkel, einer passenden Höhlung unter dem Gewurzel alter Bäume oder einem schwer zugänglichen Dickichte, zuzuwenden pflegt. Mit hochgehobenem Kopfe, den schlanken Leib ziemlich aufrecht getragen, einen Fuß im raschen Wechsel nach dem anderen fürder setzend, eilt sie unter schlängelnder Bewegung ihres Leibes so schnell dahin, daß man kaum im Stande ist, sie einzuholen. Der einzige Nutzen, den der Waran hier bringt, ist wol der, daß er sich hin und wieder für einige Pesa an Seeleute oder die in Sansibar ansässigen Europäer verkaufen läßt.

Livingstone erzählt von großen Leguanen, deren Fleisch von den Eingeborenen Südafrikas hochgeschätzt wird, und Schweinfurth erfuhr, daß die Bewohner von Galabat diesen Thieren eifrig nachstellen, die Gefangenen todtschlagen, häuten, das Fleisch auf Kohlen braten und als ein köstliches Gericht verzehren; in Sansibar hingegen gelten sie den Mahammedanern, so wenig strenggläubig diese sonst sind, als ein mehr oder weniger unreines Thier, welches sie niemals als Wildpret für ihre Küche zu gewinnen suchen würden. Selbst unbekehrte Neger legen den größten Abscheu an den Tag, wenn man ihnen zumutet, Etwas von einer Schuppenechse zu genießen. Hiervon erlebten wir selbst ein Beispiel. Auf der zweiten Dschaggareise, in Arusha, dem ersten Orte im Lande der Wamasai, hatte Koralli, der Diener Deckens, ein Weibchen desselben Warans mit einem Schrotschusse erlegt. Das Thier war trächtig und hatte gegen zwanzig hühnereigroße, längliche, weichschalige, weiße Eier im Leibe, welche von uns ausgeblasen und mit Salz und Butter gekocht wurden. Wie bei den Eiern aller Kriechthiere überhaupt, gerann auch bei diesen das Eiweiß durch das Kochen nicht; dem Wohlgeschmack unseres Eierkuchens geschah hierdurch jedoch kein Abbruch. Was davon nach dem Kosten übrig geblieben war, bot ich den Trägern an, in der Absicht, ihre einfache Bohnenkost dadurch zu würzen; aber Niemand wollte von solcher Speise wissen, Niemand einen Bissen genießen. Sogar die sonst keineswegs wählerischen Wanika, welche das übelriechende Fleisch der Raubvögel essen, den stinkenden Leib eines Geiers nicht verschmähen, die halbverfaulten Speisereste aus Gedärmen der Ochsen und das geronnene Blut derselben verschlingen, sie, welche von den mahammedanischen Suaheli Schweine genannt und wie Schweine verachtet werden, selbst sie ekelten sich vor dem reinlichen Gerichte. So groß ist auch hier die Macht des Vorurtheils, daß es sogar den Sieg über die Freßgier davon trägt.

Gewöhnlich bringt man die Gefangenen in eigenthümlicher Weise gefesselt zur Stadt: ihrer ganzen Länge nach auf einem Stocke fest gebunden, so daß nur der Schwanz und der Kopf befreit bleibt. Man hat aber auch alle Ursache, sich vorzusehen; denn der Waran zischt nicht nur wütend nach Schlangenart, wenn man ihm, dem schmählich gefesselten Kinde der Dickichte und Klüfte, zu nah kommt, sondern beißt auch tüchtig. Das beständig wechselnde Hervorschießen und Wiedereinziehen der langen, tiefgegabelten Zunge, welches an das verschrieene Züngeln der Schlangen erinnert, ängstiget indeß den Eingeborenen nicht, welcher sehr gut weiß, daß nicht die Spitzen der tastenden Zunge, sondern die zahnbesetzten Kinnladen und die mit kräftigen Nägeln bewehrten Zehen die Waffen des Thieres sind. Obgleich nun aber auch der Eingeborene den Waran hinlänglich kennt — in ein freundschaftliches Verhältniß zu ihm tritt er nie, es findet sich nicht einmal Jemand, welcher, wie der egyptische Schlangenbeschwörer mit den Verwandten des Thieres, sich mit seiner Zähmung befaßte, um ihn zu allerlei Gaukeleien zu benutzen oder wenigstens der schaulustigen Menge zu zeigen.

Schildkröten scheinen gänzlich zu fehlen; jedenfalls weiß man von der Elephantenschildkröte, welche auf anderen Inseln Ostafrikas vorkommt, Nichts zu erzählen.

Mehr als jede andere Klasse macht sich die der Vögel bemerklich. Die Anzahl der auf der Insel selbst seßhaften Arten scheint zwar nicht besonders groß zu sein; Zug und Wanderschaft aber führen von dem benachbarten Festlande beständig einzelne Arten herüber, und unter ihnen mehrere, welche auch wol für längere Zeit hier ihren Aufenthalt nehmen. Namentlich die Küsten sind immer reich belebt; ja, einzelne Stellen derselben wimmeln zuweilen von Sumpfvögeln, welche zum Theil auch die Jagdlust der Europäer erregen. Im Inneren der Insel fehlt es ebenfalls nicht an jagbarem Geflügel; keiner der Eingeborenen aber betreibt das edle Waidwerk, und von den Europäern legt sich auch nur der Eine oder der Andere zuweilen die Last auf, mit dem Jagdgewehre über der Schulter einen Theil der Insel zu durchstreifen. Am häufigsten noch jagt man am Seestrande auf Regenpfeifer, Strand- und Wasserläufer, welche unter dem Namen von Bekassinen im buchstäblichen Sinne des Wortes in einen Topf geworfen werden. Diese Trägheit der Eingeborenen und Eingewanderten läßt es begreiflich erscheinen, daß wir auch über die Vögel der Insel noch keineswegs genau unterrichtet sind. Cooke hatte zwar auch eifrig Vögel gesammelt, diese aber ebenfalls an das Museum zu Boston gesendet und dadurch der Wissenschaft geradezu entzogen, da wir nach dem bereits Mitgetheilten uns kaum der Hoffnung hingeben dürfen, in den nächsten Jahren Etwas über die dort aufgespeicherten Schätze zu erfahren. Glücklicher Weise hat Cooke in Kirk, dem langjährigen Begleiter Livingstones und jetzt Arzt des britischen Konsulats in Sansibar, einen mindestens eben so eifrigen Nachfolger gefunden. Dieser ist einsichtig genug gewesen, alle von ihm bisher erlegten Vögel zur Bestimmung an das Museum zu Bremen zu senden, dessen Vorstand Hartlaub bekanntlich als der ausgezeichnetste Kenner der afrikanischen Vogelwelt gilt und in Finsch einen vorzüglichen Mitarbeiter sich herangebildet hat; genannten Herren verdanken wir die systematische Uebersicht aller bisher auf Sansibar und in Ostafrika überhaupt erlegten und beobachteten Vögel, welche im wissenschaftlichen Theil ihre Stelle finden wird, während es hier genügen mag, wenn wir die Vogelwelt der Insel in den gröbsten Umrissen darzustellen versuchen.

Die Ordnung der Raubvögel ist, wie sich erwarten läßt, schwach vertreten. Höchst selten streift einmal einer der größeren Geier auf die Insel herüber, gemeiniglich aber flüchtig über sie hinweg, da auf dem wohlbebauten, dicht bevölkerten Eilande für größere Viehheerden kein Raum, und dementsprechend auch für Geier kein Futter zu finden ist. Nicht einmal der in ganz Afrika so häufige Schmuzgeier (Neophron percnopterus L.), welcher im Nordosten Afrikas im Menschenkothe seine hauptsächlichste Speise findet und beispielsweise die Bewohner Charthums förmlich umlagert, um das ihm von diesen Dargebrachte sofort aufzuzehren, nicht einmal er gehört zu den regelmäßigen Erscheinungen, eher noch zu den Seltenheiten der Insel. Worin der Grund des Nichterscheinens des Schmuzgeiers liegt, dürfte übrigens schwer zu sagen sein, da es doch gewagt wäre, zu behaupten, daß die Neger Sansibars reinlicher als andere Afrikaner seien, man also nicht wohl sagen kann, daß der Mensch dem aufräumenden Vogel keine Beschäftigung gäbe. Die Gewohnheit der Neger, ihre Bedürfnisse auf den regelmäßig von der Flut überspülten Stellen des Strandes abzumachen, mag übrigens wol dazu beitragen, dem Schmuzgeier seinen Erwerb zu schmälern.

Oefter, obschon auch nicht in großer Menge, bemerkt man den ebenfalls über einen großen Theil Afrikas und Südasiens verbreiteten Schmarotzermilan (Milvus parasiticus Daud.), Mewe der Suaheli, einen allen Afrikanern als unverschämter Bettler bekannten Raubvogel, welcher überall die Aufmerksamkeit auf sich zu lenken weiß; ihn aber sparen wir uns für später auf, weil er an anderen Orten unseres Reisegebietes ungleich häufiger auftritt als auf der Insel.

Ein höchst anmutiges Mitglied der Ordnung bemerkt man, wenn man die tiefer im Inneren liegenden Pflanzungen betritt: den Gleitaar, wie Brehm ihn genannt hat (Elanus melanopterus Daud.), einen über ganz Afrika und einen großen Theil Asiens verbreiteten, den Weihen ähnelnden Raubvogel, welcher sich gerade in den Gärten oder gartenartigen Fruchtbaumpflanzungen am liebsten ansiedelt und die Aufmerksamkeit auch des Laien auf sich zu lenken weiß, da er sich ebensosehr durch seine harmlose Zuthulichkeit, als durch die sonderbare Art seines Fluges auszeichnet. Wenn er gebäumt hat, gestattet er dem Besucher, bis auf wenige Schritte sich zu nähern, und da er sich des allgemeinen Schutzes erfreut, denkt er auch dann noch nicht sogleich an das Wegfliegen, sondern richtet seine blutrothen Augen mit einer wirklich vertrauensvollen Neugier auf den unter ihm stehenden Menschen, als ob er in diesem einen seiner besten Freunde sähe. Erhebt er sich endlich, so fliegt er eigenthümlich schwebend und gleitend mit hoch emporgehobenen Flügelspitzen dahin. Jede seiner Bewegungen, jede Schwenkung ist ebenso anmutend wie die Sanftheit seiner Farben, unter denen ein blendendes Atlasweiß und ein zartes Aschgrau vorherrschen. Durch eifrige Verfolgung der auch hier verhaßten Mäuse und ähnlicher Säugethiere macht er sich sehr verdient, und wenn auch sein Wirken von den Suaheli wenig gewürdigt wird, so läßt man ihn doch andererseits gern gewähren und gestattet ihm, seinen Horst in den Wipfeln der Nelken- und Orangenbäume anzulegen. Von anderen Falken bemerkt man wenig; wer jedoch zu suchen weiß, wird den anmutigsten von allen, den Rothhals (Falco ruficollis Sws.) gewißlich finden. Dieser wirklich reizende Vogel scheint überall in Afrika vorzukommen, wo die Dulebbpalme gedeiht. Auf den breiten Fächerblättern des königlichen Baumes steht sein Horst, nicht selten dicht neben dem Neste einer Taube, mit welcher der räuberische Nachbar im besten Einverständnisse lebt; zu der Krone der Palme kehrt er immer und immer wieder zurück, gleichsam, als ob sein Jugendleben auf der luftigen Höhe des stolzen Baumes einen unauslöschlichen Eindruck in ihm hinterlassen habe. Der Reisende, welcher ihn kennen lernte, vermag es zuletzt gar nicht, ihn ohne seine Palme sich zu denken.

Mit Ausnahme des kleinen, überall vorkommenden Steinkauzes (Athene spec.?), welcher Höhlen in senkrecht abfallenden Felsenwänden oder Baumlöcher zu seiner Herberge wählt, sich jedoch schon vor Sonnenuntergang außerhalb dieser Schlupfwinkel sehen und gleichzeitig vernehmen läßt, gewahrt man selten eine Eule, obgleich man annehmen darf, daß die Familie der Nachtraubvögel durch mehrere Arten vertreten sein wird. —

Die Ordnung der Sperrvögel fehlt auch auf unserer Insel nicht. Die Häuser haben ihre Schwalben — welche Art der Familie vermögen wir leider nicht zu sagen — und einzeln stehende Palmen werden umschwärmt von dem Zwergsegler (Cypselus parvus Licht.), welcher, nach Brehm's Beobachtungen, die Blattriesen benutzt, um sein leichtes, aus Baumwollfasern zusammengefilztes, mit Speichel gefestigtes Nest hier anzuhängen. Eine oder die andere der südafrikanischen Nachtschwalben (Caprimulgus) mögen wol auch bis auf die Insel streichen; doch erinnern wir uns nicht, jemals eine solche gesehen zu haben. —

Ziemlich reichhaltig tritt die Ordnung der Singvögel auf. In den Mtamafeldern gewahrt man oft ein reizendes Schauspiel. Zur Zeit, wann die dicken Stengel dieses Getreides noch im vollen Safte stehen und eben erst Blütentrauben angesetzt haben, sieht man auf diesen plötzlich ein kleines, prachtvolles, feuerroth und schwarz gefärbtes Vögelchen erscheinen, um von dem hohen Sitze herunter ein zwar höchst einfaches, aber ungemein fröhliches Gezwitscher in die Welt zu schicken, sich mit sonderbaren Geberden brüsten und wichtig machen, sodann aber wieder in das grüne Dickicht unter ihm hinabtauchen und darin verschwinden. Hierdurch auf die Bewohnerschaft eines solchen Feldes aufmerksam geworden, bemerkt man, daß fast in jeder Minute hier oder da ein solches Vögelchen in der eben angegebenen Weise erscheint und wieder verschwindet, ja, daß zuweilen ein großer Theil des Feldes wie mit Opferflämmchen sich schmückt. Die betreffenden Vögel (Euplectes flammiceps Sws.) gehören zu den Finken im weiteren, zu den Webervögeln im engeren Sinne und sind Verwandte des in Mittelafrika hausenden Feuerfinken, welchen wir gegenwärtig bei jedem größeren Thierhändler in Europa lebend kaufen können. Verwandte von ihm, echte Webervögel, insbesondere eine Art (Hyphantornis aureoflavus Sm.) meiden das Feld und siedeln sich dafür im Walde, am liebsten auf einzeln stehenden Bäumen am Saume desselben an, schon von Weitem durch die flaschenförmigen Nester, welche sie zu Dutzenden an einem und demselben Baume anbringen, sich verrathend. Außerdem machen sich mehrere kleine Finken, der Familie der Prachtfinken (Amadinae) angehörig, überall bemerklich, insbesondere der Halsbandfink (Amadina fasciata Gml.), das Elstervögelchen (Spermestes cucullata Sws.) und ein Verwandter von ihm (Spermestes fringilloides Lafresn.). Auch ein Sperling (Passer diffusus Sm.) ist vorhanden. Mehrere von diesen Finken singen recht leidlich; weit bessere Sänger aber, als sie es sind, lernt man kennen in einem Droßling (Ixos nigricans Vieill.), dessen Schlag an den unserer Drosseln erinnert, und in einem Honigsauger (Nectarinia gutturalis L.), dessen Gesang in ebenso hohem Grade anmutet wie die Pracht seines in den lebhaftesten Metallfarben prangenden Gefieders, die Zierlichkeit der Bewegungen und die Harmlosigkeit seines Wesens. Mehrere Würgerarten (Dryoscopus affinis Gray, orientalis Gray, sublactens Cass.) geben dem Walde außerdem Stimme und Klang; einige von ihnen lassen auch recht sonderbare Töne vernehmen. —

Aus der Ordnung der Klettervögel müssen wir zunächst eines Papageien (Phaeocephalus fuscicapillus Verr.) Erwähnung thun, welcher auf der Insel gefunden, von uns selbst jedoch nicht beobachtet wurde; außerdem aber haben wir zu gedenken des schimmernden Goldkukuks (Chrysococcyx cupreus Bodd.), welchem man hier und da in den Pflanzungen begegnet, und des sonderbaren Sporenkukuks (Centropus senegalensis L.), welcher sich namentlich in niederen Gebüschen zu schaffen macht, unbekümmert, ob dieselben die Wohnungen des Menschen umgeben oder fern ab von allem Verkehre stehen, da er sich wenigstens um den Eingeborenen nicht im Geringsten kümmert, sich vielmehr diesem mit wahrer Dummdreistigkeit aufdrängt. Auch Spechte fehlen der Insel nicht, da es nicht an Bäumen mangelt, die ihnen erwünschtes Obdach gewähren. Bis jetzt hat man allerdings nur eine Art (Dendrobates Hartlaubi Malh.) auf Sansibar gefunden; höchst wahrscheinlich aber kommen auch noch andere von den kleinen, südafrikanischen Baumspechten auf Sansibar vor. —

Sehr häufig begegnet man einer oder der anderen Wildtaube. Eine weitverbreitete Fruchttaube (Treron Delalandei Bp.) belebt truppweise die dichten Baumwipfel; zwei verschiedenartige Turteltauben (Turtur semitorquatus Rüpp. und T. albiventris Gray) bewohnen alle Waldungen und Gebüsche der ganzen Insel, die reizenden, durch ihren pfeilschnellen, zierlichen Flug auffallenden, oft zahm gehaltenen Papageitauben (Oena capensis L.) Wälder und Gärten, Hecken und Gebüsche, selbst inmitten der Stadt gelegene.

Die Insel ist arm an Hühnern; doch fehlen diese ihr wenigstens nicht gänzlich. Als das hervorragendste derselben gilt mit Recht das Perlhuhn, und zwar das geschopfte, welches von Hartlaub als eigene Art unterschieden und Pucharan zu Ehren Numida Pucherani benannt wurde. Möglich, daß dasselbe erst von dem benachbarten Festlande herübergebracht wurde und auf der Insel verwilderte, ebenso wie das gemeine Perlhuhn auf Kuba und anderen Antillen; möglich, daß es zu den Urvögeln des Eilandes gehört: jedenfalls ist es gegenwärtig an geeigneten Orten durchaus nicht selten und belebt die niederen Gebüsche in anmutiger Weise. Das prachtvolle Königs- oder Geierperlhuhn (Acryllium vulturinum Gray), das hervorragendste Mitglied der Familie und eines der schönsten Hühner überhaupt, fehlt der Insel, da es bekanntlich nur in einem sehr beschränkten Striche der Ostküste zwischen dem zweiten und vierten Grade südlicher Breite gefunden wird, gelangt aber zuweilen mit den von Lamu ansegelnden Schiffen lebend nach Sansibar. Auf diesem Wege wurde das zweite Stück, welches jemals nach Europa gelangte, von Decken erworben und glücklich lebend nach Deutschland gebracht. Ein Frankolinhuhn, von Hartlaub zu Ehren des eifrigen Kirk benamset (Francolinus Kirki Hartl.) ist, wenn auch nicht der Insel eigenthümlich, so doch vorzugsweise auf ihr heimisch und ein beliebtes Wild derjenigen Europäer, welche ihre Jagdzüge wirklich bis auf das Innere ausdehnen. —

In der Ordnung der Stelz- oder Sumpfvögel begegnen wir auf Sansibar manch' lieben Bekannten. Daß der Allerweltsvogel Steinwälzer (Strepsilas interpres L.) auch hier nicht fehlt, überrascht Denjenigen nicht, welcher weiß, daß er buchstäblich alle Erdtheile bewohnt, von einer Küste zur anderen sich verbreitet, daß er, wie Hartlaub treffend sagt, die fünf Erdtheile, den Polarkreis und den Gleicher kennt, ja, der einzige ist, dessen Vorkommen im ganzen, vollen Sinne ein „kosmopolitisches" genannt werden darf: daß aber der Kibitzregenpfeifer (Squatarola helvetica L.) gelegentlich seines Zuges sich auch bis hierher verirrt, daß der kleine Sandregenpfeifer (Charadrius hiaticula Bchst.) auch hier unter dem Strandgewimmel sich findet, befremdet doch. Aehnlich verhält es sich mit den Wasserläufern. Der Flußläufer (Actitis hipoleucus L.) bekundet auch hier, wie zu erwarten, sein Weltbürgerthum; neben ihm aber kommen noch manche Verwandte vor, von deren Landstreicherei wol nur die wenigsten Forscher Europas eine Ahnung haben, so der Glut (Totanus glottis L.), der rothe Sumpfläufer (Limosa rufa Bchst.), der mittlere Brachvogel (Numenius phaeopus L.) und andere. Unter den größeren Stelzvögeln fallen namentlich einige Reiher auf, insbesondere Ardea gularis Bosk., sive schistacea Ehrbg., ein Vogel, welcher, mehr als jeder andere seines Geschlechts, der See angehört und in sehr bedeutenden Gesellschaften auf seichten Stellen, oft in unmittelbarer Nähe der Stadt, dem Fischfange obliegt. Seltener bemerkt man den allerliebsten Kuhreiher (Ardeola bubulcus Sav.), vielleicht schon deshalb, weil die Insel zu arm ist an seinen liebsten Gefährten, großen Säugethieren nämlich; noch seltener trifft der Nichtvogelkundige mit dem versteckt lebenden Rallenreiher (Ardeola comata Pall.) und Zwergreiher (Ardeola pusilla Vieill.) zusammen, obgleich beide wahrscheinlich in namhafter Menge das dichte Gebüsch am Seegestade bewohnen mögen. —

Mit Ausnahme der Seeschwalben und einer einzigen in der ganzen Südsee häufigen Möve (Larus pomare Bruch?) bemerkt man wenige Schwimmvögel. Dies aber findet auch in der Wasserarmut der Insel selbst genügende Erklärung. Als auffallend dürfen wir hervorheben, daß Flamings nach einstimmiger Versicherung aller Europäer in der Nähe Sansibars zu den Seltenheiten gehören, obgleich rings um die Insel sich viele seichte Stellen im Meere finden, wie dies die ebenso sonderbar gestalteten als farbenschönen Stelzschwäne so sehr lieben.

Mit den eigentlichen Weltmeervögeln, welche gerade in der Südsee in besonderer Anzahl auftreteten, trifft man nur auf länger währenden Seereisen oder mindestens auf größeren Ausflügen zu Boote zusammen; denn die Insel selbst berühren diese Ruhelosen auf ihren unsteten Wanderzügen wol nur sehr ausnahmsweise.

Ueber die Säugethiere der Insel erfährt man von den Eingeborenen mehr, als man durch eigene Anschauung kennen lernt; die Angaben der Suaheli sind jedoch so mangelhaft und verworren, daß auch hinsichtlich der Kunde dieser Thiere noch sehr viel zu lernen übrig bleibt. Einzelne freilich kommen fast jedem Europäer zu Gesicht, weil sie oft gefangen und zum Verkauf in die Stadt gebracht werden. Dies gilt insbesondere für den Affen und den Halbaffen der Insel, ein unserem Eilande eigenthümliches, der ausführlicheren Schilderung und Beachtung würdiges Thier. Jablonski behauptet, daß zwei verschiedenartige Meerkatzen auf der Insel leben, wir haben jedoch nur von einer einzigen (Cercopithecus griseoviridis?) sichere Kunde erlangt. Den Aufenthaltsort dieses Affen, des Kima der Suaheli, bilden die der Bebauung unfähigen oder sie nicht lohnenden Buschdickichte des Inneren, von denen aus er allerdings regelmäßige Raubzüge nach den angrenzenden Pflanzungen ausführt, namentlich nach solchen, wo die auch von ihm gewürdigten Mango, Bananen und Guyaven angebaut werden. Bei der Ueppigkeit des Pflanzenwuchses und dem Reichthume an Früchten, welche Sansibar so vortheilhaft auszeichnen, fällt der durch die Affen verursachte Schaden nicht in das Gewicht, und sie erfreuen sich deshalb einer Duldung von Seiten der Suaheli, welche sie in anderen Gegenden nicht genießen. Von den Verwünschungen, die man anderorts ihnen spendet, vernimmt man auf Sansibar Nichts: wenn ein Suaheli von dem Affen spricht, hebt er gewöhnlich nur das Neckische und Erheiternde seines Wesens hervor, ohne der Uebergriffe, welche dieser sich zu Schulden kommen läßt, zu gedenken. Jung eingefangene Meerkatzen werden von den Eingeborenen oft in Gefangenschaft gehalten, entgehen aber dem, wie es scheint, unvermeidlichen Schicksale nicht, bald Ueberdruß zu erregen, und werden dann, so gut es eben gehen will, an die Schiffer losgeschlagen und von diesen mit nach Europa genommen. —

Der Halbaffe Sansibars, ein Galago, wurde von Coquerel als eigene Art, Otolemur agisymbanus, ja sogar als Vertreter einer besonderen Sippe aufgestellt, unterscheidet sich von seinen Verwandten jedoch so wenig, daß man schwerlich einen Verstoß gegen die Wissenschaftlichkeit begeht, wenn man ihn mit diesen in einer und derselben Gruppe vereinigt. Seine Merkmale läßt unser vortreffliches, von Zimmermann nach dem lebenden Thiere gezeichnetes Bild leichter erkennen, als eine in Worten gegebene Beschreibung (6); wir können daher an dieser Stelle über sie hinweggehen. Umsomehr erscheint uns eine

Lebensschilderung des anziehenden Thieres gerechtfertigt, so wenig wir auch zur Zeit noch über das Treiben desselben in der Freiheit wissen.

Viele Naturforscher reihen die Halbaffen und somit auch die Galagos mit den Affen in eine Ordnung ein; genaue Beobachtungen jener Thiere und ihres Lebens aber widersprechen Dem auf das Entschiedenste. Die Halbaffen haben, streng genommen, nur eine sehr oberflächliche Aehnlichkeit mit den Affen. Alle Mitglieder dieser Gruppe, welche wir mit vollstem Rechte als Ordnung betrachten dürfen, sind Nachtthiere, obschon einzelne von ihnen auch angesichts der Sonne sich ermuntern und ihren Geschäften obliegen oder ihren Vergnügungen nachgehen. Für die Galagos gilt Dies nicht: sie sind Nachtthiere im eigentlichen Sinne des Wortes, Wesen, für welche der Mond die Sonne, Geschöpfe, an denen die eine Hälfte des Tages spurlos vorüber geht, welche, schläfriger als die Schlafmäuse, während jener Stunden in sich zusammengerollt in irgend einem geeigneten Schlupfwinkel liegen und, falls ihnen verwehrt, einen solchen aufzusuchen, sich durch das ängstliche Verbergen ihres Kopfes vor dem ihnen verhaßten Sonnenlichte zu schützen, ja sich durch Zusammenrollen ihrer Ohren sogar vor jedem Geräusche zu sichern bestrebt sind. Werden sie durch irgend einen Gegner gewaltsam aus ihrem tiefen Schlafe geweckt, so starren sie anfänglich wie träumend in's Weite, kommen nur ganz allmählich aus ihrer Schlaftrunkenheit zu sich und bekunden sodann durch abwehrendes Wesen, wie unangenehm ihnen die Störung war. Ganz anders zeigen sich dieselben Thiere nach Sonnenuntergang. Sobald die Dämmerung über den Wald hereinbricht, erwacht der Galago, wahrscheinlich in Folge der ihm fühlbar werdenden abendlichen Kühle, biegt den bisher über dem Kopfe zusammengewickelten Schwanz zurück, öffnet die Augen und entknittert die häutigen, bisher zu einem wohlschließenden Deckel des Gehörganges eingerollten oder richtiger zusammengeschrumpften Ohren, putzt und leckt sich, verläßt die Schlupfhöhle und beginnt nunmehr sein gespenstisches Treiben — bei Lichte betrachtet ein Räuberleben im vollsten Sinne des Wortes, in welchem sich unersättlicher Blutdurst mit einer bei so hochstehenden Handthieren ungewöhnlichen Mordlust paart. Wehe jetzt dem schlummernden Vogel, wehe der Brut im Neste, und ob auch die treue Mutter sie beschütze; wehe dem schwächeren Säugethiere, wenn das große, im Dunklen leuchtende Auge des Galago auf ihn fällt! Ein Sprung, ein Griff mit der geschickten, langfingerigen Hand, ein Biß in den Schädel, ein letztes Aufzucken — und das Opfer hat geendet. Begabt wie irgend ein anderes Raubthier, fernsichtig wie ein Luchs, feinhörig wie eine Fledermaus, scharfspürig wie ein Fuchs, zwar nicht besonders verständig, wol aber listig, die Gewandtheit des Affen mit der einer Schlafmaus vereinend, die Unfehlbarkeit des Angriffes durch Dreistigkeit noch vermehrend: wird der Galago in Wirklichkeit zu einem furchtbaren Feinde des Kleingethiers und unterscheidet sich hierdurch, namentlich aber durch seine so ausgeprägte Raubsucht sehr wesentlich von allen Ordnungsverwandten.

In Vorstehendem ist fast alles über das Freileben des Galago bis jetzt bekannt Gewordene enthalten; es wird auch nicht leicht sein, Ausführlicheres zu erfahren, da Beobachtung des Treibens und Gebarens dieser Thiere während der Nachtzeit große Schwierigkeiten hat, wenn nicht gar unmöglich ist. So mangelt uns genaue Kunde über die Zeit und die Art und Weise der Fortpflanzung; denn nur das Eine können wir sagen, daß die Galagos, wie fast alle übrigen Handthiere, auch blos ein einziges Junges zur Welt bringen. Nicht selten nämlich wird auf Sansibar ein gefangenes Galago-Weibchen mit diesem einen Jungen zum Verkauf ausgeboten. Letzteres hängt, wie es bei allen Affen, Halbaffen und Fledermäusen die Regel, an der Brust und an dem Bauche der Mutter, mit seinen vier Händchen fest eingeklammert in das wollige Fließ der Erzeugerin, so fest, daß diese mit ihm alle Bewegungen ausführen kann, daß man es kaum von dem Leibe der Mutter zu trennen vermag.

Der Komba oder Galago Sansibar's.

Ungeachtet seiner Gier nach dem warmen Blute höherer Wirbelthiere ist der Galago oder Komba der Suaheli süßeren Genüssen nicht abhold, ja im Gegentheile denselben in einer Weise zugethan, für welche nur noch die Lebenskunde der Affen und einzelner Nagethiere anderweitige Belege gibt. Die im Inneren Afrikas lebenden Arten seiner Familie werden, nach Brehms Erfahrungen, von den Sudahnesen nur nach längerer Mühe gefangen, indem die behenden Leute Bäume ersteigen, auf welchen sie eines der schlafenden Thiere gewahrten, durch heftiges Schütteln der Aeste, auf denen sich die Galagos zu flüchten suchten, letztere verwirren, bis sie in sonderbarer Furcht sich fest anklammern und ruhig ergreifen lassen: auf Sansibar hat man ein weit einfacheres Mittel, sich des Komba zu bemächtigen; man fängt ihn, ohne auf ihn Jagd zu machen: seine Leckerheit wird ihm zum Verderben. Wenn der Palmenwein in der oben beschriebenen Weise abgezapft wird, stellt sich gar nicht selten der Galago als ungebetener Gast zu dem ihm in hohem Grade behagenden Schmause ein, schlürft von dem süßen Labetranke und erprobt auch an sich die Wahrheit, daß zu viel des Geistes den Geist umnebelt. Denn nicht allein süß ist die wundersame Flüssigkeit, welche dem Palmenhaupte entströmt, sondern auch berauschend und zwar umsomehr, je länger sie mit der Luft in Berührung war: der durstige Zecher verliert die Besinnung, stürzt von der für ihn sicheren Höhe des Baumes herab auf den Boden und bleibt liegen, vom schweren Rausche bemeistert. Hier findet ihn am Morgen der Neger, welcher ausgesandt wurde, den ausgeflossenen Palmenwein zu holen, liest den regungslosen Träumer vom Boden auf, birgt ihn zunächst in einem einfachen Käfige oder fesselt ihn mit einem um die Weichen geschlungenen Stricke, bringt ihn nach der Stadt und bietet ihn hier einem der auf solcherlei Thiere erpichten Wasungu zum Kaufe an, nöthigenfalls ihn von einem Hause zum anderen oder selbst auf eines der im Hafen liegenden Schiffe tragend.

Mit nicht geringer Verwunderung und entschiedenem Mißbehagen sieht sich das Kind des Waldes beim Erwachen im Käfige oder doch gefesselt, mindestens eingeschlossen im beengenden Raume. Für die Freundlichkeit, mit welcher der Pfleger ihm entgegen kommt, zeigt er nicht das geringste Verständniß, vielmehr nur Widerwillen, Unlust und Bosheit; sein schwaches Gehirn vermag sich in die veränderten Umstände nicht sobald zu fügen. Er vergilt die ihm gewährte Liebe mit Haß, thut, als ob es willentlich geschähe, regelmäßig das Gegentheil von Dem, was sein Gebieter beabsichtigte, verschmäht Speise und Trank und regt sich nur, wenn es gilt, die Zähne zu zeigen.

Mißmutig entschließt sich zuletzt der mit den Sitten und Gewohnheiten des Komba nicht vertraute Europäer, das widerhaarige Geschöpf sich selbst zu überlassen, nachdem er ihm vorher im Käfige noch ein behagliches Lager zurecht gemacht, vielleicht erhoffend, daß Schlaf und Ruhe den Gefangenen milder stimmen, ihn seinen Groll vergessen lassen werde. Beim Morgenbesuche, welchen der Gebieter seinem Pfleglinge macht, sieht er zu seiner nicht geringen Ueberraschung die Thüre des behaglich eingerichteten Käfigs offen, das Lager leer, den Flüchtling aber im Inneren des bisher zwei Feuerfinken zum Aufenthalte dienenden Gebauers in sich selbst zusammengerollt liegen. Im ersten Augenblicke vermag er nicht zu begreifen, was den Komba bewogen haben kann, aus seinem geräumigen, wohnlich eingerichteten Hause zu entrinnen, sich an der glatten Wand mit Mühe emporzuschwingen, in den engen, unbehaglichen Käfig einzuzwängen und zum Befreier der früheren Bewohner aufzuwerfen; als er aber vergeblich nach diesen sich umschaut, alle Winkel und Ecken des Raumes durchmustert und doch keines der rothen, lebendigen Flämmchen wahrnimmt, dämmert in ihm eine Ahnung der Wahrheit auf. Hastig nimmt er den Käfig mit dem Komba von der Wand herab und — auf dem Boden desselben liegen einige Ueberreste der prächtigen Sänger. Ergrimmt greift er nach dem Raubmörder, um ihn zu züchtigen; der Komba aber, dem jegliches Schuldbewußtsein fehlt, rächt mit einem wohlangebrachten Bisse die ihm zugedachte Unbill und enthüllt somit seinem Pfleger eine diesem noch unbekannte Seite seines Wesens.

Doch der Galago ist ein viel zu anziehendes Geschöpf, als daß der Zorn eines Thierfreundes lange anhalten könnte. Der Verlust der Singvögel wird verschmerzt, der Komba dafür gewonnen. Allgemach befreundet sich der Störrische mit seinem Wohlthäter. Als entschiedener Freund berauschender Getränke meidet er das Wasser, auch wenn man ihn, in der Absicht seinen Trotz zu brechen, längere Zeit dursten ließ: das ihm endlich vorgesetzte Schälchen Sorbet aber ist doch gar zu verlockend, als daß er es unberührt stehen lassen sollte. Bis auf die Neige schlürft er es, sein Behagen durch Laute bekundend, welche an das Schnurren der Katzen erinnern, und dankbar gleichsam leckt er auch noch den mit der süßen Flüssigkeit befeuchteten Finger ab. Nachdem einmal das Eis gebrochen, hält es nicht schwer, ihn weiter zu zähmen. Bald nimmt er in Milch geweichtes Weißbrod zu sich; nach kurzer Zeit findet er bereits an gezuckertem Thee und Kaffee Gefallen; schließlich gewöhnt er sich so an diese Getränke, daß er nie verabsäumt, zur Theestunde freiwillig sich einzustellen. Bezüglich der festen Nahrung beharrt er treuer bei seinen alten Gewohnheiten. Fleisch bleibt unter allen Umständen seine Lieblingskost, obschon er sich herbei läßt, an einer Banane zu knabbern, eine Mango auszusaugen, eine ähnliche Frucht zu genießen. Doch geschieht Dies vielleicht nur deshalb, weil die süße Frucht ihm, so zu sagen, mehr als geronnenes Getränk, denn als Nahrung vorkommen mag. Fleisch der verschiedensten Wirbelthiere, vor Allem aber Kerbthiere, bleiben seine Hauptnahrung, und erst nach längerer Gefangenschaft entschließt er sich, auch gekochtes Fleisch als genießbar zu betrachten.

Im Verlaufe der Zeit vergilt er die ihm gewidmete Sorgfalt durch gute Dienste. In dem Raume, welcher einen Komba beherberget, endet alle Gemütlichkeit des Lebens einer Maus; in dem Zimmer oder auf dem Schiffe, welches ihn beherberget, stellt er den so lästigen, großen Schaben mit unermüdlichem Eifer nach. Uns erscheinen diese Kerfe ekelhaft, dem Komba als köstliche Leckerei. Unhörbar dahinschreitend nahet er sich der von ihm erspäheten Schabe, die spinnengleichen Finger weit gespreizt; plötzlich greift er zu, zerdrückt in demselben Augenblicke die erpackte Beute und führt sie unmittelbar darauf behaglich schmatzend zum Munde. Mit Vergnügen erinnern wir uns einer Beobachtung, welche wir während einer langweiligen Seefahrt anstellten. Die Menge der unser Schiff bevölkernden Schaben machte es nothwendig, von Zeit zu Zeit unsere Kleiderkisten zu untersuchen. Der von den Schmarotzern herrührende Gestank, welcher uns beim Oeffnen der Kiste entgegendrang, lockte unseren zahmen Galago herbei. Trotz der ihm ungelegenen Tageszeit musterte er mit größter Aufmerksamkeit den Inhalt der Kiste, bewies uns auch bald, daß er sehr wohl wußte, warum er gekommen; denn er hatte jetzt vollauf zu thun, um das von uns aufgerührte, wimmelnde Heer zu Paaren zu treiben. Mit überraschender Geschicklichkeit fuhr er blitzschnell bald nach dieser, bald nach jener Stelle, hier eine ausgebildete Schabe, dort eine Puppe ergreifend, und während er mit der einen Hand die eben gepackte am kauenden Munde festhielt, war die andere beschäftigt, neues Wild zu erjagen. So spähete, lauschte, schaffte und schmauste er, bis wir unsere Arbeit beendigt.

Ein wirklich gezähmter Galago ist weit liebenswürdiger und anmutender als ein Affe. Störungen seines Tagesschlafes berühren natürlich auch den frömmsten höchst unangenehm; Abends aber, nachdem er sich vollständig ermuntert, beweist er seinem Gebieter eine große Anhänglichkeit und warme Zuneigung, obschon er hierin hinter seinen Ordnungsverwandten, den Makis, noch zurücksteht. Aber er gestattet, daß man ihn angreift, gibt sich mit Vergnügen den ihm erwiesenen Schmeicheleien hin und denkt gar nicht mehr daran, von seinem scharfen Gebisse Gebrauch zu machen. Mit Seinesgleichen verträgt er sich vom Anfange an vortrefflich; auch an andere Hausthiere gewöhnt er sich. Wenn er erst gelernt hat, verschiedenerlei Nahrung zu sich zu nehmen, hält es nicht schwer, ihn nach Europa zu bringen. In der neuesten Zeit ist Dies wiederholt gelungen, und die herüber gekommenen Halbaffen haben bei sorgfältiger Pflege sich Jahre lang erhalten, jedoch, so viel uns bekannt, noch niemals fortgepflanzt. —

Fledermäuse, namentlich Hufeisennasen, sind nicht selten auf Sansibar; über die Anzahl der vorkommenden Arten aber hat man bis jetzt noch keinen Ueberblick gewinnen können. Es erscheint uns sehr wahrscheinlich, daß die Arten des nahen Festlandes auch auf der Insel gefunden werden, da andererorts nachgewiesen ist, daß sie weit größere Ausflüge unternehmen; doch läßt sich die Richtigkeit dieser Vermutung einstweilen noch nicht auf Grund wissenschaftlicher Beobachtungen erweisen. Wir gestehen ein, daß wir nicht im Stande sind, die in unserem Gebiete ständig lebenden Arten aufzuzählen. —

Ungeachtet der geringen Größe des Eilandes leben hier mehrere Raubthiere und unter ihnen einzelne, welche ebensoviel Schaden anrichten als unser Luchs und seine Verwandten, von den Eingeborenen deshalb auch über alles Maß gefürchtet werden. Unter dem Namen Panther verstehen die auf Sansibar lebenden Franzosen, unter der besser gewählten Benennung Tigerkatze die Deutschen, unter Tschui die Suaheli den Serwal (Felis Serval Schreb.), jene hochbeinige Katze von Luchsgröße und achtunggebietender Stärke, welche, wie bekannt, in ganz Afrika gefunden wird. Das Raubthier bewohnet hauptsächlich jene Buschdickichte im Inneren und im Osten der Insel, unternimmt jedoch von hier aus nicht selten Streifzüge in die bebaueten und dichter bevölkerten Gegenden, nach Katzenart den Menschen vorsichtig ausweichend, kleinere Heerdenthiere, namentlich Ziegen, dagegen gefährdend. Auch von ihm wird ab und zu ein Stück in Fallen, deren Bau uns unbekannt geblieben, gefangen und dann nach der Stadt gebracht, in der Hoffnung, für den unschädlich gemachten Räuber auch noch ein Stück Geld zu erzielen. Selbst der Sultahn läßt sich herbei, einen Tschui zu kaufen und ihm das Gnadenbrod zu geben, weil es ja überhaupt unter den Vornehmen jener Länder üblich ist, größere Katzen, gewissermaßen als Sinnbild der Macht und Herrschaft, zur Schau zu stellen. Dessen ungeachtet hält es nicht schwer, ein solches Thier von dem Herrscher zum Geschenke zu erhalten, da die arabische Sitte es fast unmöglich macht, einer Bitte, welche erfüllt werden kann, die Gewähr zu versagen. Jung aufgezogene Serwals werden, wie alle Wildkatzen, außerordentlich zahm, vorausgesetzt natürlich, daß man sie entsprechend behandelt; alt eingefangene dagegen behalten die volle Unbändigkeit ihres Geschlechtes, toben wie unsinnig im Käfig umher, fauchen und zischen, sobald sie einen Menschen gewahren und sind jederzeit gerüstet, im gelegenen Augenblicke ihm einen wohlgezielten Prankenschlag beizubringen.

Wir meinen, auch von Wildhunden, welche Sansibar bewohnen, gehört zu haben, vermuten aber, daß man unter ihnen nicht eine ostafrikanische Schakalart, sondern nur verwilderte Haushunde versteht, über welche wir weiter unten Einiges mitzutheilen haben werden. Mit Hamburger Schiffen sind allerdings von Sansibar aus mehrere Schakalarten und unter ihnen der in allen Sammlungen noch sehr seltene Canis adustus Sundev. lebend nach Europa gelangt; es fragt sich jedoch, ob dieselben nicht vielleicht auf dem gegenüber liegenden Festlande gefangen wurden. — Hyänen fehlen der Insel gänzlich.

Genauer als über die bisher genannten Raubthiere sind wir über die Schleichkatzen unterrichtet. Von ihnen leben mehrere Arten auf Sansibar: Zibetkatzen, Genetten und Mangusten. Unter den ersteren steht die Ziwette (Viverra civetta Buff.), Ngaua der Suaheli, obenan, ein Thier, von dessen Bedeutung man sich bei uns zu Lande kaum eine richtige Vorstellung macht, weil man nur in wenigen Sammlungen wirklich ausgewachsene Stücke zu Gesicht bekommt. Solche übertreffen, ungeachtet ihres niedrigen Baues, unseren Fuchs bedeutend an Größe und stehen ihm, was besonders hervorgehoben zu werden verdient, kaum an Raubgier und Mordlust nach. Im Allgemeinen wählt sich das begabte, d. h. in hohem Grade behende und gewandte Thier seine Beute unter den Lurchen, Vögeln und Säugern des Waldes; gar nicht selten aber bricht es nach Marderart in die Stallungen ein und richtet dann unter den Hühnern entsetzliche Verheerungen an. Wie alle seine Verwandten genießt es neben thierischen auch pflanzliche Stoffe, insbesondere Früchte aller Art; der Schaden aber, welchen es hierdurch den Suaheli verursacht, wird von diesen kaum beachtet. Gelegentlich fängt sich die Ziwette in den ihr oder dem Serwal gestellten Fallen, wird dann gebunden und geknebelt nach der Stadt gebracht und dort zum Verkaufe ausgeboten. Alt eingefangene Thiere dieser Art geberden sich anfänglich als ob sie rasend wären, gerathen bei der Annäherung eines ihnen noch unbekannten Wesens in die unsinnigste Wut — vielleicht nur ein Zeugniß ihres Entsetzens über die ihnen ungewohnten Verhältnisse — und entfalten dabei eine Kraft, Beweglichkeit und Gelenkigkeit, welche noch weit mehr in Erstaunen setzt, als ihre unbändige Wildheit. Jeder Muskel ihres Leibes scheint angespannt, jedes Glied in Thätigkeit gesetzt zu werden, in der Absicht, sich aus dem Kerker zu befreien; Sprünge werden ausgeführt, welche man selbst einem so gewandten Geschöpfe nicht zutrauen möchte, alle Theile des Käfigs im buchstäblichen Sinne des Wortes von ihr begangen, da sie nicht blos auf dem Boden des Raumes umherrast, sondern auch an den Wänden emporklettert und selbst die Decke benutzt, um sich einen Anstoß zu neuen Sätzen zu geben. Dabei glühen ihre Augen, bewegen sich die Ohren nach vorn und hinten, schnüffelt die Nase hastig nach allen Seiten, werden die Zähne gefletscht, die Haare gesträubt, daß das Thier wie ein Kehrbesen aussieht; dabei faucht und knurrt es abwechselnd und verbreitet einen Zibetgeruch, daß man es in der Nähe kaum aushalten kann, daß im wahren Sinne des Wortes ein ganzes Haus davon erfüllt und verpestet wird. Denn so angenehm auch der Geruch des Zibet ist, so läßt er sich doch nur in höchst geringen Mengen ertragen; im Uebermaße genossen und uns aufgedränget wird er, wie jeder andere Geruch, unausstehlich. Bekanntlich ist gerade die Ziwette diejenige Art, welche man zur Gewinnung des Zibet im Käfige hält; in Sansibar jedoch scheint man auf den sehr kostbaren Stoff keinen Werth zu legen, oder die nicht ganz einfache Pflege des Thieres und die Art und Weise der Gewinnung dieser Absonderung seiner Afterdrüsen nicht zu kennen.

Der kleine, anmutige Verwandte der Ziwette, die Genette oder Ginsterkatze (Viverra Genetta L.), von den Suaheli Fungo genannt, lebt ebenfalls auf der Insel, treibt aber als echte Schleichkatze ihr Wesen so im Verborgenen, daß man von ihrem Vorhandensein wenig bemerkt. Ihre Thätigkeit beginnt erst mit dem Dunkel der Nacht und richtet sich vorzugsweise auf kleine und niedere Wirbelthiere, ist also eher eine dem Menschen nützliche als schadenbringende. Fängt sich eine Ginsterkatze in den aufgestellten Fallen, so erleidet auch sie das Schicksal aller in die Gewalt der Suaheli gerathenen Thiere.

Oefter noch als Ziwette und Ginsterkatze bekommt man eine Zebramanguste (Herpestes fasciatus Desm.) zu kaufen. Dieses wegen der eigenthümlichen Laute, welche es hervorbringt, Gutschiro genannte Thier, lebt ganz in derselben Weise wie sein Verwandter, das egyptische Ichneumon, d. h. stellt den Eiern der Hühner nach und plündert die Nester des Federviehes, oft in wirklich unverschämter Weise. In der Gefangenschaft wird der Gutschiro sogleich zutraulich, verzehrt ihm angebotene Eier mit der größten Unbefangenheit, sie mit den Vorderfüßen fassend, heftig rückwärts unter dem Körper hinweg gegen einen harten Körper schleudernd und den Inhalt der zerbrochenen Schale mit behaglichem „tschirr, tschirr“ auflecken. Wegen seiner possirlichen Beweglichkeit hält man ihn oft in Gefangenschaft, aber nur im Freien, auf umschlossenen Höfen; denn der starke von ihm ausgehende Moschusgeruch macht eine Zimmerhaft unthunlich.

Ihm nahe steht das Tschetsche — wahrscheinlich ebenfalls eine Manguste — unterscheidet sich jedoch durch gleichmäßig braune Färbung und weit geringere Größe von jener. Bisher ist es noch nicht gelungen, dasselbe lebend nach Europa überzuführen, und leider auch versäumt worden, von ihm an Ort und Stelle eine genaue Beschreibung zu nehmen, eine Bestimmung des Thieres also unmöglich. Erwähnen wollen wir noch, daß der Name Tschetsche auch im Aethiopischen vorkommt, da man in Habesch mit ihm ein marderähnliches Thier, den Banditis (Rhabdogale mustelina Wagn.), bezeichnet; auf letzteres aber paßt die Schilderung des auf Sansibar lebenden Tschetsche durchaus nicht. —

Aus der Ordnung der Nager kennen wir nur wenige Arten, welche unserem Gebiete angehören. Am bemerklichsten von allen macht sich die Hamsterratte (Cricetomys Gambianus Wath.), ein Nager, welcher wirklich zwischen Hamster und Ratte die Mitte hält und, wie es scheint, über ganz Mittelafrika verbreitet lebt, da man ihn in Senegambien ebensogut gefunden hat wie in Mosambik. Das Thier gehört in die Familie der Mäuse, erreicht aber eine für diese riesenhafte Größe; seine Leibeslänge beträgt 12 bis 16 Zoll, die Schwanzlänge ungefähr ebensoviel. Wie andere Mäuse lebt es ebensowol in Häusern als im Freien, hier in tiefen, selbstgegrabenen Höhlen, dort nach Rattenart in allerlei passenden Schlupfwinkeln, und wie andere Mäuse macht es sich dem Menschen, in dessen Hause es eindrang, überaus verhaßt. Die europäischen Kaufleute Sansibars halten unsere Hamsterratte, den Buku der Suaheli, für eines der schädlichsten Thiere der Insel, haben auch, von ihrem Standpunkte aus, nicht Unrecht; denn kein anderes freilebendes Geschöpf macht ihnen soviel zu schaffen als dieser Nager. Seine beliebten Aufenthaltsorte sind die großen Lagerräume, welche bekanntlich allen Hausmäusen erwünschte Zufluchtsorte in Menge gewähren. Hier nun siedelt die Hamsterratte sich in irgend einer Höhlung an, erweitert dieselbe oft zu einem tiefen Baue und plündert von ihm aus die Waarenballen. Keine Umhüllung schützt vor ihren gewaltigen Zähnen: sie zernagt die Bretter der Kisten mit derselben Leichtigkeit wie die Matten und Säcke. Und sie begnügt sich keineswegs mit Angriffen auf genießbare Dinge, sondern bethätigt ihre Diebsgelüste auch an Waaren, welche für sie ganz unbrauchbar sind: so schleppt sie beispielsweise den Kopal, welchen sie doch gewiß nicht verzehrt, oft pfundweise in ihre Höhlen. Das Schlimmste ist, daß man dem großen und wehrhaften Thiere kaum zu steuern vermag. Katzen, welche andere Mäuse in Schach zu halten wissen, erweisen sich ihm gegenüber unbrauchbar, weil sie bei einem versuchten Kampfe unbedingt den Kürzeren ziehen würden; Fallen und Gifte helfen wie immer nur anfänglich und wenig; es bleibt also nur das eine Mittel übrig, die nach Entleerung der Waarenhäuser gefundenen Gänge durch Einstampfen von Glasscherben zu verstopfen und so wenigstens für kurze Zeit dem aufdringlichen Geschöpfe den Zugang zu wehren. Leider vermögen wir im Uebrigen nichts Bestimmtes über die Lebensweise des Thieres anzugeben, doch scheint es, als ob dieselbe im Wesentlichen mit der unserer Hausratte übereinstimme.

Die Hamsterratte ist übrigens keineswegs die einzige ihrer Familie, welche sich auf Sansibar angesiedelt; vor ihr machte sich bereits die Dachratte (Mus alexandrinus Geoffr.) heimisch, und durch die Schiffe wurde neuerdings auch die Wanderratte (Mus decumanus Pall.) eingeführt. Beide treiben es hier wie überall, wo sie sich eingenistet. Sie plündern und brandschatzen alle erdenklichen Vorräthe, zernagen Kisten und Kasten und machen sich so verhaßt als möglich. In Sansibar kommt noch ein Umstand hinzu, welcher die Ratten zuweilen als wahre Landplage, weil nicht allein schädlich, sondern sogar gefährlich, erscheinen läßt. Wahrhaft fürchterlich machen sich die unliebsamen Thiere, wenn die in den Waarenhäusern gelagerten Oelfrüchte in die Schiffe verladen und sie zum Auswandern gezwungen worden sind. Von wütendem Hunger geplagt drängen sie sich, an den Simsen der Häuser emporklimmend, von einem Gebäude zum anderen vorschreitend, jede Oeffnung benutzend, in das Innere der Wohnungen, verführen hier Nachts einen unerträglichen Lärm, benagen mit scharfem Zahne auch die aus dem härtesten Holze gefertigten Geschränke und anderweitigen Geräthe, fressen und verschleppen alles Genießbare, welches sie finden, wissen sich auch zu den sorgfältig verschlossenen Schlafzimmern einen Zugang zu bahnen, werfen, wenn der von ihrem Lärmen erwachte Schläfer Licht anzündet und sich anschickt, sie zu vertreiben, Lampen und Gefäße um und treiben ihre Unverschämtheit soweit, daß sie sogar den schlafenden Menschen anfallen, d. h. wenigstens beginnen, seine Finger oder Zehenspitzen zu benagen, selbst wenn Füße und Hände unter Decken geschützt zu sein scheinen. Diese Angabe ist buchstäblich wahr; denn wir selbst sind mehr als einmal, nachdem wir die Zudringlichen wiederholt vertrieben hatten, am Morgen durch den Schmerz an unseren Fingern belehrt worden, daß wir von ihnen benagt worden waren. Auch diesen Ratten steht der Mensch rathlos gegenüber.

In dem dichten Buschwerke der Insel finden sich, jedoch nicht häufig, Hasen, Sungura der Suaheli — welche Art der Familie, vermögen wir freilich nicht zu sagen. Man bekommt übrigens nur selten eines dieser Thiere zu Gesicht, da eigentlich nirgends Jagd auf sie gemacht wird.

Auch Stachelschweine scheinen vorzukommen, da die Nordspitze der Insel den Namen Ras Nungwi oder Vorgebirge der Stachelschweine führt; man will jedoch Nichts von ihrem Vorhandensein wissen. Daß gedachte Thiere am gegenüberliegenden Festlande nicht eben selten sind, unterliegt keinem Zweifel, da die Europäer Sansibars wiederholt lebende Stachelschweine (Hystrix cristata L.) nach Europa gesandt haben. —

Die kleinen Antilopen, deren wir bereits gedachten, bewohnen alle größeren, zusammenhängenden Buschdickichte der Hauptinsel, häufiger noch aber die benachbarten, kleinen, dichtbewachsenen Koralleneilande, welche sich auch aus dem Grunde vorzüglich zum Aufenthaltsorte so zwerghafter Wiederkäuer eignen, weil sie unbebaut und unbewohnt sind, und ihre auf Stellen hin undurchdringlichen Dickichte gerade ihnen die trefflichsten Zufluchtsorte gewähren. Soviel bis jetzt bekannt, leben drei verschiedene Arten dieser überaus anziehenden Geschöpfe auf unserer Inselgruppe, eine, wie es scheint, ihr eigenthümliche Art, das Moschusböckchen (Nesotragus moschatus Düb.), das über einen Theil Ostafrikas verbreitete Blauböckchen (Nanotragus pygmaeus Pall.) und eine Verwandte, welche wir bisher noch nicht bestimmen konnten.

Hinsichtlich der Lebensweise scheinen sich alle Arten dieser Zwergantilopen sehr zu ähneln. Sie halten sich, im Gegensatze zu den größeren Mitgliedern ihrer Familie, welche regelmäßige Trupps und Rudel bilden, paarweise zusammen, und nur während der Brunstzeit geschieht es, daß zwei oder mehrere Pärchen auf kurze Zeit sich vereinigen, um den Böcken Gelegenheit zu den auch bei ihnen sehr beliebten und wenigstens sehr ernsthaft gemeinten Kämpfen in Sachen der Minne Gelegenheit zu geben. Jedes Pärchen bewohnt ein Gebiet von geringem Durchmesser und scheint an ihm mit bemerkenswerther Zähigkeit festzuhalten, d. h. ungezwungen weder die Grenzen desselben zu überschreiten, noch das Eindringen einer anderen Familie zu gestatten. Ein dichter, laubiger Busch inmitten dieses Gebietes wird zum eigentlichen Wohnsitze erwählt, von welchem aus unsere Antilopen ihre kurzen Streifzüge unternehmen. Ein solcher Busch muß den Anforderungen der Thiere in jeder Hinsicht entsprechen, da man in ihm das eine Pärchen jederzeit finden und bemerken wird, daß ihn ein anderes in Besitz nimmt, wenn man das eine erlegte. Unweit dieses Busches sieht man, wie Brehm beobachtete, flach ausgeschlagene Kessel, dazu bestimmt, die Losung aufzunehmen; sie aber liegen stets in einer bestimmten Entfernung von dem Lagerbusche, vielleicht deshalb, weil der von ihrer Losung ausgehende Geruch den feinsinnigen Geschöpfen sonst lästig werden könnte.

Uebertages ruht das Pärchen, so lange es ungestört bleibt, nach Art anderer Wiederkäuer gelagert, behaglich wiederkäuend auf einer grasfreien Stelle des gedachten Busches;

gegen Sonnenuntergang wird es rege und tritt nun unter Führung des Bockes hervor, überzeugt sich durch Gehör und Geäuge von seiner Sicherheit und beginnt dann sich zu äßen, mit sorgsamer Auswahl die zartesten und leckersten Blätter sich pflückend, an jungen Schößlingen des Gebüsches auch rindend. Feinblätterige Mimosenarten werden jeder anderen Aeßung vorgezogen, Gräser fast gänzlich verschmäht: Gefangene, denen man nur die letzteren zur Nahrung reicht, gehen schon nach wenigen Tagen ein. Da man sie noch in der Frühe in Bewegung sieht, läßt sich annehmen, daß sie bis zum Morgen umherstreifen.

Die Zeit, in welcher die Zwergböckchen Sansibars auf die Brunst treten, wissen wir nicht; es ist uns blos erzählt worden, daß man zuweilen zwei Böckchen der niedlichen Geschöpfe mit großer Wut und Ausdauer zusammen kämpfen sieht. Das Kälbchen wird im Februar, also kurz vor Beginn der Regenzeit gesetzt und, was beachtenswerth, von beiden Eltern begleitet, gegen schwächere Feinde auch mutig vertheidigt. Herr Ruete, welcher sich auf Sansibar eifrig mit der Thierkunde beschäftigte, viele Zwergantilopen in Gefangenschaft hielt und von tragenden, eingefangenen Ricken wiederholt Junge bekam, beobachtete, daß das Kälbchen etwa zwei Monate lang das Gesäuge nimmt, jedoch schon viel früher beginnt, zarte Blätter zu äßen. Einen reizenderen Wiederkäuer als ein derartiges Kälbchen kann man sich unmöglich denken. Die Länge des Thierchens beträgt bei seiner Geburt nur sechs bis sieben Zoll, die Höhe am Widerrist wenig über vier Zoll; die Läufe haben die Stärke eines Bleistiftes. Aber dieser Zwerg schaut vom ersten Tage seines Lebens an munter und verständig in die Welt, weiß seine zarten Glieder trefflich zu gebrauchen und entzückt Jedermann durch die Zierlichkeit seines Baues, die Anmut seiner Bewegung und die wunderbare Schönheit seines herrlichen Auges. Bei sorgsamer Pflege der Mutter hält es nicht schwer, eine junge Zwergantilope groß zu ziehen, während Dies, wenn das Kälbchen der Ricke frühzeitig entrissen wurde, kaum möglich ist. Derartige Thierchen, welche von Jugend auf an die Gesellschaft des Menschen gewöhnt werden, gewinnen bald eine außerordentliche Zuneigung zu ihrem Pfleger, folgen ihm wie ein wohlgezogenes Hündchen durch das Haus, begleiten ihn auf Spaziergängen außerhalb desselben, nehmen Schmeicheleien und Liebkosungen des Gebieters mit wahrem Behagen entgegen und erwerben sich so die wärmste Liebe auch des gegen Thiere gleichgiltigsten Menschen.

Leider verursacht der Versand dieser gebrechlichen Geschöpfe fast unüberwindliche Schwierigkeit: von zehn Stücken, welche lebend auf Sansibar eingeschifft werden, gelangen im günstigsten Falle drei nach Europa, weil man ihnen während der Reise doch nicht diejenige Nahrung reichen kann, welche sie beanspruchen. Haben sie dagegen erst die Seereise glücklich überstanden, so halten sie sich verhältnißmäßig leicht in Gefangenschaft, weil es auf festem Lande möglich ist, ihnen doch wenigstens ein Ersatzfutter zu reichen. Von einzelnen wissen wir, daß sie mehrere Jahre in europäischen Thiergärten ausgehalten haben.

Von den Suaheli werden die Zwergantilopen wenig oder nicht behelligt. Es würde nicht schwer sein, die Thierchen in geschickt gestellten, großen Netzen zu fangen, da sie sich leicht treiben lassen; derartige Anstalten aber trifft der Eingeborene selten, vielleicht schon deshalb nicht, weil der Sultahn Vergnügen an den niedlichen Geschöpfen finden und sie gegen Verfolgung schützen soll. Damit steht nicht im Widerspruche, daß er die Europäer, welche sich einzelne Stücke fangen lassen wollen, durchaus nicht hindert, zumal wenn es sich darum handelt, solche lebend nach Europa zu senden. Die jagdlustigen Offiziere der hier zeitweilig ankernden Kriegsschiffe veranstalten mitunter ein Treibjagen, mehr um ihre Jägergeschicklichkeit zu erproben, als sich in den Besitz des Wildprets zu setzen. Letzteres entspricht nämlich keineswegs der Zartheit des Baues unserer Antilopen, sondern ist auffallend hart und zäh und besitzt außerdem einen uns anwidernden Moschusgeruch, welcher sich auch beim Braten nicht verliert. —

Zahlreicher als den Suaheli erwünscht, finden sich Vielhufer auf der Insel, Wildschweine nämlich, welche ebenfalls in den oftgenannten Buschdickichten und Einöden des Inneren ihr Lager aufschlagen und von hier aus ihre nächtlichen Streifzüge nach den Feldern antreten. Der Schaden, welchen sie anrichten, läßt alle Rücksichtnahme auf Gebote des Glaubens schwinden und bewegt selbst die gleichmütigen Suaheli zu eifriger Verfolgung. Daß die Schweine, den Gesetzen des Profeten gemäß, unreine Thiere sind, würde man ihnen vielleicht verzeihen: — daß sie das Besitzthum der Gläubigen in empfindlichster Weise schädigen, verzeiht man ihnen nicht. Die Jagd geschieht fast nur in hellen Mondscheinnächten, aber in altritterlicher Weise. Mehrere mit Speren bewaffnete Suaheli begeben sich in die Jagdgründe, suchen mit Hilfe ihrer Hunde die Wühler auf, lassen sie durch die unansehnlichen Kläffer festmachen und eilen dann herbei, um sie abzufangen. Solche Jagd erfordert, obgleich die dortigen Wildschweine den unseren an Größe und Stärke merklich nachstehen, immerhin Mannesmut und Gewandtheit; denn der in Wut gesetzte Borstenträger weiß sich seiner Haut zu wehren und sein sehr ansehnliches Gewehr mit Geschick und Nachdruck zu gebrauchen: gar mancher Hund fällt ihm zum Opfer und mancher Suaheli geräth durch ihn in wirkliche Gefahr. Das Wildpret der erlegten Thiere wird von den Gläubigen selbstverständlich nicht angerührt, sondern nur den Hunden vorgeworfen. Vor der Ankunft Deckens betheiligten sich die Europäer wenig oder nicht an dieser anziehenden Jagd; einige Mitglieder der letzten Forschungsreise aber betrieben sie zur Freude der Pflanzer mit Eifer, und ihnen danken wir es auch, daß Peters die Art dieser Wildschweine als Choeropotamus africanus Schreb. bestimmen konnte.

Wir haben noch ein derselben Ordnung angehöriges Thier an dieser Stelle zu erwähnen, so unglaublich es auch dem einen oder dem anderen unserer Leser erscheinen mag: das Nilpferd nämlich. Obgleich die wasserarme Insel Sansibar, wie bereits erwähnt, vier bis fünf deutsche Meilen vom Festlande entfernt ist, geschieht es doch zuweilen, ja, wie es scheint, gar nicht selten, daß von hier aus Nilpferde herüber schwimmen, den breiten Meeresarm furchtlos übersetzend. Den auf Sansibar lebenden Europäern war schon wiederholt versichert worden, daß man Nilpferde im Meere hatte schwimmen sehen, und diese Behauptung mußte als glaublich erscheinen, da sie auch von gebildeten Seeleuten bestätigt wurde; sie sollte aber eine jeden Zweifel ausschließende Bekräftigung erhalten. Vor einigen Jahren geschah es, daß sich ein Nilpferd in den unweit der Stadt ausgestellten Fischnetzen verwickelte und sie zum Entsetzen der Fischer bei seinen behufs der Befreiung gemachten Anstrengungen zerriß und zerfetzte. Ein ähnlicher Fall ereignete sich später zum zweiten Male. Wir lassen es, wie billig, dahin gestellt, ob jenes der Gefahr glücklich entronnene Ungethüm den Rückweg nach dem Festlande wieder fand und später, bewogen durch die Erinnerung an die lachenden Gefilde der Insel, denen es so nahe gewesen, sich wiederum aufmachte, um den damals vereitelten Einfall mit mehr Erfolg auszuführen, oder ob es ein anderes Nilpferd war, welches sich veranlaßt fühlte, denselben Ausflug zu unternehmen: soviel aber steht fest, daß um das Jahr 1864, zum großen Entsetzen der Suaheli, einer dieser gefräßigen „Plumpen" wirklich, und zwar diesmal in einer Bucht nah der Nordspitze der Insel landete und in der Pflanzung eines englischen Hauses nach seiner Weise sich gütlich that. Leider gelang es den Besitzern besagter Pflanzung nicht, ihre Rache an dem Unholde zu üben: er hatte sich bereits in ihm passendere Gegenden zurückgezogen, als die Anstalten zu seiner Jagd beendigt waren.

Als Seitenstück zu diesem merkwürdigen Besuche eines so weit von der Küste abgelegenen Eilandes mag die Thatsache erwähnt sein, daß Nilpferde sich auf der zwei Grade südlich in derselben Entfernung von der Küste gelegenen Insel Mafia erst in unserer Zeit angesiedelt, wirklich heimisch gemacht und zu einer ansehnlichen Heerde vermehrt haben.

Die eigenthümlichen Verhältnisse der Insel machen es erklärlich, daß verhältnißmäßig wenige Hausthiere gehalten werden. Sansibar ist kein Weideland, sondern ein blühender Garten: es wird dort also eigentlich keine Viehzucht getrieben, vielmehr der Bedarf an Hausthieren durch Einfuhr von dem Festlande Afrikas, bezüglich von Indien und Hadramaut aus gedeckt; Sitten und Gewohnheiten der Bevölkerung sind auch nicht dazu angethan, die Thiere in dem Umfange wie anderwärts als Gehilfen des Menschen auszunutzen: man hält es für gewinnbringender, anstatt ihrer Sklaven arbeiten zu lassen. So wird es verständlich, daß die Anzahl der auf Sansibar lebenden Hausthiere im Vergleiche zur Größe der Insel eine überraschend geringe ist.

Um mit den eigentlichen Hausfreunden und Hausarbeitern des Menschen zu beginnen, nennen wir zunächst Katzen und Hunde, obgleich sich über beide nur herzlich wenig sagen läßt. Erstere werden durchaus nicht so häufig gehalten, als man nach der Menge der lästigen Ratten glauben sollte, sei es nun, daß die Suaheli als wahre Muslimin gegen das Unabwendbare nicht anzukämpfen versuchen, oder daß seit der Einführung jener Nager zu kurze Zeit vergangen ist, als daß man schon auf ernstliche Abhilfe hätte denken können. Bisweilen sieht man indeß hie und da außer einigen dürrleibigen Miezen, welche gewiß keine guten Mäusefänger sind, eine persische Katze, deren wundervoll dichter und weicher Pelz die Bewunderung aller Kenner erregt. Um so häufiger sind die Hunde, kleine, unansehnliche, braungelbe Köter, welche eher verwilderten Hausthieren oder halb gezähmten Schakals als unseren treuen und gelehrigen Hausfreunden ähneln. Schon ihre matte, kläffende Stimme läßt erkennen, daß man es nicht mit einem, dem gebildeten Hunde Europas gleichstehenden Thiere zu thun hat. Zwei Haupteigenschaften des Haushundes verleugnen sie jedoch nicht: die Wachsamkeit und die Tapferkeit. Leider werden die treuen Hüter der Schamba schlecht gehalten, d. h. mehr als kärglich gefüttert; sie kommen daher Nachts regelmäßig an gewisse Orte, auf denen sie Aas und Abfälle wittern, und sättigen sich an dem ekeln Mahle; ja, sie streifen bis in die Stadt hinein und verführen hier, wenn sie sich um einen glücklich gefundenen Knochen streiten, einen höchst ärgerlichen Lärmen. Wehe ihnen, wenn sie sich die Häuser, vor welchen sie ihren Unfug treiben, nicht genau ansehen! Denn, gewahrt sie ein Msungu, so macht er sich kein Gewissen daraus, sich durch einen Schrotschuß Ruhe zu verschaffen.

Bis jetzt haben die Europäer, und besonders die Reisenden, noch keinen Versuch gemacht, die eingeborenen Hunde zu ihrem Dienste heranzuziehen. Und doch würde ihnen ein solcher Versuch voraussichtlich viel Nutzen gewähren. Die mit großen Kosten und mit Mühe hergebrachten europäischen Hunde entarten bei dem ungewohnten Klima, verlieren ihre Abrichtung, werden träge und unbrauchbar und verursachen ihrem Herrn nur Mühe und Aerger. Wie wir bereits gesehen, sind schon die Schambahunde reiner Rasse bei anstrengenden Jagden recht brauchbar; aus einer Kreuzung mit europäischen Hunden hervorgehende Thiere zeichnen sich aber nicht blos durch Mut und Tapferkeit, sondern auch durch Schönheit, Größe und Kraft aus.

Pferde und Esel, die hier üblichen Reitthiere, sind eingeführt worden: erstere und die außerordentlich großen, schönen, weißen Maskatesel aus Omahn in Südarabien, die kleinen grauen Esel angeblich aus dem im Inneren Afrikas gelegenen Uniamesi, dem Lande des Mondes — daher wol auch der allgemein übliche Name, Uniamesiesel. Nur höchst selten werden diese, ungeachtet ihrer geringen Größe kräftigen und lebhaften Thiere zum Tragen von Lasten benutzt: — man findet eben das störrige Thier unbequemer als den willigen und nicht viel höher im Preise stehenden Menschen.

Ist nun schon die Verwendung der Einhufer als Saumthiere nicht häufig, so ist die Benutzung der Hausthiere zum Ziehen durchaus unbräuchlich. Es gibt auf der Insel weder

Ochsen- noch Pferdewagen; der schlechte Zustand der Wege auf dem Lande und deren Enge in der Stadt macht auch den Gebrauch von solchen schon von vornherein zur Unmöglichkeit: daß man aber, um Menschenarbeit zu ersparen und größere Lasten auf einmal fortzubringen erst Straßen anlegen solle, kann man von Mahammedanern doch nicht gut verlangen. Einige Male ist jedoch selbst in Sansibar ein Wagen in Wirksamkeit gesehen worden. Der Zollhauspächter hatte ihn von Indien oder von Europa senden lassen und fuhr nun einige hundert Schritt weit durch die breitesten Straßen, mehr um die allgemeine Bewunderung zu erregen als die Bequemlichkeit eines solchen Fortbewegungsmittels zu genießen; auch hatte

er nicht Pferde, welche er ja erst dazu hätte abrichten und mit kostspieligem Geschirre versehen müssen, sondern einfach einige seiner — Sklaven vorgespannt.

Das einzige Thier, dessen Kräfte man hier und zwar oft in unverantwortlicher Weise in Anspruch nimmt, ist das Kamel, gleichfalls ein Fremdling im Lande, da man es von den jenseits der Linie gelegenen Ländern herabbringt. Wie bei uns alte, blinde Pferde, spannt man dort das Dromedar vor ein Göpelwerk und läßt es Stunde um Stunde im engen Kreise sich bewegen, unbekümmert um Bau und Eigenschaften des Thieres, welche wol Aufbürden des Sattels, nicht aber Auflegen des Joches rechtfertigen, ohne Rücksicht auf die angeborene schlechte Laune des „Wüstenschiffes“, welche durch solches Verkennen seiner Bestimmung nur noch gesteigert werden muß. Man hört denn auch in der That das Geklapper einer Mühle, sieht aber kein Mehl: — knarrend und quiekend dreht sich die Maschine, in welche Simsim oder Kopra zur Oelgewinnung geschüttet worden; aber nur gering ist ihre Ergiebigkeit, obgleich ein so mächtiges Thier und mehrere Menschen dabei beschäftigt sind. Schlecht behandelt und schlecht genährt, in ungewohntem Klima mit ungewohnter Arbeit beschäftigt, gehen die Kamele binnen kurzer Zeit zu Grunde. Viele von ihnen sieht man, mit Beulen und Wunden bedeckt, sich mühsam einherschleppen und bald darauf an einer gelegenen oder ungelegenen Stelle verenden, eine Pest für empfindliche Wanderer, eine willkommene Beute für die hungerigen Hunde der Schambas, die gefräßigen Krabben und anderes Gethier.

Eine viel wichtigere Rolle als die bisher erwähnten Hausthiere spielen die hohlhörnigen Wiederkäuer., die wegen Milch- und Fleischertrag auch den Suaheli unentbehrlichen Ziegen, Schafe und Rinder. Die hier gewählte Reihenfolge entspricht nicht nur der Wissenschaft, sondern stellt auch vollständig die Stufenleiter der feinschmeckenden Araber dar. Als das Werthvollste und Gesundeste gilt ihnen Ziegenfleisch und zwar besonders das von recht stattlichen, vollständig ausgewachsenen Böcken. Wie hoch sie Ziegenfleisch stellen, kann man am besten daraus erkennen, daß sie einen schönen, großen Bock fast mit demselben Preise bezahlen wie einen mäßig großen Ochsen. Gehen hierin die Einwohner Sansibars etwas zu weit, so sind wir Europäer, die wir das Fleisch der Ziegen von Grund unseres Herzens verachten, ebensoweit von der goldenen Mittelstraße entfernt: wer „im Busch“ gelebt hat, weiß, daß junge Ziegen und auch wol Böckchen einen schmackhaften Braten und eine ganz vorzügliche Suppe liefern, wenn schon nicht zu läugnen, daß die, gewissen Organen am nächsten liegenden Theile zu Zeiten einen unsere Nase wenig behaglichen Duft verbreiten. Wer nöthigt aber einen reisenden Msungu, das Schlechteste zu essen? Sind dazu nicht die ihn begleitenden Neger da; hat er nicht die Freiheit, Zunge, Gehirn, Herz, Leber, Lende, Vorderbeinchen und wonach ihm sonst gelüstet, sich auszuwählen? Demungeachtet wird ein Neuangekommener, ein „Grüner“ jedenfalls das Fleisch der fettsteißigen Schafe vorziehen. Es ist in der That vortrefflich, und wer ein saftiges, duftendes „mutton steak“ vor sich stehen hat, wird sich gewiß nicht durch die alberne Warnung der Eingeborenen, daß solches Fleisch der Gesundheit schädlich sei, von dem lockenden Genusse abschrecken lassen. Das Aussehen dieser Fettschwänze ist fremdartig, abgesehen von dem unförmlich dicken, beinahe von Fette triefenden Schwanze; denn sie haben keine Wolle, sondern kurze, glatte Haare wie die Ziegen, und wie diese auf dem Felle größere, dunkele Flecken.

Eigenthümlich erscheint uns auch das hiesige Rindvieh, insbesondere wegen eines ähnlichen Fettpolsters, nur daß dieses auf dem Rücken, am Widerriste aufgerichtet sitzt. Man sieht nur Zebuvieh, wie es schon vor langen Zeiten von Indien her eingeführt worden ist. Die Insel Sansibar erzeugt bei weitem nicht so viele Rinder, als sie bedarf; ja, die schlechte Behandlung derselben und der kurze Zeitraum, welcher zwischen ihrer Ankunft im Lande und ihrem Ende liegt, macht es sogar wahrscheinlich, daß hier überhaupt nur in wenigen Fällen Kälber geworfen und aufgezogen werden. Man füttert nämlich, obwol es einzelne Besitzer gibt, welche ihr Vieh zur Weide auf die Schamba, treiben oder Gras zur Stallfütterung kaufen, im Allgemeinen das Vieh nur selten und kärglich und überläßt es ihm, sich seine Nahrung auf der Straße oder am Strande zusammen zu suchen; selbst die für ihre Kühe begeisterten Banianen erheben sich hierin nicht über die gleichgiltigen Eingeborenen. Es kann also nicht befremden, daß der Ertrag an Milch ein sehr unbeträchtlicher, und daß bei dem starken Verbrauche derselben der Preis sehr hoch ist: eine Weinflasche voll Milch kostet für gewöhnlich zwei Groschen und wol noch einmal soviel, wenn Kriegsschiffe im Hafen liegen. Der Einfluß einer so schlechten Fütterungsweise würde sich natürlich auch auf das Schlachtvieh erstrecken, wenn dieses nicht in den meisten Fällen kurz nach der Einfuhr, von der gegenüberliegenden Küste oder von Madagaskar her, vor das Messer gebracht würde. Rindfleisch, welches namentlich auch von Europäern in größter Menge verbraucht wird, ist gewöhnlich gut und öfters auch zart, obschon man eine solche Feinheit, wie sie ausgewählte Stücke vom Fleische europäischer Mastochsen zeigen, nicht erwarten darf. Von besonderer Güte, vorzüglich wenn er kalt gegessen wird, ist der Höcker der Zebus; wer einmal auf diese Leckerei aufmerksam geworden, wird sich dieselbe so oft als möglich zu verschaffen suchen.

Eine höchst unbedeutende Rolle spielt das Hausgeflügel. Tauben scheint man nicht zu achten, da man selbst die trefflichen Wildtauben, welche hier so zahlreich in allen Größen und Schattirungen vorkommen, nicht für die Tafel erlegt, und Enten sind ziemlich selten, so daß eigentlich nur die Hühner einer Erwähnung verdienen, da sie es sind, welche durch ihr Fleisch und ihre Eier den Speisezettel des Landes einigermaßen beeinflußen. Sie erreichen nicht die Größe der europäischen und legen auch bedeutend kleinere Eier, werden aber aller Orten gehalten und gepflegt. Ueberall wohin man kommt, in einzelnen Hütten wie in Dörfern, und wäre es auch noch so weit im Inneren des Festlandes, hört man das Krähen des Hahnes, gleichsam zum Beweise, daß man sich unter Menschen befindet, welche annähernd gleiche Bedürfnisse mit uns haben; überall kann man Hühner und Eier zu kaufen bekommen. Trotzdem sind erstere nicht besonders häufig und in Anbetracht der Verhältnisse ziemlich theuer: wenn man bedenkt, daß man hier eigentlich auf dem Lande lebt, in dem erzeugnißreichen Ostafrika, wird man den Preis von einem Thaler für acht bis zwölf Hühner oder für hundert Eier immerhin nicht unbeträchtlich nennen können. Ausgehende Schiffe versehen sich gerade mit Hühnern sehr reichlich. Man hebt sie oft möglichst lange auf, um noch weit ab vom Lande eine erfrischende Abwechselung in das Einerlei von Salzfleisch und Speck bringen zu können, thut jedoch nicht wohl daran, weil die Thiere von Tag zu Tage mehr abmagern und diejenigen, welche man nach vier bis sechs Wochen schlachtet, buchstäblich nur noch aus Knochen, Haut und Federn bestehen. Woher diese Verkümmerung der Sansibarhühner an Bord von Schiffen rührt, vermögen wir nicht zu sagen; sie erscheint uns aber um so auffallender, als doch europäisches Geflügel sich bei Schiffskost nicht so gar übel befindet.

Fünfter Abschnitt.

Die Bevölkerung.

Die Neger Ost-Afrikas. — Fremde Einwirkungen. — Zahl und Vertheilung der Einwohner. — Sklavenhandel. Gesellschaftliche Stellung der Sklaven. — Die arbeitenden Klassen und ihre Beschäftigung. Tracht und Sinnesart. — Madagassen und Komorianer. — Wohlhabende: Araber und Suaheli. Kleidung, Lebensweise, Gewohnheiten. Feste und Zeitrechnung. — Suri, Kuli und Beludschen. — Hindi und Banianen, die Juden Ost-Afrikas. Tracht und Sitten. Bajaderentanz. — Portugiesen aus Goa. — Die Wasungu. Häusliche Einrichtung, Lebensweise, Geselligkeit. Stellung im Lande. Verkehr mit dem Herrscherhause. Ein verwirklichtes Märchen aus „Tausend und eine Nacht".

Neger oder Mohren sind wollhaarige Afrikaner mit sammetartig schwarzer Haut, langem, an den Seiten flachgedrückten Schädel, vorstehenden Kinnladen, wulstigen Lippen und platter, aufgeworfener Nase. Diese echten Neger, wie wir sie aus den Jahrtausende alten Abbildungen in egyptischen Gräbern, als Sklaven in Amerika oder als Begleiter wandernder Thierbuden kennen, bewohnen nur einen kleinen Theil Afrikas, nämlich die Westküste bis zu dem Meerbusen von Guinea herab, und den Sudahn bis östlich nach Kordofahn. Vor ihnen zeichnen sich die Ostafrikaner durch Körperbau und Gesichtsbildung, sowie durch geistige Fähigkeiten wesentlich aus, können mithin nicht eigentlich als Neger bezeichnet werden, noch weniger aber, wie man neuerdings gethan, als Negroiden oder Negerähnliche, weil hierdurch der Anschein entstehen würde, als ob sie eine Jenen untergeordnete Rasse seien. Sie sind keine Schwarzen, weil ihre Hautfarbe vom Chokoladen- und Kastanienbraun bis zur dunkelen Milchkaffeefarbe schwankt, können aber auch nicht mit dem Worte Braune bezeichnet werden, welches menschenfreundliche christliche Sendboten in Südafrika angewendet haben, weil man gewohnt ist, sich unter einem Braunen ein Roß, nicht aber einen Menschen vorzustellen. Wenn wir trotzdem von Negern Ostafrikas sprechen, geschieht es, weil bisher noch keine bessere Bezeichnung bekannt ist, und nur in dem allgemeinsten Sinne des Wortes, welcher alle dunkelfarbigen Bewohner Afrikas und wol auch Australiens umfaßt.

Der sprachlichen Verwandtschaft nach gehören die Ostafrikaner zu der großen südafrikanischen, kongokaffrischen oder zangischen Familie, welche alle Stämme südlich von zwei Grad nördlicher Breite umfaßt, mit Ausnahme der Buschmänner und Hottentotten im Südwesten, und der Somali, Galla, Massai und Wakuafi im Nordosten. Trotz der weiten

Ausdehnung dieser Familie über ein ungeheueres Gebiet von dreißig Graden der Breite und ebensovielen der Länge, besitzen die Sprachen ihrer Angehörigen eine solche Aehnlichkeit, daß man Ortsnamen im Inneren Südafrikas sowie solche von der Küste ebenso leicht durch die Sprache des Kafferulandes als durch die von Benguela erklären kann, und daß Neger von Kongo sich denen von Mosambik verständlich machen, ja nach Verlauf von wenigen Wochen geläufig mit ihnen sprechen können. Die Thatsache, daß eine Sprache ungebildeter Naturmenschen sich einer größeren Verbreitung zu rühmen hat, als die meisten der europäischen Sprachen, erregte, als sie zuerst bekannt wurde, daß größte Aufsehen unter den Gelehrten, umsomehr als man bisher geglaubt, daß nirgends das Sprachengewirr so groß sei als gerade in Afrika. Zur ungläubigen Verwunderung steigerte sich dieses Aufsehen, als man von eifrigen Forschern vernahm, daß jene Sprache auch durch Schönheit und Reichthum der Formen die unserigen übertreffe, ja der hochberühmten griechischen nahe stehe.

Die ausgebildetste unter den südafrikanischen Sprachen oder, wenn man will, Mundarten, ist die der Suaheli, der Bewohner der ostafrikanischen Küste und Inseln von der Linie bis herab zum zehnten Grade südlicher Breite. Nächst dem geweckten Geiste des Volkes verdankt sie ihre Vorzüge hauptsächlich dem lebhaften Verkehr, in welchem dasselbe von jeher mit anderen Kulturvölkern, namentlich mit Arabern und Persern gestanden hat.

Obschon die Araber die Ostküste Afrikas bereits seit den ältesten Zeiten kannten, begann ihre eigentliche Einwanderung doch erst im zehnten Jahrhunderte nach Christus. Durch in Mekka ausgebrochene Streitigkeiten vertrieben, zogen sie damals in Menge südwärts und gründeten die Städte Mukdischa, Brawa, Malindi, Mombas und Kiloa, welche bald zu ansehnlicher Blüte gelangten und dadurch neue Ansiedler aus Arabien und sogar aus Schiras anzogen.

Um das Jahr 1500 besuchten auch die Portugiesen auf ihren Fahrten nach Indien diese Städte, verkehrten anfangs friedlich, setzten sich aber bald in ihnen fest und bemächtigten sich endlich der ganzen Küste und der dazu gehörigen Inseln. Unter ihrer fluchwürdigen Herrschaft ging das Land, wie alle ihre Siedelungen, schnellem Verfalle entgegen; sie saugten es aus, ohne Etwas dafür zu leisten; sie vermochten ihm nicht einmal Schutz zu gewähren, weil das Mutterland viel zu klein war, um so ausgedehnte Besitzungen mit Menschen versorgen zu können. Die durch mühelos zusammengeraffte Reichthümer verderbten portugiesischen Kaufleute, Beamten und Soldaten ließen sich im Gefühle ihrer Ueberlegenheit zahllose Ungerechtigkeiten und Grausamkeiten zu Schulden kommen und machten sich in kurzer Zeit überall gehaßt und verabscheut. Doch ihre Stunde schlug auch hier: die hartbedrängten Völker rafften sich auf und vertrieben mit Hilfe der Araber aus Omahn die verhaßten Fremdlinge für immer (Ende des siebzehnten und Anfang des achtzehnten Jahrhunderts). Die Spuren ihrer Anwesenheit finden sich in der Sprache und in zahlreichen, großartigen Bauresten.

Jetzt trat Afrikas Ostküste wieder in regeren Verkehr mit Arabien, von jenem minder begünstigten Lande, in vortheilhaftem Austausche gegen Sklaven und reichlich vorhandene Erzeugnisse der Pflanzenwelt, körperlich und geistig höher stehende Bürger empfangend. Freilich verlor sie dabei endlich ihre Unabhängigkeit, gerieth zu Anfange dieses Jahrhunderts unter die Herrschaft von Omahn, doch nicht völlig zum Unheile; denn die Fremdherrschaft, so wenig sie auch den Aufschwung des reichen Landes begünstigte, machte doch wenigstens den unaufhörlichen Bürgerkriegen, welche die Kraft des Landes verzehrten, ein Ende.

Durch die beinahe tausendjährige Vermischung der Araber mit den Negerstämmen der Küste sowie durch das Jahrhunderte lang fortgesetzte Einführen von Sklaven aus fast allen Stämmen Ostafrikas, besonders vom Süden her, entstand allmählich eine Einwohnerschaft von so bunter Mischung, daß zuletzt eine strenge Unterscheidung der verschiedenen Bestandtheile nicht fest gehalten werden konnte, zumal die fernhergebrachten Neger in kurzer Zeit Sprache und Sitten der hiesigen annahmen, Ursprung und Heimat vergaßen und sich endlich gleichfalls Suaheli nannten, als ob ihre Vorfahren schon seit langer Zeit im Lande gewohnt hätten. Unter den Suaheli findet man demgemäß alle Schattirungen der Hautfarbe und alle Zwischenstufen der Körperbeschaffenheit, von den Urbewohnern an bis zu den eingewanderten Arabern; und wie man unter diesen selten einen Reinblütigen antrifft, so gibt es auch unter den seit Menschenaltern ansässigen Negern nur wenige unvermischte Familien. Aber nicht nur in der Körperbeschaffenheit, auch in der Sprache, in dem gesammten Wesen und Sein des Einzelnen wie des ganzen Volkes sind die Spuren dieser Mischung deutlich zu bemerken. Der Einfluß der höheren Rasse auf die niedriger stehende ist indessen, wie man auch anderorts bemerkt hat, nicht in jeder Beziehung ein günstiger gewesen: das Suahelivolk ist noch nicht gleichartig genug, um schon die guten Eigenschaften eines echten Mischvolkes zeigen zu können, welches durch jahrhundertelanges Bestehen ohne weiteren Zufluß von fremdem Blute völlig verschmolzen.

Im Allgemeinen haben die Suaheli einen kräftig und schön gebauten, mehr beleibten als mageren Körper mit hochgewölbter Brust, und angenehme, oft sogar hübsche Gesichtsbildung. Als die Reinsten unter ihnen, als Ureinwohner, darf man wol die im Inneren der Insel sitzenden, dunkleren Mukadim — wörtlich: Leute der Arbeit — bezeichnen; hierfür spricht auch der Umstand, daß diese zu den arabischen Eroberern und Herren in einem merklichen Abhängigkeitsverhältnisse stehen. —

Man schätzt die Einwohnerzahl der Insel Sansibar sehr verschieden; indessen kommen die meisten der neueren Angaben auf 200- bis 250,000 hinaus. Daraus berechnet sich eine Bevölkerung von 6880 bis 8600 auf die deutsche Geviertmeile — deren die Insel 29 enthält — eine noch beträchtlichere aber, wenn man die unbewohnten, nicht bebauungsfähigen Gebiete der Insel im Betrage von über einem Drittel der ganzen Oberfläche außer Rechnung läßt. Eine so überaus große Dichtigkeit der Bevölkerung kann nicht überraschen, wenn man bedenkt, daß die Insel fast gartenartig angebaut ist, mit Früchten, welche, wie wir gesehen, einen viel reichlicheren Ertrag geben als unsere besten Nährpflanzen, und zwar zwei bis drei Mal im Jahre. Hierzu kommt noch ein anderer, nicht minder gewichtiger Umstand: während der europäische Ackerbauer von der Besorgung seines Feldes und seiner Wirthschaft vollständig in Anspruch genommen wird, findet der hiesige noch Zeit genug für lohnende Nebenbeschäftigung. Seine geringen Tagesbedürfnisse kann er mit einem Groschen unseres Geldes befriedigen, während die Anforderungen, welche das Leben an jenen stellt, so groß sind, daß er im Allgemeinen nur wenig mehr verdient, als er braucht. Deshalb kann der Neger Sansibars sich bei wenig Nebenarbeit von einem sehr kleinen Felde ernähren, und es kann hier auf einer Geviertmeile Landes eine weit größere Menschenmenge leben als in unserem gemäßigten Klima, auf unserem weniger ergiebigen Boden.

Die Suaheli wohnen entweder in einzelnen Hütten inmitten ihrer eigenen Pflanzungen, oder als Sklaven der großen Grundbesitzer in der Nähe von deren Landsitzen, oder auch in Häusergruppen, welche man mit dem Namen „Dorf" bezeichnen darf. Nach den werthvollen Mittheilungen, welche wir Jablonski und Grandidier verdanken, zählt man etwa fünfunddreißig solcher Ortschaften; doch ist diese Angabe gewiß nicht erschöpfend, da es viele Theile der Insel gibt, welche noch von keinem Europäer besucht wurden. Die einzige Stadt, eine Stadt im wahren Sinne des Wortes, ist Sansibar, von den Eingeborenen gewöhnlich „Mdschi" oder „die Stadt" genannt, in derselben Weise wie auch die alte Roma „Urbs" hieß. Sie ist der bedeutendste Bevölkerungsmittelpunkt Ostafrikas, da sie gegen 40,000 Einwohner zählt, zur Zeit des Nordostmonsuns aber, wann die Hunderte von Fahrzeugen aus dem Norden herab kommen, sogar noch 10,000 mehr. Eine genaue Feststellung der Bevölkerungsmenge ist unmöglich, selbst eine Schätzung in hohem Grade unsicher, weil es an jedem Anhalte mangelt; weiß doch ein arabischer Großer nicht einmal, wie viele Leute in seinem eigenen Hause wohnen: seine Sklaven strömen ab und zu, bleiben bald in der Stadt, bald auf dem Lande, je nachdem ihre Beschäftigung das Eine oder das Andere erfordert. Einer wirklichen Zählung, wenn eine solche beabsichtigt wäre, würde sich wahrscheinlich auch das Volksgefühl widersetzen, weil es darin eine frevelhafte Neugier erblickt — eine im Wesentlichen alttestamentliche Anschauung. Sowie der glückliche Spieler sich hütet, die gewonnenen Summen nachzuzählen, so nennt auch der Araber nur ungern die Zahl seiner Sklaven und seiner Frauen.

Den herrschende Theil der Einwohnerschaft bilden die Araber, den thätigsten und vermögendsten die eingewanderten Indier, den zahlreichsten die Neger.

Etwa zwei Drittel bis drei Viertel der Gesammtbevölkerung machen die Sklaven aus, und zwar, gleich unserem Bauern- und Mittelstande, entschieden den nützlichsten und wichtigsten Theil derselben. Sie sind für Sansibar geradezu unentbehrlich: sie bestellen die Felder, pflücken die Gewürznelken, bedienen die reichen Araber und freien Suaheli; denn diese, auch wenn sie nur geringes Besitzthum haben, arbeiten unter keinen Umständen selbst. Doch nur soweit das Land unter der Herrschaft der Araber und unter dem Einflusse des Islahm steht, ist die Sklaverei eingeführt; den heidnischen Wanika bei Mombas und den Volksstämmen im Inneren des Festlandes ist sie größtentheils noch fremd: sie oder ihre Frauen verrichten selbst die nöthigen Feld- und Hausarbeiten.

Schon seit den ältesten Zeiten bezog Arabien alljährlich viele tausend Sklaven von Ostafrika. Auch jetzt noch wird diese Ausfuhr sehr schwunghaft betrieben, obgleich der Sklavenhandel nach außerhalb des Sansibargebietes verboten ist; der innerhalb desselben bestehende freilich hat um so größere Bedeutung. Als Hauptausfuhrort der schwarzen Waare darf Kiloa bezeichnet werden: von den 19,000 Sklaven, welche im Jahre 1859 zur Verzollung nach Sansibar gebracht wurden, stammten 15,000 von dorther.

Dieser schmachvolle Menschenhandel und die damit verbundenen Kriege und Raubzüge entvölkern nicht nur die unglücklichen Länder im Inneren mit entsetzlicher Schnelligkeit, sondern rufen auch außerdem dort die traurigsten Zustände hervor. Der unumschränkte Negerfürst, welcher Geld braucht, schleppt seine Unterthanen ohne Bedenken von dem häuslichen Heerde, spürt, wenn er sich überhaupt noch um einen Vorwand kümmert, Verbrechen an Unschuldigen auf, um sie mit Verkauf bestrafen zu können, überzieht den friedlichen Nachbar mit Krieg, um aus dessen Volke den Bedarf seines Handelsfreundes zu decken: Sicherheit des Lebens und Eigenthums sind unbekannt. Wenn man sich erinnert, welche Verwilderung und Entsittlichung in dem christlichen Europa früher nach jedem, wenn auch nur kurze Zeit andauernden Kriege eintrat, wird man ermessen können, wie verderblich ein in derselben Weise Jahrzehnte und Jahrhunderte lang fortgesetztes Raubwesen auf die ungebildeten und heidnischen Negerstämme Afrikas einwirken muß, und sich nicht mehr wundern, wenn so schwer heimgesuchte Völker alljährlich eher verthieren als sich vermenschlichen.

Nicht geringere Gräuel als die Beschaffung von Sklaven hat deren Weiterbeförderung im Gefolge. Der Händler, welcher das „Ebenholz" aufkaufte, kennt während der Reise nur eine Sorge: möglichst schnell mit möglichst viel seiner Waare die Küste zu erreichen. Ohne Erbarmen läßt er den unglücklichen Gebrechlichen, welcher sich nicht mehr weiter schleppen kann, in der trostlosen, sonnenverbrannten Wüste zurück, um nicht den ganzen Zug aufzuhalten, und erst, wenn er die Gewißheit hat, nun bald und glücklich anzukommen, gestattet er, gleichsam als ob auch er eine Regung von Menschlichkeit empfände, daß einige der Allerschwächsten von ihren stärkeren Leidensgefährten getragen werden.

Der Anblick einer solchen Sklavenkarawane empört den gesitteten und fühlenden Menschen auf das Aeußerste. Wandelnden Gerippen gleich kommen die Unglücklichen einhergewankt, Kinder, Männer und Frauen im bunten Durcheinander, oft ohne die nothdürftigste Bedeckung der Blöße. Der Ausdruck der schmuzigen Gesichter mit den tiefen, eingesunkenen Augenhöhlen, den vorstehenden Backenknochen, dem Gepräge des Hungers und Elendes ist ein wahrhaft entsetzlicher. Eine fahlgraue Haut bedeckt in zahllosen Falten die eben noch durch Sehnen zusammengehaltenen Knochen; Kniee und Ellenbogen erscheinen als die stärksten Theile an Beinen und Armen; der leere Bauch wird durch einen jähen Abfall von dem doppelt so dicken Brustkasten geschieden. Männer sieht man, deren Schenkel so dünn sind wie die Arme eines Kindes, Frauen, denen der vertrocknete Busen widerwärtig gleich leeren Taschen über die fingerhoch hervortretenden Rippen herabhängt; schwangere Weiber haben wir gesehen, welche, halbtodt vor Erschöpfung, in wagerechter Lage auf den Köpfen zweier Männer getragen wurden und so erschreckend mager waren, daß wir die Umrisse des in ihrem Leibe noch lebenden Kindes deutlich an den scharfen Ecken und Erhöhungen der kleinen Glieder zu erkennen vermochten.

Kommen die Unglücklichen endlich im Hafen an, so werden sie zu Hunderten in enge Fahrzeuge gepackt und nach dem Hauptmarkte, eben nach Sansibar, gebracht. Wohl ihnen, wenn günstige Winde die Reise beschleunigen, wehe, wenn diese sich ungewöhnlich verzögert! Das Elend erreicht dann seine volle Höhe. Nicht Hunger und Durst allein — von einer Versorgung ist ja zumeist keine Rede — auch nicht die äußerste Unreinlichkeit quält sie auf das Empfindlichste, wol aber die schreckliche Ungewißheit um das bevorstehende Schicksal. Die Aermsten glauben, vielleicht durch grausame Scherze früherer Landsleute getäuscht, sie sollen in Sansibar geschlachtet werden, und einige der Kräftigsten versuchen in ihrer Angst, dem gräßlichen Schicksale durch Schwimmen zu entgehen — vergeblich, man fängt sie mit Booten wieder ein. Doch zur Ehre des braunen Sklavenhändlers sei es gesagt: kein Schlag bestraft sie für den Fluchtversuch. Wir haben dies selbst mit Erstaunen gesehen, als wir einst bei den Sinda-Inseln zwischen zweien solcher Schiffen Nachts vor Anker lagen. Nach Dem, was wir von Weißen wußten, erwarteten wir mit Bangen, das Klatschen der Peitsche, die Weherufe der Unglücklichen zu hören — aber Nichts geschah; man war zufrieden, die Werthstücke wieder erlangt zu haben, und übte weder Rache, noch stellte man ein abschreckendes Beispiel auf.

In Sansibar werden die Sklaven vorerst nach dem Zollhause gebracht, weil hier für jeden von ihnen eine Abgabe (zwei Thaler) erlegt werden muß. Auch dieser Zoll gibt Anlaß zu neuer Scheußlichkeit: Diejenigen, welche so schwach sind, daß sie voraussichtlich in den nächsten Tagen sterben müssen, werden der Ersparniß halber bisweilen ohne Umstände über Bord geworfen.

Aber auch ihre Leiden haben ein Ende. Die Halbverhungerten werden in das Haus des Großhändlers gebracht und dort gepflegt und ausgefüttert, damit sie bei der Ausstellung zum Verkaufe ein stattliches Aeußere zeigen. Es ist wunderbar, wie schnell diese abgezehrten und ausgemergelten Geschöpfe bei reichlicher Nahrung und voller Ruhe sich erholen; schon nach wenigen Wochen sehen sie dick und wohlgenährt aus und beginnen wieder sorglos zu scherzen und zu lachen! Sie fühlen, wie von schwerer Krankheit Genesende, nur noch das Behagen des täglichen Gedeihens und scheinen die Erinnerung des früheren Elendes völlig verloren zu haben.

Auch auf dem Markte ist die Behandlung der Sklaven eine menschliche; man gewahrt hier keine empörenden Scenen, wie man sie wol erwartet hätte. Allerdings veranlaßt der Käufer mannigfache Proben, um sich von der Kraft und der Geschicklichkeit der Waare zu überzeugen, jedoch in schonender Weise. Wol untersucht er das schön geputzte Mädchen, welches er zu seiner Suria (Kebsweib) erheben will, genau auf ihre körperlichen Eigenschaften, aber im Inneren eines Hauses und ohne die Schicklichkeit zu verletzen.

In den meisten Fällen ist der Verkäufer der Sklaven ein Anderer als der Händler, welcher sie aus dem Inneren brachte: eigentlich nur ein Mäkler, welcher, außer den Kosten für Verpflegung, für seine Bemühungen einen Antheil an dem Erlöse erhält, etwa zwei und ein halb vom Hundert. Hübsche Mädchen führt er bereits am Morgen in ihrem schönsten Putze durch die Stadt, um die Aufmerksamkeit der Käufer auf sie zu lenken und sie womöglich schon unterweges loszuschlagen.

Die Sklavenpreise schwanken zu verschiedenen Zeiten zwischen weiten Grenzen. Kinder kann man für fünf bis zehn Thaler kaufen, gewandte Burschen und Männer für zehn bis vierzig; Frauen unterliegen als Gegenstand der Liebhaberei keiner bestimmten Taxe: der

Kenner bezahlt für eine Dirne, welche nach unserem Ermessen kaum dreißig Thaler werth ist, vielleicht neunzig bis hundert Thaler, und feinere Waare, die Abyschia- und Gallamädchen, welche übrigens nicht zum öffentlichen Markte gebracht werden, erzielt sogar oft Preise von mehreren Hunderten.

Von ihren Herren werden die Sklaven durchaus gut behandelt. Die beschämende Thatsache, daß der sogenannte gesittete Mensch und Christ ein viel grausamerer Herr ist als der wegen seiner niedrigen Bildung oft bedauerte Muslim, bewährt sich auch hier. Der weiße Sklavenbesitzer in Amerika scheut sich nicht, die zartesten Familienbande gewaltsam zu zerreißen, wenn es ihm Vortheil bringt; er mißhandelt seine Untergebenen um der geringsten Vergehen willen in der grausamsten Weise und läßt sich nicht einmal durch Sparsamkeitsrücksichten abhalten, seinen mit achthundert bis tausend Dollars bezahlten Mann zu verstümmeln, oder seinen Tod zu veranlassen, wenn er dadurch seinem irgendwie erregten Rachedurste Befriedigung verschaffen kann. Sogar der Nachkomme des Negers ist dort ein verachteter Paria; selbst im dritten und vierten Geschlechte, wenn kaum noch ein Tropfen schwarzen Blutes in ihm rollt, gilt er nicht für ebenbürtig; er wird verachtet, und ob er auch durch Weiße der Haut, Schönheit der Gesichts- und Körperbildung und geistige Regsamkeit den gelblichbleichen, faulen Kreolen beschäme. Und nicht blos die Härte des Einzelnen drückt ihn, auch das Gesetz ist ihm feind; denn ein milder Herr darf es nicht wagen, dem Sklaven, welchem er wohl will, die Freiheit zu schenken. Dies ist noch heutigen Tages der Fall: trotz des ruhmreichen Krieges spielt der Neger in den Vereinigten Staaten noch immer eine elende Rolle, ja gerade in denjenigen Theilen derselben, wo man für seine Befreiung gekämpft hat, die erbärmlichste.

Ganz anders verhält es sich in Ostafrika. Dem Muselmanne — Araber oder Suaheli — verbieten Religion, Bequemlichkeit und Vortheil, einen Sklaven übermäßig anzustrengen oder zu mißhandeln: hier kommt es sogar öfters vor, daß der einem Europäer verdingte Sklave diesem wegen empfangener Schläge entläuft und zu seinem Herrn zurückkehrt, welcher ihn weder schimpft, noch schlägt, noch verächtlich behandelt. Es nehmen hier die Sklaven auch schon aus dem Grunde eine bessere gesellschaftliche Stellung ein, weil sie ihren Herren an Bildung nicht weit nachstehen: sie werden gewissermaßen als Glieder der Familie betrachtet. Niemals wol verweigert man ihnen die Erlaubniß zu Heirathen, da es ja im Vortheile des Besitzers liegt, daß sein Hausstand durch Kindererzeugung einen Zuwachs von Sklaven erhalte. Solchen Ehen entsprossene Kinder werden gut gehalten, vielleicht sogar in die Schule geschickt, wenn sie Fähigkeiten zeigen; den hübscheren unter den Mädchen aber steht das angenehmste Loos bevor: sie werden später zu Gattinnen und Gebieterinnen der früheren Herren erhoben. Ebenso überläßt man dem Sklaven bis zu einem gewissen Grade die freie Wahl seiner Beschäftigung und verhindert einen besonders Begabten nicht, sich emporzuarbeiten: man kennt den Rassen- und Standesstolz nicht in dem Maße, wie bei uns, freut sich im Gegentheile, wenn ein fähiger Mann mehr als ein gewöhnlicher Handarbeiter einbringt. In solchem Falle verdient und erspart sich ein Sklave bisweilen soviel, um sich ein kleines Besitzthum kaufen und selbst Sklaven halten zu können; Einzelne schwingen sich sogar bis zu hohen Stellungen im Staate empor. Erlangung der unbeeinträchtigten Freiheit endlich ist keine Seltenheit: gar mancher fromme Muselmann gibt einige seiner Sklaven los, um sich möglichst sichere Ansprüche auf die Freuden des Paradieses zu erwerben, und die Freigelassenen treten sofort in die Klasse der Freien ein, ohne daß ihnen oder wenigstens ihren Nachkommen ein weiterer Makel anhaftet.

Was fehlt also dem ostafrikanischen Sklaven zu seinem Glücke? Er ist der Tyrannei seines Sultahns oder der Aeltesten seines Stammes entronnen und frei geworden, freier in der That als Mancher, welcher frei genannt wird; aus seinem armseligen Dorfe ist er nach derjenigen Stadt gekommen, welche ihm als der Inbegriff aller Vollkommenheiten erscheint; er hat Genüsse kennen gelernt, von denen er früher Nichts wußte, hat Gelegenheit erhalten, die Welt zu sehen und seinen Gesichtskreis zu erweitern, wird außerdem noch Mahammedaner — ein seinen Stolz ungemein kitzelnder Gedanke: denn Muselmann oder Araber zu sein, war bald das Ziel seines höchsten Ehrgeizes geworden! Allem Anscheine nach hat er einen glänzenden Tausch gemacht. In der That sehnt sich auch Keiner der Geraubten und Verkauften wieder nach der Heimat zurück; vielleicht schon im zarten Alter hierher gekommen, haben sie die letzten Erinnerungen an Verwandtschaft und Vaterland gar schnell verloren.

Damit, daß er die im Inneren bewegungslos und in dumpfer Barbarei verharrenden Völkerstämme in Berührung mit der Küste bringt und ihnen die Möglichkeit des Vorwärtskommens bietet, könnte man den hiesigen Sklavenhandel wol beschönigen; wer aber würde die vorausgegangenen Gräuel mit diesem Nutzen zu entschuldigen wagen? Ließen sich solche, vielleicht nur scheinbaren Erfolge nicht auf andere, menschwürdigere Weise erreichen, und hat denn irgend Jemand das Recht, Leute gewaltsam in andere Lagen, wenn auch glücklichere, zu versetzen? Für denkende und fühlende Menschen unterliegt es keinem Zweifel, daß der Sklavenhandel nimmermehr gebilliget werden kann. Nicht einmal die hiesigen Mahammedaner vertheidigen ihn, betrachten ihn vielmehr als ehrloses Gewerbe. —

England hat sich seit Jahrzehenden die größte Mühe gegeben, den Sklavenhandel durch Verträge mit dem Sultahn und durch Ueberwachung der Küste möglichst zu beschränken; ihn vollkommen auszurotten wird jedoch nicht gelingen; denn immer werden noch Hunderte der damit beschäftigten Fahrzeuge den jagdmachenden Kreuzern entrinnen. Bei schärferer Ueberwachung würde sich der Aufwand in das Unendliche steigern, der Menschenhandel aber besten Falles nur auf die Küste beschränkt werden. Das Uebel ist bei der Wurzel anzufassen, dann wird es von selbst verschwinden: man muß im Inneren Afrikas andere Zustände schaffen! Wenn die Leute dort ihre Arbeiter selbst brauchen, werden sie, wie Decken auf seiner Niassareise erfuhr, für die größten Summen keine Sklaven verkaufen. Ein anderes, vielleicht minder schwieriges aber auch nicht so durchgreifendes Mittel zur Erreichung desselben Zweckes würde die Verringerung des Bedarfes an Sklaven sein. Wenn man erwägt, welche Arbeitsverschwendung dadurch verursacht wird, daß jeder Haushalt den ihm zur

Nahrung nöthigen Reis und Mtama von seinen eigenen Leuten enthülsen und mahlen läßt — eine Arbeit, welche von Arabien bis herab nach Madagaskar, gering gerechnet, gegen eine Million Menschen beschäftigt —: muß es einleuchten, daß man durch Einführung von Getreideschälmaschinen die günstigsten Erfolge in dieser Beziehung zu erzielen vermöchte. Bei zweckmäßigen Handelsverbindungen — der Reis in Madagaskar ist viermal billiger als in Sansibar — würde man das enthülste Korn ebenso billig anbieten können, als das ungereinigte jetzt von den Arabern verkauft wird, und dadurch mehr zur Beschränkung und Unterdrückung des Sklavenhandels beitragen als die so kostspielige Kriegsschiffspolizei, welche übrigens durch übertriebenen oder auf Irrwegen geleiteten Eifer nicht selten dem gesunden Handel mehr schadet als dem verbotenen. —

Die Sklaven werden entweder von ihren eigenen Herren verwendet oder zu den verschiedenartigsten Geschäften an Andere vermiethet. Im ersten Falle erhalten sie als Haussklaven Nahrung, Wohnung und Kleidung und wol auch noch ein Taschengeld, als Schambasklaven aber Nahrung, Wohnung und zwei freie Tage in der Woche, Dienstag und Freitag, an denen sie das ihnen Fehlende durch Arbeit oder durch Verkauf von Marktwaaren verdienen dürfen.

Bei den Miethsklaven, welche zumeist kleinen Kapitalisten angehören, denen sie durch ihren Verdienst ein bequemes, faules Leben ermöglichen, hört der Unterschied zwischen Freien und Sklaven beinah auf; denn auch die ärmeren, freien Leute müssen in ähnlicher Weise Arbeit suchen, wenn sie nicht etwa ein kleines Grundstück besitzen, von welchem sie sich nähren. Wir werden daher in der Folge beide Klassen zusammenfassen als arme und arbeitsame Leute, gegenüber den wohlhabenden und unthätigen.

Einige der Miethsarbeiter verdingen sich für drei bis fünf Thaler monatliches Gehalt als Diener und Aufwärter in den Häusern der Wasungu; andere arbeiten für zwölf bis sechzehn Pesa täglich auf Handels- und Kriegsschiffen, wo sie den Matrosen während des Aufenthaltes im Hafen den beschwerlichsten Theil ihrer Obliegenheiten abnehmen; die meisten aber finden bei dem Häuserbaue und bei europäischen Kaufleuten Beschäftigung. Hier empfängt Jeder, gleichviel ob Bursch oder Mädchen, ob fünfundzwanzig oder nur fünf Jahre alt, acht Pesa täglichen Lohnes, etwa zwei und zwei drittel Groschen unseres Geldes. Sklaven müssen davon fünf Pesa ihrem Herrn abgeben, aber auch der Rest genügt ihnen reichlich für die Beschaffung ihrer Bedürfnisse. Aufseher und Fundi oder Meister werden selbstverständlich besser, selbst drei- bis viermal so hoch bezahlt.

Da, wo es Arbeit gibt, erscheinen früh vor sechs Uhr Scharen von arbeitslustigen, meist jungen Leuten, unter denen der Aufseher die nöthige Anzahl aussucht und einzeln einläßt; Jedem wird darauf seine Arbeit zugetheilt, Trocknen von Pfeffer und Nelken, Zupfen und Stäuben von Orseille, Putzen und Sortiren von Kopal, Tragen von Kalk, Steinen und Wasser und dergleichen mehr, Geschäfte so einfacher Art, daß selbst der Ungeübte keiner besonderen Schulung bedarf.

Eine derjenigen Arbeiten, welche durch ihre Sonderbarkeit und durch die Lebendigkeit des dabei sich bietenden Bildes unsere Aufmerksamkeit am meisten in Anspruch nimmt, ist das Stampfen der flachen Dächer. Wenn in Sansibar ein Haus bis zu entsprechender Höhe gediehen, läßt der Fundi starke Blöcke aus dem rothen Holze des Manglebaumes dicht nebeneinander quer über die hohlen Räume der Gemächer legen, hierauf grobe Steine als Unterlage für Kokoto (kleinere Steine von Nußgröße) schütten und das Ganze mit sandhaltigem Mörtel bedecken, endlich auch noch eine Schicht reinen, mit nur wenig Sand vermengten Kalkes auftragen, um dem Ganzen ein besseres Ansehen zu geben. Nunmehr hat die Arbeit der Maurer ein Ende, und die der ungelernten Jungen und Mädchen beginnt. Manneslange, unten mit einem handgroßen, flachen Klotze versehene Stangen in der Hand tragend, kommen sie lustig herbei und stampfen damit, unter stetem Gesange auf und ab gehend, den feuchten Kalk, bis derselbe fest und trocken geworden. Bis zum Gesichte spritzt der weiße Schlamm empor, oben nur in einzelnen Punkten auftretend, nach unten zu allmählich das Dunkel der Haut ganz und gar verdeckend: — ein überaus lächerlicher Anblick, welcher, im Vereine mit den Geberden einiger Spaßmacher, den Trübsinnigsten erheitern würde. Diese Arbeit ist übrigens unangenehmer und beschwerlicher, als es den Anschein hat, weil der feuchte Aetzkalk mit der Länge der Zeit Fußsohlen und Zehen anfrißt und schmerzhaftes Brennen verursacht. Bei der starken Sonnenhitze und der verhältnißmäßig trockenen Luft währt das Stampfen gewöhnlich drei Tage lang; ebenso lange ertönen auch die gellenden Gesänge der vergnügten Gesellschaft. —

Als Hauptbeschäftigung der Suaheli muß der Ackerbau angesehen werden. Wenn man nur die Einfachheit der Werkzeuge und der damit verrichteten Arbeit in Betracht zieht, wird man ihn auf niedere Stufe stellen müssen, auf desto höhere aber, wenn man bedenkt, daß er sich in höchst bemerkenswerther Weise fast der ganzen, bebauungsfähigen Oberfläche der Insel bemächtigt hat. Daß bei größerer Einsicht und Strebsamkeit unter so günstigen Verhältnissen eine noch größere Ausdehnung desselben und vor Allem auch eine beträchtlichere Mannigfaltigkeit der Produkte zu ermöglichen wäre, kann freilich nicht geleugnet werden.

Sehr unbedeutend dagegen ist die Viehzucht, falls man überhaupt von Züchtung sprechen darf, da fast alles im Lande gebrauchte Vieh von auswärts eingeführt wird.

Höhere Bedeutung hat die Fischerei, eine der Neigung der seefahrenden Suaheli so sehr entsprechende Beschäftigung. Dem Fischfang im Großen liegen Männer ob, auf den zur Ebbezeit unbedeckten Korallenriffen; im Kleinen betreiben ihn Frauen am Strande. Vier bis sechs der Fischerinnen vereinigen sich zu einer Gesellschaft; einige von ihnen halten nahe der Oberfläche des Wassers ein großes Tuch, andere gehen zur Seite und vor dem Tuche her und scheuchen die Fische in dasselbe, indem sie unter Lärmen und Plätschern einen immer engeren Kreis schließen. Die Beute wird in einen bereit stehenden Korb ausgeleert und, wenn eine genügende Menge erlangt, in der Stadt verkauft. Auf diese Art können in einigen Stunden leicht zwanzig bis dreißig Pfund zollanger Fischchen gefangen werden.

Von Gewerbsthätigkeiten ist nur die Weberei erwähnenswerth. Wie fast alle Geschäfte wird auch sie im Freien oder unter dem luftigen Vorbau des Hauses ausgeführt. Hier sitzt der Arbeiter auf ebener Erde vor den zwischen Stäben aufgespannten Fäden und webt mit dem Schiffchen lustig darauf los. Es werden nur gröbere Stoffe gefertigt, und auch diese von Jahr zu Jahr durch die Einfuhr europäischer und amerikanischer Baumwollenzeuge immer mehr verdrängt.

Alle eingeborenen Handwerker arbeiten mit sehr rohen Werkzeugen, trotzdem aber nicht ohne Geschick und bemerkenswerthe Ausdauer; Sinn für Ebenmaß und Regelmäßigkeit scheint ihnen jedoch abzugehen. Dagegen zeigen die Frauen viel Geschmack und Geschick, namentlich bei dem Flechten von Matten und Strohmützen, eine Beschäftigung, welche durch ganz Afrika ebenso beliebt und allgemein ist wie bei uns das Sticken und Stricken, und wegen Feinheit der Arbeit und ansprechender Zusammenstellung der Farben alle Anerkennung verdient. Ohne Zweifel würde dieser Erwerbszweig leicht weiter ausgebildet werden können, wenn man gangbare Muster aus Europa einführen und ihn so in richtige Bahnen lenken wollte; vermutlich würde er dann große Wichtigkeit erlangen und nicht unwesentlich dazu beitragen, der freien Arbeit auch hier ein lohnendes Feld zu gewinnen. —

Die Leute der Arbeit leben nach unseren Begriffen ärmlich, ihren Ansprüchen gemäß vortrefflich. Als tägliches Brod dient ihnen gekochter **Reis**, den Aermeren auch **Mtama** und **Mhogo**, als Zukost **Päpa** oder getrockneter Haifisch, seltener Fleisch, und außerdem allerlei Obst. In der Zubereitung der Nahrung und der Art und Weise des Essens stimmen sie mit den Arabern überein; gleich diesen beobachten sie streng die mahammedanischen Speisegesetze. Gegohrene Getränke wie **Tembo** — Palmwein — und **Pombe** — Durrhabier — trinken sie gern, doch nicht so unmäßig wie einige der heidnischen Küstenstämme.

Ihre **Tracht** ist höchst einfach. Ein um die Lenden geschlungener Schurz von weißem Baumwollenzeuge, **Schuka** genannt, genügt für Kinder und Männer, während erwachsene Mädchen und Frauen sich in ein doppelt so langes Stück Zeug hüllen, welches von der Brust bis zu den Knöcheln reicht. Festtags kleiden sich Alle wie wohlhabende Leute oder wie die Haussklaven der Reichen: Männer ziehen dann ein blendend weißes, langes Hemd und eine bunte, ärmellose Tuchjacke an, bedecken den Kopf mit einer gestickten, weißen Baumwollenmütze oder mit einem türkischen Feß und tragen wol auch Sandalen und ein Spazierstöckchen, oder Schwert und Sper; Frauen aber legen, wenn sie sich putzen wollen, ein zweites, einfarbiges, gefranstes Baumwollentuch über die eine Schulter und ein drittes dunkelblaues, dessen zwei Zipfel bis auf die Erde herabhangen, auf den Kopf, behängen sich Fuß- und Handgelenke mit metallenen Ringen und den Hals mit Perlschnüren, bringen an Nase und Ohren, wo nur ein Platz dazu ist, allerlei Zierrathen an, flechten sich duftige Jasminblüten oder bunte Glasperlen in die Haare und schminken sich, wie wir es weiter unten auch von den Araberinnen kennen lernen werden. Die bei ihnen gebräuchlichen Haartrachten geben an Abenteuerlichkeit und Mannigfaltigkeit den bei uns üblichen nicht viel nach. Am gewöhnlichsten sieht man die Haare am Vorderkopfe zu zwei hohen Hörnern vereinigt, oder auch in acht bis zehn und noch mehr Scheitel getheilt, welche sich, zwischen schmalen Reihen von kleinen Zöpfchen, von Stirn und Ohren bis zum Hinterkopfe hinabziehen. Die Pflege der Haare beansprucht sehr viel Zeit; sogar das Auflösen der zahllosen Zöpfchen ist nicht ganz leicht, preßt auch der unter den Händen ihrer Freundin befindlichen Dulderin manche Thräne aus, daher man die Haartracht meist wochenlang unverändert läßt. Haare an anderen Stellen des Körpers werden nach mahammedanischer Sitte nicht geduldet. —

Die Neger Sansibars sind sorglos und fröhlich, unbeständig und harmlos wie Kinder. Sie sind schwatzhaft, lieben Musik und Tanz und verbringen damit bei Mondenschein ganze Nächte. Sonderbare Gegensätze vereinigen sich in ihnen: in hohem Grade leckerhaft und gefräßig, ertragen sie erforderlichen Falles auch lange Zeit hindurch harte Entbehrungen; von Natur träge, raffen sie sich oft zu ungewöhnlichen Leistungen auf, wenn sie von der Noth getrieben oder in geeigneter Weise dazu aufgefordert werden, vorzüglich wenn man ihnen selbst mit gutem Beispiele vorangeht; zu lärmendem Streite, Zank und Gebelfer geneigt, sind sie doch im Ganzen friedfertig und durchaus nicht gewaltthätig; und so sehr sie auch gelegentlich mit Mut prahlen und solchen durch kriegerische Geberden darzuthun sich bemühen, zeigen sie sich doch zumeist feig und entlaufen der Gefahr, anstatt sich ihr zu stellen. Für gute Behandlung sind sie empfänglich, auch dankbar für erwiesene Wohlthaten, werden dagegen durch Härte und hochmütiges Benehmen scheu oder sogar rachsüchtig und hinterlistig. Von Wahrhaftigkeit haben die Meisten keinen rechten Begriff, sondern sagen dem Fragenden gewöhnlich Das, was er nach ihrer Meinung gern hören will oder was ihnen selbst Vortheil bringt. In großen Dingen zumeist ehrlich, üben sie doch oft kleine Diebereien aus, wenn auch gewiß nicht häufiger als Leute aus den niederen Klassen unserer Gesellschaft.

Im Umgange unter sich beobachten die Neger eine gewisse Förmlichkeit und Würde, welche sie den Arabern abgelernt haben; auch die ärmsten Leute, die niedrigsten Sklaven, behandeln sich gegenseitig als vornehme Herren.

Mit der Sittlichkeit ist es schlecht bestellt; schon die mahammedanische Vielweiberei und die leichte Möglichkeit einer Scheidung wirken hierauf ungünstig ein. Mancher urtheilt hart über den etwas freien Umgang der Geschlechter in warmen Ländern, würde sich aber sicherlich anders ausdrücken, wenn er den richtigen Maßstab anlegen wollte. Als seltenes Beispiel von Gerechtigkeit im Urtheilen führen wir den Ausspruch einer aufgeklärten englischen Dame, Lady Duff Gordon an, welche nach ihrem Aufenthalte in der Kapkolonie schrieb: „Die Negerinnen müssen den Weißen als ein so hoch über ihnen stehendes Wesen betrachten, daß sie es sich nur zur Ehre rechnen dürfen, mit einem derselben näheren Umgang zu haben oder gar ein Kind mit ihm zu erzeugen." Wenn auch in Sansibar der letztere Fall unseres Wissens nicht vorkommt (die Erklärung hierfür dürfte in physischen Ursachen zu suchen sein), so ist doch der Umgang zwischen Schwarz und Weiß und zwischen Schwarz und Schwarz freier, als es in Ordnung zu sein scheint. Zur Entschuldigung muß man bedenken, daß die Negerinnen ohne Familie und ohne Aufsicht vollständig sich selbst überlassen sind, daß ihnen ihr nebenbei betriebenes, einträgliches und leichtes Gewerbe von Niemandem zum Schimpfe angerechnet wird, und daß sogar eine außereheliche Mutterschaft für sie nicht entehrend ist. Wie würde es unter denselben Verhältnissen mit der Sittlichkeit der Europäerinnen stehen?

Wie überall bei Naturvölkern werden auch hier die Kinder wenig überwacht und bemuttert, vielmehr schon im frühesten Alter sich selbst überlassen, und erlangen dadurch eine Frühreife und Selbstständigkeit, welche man in Europa selten findet. So baden z. B. in Mombas kleine Knaben und Mädchen ganz allein und ohne Aufsicht im Meere, springen ohne Furcht von den Korallenfelsen herab in die brausende Flut, plätschern lustig darin umher und klettern endlich an einer flachen Stelle wieder an das Land, um ihr Spiel von Neuem zu beginnen. Ebenso treten diese Kinder auch im Umgange mit Erwachsenen mit einer Festigkeit auf, welche uns Achtung abnöthigt: es gelingt selten, sie einzuschüchtern oder ihnen einen anvertrauten Gegenstand abzunehmen. Ganz besonders bemerkenswerth aber ist die Geschicklichkeit und Selbstständigkeit, mit welcher kleine Bursche von kaum fünf Jahren ihr Brod verdienen: den Bauch mit fast faustgroßen Nabelschnurresten weit herausgedrückt, die Schultern zurückgebogen, auf dem wolligen Kopfe einen nicht ganz leichten Korb voll Steine und dergleichen tragend, kommen sie schnell und munter einhergetrabt und sehen dazu so verständig aus wie irgend ein Erwachsener. Ueber diesen schnell erreichten Grad der Reife kommen aber die Neger auch später nicht weit hinaus: aus ihrem ganzen Wesen und Gebaren merkt man das Kind heraus, selbst wenn bereits der Abend des Lebens naht.

Dies gibt sich auch deutlich im Gesichte zu erkennen; denn nur selten gewahrt man kräftige, männliche Züge, daher man zwanzig- bis dreißigjährige Burschen mit vollem Rechte immer noch „Jungen" nennt. —

Der einheimischen Negerbevölkerung schließt sich eine Anzahl von zeitweilig anwesenden oder fest angesiedelten Madagassen und Komorianern an; durch häufigen Verkehr mit dem Mutterlande und durch Absonderung von den Anderen wissen sie sich vor dem Aufgehen in der großen Masse der Einwohnerschaft zu bewahren. Die Komorianer, von der Insel Angasija oder Groß-Komoro stammend, mögen etwa 4000 Köpfe zählen. Sie stehen unter ihrem eigenen Haupte, haben eigene Gerichtsbarkeit und wohnen größtentheils in einem besonderen Stadtviertel. Durch hellere Hautfarbe und etwas abweichende Sprache zeichnen sie sich vor den ungemischten Suaheli aus; wegen ihrer Ehrlichkeit und Treue werden sie gern von Europäern in Dienst genommen.

Araber. Perser. Komorianer.

Die nicht von dem Ertrage ihrer Arbeit lebenden, wohlhabenden Suaheli, zu denen schon Diejenigen gehören, welche Nichts als vier bis fünf Sklaven besitzen, können mit den Arabern zusammengefaßt werden, da diese sich im Aeußeren, in Kleidung und Lebensweise nicht wesentlich von jenen unterscheiden, vielmehr mit ihnen durch eine ununterbrochene Reihe von Uebergängen verbunden sind. Unsere nach Photographien gefertigten Abbildungen überheben uns der Verpflichtung, Tracht und Aeußeres dieser Leute mit großer Ausführlichkeit zu beschreiben, zumal derartige Schilderungen, welche hauptsächlich für den wissenschaftlichen Ethnographen wichtig sind, bereits von Quaas in der jenen zugänglichen „Zeitschrift für allgemeine Erdkunde" veröffentlicht wurden. Es genüge, hier zu bemerken, daß die Tracht der Sansibar-Araber und Suaheli im Allgemeinen der gewöhnlichen, morgenländischen gleicht: ein buntfarbiger Turban, ein bis auf die Knöchel herabreichendes, weißes Hemd, über den Hüften mit einem Shawl umwunden, darunter der gewöhnliche Negerschurz — Schuka —, darüber eine kurze Tuchjacke und bei den Vornehmeren ein langer Tuchrock oder ein weiter Kaftan bilden, nebst ein Paar dicken mit Holzstiften zusammengenagelten ledernen Sandalen, die einzelnen Stücke der Bekleidung. Hierzu gehört noch die als Schmuck zu betrachtende, unerläßliche Bewaffnung: ein krummer Dolch im Gürtel und ein gerades oder krummes, in der Hand getragenes Schwert, weniger durch Güte der Klinge als durch kostspielige Verzierung der Scheide und des Gehänges ausgezeichnet.

Frauen tragen, wie die Männer, ein langes aber buntes Hemd von gestreifter Seide, seltener von Baumwollenzeug, und enge, bis auf die Knöchel reichende Höschen von demselben Stoffe. Kopf und Oberkörper hüllen sie beim Ausgehen in ein großes Tuch von dunkeler Farbe und bedecken das Gesicht bis zum Munde herab durch eine goldgestickte, helmvisirähnliche Maske, ohne es jedoch neugierigen Blicken dadurch ganz zu verhüllen. Wie den Männern Waffenschmuck, so ist ihnen Tand von Gold und Silber unentbehrlich: Reiche schmücken sich mit Ohrgehängen, Halsketten, Arm- und Fußringen von oft bedeutendem Werthe, und Aermere suchen es ihnen wenigstens in der Menge dieser Zierrathen gleichzuthun, wenn diese auch nur aus einer silberweißen Zinnmischung bestehen sollten. Den höchstgestellten Damen, wie den Prinzessinnen des Herrscherhauses, gebietet ihr Stand, sich nie zu zeigen, ohne mit Halsketten, Ohrringen und dergleichen überladen zu sein; letztere sind in Folge ihrer Größe und Metallstärke oft pfundschwer und ziehen die Ohrläppchen nicht selten blutig. Die armen, geplagten Standespersonen wollen und dürfen aber trotzdem den lästigen Schmuck nicht eine Stunde lang ablegen und vermögen ihre Schmerzen nur dadurch zu lindern, daß sie am Tage, so oft es irgend angeht, die Hände an den Kopf stemmen und auf ihnen den größten Theil der goldenen Last ruhen lassen, in der Nacht aber das schwere Haupt zwischen zwei Kissen legen, um es nicht an neuen Stellen wund zu drücken.

Araberinnen und Suahelifrauen lieben stark duftende Stoffe ungemein, durchräuchern und salben deshalb auch Kleider, Haare und Haut, schwängern sogar das Waschwasser mit Wohlgerüchen. Wohlhabende verwenden vorzugsweise das kostbare Rosen- und Sandelholzöl, auch kölnisches Wasser, Arme hingegen weniger theuere, bisweilen sogar übelriechende Mischungen. Von sonstigen Putzkünsten ist noch in Gebrauch das Rothfärben der Nägel mit Henna und das Schwarzschminken der Brauen und Lidränder, wodurch das Feuer der Augen wesentlich gehoben wird. Die Haartracht vornehmer Damen entzieht sich forschenden Blicken durch Schleier und Kopfbedeckung; es ist jedoch nicht unbekannt, daß einzelne Frauen gleich den Männern den Kopf gänzlich kahl rasiren. An anderen Stellen des Körpers entfernen sie die Haare, wie schon angedeutet, mit äußerster Sorgfalt, entweder durch das Messer oder durch schwefelalkalihaltige Aetzmittel, und befördern hierdurch die in warmen Ländern mehr als anderswo gebotene Reinlichkeit.

Die Wohnungen sind von sehr verschiedener Beschaffenheit, sowol was die Bauart als auch was die innere Einrichtung betrifft. Es gibt Leute, welche sich auf der Straße mit Turban, Tuchtalar und schönen Waffen brüsten, in ihrer fensterlosen Hütte aber nur das allernothdürftigste Geräth, Kitanda, einige Matten, Koch- und Wassergefäße besitzen; ja, wir kennen Statthalter des Sultahns, allerdings nicht auf der Insel selbst, welche nur ein aus Lehm gebautes Haus ihr eigen nennen. Reiche Grundbesitzer wechseln ihren Aufenthalt je nach der Jahreszeit: zum Beginne der heißen Zeit, etwa Anfang November, wann die Nelken zur Ernte reif sind, ziehen sie mit Weib und Kind und Sklaven hinaus auf die kühle, duftige Schamba und kommen von dort monatlich nur einige Male nach der Stadt, um die nothwendigsten Geschäfte zu besorgen; beim Herannahen der Regenzeit, im März und April, kehren sie dann mit dem gesammten Gefolge wieder nach den Stadthäusern zurück, welche ihnen gegen Wind und Wetter mehr Schutz gewähren, als die leichteren Wohnungen dort, und suchen sich hier durch erhöhten, geselligen Verkehr für die in den letzten Monaten fühlbar gewordene Langeweile des ländlichen Aufenthaltes zu entschädigen.

Als Muster einer schön und behaglich eingerichteten, arabischen Wohnung kann das in Dunga, nahezu in der Mitte der Insel gelegene Landhaus des Sherif (7) Muniemku, des Sultahn der Mukadim († am 25. Juni 1865) gelten. Wol jeder Msungu, welcher bis zum Jahre 1865 Sansibar bewohnt oder besucht hat, kennt den ehrwürdigen und freund-

lichen „Besitzer der Größe" (Muniemku), hat sein würdevolles Benehmen und seine herzliche Gastfreundschaft schätzen gelernt. Der Schmuck seines Hauses legt Zeugniß ab von der Achtung und Erkenntlichkeit, welche ihm alle seine Besucher zollten: er entließ sie reich beschenkt, und sie brachten ihm zum Danke allerlei Gaben aus ihrer Heimat dar, hauptsächlich schöne Waffen und kostbare Geschirre. Dunga blüht wie eine Oase in der steinigen Wüste des Inneren der Insel. In einem Walde von Gewürznelkensträuchern und allerlei Fruchtbäumen versteckt, umgeben von Saatgefilden und Hütten und Gärtchen der Sklaven, liegt Muniemkus Haus, ein zweistöckiger Steinbau, an äußerem Glanze zwar nicht den städtischen Palästen vergleichbar, deshalb jedoch nicht minder sehenswerth, ja, vielleicht anziehender als jene alle.

Nach mehrstündigem Ritte auf schlechten, oft sehr holperigen Wegen gelangt man an den weiten, von einer hohen Mauer umschlossenen Hof des angesehensten der Lehensleute Seid Madjids. Reichgekleidete Diener eilen geschäftig herbei, um Reitesel und Pferde der Besucher unterzubringen und diese selbst herein zu führen. Scharen von Schambasklaven tummeln sich hier, emsig beschäftigt, die in geflochtenen Körben herbeigebrachten, grünen Gewürznelken auf Matten auszubreiten und zu trocknen — man glaubt, das Gehöft eines geschäftigen Kaufmannes betreten zu haben. Doch gewahrt man rechter Hand in dem Hintergrunde des abgeschlossenen Platzes auch einen Ziergarten mit ausländischen Blumen und Sträuchern, welcher errathen läßt, daß der Besitzer nicht blos Geld zu erwerben weiß, sondern auch Geschmack an einem angenehmen Lebensgenusse findet. Muniemku kommt mit seinem Söhnchen bis vor die Thüre des Hauses den Gästen entgegen, geleitet sie nach kurzer, aber herzlicher Begrüßung in die zu ihrer Aufnahme bestimmten, oberen Prunkgemächer und überläßt sie hier als feinfühlender Wirth ganz ihrer Bequemlichkeit, ohne sie durch seine Gegenwart oder durch lange Unterhaltung von dem Genusse der ersehnten Ruhe abzuhalten. Für die Bedürfnisse der Müden ist vortrefflich gesorgt. Längs der Fensterseite des großen Saales, welcher die ganze Vorderwand des Hauses einnimmt, liegen weiche, sechs bis acht Fuß breite, seidene Polster in langer Reihe; nicht minder schöne, walzenförmige Kissen bieten sich dem Oberkörper des behaglich Ausgestreckten als schwellende Unterlage dar. Wer auf solchem Diwahn geruht hat, wird gerne zugestehen, daß er viel bequemer ist als unsere Stühle und Sofas; nur Diejenigen, denen das Bücken und Aufstehen schwer wird, ziehen vielleicht europäische Geräthschaften vor. Auch solche Gäste suchen nicht vergebens: sie finden rechter Hand zwei prächtige Himmelbetten aufgeschlagen.

Inzwischen ist der die Lebensgeister weckende Kahaua (Kaffee) erschienen und von Allen mit Behagen geschlürft worden. Nun erst findet man Muße, die weitere Einrichtung zu mustern. Große, wohlverglaste Fenster erhellen das Gemach; jeder der Pfeiler zwischen ihnen wird durch einen breitrahmigen, französischen Spiegel fast verdeckt. Die Wände sind mit goldverzierten Säbeln und Gewehren der neuesten wie der ältesten Form und Erfindung behängt. Linker Hand stehen Tische mit kostbarem, europäischen Porzellan. Im unteren Geschosse wohnt Muniemku selbst in fast kahl zu nennenden Räumen. Nur wenige persische Teppiche und schön gearbeitete Matten zieren Wände, Fußboden und gemauerte Sitze; an Stühlen und sonstigem Hausgeräthe dünkt uns sogar Mangel zu sein: der Araber bedarf nicht Dessen, was wir vermissen.

Von der Thätigkeit, von der täglichen Beschäftigung der Araber und wohlhabenderen Suaheli läßt sich wenig sagen, da mit geringer Ausnahme Alle Müßiggänger und Tagediebe sind. Ihre Zeit vergeht mit Essen, Rauchen, Beten, Besuche machen und Schwatzen; denn nur die Wenigsten von ihnen haben als Kaufleute oder Beamte bestimmte Berufsarbeiten. Eher noch kann man den Frauen eine gewisse Geschäftigkeit nachrühmen, da sie zur Vertreibung der Langeweile Stickereien und Flechtarbeiten fertigen und sich sogar ein wenig mit Zubereitung der Mahlzeiten, besonders der beliebten gebackenen Leckereien abgeben.

In der Lebensweise stimmen die Vornehmen, wenigstens in den hauptsächlichsten Punkten, mit den Geringen überein. Araber und Neger bedienen sich zum Essen nur der Finger; der Gebrauch von Messern, Gabeln und Löffeln ist ihnen fremd. Diese Sitte begreift sich leicht, da alle Speisen in solcher Form auf die Tafel kommen, daß sie ohne Weiteres mit den Fingern genossen werden können. Reis, die Hauptspeise, ist zu einer lockeren Masse, Wali, gekocht, welche sich leicht zu kugeligen Bissen formen läßt; Fleisch wird schon vor dem Schmoren in handliche Würfel zerschnitten; flüssige Speisen aber, wie unsere Suppen, erscheinen nur selten und werden dann aus flachen Schalen geschlürft. So unappetitlich uns anfangs diese Art des Essens erscheinen mag, sie ist es nicht: denn Jeder der aus einer Schüssel Zulangenden reiniget sich vor und nach Tische die Hände. Man muß den Arabern zugestehen, daß sie in der Geschicklichkeit im Gebrauche ihrer Finger dem mit Messern und Gabeln hantierenden Europäer durchaus nicht nachstehen, wenn sie auch die Meisterschaft der mit Stäbchen essenden Chinesen und Japanesen nicht erreichen.

Der nur mit Kopra oder mit Kokosnußöl geschmalzte und mit Fleisch- oder Currypfefferbrühe übergossene Reis (8) hat einen vorzüglichen Wohlgeschmack. Wir haben diesen wali na tschusi öfters bei unseren arabischen Gastfreunden genossen und können versichern, daß wir ihn auch in Europa tagtäglich mit Vergnügen auf der Tafel sehen würden, ohne seiner überdrüssig zu werden.

Große Gastereien finden bei den Arabern nur gelegentlich wichtiger Feierlichkeiten statt; doch kommt es auch zu gewöhnlichen Zeiten vor, daß man, etwa zu Ehren eines Fremden, die Speisen mit besonderer Sorgfalt und in größerer Mannigfaltigkeit bereitet und ihnen noch eine Menge sonderbar geformten, übermäßig fetten Backwerkes zufügt. Dem Europäer gegenüber spricht sich die Gastlichkeit der Leute in angenehmer Weise aus. Man sucht ihm möglichst wenig lästig zu fallen und nimmt Rücksicht auf fremde Gewohnheiten, d. h. setzt Wein, Thee und Kaffee zur Auswahl auf die Tafel und deckt oft in einem besonderen Gemache, wahrscheinlich um nicht durch das Essen mit den Fingern Ekel zu verursachen.

Als Tafelgetränk dient Wasser, bei reicheren Leuten und bei festlichen Gelegenheiten wol auch Scherbēt oder Sorbet, d. i. verdünnter, süßer Fruchtsaft. Nach dem Essen wird der auch zu anderen Tageszeiten beliebte, starke Kaffee aus kleinen Tassen genossen. Neuerdings hat man auch angefangen, dem Thee Geschmack abzugewinnen.

Narkotische Genüsse, als Tabakrauchen, -schnupfen und -kauen, sind in Sansibar zwar in Aufnahme, aber es gilt nicht für anständig oder eines vornehmen Mannes würdig, einer dieser Gewohnheiten zu huldigen. Der Sultahn enthält sich, soviel uns bekannt, derselben gänzlich. Am gebräuchlichsten findet man in allen Ständen, sogar auch bei Frauen, das Betelkauen, dieses bei Arabern, Persern, Indiern und Negern so beliebte Genußmittel. Dadurch, daß es die Absonderung des Speichels befördert, soll es erfrischend wirken und die Verdauung in Ordnung halten; auch wird behauptet, daß es zur Verhütung von Dysenterie und Rheumatismus gute Dienste leiste; mit Tambu — so nennt der Suaheli den zum Kauen vorbereiteten Bissen — im Munde soll man endlich Hunger und Durst leicht ertragen können: zur Zeit des Ramadahn, wann der Mahammedaner den ganzen Tag über bis Sonnenuntergang weder Speise noch Trank genießen darf, mag das scharfe Kaumittel allerdings fast unentbehrlich sein, um die religiöse Selbstquälerei des Fastens einigermaßen erträglich zu machen. Vor anderen ähnlichen Gewohnheiten, wie Schnupfen und Rauchen, hat das Tambukauen jedenfalls den Vorzug, daß es nicht auch die Sinne Anderer beleidigt, sondern nur dem Kauenden selbst schadet, indem es Speichel, Lippen und Zähne roth färbt, auf letztere wol auch zerstörend wirkt. Außerdem übertrifft es an Billigkeit alle anderen Genüsse; denn eines Pfennigs Werth von dem edlen Kraute gewährt viele Stunden lang Vergnügen. Wie unserem Raucher die Cigarrentasche, so ist dem Betelkauer sein Kipatu oder Kedjaluba unentbehrlich, eine längliche, metallene Dose, in welcher er die Kauerfordernisse aufbewahrt. Sie birgt etwas Tambu — Blätter des Betelpfefferstrauches Piper Betle L., — Popo — die taubeneigroße Nuß der Arekapalme — gebrannten Kalk und Tabak, von welchen drei letzten Bestandtheilen man beim Gebrauche ein wenig in die Hälfte eines Tambublattes wickelt. Wenn der Suaheli diese kleine Dose zur Hand nimmt, bietet er ihren Inhalt, wie es der gebildete Mann Europas mit seiner Schnupftabaksdose thut, nach allen Seiten hin seiner Umgebung an. Tambu von Frauen angeboten ist mehr noch als ein Zeichen der Höflichkeit: es wird als verblümte Liebeserklärung betrachtet.

In der Kunst und Leidenschaft des Rauchens können Suaheli und Araber Sansibars sich nicht mit Türken und Vollblut-Arabern vergleichen. Ihre Pfeifen sind erbärmlich gegen die, welche man unter jenen Völkern selbst bei Aermeren antrifft. Auch die ungeschickte Art und Weise ihres Rauchens läßt erkennen, daß dieser Genuß ihnen kein wahres Bedürfniß, sondern mehr eine von Arabien her eingeführte oder durch die gleichfalls rauchenden Neger vererbte Gewohnheit ist. In Gegenwart von Personen höheren Standes oder gar vor dem Sultahn und den Prinzen seines Hauses darf übrigens keinesfalls geraucht werden.

Fast noch weniger ist das Schnupfen — nanuka tombako, Tabak riechen — eingebürgert, und auf rohe, den Negern Innerafrikas abgelernte Weise wird es ausgeübt. Eine Prise ist unbekannt, von einer feinen Müllerdose weiß Niemand. Aus einem enghalsigen Büchschen oder Fläschchen schüttet man eine kleine Menge des fein gepulverten und nicht weiter zubereiteten Tabaks auf den Rücken der Hand und saugt den Staub durch einen kräftigen Athemzug in die Nase. Bald nach dem Genusse beginnen die armen Pfuscher dort zu niesen — ein unverzeihlicher Fehler in den Augen eines Schnupfkünstlers Europas. —

Ein großer Theil des Tages wird von gegenseitigem Besuchen in Anspruch genommen. Der Besuchende tritt, falls keine Sklaven an der Thüre sitzen und die Meldung besorgen, mit dem Rufe „hodi! hodi!“ ein, welcher die Aufmerksamkeit erregen und die Frauen vor Ueberraschungen bewahren soll, begrüßt seinen Freund mit „jambo“ was der Andere mit „jambo sana“ (der Zustand ist sehr oder gut) erwiedert, oder grüßt mit dem rein arabischen „salām aleikum“ (Friede sei mit euch) und zur Erwiederung „aleikum essalām.“ Obgleich der Eintretende den Hausherrn mit dem Worte „sterahe“ zum Sitzenbleiben nöthiget, geht dieser doch entgegen, schüttelt ihm die Hand und bleibt noch eine Weile bei ihm stehen, bis sich endlich Beide setzen. Das Gespräch, bei welchem sich auch Araber oft der Suahelisprache bedienen, besteht im Austausche von Höflichkeitsformeln und Neuigkeiten und wird zumeist mit großer Förmlichkeit, mit einer gewissen, den Arabern eigenen Würde geführt; jedoch haben wir auch gebildete und hochstehende Leute kennen gelernt, welche bei dem geselligen Verkehre eine fast europäische Ungezwungenheit beobachteten und über Alles gewandt und gemütlich schwatzten und scherzten. Zum Abschiede lautet der Gruß „kuaheri, kuaheri sana“ oder „kuaheri ku onana“ (lebe wohl, lebe recht wohl, oder lebe wohl, auf Wiedersehen). So grüßen sich Gleichgestellte; Sklaven und Niedrigstehende gebrauchen ihren Herren oder Vornehmeren gegenüber statt Jambo das Wort Schikamu — verkürzt aus nasehika mgu oder mgono, d. i. ich ergreife den Fuß oder die Hand, ähnlich dem süddeutschen „ich küsse die Hand“.

Zu Besuchen eignet sich vorzugsweise die kühlere Zeit des Tages von vier bis sechs Uhr Nachmittags und der Abend nach dem letzten Gebete in der Moschee; doch werden, wenn Langeweile drückt oder Geschäfte es fordern, auch andere Tagesstunden hierzu benutzt: vielleicht gilt es sogar für höflich, sich eines Besuches wegen den brennenden Sonnenstralen auszusetzen; wenigstens werden die Staatsbesuche immer nur zur Mittagszeit empfangen und erwiedert. So erscheinen zur öffentlichen Audienz oder Baraſa täglich die vornehmsten Einwohner der Stadt zwischen zehn und zwölf Uhr im Hause des Sultahns. (Wie das türkische Wort Diwahn bedeutet auch Baraſa ursprünglich einen Sitz, und zwar die Bank vor dem Hause, auf welcher Besuche entgegen genommen werden; bildlich wird es dann für Empfangsraum und für feierliche Besuche überhaupt angewendet).

Auf diesem wichtigen Gange sind die arabischen Großen, wie die römischen Patrizier bei ihren öffentlichen Ausgängen von den Klienten, von ihren Mfuasi oder Nachläufern begleitet, einem Gefolge, aus dessen Größe man auf den Rang und Reichthum des Begleiteten

Niederes Gefolge des Sultahns.

schließen kann. Es besteht zumeist aus Solchen, welche in irgend einer Abhängigkeit zu letzterem stehen, sei es nun, daß sie Wohlthaten empfangen haben oder ganz von ihm erhalten werden, oder auch, daß sie selbst oder ihre Vorfahren zu den von ihm freigelassenen Sklaven gehören. Mit würdevollen Schritten bewegt sich der Schweif durch die Straßen: voran der Herr mit einigen Freunden oder anderen Vornehmen, hinterher der Troß der Abhängigen, in genauer Beobachtung der Rangordnung mit den gering gekleideten, dunkelfarbigen Freigelassenen schließend.

Ein verschiedenes Gefolge ist dasjenige, welches die Frauen bei ihren abendlichen Ausgängen um sich haben. Mehrere von ihnen vereinigen sich mit Freundinnen und Dienerinnen zu einem mehr oder minder langen, schweigsamen Zuge, welchem vor- und nachleuchtende Diener den Weg ebenen, d. h. als Wache dienen, daß kein unerlaubter Verkehr mit fremden Männern eingeleitet werde. Jedoch auch hier ist es, wie in der Nasimoja und auf den Dächern, abweichend von den strengeren Sitten des Morgenlandes, nicht unmöglich, ein heimliches „Jambo Bibi“ (guten Tag, Herrin) anzubringen. Ist die Gegrüßte noch jung, so wird sie sich enger in ihren Shawl wickeln, den Kopf mit ihren Freundinnen zusammenstecken und leise kichern; ist sie alt, so lüftet sie vielleicht, in richtiger Erwägung, daß man eine junge Dame zu grüßen vermeint, ihren Schleier auf einen Augenblick und flüstert mit sonderbarer Offenherzigkeit: „mimi mse“ (ich bin ja alt)! —

Während also vornehme Damen Nichts von den Freiheiten genießen, deren sich die Negerinnen erfreuen, sind die Männer durch keine Schranken gehemmt, auch nicht gewillt, sich solche selbst zu setzen. Schon in dem Alter, in welchem unsere Knaben die Schule verlassen, beginnt der halberwachsene Suaheli seine Liebschaften, oder kauft sich eine Sklavin zu seinem ausschließlichen Gebrauche; wenige Jahre darauf, wenn er die Freiheit zur Genüge genossen, verheirathet er sich mit einem ebenfalls erst der Kindheit entwachsenen Mädchen. Doch diese Ehe hindert ihn keineswegs, sich in Besitz alles Dessen zu setzen, was ihm außerdem gefällt: weder Gesetz noch Sitte verwehren ihm, sich soviel Surias zu halten, als ihm seine Mittel erlauben, oder der einen rechtmäßigen Gattin noch drei andere zuzufügen. Von letzterer Erlaubniß machen indeß Wenige Gebrauch (denn auch hier beschränkt der Geldbeutel die Vielweiberei), und wol nur der Sultahn besitzt einen Harehm im eigentlichen Sinne des Wortes: — Harehm-, Marstall- und Soldatenhalten, gehört eben auch hier, wie in der Türkei und anderswo, zu den Kennzeichen der Herrscherwürde. Es würde falsch sein, wollte man glauben, daß ein Harehm immer die gesetzlich erlaubte Zahl von vier rechtmäßigen Gattinnen enthalte: im Gegentheil, soviel uns bekannt, ist der des jetzigen Herrschers ausschließlich mit Surias von Abyssinien, Georgien und anderen Orten bevölkert; ja, der Sultahn selbst und alle anderen Prinzen des Hauses sind sämmtlich in solcher Halbehe erzeugte Kinder.

Selbstverständlich ist es unmöglich, sich eine genaue Kenntniß von den Einrichtungen eines „thätigen“ Harehm zu verschaffen; von der Bauart eines dazu bestimmten Hauses jedoch wissen wir zu erzählen.

Einige Seemeilen nördlich von der Stadt liegt hart am Strande, an einer Biegung desselben ein großes, weißes Haus, genannt Bet el Ras, das Haus an der Ecke oder Landspitze. Es war von dem alten Seid Saïd erbaut worden, sollte diesem nach einem unruhigen und thatenreichen Leben als ein der Ruhe und Behaglichkeit gewidmeter Aufenthaltsort dienen, sein Landhaus und Harehm werden. Nähert man sich vom Strande her, so gewahrt man nur die hohen Umfassungsmauern; erst weiter abwärts, von See aus, kommt auch das stattliche Gebäude zum Vorschein. Ein geräumiger Hof umschließt es; auf der einen Seite führt eine breite, steinerne Freitreppe mit stattlichem Portale wol zwanzig Fuß hoch empor nach den bewohnten Räumlichkeiten. Das Haus selbst wird durch einen langen, inneren Hof in zwei Flügel getheilt. In gleicher Höhe mit dem äußeren Hofe liegend und von hoher Galerie umschlossen, gleicht dieser einer Arena, in welcher Thierkämpfe abgehalten werden sollen; doch führen die kleinen Thüren da unten nicht in Käfige von Löwen und Panthern, sondern nur in Speicher, Sklavenwohnungen, Viehställe und Rumpelkammern. Von dem breiten, luftigen Gange aus, welchen eine Reihe arabischer Spitzbogen und Säulen abgrenzt, überblickt man, wie in einem Gefängnisse für Einzelhaft, eine große Anzahl starker Thüren; hier wie dort sind alle Thüren, wir wissen nicht, ob von dem jetzigen Besitzer oder von Seid Said herrührend, mit laufenden Nummern versehen. Letztere Möglichkeit dürfte nicht so gar unwahrscheinlich sein; denn der alte Sultahn, dessen Gedächtniß durch die Anforderungen, welche das Leben an ihn gestellt, sicherlich etwas gelitten, konnte, bei der beträchtlichen Anzahl seiner Frauen oder vielmehr Surias, unmöglich die Namen Aller merken. Treten wir ein in die Gemächer: kein Eunuche wehrt uns, wir dürfen aber auch keine schönen Frauen vorzufinden hoffen. Die Zelle ist weder allzu eng, noch finster, und doch bringt sie einen traurigen Eindruck hervor. Durch die spärlichen Fensteröffnungen blickend, gewahrt das Auge nichts Lebendiges: auf der einen Seite wogt die blaue Flut, auf der anderen wiegen sich die Wipfel der nahestehenden Gewürznelkenbäume und Kokospalmen, den Strand verbirgt die nahe, hohe Mauer. Hier sollten die armen Frauen eingeschlossen werden: ihre einzige Unterhaltung Sticken und Flechten, Ränkespinnen und Gespräche, wie sie eine erhitzte Einbildungskraft eingibt, ihre einzige Pflicht, das Bestreben ihrem Gebieter zu gefallen, ihre einzige Abwechselung ein abendlicher Spaziergang auf dem hochummauerten Dache oder, bei schlechtem Wetter, in dem Säulengange! Schon waren alle die Schönen angeschafft — da starb Seid Said, bevor seine allumfassende Liebe sich in diesem, ihrem neuesten Tempel bethätigen konnte. Jetzt wohnt ein Fremder in den weiten Hallen des Harehm, auf dem Dache welkt Kopra, das Eigenthum eines ungläubigen Kaufmannes, und im Hofe ertönen die lustigen Gesänge der arbeitenden Schwarzen! Welche rechtschaffene, christliche Ehefrau würde nicht hierin das Walten einer rächenden und gerechten Vorsehung erblicken? Und doch hat sie Unrecht: die Araberin lebt glücklich und zufrieden im Harehm; hier aufgewachsen, kennt sie die Freiheit nicht und beneidet ihre europäischen Schwestern nicht um solche.

Ein Familienleben in unserem Sinne ist nach Diesem bei den höheren Ständen undenkbar, wenigstens was den Verkehr zwischen Mann und Frau betrifft. Das Verhältniß Beider beruht auf Mißtrauen anstatt auf gegenseitigem Zutrauen; die Weiber, als die Unterdrückten und Rechtslosen, halten gegen die gestrengen Eheherren zusammen, und die Männer wieder, denen die Gesetze Alles gestatten, führen lieber ein öffentliches Leben unter sich. Bei ärmeren Leuten findet man aber trotzdem einzelne musterhafte Ehen.

Kinder und Eltern stehen fast allgemein in innigem Verhältnisse zu einander; jene zeigen diesen Liebe und Ehrerbietung und bewahren auch in späteren Jahren eine große Anhänglichkeit, vorzüglich an die Mutter. Dies zeigt sich u. A. auch darin, daß der Ausruf „Mama, Mama“ sowol bei Freude als bei Schreck sehr häufig gebraucht wird, und Erwachsene sich des Namens ihrer Mutter bei kräftigen Betheuerungen in derselben Weise bedienen, wie wir „bei Gott“ oder die Araber „bei ihrem Barte“ schwören. —

In den Gebräuchen bei der Verehelichung unterscheiden sich die Einwohner Sansibars nicht wesentlich von den Mahammedanern anderer Länder, ja, es lassen hierin sich sogar Anklänge an christliche Gebräuche finden. Nach Guillain verläuft die wichtige Angelegenheit etwa in folgender Weise. Der Ehe geht immer eine Verlobung voraus, ein Eheversprechen. Oftmals wird dieses schon in der frühesten Jugend der beiden für einander bestimmten Leute von den Eltern verabredet; in den meisten Fällen aber hat der junge Mann selbst die Einwilligung zur Heirath nachzusuchen. Er thut Dies bei dem Vater des

Mädchens, lebt dieser nicht mehr, bei dem Großvater, oder endlich, wenn keine anderen Angehörigen da sind, bei den obersten Behörden der Stadt. Hat er eine zustimmende Antwort erhalten, so findet bei dem zukünftigen Schwiegervater ein Verlobungsschmaus im engeren Kreise statt.

War das Mädchen männlichen Blicken schon vorher verborgen, so ist sie jetzt ihrem Bräutigam noch weniger sichtbar: dieser darf sie wol besuchen, erhält aber keinen Zutritt zu ihr und muß, wenn keiner ihrer schützenden Verwandten anwesend, sogar im Vorhofe des Hauses warten und von hier aus die Braut von seiner Gegenwart benachrichtigen. Darauf erhält er von ihr als einzige Entschädigung für seine Bemühung einen Bissen Tambu. Verlobungen sind dort wie hier nicht unauflösbar; doch sucht man gewöhnlich einen passenden Vorwand, um sich mit Anstand des Versprechens entledigen zu können.

Die Verehelichung erfolgt zu gelegener Zeit. Als geeignetste Tage betrachtet man den Juma oder Freitag (den Sonntag der Muslimin), und vorzugsweise den ersten Freitag nach dem Ramadahn und den Tag der Mekkapilgerschaft. Gewöhnlich werden die Mädchen im dreizehnten oder vierzehnten Jahre, kurz nach eingetretener Reife verheirathet; doch hindert Nichts, dies früher zu thun und selbst Kinder mit einander zu vermählen. Sklavinnen dürfen nur, wenn sie mannbar sind, verehelicht werden; auch tritt der Mann nicht eher in den thatsächlichen Besitz einer solchen Gattin ein, als bis nach vollzogener Trauung die Natur wenigstens einmal den Beweis der wirklichen Reife des Mädchens geliefert hat.

Bekanntermaßen ist es bei den Mahammedanern der Bräutigam, welcher die Mitgift gibt, und zwar nicht der Braut, sondern dem Vater derselben — ein Geschäft, welches einem Handel oder Kaufe nicht unähnlich sieht; außerdem muß er noch die Hälfte der Hochzeitskosten tragen, unter denen Geschenke für die Neuvermählte und der Aufwand für die folgenden Schmausereien zu verstehen sind. Ist der Bräutigam arm und kann die erforderlichen Summen nicht auf einmal bezahlen, so verzögert sich hierdurch die Trauung; denn diese Gebühren werden nicht geborgt, müssen vielmehr vollständig erlegt sein, ehe der Gegenwerth ausgehändigt wird. Sind endlich alle Hindernisse aus dem Wege geräumt, so versammeln sich am bestimmten Tage die männlichen Verwandten des Bräutigams in dem Hause der Zukünftigen, wo die verbindende Feierlichkeit stattfindet, falls Dies nicht ausnahmsweise in der Moschee geschehen soll; denn auch in Sansibar ist dieser Akt, wie in den aufgeklärteren der europäischen Staaten, ein rein bürgerlicher und wird in Folge dessen nicht vor dem Geistlichen, sondern vor dem Kadi oder Richter vollzogen. Dieser nimmt Kenntniß von den Absichten des jungen Mannes, ermahnt ihn, seine Frau zu deren Zufriedenheit zu behandeln, und — hierbei überschreitet er die Rechte, welche ihm der Korahn gibt — ihr treu zu sein. Darauf fragt er den Vater oder Großvater der Braut, ob er damit einverstanden, oder wendet sich auch an sie selbst, wenn sie allein steht in der Welt. Endlich läßt er sich von anwesenden Frauen bezeugen, daß die auch für ihn verhüllte Braut die Rechte, fragt letztere überflüssiger Weise (ihre Angehörigen können sie ja wider ihren Willen verheirathen), ob sie mit dem Antrage ihres Zukünftigen zufrieden sei, und schließt die Ehe.

Nun wird der junge Gatte in ein dunkeles Zimmer geführt, wo sich seine Gemahlin in der Mitte anderer Frauen und immer noch verschleiert und eingehüllt befindet. Von ihren Freundinnen auf den rechten Weg geleitet, legt er seine rechte Hand auf das Haupt der Geliebten und sagt Gebete und Anrufungen Allahs her, um die Verbindung zu weihen und Segen für sie zu erflehen. Hiermit muß er sich vor der Hand begnügen; denn die Gattin wird von Besuchen in Anspruch genommen, und er selbst hat den Tag seinen Gästen zu widmen. An den nun folgenden Festlichkeiten, welche, je nach dem Reichthume und der

Freigebigkeit des Brautvaters, mehrere Tage lang andauern und in Tafelfreuden, Tänzen und religiösen Gesängen bestehen, nehmen beide Geschlechter gesondert Theil. Hierbei wird der Armen nicht vergessen; was diese erhalten, ist sogar in den meisten Fällen beträchtlicher, als was die Gäste während der langen Dauer des Festes zu verzehren vermögen, obgleich jeder Dazukommende das Recht hat, als Gast daran Theil zu nehmen.

Endlich, wenn die Hochzeit der Gäste zu Ende, ist es dem lange hingehaltenen Bräutigam gestattet, die seinige zu feiern und in seine jüngst erworbenen Rechte einzutreten. Niemand stört ihn mehr; sogar der Vater entfernt sich vom Hause und kehrt erst nach sieben Tagen wieder zurück, während welcher Zeit jedoch der junge Ehemann seine Angehörigen und Freunde noch auf eigene Kosten bewirthen muß. Erweist sich die junge Frau als Jungfrau, so schenkt der glückliche Gatte ihr eine Morgengabe, Djesiha, und den anwesenden Frauen ein hochzeitliches Tuch, wofür diese das Lob der jungen Vermählten singen. Mit einem gleichen Geschenke belohnt auch der Vater nach seiner Rückkehr die tugendhafte Tochter und weist ihr zugleich eine eigene Hütte zur Wohnung an. Ebenso bestreitet er auch bis zur Geburt des ersten Kindes ihren Unterhalt.

Man wird sich nicht wundern dürfen, wenn Frauen da, wo ihre Einwilligung zur Schließung einer Ehe nicht erforderlich ist, wo sie gewissermaßen käuflich erworben werden, nicht dieselbe Stellung einnehmen wie in denjenigen Ländern, wo sie außer ihrer Person noch ihre häuslichen Tugenden und ihr Vermögen mit in die eheliche Gemeinschaft bringen und dadurch als gleichstehende Genossin des Mannes auftreten. Sie gelten dort als Eigenthum, dessen man sich mit Leichtigkeit wieder entledigen kann; und als höchste Tugend wird an ihnen nicht Sittsamkeit und Treue geschätzt — bei Absperrung und Ueberwachung, welche den Widerspruchsgeist so sehr herausfordern, kann hiervon keine Rede sein — sondern Fruchtbarkeit. Weil hierauf so hoher Werth gelegt wird, schenkt auch der Araber seiner zur Suria erhobenen Sklavin die Freiheit, wenn sie ihn mit einem Nachkommen beschenkt hat — ein schöner und edler Gebrauch: der Vater kann und darf in der Mutter seines Kindes keine Sklavin sehen. —

Insgemein sind die Ehen in Sansibar wenig fruchtbar, demgemäß zahlreiche Familien eine Ausnahme. Zwillinge kommen selten vor und werden, wenn auch nicht mit Freuden begrüßt, so doch wie andere Kinder aufgenommen.

Nach dem dritten Monate der Schwangerschaft verlassen die Frauen das Haus nicht mehr, daher die allen Fremden auffällige Erscheinung, daß man niemals ein Weib in gesegneten Umständen sieht. Zur Hilfleistung beim Gebären werden alte Weiber herbeigerufen, welche sich durch ihre Gegenwart und durch ungeschicktes Kneten mit der Hand möglichst unnütz machen, dafür aber einen bis anderthalben Thaler Geld und die Kleider der Mutter erhalten. Während diese ihres Stündleins harret, steht der Gatte vor der Thür und wartet, bis ihm eine Botschaft über das Geschehene zukommt, weniger gespannt zu erfahren, ob Alles glücklich abgelaufen — denn das Gegentheil ist ein seltener Fall — als zu wissen, ob das Neugeborene, wie er im Stillen hofft, ein Knabe sei.

Kurz nachdem das Kindlein das Lebenslicht erblickt, wäscht man es mit süßem Wasser, schneidet die Nabelschnur mit einem dünnen Messer ab und verbindet den Rest derselben mit einem Faden. Darauf streicht man dem Kleinen etwas Kuhmilch, gemischt mit Manjano (ein safranähnlicher Stoff, welcher u. A. zum Gelbfärben der Stirnhaare verwendet wird) an den Mund und legt ihn an die Brust der Mutter. Nur in seltenen Fällen vertraut man den Säugling einer Amme an oder füttert ihn, falls eine solche nicht zu haben ist, mit durch Zucker versüßter Kuhmilch auf. Nach einem Jahre beginnt die Entwöhnung mit einer Speise aus gekochtem Reis, Milch und Zucker; im dritten Lebensjahre wird die gewöhnliche Nahrung Erwachsener ohne Bedenken dargereicht.

Bald nach der Geburt gibt der Vater dem Kinde einen Namen. Eine besondere Feierlichkeit ist jedoch damit nicht verknüpft; auch die kommenden Geburtstage werden nicht gefeiert; ja, es scheint, als ob die Eltern nicht einmal genau das Alter oder den Tag der Geburt ihrer Kinder merkten. Jener Name ist ein Kindername, dient nur bis zur Beschneidung des Knaben oder bis zur Mannbarerklärung des Mädchens, bei welcher Gelegenheit der Name für Lebenszeit gegeben wird. In der Bildung desselben gleichen sich alle Muslimin: sie verbinden, da für sie nicht die Familie, sondern nur der Vater Wichtigkeit hat, den Rufnamen des Kindes, welcher immer nur aus einem Worte besteht, durch Vermittelung eines dazwischen gesetzten Ben (Sohn) oder Binta, Bente (Tochter) mit dem Namen des Vaters und, wenn es verlangt wird, auch des Großvaters u. s. f. bis zum Stammvater des Geschlechts: daher die oft ellenlange Wortbildung.

Knaben bleiben bis zum siebenten Jahre im Hahrem, unter Obhut der Frauen, von denen sie anscheinend mit großer Liebe und Zärtlichkeit behandelt werden. Man putzt sie auf alle erdenkliche Weise heraus, so daß das Bestreben der Mütter, durch ihre Kinder zu gefallen, nicht verkannt werden kann. Ganz besonders liebt man es, die Kleinen an Augen, Stirn und Wangen mit schwarzer Schminke von Ruß und Oel zu bemalen; ein wenig davon steht dem allerliebsten, gelblichen, runden Gesichtchen auch sehr gut, ein Zuviel entstellt sie aber in abscheulicher Weise. Vielleicht haben diese Striche und Linien noch einen anderen, geheimen Zweck — sie sollen die Lieblinge vor dem bösen Blicke bewahren.

Als wichtigster, feierlichster Tag im Leben des jungen Muslim muß die Beschneidung betrachtet werden. Was die Bedeutung derselben anlangt, läßt sie sich wol am besten mit der Einsegnung junger Christen vergleichen: durch sie tritt der Knabe in die Reihe der „Erwachsenen“, erhält den Namen, welchem er als Mann dereinst Achtung verschaffen soll. Selbst Arme feiern diesen Tag mit einem mehrtägigen Feste, bei welchem außer Schmausereien und Speisevertheilungen vorzüglich Gebete eine große Rolle spielen. Im Jahre 1863 oder 1864 hatten wir Gelegenheit, einen Akt der Feierlichkeiten bei der Beschneidung der zwei jüngsten Brüder des Sultahns zu beobachten. Es war am Napoleonstage. Wir gingen spät in der Nacht von dem Festessen des französischen Konsuls nach Hause und kamen an dem freien Platze vor dem Hause des Sultahns vorüber. Im fahlen Lichte einer großen Anzahl Laternen knieeten hier bärtige und unbärtige Gestalten in langen Reihen und murmelten in gesangähnlichen Weisen die vorgeschriebenen Gebete, sich bald erhebend, bald auf die Erde niederbeugend, die Arme über die Brust kreuzend oder weit ausbreitend. Bei unserer Weinlaune brachte das fremdartige Schauspiel anfangs zwar einen lächerlichen Eindruck auf uns hervor; zuletzt aber verfehlte der außerordentliche Ernst der andächtigen Gläubigen seine Wirkung nicht: wir mußten gestehen, daß solche nächtliche Massengebete etwas ungemein Erhebendes und Erregendes, fast Geisterhaftes haben.

Nach der Beschneidung werden die siebenjährigen Knaben in die Schule geschickt, um ein wenig lesen, schreiben und rechnen zu lernen. Sind sie dann im dreizehnten oder vierzehnten Jahre mannbar geworden, so beginnen sie ein dem Genusse gewidmetes Leben, wie wir es schon vorher andeuteten. —

Mädchen werden bei den Suaheli nicht beschnitten. Auch ihre spätere Erziehung vollendet sich in anderer Weise. Nachdem im zwölften oder dreizehnten Jahre der Eintritt der Reife sich bekundet hat, werden sie von einer alten Frau gewaschen, mit schönen Kleidern und Zierrathen behangen und, festlich geschmückt und bemalt, in der Stadt umher geführt, um die Glückwünsche und kleinen Geschenke ihrer Bekannten zu empfangen. Nunmehr beginnt eine eigenthümliche Abrichtung. Eine alte, wohlerfahrene Frau übernimmt die Mädchen gegen eine Entschädigung von zehn Thalern und unterrichtet sie im weitesten

Sinne des Wortes in Allem, was einer guten Haus- und Ehefrau zu wissen und zu verstehen nöthig (9). Dazu gehört besonders das Kochen und das Kneten, welches Letztere bei den Männern sehr beliebt ist zur Linderung und Entfernung von Rheumatismus oder Steifigkeit der Glieder. Während der vierzigtägigen Dauer dieser Abrichtung, welche wiederum mit einer Festlichkeit schließt, darf die Schülerin durchaus nicht sprechen, auch auf keine Anrede antworten; nur in dem einen Falle ist es ihr gestattet, einige Worte zu erwiedern, wenn der Fragende, der Sitte kundig, ihr zuvor einige Pesa gegeben. Nach den Angaben unseres erfahrenen Suahelilehrers Hamadi ben Osman, welchem wir folgen, findet diese Schulung übrigens nur bei den Suaheli, nicht auch bei Arabern und Hindi, Komorianern und anderen Mahammedanern statt, denen sonst die anderen, erwähnten Sitten gemeinsam sind. —

Beachtungswerth sind noch die auf Tod und Begräbniß bezüglichen Gebräuche, weil sie in einigen Beziehungen an die bei uns üblichen erinnern. Wenn Jemand gestorben ist, schicken (nach Guillain) die Angehörigen eine Botschaft zu Freunden und Verwandten; diese kommen hierauf in das Haus, um ihr Beileid auszusprechen. In ihrer Gegenwart wird — falls sie noch rechtzeitig erscheinen — der Leichnam gewaschen: jeder von ihnen gießt ein wenig Wasser auf, um dem Verschiedenen noch eine Ehre zu erweisen und einer frommen Verpflichtung nachzukommen. Handelt es sich um eine Frau, so darf der hinterbliebene Gatte deren Körper hierbei nicht berühren — dies würde eine Entweihung sein — sondern muß sich darauf beschränken, durch Wassergießen dabei thätig zu sein. Schon ehe der Sterbende seinen letzten Seufzer aushauchte, hatte man auf diese Reinigung Bedacht: man gab ihm einen Löffel Honig in den Mund, um die Absonderungen der Eingeweide zu erleichtern. Nach der Waschung wird der Körper in ein blendendweißes, vorher in der Moschee geweihetes, je nach Rang und Vermögen des Verstorbenen mehr oder weniger kostbares Lailach eingehüllt. Hierauf stellt man die Leiche bis zur Beerdigung in ein besonderes Gemach. Bisweilen legt man wohlriechende Substanzen in das Leichentuch; eine eigentliche Einbalsamirung aber ist nicht gebräuchlich. Ebenso wendet man, wenigstens bei Männern, keinen Sarg an.

Zur festgesetzten und vorher angesagten Stunde erscheinen die nächsten Verwandten, um den Todten zur letzten Ruhe zu geleiten. Eigenhändig tragen sie ihn zunächst nach der Moschee, wo man die üblichen Gebete spricht und sich mit Kaffee erfrischt, welchen die Familie dorthin bringen ließ. Darauf wendet der Zug, an welchem niemals Frauen oder auch nur Sklavinnen Theil nehmen, sich schweigsam nach dem Kirchhof und legt den Leichnam, den Kopf nach Osten und das Gesicht nach Mekka gewandt, in die Grube; währenddem wird vom Imahm der Moschee oder von dem Gelehrtesten der Versammlung nochmals ein Gebet gesprochen. Ist die sterbliche Hülle des Verschiedenen mit Erde bedeckt, so sagt der Mueddin das mahammedanische Glaubensbekenntniß her, wendet sich mit erhobener Stimme gewissermaßen an die entschwundene Seele und legt ihr, gleichsam in Vertretung des höchsten Richters, diejenigen Fragen vor, welche sie oben zu beantworten haben wird.

Einige Tage nach der Beerdigung findet eine neue Feierlichkeit, das Halīl der Araber oder Mbūe der Suaheli statt: man streut nämlich eine Anzahl kleiner Steine, welche vorher geweiht und mit einer wohlriechenden, teigartigen Mischung umhüllt worden, unter Hersagung von Gebeten auf das Grab. Vermutlich sollen die Steinchen Rosenkranzperlen vorstellen; wenigstens legte man in früheren Zeiten, wie erzählt wird, den Rosenkranz des Verstorbenen auf das Grab, um es gegen Entweihung zu schützen.

Wie schon beiläufig erwähnt, bestatten die mehrsten und angesehensten der Einwohner ihre Todten im eigenen Gehöfte. Die Grabmäler sind zumeist von der einfachsten Art; Verschwendung und Luxus hierin würde wenig mit dem Charakter des Arabers übereinstimmen.

Es kann nach dem oben über Lebensweise und Erziehung Mitgetheilten nicht befremden, daß die Bewohner Sansibars sich nicht durch hohe Bildung auszeichnen; vielmehr muß es auffällig erscheinen, daß Alle gut zu rechnen verstehen, und daß verhältnißmäßig Viele von ihnen Gedrucktes und Geschriebenes lesen, auch einen einfachen Brief selbst abfassen können; doch solche Künste sind zu den Geschäften des Handels — beinahe den einzigen, welchen die Suaheli mit Lust und Eifer obliegen — unentbehrlich. Zum Schreiben bedient man sich häufig der Suahelisprache und arabischer Schriftzüge, so unpassend diese auch zur Bezeichnung einer an Selbstlautern so reichen Sprache sein mögen. Kenntniß mehrerer Sprachen findet man nicht selten, und werden solche, wie man auch anderorts beobachtet hat, von Arabern und deren Stammverwandten mit spielender Leichtigkeit erlernt. Einzelne Leute, besonders unter den Scharafu (Mehrheit von Scherif), sind wirklich geistreich zu nennen, besitzen Scharfsinn und Witz und verstehen eine anziehende Unterhaltung zu führen. Angesehene Männer lassen sich durchgängig gern von Europa und den dortigen Zuständen, namentlich aber von neuen Erfindungen und Maschinen erzählen, gehen selbst auf Gespräche über Religion mit großer Unbefangenheit und Vorurtheilslosigkeit ein.

Trauriger sieht es mit der Sittlichkeit im weiteren Sinne des Wortes aus. Bei Leuten, welche jede persönliche Anstrengung scheuen und schmarotzend von dem Ertrage der Arbeit Anderer leben, würde man gewisse Tugenden vergeblich suchen. Eine dem Europäer unbegreifliche Gleichgiltigkeit und Gleichmütigkeit, eine Trägheit, welche jeden Fortschritt hemmt, und Mangel an Reinlichkeit sind allgemein; Lüge und Betrug, wenigstens Bedenkenlosigkeit in der Wahl der Mittel, welche zu Gewinn verhelfen können, kommen fast bei jedem Geschäfte in widerwärtiger Weise zum Vorscheine.

So wenig aber auch von den Tugenden der Suaheli und der entarteten Araber Sansibars zu rühmen: eine, ihre Gastfreundschaft, verdient die vollste Anerkennung, wennschon sich nicht leugnen läßt, daß sich Ausnahmen hiervon finden, daß Mancher, während er süß lächelnd dem Gaste seine Gaben reicht, nur auf gewinnbringende Vergeltung sinnt. Unter den echten Mahammedanern von altem Schrot und Korn, welche die edle Tugend ihrer Vorfahren in ausgedehntester Weise übten, ist vor Allen der wackere Muniemku zu nennen. Europäer, welche ihn besuchten, auch solche, welche ihm ganz unbekannt waren, wurden auf die gastlichste und feinste Weise beherbergt und bewirthet, auch nie anders als mit einem Geschenke von Ziegen, Hühnern u. dgl. entlassen. Und nicht nur für seine Person handelte er so: ein Wort von ihm veranlaßte auch alle seine Unterthanen zu gleicher Freigebigkeit. So wurde im Jahre 1863 der französische Reisende Grandidier, als er mit Empfehlungsbriefen Muniemkus das Innere der Insel durchwanderte, nebst allen seinen Leuten von den Vorstehern der Dörfer nicht nur unentgeltlich unterhalten, sondern außerdem so reichlich beschenkt, daß er bei seiner Rückkehr noch eine Heerde von Ziegen und Hühnern und mehrere Säcke voll Reis und Mtama mitbrachte, so sehr sich auch seine zahlreiche Begleitung bemüht hatte, die Vorräthe zu verringern.

In Folge des häufigen und innigen Verkehres mit Heiden und anderen Ungläubigen sind die hiesigen Mahammedaner durchaus nicht glaubenswütig, obschon sie mit Strenge auf die Erfüllung der äußerlichen Vorschriften des Profeten halten. Ihre Gebete verrichten sie mit größter Regelmäßigkeit, und eine Uebertretung der Speisegesetze lassen sie sich wol nie zu Schulden kommen; selbst der niedrigste Sklave würde sich weigern, von einem nicht regelrecht geschlachteten, d. h. nach Abschneiden der Kehle vollständig verbluteten Stück Vieh zu essen. Weniger genau nimmt man es mit dem Genusse geistiger Getränke; man trinkt gern Alles, was gut und kräftig schmeckt, zumal des Abends, in der Einsamkeit des stillen Kämmerleins, und weiß das Gewissen leicht zu beschwichtigen, indem man das Verbotene mit dem Namen Daua oder Arzenei belegt. —

Die religiösen Festlichkeiten der Muslimîn Sansibars unterscheiden sich nicht wesentlich von den anderswo üblichen; das wichtigste derselben, Aid el Kebir oder großes Fest, der große Beiram der Türken, wird zur Erinnerung an das Opfer Abrahams und gleichzeitig an die Hedschira, die Flucht Mahammeds gefeiert, vom zehnten bis zwölften Tage des Monats Dulhedscha, welcher im Jahre 1862 mit unserem Juni begann; es fällt also nahezu mit dem Ende des mahammedanischen Jahres zusammen.

Das andere Hauptfest schließt sich an den Ramadahn (im Jahre 1862 mit dem zweiten März beginnend), den Monat der Enthaltsamkeit an, dessen Anfang und Ende Gelegenheit zu mehr oder minder lärmenden Feierlichkeiten gibt. Einen oder zwei Tage nach dem Neumonde, welcher der Festzeit vorangeht, stehen die Gläubigen in größerer Anzahl als gewöhnlich am Strande und auf sonstigen Plätzen, welche einen freien Blick gewähren, und beobachten mit gespanntester Aufmerksamkeit das Erscheinen des ersten, leichten Schimmers eines weißen, sichelförmigen Streifens, welcher dem europäischen Auge noch ganz unkenntlich ist — des jungen Mondes. Sobald er bemerkt worden, knattern zahllose Flintenschüsse in ununterbrochener Folge; alle Flaggen der Stadt und des Hafens werden gehißt; von der Flotte des Sultahns, sowie von den gerade anwesenden Kriegsschiffen der Engländer und Franzosen ertönt ein donnernder Gruß von einundzwanzig Kanonenschüssen. Am letzten Abende der entbehrungsreichen Zeit schauen die schmachtenden Muslimîn mit fast noch größerer Andacht zum Himmel empor, um den bleichen Schein zu gewahren, welcher sie von ihren Leiden erlösen soll, und wiederum wird er mit Freude und Jubel, mit Feuerwerk und mit Kanonen- und Flintenschüssen begrüßt. Die Feier dieses Aid es Serir oder kleinen Festes, auch Aid el Fedjer oder Fest des Frühstückes genannt, weil es das Ende des Fastens bezeichnet — der kleine Beiram der Türken — geschieht hauptsächlich durch Gebete und dauert nur einen Tag, obwol die Freude und das Schmausen der Einzelnen noch geraume Zeit währen mag.

Außerdem feiern die Suaheli, aber nur diese, das neue Jahr der persischen Zeitrechnung, Kerussi (auch siku ja muaka, Tag des Jahres genannt), welches nach Burton zwischen den Jahren 1829 und 1879 auf den 28. oder 29. August fällt.

Auch die Zeiteintheilung der Suaheli weicht von der gewöhnlichen, mahammedanischen etwas ab. Ackerbauer und Seeleute, denen es auf eine genaue Einhaltung der Jahreszeiten ankommen muß, bedienen sich nämlich nicht der sonst gebräuchlichen Mondesmonate — weil diese ein Jahr von nur etwa 354 Tagen ergeben, also nach kurzer Zeit die größte Verwirrung hervorbringen müssen — sondern zählen die einzelnen Tage bis zu 365 von ihrem Kerussi an, der Zeit, zu welcher am Eingange des rothen Meeres die Sonne im Zenithe steht. So rechnen sie z. B. die kleine Regenzeit oder Vuli vom zwanzigsten bis etwa zum fünfzigsten, und die große Regenzeit oder Masika von dem zweihundertsten bis zweihundert und vierzigsten Tage nach Kerussi.

Von arabischen Monatsnamen hat man nur Redjabu, Schabani und Ramadani entlehnt. Die anderen Monate nennt man Fungua und zählt sie von Fungua mosi, der ersten, bis zur Fungua kenda, der neunten, eine Bezeichnung, welche an unsere lateinischen Namen September, Oktober u. s. w. erinnert. Die dem arabischen Schawahl entsprechende Fungua mosi begann im Jahre 1862 mit dem ersten April; wie alle anderen auf das Mondesjahr begründeten Zeiten weicht sie alljährlich um etwa elf Tage gegen unsere Rechnung zurück.

In eigenthümlicher und zweckmäßiger Weise wird das Jahr nach demjenigen Tage der Woche benannt, an welchem es beginnt, z. B. Jahr des Montags, Jahr des Dienstags u. s. w., eine Bezeichnung, welche, bei Annahme von 365 Tagen, in jedem folgenden Jahre von dem nächstfolgenden Wochentage entlehnt werden muß.

Erster Wochentag ist der Freitag, Djuma oder Tag, d. i. großer Tag genannt. Von hier ab zählt aber, abweichend von dem Gebrauche der nach jüdischer Weise rechnenden Araber, der Sonnabend nicht als Sabt oder siebenter Tag, sondern als erster Tag, Djuma mosi, Sonntag als zweiter oder Djuma ja pili u. s. f. bis zum fünften Tage; beim Donnerstag oder sechsten Tage kehrt man wieder zur arabischen Bezeichnung zurück: man nennt ihn Alhamisi, d. i. nochmals „fünfter Tag".

Die zwölf Tagesstunden werden nicht von Mittag an gerechnet, sondern vom Untergange bis zum Aufgange der Sonne und ebenso bis wieder zum Sonnenuntergange. Zur Bezeichnung der Tageszeiten bedient man sich jedoch zumeist der verunstalteten Namen der arabischen Gebetstunden: Alfajiri, Zeit des Sonnenaufganges; Ajuhuri, Mittag; Alasiri, Nachmittag oder die Zeit um halb vier Uhr; Makaribi, Zeit des Sonnenunterganges und Escha, eine halbe Stunde darnach. Außerdem gebraucht man noch die Ausdrücke Jioni, Abends oder gegen Abend, und Ajubui, am Morgen. Will man eine sehr frühe Morgenstunde bezeichnen, so geschieht dies durch sonderbare, ausdrucksvolle Betonung letzteren Wortes.

Von den ansässigen Arabern müssen die nur zeitweilig anwesenden Suri und Hammali unterschieden werden. Erstere kommen alljährlich zu einigen Tausenden mit dem Nordostmonsune von der Küste von Omahn herab und treiben sich bis zum Beginne des Südwests theils in Sansibar selbst, theils auf Küstenfahrten zwischen hier und Madagaskar umher. Schon eine flüchtige Musterung dieser ungebändigten Söhne des Nordens verräth, welchen Geistes Kind sie sind: der unangenehme, stechende Blick, die wild um das Haupt hängenden, schwarzen Locken, das stolze, fast unverschämte Gebaren und dabei die unreinliche Kleidung — außer der unentbehrlichen Bewaffnung mit Schwert, Lanze und Schild, hauptsächlich aus Lendentuch, schmuziggelbem Hemde und Turban bestehend — alles Dies ist wenig geeignet, ihnen Zutrauen zu erwecken. Sie sind in der That unruhige, streitsüchtige, faule und diebische Gesellen, welche friedliche Leute unablässig in Angst und Sorge versetzen; so lange sie in der Stadt weilen, hört man fortwährend von Brandstiftungen, Verwundungen und Todtschlägen, und erst nach ihrer Abreise tritt wieder Sicherheit und Ordnung ein.

Ein Gegenstück zu ihnen bilden die Hammali oder Kulis, d. i. Lastträger von Hadramaut oder Scheher in Südarabien, eine wegen ihrer unermüdlichen Arbeitsamkeit geradezu unentbehrliche Menschenklasse. Durch ihre Vermittelung allein werden die Waaren zwischen Schiffen und Magazinen der Kaufleute hin und her befördert; deshalb sieht man sie auch überall in der Nähe des Strandes, in der Geschäftsgegend der Stadt, vom frühen Morgen bis zum Abende beschäftigt. Wenn man auch behauptet, ob mit Recht oder Unrecht wagen wir nicht zu entscheiden, daß ihre Kraftleistungen denen europäischer Arbeiter bedeutend nachstehen, ist doch soviel gewiß, daß Kulis fleißiger, kräftiger und zuverlässiger sind als Neger. Uebrigens stehen sich die Leute nicht schlecht, da ihr täglicher Verdienst wol sechzehn bis zwanzig Pesa beträgt. Zur Zeit des Nordostmonsunes haben sie am nothwendigsten zu thun; im Südwest und zur Regenzeit können sie sich von ihren Anstrengungen etwas erholen. Aber auch dann rastet ihre Betriebsamkeit nicht, sie beschäftigen sich zu dieser Zeit mit Verarbeitung von Maschpatta — bandartige Streifen eines von der Küste kommenden Flechtwerkes — zu Matten und Säcken, welche von den Kaufleuten in sehr beträchtlicher Menge verbraucht werden. Die hier beschäftigten Kuli, etwa zwei- bis dreihundert Mann, sollen in mehrere Abtheilungen unter einige Hauptleute oder Unternehmer vertheilt sein, bei welchen auch die Arbeiter bestellt und die Löhne bezahlt werden. —

Erwähnen wir nun noch die Beludschen und einige Türken, Albanesen und Perser, so haben wir alle den Arabern verwandte Fremdlinge aufgezählt. Die Perser, welche im Gefolge des Sultahns oder als Kanoniere und Feuerwerker angestellt sind, fallen durch ihre Kleidung besonders auf; sie tragen ein kurzes, braunes, um den Leib mit einem Gürtel zusammengehaltenes Hemd, weite Hosen, geschnäbelte, indische Schuhe und eine hohe, in eine schräg auslaufende Schneide endigende Lammfellmütze.

Zahlreicher als diese sind die Beludschen, die regelmäßigen Soldaten des Sultahns, wenn man hier überhaupt von solchen sprechen kann. Seit den Diensten, welche sie zu Anfange dieses Jahrhunderts dem Vater Seid Madjids bei seinen Kriegen in Arabien geleistet, sind sie fortwährend in guter Aufnahme geblieben. Etwa 1400 an Zahl, bilden sie die Besatzungen der Kastelle von Sansibar, Mombas u. a. O. Sie wohnen, da sie zumeist in Ehe leben, mit Weib und Kind in dem Inneren jener Festungen, ohne sich jedoch völlig eingewöhnen zu können; denn sie alle sehnen sich nach ihrer schönen Heimat zurück und verachten Land und Volk von Grund ihres Herzens. Wie die Suri, sind sie unruhige und unzuverlässige Leute, wol geschickte Schützen, nicht aber tapfere Soldaten; um den Befehlen Seid Madjids an der Küste Nachdruck zu geben, mögen sie jedoch gut genug sein. Sie kleiden sich ziemlich nach Belieben und führen als Waffen lange, arabische oder persische Luntenflinten, Dolche, Säbel und große, schöngeglättete Schilde aus durchscheinender Flußpferdhaut. Ihr Sold beträgt nach den verschiedenen Angaben zwei bis fünf Thaler monatlich, der ihrer Dschemmedari oder Hauptleute etwa ebensoviele Thaler, als jeder Leute unter sich hat. Kein Beludsche aber kommt hiermit aus. Alle betteln auf die zudringlichste Weise, lassen sich auch gelegentlich gewaltthätige Erpressungen zu Schulden kommen.

Was in Europa die Juden, im Morgenlande die Griechen, im Osten des indischen Meeres und in Kalifornien die Chinesen, sind an der Ostküste Afrikas die Indier: unermüdlich thätige, unter Umständen mit dem kleinsten Gewinne vorlieb nehmende Schacherer, schlaue, geschickte und zähe Geschäftsleute, welche durch Sparsamkeit und Bedürfnißlosigkeit das im Umlaufe begriffene Geld an sich ziehen und festhalten, wie ein Schwamm das Wasser. Durch ihre Hand geht aller Handel. Sie kaufen die Ladungen der Schiffe auf, um sie weiter zu vertreiben, nicht nur an die eingeborene Bevölkerung, sondern auch an die Europäer selbst, da in Folge eines Uebereinkommens keiner der Letzteren die eingeführten Waaren an Andere unmittelbar verkauft, und wenn es auch nur eine Kiste Lichte wäre.

Im Sansibargebiete mögen sich wol fünf- bis sechstausend der indischen Unterthanen Englands aufhalten, eine Anzahl, welche alljährlich noch zunimmt. Sie stammen hauptsächlich aus Katsch an der Mündung des Indus und von der Malabarküste. Die Einen, Muselmänner, bringen ihre Frauen mit und lassen sich oft dauernd nieder; die Anderen, Buddhisten, richten sich nicht so behaglich ein und ziehen sich, sobald sie eine genügende Summe verdient haben, nach ihrer Heimat zurück, um dort im Schoße der Familie davon zu zehren.

Jene, in Sansibar Hindi genannt, ähneln im Aeußeren sowie in der Lebensweise einigermaßen den Arabern. Wie diese zeigen sie die verschiedensten Schattirungen der Hautfarbe, von Weizengelb bis Bräunlich, wie diese hüllen sie sich, außer dem unvermeidlichen Lendenschurze, in ein langes, weites Hemd; aber abweichend von ihnen tragen sie einen breiten, weißen Shawl um den Leib, einen anderen Shawl von gleicher Farbe auf der Schulter, und auf dem Haupte einen hellfarbigen, meist weißen, roth karrirten Turban oder eine dicke, cylinderförmige, persische Mütze. Waffen führen sie als friedliche Kaufleute nicht, von Schmucksachen nur Ohrringe oder höchstens eine Halskette. Umsomehr lieben ihre kleinen, bleichen Frauen den Schmuck, kleiden sich in buntseidene, meist rothe Gewänder und Höschen und behängen sich, noch verschwenderischer als Araberinnen, an Hals, Nase, Ohren, Händen und Füßen mit metallenen Ketten, Ringen, Spangen und Stiftchen, verschleiern sich aber nicht wie jene. Mit Ausnahme der großen Festtage sieht man diese stillen und häuslichen Wesen fast nie auf der Straße, sondern immer nur auf dem Flur ihrer engen Läden kauernd sitzen. Bei solchen Festen wandern auch die Männer in großer Anzahl nach ihrem Tempel in der Rasimoja. Was sie dort vornehmen, wissen wir nicht; nur soviel ist sicher, daß sie in ihren religiösen Gebräuchen etwas von den Arabern abweichen; wenigstens veranstalten sie, im Gegensatze zu jenen, bei Hochzeiten und anderen festlichen Gelegenheiten öffentliche Umzüge unter Gesang und Trommelschlag, wobei die Knaben Tänze und Waffenspiele zum Besten geben. —

Weit verschieden von den Hindi sind die nicht mahammedanischen Indier, welche der Sekte der Battias angehören, hier aber stets mit dem Spottnamen Banianen, d. i. Krämer, bezeichnet werden. Im Staate Sansibars nehmen sie die wichtigsten Stellen ein, da sie die Zolleinnehmer des Sultahns sind. Ihr Oberster, Ludda Damha, muß in Betracht der Geldmittel, über welche er gebietet, als die einflußreichste Persönlichkeit nach dem Sultahn bezeichnet werden. Alle Banianen in den Zollhäusern zu Sansibar und an der Küste sind seine Bediensteten und nicht etwa Beamte des Herrschers. Die Anderen betreiben hauptsächlich Großhandel, nähren sich aber auch als Goldschmiede, Uhrmacher, Barbiere u. dgl. m. und sind fast ausnahmslos thätige und geschickte Leute.

Die Banianen haben einen wohlgebauten, kräftigen Körper und angenehme, ausdrucksvolle Gesichtszüge, auf denen sich ein allen Pflanzenessern eigener Zug von Gutmütigkeit ausspricht; selbst ihr grimmiger Schnurrbart vermag diesen Eindruck nicht zu ändern. In sonderbarem Gegensatze zu ihrer sonstigen Wohlgestalt steht die sichelförmige Krümmung ihrer Beine, welche daher kommen mag, daß die kleinen Kinder von ihren Müttern auf dem Rücken getragen werden und sich hier mit Beinen und Händen festklammern müssen. Diese Verbiegung fällt besonders dann auf, wenn am frühen Morgen Jung und Alt sich an den Strand begeben, um Waschungen, religiöse und andere Geschäfte zu verrichten; denn zu dieser Zeit tragen sie, außer einer kleinen, rothen, tütenförmigen Mütze, welche kaum genügt, die Fülle des prächtigen, rabenschwarzen Haares zu verbergen, nur ein weiß gewesenes Tuch um Lenden und die eine Schulter geschlungen.

Sind sie von diesem Ausgange nach Hause zurückgekehrt, so nehmen sie auch das Mützchen ab, sodaß der Schmuck ihres Hauptes in stattlichem Strähne wol bis in die Gürtelgegend herabfällt, von der glänzend weizengelben Haut scharf sich abhebend. Und doch ist es nur die Hälfte der Haare, welche diesen dichten Schopf bildet; diejenigen am vorderen Theile des Kopfes, von der Stirn an bis etwa zum Scheitel, werden den Vorschriften des Glaubens gemäß glatt abgeschoren. In solcher Haustracht sitzt der Banian am Morgen in seinem Kramladen, putzt sich die Zähne mit seiner einfachen Zahnbürste — einem beim Gebrauche sich zerfasernden Wurzelstück — bringt seine Bücher in Ordnung oder bedient die spärlichen Käufer. Anders zeigt er sich, wenn er sein festliches Gewand angelegt hat: ein blendend weißes, bis zu den Knöcheln herabreichendes, aber enges Hemd vom feinsten Leinen- oder Baumwollenstoffe, mit Aermeln, welche ursprünglich zwei- bis dreimal so lang sind als die Arme selbst, aber bei dem Gebrauche soweit zusammengeschoben werden, daß sie nur noch bis an die Handgelenke reichen, und somit zu besonderer Zierde des Staatsanzuges zahllose, kleine Falten und Erhöhungen bilden. Dann werden die Haare zu einem Knoten geschlungen und mit einer turbanähnlichen, aus zwanzig bis dreißig Ellen bunten, golddurchwirkten Stoffes gewickelten Mütze vollständig bedeckt. Bei den verschiedenen Kastenabtheilungen unterscheidet sich diese Kopfbedeckung in Stoff und Form. Da sie schwierig anzuordnen ist, läßt man sie allmonatlich nur ein- bis zweimal durch eigene Turbanwickeler wieder zurecht legen. Auch die Füße haben jetzt ihre Bekleidung, dicksohlige, aus weichem, rothen Leder mit schmalen Riemchen zusammengenähete Schuhe, welche nach vorn zu in eine zollhoch emporstehende Spitze auslaufen; bei Besuchen aber werden diese, der Sitte aller Morgenländer gemäß, abgelegt und vor der Thüre des Zimmers stehen gelassen. Im Uebrigen meiden die Banianen jeden Schmuck; nur Kinder und junge Männer tragen um den Hals einen goldenen Reifen von großem Umfange, welcher, im Nacken offen und auf der Brust von größerer Breite, einigen Formen der Spangen aus den Gräbern der Bronzezeit sehr ähnlich ist.

Ungehindert durch Staatsvorschriften oder durch den Glaubenseifer Einzelner üben die friedlichen Indier ihre verbotreiche Religion aus, gerathen indessen häufig durch Unachtsamkeit und böswillige Scherze Anderer in große Verlegenheit, weil sie sich der umständlichsten Reinigung unterwerfen müssen, wenn irgend etwas Unreines sie berührt hat. An Stelle ihrer Frauen, welche sie, wie bereits erwähnt, in der Heimat zurücklassen, behelfen sie sich mit den unebenbürtigen Töchtern des Landes, ohne jedoch mit diesen erzeugte Kinder als unebenbürtig zu betrachten; sie nehmen sich derselben im Gegentheile bestens an und lassen ihnen sogar eine angemessene Erziehung angedeihen.

Von ihren Frauen trennen sie sich — von ihren geliebten, heiligen Kühen trennen sie sich nicht. Diese müssen mit ihnen unter demselben Dache wohnen und haben sich einer wahrhaft zärtlichen Behandlung zu erfreuen. Kein Banian, auch der habsüchtigste nicht, würde selbst gegen großen Gewinn seine Kuh verkaufen, wenn er wüßte, daß ihr irgend ein Leids geschehen könnte.

Wie bekannt, ist es allen Buddhisten auf das Strengste verboten, mittelbar oder unmittelbar etwas Lebendes zu vernichten. Diese Furcht vor Mord geht soweit, daß man selbst lästige Schmarotzerinsekten nicht zerdrückt, sondern sie behutsam ins Freie trägt: nicht einmal gefährliche Thiere tödtet man, sondern weiß sie auf irgend eine andere Art unschädlich zu machen. Vor Jahren fand sich im Zollhause eine große Schlange, welche die Besucher in hohem Grade ängstigte. Die frommen Leute vernichteten sie weder selbst noch durch Andere, sondern vermauerten ihre Schlupfwinkel. Somit war der Gegenstand ihrer Furcht beseitigt, ohne daß sie, spitzfindig genug, ihr Gewissen beunruhigt hätten.

Selbstverständlich genießen die Banianen ausschließlich pflanzliche Kost. Gleich den Engländern leben sie überall, wohin sie kommen, genau ebenso wie in ihrer Heimat und bringen Alles, was ihnen dazu nöthig, mit sich in die Fremde. Da sie nie auf Tellern essen, sondern auf den handgroßen Blättern des heiligen, indischen Feigenbaumes, des sogenannten Banianenbaumes, mußten sie auch diesen nach ihrem neuen Wohnorte verpflanzen, um für jedes Gericht ein neues Blatt brechen zu können. Auf die eigenthümlichste Weise bereiten sie ihre Speisen zu, genießen sie auch nie in Gegenwart Fremder; sogar beim Kochen derselben darf ihnen kein Ungläubiger zusehen. Hierdurch gerathen sie auf Seereisen oft in Bedrängniß; denn sie müssen, wenn nicht etwa die ganze Mannschaft aus Glaubensgenossen besteht, entweder fasten oder sich an einsamen Punkten an Land setzen lassen. Bei solcher Gelegenheit soll es einmal vorgekommen sein, daß man den armen Sonderling abzuholen vergaß und er auf einsamer Sandbank elendiglich verhungerte. Zum Andenken an die traurige Geschichte heißt der Ort noch jetzt bei den Schiffern fungu ja Baniani: Baniansand. Wasser und Milch, ihr ausschließliches Getränk, wird von Jedem aus einem besonderen, kupfernen Becher genossen, welcher sorgfältig vor Entweihung bewahrt wird.

Todte verbrennt man im Freien, am Strande südlich von der Stadt in der Nähe einer Schamba der französischen Mission, und wirft die Asche in das Meer. —

Trotz ihres Reichthums nimmt diese Klasse von Indiern keine besonders geachtete Stellung ein, vermutlich weil man ihnen ihren Gewinn mißgönnt; oft genug werden sie sogar wegen ihrer Feigheit und ihrer sonderbaren Gebräuche von unartigen Leuten geneckt und verspottet. Für gewöhnlich leben sie einfach, da es ihnen darauf ankommt, möglichst bald soviel Geld zu verdienen, als sie zu einem angenehmen Leben in der Heimat für erforderlich halten; bei festlichen Gelegenheiten jedoch, besonders zu ihrem größten Feste, dem Neujahr, erlauben sie sich ganz ungewöhnliche Verschwendung, lassen das Haus von oben bis unten reinigen und weiß anstreichen, schmücken den Laden und die daneben befindliche Stube aufs Beste und beleuchten alle Räume glänzend durch einen oder mehrere große, messingene Leuchter, deren jeder zwanzig bis dreißig Flammen speist. Auf der Straße aber mischt sich ein Zischen und Knattern von Schwärmern und Flintenschüssen mit dem Geschrei und Jauchzen der umherwogenden Menge, welche die Geizigen als Spender der Freude sehen will. Am freigebigsten zeigt sich heut der Zollhauspächter Ludda. Er gibt des Abends ein großes Fest mit Tanz und Musik und ladet hierzu seine Geschäftsfreunde ein und unter diesen auch die Wasungu. Diese unerhörte Verschwendung ist jedoch nur scheinbar, die außergewöhnliche Ausgabe eine geringe, ihm sicheren Gewinn bringende. Vor Beginn des Festes nämlich erscheinen die mit Ludda in Verbindung stehenden Banianen und bieten ihm ein Geldgeschenk dar, um ihre Dankbarkeit zu bezeigen, daß er ihnen in dem, mit heutigem Tage verflossenen Handelsjahre ein Konto offen gehalten, und um ihn zu bewegen, daß er dies für das folgende Jahr wiederum thue. Schweigend treten sie ein, und mit lächelnder Miene legen sie ihre Gabe, welche sich bei den Reicheren bis auf dreißig Thaler beläuft, in einen hierzu bestimmten Kasten; schweigend und mit feierlicher Miene empfängt Ludda, welcher nebst seinen Söhnen auf einem persischen Teppiche sitzt, die Spende, zeichnet die Höhe derselben in seinem Buche sorgfältig auf und eröffnet somit das neue Konto. Obgleich die Besucher sich nur einen Augenblick, „um die Ruhe nicht mitzunehmen", niedersetzen und sich darnach sogleich wieder entfernen, wird doch das Zimmer mehrere Stunden lang nicht leer: es mag also eine beträchtliche Summe einkommen, und die Kosten des Festes, so hoch man sie auch veranschlagen mag, sind jedenfalls im Voraus schon gedeckt. Unsereinem würde Das genügen — dem Banian nicht; er weiß es so einzurichten, daß die Tageseinnahme ungekürzt in seinen Säckel fließt, läßt seine Gäste das Schauspiel selbst bezahlen. Nicht einmal die Wasungu entgehen einer Steuer; mit Schmeicheln und Streichen des Bartes wird sie von den gewandten Tänzerinnen eingetrieben. Und hat Einer, der Sitte unkundig, sich nicht mit Gelde versehen, so schießt ihm der freigebige Wirth bereitwillig die nöthigen Dollars bis auf den nächsten Tag vor.

Wir haben mehrere Male einem solchen Natsch oder Bajaderentanze beigewohnt, glauben jedoch nicht besser thun zu können, als wenn wir die ebenso lebensvolle als treue Schilderung, welche Quaas in einer früheren Beschreibung von Sansibar veröffentlichte, im Wesentlichen wiedergeben.

„Nach Beendigung des oben erwähnten, gewinnreichen Aktes führt Ludda uns in einen „großen, von vielflammigen Leuchtern erhellten Saal. Bunte Strohmatten bedecken Wand „und Fußboden; zu rechter Hand stehen Stühle für die Europäer, zur linken liegen persische „Teppiche für andere Besucher. Nach und nach füllt sich das Gemach: gemessenen Schrittes „treten Banianen, Hindi und Suaheli herein, reichen dem Hausherrn die Hand und setzen „sich mit verschränkten Beinen auf den angewiesenen Platz".

„In einer Ecke kauern die Spieler, zwei Musiker und zwei Tänzerinnen, von denen die „eine, alt und häßlich, gleichsam den Schatten zu dem Vollmondslichte der Schönheit ihrer „jungen Gefährtin darstellt. Vor den Augen der Gesellschaft vertauschen sie ihre Alltags„kleider mit festlichen Gewändern; die Instrumente werden gestimmt, und der Tanz beginnt. „Nach dem Takte der einförmigen Musik, begleitet von dem Klirren silberner Ketten, „welche oberhalb der Knöchel mehrmals um die Beine geschlungen sind, bewegt er sich bald

„langsamer, bald schneller. Hierzu singen die Tänzerinnen nach fremdartigen Weisen Lieder, „deren Inhalt, der Bedeutung des Tanzes entsprechend, wahrscheinlich von Liebesabenteuern „handelt, wenden sich dabei häufig an einzelne der Zuschauer und singen ihnen, freundlich „lächelnd, einige Verse ins Gesicht, oder führen Pantomimen auf, lassen z. B. einen Drachen „steigen und holen ihn wieder ein, und begleiten ihr ausdrucksvolles Geberdenspiel mit zierlichen „Drehungen und Schwenkungen des Körpers und anmutigen Bewegungen der Arme. Ein „großer, rother Shawl von schwerem Seidenzeuge mit golddurchwirkter Borte spielt hierbei „eine Hauptrolle, trägt wesentlich dazu bei, die Spannung und Theilnahme der Zuschauer „zu erhöhen; er ist in fortwährender Bewegung, liegt bald in zierlichen Falten über die „Schultern und umhüllt bald wie ein Schleier die ganze Gestalt".

„Ebenso unterhaltend sind auch die beiden Musiker. Der Eine, in der That ein Riese, „scheint durch Musik und Geberden das Ganze zu leiten, fällt bisweilen einhelfend oder „ergänzend in den Gesang der Mädchen ein, geht, als ob er an den Rockschoß der schönen

„Tänzerin geheftet sei, ihr vor- und rückwärts auf Schritt und Tritt nach und klim„pert mit ernsthaftester Miene auf seiner sonderbar geformten Laute. Der Andere bear„beitet die beiden kleinen Trommeln, welche mit einem langen, weißen Tuche vor seinem „Bauche befestigt sind, in höchst spaßhafter Weise, für gewöhnlich mit den Knöcheln seiner „gelben Finger, bei Kraftstellen aber mit dem Ballen der Hand, unter schwärmerischer „Verdrehung der Augen. Er hat sich die dunkelfarbige Tänzerin zum Leitstern auserwählt „und gibt in der Beharrlichkeit, in ihrem Kielwasser zu segeln, seinem Kameraden Nichts „nach. Alles hält sich jedoch in den Grenzen des Anstandes: man gewahrt Nichts, was „unserer Vorstellung von einem Bajaderentanze entspricht. So dauert der Tanz mit kurzen „Unterbrechungen lange fort. Immer mehr füllt sich der Saal: Araber, Hindi, Banianen „sitzen bunt durcheinander, und an der Thür stehen Neger Kopf an Kopf gedrängt; denn heute „ist Niemandem der Eintritt verwehrt. Der Raum für die handelnden Personen wird immer „enger, und trotz der offenen Fenster entsteht eine beinahe unerträgliche Hitze, welche wir

„durch kleine Fächer, die man uns beim Beginne der Unterhaltung zur Verfügung gestellt, „vergebens zu mildern suchen. Unter diesen Umständen haben wir bald des Vergnügens „genug und entfernen uns danksagend, es Anderen überlassend, die ganze Nacht hindurch „das Schauspiel zu bewundern".

Solche Tänzergesellschaften kommen auf ihren Geschäftsreisen von Bombai herab, halten sich einige Monate in Sansibar auf und beglücken in der übrigen Zeit des Jahres die größeren Küstenorte mit ihren Besuchen. Nach einigen Jahren kehren sie mit recht ansehnlichen Ersparnissen in ihre Heimat zurück, obgleich sie nicht überall so reichlich bezahlt wurden als am großen Feste in dem Hause des Reichsten der Banianen, vor welchem jeder der Geladenen sich freigebig zeigen will.

Einen geringen Bruchtheil der Bevölkerung bilden die Wasungu — Mehrheit von Msungu (10) — die Fremden europäischen Ursprunges. Hierzu rechnen wir nur die in Europa oder Amerika geborenen und dort heimischen Weißen, nicht auch die Portugiesen aus Goa, kleine, dunkelfarbige, schwarzhaarige Kreolen, welche weder bei Eingeborenen noch bei Stammesverwandten in besonderer Achtung stehen, ja von den letzteren kaum für ebenbürtig angesehen werden. Sie liefern einen neuen Beweis für die alte Wahrnehmung, daß in warmen Ländern ungebildete, arme Europäer, welche nicht in regem Verkehre mit der Heimat bleiben, schon nach einigen Geschlechtern von der hohen Stufe herabsteigen, auf welcher sie sich vorher befanden. Weder im Aeußeren noch in Anbetracht ihrer geistigen Fähigkeiten stehen sie hoch über den Indiern, ihren neuen Landsleuten, und Viele unter ihnen würden wol von keinem der Verhältnisse Unkundigen für Abkömmlinge von Europäern gehalten werden. Die Wohlhabenderen verkaufen in kleinen Läden geistige Getränke, europäische Leckereien und Kurzwaaren, Andere dienen als Aufwärter und Köche in den Haushaltungen der Wasungu, und wieder Andere betreiben das Schneiderhandwerk; Keiner aber bleibt länger in der Fremde, als bis er soviel Geld verdient hat, um zu Hause, im portugiesischen Indien, davon leben zu können. —

Es waren die Amerikaner, welche unter allen Wasungu zuerst festen Fuß auf Sansibar faßten, nachdem sie durch Verträge mit Seid Said im Jahre 1835 Begünstigungen erlangt hatten; ihnen folgten Engländer, Hamburger und Franzosen. Anfangs ließen sich nur Handlungshäuser nieder, und mit diesen einige Küper, Schiffszimmerleute und sonstige, dem Kaufmann unentbehrliche Handwerker; später wurden Konsulate errichtet, endlich kamen auch Missionen dazu. Gegenwärtig mag die Zahl der zeitweilig ansässigen Wasungu etwa fünfzig betragen. Sie bilden eine außerordentlich schwankende Einwohnerschaft; denn die Meisten von ihnen bleiben nur wenige Jahre im Lande und verlassen es dann für immer; Einige kehren zwar, nach einer Erholungsreise in die Heimat, wieder zurück, werden aber gleichfalls schon nach wenigen Jahren durch Andere ersetzt. Doch wenn auch die Personen wechseln, die Interessen, welche sie vertreten, bleiben, und dadurch wird es möglich, einen für längere Zeit giltigen Ueberblick über die Vertheilung unserer Landsleute nach Beruf und Abstammung zu geben.

England und Frankreich unterhalten auf Sansibar Konsulate mit besoldeten Beamten, denen je ein Arzt beigegeben ist; Hamburg und Amerika werden durch Kaufleute vertreten. Wie überall in ähnlichen Staaten ist der Einfluß der Konsuln ein sehr bedeutender. Selbstverständlich können Handelskonsuln, welche vorerst die Interessen ihrer Häuser wahren müssen, nicht mit derselben Entschiedenheit auftreten, wie unabhängige Regierungsbeamte, welche überdies noch in den ab und zu erscheinenden Kriegsschiffen ihrer Nation einen mächtigen Rückhalt haben; dafür aber haben sie vor Jenen eine genauere Kenntniß der Verhältnisse voraus und wissen oft durch geschickte Benutzung derselben viel durchzusetzen.

Unter den Missionen ist die französische die älteste; sie wurde im Jahre 1860 oder 1861 von einer katholischen Gesellschaft zu Bourbon durch Abbé Fava gegründet und 1863 von einer anderen übernommen. Zwei Geistliche, zwei Brüder und eine Mutter mit sechs filles de Marie als Krankenpflegerinnen besorgen die umfangreichen Geschäfte derselben, unterrichten zwanzig bis dreißig auf dem Sklavenmarkte gekaufte (11) oder sonst aus der Verwahrlosung gerettete Kinder in Religion, Schreiben, Lesen, Rechnen und beschäftigen sie mit Gartenbau und Handarbeiten. Tochteranstalten sind ein Krankenhaus und eine mechanische Werkstätte, beide von größter Wichtigkeit für dieselbe, weil sie nicht unwesentlich zum Unterhalte der hauptsächlich auf milde Gaben angewiesenen Mission beitragen — zugleich aber auch von hohem Nutzen für die Stadt und die im Hafen verkehrenden Schiffe, weil sie Kranken die unschätzbare Wohlthat einer trefflichen Pflege gewähren und für Alle, welche in Verlegenheit gerathen, die Ausbesserung von Maschinen und die Anfertigung kleiner Gegenstände von Metall übernehmen. Schon längst beabsichtigte diese Mission, sich bei Bagomoio, Sansibar gegenüber, festzusetzen und so auch der Küste die Segnungen ihrer Wirksamkeit zu Gute kommen zu lassen; es scheint jedoch, da sie es bisher noch nicht gethan, daß die aus den oben erwähnten Quellen fließenden Mittel nicht so bedeutend sind, als es zum Nutzen der dortigen Bevölkerung zu wünschen wäre.

Die englische Mission wurde im Jahre 1864 von Bischof Tozer und Kaplan Stere mit sechs hübschen Negerknaben eröffnet, welche ihnen vom Sultahn für ihre Versuche zur Verfügung gestellt worden waren. Später, als der Bischof seine Schwester herbeigezogen, begann er auch Mädchen in die Anstalt aufzunehmen. Auch diese Mission, welche noch mit der gründlichen Bewältigung sprachlicher und anderer Schwierigkeiten beschäftigt ist, hat die Absicht, sich später an der Küste niederzulassen.

In Sansibar findet die Thätigkeit der Sendboten des Glaubens sehr günstiges Feld, wenn sie die praktische Seite ihres Berufes, Kampf gegen Unwissenheit und Linderung menschlichen Elendes, als die Hauptsache betrachtet, und nicht diese über der an und für sich wenig bedeutenden, äußeren Bekehrung vernachlässiget. Wohlhabende und gebildete Araber und Indier benutzen gern die ihnen gebotene Gelegenheit, ihren Kindern durch die Missionsschulen eine bessere Bildung zukommen zu lassen, als es durch die alten, unwissenden Ulemas möglich. —

Wechselnder als die Zahl der Konsulate und Missionen ist diejenige der Kaufhäuser. Vor etwa fünf Jahren waren zwei deutsche, zwei französische, ein englisches und zwei amerikanische Geschäfte hier vertreten; jetzt ist eines der deutschen und französischen und das englische in Wegfall gekommen. Dies will nicht etwa soviel sagen, als ob der Handel abgenommen habe, sondern nur, daß die Vertheilung der Waaren an die verschiedenen Nationen eine andere geworden, und der Gewinn der Einzelnen ein reicherer, wenn auch nur für kurze Zeit; denn während wir Dies schreiben, sind wieder neue Unternehmungen im Gange. Eines der ältesten hiesigen Häuser ist das von O'Swald in Hamburg, der Nachfolger eines anderen, welches durch Karl Ritters Bemerkungen über den großen Handelswerth der auch in Sansibar vorkommenden Kaurimuschel auf die Ostküste Afrikas aufmerksam gemacht wurde. Dieses Haus, in welchem von der Decken mit seinen Begleitern jahrelang die gastfreundlichste Aufnahme gefunden, hat es verstanden, alle Wechselfälle glücklich zu überstehen, durch welche Andere zu Grunde gerichtet oder veranlaßt wurden, ihre Thätigkeit anderswohin zu wenden.

Kaum einer der Wasungu baut sich ein eigenes Haus; wol aber wissen sie die von den Arabern gemietheten, großen Steingebäude durch mancherlei Aenderungen zu recht freundlichen und angenehmen Aufenthaltsorten umzugestalten. Ein solches Haus enthält zumeist zwei Stockwerke, ungerechnet das flache Dach, auf welchem der Flaggenmast und eine kleine Breterhütte zum Auslugen stehen. Im Erdgeschosse befinden sich Schreibstube, Lagerräume und Wohnungen für die Diener, im ersten Stocke Speisesaal, Wohn-, Schlaf- und Spielzimmer, Vorrathskammer u. A. m. Durch öfters erneuerte Tünchung von innen und außen, sowie durch jährlich gewechselte Mattenbekleidung des Fußbodens werden die Räume reinlich erhalten, durch Luken in der Höhe des Daches gelüftet; zahlreiche, durch Glas oder Läden verschließbare Fensteröffnungen verbreiten überall reichliches Licht, welches man durch Jalousien oder Schilfvorhänge nach Belieben mildert. Die innere Einrichtung ist an Kitandas, Schaukel- und Lehnstühlen reich, im Uebrigen aber ziemlich einfach, weil alles Hausgeräth mit vielen Kosten von Europa oder Indien herbeigeschafft werden muß.

Inneres des Hauses der englischen Mission (Eckhaus in Schangani).

Umso besser ist für die Tafel gesorgt. Die Stadt liefert ihr zwar nur Fleisch und Geflügel, Reis, Milch und Früchte; aber das Fehlende wird in größter Auswahl aus der Heimat gesendet. Man findet in einem hiesigen Haushalte Alles, was man bei uns in einem guten Gasthofe verlangen kann: in den Vorrathskammern stehen Batterien von Flaschen mit den verschiedenartigsten Getränken, vom Himbeersaft und Himbeeressig an bis zum kräftigen Porter und Ale, vom Wachholderbranntweine bis zum Schaumweine; in Segeltuch eingenähete Würste und Schinken reihen sich an luftdichte Blech- und Glasbüchsen mit feinen Gemüsen und Leckereien, mit Spargel, jungen Erbsen, Morcheln, Trüffelwurst, Gänseleberpasteten, getrockneten und in Zucker eingemachten Früchten und Gelées;

und, um den etwa verdorbenen Magen wieder herzustellen, fehlen auch die unentbehrlichsten Arzeneien, wie Bittersalz, Kastoröl (Ricinusöl) und Chinin nicht.

Wenn Sansibar hierin dem üppigen Indien nicht nachsteht, so kann es in Bezug auf den Luxus der Bedienung sich nicht mit jenem Lande messen. Während dort jede Verrichtung einen eigens hierfür bestimmten Mann verlangt, kommt man hier mit verhältnißmäßig wenigen Leuten aus. Unter den Unentbehrlichen ist jedenfalls der braune, portugiesische Koch, welcher die Mahlzeiten auf das Feinste zuzubereiten verstehen muß, an erster Stelle zu nennen. Ihm leisten einige schwarze Gehilfen die nöthigen Handreichungen. Die Bedienung im Hause wird gleichfalls von Portugiesen, doch häufiger von hübschen, schmuck gekleideten Komoroleuten besorgt; nur bei den aus Indien kommenden Engländern (Konsul und Arzt) sind auch indische Diener angestellt. Außerdem gibt es noch eine Schar Hilfsarbeiter ohne feste Anstellung: einen Dobi oder indischen Wäscher, welcher an einigen Tümpeln in der Nähe der Stadt das ihm übergebene Weißzeug so lange zwischen zwei Steinen klopft, bis es vollständig rein geworden, Wassermädchen, welche von denselben Orten das zum Kochen und Trinken dienende Wasser (12) herbeibringen, einen portugiesischen Hausschneider 2c.

Auch das Geschäftspersonal ist nicht sehr zahlreich. Der Bana mkuba oder große Herr, der Erste im Hause, hat gewöhnlich noch einen Gehilfen oder Stellvertreter zur Seite, den Bana Mdogo oder kleinen Herrn. Als Dolmetscher, Vermittler und Oberaufseher (Headman) dient ein bewährter Araber oder Komorianer, welchem seine Stellung vielfach Gelegenheit zu oft nicht unbedeutenden „Ersparnissen" gibt. Ihm sind mehrere Unteraufseher beigegeben, von denen die gewandtesten bisweilen als Agenten oder Aufkäufer in ziemlich selbstständiger Stellung nach Madagaskar oder nach dem Norden geschickt werden. Wichtigere Geschäfte im Hause, bei denen Geschicklichkeit und Ehrlichkeit in höherem Grade erforderlich, werden europäischen Küpern übertragen. —

Mit geringen Abweichungen verläuft der Tag im Leben des Mjungu etwa in folgender Weise. Des Morgens zeitiges Aufstehen, um alle Geschäfte, welche im Freien besorgt werden müssen, noch vor dem Eintritte der Hitze zu beenden; um acht oder neun Uhr Frühstück; hierauf Kontorarbeiten und Abschließen von Geschäften mit Indiern und Arabern; Mittags Vereinigung im Speise- und Gesellschaftszimmer zu dem sogenannten Lunch, welcher einen kleinen Imbiß, ein Glas europäisches Bier, etwas Obst u. dergl. bietet; bis zum Mittagsessen Plaudern und Lesen, da es für ernstliche Arbeit jetzt zu warm ist; um vier Uhr Dinner nach englischer Weise, eine gleich dem Frühstücke sehr kräftige und reichhaltige Mahlzeit; nach demselben ein Spaziergang durch die Umgegend, weil um diese Zeit die Luft am kühlsten und das Straßenleben am lebhaftesten ist.

Der Kaffee versammelt die Gesellschaft wieder auf dem Dache, als dem angenehmsten Aufenthaltsorte: der sich erhebende Luftzug, die liebliche, wechselvolle Aussicht auf den inselumschlossenen Hafen und den belebten Strand, wo sich noch die letzten Geschäfte des Tages vollziehen, das Alles trägt dazu bei, eine behagliche Stimmung hervorzurufen. Man spielt Schach, spricht von angekommenen und zu erwartenden Schiffen, mustert den fernen Gesichtskreis mit dem Fernrohre nach auftauchenden Segeln und geht Wetten auf deren Nationalität ein, bis die zeitig hereinbrechende Dunkelheit mahnt, an die Geschäfte des Abends zu denken, d. h. sich durch Zurufe mit den nächsten Nachbarn zu verständigen, wo man sich heute sehen wird, falls der Abend nicht, wie gewöhnlich, schon im Voraus vergeben ist.

An schönen, mondhellen Abenden wird wol auch der Thee noch auf dem Dache eingenommen; doch hält man es für räthlicher, sich zeitig nach dem Zimmer zurückzuziehen, um sich nicht durch unvorsichtiges Schwelgen in der köstlichen Abendfrische eine gefährliche Erkältung zuzuziehen: denn es wird kühl, wenn auch nicht meßbar durch das Thermometer, so doch fühlbar für die empfindliche Haut, und ein starker, Alles durchdringender Thau fällt nieder. Kurze Zeit nachdem die Lampen angezündet, füllt sich das Zimmer mit Gästen. Jeder sucht es sich so behaglich als möglich zu machen. Man streckt sich bequem auf Sofas oder Schaukelstühlen aus, raucht, liest und schwatzt bei erfrischenden Getränken, lauscht den Klängen einer großen Spieldose, spielt Whist oder geht nach dem Billardzimmer, um sich vor dem Schlafengehen noch einige Bewegung zu verschaffen. Schon nach neun Uhr trennt sich die Gesellschaft. Laternentragende Diener holen ihre Herren ab. Der „Boy“ geleitet die Müden auf das Schlafzimmer, macht nochmals Jagd auf die letzten der Mücken unter dem mit Gaze behangenen Betthimmel und wünscht eine geruhsame Nacht. In leichten Beinkleidern, um Erkältungen vorzubeugen, legt man sich unzugedeckt nieder und behält nur eine wollene Decke zur Seite, um der Kühle des Morgens begegnen zu können.

Eine der angenehmsten Abwechselungen und Zerstreuungen bilden die sogenannten Schambatouren, Ausflüge im Boote oder zu Pferde und Esel nach der eigenen Schamba oder nach der eines befreundeten Msungu oder Arabers. Am heitersten geht es immer dann zu, wenn die Gesellschaft selbst für ihre Beköstigung Sorge trägt. Man lagert im Freien, während einige Diener die mitgenommenen Vorräthe für das Mahl zubereiten, und andere die Erzeugnisse der Schamba und des Meeres (kleine, vortreffliche Austern 2c.) aus erster Hand beschaffen. Bei Spiel und Scherz, bei Ruhen und Umherstreifen vergeht geschwind der dem Frohsinn gewidmete Tag, bis die schrägeren Stralen der Sonne an die Nothwendigkeit der Heimkehr erinnern.

Auch Ausflüge nach dem Festlande, zumeist um Flußpferde zu sehen und zu erlegen, sind beliebt, werden aber seltener unternommen, weil die Mehrzahl der Wasungu sich nur auf kürzere Zeit von der Stadt entfernen kann, Viele auch das regelmäßig nachfolgende, wenn auch leichte Küstenfieber scheuen.

Vergnügungen wie Konzerte, Theater und was sonst die öffentlichen Orte in Europa bieten, fehlen vollständig in Sansibar; dafür ist die Geselligkeit eine sehr angenehme: man schließt sich eng aneinander an und übt gegen Fremde eine nicht genug zu rühmende Gastfreundschaft. Fast regelmäßig sind zu Frühstück, Mittagsbrod und Abendunterhaltung einige Gäste zugegen, am häufigsten Offiziere der ab- und zu kommenden Kriegsschiffe, oder Kapitäne von Handelsschiffen, seltener ein für kürzere Zeit anwesender Reisender. Auch die Gegenwart einiger Damen, der Frauen des englischen Konsuls, des Arztes und Anderer, bringt Leben und Anmut in die hiesigen Kreise. Von seiner glänzendsten Seite zeigt sich das Sansibarleben bei den auch dort üblichen Festessen. Jedes Haus — mit Ausnahme der Amerikaner, welche nur selten an „Dinnerparties“ theilnehmen — sieht einige Male des Jahres größere Gesellschaft bei sich. Die Geladenen kleiden sich dann mit besonderer Sorgfalt und bringen die beste Laune mit, sodaß die Unterhaltung, bei gutem Mahle und trefflichen Weinen begonnen, bis zum späten Abende in angenehmster Weise dahin fließt. Den Schluß derselben bildet gewöhnlich ein allgemeines Einundzwanzigspiel, weil an diesem auch Damen und des Spielens Unkundige Theil nehmen können.

Das größte Festessen, welches alle Mitglieder der feinen Gesellschaft vereinigt, gibt der französische Konsul alljährlich am Napoleonstage. Hierzu werden die Köche und Aufwärter aller Häuser dem Gastgeber zur Verfügung gestellt, auch wird ihm wol mit Geschirr und dergleichen ausgeholfen, damit er bei der großen Anzahl der Gäste nicht in Verlegenheit gerathe. Die mit seltsamen Früchten und Blumen besetzte Tafel, umgeben von einer stattlichen Reihe weither gekommener Menschen, deren jedem ein afrikanischer, indischer oder portugiesischer Diener Luft zufächelt, bietet ein lebendiges, buntes Bild. Ebenso bunt ist auch die Unterhaltung; denn neben Deutsch, Französisch und Englisch ertönt auch aller Orten das Suaheli, nicht nur als Vermittler zwischen Herren und Dienern, sondern auch zwischen den wenigsprachigen Engländern und Franzosen, deren Gesprächen sich dann der Deutsche in gleicher Zunge anschließt. —

Die Wasungu erfreuen sich einer sehr angesehenen Stellung. Obgleich bei den Indiern und Arabern noch viele Vorurtheile gegen die weißen Fremdlinge herrschen, hervorgerufen durch Eifersucht auf deren Handel und fortschreitenden Einfluß oder durch die Furcht, daß ihnen nach und nach auch der so einträgliche Zwischenhandel entrissen werde, können doch gerade diese es nicht auf lange vergessen, daß ihr Dasein und ihr Auskommen hauptsächlich von eben diesen Fremden abhängt. Erst durch die Thätigkeit der Wasungu entwickelte sich der Handel Sansibars zu so bedeutender Blüte, und diesem Handel verdankt der Sultahn den größten Theil seiner Einkünfte; wie begreiflich hält erdafür die Wasungu lieb und werth — wenigstens äußerlich — und ist ihnen gefällig, wo er irgend kann.

Jeder gebildete Europäer ist hier zu Lande eine vornehme Person: in Folge dessen erfordert es auch die Schicklichkeit, daß ein Neuankommender sich in Begleitung seines Konsuls dem Sultahn vorstelle. Zu solchem Besuche werden Frack oder Uniform, hoher Hut und Handschuhe hervorgesucht, um dann wieder lange Zeit im Koffer zu ruhen, da die hiesige Gesellschaft zu vernünftig denkt, als daß sie sich europäischen Zwang auferlegen sollte, wenn sie unter sich ist. Geleitet von eingeborenen Dienern, welche durch Vortragen von Säbeln (fasces ante consulem) den Weg frei machen, und von mächtigen, weiß überzogenen Regenschirmen zum Schutze gegen die Sonne überdacht, wandeln die Herren in feierlichem Zuge durch die engen Gassen, dem Palaste des Herrschers zu. Hier sind die Tags zuvor Gemeldeten bereits bemerkt worden; mit seltener Höflichkeit kommt ihnen der Sultahn bis an den Fuß der Freitreppe entgegen, bietet jedem Einzelnen die Hand und läßt sie vor sich in sein Haus eintreten. In dem einfachen Audienzzimmer, in welchem die Einförmigkeit der kahlen, weiß getünchten Wände nur durch einige kleine, mit arabischen Spitzbogen gekrönte Nischen unterbrochen wird, nehmen Alle auf einer langen Reihe geschnitzter Stühle Platz, oben an Seid Madjid, dann die Besucher, darauf die an einer spitzen Ecke vorn am Turban kenntlichen Prinzen des Hauses und die ersten Diener des Staates. Der Fremde wird vorgestellt und erhält nach einigen höflichen Fragen über Landesvater und Vaterland und über die Zwecke seines Aufenthaltes die gnädigsten Zusicherungen, daß der Sultahn ihn nach Kräften unterstützen werde. Ein Dolmetscher vermittelt die in arabischer Sprache geführte Unterhaltung; denn man versteht wol Suaheli am Hofe, spricht es aber nie. Während dessen reichen einzelne Diener Rosensorbet in Gläsern und starken Kaffee in außerordentlich kleinen, an Gestalt unseren Eierbechern ähnlichen Tassen umher, welch letztere in zierlich gearbeiteten, silbernen Untersetzern stehen. Nur die Besuchenden werden bewirthet, und macht man ihren heimischen Sitten noch das Zugeständniß, daß man ihnen zum Kaffee einige Zuckerkristalle und Löffel zum Umrühren verabreicht — der Araber bedarf dessen bekanntermaßen nicht. Nach zwanzig bis dreißig Minuten, wann die Herren sich verabschieden, begleitet der Sultahn sie mit denselben Höflichkeiten wieder bis auf die Straße, über das glückliche Ende der Förmlichkeit gewiß nicht minder erfreut als die Wasungu, welche mit schnelleren Schritten und weniger feierlich als vorher nach Hause eilen, um sich des lästigen Besuchskleides zu entledigen. Einige Tage darauf stattet Seid Madjid dem Konsul seinen Gegenbesuch ab.

Die geachtete Stellung der Europäer erklärt Freundschaftsverhältnisse und Gunstbezeigungen, wie sie sonst in mahammedanischen Staaten unmöglich erscheinen. Nicht nur der Sultahn und die Würdenträger des Reiches verkehren und verkehrten mit den Wasungu, sondern auch die Damen des Hofes, namentlich die beiden Schwestern des Herrschers, Prinzessin Holli und Prinzessin Salima. In früheren Zeiten war es Bibi Holli, die ältere der beiden Stiefschwestern, welche die Fremden augenscheinlich begünstigte und in unbefangenster Weise mit ihnen verkehrte. Eine stattliche Sklavin, Simakasi benamset, war die Vermittlerin aller Botschaften der Prinzessin, die Ueberbringerin ihrer Geschenke an die Wasungu. Kaum ein Tag verging, ohne daß ein Befehl an diese Vertraute erging. Irgend eine Kleinigkeit, eine Stickerei, etwas Backwerk, auserlesene Früchte u. dergl. wurden von dem Harehm aus in dieses oder jenes Haus gebracht und, wie sich von selbst versteht, andere Gegenstände zurückgetragen. Sehr gern nahm die Prinzessin ihrerseits ein Werthzeichen der Ehrfurcht des einen oder anderen Msungu entgegen, und ohne Bedenken geruhete sie, die reichen Kaufleute mit Bestellungen auf die allerverschiedenartigsten Erzeugnisse Europas zu betrauen — Bestellungen, welche von den Wasungu getreulich ausgeführt wurden, obgleich jeder der Beehrten wußte, daß die hohe Dame Bezahlung des von ihr Geforderten und Empfangenen zu vergessen pflege. Sie, welche Tag für Tag gleichsam auf der Warte saß, um die ehrerbietigen Grüße der vorübergehenden Spaziergänger entgegen zu nehmen, sie, welche diese Grüße so herablassend und huldvoll erwiederte, an jene Bestellung zu erinnern, der Vergeßlichkeit zu bezüchtigen, wäre ebenso unhöflich als unklug gewesen: man hätte ja die hohe Dame erzürnen, und sich in den Ruf einer unedlen Knauserei bringen können!

Bibi Holli erreichte die Jahre, von denen auch sie sagen mochte: sie gefallen mir nicht. Kein ihrem Range ebenbürtiger Prinz hatte sich gefunden, sie zur Beherrscherin seines Harehms zu erheben, und die Gefühle der Freundschaft, welche einzelne Wasungu gegen sie gehegt haben mochten, verwandelten sich allgemach in solche der Ehrfurcht — mit einem Worte: Bibi Holli hörte auf, Löwin des Tags zu sein, und kam um so schneller aus der Mode, als ein neuer Stern am Himmel Sansibars aufgegangen war. Ihre Stiefschwester, die jüngere Bibi Salima, war inzwischen erblüht und hatte der stiefschwesterlich gehaßten Nebenbuhlerin den Rang abgelaufen. Ihr neigten sich vorzugsweise die neuangekommenen Wasungu zu, und sie ließ sich die Huldigungen derselben gern gefallen. An mondhellen Abenden saß des Sultahns Schwesterlein hinter dem eisernen Gitter ihres Fensters und hörte mit Theilnahme den Wasungu auf dem Nachbardache zu, wenn diese erzählten von Uleia, dem fernen Europa, von den dortigen Sitten und Gebräuchen, von der Stellung der Frauen — welche nicht blos bildlich, sondern in That und Wahrheit die Herrinnen ihrer Männer — von der Größe und Schönheit der Städte, von der Lieblichkeit des Landes, von tausend Kleinigkeiten, welche ihr vorkommen mochten wie Märchensagen; sie lauschte mit unverhehltem Vergnügen den fremden Liedern, welche ihr zu Gefallen mehrstimmig vorgetragen wurden. Ihr klarer Verstand ließ sie das Schöne und Gute der europäischen Sitten bald erkennen; diese Erkenntniß aber rief in ihr eine Sehnsucht nach der Ferne wach, welche nur noch eines Anstoßes bedurfte — um großes Aergerniß hervorzurufen. Der Msungu, welcher das Nachbarhaus bewohnte, ein durch Festigkeit und Bestimmtheit des

Charakters ausgezeichneter Mann, erwarb sich nicht blos die Freundschaft, sondern die volle Liebe der Prinzessin, und ein Verhältniß entspann sich, würdig des arabischen Märchens, ein Roman, in welchem die Wirklichkeit die Dichtung überbietet: Bibi Salima wandte dem Fremden ihr Herz zu, und der deutsche Kaufmann freiete um die arabische Prinzessin.

Und wie es das Märchen uns schildert, so geschah es hier in Wahrheit. Das munkelnde Gerücht wurde lauter und vernehmlicher, bis es die Ohren des Sultahns erreichte. Unglaublich schien ihm solch frevelnder Angriff auf die Ehre seines Hauses, unbegreiflich die Kühnheit des Mannes, noch minder verständlich die Herablassung der hohen Dame. Und doch mußte Seid Madjid von der Schuld seiner Schwester sich überzeugt haben; denn urplötzlich wurde die Prinzessin in ihrem Hause verhaftet und eingekerkert. Hier saß die Arme einsam und verlassen, den Richterspruch des von der unbeugsamen Sitte beeinflußten Bruders erwartend, ohne an die Möglichkeit einer Hilfe zu denken, ohne Errettung, Wiedervereinigung mit dem Geliebten zu erhoffen. Und doch sollte ihr durch Diesen Alles werden, was sie ersehnte.

Im Hafen Sansibars lag ein englisches Kriegsschiff. Der Kapitän desselben muß wol großherziger gedacht haben, als seine Landsleute in Indien und daheim, welche den deutschen Kaufmann und die Prinzessin später so schmachvoll verlästerten und verleumdeten; denn er hatte Verständniß für das Ansinnen des deutschen Kaufmannes und den Mut, ihm zu helfen. In später Stunde eines Abends stieß ein stark bemanntes Boot von jenem Kriegsschiffe ab, näherte sich lautlos dem Lande; bewaffnete Schiffer und Seesoldaten stiegen aus, wandten sich geraden Weges dem Kerker der Prinzessin zu, verscheuchten die Wachen, erbrachen das Thor und entführten die geängstigte Frau. Am anderen Morgen hatte das Kriegsschiff die Gewässer Sansibars verlassen. Wer durfte es wagen, ihm seine Beute streitig zu machen?

Ein Schrei der Entrüstung wurde laut in der Stadt Sansibar. Die Araber sannen auf Rache, und die fremden Handlungshäuser sahen sich in ihren Grundvesten erschüttert. Was konnte auch nicht geschehen, wenn der unberechenbare Zorn des Sultahns nicht allein den Schuldigen, sondern überhaupt alle Wasungu traf? Was sollte aus dem gewinnreichen Eintausche von Elfenbein, Gewürznäglein und Ochsenhäuten fernerhin werden? Der Verlust ließ sich kaum nach Tausenden und Hunderttausenden berechnen! Mancher sah in der Liebe des Berufsgenossen ein todeswürdiges Verbrechen und fürchtete mehr als der Missethäter selbst die zürnende Gerechtigkeit. Schlimmer aber verfuhr die eigentlich unbetheiligte indische und später auch die englische Presse. In dem fernen Lande fühlte sich jeder Philister im Innersten getroffen; viele der dortigen Biedermänner hätten lieber noch als der Sultahn den deutschen „Dütenkrämer“ (shop keeper), wie sie ihn verächtlich nannten, am Galgen hängen oder auf dem Pfahle stecken sehen. Der deutsche Kaufmann aber wappnete sich auch dieser schnöden Denkweise gegenüber mit derselben unerschütterlichen Ruhe, welche er in der ganzen Geschichte an den Tag gelegt hat. Er wickelte seine Geschäfte ab, reiste dann nach Aden, traf hier mit der inzwischen zum Christenthume übergetretenen Prinzessin zusammen, ehelichte sie und zog mit ihr nach der Heimat. Hier, in einer Handelsstadt Deutschlands, lebt gegenwärtig das glückliche Paar. Die Prinzessin hat sich rasch in die neuen Verhältnisse gefunden, und die Liebe, welche sie von allen ihr Nahestehenden genießt, läßt sie lächeln über andersdenkende Kaufmannsfrauen, welche ihr nicht vergessen, daß sie — doch eine Prinzessin ist.

Sechster Abschnitt.

Staatliche Verhältnisse.

Die Imahme von Omahn und die Ostküste von Afrika. — Die Jarebiten. — Vertreibung der Portugiesen. — Die Dynastie des Abu Saidi. — Unabhängigkeitskämpfe von Mombas unter der Familie der Msara. — Seid Said. — Mombas unter englischem Schutze. — Ende der Herrschaft der Msara. — Uebersiedelung Seid Saids nach Sansibar. — Theilung des Reichs. — Seid Madjid. — Grenzen der Herrschaft. — Art der Verwaltung. — Einnahmen und Ausgaben. — Arabisches Beamtenthum. — Macht zu Land und See. — Rechtszustände. — Gottesverehrung und Unterricht. — Der Handel, ein Erzeugniß der letzten Jahrzehende. — Münzen, Maße und Gewichte. — Vertheilung von Einfuhr und Ausfuhr. — Kriegsschiffe im Hafen. — Postverbindung. — Sansibar in seiner Wichtigkeit für Entdeckungsreisende.

Ueber der frühesten Geschichte Ostafrikas (13) liegt ein sagenhaftes Dunkel, aus welchem nur die glänzenden Namen Tyrus und Salomo hervorschimmern. In späteren Jahrhunderten tritt sie in Beziehung zu den Weltreichen von Griechenland und Rom; dann führt sie uns die den Erdkreis stürmenden Jünger Mahammeds vor, zeigt uns darauf die in entgegengesetzter Richtung vordringenden Portugiesen in ihrer Größe wie in ihrem Verfalle und bleibt endlich keinem der großen Völker der Neuzeit fremd.

Die letztjährige Geschichte dieser Küste ist mit der Geschichte von Omahn, dem nach Nordosten gerichteten südlichen Horne Arabiens, innig verknüpft, nicht nur durch friedliche Beziehungen zwischen den Bewohnern beider Länder, sondern auch durch thätige Eingriffe der Imahme von Omahn in die Geschicke Ostafrikas und durch den gemeinsamen Ursprung beider Herrscherhäuser. So unerquicklich diese Geschichte in ihren Einzelnheiten auch sein mag, im Ganzen genommen ist sie höchst anziehend und lehrreich. Sie führt uns ein tapferes Volk vor, welches mit Zähigkeit und Heldenmut Jahrhunderte lang gegen übermächtige Unterdrücker, die Portugiesen, ankämpfte, die errungene Unabhängigkeit durch Jahrzehende gegen die weit und breit gefürchteten Herrscher von Maskat vertheidigte, endlich aber doch durch Uneinigkeit und innere Streitigkeiten seinen Untergang fand.

Bald nach ihrer Bekehrung zum Islahm schlugen die Bewohner von Omahn in Sachen des Glaubens ihren eigenen Weg ein, bildeten die Sekte der Chuaridsch (vom rechten Weg Abtretende). Ihre Herrscher waren zugleich religiöses Oberhaupt des Staates, in ähnlicher Weise, wie dies die Chalifen von Baghdad waren und es die Czaren von Rußland jetzt noch sind. Dieser oberste, religiöse Würdenträger führte den Titel Imahm (eigentlich Vorbeter): ein Name welcher uns in der Zusammenstellung Imahm von Maskat (nach der jetzigen Hauptstadt des Omahngebietes) geläufig genug ist.

Als der größte unter den Imahmen von Omahn gilt Nasser ben Murdschid aus der Familie der Jarebiten, einem Zweige des großen Henani-Stammes. Er machte zu Anfange des siebzehnten Jahrhunderts den fortwährenden Unruhen und Kämpfen, unter denen das Land seit Jahrzehenden und Jahrhunderten litt, ein Ende, schaffte Raub, Gewaltthaten, Unglauben und Unterdrückung ab, oder, wie die Araber sagten, „befahl das Gute und verbot das Böse", und gewann durch sein entschiedenes, zugleich aber freundliches Wesen die Herzen aller Einwohner. Nachdem er bis zum Jahre 1624 ganz Omahn unter seinem Scepter vereint, beschäftigte er sich ernstlich mit dem Gedanken, auch die Portugiesen, deren Herrschaft sich bereits abwärts neigte, aus seiner Nachbarschaft zu vertreiben. Im Jahre 1633 eröffnete er von seiner Hauptstadt Nasua aus den Kampf gegen die verhaßten Fremden. Ueberall vertrieb er sie aus den Seestädten jener Küste; nur Sohar und Maskat vermochte er ihnen bis zu seinem Tode, im Jahre 1649, nicht zu entreißen.

Ihm folgte sein Vetter Sultahn ben Sef, ein nicht minder tapferer und gewandter Herrscher, welcher in Nassers Sinne weiter wirkte und nicht nur 1658 die Portugiesen aus Maskat vertrieb, sondern sie mit Hilfe seiner großen Flotte sogar in Indien und Afrika angriff. Auch Sultahns Arbeit blieb Stückwerk. Wol eroberte er gar manchen Küstenplatz, doch fand er anderwärts auch hartnäckigen Widerstand: erst nach fünfjährigen Mühen gelang es ihm, der wichtigen Festung Mombas Herr zu werden, und schon nach kurzer Zeit verlor er sie wieder an die Portugiesen.

Erst Sef, dem Sohn und zweiten Nachfolger Sultahns, war es vergönnt, die Ungläubigen nachdrücklich auf das Haupt zu schlagen; die Bitten der Bewohner von Mombas boten ihm Gelegenheit dazu. Im Jahre 1698 sandte er eine Flotte nach Ostafrika, eroberte Mombas, gewann Sansibar und Kiloa und drang vielleicht sogar bis Mosambik vor. Alles jauchzte dem Sieger zu; des langen Druckes müde erhoben sich die Eingeborenen und tödteten und vertrieben ihre weißen Peiniger allerwärts, so daß vom Kap Gardafui an, dem nordöstlichen Horne des Somalilandes, bis nach dem Kap Delgado herab bald Keiner der Eindringlinge mehr zu blicken war.

Selbstverständlich stand die Küste von nun an unter dem Schutze der Fürsten von Omahn; doch war dieses Abhängigkeitsverhältniß ein nur wenig drückendes, weil der arabische Oberherr in seinem Lande genug zu schaffen hatte, als daß er sich viel mit den Angelegenheiten seiner fernsten Besitzungen hätte befassen können. Dankbarkeit und eigener Vortheil hätten die befreiten Städte veranlassen müssen, sich eng an ihren Retter anzuschließen; statt dessen aber suchten sie die Beziehungen zu diesem mehr und mehr zu lockern und machten sich endlich, mit Ausnahme von Mombas, wo der arabische Statthalter sich behauptete, gänzlich unabhängig. Ihre zunehmende Schwäche, noch vermehrt durch innere Zwistigkeiten, lockte in Kurzem die Portugiesen wieder herbei: diese bemächtigten sich im Jahre 1728 der ganzen Küste von Kiloa bis Patta, vor Allem auch der Stadt und Festung Mombas (zum letzten Male) und führten hier die Herrschaft in derselben rücksichtslosen Weise wie vormals.

Aufs Neue wandten sich jetzt die hartbedrückten Einwohner nach Maskat, um Hilfe gegen ihre Feinde zu finden — diesmal jedoch vergebens, sei es nun, daß der damalige Imahm nicht helfen wollte, oder nicht helfen konnte. So sahen sie sich also allein auf ihre schwachen Kräfte angewiesen; aber sie verzweifelten darum nicht, sondern griffen ihr Werk mutig an. Es gelang ihnen auch in der That, sich der Fremden auf listige Weise zu entledigen; doch fühlten sie sich nicht stark genug, diese für immer fern zu halten, und trugen deshalb dem Imahm von Maskat die Oberherrschaft an. Ihre Bitte wurde erfüllt; es erschienen drei Schiffe mit Soldaten, nahmen Besitz von Mombas und gewannen gegen 1740 von Neuem auch die übrigen Städte der Küste.

So hatten die Jarebiten über ein Jahrhundert lang ruhmvoll gewaltet und nach Ost und Süd die Grenzen des Reichs erweitert, als ihr Stern zu erbleichen begann. Die letzten von ihnen zeigten sich als schwache Fürsten und unfähig, das Land gegen seine Feinde zu schützen. Da erstand ein neuer Herrscherstamm aus der Familie des Abu Saidi und bemächtigte sich der obersten Gewalt — dem letzten der Jarebiten, Sultahn ben Murdschid folgte zu Ende des Jahres 1744 nach mannigfachen Unruhen Achmed ben Said ben Achmed ben Abdallah ben Mahammed ben Mbarek el Abu Saidi, bisher Statthalter von Sohar. Mit ihm beginnt ein neuer Abschnitt in der Geschichte Ostafrikas: die Mombasianer, welche man ihrer hervorragenden Tugenden wegen als Vertreter jener Küstenvölker betrachten darf, haben sich von nun an nicht mehr gegen die Portugiesen, sondern gegen ihre Befreier in Maskat zu wehren gehabt.

Seit dem Jahre 1739 ruhte die Statthalterschaft von Mombas in den Händen von Mahammed ben Osmahn aus der nachmals so mächtigen Familie der Msara (Einzahl Msurui). Als Dieser von der Erhebung seines früheren Standesgenossen vernahm, erklärte er sich unabhängig, um wie Jener eine eigene Herrschaft zu begründen. Achmed ben Said ergrimmte und sandte Meuchelmörder nach Mombas mit dem Befehle, den Aufrührer und dessen ganze Familie umzubringen. Mahammed fiel unter ihren Dolchen; sein Bruder Ali ben Osmahn aber entrann und machte des Imahms Plan zu Nichte, wußte sich der Festung zu bemächtigen, ergriff die Mörder, enthauptete sie und erklärte sich im Jahre 1745 zum Sultahn von Mombas.

Ebenso weigerten sich die übrigen Küstenstädte, mit Ausnahme von Merka, Sansibar und Kiloa, die neue Herrscherfamilie anzuerkennen; sie erlangten auch ohne Mühe ihre Freiheit, jedoch auf Kosten des Friedens: durch endlose, innere Kriege wurden fortan ihre besten Kräfte verzehrt. Am meisten litt Mombas unter solchen Zwistigkeiten. Hier war bereits 1753 Ali ben Osmahn auf Anstiften seines Vetters Massaut ben Nasser ermordet worden. Als 1782 sein Nachfolger Abdallah ben Mahammed gestorben war, entstand zum zweiten Male unter den Msara Streit darüber, welcher von den drei Hauptzweigen der Familie nun die Herrschaft führen sollte. Endlich wurde Achmed ben Mahammed erwählt, der Neffe von Ali ben Osmahn. Die beiden übrigen Bewerber, welche in anderer Weise abgefunden wurden, zeigten sich damit wenig zufrieden, suchten ihren glücklichen Nebenbuhler zu stürzen, wurden jedoch bei einem Sturme auf die Festung, den sie versuchten, zurückgeschlagen und später von den benachbarten Wanika, zu welchen sie sich flüchteten, getödtet. —

Achmed ben Said von Omahn hatte nothgedrungen all' Diesem ruhig zugesehen. Erst sein ältester Sohn Said ben Achmed, welcher ihm im Jahre 1784 nachfolgte, fand Gelegenheit, sich neuerdings um Afrika zu bekümmern. Er sandte seinen tapferen und gewandten Sohn, wiederum einen Achmed, mit einer Flotte aus, um die abgefallenen Küstenplätze wieder zu gewinnen. Achmed wandte sich zuerst nach Sansibar, wo sein Onkel Sef mit feindlicher Macht gelandet war, vertrieb diesen und stellte die Ordnung wieder her. Dann ging er mit einem einzigen Schiffe nach Mombas, keck die Unterwerfung von Insel und Stadt verlangend: durch sein Auftreten verblüfft willfahrete man ihm, zumal seine Anforderungen nicht erheblich waren. Darauf unterwarf sich auch die Insel Patta dem Imahm, sodaß dieser im Jahre 1785 nördlich vom Kap Delgado keinen gefährlichen Feind weiter besaß und, wenigstens nach Außen hin, mehr als alle seine Vorgänger vom Glücke begünstigt erschien. Dafür erwuchs ihm in seiner eigenen Familie ein Widersacher: sein ungestümer Bruder Sultahn ben Achmed entriß ihm im Jahre 1791 die Herrschaft über den größten Theil des Reichs.

Nur kurze Zeit blieb Sultahn im Genusse der Macht; schon zwei Jahre nach dem Tode seines Bruders, im Jahre 1804, wurde er bei Bassidu in einem Gefechte gegen die Seeräuber getödtet. Ihm folgte an Stelle seiner jugendlichen Söhne, Salem und Said, Beder ben Sef ben el Imahm Achmed, sein Neffe und Saids mütterlicher Oheim; die anderen Bewerber wurden mit Statthalterstellen abgefunden.

Dem jungen Said, welcher die unternehmende Sinnesart seines Vaters geerbt hatte, genügte sein Antheil an der Herrschaft nicht; er fühlte die Kraft in sich, den Staat allein zu lenken. Unausgesetzt brütete er über ehrgeizigen Planen. Seine früh entwickelte Schlauheit und die ungewöhnliche Fügung der Dinge verhalfen ihm zeitiger zur Erreichung seines Zieles, als Dies möglich schien. Beder ben Sef, mit welchem das Volk schon längere Zeit unzufrieden war, weil er das Land in schimpfliche Abhängigkeit von den Wachabiten gerathen ließ, wurde am 31. Juli 1806 ermordet — ob mit oder ohne seines Neffen Schuld, wir wissen es nicht — und Said am 14. September desselben Jahres mit Einwilligung seines älteren Bruders Salem zum Sultahn erwählt.

Der kaum sechzehnjährige Jüngling hatte einen schweren Stand. Das Land befand sich in zerrüttetem Zustande, und vor den Mauern der Stadt standen die gefürchteten Wachabiten unter einem sieggewohnten Feldherrn. Der junge Mann wußte jedoch alle Schwierigkeiten zu überwinden, besiegte nicht nur die Wachabiten, sondern auch späterhin die von Jahr zu Jahr fürchterlicher werdenden Seeräuber des rothen Meeres — nicht allein zwar, sondern mit Hilfe der Engländer, welche er aber doch in geschickter Weise zu gewinnen gewußt hatte — und schwang sich zu einer so angesehenen Stellung empor, daß die Schwachen ihn fürchteten, die Mächtigen sich um seine Freundschaft bewarben und ihm die glänzendsten Huldigungen darbrachten.

Seid Said war ein höchst merkwürdiger Mensch; seine Größe bestand jedoch weniger in Erfolgen, welche er durch siegreiche Schlachten errang (er war fast feig zu nennen und scheute die blutige Entscheidung), als in seiner Zähigkeit im Unglück, in dem beständigen Festhalten an dem vorgesteckten Ziele und in der Geschicklichkeit, mit welcher er alle Verhältnisse zu seinem Vortheile auszubeuten wußte. Von Zeitgenossen und Späteren vielfach verleumdet und geschmäht, des Verrathes und der Hinterlist beschuldigt, bleibt er dennoch einer der Bedeutendsten unter den Fürsten Omahns — gelten ja doch die Mittel, welche er zur Erweiterung und Befestigung seiner Herrschaft gebrauchte, nach den Anschauungen des Morgenlandes durchaus nicht als unwürdig und unerlaubt. Viele schreiben ihm den Titel Imahm zu: diesen aber besaß er ebenso wenig wie sein Vater, da er keiner der drei hierzu erforderlichen Bedingungen zu genügen vermochte, nämlich: Besitz gewisser religiöser Kenntnisse, das Gelübde, lebenslang gegen die Ungläubigen zu kämpfen und niemals zur See zu gehen. —

Die Wirren in Maskat hatten auf dessen afrikanische Vasallenstaaten Mombas und Patta keinen anderen Einfluß gehabt, als daß diese sich einer um so größeren Unabhängigkeit erfreuten, je mehr ihre Oberherren in Arabien beschäftigt waren: sie erfüllten ihre geringen Verbindlichkeiten, erkannten die neugewählten Herrscher an und ordneten im Uebrigen ihre inneren Angelegenheiten nach eigenem Belieben. Said verspürte keine Neigung, sich in so ferne Händel einzumischen, bis ihn die vielfachen Uebergriffe der Statthalter von Mombas hierzu nöthigten. Zuerst wurde er im Jahre 1811 von Lamu zu Hilfe gerufen gegen Achmed ben Mahammed von Mombas, welcher in die mehrjährigen Erbfolgestreitigkeiten auf Patta thätig eingegriffen, die Oberherrschaft dort erlangt und die Nebenbuhler seines Schützlings Wusir bis nach jener Stadt verfolgt hatte. Said schickte einen Statthalter nach Lamu, ließ dort eine Festung bauen und verhinderte so eine Erneuerung der Angriffe Achmeds. Hiermit begnügte er sich vor der Hand.

Eine zweite Gelegenheit zum Einschreiten bot sich im Jahre 1814. Achmed ben Mahammed war gestorben und Abdallah, sein bejahrter aber kräftiger Sohn in die

Statthalterschaft eingetreten. Nach dortiger Sitte hätte dieser bei Antritt seines Amtes ein Geschenk nach Maskat schicken müssen; statt dessen sandte er, als man ihn daran mahnte, nur ein wenig Pulver und Blei, ein kleines Getreidemaß und ein Panzerhemd, welches er im Nachlasse seines Vaters vorgefunden — ein nicht mißzuverstehendes Zeichen, daß er, selbst auf die Gefahr eines Kampfes hin, sich von Maskat unabhängig zu machen gedenke.

Noch erwiederte Said Nichts; er wartete, wie das seine Art war, auf günstigere Gelegenheit. Abdallah aber wußte genau, wessen er sich von dem mächtigen Sultahn zu versehen hatte und bereitete sich im Stillen auf die Ereignisse vor. Seine Bemühungen um die Freundschaft der englisch-indischen Regierung in Bombay scheinen nicht, wenigstens nicht in dem Maße, wie er es wünschen mochte, erfolgreich gewesen zu sein; dafür aber gewann er wachsenden Einfluß an der Küste, breitete seine Herrschaft über die Städte Merka und Brawa aus und gewann sich das inzwischen abtrünnig gewordene Patta wieder — letzteres zu seinem Verderben; denn ein Mitbewerber des von ihm begünstigten Sultahn Banakombo rief den Herrscher von Maskat herbei.

Said, welcher schon längst mit steigendem Unmute die Zunahme von Abdallahs Macht beobachtet, befahl ihm, seine Soldaten aus Patta zurückzuziehen, und dem Anderen, abzudanken, und sandte, da Beide nicht gehorchten, im Jahre 1822 eine Flotte unter dem Befehle von Emir Hammed ben Achmed el Abu Saidi aus. Dieser unterwarf zuerst Brawa, vertrieb dann Mbaruk, Abdallahs Bruder, aus Patta und setzte dort im Namen Seid Saids einen Statthalter ein.

Immer drohender rückte das Ungewitter gegen Mombas heran. Durch die Nachricht von des Emirs Siege ermutigt, kam von Süden her Seid Mahammed ben Nasser, der Statthalter von Sansibar, und eroberte für seinen Herrn in Omahn die Insel Pemba, die werthvollste Besitzung von Mombas. Zweimal eilte Mbaruk herbei, um das gesegnete Eiland wiederzugewinnen, doch beide Male ohne Erfolg, trotz all' seiner Tapferkeit.

Aus Gram hierüber starb Abdallah im folgenden Jahre. Da brach unter den Msara wiederum der unselige Streit um die Herrschaft aus, gerade als Saids Flotte sich anschickte, auch Mombas anzugreifen: dem nächstberechtigten Salem, einem anderen Bruder Abdallahs, widersetzte sich Mbaruk. Um Bürgerkrieg zu verhüten, wählte man endlich einen Dritten, Soliman ben Ali, einen alten und schwachen Mann, welcher vorher Statthalter von Pemba gewesen, vorläufig zum Sultahn von Mombas.

In dem Gefühle der Unmöglichkeit, allein gegen die drohende Macht Saids Stand zu halten, rief Soliman den Schutz der Engländer an, welche mit einem kleinen Geschwader unter Kapitän Owen eben beschäftigt waren, die Ostküste von Afrika zu vermessen. Kapitän Vidal von der Brigg Baracouta, welche Ende 1823 im Hafen erschien, fühlte sich nicht befugt, ohne Dazuthun seines Oberen eine Entscheidung zu fällen, wennschon er versprach, die Angelegenheit weiter zu berichten. Als Owen selbst im Februar 1824 mit seiner Fregatte Leven anlangte, fand er Mombas von der Flotte Seid Saids blokirt und sah zu seinem nicht geringen Erstaunen Englands Flagge auf der Festung wehen. Soliman hatte sie aufgehißt, um seine Angreifer dadurch zu schrecken.

Owen hatte auf seinen Fahrten die große Wichtigkeit der Ostküste Afrikas begriffen und den Hafen von Mombas als einen der besten in der Welt erkannt; das Anerbieten der Mombasleute, sich unter englischen Schutz zu begeben, schien ihm also ein höchst dankenswerthes zu sein. Ungeachtet der feindlichen Einschließung setzte er sich ohne Weiteres mit den Häuptern der Stadt in Verbindung und schloß mit ihnen einen Vertrag ab:

> „daß Mombas und sein Gebiet, nämlich Pemba und die ganze Küste zwischen Malindi und dem Flusse Pangani, in den Händen der Msara verbleiben, aber fortan unter englischem Schutz stehen",

„daß die Einkünfte zu gleichen Theilen zwischen diesen und der englischen Regierung getheilt werden",

„daß der Handel mit dem Inneren den Engländern erlaubt sein, der Sklavenhandel aber aufhören solle",

„daß endlich ein in Mombas ansässiger Vertreter Englands über die Ausführung der einzelnen Punkte zu wachen habe".

Abdallah ben Salem, der Befehlshaber der arabischen Flotte, versprach, dieses Abkommen zu achten, bis die Antwort seines Gebieters aus Maskat eingetroffen sein würde. Sofort entspann sich ein friedlicher Verkehr zwischen Belagerern und Belagerten.

Owen traf noch die zur Aufrechterhaltung des Vertrags nöthigen Anordnungen, setzte einen Lieutenant, Namens Reitz, und einen Midshipman als Vertreter Englands ein, gab diesen einen Korporal und drei Matrosen bei, um Eingeborene zu geschulten Soldaten ausbilden zu lassen, und verließ sodann den Hafen in dem Bewußtsein, sich um sein Vaterland und um die Küste verdient gemacht zu haben. Er zweifelte gewiß nicht im Mindesten, daß seine Regierung ihre Zustimmung zu dem Geschehenen geben werde; denn er nahm fortan den thätigsten Antheil an dem Schicksale des neuen Staates. Um dem Punkte des ersten Paragraphen, „daß Mombas sein ganzes früheres Küstengebiet nebst der Insel Pemba behalten solle", Geltung zu verschaffen, begab er sich von hier aus nach Sansibar und ersuchte den dortigen Statthalter zur gütlichen Abtretung von Pemba an die Msara; dieser lehnte jedoch auf das Bestimmteste ab, da nur sein Oberherr Seid Said hierzu berechtigt sei.

Dann wandte sich Owen nach Mauritius, um Mabruk, den rechtmäßigen Thronerben von Mombas, welcher sich nebst einem zahlreichen Gefolge auf dem Leven eingeschifft hatte, dem englischen Statthalter vorzustellen und so die begonnene Sache möglichst kräftig vor dem obersten Vertreter Englands in diesen Gewässern zu befürworten.

Mabruk wurde mit allen Ehren empfangen, ihm auch nach eingehenden Berathungen die Zusicherung gegeben, daß seine Sache an die höchsten Behörden Englands berichtet und ihnen bestens empfohlen werden solle. Wiederum nach Ostafrika zurückgekehrt, bemühte sich Owen noch weiter für seinen Schutzbefohlenen, sorgte für Ordnung in der inneren Verwaltung, setzte an Stelle des bei einer Erforschung des Panganiflusses verstorbenen Lieutenant Reitz den Lieutenant Emery ein und veranlaßte im Jahre 1825 auch die Stadt Brawa, sich mit ihrem Gebiete an die Msara anzuschließen.

Mombas sah der schönsten Zukunft entgegen. Der Handel, welcher unter den fortwährenden Kriegen so sehr gelitten, belebte sich wieder und wurde bedeutender denn zuvor Doch nur kurze Zeit währte das junge Glück; die Antwort der englischen Regierung, welche im Jahre 1826 eintraf, knickte die Blüte, welche das entschlossene und umsichtige Auftreten Owens gezeitigt hatte. In offenbarer Verkennung der Verhältnisse, wahrscheinlich durch falschen Rath und die Vorstellungen Seid Saids verleitet, hatte man die Abmachung Owens verworfen und das junge Reich den Arabern Preis gegeben — ein verantwortungsschwerer und verhängnißvoller Schritt, welcher dem Sklavenhandel wieder Thür und Thor öffnete, das reiche Küstengebiet und das Binnenland, welchen unter europäischer Herrschaft eine segensreiche Entwickelung bevorstand, dem Verfall und Rückschritte wieder anheim gab — ein Fehler, den wieder gut zu machen es vielleicht bereits zu spät ist.

Seid Said konnte sich in Ostafrika nicht sicher fühlen, so lange das widerspenstige Mombas nicht gänzlich unterjocht war. Er schrieb daher sogleich nach dem Abzuge der Engländer einen Brief an den neuen Statthalter Salem und forderte ihn zur Unterwerfung auf. Als dieser sich nicht fügte, vielmehr durch Gesandte in Maskat 1827 mit ihm zu verhandeln suchte, ging er im Jahre 1828 mit seiner Flotte selbst nach Mombas. Seine Kriegsmacht war furchterweckend: sie bestand aus zwei gedeckten Schiffen mit 74 und 64 Kanonen, zwei Korvetten und sieben kleineren Kriegsschiffen mit einer Bemannung von 2000 Soldaten. Doch Salem ließ sich nicht einschüchtern und wollte jetzt weder von Unterhandlungen noch von Frieden mehr wissen. Nach drei Tagen eröffnete Said die Feindseligkeiten durch Beschießung der Stadt, fuhr darauf in den inneren Hafen und versuchte wiederum, diesmal mit mehr Glück, Verhandlungen anzuknüpfen. Die beiden Msara, Salem und Mbaruk, durch die Beschießung etwas eingeschüchtert, durch Stellung von Geiseln aus Saids Familie sicher gemacht, ließen sich bewegen, zu einer geheimen Unterredung an Bord zu kommen, sich sogar durch ein geringes Maß von Forderungen ködern, folgenden Vertrag zu beschwören:

„daß die Festung dem Sultahn übergeben und von diesem mit fünfzig Henati-Soldaten besetzt werden",

„daß Salem und seine Nachkommen im Namen Saids über Mombas regieren und die Staatseinnahme durch einen Beamten des Sultahns beaufsichtigt und zur Hälfte nach Maskat befördert werden solle".

Schon nach wenigen Tagen brach Said sein Wort, indem er erst 200, dann 300 Soldaten in die Festung legte: ein Unrecht, gegen welches die nun ganz in seine Hände gegebenen Msara sich nicht mehr wehren konnten. So war es, wie auch bei früheren Gelegenheiten, wiederum die List und nicht die Tapferkeit, welche dem Sultahn zu seinem Erfolge verhalf. In hohem Grade befriedigt fuhr Said nunmehr nach Sansibar und gab den Befehl, einen Palast zu bauen, da er sich entschlossen hatte, künftig seinen Sitz in Afrika zu nehmen; hierauf wandte er sich wieder nach Maskat zurück, wo eine Empörung gegen ihn ausgebrochen war.

Kurze Zeit danach gerieth das kaum erst beruhigte Mombas wieder in neue Bedrängnisse und zwar durch Nasser ben Soliman, den Statthalter von Pemba, welcher schon längst gestrebt hatte, sich in jener Stadt festzusetzen. Nachdem er die Msara bei Said wegen aufrührerischer Absichten zu verdächtigen versucht, ging er eigenmächtig nach Mombas und verlangte, daß man ihm die Regierung der Insel abtrete. Auf die Weigerung der Msara, Dies ohne schriftlichen Befehl des Sultahns zu thun, zog er sich in die Festung, deren Befehlshaber ihm ergeben war, und beschoß die Stadt. Die Einwohner schützten sich jedoch durch schnell aufgeworfene Wälle, zwangen ihn durch Hunger zur Ergebung, schickten sodann die fremde Besatzung nach Arabien zurück und warfen Nasser selbst in das Gefängniß, in welchem er später erdrosselt wurde.

Hierüber aufs Aeußerste aufgebracht, sandte Said sofort eine neue Truppenabtheilung aus. Es war zu spät, da Mombas sich bereits gänzlich von ihm losgesagt hatte. Durch Unruhen am persischen Meerbusen zurückgehalten, konnte er erst gegen Ende 1829 wieder vor der abtrünnigen Stadt erscheinen. Er griff sie von drei Seiten an, vermochte jedoch bei der tapferen und geschickten Gegenwehr der Mombasianer Nichts auszurichten und nahm daher seine Zuflucht zu Unterhandlungen. Ungeachtet der Geringfügigkeit der von ihm gestellten Forderungen weigerte man sich entschieden, wieder arabische Truppen in die Festung einzunehmen. Mißmutig zog er ab. Nach drei Jahren erschien er nochmals mit Heeresmacht vor Mombas, um die alte Schmach zu tilgen, aber wiederum vergebens.

Was Said mit all' seiner Macht nicht hatte erlangen können, sollte ihm mühelos durch die Uneinigkeit der Mombasleute zu Theil werden. Salem war im Jahre 1835 gestorben, und bereits war ein Jahr nach seinem Tode vergangen, ehe man sich über die Wahl seines Nachfolgers, Raschid ben Salem ben Achmed, geeinigt hatte. Aber auch jetzt noch gab es Ehrgeizige und Mißvergnügte in der Stadt, welche unter dem Vorwande, daß die Familie der Msara durch fortwährende Kriege das Land zu Grunde richte, überhaupt

Nichts mehr von ihr wissen wollten. Da sie allein zu schwach waren, baten sie Seid Said, welcher sich eben für eine neue Unternehmung gegen Mombas rüstete, sie von der verhaßten Herrschaft zu befreien. Said erschien Anfang 1837 wieder mit bewaffneter Macht vor Mombas, landete bei Kilindini im Süden der Insel und fand bei den Verräthern, welche ihn gerufen, und bei den durch Geschenke gewonnenen Wanikastämmen gute Aufnahme. Als die Msara sich von ihren eigenen Leuten verlassen sahen, traten sie in Verhandlungen mit Said und willigten in die von diesem gestellten Forderungen, nämlich „die Festung zu räumen, sich in der Stadt niederzulassen und die Abmachungen des vorigen Vertrags zu halten". Said legte 500 Soldaten in die Festung und verließ Mombas, getragen von dem stolzen Bewußtsein, die widerspenstige Stadt endlich doch gebändigt zu haben.

In Folge von Erklärungen einiger Angesehenen von Mombas, welche sich durch die Msara beengt fühlten, war Said schließlich zu der Ueberzeugung gekommen, daß die Insel nicht eher ruhig werden würde, als bis diese Familie gänzlich von der Herrschaft ausgeschlossen wäre. Er sandte daher, weil Raschid weder durch Zusage einer beträchtlichen Abfindungssumme, noch auch durch Anbietung der Statthalterstelle von Pemba oder Mafia zur völligen Abdankung zu bewegen war, seinen Sohn Seid Chalid nach Mombas, ließ fünfundzwanzig der vornehmsten Mitglieder der Herrscherfamilie heimlich gefangen nehmen und sie über Sansibar nach Arabien bringen. Hier starben die Meisten in harter Gefangenschaft; die Anderen, welche über Nacht mit Rücklassung aller ihrer Habe entflohen waren, ließen sich später mit Weibern, Kindern und Sklaven in Takaungu südlich von Malindi und in Gasi zwischen Mombas und Wanga nieder, wo sie zwar allmählich wieder etwas Kraft gewannen, nicht aber völlig sich erholten.

So war also die Herrscherfamilie des Achmed ben Mahammed ben Osman vernichtet und der letzte Akt des Dramas ausgespielt, zu welchem die englische Regierung durch Zurückweisung der angetragenen Oberherrschaft über Mombas Veranlassung gegeben.

Jetzt, nachdem er in dem ganzen Küstengebiete zwischen Kap Delgado und der Stadt Mukdischa keinen mächtigen Feind mehr zu bekämpfen hatte, beschäftigte sich Sultahn Said wieder ernstlich mit dem längst gehegten Plane, sich in Sansibar zur Ruhe zu setzen, theils um in der Nähe des immer wichtiger werdenden Küstenstriches zu sein, theils um den Betteleien und Plackereien der arabischen Großen in Maskat zu entgehen. Im Jahre 1840 bezog er sein neues Haus; später baute er sich auch auf dem Lande mehrere Paläste und gab sich nach seinem an Thaten und Anstrengungen reichen Leben den Werken des Friedens hin. Mitten in dieser Thätigkeit, in dem Genusse seiner Errungenschaften ereilte ihn der Tod im Jahre 1856 auf der Rückkehr von einer Besuchsreise nach Maskat. Er hinterließ elf, mit nicht rechtmäßigen Frauen gezeugte Söhne, von denen die bekanntesten Seid Suëni, Seid Turki, Seid Madjid und Seid Bargasch sind.

Das Reich zerfiel, nicht ohne Unruhen, in eine arabische Hälfte unter Seid Suëni und in eine afrikanische unter Seid Madjid. Bis zu Suënis Tode im Jahre 1866 blieb Sansibar noch in einem gewissen Abhängigkeitsverhältnisse zu Maskat, da es jährlich eine Summe von vierzigtausend Thalern dorthin zu entrichten hatte; jetzt bestehen solche Verbindlichkeiten nicht mehr.

Seid Madjid ist ein Mann in den dreißiger Jahren, von angenehmen Gesichtszügen und einnehmendem Gebahren. Gleich seinem Vater hegt er, wie bereits erwähnt, freundliche Gesinnungen gegen die Europäer im Allgemeinen und unter ihnen namentlich gegen die Engländer (welche des benachbarten Indiens halber überwiegenden Einfluß besitzen), nicht nur, weil deren Gegenwart ihm Vortheil bringt, sondern auch, weil er ihnen vielfach zu Danke verpflichtet ist. Ohne englischen Beistand hätte er weder seine Herrschaft gegen innere und äußere Feinde zu behaupten vermocht, noch würde heute seine Stellung den Nachbarstaaten gegenüber eine so geachtete sein. In den ersten Jahren seiner Regierung droheten ihm mancherlei Friude; er besiegte sie: nicht durch Tapferkeit, sondern — abgesehen von der Hilfe seiner Freunde — durch die Waffen des Schwachen, durch Nachgeben, durch Geldzahlungen, und wo dieses nicht half, durch Hinterlist.

Im Anfange des Jahres 1859 drohete sein älterer Bruder Seid Sukni, der seinem Vater in Maskat in der Regierung gefolgt war, seine vermeintlichen Rechte auf Sansibar durch bewaffnete Macht geltend zu machen. Seid Madjid blieb nach Empfang dieser Nachricht nicht unthätig. Sämmtliche Kriegsschiffe wurden mit größter Schnelligkeit in Vertheidigungszustand gesetzt, und die Häuptlinge der Küstenstämme durch gleichzeitige Schreiben zur Hilfeleistung aufgefordert. Diese Würdenträger trafen denn auch bald in zahlreicher Gesellschaft auf der Insel ein. Ebenso hatte man von den Pflanzungen alle nur irgend verwendbaren Sklaven herbeigerufen, sodaß die Stadt mit Bewaffneten überfüllt war. Diese kriegerischen Maßregeln trugen wesentlich dazu bei, die Aufregung der Gemüter zu erhöhen, umsomehr, als man wenig Glauben in die Treue dieser Scharen setzte und es selbst nicht für unwahrscheinlich hielt, daß sie beim ersten Erscheinen des Feindes zu dessen Fahne übergehen würden. Anstatt der nun täglich erwarteten Flotte kam aber die Nachricht, daß das indische Kriegsschiff Pundjab, auf die erste Nachricht von dem bevorstehenden Zwiste von Bombay abgesandt, Seid Sueni freilich schon auf der Reise nach Sansibar, aber noch in der Nähe von Maskat getroffen und ihn unter Zusicherung der englischen Vermittelung zur Rückkehr bewogen habe; somit war für den Augenblick die so verderblich aussehende Angelegenheit beigelegt. Da nun Seid Madjid späterhin seine Bereitwilligkeit erklärt, sich der Entscheidung des damaligen General-Statthalters Lord Canning zu unterwerfen, kam auf dessen Befehl im nächsten Jahre der Political Resident von Aden, Brigadier Coghlan nach Sansibar, um die streitigen Fragen zwischen den Brüdern zu untersuchen. Nach Empfang des Berichtes gewann Lord Canning die Ansicht, daß eine jährliche „Subsidie“ von 40,000 Dollars, welche der jüngere und im Besitze des besseren Theiles der Erbschaft befindliche Bruder dem älteren zu zahlen habe, eine entsprechende Entschädigung für den letzteren sei, und wurde diese Summe bis zu Seid Suënis Tode im Jahre 1866 regelmäßig entrichtet. Seitdem schweben die Unterhandlungen mit dem Thronfolger, welcher die Fortdauer dieser Zahlungen beansprucht, haben aber wenig Aussicht, den Wünschen Maskats gemäß geordnet zu werden.

Einmal soll auch ein Anschlag auf Seid Madjids Leben gemacht worden sein. Es hieß, ein Armenier sei für einige tausend Dollars gedungen, den Sultahn zu ermorden. Der Mann, dieses meuchlerischen Vorhabens beschuldigt, wurde ins Fort gesetzt. Durch einen kühnen Sprung von der Mauer desselben hoffte er die Freiheit wieder zu gewinnen, und suchte, nachdem ihm derselbe mit Ausnahme einer Beinverrenkung gelungen, Schutz im Hause des englischen Consuls, welcher ihm denselben aber selbstverständlich nicht gewähren konnte. Später muß es dem Angeschuldigten gelungen sein, seine Unschuld zu beweisen; denn nach kurzem Zwischenraume wurde er wieder bei seiner ursprünglichen Beschäftigung angestellt.

Gegen Ende eben dieses für Sansibar so ereignißreichen Jahres erhob sich Seid Bargasch, welcher sich durch fortwährende Wühlereien dem Sultahn, seinem Bruder, lästig gemacht und von diesem Befehl erhalten hatte, das Land zu verlassen. Anstatt aber an Bord des zur Abreise fertigen Fahrzeuges zu gehen, begab er sich Nachts, von einer zahlreichen Partei unterstützt, heimlich auf eine im Inneren der Insel gelegene Schamba, deren steinerne Gebäude, welche überdies noch von einer starken, mit vielen Schießscharten versehenen Mauer umgeben waren, den Platz zu einem Widerstande gegen gewöhnliche Feuerwaffen besonders geeignet machten. Wiederum zeigte sich Seid Madjid machtlos, und wiederum waren es Engländer, welche ihm, diesmal aus eigenem Antriebe, in der Gefahr beistanden. Einige Officiere des gerade im Hafen liegenden Kanonenbootes Lynx zogen mit des Sultahns Leuten vor das von Seid Bargasch besetzte Haus und eröffneten mit einer kleinen Kanone aus kurzer Entfernung ein so wirksames Feuer, daß es ein Leichtes gewesen wäre, den Eingang zu erzwingen, wenn nicht jede Truppe sich allzu bereitwillig gezeigt hätte, die Ehre des Sturmes den Kameraden zu überlassen. Der Angriff sollte am zweitfolgenden Tage erneuert werden, diesmal aber, zur schnellen Erledigung der Sache, mit ungefähr 150 Mann Marinesoldaten und Matrosen von obigem Schiffe und von der Fregatte Assaye. Es stellte sich jedoch heraus, daß Seid Bargasch einen zweiten Angriff nicht hatte abwarten wollen und bereits nach seinem Hause in der Stadt entwichen war. Man ließ dasselbe während der Nacht scharf bewachen; am nächsten Morgen ergab Bargasch sich ohne weiteren Widerstand. Hiermit war der Aufstand, welcher dem Sultahn leicht hätte gefährlich werden können, gedämpft, doch nicht, ohne daß er einigen hundert Menschen das Leben gekostet hatte. Wie nach Beilegung der vorigen Wirren herrschte auch jetzt großer Jubel unter der friedliebenden Bevölkerung der Stadt, und Seid Madjid erfreute sich wieder für einige Zeit der Ruhe und des Friedens. Das Ansehen der Wasungu aber, deren Beistand allein den günstigen Umschlag bewirkt hatte, stieg in womöglich noch höherem Grade. —

Zwei Jahre später entstanden neue Drangsale, hervorgerufen durch das Verhalten einiger der englischen Kanonenböte welche zur Unterdrückung des Sklavenhandels an der Ostküste Afrikas kreuzen. Durch hohen Fanglohn angespornt, erlaubten sie sich Uebergriffe mancherlei Art, nahmen und verbrannten friedliche Kauffahrer unter dem Vorgeben, daß diese sich mit Sklavenhandel beschäftigt hätten, setzten sich widerrechtlich in Besitz der Habseligkeiten von Schiffer und Schiffsgenossen und störten so in unverantwortlicher Weise den gesammten Handel der Küste. Dieses Treiben, welches mehr den erlaubten Handel als den verbotenen schädigte, rief unter den Europäern, in noch höherem Grade aber unter den zunächst betheiligten Eingeborenen allgemeine Mißbilligung hervor. Die während des Nordostmonsuns in großer Anzahl anwesenden Araber aus dem Norden, die unruhigen und händelsüchtigen Suri, sprachen sogar ganz offen feindselige Absichten aus und dachten endlich allen Ernstes daran, das englische Kriegsschiff Lyra, dessen Befehlshaber und Mannschaft sich bei diesem Unfuge besonders hervorgethan, in ihre Gewalt zu bringen und es nach ihrer Gewohnheit zu strafen. Da aber bei den Arabern in der Regel zwischen Wollen und Thun ein weiter Unterschied liegt, unterblieb auch diesmal die Ausführung des Planes. Es mag dieser Vorfall immerhin, mindestens zum Theile, mit dazu beigetragen haben, daß bald nachher mildere Instruktionen für die Befehlshaber der Kreuzer erlassen wurden, und mag hier noch zur Rechtfertigung der englischen Regierung eingeschaltet werden, daß dem obenerwähnten Officiere, nachdem die Dienstzeit seines Schiffes abgelaufen, kein zweites Kommando auf derselben Station übertragen wurde, obgleich er allen ihm zu Gebote stehenden Einfluß zu diesem Zweck aufbot.

Der trotzige Charakter jener Suri zeigte sich später noch bei einer anderen Veranlassung. Es herrscht, wie bekannt, bei den Mahammedanern die Sitte, sich häufig zu waschen, nicht allein vor jedem Gebete, sondern auch bei Mahlzeiten, nach der Verrichtung von Bedürfnissen ꝛc. In Orten nun, welche wie Sansibar an der See gelegen sind, wird der Strand vorzugsweise zu solchen Geschäften gewählt, was aber wiederum für die in unmittelbarer Nachbarschaft wohnenden Europäer ein unerquicklicher Anblick ist, namentlich des Morgens, wenn sich lange Reihen von Eingeborenen zu ihrem unsauberen Vorhaben einzufinden pflegen. Jeder Msungu suchte daher, durch Aufstellung einiger Leute diese Besucher von seinem Hause fern zu halten, und die Sansibarianer wußten sich auch mit der Zeit darein zu finden. Kam ein mit dieser Einrichtung nicht vertrauter Fremder und konnte nicht zeitig genug an seiner Absicht verhindert werden, so war es eine gebräuchliche Strafe, ihm zu befehlen und nöthigenfalls auch ihn durch Gewalt zu zwingen, das Anstößige mit den Händen ins Wasser zu tragen. Die Abneigung der Ungläubigen gegen üble Gerüche mag vielen Strenggläubigen eigenthümlich und willkürlich vorgekommen sein; genug, als eines Morgens ein Suri unter den Fenstern des amerikanischen Konsuls sich dem Wasser näherte, wurde er von einem Diener desselben aufgefordert, seine Schritte nach einer mehr abgelegenen Stelle zu richten. Von einer Weigerung und der Berufung auf das gute Recht von Seiten des Suri kam es bald zu heftigen Worten und, nachdem beide Theile sich verstärkt hatten, zu Schlägen, wobei der zuerst erwähnte Suri durch einen starken Hieb über den Kopf ziemlich erheblich beschädigt wurde. Seine Landsleute droheten mit blutiger Rache, falls der Verwundete erliegen sollte, und brachten dadurch Seid Madjid, dessen Macht nicht ausreichte, die Barbaren zu bändigen, in höchste Verlegenheit. Da griff er zu einem glücklich gewählten Mittel: er zahlte dem Hauptanführer drei- bis fünftausend Thaler und erkaufte sich dadurch den Frieden mit der ganzen Bande.

Seit dieser Zeit blieb dem Lande die Ruhe erhalten; Seid Madjids Herrschaft festigte sich mehr und mehr, und seine Vermögensumstände besserten sich in vortheilhaftester Weise, besonders seit nach Seid Suënis Tode die drückende Abgabe in Wegfall kam.

Wie sich die Verhältnisse in Zukunft, nach Seid Madjids Tode, gestalten werden, läßt sich noch nicht absehen, da der Harehm des Herrschers bis jetzt noch keinen Sohn hervorgebracht, wahrscheinlich auch keinen hervorbringen wird. Möglicher Weise wird dann der bereits erwähnte Seid Bargasch oder der zu Bombay in der Verbannung lebende Seid Turki die Regierung übernehmen, wenn nicht einer der jüngeren Brüder Madjids vorher dazu bestimmt werden sollte; möglicher Weise aber gibt Seid Madjids Ableben Veranlassung zu Unruhen oder gar zur Auflösung des jungen afrikanischen Staates: denn an unzufriedenen Elementen fehlt es weder auf Sansibar noch an der Küste. Wenn europäische Mächte dann nicht eingreifen, um die Ordnung zu erhalten, welche ihnen schon um des lieben Handels willen von größter Wichtigkeit sein muß, ist letzterer Fall sogar der wahrscheinlichere. Eine dritte Möglichkeit, daß ein europäischer Staat sich des Sansibargebietes bemächtigen könne, übergehen wir, weil die Eifersucht der Mächte vermutlich nicht dulden wird, daß Einer das durch natürliche Hilfsmittel und durch vortheilhafte Lage so ausgezeichnete Land für sich allein in Anspruch nehme. Indessen haben die Politiker schon in schwierigeren Fällen Rath gewußt, und ist es daher immerhin nicht undenkbar, daß die kommenden Jahrzehende auf den festen Punkten des Gebietes eine der europäischen Flaggen anstatt der blutrothen des Sultahns wehen sehen. Ob Dies zum Segen oder zum Unheile des Landes ausschlagen würde, vermag sich Jeder nach dem oben bei der Geschichte von Mombas Mitgetheilten selbst zu sagen. —

Seid Madjids Macht reicht dem Namen nach vom Kap Delgado bis Mukdischa, also über ein Gebiet von etwa dreizehn Breitengraden, beschränkt sich aber an der Küste in der That auf einige feste Plätze und Zollstätten. Das offene Land, selbst schon in geringer Entfernung von diesen, ist gänzlich unabhängig: die Bewohner desselben werden dem Sultahn nur dann zinsbar, wenn sie dem Zolle Unterliegendes nach Sansibar bringen. Vorzüglich in den jenseits der Linie gelegenen Küstenstädten sind die Beziehungen zur arabischen Macht von schwächlicher Art. So erkennen Brawa und Mukdischa Seid Madjid zwar als Schutzherrn an, weil sie als Küstenplätze noch im Bereiche der Geschütze seiner Flotte sind, halten sich aber nicht zu irgend welchen Leistungen an ihn verpflichtet. Nur Mukdischa gestattet ihm, einen Zoll von den hier verkehrenden Schiffen zu erheben; doch muß dieser noch mit den Häuptern der Stadt getheilt werden. Außerdem sind jene Plätze zugleich von den Sultahnen von Geledi oder von Barderah abhängig, weil ihnen durch diese ihr Lebensfaden, der Handel mit dem Inneren, nach Belieben abgeschnitten werden kann; die eigentliche Herrschaft führen jedoch die Scheiks oder Aeltesten, so daß die glücklichen Städte also dreierlei Herren haben.

Nicht einmal über seine Insel Sansibar herrscht Seid Madjid unbedingt: hier theilt er die Gewalt mit Muniemku, dem Haupte der Mukadim (oder mit dessen Nachfolger, da dieser selbst am 25. Juni 1865 starb). Dieser hat zwar eine von den Mukadim zu erhebende Kopfsteuer von jährlich 10,000 Dollars zu entrichten und in Kriegsgefahr Heeresfolge zu leisten, sein Einfluß in dem Inneren der Insel ist aber weit bedeutender als derjenige Seid Madjids.

Von den Wasuaheli wird Seid Madjid Hoheit betitelt und Sultahn genannt, obwol er als „Seid“ (ursprünglich: „Herr“) nur den Rang eines hohen Herrn beanspruchen kann. In Folge dessen sagen auch die Araber, wenn das Gespräch hierauf kommt: „er ist unser

Herr, aber nicht unser Sultahn; ein Sultahn ist ein großer Herrscher wie der von Rûm, d. i. die Türkei". —

Nach den Angaben, welche wir dem ehemaligen hanseatischen Konsul in Sansibar, Herrn Th. Schulz, verdanken, bestehen die Staatseinnahmen von Sansibar aus folgenden Posten (‡‡ = Mariatheresienthaler oder Dollar)

300,000 ‡‡ Zollpacht,
6,000 ‡‡ Ertrag der Insel Pemba (von der Ausgiebigkeit der Nelkenernte abhängig),
15,000 ‡‡ Ertrag der Krongüter (Schambas),
10,000 ‡‡ Kopfsteuer der Mukadim,

betragen also in Summa 331,000 ‡‡ oder eine halbe Million preußischer Thaler. Vor dem Jahre 1866 stellten sie sich um 150,000 ‡‡ niedriger, weil damals der Zollpacht 110,000 ‡‡ geringer war und die Abgabe nach Maslat noch bestand.

Eigentliche Steuern gibt es somit nicht. Vor einigen Jahren machte man auf Anrathen des englischen Konsuls den Versuch, eine Abgabe von Kokosnüssen und Gewürznelken zu erheben, sah sich jedoch bald genöthigt, sie wieder fallen zu lassen, weil die Steuer auf erstere bei den Schambabesitzern auf große Abneigung stieß, und es überdem an einem Talente fehlte, welches die Erhebung hätte einrichten können. Die Steuer auf Nelken besteht indeß noch unter der Form eines Ausfuhrzolles, welcher von Verschiffungen nach Indien erhoben wird und zu einem Vierteldollar per Gonje (14) festgesetzt ist. Auch die täglich auf den Markt gebrachten, für den unmittelbaren Verbrauch bestimmten Lebensmittel sollten mit einer Abgabe belegt werden; da diese jedoch vor Allem die kleinen Leute belastete, und die Erhebungskosten unverhältnißmäßig hoch waren, wurde schon nach wenigen Tagen wieder davon Abstand genommen. Die einzige Pflicht, welche auf dem Boden haftet, ist die der Heeresfolge.

Wie es sich von selbst versteht in einem arabischen Lande, wo Alles in der Person des Herrschers gipfelt, sind die Staatseinnahmen zugleich die Einnahmen des Sultahns, und braucht dieser mithin über deren Verwendung keinerlei Rechenschaft abzulegen. Er bestreitet von ihnen die Unkosten der Hofhaltung, bezahlt Beamte und Soldaten und unterhält seine Schiffe, d. h. thut für dieselben nur wenig von Dem, was ein europäischer Staat hierzu für nöthig erachtet. Alle diese Ausgaben sind aber verhältnißmäßig sehr gering; es bleibt dem Herrscher also, obgleich er seine Mittel in mancher Hinsicht durchaus nicht ängstlich zusammenhält, z. B. den Vertretern auswärtiger Mächte bisweilen ansehnliche Geschenke zukommen läßt, alljährlich eine beträchtliche Summe übrig. Diese verwendet er jedoch nicht zur Verbesserung der Zustände des Landes, sondern legt sie einfach in seinen Schatz. Er verlangt nicht Viel von seinen Unterthanen, gewährt ihnen aber auch nur Wenig. —

Das zur Landesvertheidigung bestimmte „stehende Heer" besteht aus etwa 1400 Söldnern, den schon erwähnten Beludschen. Im Falle eines Krieges würde diese, in den kleinen Festungen auf Küste und Insel vertheilte, schwache Schar allerdings nicht genügen; in solchem Falle sind jedoch die arabischen Grundbesitzer verpflichtet, nach Maß der Größe ihrer Besitzungen eine Anzahl Sklaven zu stellen, und soll so in kurzer Zeit die für hiesige Verhältnisse außerordentlich bedeutende Macht von 20- bis 30,000 Mann zusammengebracht werden können. Es läßt sich erwarten, daß es bei einer auf solche Weise ausgehobenen Schar oft an Waffen fehlt, und daß Gehorsam und Kriegstüchtigkeit sehr mangelhaft sein müssen; gleichwol ist diese Kriegsmacht nicht zu verachten, so lange sich ihr kein mächtigerer und besser ausgerüsteter Angreifer entgegen stellt. Reiterei besitzt das kleine Heer nicht, wol aber etwas schlechte Artillerie, welche von persischen und türkischen Kanonieren bedient wird.

Ebenso kann die Seemacht Sansibars nicht beträchtlich genannt werden, wenigstens nicht im Vergleich zu der schönen und zahlreichen Flotte, welche Seid Said unterhielt. Sie besteht aus zwei Fregatten zu 52 und 32 Kanonen — Schah Allem und Viktoria — einer Korvette zu 22 Kanonen — Iskander Schah — einem kleinen Schooner zu vier Kanonen — Afrika — und zwei Handelsschiffen — Nadir Schah und Gazelle — welche im Falle eines Krieges ebenfalls bewaffnet werden. Nur einige dieser Schiffe sind segelfertig; die anderen, alte, durch jahrelange Vernachlässigung untüchtig gewordene Gebäude, liegen abgetakelt im Hafen; allen aber fehlt es an wohlgeschulter Mannschaft und guten Kanonen. Neuerdings, als sich seine Einnahmen so bedeutend vermehrten, hat Seid Madjid wieder etwas für die Flotte gethan und den während des amerikanischen Krieges oft genannten Kaper Shenandoah angekauft, welcher jetzt seinen ursprünglichen Namen Sealing wieder erhalten. Dieser bildet mit der Dampfyacht Thule, ein Geschenk der indischen Regierung, und dem in Hamburg erbaueten, kleinen Bugsirboote Star den Anfang zu einer Dampfflotille.

Außerdem hält sich der Sultahn zu seinem Vergnügen eine Leibgarde von etwa einem Dutzend brauner, barfüßiger, nicht übermäßig reinlich aussehender Burschen (zumeist portugiesischer Herkunft), welche in alte, englische Uniformstücke, rothe Röcke, türkischen Fes u. s. w. nach Art der indischen Sipoys gekleidet sind. Ihr Hauptmann, ein alter Araber, kommandirt sie auf englisch und läßt sie auf dem Platze vor dem Hause des Sultahns in höchst lächerlicher Weise über Stock und Stein hinweg exerciren. Seid Madjid scheint großes Wohlgefallen an dieser Garde zu haben, insbesondere auch an ihren kleinen Musikaufführungen mit Trommel und Pfeife, da er diese sechs- bis achtmal täglich wiederholen läßt. Als er neulich in Bombay war, hat er neue Uniformen mitgebracht; denn die alten waren im Laufe der Zeit wirklich allzuschlecht geworden und auch durchaus nicht mehr „uniform". Seit dieser Zeit ist die Garde auch auf fünfzig Mann verstärkt worden. —

Die Beamten und Offiziere des Sultahns beziehen, wenn sie überhaupt auf feste Einnahmen angewiesen sind, sehr kärgliche Gehalte, selten mehr als 25 bis 50 Thaler monatlich. Dennoch erübrigen sie sich in kurzer Zeit ganz anständige Summen und hinterlassen bei ihrem Tode gewöhnlich ein schönes Vermögen. Die, leider auf abendländische Verhältnisse nicht anwendbare Kunst, von 25 Thalern Gehalt 50 zu sparen, möchte Manchem unverständlich erscheinen; ein Beispiel wird ihre Anwendung erläutern. Ein Befehlshaber hat den Auftrag, eine bestimmte Anzahl von Soldaten zu unterhalten, und bekommt das hierfür und für den Schießbedarf nöthige Geld zu gewissen Zeiten ausgezahlt. Er begnügt sich aber mit einer weit geringeren Anzahl von Leuten, läßt auch nicht alles bewilligte Pulver verknallen, spart vielmehr von jedem einzelnen Posten soviel als möglich. Nach dieser Anschauung ist er also vollkommen in seinem Rechte und braucht, selbst wenn der Sultahn den Fall von einem anderen Gesichtspunkte aus betrachten sollte, keine Furcht zu hegen, weil es in Sansibar weder eine „Oberrechnungskammer" noch „Revisoren" und „Inspektoren" gibt. Sollte es aber der Zufall fügen, daß ein Vorgesetzter sich einmal in zudringlicher Weise erkundigte, so kann ja die geringe Anzahl der Leute leicht durch irgend einen Vorwand erklärt oder, wenn Dies nicht gelänge, durch eine Anzahl schnell aufgegriffener Landstreicher ergänzt werden. In ähnlicher Weise helfen sich die Befehlshaber der im Hafen von Sansibar liegenden Kriegsschiffe, welche häufig der Gefahr eines „hohen Besuches" ausgesetzt sind. Da leiht sich z. B. der Emir Hammis, dessen Fregatte heimgesucht wird, die fehlenden Mannschaften geschwind vom Nahosa (Kapitain) Mabruk, so daß der Sultahn Alles in Ordnung vorfindet. Selbst wenn dieser ein Schiff nach dem anderen besuchen sollte, bekäme er nichts Auffälliges zu sehen: die wandernde Mannschaft würde hinter seinem Rücken noch schneller dort ankommen.

Uebrigens weiß der gutmütige Herrscher recht wohl, daß er, wie wir sagen würden, bestohlen wird, hält dies aber für gar nicht anders möglich und fügt sich mit anständigster Ruhe darein; vielleicht erscheinen ihm diese Betrügereien sogar vortheilhaft, weil dadurch Dasjenige, was außerdem verloren gegangen oder ausgegeben sein würde, gesammelt wird und ihm später, kraft eines ausgleichenden Erbrechtes wieder zukommt. Stirbt nämlich ein solcher Beamter, welcher sich, wie es häufig geschieht, von einem hungerigen Lumpen zu einem Haupte der Stadt und des Staates emporgeschwungen, so findet der Herrscher sein Eigenthum wohlerhalten und vermehrt in Gestalt von Schambas, Schiffen, Frauen, Sklaven und Kühen vor und ergreift davon einfach wieder Besitz. Daß er dem treuen Haushalter, welcher das Kapital so nutzbringend angelegt, die lebenslängliche Nutznießung überließ, erscheint nicht mehr als billig; daß er es nach römischen Rechtsgrundsätzen auch auf die Kinder desselben vererben lassen solle, kann Niemand verlangen. Diese bedürfen auch des väterlichen Erbes nicht; denn sie treten in die Fußtapfen ihrer Vorfahren, verfolgen dieselbe Laufbahn und erreichen in kurzer Zeit eine gleiche Wohlhabenheit. Bei solchen erzväterlichen Verhältnissen, welche Land und Leute gewissermaßen nur als Krongut des Sultahns und seiner Familie erscheinen lassen und den Herrscher berechtigen, wegzunehmen was ihm beliebt, darf man unseren Maßstab von Ehrlichkeit und Treue nicht anlegen — er würde einfach lächerlich sein.

Seid Madjid ist der oberste Richter des Landes. Er entscheidet alle bedeutenden Fälle persönlich und unverzüglich, läßt auch seinem Spruche, gegen welchen es keine Berufung gibt, unmittelbar die Ausführung folgen. Unbedeutende Sachen werden von dem Kadi entschieden, und kann dessen Urtheil noch durch den Sultahn abgeändert werden. Das Gerichtsverfahren ist mündlich: auch in den wichtigsten Fällen wird Nichts schriftlich aufgezeichnet.

Als Strafen sind Stockschläge oder Haft im Gefängnisse am gebräuchlichsten. Der zu Prügelnde wird an den Händen aufgehangen und an den Füßen mit Gewichten beschwert, damit er sich der Strafe nicht widersetzen könne.

Gefängnißstrafe wird in dem Fort abgebüßt, ist sie eine strengere, in Eisen. Für gewöhnlich haben es die Gefangenen, abgesehen von anderen Unannehmlichkeiten, welche ihr Aufenthaltsort bietet, nicht allzu schlecht: sie dürfen mit ihren Freunden verkehren, sich von diesen Speise und Trank bringen lassen, dürfen Tambu kauen, spielen, und brauchen nicht zu arbeiten. Um Jemand einkerkern zu lassen, bedarf es, wenigstens bei Hausdienern und Sklaven, keines besonderen Urtheilsspruches; es genügt, daß man den zu Bestrafenden in das Fort bringen läßt, dem Schließer eine Summe Geldes als Trinkgeld und für den Unterhalt des Gefangenen übergibt und bestimmt, auf wieviel Tage man letzteren untergebracht zu sehen wünscht, sowie, ob die Haft in Ketten abgebüßt werden soll oder nicht. Die einzige Aehnlichkeit mit europäischen Zuständen besteht darin, daß man bei festlichen Gelegenheiten (alljährlich am Ed Kurban) die Gefangenen frei läßt, jedoch mit Ausnahme der Hochverräther.

Entlaufene Sklaven werden entweder auf dem freien Platze vor dem Hause des Sultahns in bekannter Weise ausgestellt oder im Wiederholungsfalle zum Kettengange verurtheilt. Man legt ihnen vermittelst eiserner Ringe eine zwölf bis fünfzehn Zoll lange, aus zwei Gliedern bestehende Eisenstange an die Fußgelenke, kuppelt soviele Sträflinge, als gerade von den betreffenden Eigenthümern hierfür übergeben wurden, durch sieben bis acht Fuß lange Ketten zusammen und vermiethet die langsam mit gespreizten Beinen einherschreitende Schar für Tagelohn an Jedermann, welcher ihrer bedarf.

Auf Diebstahl stehen, vermutlich weil er selten entdeckt wird, die strengsten Strafen; Rückfälligen haut man die rechte Hand ab und taucht hernach, um die Blutung zu stillen, den Armstumpf in siedendes Oel.

Im Vergleich hierzu kommen die Mörder und Todtschläger sehr glimpflich weg. Von zufälliger Tödtung eines Sklaven wird nicht viel Aufhebens gemacht. Gehört er nicht dem Schuldigen selbst an, so kann der Besitzer leicht durch eine Geldsumme, welche oft den Werth eines Ochsen nicht übersteigt, entschädigt werden. Sogar die Ermordung eines Freien kann in den meisten Fällen durch ein bis 800 Thaler betragendes Blutgeld gesühnt werden. Lassen sich aber die Verwandten des Getödteten auf solchen Vergleich nicht ein, dann steht es allerdings schlimm mit dem armen Sündern; die Gerechtigkeitspflege der Halbbarbaren zeigt sich dann in ihrer ganzen Strenge und Scheußlichkeit. Unmittelbar nach dem höchsten Urtheilsspruche wird der Mörder von seinem Henker, einem Angehörigen des Opfers, wie ein Stück Vieh geschlachtet: der Rächer packt ihn, wirft ihn zur Erde, „säbelt“ mit einem Messer den Hals durch und trennt, nachdem er eine Weile gewartet, das Haupt vom Rumpfe. Das Urtheil über einen derartigen, alles Gefühl empörenden Brauch wird vielleicht gemildert, wenn man bedenkt, daß auch in unserer Gerechtigkeitspflege noch Spuren ähnlicher Barbarei sich finden. Oder ist es etwa minder verabscheuungswerth, daß ein gesitteter Mensch, und sei er auch ein Richter, kalten Blutes den Anderen hinmorden lassen kann, zur „Sühne“ des von diesem begangenen Verbrechens? — Um den grollenden Menschenfreund wieder völlig auszusöhnen mit jenem kaum halbgesitteten Volke, nennen wir noch einen Satz des dortigen Gesetzbuches: „absichtliche Mißhandlung eines Sklaven gibt diesem das Recht, sich einen anderen Herrn zu suchen“.

Bestrafung des Ehebruchs bleibt der Gerechtigkeitspflege des Geschädigten überlassen.

Nur Araber und Suaheli sind den Landesgesetzen unterthan: die indischen Staatsangehörigen Englands gehorchen dem Spruch ihres Konsuls; die Europäer, welche überhaupt in ähnlichen Ländern einen Staat im Staate bilden, stehen außer aller Gerichtsbarkeit. Den niedriger gestellten Wasungu kann allerdings der Konsul eine Strafe zuerkennen; Kaufleute hingegen dürften wol kaum zur Unterwerfung unter ein Urtheil gezwungen werden können, wenigstens nicht von einem Handelskonsul. Es bedarf übrigens auch nur selten eines Richters: die Wasungu Sansibars, nur wenige an Zahl, sind nicht dem europäischen Verbrechergesindel Charthums zu vergleichen. Sie halten den Eingeborenen gegenüber auf die Ehre ihrer Abstammung und sind bestrebt, auch unter sich in gutem Einvernehmen zu leben. Die trotzdem vorkommenden Streitigkeiten werden gütlich beigelegt oder durch beiderseitig gewählte Schiedsrichter geschlichtet. Ohne solche Verträglichkeit würde der Aufenthalt an einem Orte, wo Einer dem Anderen nicht ausweichen kann und geradezu auf seine Gesellschaft angewiesen ist, ein unerträglicher sein.

Polizei fehlt gänzlich auf Sansibar, falls man nicht die Nachts umherstreifenden, mehr Unfug verübenden als verhindernden Beludschen als Diener der Sicherheit ansehen will. In Folge dessen werden Diebstähle und andere Missethaten nur dann entdeckt, wenn der Geschädigte dem Verbrecher bereits auf der Spur ist. Durch die Ehrlichkeit der indischen Kaufleute kommt übrigens Manches zu Tage, was außerdem verborgen bleiben würde. Bringt beispielsweise ein Neger irgend etwas Verdächtiges zu ihnen, um es zu verkaufen, so machen sie, als englische Unterthanen, sofort ihrem Konsul die nöthige Anzeige. Dieser schickt den betreffenden Gegenstand bei sämmtlichen Wasungu herum und gibt ihnen dadurch Gelegenheit, ihr Eigenthum, falls sie es als solches erkennen, wieder zu erlangen und den Dieb zur Verantwortung zu ziehen. —

Auf Sansibar herrscht volle Glaubensfreiheit. Jeder darf seinen Gott in seiner Weise anbeten. Bei dem geringen Glaubenseifer der hiesigen Muslimin kann es nicht befremden, daß die Moscheen der Stadt weder zahlreich noch schön sind. Nur eines der 41 muslimitischen Bethäuser Sansibars, von denen 29 den Sunniten, drei den Schiiten und neun den Abaditen angehören, das in Malindi gelegene, besitzt ein Minaret; die übrigen unterscheiden sich wenig von anderen Häusern und werden zumeist erst durch den davor befindlichen Brunnen kenntlich, aus welchem die Gläubigen vor dem Gebete das zu ihren Waschungen nöthige Wasser schöpfen. Die Moscheen der Dörfer, namentlich auf der Festlandsküste, sind noch ärmlicher: wir kennen elende Schuppen, beinahe ohne Wand und Dach, welche man dreist mit dem Namen Moskiti beehrt.

Von Kirchen anderer Glaubensgenossen sind noch zwei bis drei ebenso unansehnliche Betsäle der Banianen zu erwähnen, sowie der Hindutempel in der Nasimoja und die Kapellen der englischen und französischen Mission, in welchen sonntäglich ein- oder zweimal unter Begleitung einer Physharmonika recht feierlicher Gottesdienst abgehalten wird. —

Für den öffentlichen Unterricht wird von Staatswegen Nichts gethan.

Die Seele des Landes, die Triebfeder aller menschlichen Thätigkeit auf Sansibar, ist der Handel. Wie wäre dies auch anders möglich, da der Staat, d. i. der Sultahn, von dem Ertrage desselben lebt, da die Einwohner, Einheimische sowol wie Fremde, sämmtlich Völkern von dem ausgeprägtesten Handelsgeiste angehören? Europäer und Indier halten sich einzig zu dem Zwecke auf, hier Handel zu treiben; die Araber sind gleichfalls Geschäftsleute oder durch den Ertrag ihrer Grundstücke auf den Handel angewiesen, und selbst die Neger, soviele deren nicht mit Handarbeit beschäftigt sind, suchen es den höherstehenden Rassen gleichzuthun.

Der Handel Sansibars, welcher zu Anfange der dreißiger Jahre dieses Jahrhunderts noch so unbedeutend war, daß ein Schiff nur mit Mühe eine Ladung zusammenbringen konnte, hat jetzt einen noch jährlich wachsenden Werth von zehn Millionen Thalern, zu welchem die Ausfuhr weit beträchtlicheren Beitrag liefert als die Einfuhr. Seine Hauptgegenstände, für welche Sansibar zugleich den ergiebigsten Markt der Welt darstellt, sind Elfenbein, Gewürznelken und Kopal. Am stärksten dabei betheiligt sind, der Reihenfolge ihrer Wichtigkeit nach, die Ostküste von Afrika, Nordamerika, Indien, Hamburg, Frankreich, Arabien und Madagaskar, dieselben Länder, welche auch die größte Menge der Einfuhrartikel liefern. Aller Handel, mit Ausnahme des Sklavenhandels, ist vollständig frei, da Niemandem irgend ein Zweig desselben verboten ist und auch die einfachen Zollgesetze ihn nicht hemmen; es ist nämlich die Ausfuhr frei, die Einfuhr der Europäer mit fünf Procent belastet, die der Eingeborenen mit zehn, zwanzig bis dreißig vom Hundert, je nach den Waaren, welche gebracht werden, und nach den Plätzen, von denen sie kommen. Eine genaue Zollüberwachung findet übrigens, wenigstens was die Europäer betrifft, nicht statt; der Zollpächter verläßt sich bei Erhebung der ihm gebührenden Abgaben auf die Ehrlichkeit unserer Landsleute.

Je nach der Lebhaftigkeit und Richtung des Handels kann man das Jahr in zwei Hälften theilen, in die des Südwest- und des Nordostmonsuns. Letztere stellt die eigentliche Geschäftszeit dar. Anfangs Dezember erscheinen die mit dem ersten Wehen des neuen Windes in Indien und Arabien abgesegelten Küstenfahrzeuge, ihre Ankunft durch Schreien und Jauchzen der Mannschaft, durch Tamtamschlag und Gewehrgeknatter verkündend. In Kurzem füllt sich der Hafen mit zahllosen Daus, Mtepes, Bethens, Betelas, Bogalos und wie alle diese kleinen und großen Schiffe heißen mögen. Fremdartige Gesichter zeigen sich in der Stadt. In Straßen und Läden sieht man Waaren ausliegen, welche vorher fehlten oder spärlich waren: es brachten die Suri und Somali für den Unbemittelten übelriechende, geräucherte Fische und röthliches Steinsalz, für den Wohlhabenden Kaffee, Datteln, Schafe, Ziegen, Kamele, Pferde, und für den Kaufmann Häute der in der Heimat geschlachteten Ochsen und einzelne Felle wilder Thiere; die Indier aber versahen den Markt mit Reis und ausgelassener Butter, mit bunten Baumwollen- und Seidenstoffen, mit Hausgeräth und tausend anderen Gegenständen des täglichen Gebrauchs.

Viele der Schiffer gehen weiter südwärts, nachdem sie gelöscht, treiben auf den Komoren und in Madagaskar Zwischenhandel und kehren beim Beginne des Südwests in Begleitung dortiger Schiffe, mit reichen Ladungen an Reis, Ochsen, Ziegen, Kaurimuscheln, Kokosstricken, Häuten, Wachs und beiderlei Ebenholz, zurück.

Der Verkehr mit den nahe gelegenen Theilen der Suahelikūste blüht das ganze Jahr hindurch; sie empfangen europäische und indische Waaren zum Gebrauche der Küstenbewohner und für den Verkehr mit dem Inneren und geben dagegen das kostbare Elfenbein, Kopal, Sunsimölfrucht, Mtama und Reis, Ochsen und deren Häute, Wachs, Matten, Holz und Anderes von der Fülle ihres Reichthums.

Ueber die Anzahl der kleinen und großen Fahrzeuge, welche Sansibars indischen und afrikanischen Handel vermitteln, läßt sich nichts Genaues feststellen, da diese ab- und zugehen, oft, ohne sich im Zollhause zu melden, und jedenfalls, ohne daß dort eine Liste über sie geführt wird; doch übersteigt sie sicherlich die Zahl von Eintausend.

Genauer bekannt ist der Verkehr von Schiffen europäischen Baues — Merkabu der Suaheli: er schwankt in den verschiedenen Jahren zwischen sechzig und hundert. Nur wenige, wie die amerikanischen Wallfischfahrer, besuchen den Hafen nicht des Handels wegen, sondern um sich mit frischem Fleisch und anderen Bedürfnissen zu versehen. Da ihr Erscheinen mit geringen Ausnahmen nicht von den Jahreszeiten abhängt, sieht man jederzeit einige von ihnen, oft acht bis zehn, mit Löschen oder Laden beschäftigt. Ihre Arbeit besteht hauptsächlich in der Fortschaffung der Erzeugnisse der ostafrikanischen Küste: was sie dafür zu bieten vermögen, ist im Allgemeinen sehr wenig; die meisten von ihnen kommen halb beladen oder sogar mit Ballast. Unter den von ihnen eingeführten Waaren sind Baumwollenzeuge, Glasperlen, Eisen- und Messingdraht, Waffen (abgesetzte Militärgewehre, besonders solche mit Steinschlössern), Kurzwaaren, Porzellan und Steingut, Mehl, geistige Getränke, Zucker, Seife und Lichte die wichtigsten. Am stärksten betheiligen sich an diesem Verkehre die Amerikaner, deren Schiffe von hier aus oft noch Maskat und Indien besuchen; nur bei ihnen hält die Einfuhr der Ausfuhr einigermaßen die Waage, da sie ihre weißen Baumwollenzeuge (shooting, von den Suaheli Amerikano genannt) in Menge zu Markte bringen. Nächstdem sind die Hamburger und französischen Fahrzeuge die zahlreichsten. Die Franzosen sind am meisten genöthigt, die gekauften Waaren baar zu bezahlen; sie haben in manchen Jahren nahezu für eine halbe Million Francs gemünztes Geld einführen müssen. Unsere Landsleute wurden neuerdings durch Uebernahme von Kohlenlieferungen für die englische Regierung in die Lage versetzt, gleichfalls theilweise volle Ladung zu haben. Mehrere ihrer Schiffe dienen dem Verkehre mit der Westküste Afrikas, mit Lagos in der Bai von Benin: sie bringen nach dort Ladungen von Kauris, um sie gegen Palmöl umzutauschen. —

Die Hauptmünze des Sansibarmarktes, früher die ausschließliche, ist der silberne Maria-Theresia-Thaler, welchem vor einigen Jahren der amerikanische Dollar an Werth gleichgestellt wurde. Er gilt von Egypten bis herab nach Madagaskar und wird noch jetzt in Wien für den afrikanischen Handel (mit der alten Jahreszahl 1784) geprägt. Sein Werth kommt einem Thaler dreizehn bis fünfzehn Groschen unseres Geldes gleich. Bei den Suaheli heißt er reali meosi, d. i. schwarzer Thaler, weil die längere Zeit umlaufenden Stücke eine schwärzliche Farbe annehmen; diese gilt als Kennzeichen der Güte des Metalles und mußte früher, als die Leute noch nicht so aufgeklärt waren, bei neugeprägten Thalern künstlich hervorgebracht werden, um dieselben verkäuflich zu machen.

Nächstdem kommen die französischen Fünffrankenthaler am häufigsten vor, werden jedoch nur in Sansibar selbst und weiter südwärts auf den Komoren und in Madagaskar genommen. Sie gelten nach Zulegung von acht Pesa dem schwarzen Thaler gleich, d. h. sind etwa zwei und zweidrittel bis drei Groschen weniger werth als dieser; ebenso verhält es sich mit den Rupien, welche dem halben Fünffrankenthaler entsprechen. Auch französisches und nordamerikanisches Gold kommt häufig vor; desgleichen findet man die Unzen der mittel- und südamerikanischen Republiken und englische und australische Sovereigns hier vertreten, sieht auch dann und wann einen spanischen Säulenpiaster, reali msinga oder Kanonenthaler der Suaheli, welche die Säulen zu beiden Seiten des Gepräges für Kanonen ansehen. Als Seltenheit zeigen sich endlich preußische Thaler, halbe Dollar, Francs, englische Schillinge und dergleichen mehr.

Als alleinige Scheidemünze sind die ostindischen Pice oder Quarter Annas, hier gewöhnlich Pesa genannt, kleine Kupfermünzen, von denen drei einem Groschen unseres Geldes entsprechen, im Gebrauch. Ihr Werth im Verhältniß zum Silber schwankt, je nachdem sie häufig oder selten sind: bisweilen erhält man für einen Thaler 110, zu anderen Zeiten 132 Pesa. Durchschnittlich kann man annehmen, daß ein schwarzer Thaler 128, ein französischer Thaler oder zwei Rupies 120 Pesa gilt. Im Kleinverkehre rechnet man auch nach Robbo oder Viertelthalern und nach Sumni oder Achtelthalern. Kaufleute bedienen sich bei ihren Rechnungen der Cents oder Hunderttheile des Maria-Theresia-Thalers.

Trotz der starken Metalleinfuhr von Europa und Amerika her ist keine Zunahme an Münzen zu bemerken, was sich einfach daraus erklärt, daß die Indier alle ihre Ersparnisse in Metall und vorzugsweise in Silber anlegen, sie mit nach ihrer Heimat nehmen und so dem Umlaufe entziehen. Diese Liebhaberei, welche in ganz Süd- und Ostasien zu Hause ist, verschlingt bekanntlich erstaunliche Massen Silbers; die gesammte Silbererzeugung der ganzen Welt vermag solchem Abflusse kaum die Waage zu halten.

Wegen der landesüblichen Maße und Gewichte verweisen wir auf den Anhang.

Ab und zu erscheinen in dem bunten Gewimmel der Handelsschiffe auch Kriegsschiffe, vorzugsweise englische; bisweilen liegen ihrer vier bis sechs im Hafen, zu anderen Zeiten fehlen sie auch gänzlich. Ihr Besuch hängt ebenfalls nicht von der Jahreszeit ab, ist jedoch im Allgemeinen zur Zeit des Nordostmonsunes am stärksten. Dann kommen auch einige Franzosen von Reunion, um ihre hafenlose Insel während der dortigen, schlechten Jahreszeit mit dem sicheren Sansibar zu vertauschen. Wann die Kriegsschiffe (von Fremden und Eingeborenen allgemein man-of-war genannt) zahlreich vertreten sind, herrscht ein reges Leben in der Stadt: die Verkäufer von Fleisch, Feldfrüchten, Hühnern, Eiern und Milch haben gute Zeit, fordern und erhalten jetzt doppelte Preise für geringere Waare; Charles, der französische Gastwirth, Schlächter und Bäcker, ist ungemein beschäftigt, schlachtet seine besten Ochsen, welche er bis dahin aufgespart, und sieht mit Schmunzeln seine Lagerräume für geistige Getränke und Lebensbedürfnisse sich entleeren; auch die portugiesischen Butikeninhaber, die Verkäufer von lebendigen Thieren, von Muscheln und Seltenheiten und so manche andere Leute machen vortreffliche Geschäfte; besonders aber freut sich der halbblütige Lootse — ein kleiner, dicker, lebhafter, vielsprachiger Mann, dessen Gefälligkeit keine Grenzen kennt — und stolzirt im Bewußtsein seiner Wichtigkeit in Staatskleidung umher. Die Stadt füllt sich mit fremden Gesichtern und Trachten: ein Theil der Schiffsmannschaft, welchem die Gastlichkeit der europäischen Haushalte nicht zugänglich, erholt sich in Charles einfachen Gastzimmern; junge Midshipmen nehmen den Marstall des Sultahns zu Spazierritten in Anspruch; der größte Theil der Offiziere hält sich soviel als möglich in den Kaufmannshäusern oder Konsulaten auf und läßt sich, nach langweiliger Seefahrt, die Gastlichkeit und Geselligkeit Sansibars wohl behagen.

Auf die Länge der Zeit bringt der so sehr gesteigerte Verkehr außer den erhöhten Preisen der Lebensmittel auch andere Unannehmlichkeiten mit sich. In manchen, vorzugsweise besuchten Haushaltungen wird erst dann wieder Ruhe, wenn die Man-of-war-Gäste wieder den Hafen verlassen haben. Sie mißbrauchen allerdings die wirklich große Gastfreundschaft höchst selten — wenn ein Unverschämter auch wirklich einmal so weit geht, daß er die gastlichen Häuser geradezu als Gasthäuser betrachtet, wird er durch ein Wort seines Kapitäns zur Ordnung gerufen und von der Vergünstigung, sie zu besuchen, ausgeschlossen — es erscheinen aber doch auch Stunden und Tage, an denen man sich sehnt, wieder allein zu sein, um dann wieder die Freude eines unerwarteten Besuches haben zu können. —

In Bezug auf Verbindung mit der Heimat sind die Wasungu übel daran. Ein regelmäßiger Postverkehr fehlt gänzlich. Bei der steigenden Wichtigkeit der Ostküste ist es zwar nicht unmöglich, daß über kurz oder lang eine Dampferverbindung mit der Kapstadt oder mit Aden eingerichtet wird; gegenwärtig aber erhält man nur zeitweilig und zu unbestimmten Zeiten durch Kriegs- oder Handelsschiffe die Briefe und Zeitungen von den Seschellen, von Bombay oder einer anderen Poststation, oft bleibt auch Monate lang jegliche Nachricht aus. Zeigt sich dann in der Ferne ein Segel, von welchem man vermutet, daß es die Post bringen könne, so entsteht eine freudige Aufregung in Schangani; das Schiff naht, wirft Anker; man eilt zu dem betreffenden Konsul und nimmt von ihm in Empfang, was das Schicksal bescheert. Da sieht man freudestralende Gesichter bei den Glücklichen, welche von ihren Lieben nicht vergessen wurden, und traurig schleicht im allgemeinen Jubel wer leer ausging hinweg.

Noch vor zwanzig Jahren war der Name Sansibar in Europa fast unbekannt. Allerdings hatten schon Ende des sechzehnten und Anfang des siebzehnten Jahrhunderts einige englische Schiffe auf Handelsreisen die Insel berührt; auch waren hundert Jahre später von der britischen Regierung Männer ausgeschickt worden, um Beobachtungen dort anzustellen und Erkundigungen einzuziehen; ferner hatte ein englisches Geschwader unter Kapitän Owen in den Jahren 1822 bis 1826 die ganze Ostküste Afrikas mit ihren Häfen aufgenommen, und zwanzig Jahre später ein anderes Kriegsschiff unter Kapitän Christopher dasselbe Gebiet von Kiloa bis Mukdischa nochmals untersucht; endlich hatte der französische Flottenoffizier Maizan 1845 versucht, in das Innere einzudringen — ein unglückliches Unternehmen, welches mit seiner Ermordung endete — und ein französisches Kriegsschiff unter Kapitän Guillain 1846 bis 1848 nochmals das Küstengebiet in wirthschaftlicher und wissenschaftlicher Beziehung durchforscht: doch war die Kunde von Allem, was jene Männer erfuhren, nicht in weitere Kreise gedrungen. Erst Ende der vierziger Jahre wurde die allgemeine Theilnahme auf jene Gebiete gelenkt, weil man nach den neuesten Nachrichten die seit Jahrtausenden vergebens gesuchten Quellen des Nils hier zu vermuten hatte, weil hier mächtige Schneeberge, deren Dasein man vorher kaum geahnt, entdeckt worden waren und die Entdeckung ungeheurer Binnenmeere nahe bevorstand. Nicht nur die Gelehrten geriethen hierdurch in Aufregung, auch die gesammte gebildete Welt zeigte die lebhafteste Theilnahme und las nunmehr mit Spannung die Berichte über die reichen Erzeugnisse jener Länder, über den Elfenbeinhandel Sansibars, über Land, Leute und Herrscher. Durch die neuesten Entdeckungen kühner Reisender wurde der Name von Insel und Stadt endlich so bekannt, daß ihn wol Jeder wenigstens gehört hat.

Zwei Deutsche sind es, welchen wir diesen Umschwung verdanken, die Missionäre Krapf und Rebmann. Ohne ihre anfangs sonderbar scheinenden, später aber glänzend bestätigten Berichte hätten weder Burton und Speke in den Jahren 1856 bis 1859 die bewunderns-würdige Reise unternommen, welche zur Entdeckung der großen Seen Tanganika und Ukerewe führte, noch Roscher, Speke und Grant und von der Decken sich jenen Gebieten zugewendet, auf denen sie soviel Ruhm ernten sollten. Sie Alle bestätigten genau genommen nur Das, was die Missionäre vorher erkundet und gesehen hatten: Roscher und die Engländer, indem sie die Seen besuchten, von der Decken, indem er durch seine Reisen alle Zweifel über das Vorhandensein des Schneebergs Kilimandscharo abschnitt.

Noch in diesen Jahren haben sich wieder Reisende nach Sansibar gewandt: Livingstone, als er seine Wanderung nach dem Seegebiet antrat, und die beiden opfermutigen Deutschen Kinzelbach und Brenner, welche den Angehörigen von der Deckens möglichst sichere Nachrichten über dessen und seines Begleiters letzte Schicksale zu bringen unternommen haben. —

Für Reisende an Afrikas Ostküste ist Sansibar dasselbe und mehr, was Kairo und Charthum für den Nordosten sind. In dieser, an Hilfsmitteln reichen und der Küste so nahe gelegenen Stadt versorgt man sich mit Allem, was man für die Reise braucht, verschafft man sich Empfehlungsbriefe des Sultahns und findet die gastfreundschaftlichste Unterstützung der europäischen Kaufleute und Konsuln; durch diesen Mittelpunkt der Ostküste bleibt man in Verbindung mit der fernen Heimat. Diese Wichtigkeit Sansibars für den Entdeckungs-reisenden wird auch immerdar bleiben, da es nicht wahrscheinlich, daß ein anderer Ort der Küste sobald ähnliche Bequemlichkeiten und Vortheile bieten werde, oder daß der Forschungs-trieb, welchem hier noch die erhabensten Ziele winken, erkalte.

Niassa-Reise.

Siebenter Abschnitt.

Kiloa.

Vorbereitungen in Sansibar. — Korallen. — Arabische Schiffe. — Seereise nach Kiloa: Delphine. Kampf zwischen Seevögeln und Fischen. — Kiloa Kibendsche und Kiloa Kissiwani. — Unannehmlichkeiten. — Eine Versammlung der Väter der Stadt. — Nach Sansibar zurück. — Endlose Verhandlungen. — Lager der Wabisa und Wahiao. — Wildschweine. — Hundsaffen. — Ein Abenteuer.

Wer in Afrika reist, lernt Geduld als erhabene Tugend würdigen. Der Reisende kann ausgerüstet sein mit den vortrefflichsten Eigenschaften, kann sich Jahre lang vorbereitet haben auf seine Reisen: ohne Geduld wird er schwerlich Etwas erreichen. Wer sie nicht mitbringt nach Afrika, muß sie sich dort erwerben, früher oder später; denn ohne sie und ohne beharrlichen, unabänderlichen Gleichmut ist erfolgreiches Reisen unmöglich. Wer meint, heimische Anschauungen und Gewohnheiten auch dorthin mit sich nehmen zu können, hat diesen Irrthum in der Regel theuer zu bezahlen, mit bitteren Erfahrungen, mit Aerger und Krankheit, selbst mit seinem Leben.

Mit Unrecht schelten wir die Morgenländer, Türken und Araber insbesondere, wegen des Gleichmutes, welchen sie sich stets bewahren oder wenigstens äußerlich zur Schau tragen; denn dieser Gleichmut ist das Ergebniß von Jahrhunderte langer Beobachtung und richtiger Würdigung des Landes und seines Klima, der Menschen und ihrer Anschauungen, wie andererseits nothwendige Folge des Islahm, welcher mehr als jeder andere Glaube das Leben seiner Anhänger regelt und leitet. Leute, welche mit Inbrunst an ein ewig unabänderliches Walten des Schicksals glauben, welche durchdrungen sind von dem Lehrsatze, daß jeder

Tag eines Menschenlebens im Voraus wohlweislich bestimmt und bemessen, daß den Begnadigten kein Geschick erreichen könne und den minder Bevorzugten der unbedeutendste Unfall gefährden müsse, haben von der Würdigung der Zeit keinen Begriff, verstehen das stets unbefriedigte Vorwärtsstreben des gesitteten Menschen nicht, können das verzehrende Ringen und Jagen, die fieberische Hast desselben nicht fassen. Was der heutige Tag nicht bringt, trägt der morgende in seinem Schoße: „morgen, so Gott will", lautet das arabische Sprüchwort und tröstet, wenn aus dem Morgen wiederum das Heute geworden. Dem Europäer, welcher zum ersten Male den sonnendurchglühten Boden des Morgenlandes betritt, fällt es anfänglich schwer, sehr schwer, in diesem geduldigen Gleichmute eine Tugend, in den scheinbar so tief unter ihm stehenden Anhängern des Propheten seine Lehrmeister zu erkennen: und dennoch eifert er später, freiwillig oder gezwungen, ihrem Beispiele nach. Glücklich, wer Dies thut, ehe es zu spät ist!

Nach neunundachtzigtägiger Fahrt war der Baron Carl Claus von der Decken Ende September 1860 in Sansibar angekommen. Noch ehe er seinen Fuß an das Land gesetzt, wurde ihm eine erschütternde Kunde, welche gehegte Hoffnungen vereiteln, gefaßte Pläne umgestalten mußte. Albrecht Roscher, ein trefflich vorbereiteter, junger Reisender aus Hamburg, welchem er sich anzuschließen, mit dessen Begabung er seine frische Thatkraft, mit dessen Erfahrungen er seine reichen Geldmittel zu vereinigen gedachte, war am Niassa-See ermordet worden. Mit Roscher verbunden, glaubte Decken Großes leisten zu können, und dieser Gedanke allein war es gewesen, welcher ihn bestimmt hatte, seine Reiselust auf diesen Theil Ostafrikas zu lenken. Die Nachricht von dem Tode des erwählten Gefährten war für Decken der Anfang des Mißgeschickes, welches ihn seitdem nicht mehr verlassen hat. Wie ein rother Faden zieht sich dieses „treue Unglück" durch die Geschichte seiner Reisen, vom Tage der Ankunft an bis zu dem beklagenswerthen Ende der trotzdem stetig an Großartigkeit wachsenden Pläne und Unternehmungen dieses ausgezeichneten Menschen.

Mit der ihm eigenen Thatkraft überwand Decken den überwältigenden Eindruck der empfangenen Kunde, und ohne Bedenken faßte er den Entschluß, den Unglücksplatz am Niassa-See, die Stelle, auf welcher Roscher durch Meuchelmord sein Ende gefunden, aufzusuchen, um wenigstens die Papiere des als Opfer seines Forschungseifers Gefallenen zu retten. Ungesäumt ging er an das Werk. Die großartige Gastfreundschaft des Hauses Wm. O'Swald u. Co., welche ihm durch die dortigen Vertreter desselben, die Herren Witt und Schulz gewährt wurde, erleichterte ihm seine Vorbereitungen. Er machte sich vertraut mit Sansibar und seinen Beziehungen zum gegenüberliegenden Festlande, studirte eifrig Sprache, Sitten und Gebräuche der Bevölkerung und rüstete sich in kürzester Zeit mit dem zur Reise Nothwendigen aus.

Ein treuer Diener Namens Koralli, welchen er aus Europa mitgebracht, leistete ihm hierbei die wesentlichsten Dienste. Koralli war ein sehr befähigter Mann und ein vortrefflicher Diener. Schneller noch als sein Gebieter machte er sich, in Folge seines beständigen Umgangs mit den angeworbenen Eingeborenen, die Suahelisprache zu eigen, und, stets auf dessen Nutzen bedacht, leitete er die mit den Vorbereitungsarbeiten beschäftigten, farbigen Diener, welche nothwendiger Weise überwacht werden mußten, in so musterhafter Weise, daß es Decken möglich wurde, seine kostbare Zeit fast ausschließlich der Durcharbeitung des gefaßten Planes zu widmen. Koralli's eigentlicher Name war Korrath, sein Geburtsland Steiermark; durch langjährigen Aufenthalt in Italien aber hatte er sich nicht blos die welsche Sprache, sondern auch welsches Denken und Handeln angeeignet, ja sogar den ihm dort beigelegten Namen beibehalten. Koralli war Reisender aus Leidenschaft, hatte jahrelang ein fast ununterbrochenes Wanderleben geführt, mit verschiedenen Herren Deutschland, Frankreich,

Italien, Ungarn und Egypten durchzogen, sich auf diesen Reisen die hauptsächlichsten Sprachen Europas angeeignet und nicht zu unterschätzende Fertigkeiten der verschiedensten Art erworben. Koralli verstand fast von jedem Handwerk Etwas, jagte eben so leidenschaftlich als er reiste, wußte die Jagdbeute stets zu verwerthen, sei es für die Küche, sei es für die Sammlung: Koralli war in allen Sätteln gerecht. Aber dieser treue, unentbehrliche Diener, welcher sich keinen Augenblick besonnen haben würde, sein Leben für das seines Herrn in die Schanze zu schlagen, hatte einen großen Fehler: ihm, der fast Alles gelernt, war es nicht gelungen, sich Geduld zu erwerben. Das unbedeutendste Ereigniß konnte ihn derartig erregen, daß er sich bis zum unbedachten Gebrauche der Schußwaffe vergaß, das leichteste Unwohlsein ihn so verstimmen, daß er sich geberdete, als ob er am Leben verzweifeln müsse. Von der bewunderungswürdigen Gabe seines Gebieters, auch Krankheit und Schmerz mit Gleichmut zu ertragen, war ihm Nichts zu Theil geworden; gleichwol nahm er auf Erhaltung seiner Gesundheit niemals Bedacht und büßte diese Sorglosigkeit zuletzt auch wirklich mit seinem Leben. Diese Artung Korallis that seinen übrigen vortrefflichen Eigenschaften empfindlichen Abbruch; sie nöthigte Decken, sich mehr als einmal ernstlich mit der Frage zu beschäftigen, ob er nicht besser und sicherer ohne solchen Begleiter reisen würde.

Die Vorbereitungen wurden von einer Seite her erschwert, von welcher man es am wenigsten erwartet hätte. Gleichzeitig mit Decken rüsteten sich Speke und Grant auf ihre Reise zur Entdeckung der Nilquellen. Vom Staate ihnen bewilligte, reiche Geldmittel gestatteten diesen Reisenden, den angeworbenen Leuten ein für die dortigen Verhältnisse überaus hohes Handgeld zu geben und dreifachen Lohn zu bieten. Hierdurch bereiteten sie dem weniger rücksichtslosen Decken einen schweren Stand. Nach ihrer Abreise hatte dieser zwar wieder freies Feld, mußte sich aber mit weniger guten Leuten begnügen.

Glücklicher Weise fand er in dem O'Swald'schen Aufseher Sadik einen willigen, mit den Verhältnissen des Landes vertrauten Mann, welcher ihn bei den Verhandlungen und Abschlüssen dienlichst unterstützte und unter Anderem seinen Schwiegervater Abderrahman den Plänen des Reisenden so geneigt machte, daß dieser versprach, auch in Kiloa, wo letzterem Niemand mehr zur Seite stand, ähnliche Dienste zu leisten. Gleichzeitig wurde mit dem Dschemmedar Moluk verhandelt, einem Manne, welcher schon mit Burton und Speke am See Ukerewe gewesen war; dieser stelle jedoch, durch die Engländer verwöhnt, fast unannehmbare Forderungen — verlangte ein Zelt für sich, die Erlaubniß, seine Frau mitzunehmen, und erklärte schließlich, daß es unmöglich sei, ohne dreißig Beludschen die Reise anzutreten, weil die vor Kurzem stattgehabte Hinrichtung der Mörder Reschers das Volk im Innern erbittert und zur Rache geneigt gemacht habe. Nach längeren Verhandlungen ließ er sich zwar von der Anzahl der Begleiter fünfzehn abdingen, doch zerschlugen sich die Verhandlungen wieder, und sah sich Decken veranlaßt, die Versuche zur Erlangung militärischer Begleitung bis nach der Ankunft in Kiloa aufzuschieben.

Als der Tag der Abreise näher heranrückte, sah sich Bibi Holli, des Sultahns Schwester, Deckens hohe Gönnerin veranlaßt, einen Beitrag zur „Annehmlichkeit und Bequemlichkeit" des Reisenden zu liefern, und bot ihm — eine weiße Sklavin als Begleiterin an. Die Prinzessin handelte der Sitte des Landes gemäß und war nicht wenig erstaunt, als der Europäer es unthunlich fand, eine Begleiterin, welche nicht einmal zu kochen verstehe, in seine nur aus nothwendigen und nützlichen Gliedern zusammengesetzte Karawane aufzunehmen.

Die Ausrüstung war allgemach beendet worden. Man hatte eine genügende Anzahl geeigneter Leute zur Begleitung ausgewählt, vier Esel des Landes erhandelt, kleine aber tüchtige Thiere, die nöthigen Werkzeuge und Waffen angeschafft, Sättel und Sattelgurte, Koppeln,

Waffengehänge, Brodbeutel, Säcke und was sonst noch nöthig, angefertigt, auch eine Dau (arabisches Küstenfahrzeug) zur Ueberfahrt gemiethet. In den Frühstunden des 29. September 1860 wurde das Gepäck eingeschifft, und gegen 4 Uhr Nachmittags legte sich das Fahrzeug jenseit der Landspitze Schangani vor Anker, um hier die nächst aufkommende, günstige Brise zu erwarten.

Gelegentlich eines früheren Ausflugs unseres Reisenden nach dem Sansibar gegenüber gelegenen Bagamoio und dem Kinganiflusse hatten die farbigen Matrosen einen unwiderstehlichen Hang zum Davonlaufen bethätigt. Dem sollte diesmal vorgebeugt werden. Koralli erhielt die Weisung, an Bord zu bleiben, um ähnliche Eigenmächtigkeiten zu verhindern. Aber der gewandte Reisemarschall wurde überlistet. Er hatte sich durch die Bitten der Mannschaft erweichen lassen und ihren Versprechungen Glauben geschenkt. Man hatte vergessene Kleinigkeiten herbeischaffen, von Frau und Kindern Abschied nehmen wollen, versprach, in längstens einer Stunde wieder zurück zu sein u. dgl. m., und als nun Decken gegen Abend zu der zur Abfahrt festgesetzten Stunde an Bord kam, schaukelte die Dau außer einem Schiffsjungen nur noch den wütenden Koralli. Die Nacht brach herein, doch keiner der Männer ließ sich sehen, und so blieb zuletzt nichts Anderes übrig, als zum Lande zurückzukehren und mit Hilfe einiger Freunde, welche dem Reisenden das Abschiedsgeleite gegeben hatten, eine Razzia auf die Flüchtlinge zu unternehmen. Sie wurden glücklich wieder eingefangen und an Bord gebracht — nur eine wichtige Persönlichkeit nicht: der Koch. Decken beschloß, auf seine Hilfe zu verzichten und ließ, um fernere Unannehmlichkeiten möglichst zu verhüten, die Dau ein gutes Stück weiter vom Lande ab legen. —

Die an der Ostküste Afrikas, auch in Arabien und Indien üblichen Fahrzeuge, Daus, Bethens, Bogalos u. s. w., sind plumpe, hochbordige Schiffe bis zur Tragfähigkeit von etwa dreihundert Tons. Nur die größten unter ihnen, die Bogalos, besitzen einen gut gedeckten Raum; die anderen haben wol theilweise ein Deck, doch fehlen zumeist die Deckel für die Luken. Am breiten Hintertheile findet sich gewöhnlich ein Halbdeck zum Aufenthalte für Kapitän und Reisende, darunter für letztere der Schlafraum, dessen Fußboden ein bis zwei Fuß unter dem Hauptdeck liegt und auf diese Art eine Lücke zum Durchkriechen aus dem unteren in den oberen Raum läßt. Ein wenig vor der Mitte des Fahrzeugs steht der große Mast (mangodi), ein starker, roh zugerichteter Baumstamm, welcher ein außerordentlich großes, lateinisches Segel (tanga) an einer mächtigen, schräg aufsteigenden Raa (formali) trägt; ein kleinerer Mast auf dem Hinterdeck wird selten, nämlich bei ganz flauer Brise gebraucht. Die eine Seite des fast dreieckigen Segels ist sehr lang, die andere kurz, diese heißt josch, jene demani; ebenso heißt auch jede Seite des Schiffes josch oder demani, an welcher gerade, je nach der Richtung der Fahrt und des Windes, das kurze oder lange Segelende befestigt ist, eine Bezeichnung, welche unserem „Luf“ und „Lee“ entspricht, „Seite an und unter dem Winde“. Will man das Segel wenden, so muß man auch die Raa, an welcher jenes mit Stricken festgebunden ist, niederlassen, umdrehen und darauf wieder emporholen; bei dieser umständlichen Handhabung verliert das Schiff gewöhnlich mehr, als es vorher durch Segeln scharf beim Winde gewonnen. Ein Kreuzen mit solchen Küstenfahrzeugen ist also höchst unersprießlich; dagegen segeln sie trefflich vor dem Winde: dabei wird ein langer Baum, dasturi, querüber gelegt, um das breite Segel zu spannen und die große Leinwandfläche völlig zur Ausnutzung zu bringen.

Arabische Schiffer fahren, falls es irgend angeht, längs der Küste hin, vorzugsweise in dem ruhigen Wasser hinter den, in Ostafrika so häufigen, der Küste gleichlaufenden Inselketten oder Riffen. Hier fühlen sie sich, trotz ihrer großen Unkenntniß des Fahrwassers, sicher; denn sie bangen nicht vor dem Auflaufen auf einer der zahlreichen Sandbänke, weil sie wissen, daß ihr Schifflein Dem widersteht und mit nächster Flut wieder frei kommt. Außerhalb der oft engen und nur für kleine Fahrzeuge geeigneten, inneren Straße hingegen zeigen sie sich ungemein ängstlich, theils weil sie besorgen, sie möchten außer Sicht des Landes die Richtung verlieren und verschlagen werden, theils weil sie die hohen Wogen des weiten Weltmeeres fürchten, denen ihre offenen Boote schutzlos preisgegeben sind. Müssen sie dennoch einen breiteren Meeresarm überschiffen, so steuern sie nicht gerade auf ihr Ziel los, sondern segeln so lange als möglich längs der schutzbietenden, von unseren Schiffen so sehr gefürchteten Küste hin und stechen da in See, wo die Ueberfahrt am kürzesten. Nun erst holen sie den kleinen Kompaß (dira) hervor — vorausgesetzt, daß ein solcher überhaupt vorhanden — setzen ihn in ein mit Hirsekörnern gefülltes Kistchen, um eine nahezu waagerechte Stellung zu erzielen, und werfen wirklich dann und wann einen Blick auf die Nadel.

Allabendlich läßt, falls nicht besondere Umstände obwalten, der wackere Schiffshauptmann den ersehnten Ruf ertönen: tia nanka — „werft den Anker!" Das Fahrzeug hält, die Raa wird herabgelassen, das Segel, um es zu schonen, losgebunden und unter Sang und Tamtamschlag in einem Sacke geborgen; die Mannschaft begibt sich ans Land, um Getreide durch Stampfen zu enthülsen und für die Abendmahlzeit herzurichten.

Ausnahmsweise kocht man das Essen auch an Bord, im Bauche des Schiffes; bei schlechtem Wetter aber und bei hohem Wogengang auf offener See ist Dies nicht möglich; dann hält die Mannschaft gezwungenes Fasten, bis wieder bessere Witterung eintritt oder ein günstiger Landungsplatz sich findet.

Mit frühestem Morgen, in mondhellen Nächten auch vor Sonnenaufgang, wird die Fahrt fortgesetzt.

Der Schiffer oder Nahosa (Nakōdar), zumeist ein Araber aus dem Norden, ist gewöhnlich Eigenthümer des Fahrzeuges oder hat wenigstens Antheil an dem Gewinne der Ladung. Er kleidet sich nicht besser als andere seiner Landsleute (in baumwollenes Hemd und Lendenschurz), schläft bei jeder Witterung ohne irgend welchen Schutz auf Deck, läßt nach einem Regengusse seine Kleider am Leibe trocknen und leidet in Folge dessen häufig an Rheumatismus und Fieber.

Die Bemannung eines arabischen Küstenfahrzeuges von 25 bis 30 Tons ist ebenso stark als die eines zehnfach größeren europäischen Schiffes: die schwarzen Matrosen (baharia oder wanamadschi, d. i. Seeleute) sind eben keine ausgedienten Leute, sondern gewöhnliche Neger, welche von Reiselust getrieben sich dem Schiffer für die Dauer der Reise vermiethen, ohne ihm Beweise von ihrer Geschicklichkeit ablegen zu müssen: versteht dieser doch selbst zu wenig vom Handwerke, um große Anforderungen an seine Leute stellen zu dürfen. Ihre Löhnung ist eine sehr geringe; doch haben auch sie gewöhnlich einen Antheil an dem Gewinne der Reise, in ähnlicher Weise, wie Dies bei den Walfischfahrern der Fall.

Ungeachtet dieser ungeregelten Verhältnisse ist die Rhederei sehr einträglich. Ausrüstung des Fahrzeugs und Unterhalt der Mannschaft beanspruchen eine kaum nennenswerthe Summe; der Handel aber wirft so guten Gewinn ab, daß das Schifflein gar nicht selten binnen Jahresfrist sich frei fährt.

Zur günstigen Jahreszeit kann man ein Bethen u. drgl. für ein bis zwei Dollars täglich miethen, oft aber hat man eine weit beträchtlichere Heuer zu zahlen, zumal wenn man sich nicht auf das Geschäft versteht. —

Am 30. September begann die Reise südwärts. Der Südwestmonsun bedingte ein fortwährendes Kreuzen und außerordentlichen Aufenthalt. Die Enge des mit nicht eben reinlichen Menschen vollgepfropften Fahrzeugs und häufige Ausbrüche der Seekrankheit, welche vorzüglich die Frauen heimsuchte, machten die Fahrt höchst unangenehm. Allmählich wurde die Brise immer frischer, und das ungebührlich schaukelnde Schifflein mußte, um dem hohen

Wellengange widerstehen zu können, an verschiedenen Stellen durch Stricke, mit denen man einzelne Theile zusammenband, verstärkt werden. Der Reisende war herzlich froh, als man am ersten Tage schon um acht Uhr Abends vor Anker ging. Die folgenden Tage verliefen in ähnlicher Weise, brachten aber noch mancherlei Unangenehmes dazu. Der Nahosa fragte wenig nach den Wünschen seines Fahrgastes, wollte stets eher ankern und später aufbrechen als der ungeduldige Msungu und zog sich überhaupt wiederholt dessen berechtigten Unwillen zu. Ungleich besser gestaltete sich das Verhältniß des Reisenden zur Mannschaft, da er durch Vertheilung von Ziegenfleisch und anderen Lebensmitteln sich deren Gefälligkeit und Dienstwilligkeit erkaufen konnte und erkaufte.

Bei frischer, günstiger Brise gewährt eine solche Küstenfahrt viele Annehmlichkeiten. Mit leichtem Geräusche gleitet das Fahrzeug auf der blauen Flut dahin, unaufhörlich taucht neues Land empor, kleine, mit Sklaven überfüllte Fahrzeuge segeln vorüber, und in beschaulichem Müßiggange entschwinden schnell die Tage, während man sich stetig dem Ziele nähert. Dem aufmerksamen Beobachter bieten außerdem Seethiere mancherlei Art eine fesselnde Unterhaltung. Kleine Delphine aus den Sippen der Meerschweine (Phocaena) und Tümmler (Tursio), von den Seeleuten Springer oder Schweinfische genannt, verlocken zur Beobachtung und Jagd. Allerdings leben auch in unseren Meeren Angehörige dieser beiden Thiergruppen, und einzelne Arten gehören hier sogar zu den häufigsten Walthieren — bei jeder Seereise, sobald man die Küste aus dem Auge verloren, sieht man sie sogar in größeren Strömen mehrere Meilen landeinwärts — aber man pflegt ihnen hier weniger Beachtung zu schenken als gelegentlich einer derartigen Seefahrt, während welcher jede Abwechselung willkommen ist. Die Springer sind, wie die übrigen Delphine, äußerst gesellige Thiere und vereinigen sich manchmal zu zahlreichen Heerden, welche, wie es scheint, längere Zeit in engerem Verbande bleiben. Ihre Bewegungen geschehen mit der ihrer Familie eigenen Schnelligkeit und Gewandtheit. Abwechselnd schlagen sie Kopf und Schwanz nach auf- und abwärts, krümmen gleichzeitig den Leib bogenförmig bald nach oben bald nach unten und eilen so vorwärts, schneller als jedes Schiff, trotzdem daß sie ununterbrochen Wellenlinien beschreiben. Es sieht aus, als ob sie sich auf den rollenden Wogen tummeln oder in Purzelbäumen vorwärts werfen wollen; denn wenn sie die Lust ankommt, spielen sie in anmutiger Weise, wälzen sich im Wasser, springen in die Luft, überschlagen sich und treiben andere Künste. Ihre schon den Alten bekannte Anhänglichkeit an die Schiffe gestattet dem Seefahrer, sie mit aller Bequemlichkeit zu beobachten: zuweilen folgen sie einem Fahrzeuge halbe Tage lang unermüdlich, dabei freilich mindestens den vierfachen Weg durchlaufend.

Da man am Bord der Dau frisches Fleisch in genügender Menge hatte, gab man sich keine Mühe, einen dieser Wale zu harpuniren; doch konnte Decken der Versuchung nicht widerstehen, an ihnen seine Schießfertigkeit zu erproben: Einer der unvorsichtigsten Springer erhielt im rechten Augenblicke die tödtliche Kugel, sprang fußhoch über die Oberfläche des Wassers empor, fiel zurück und lag als Leichnam auf dem Rücken. Sogleich nach dem Schusse verschwanden alle Springer aus der Nähe des Schiffes; sie blieben bei dem getödteten Gefährten zurück, anscheinend in freundschaftlicher Absicht, in Wirklichkeit aber wol, um ihn, wie es regelmäßig geschieht, aufzufressen.

In der Nähe von Mafia bot sich ein anderes Schauspiel dar. Ein unabsehbarer Flug von Sturmtauchern (Puffinus) griff einen Zug von Fischen an. Beide, Angreifer wie Verfolger, erschienen und verschwanden in ununterbrochenem Wechsel über und unter der Oberfläche des Meeres. Man sieht die Sturmtaucher, bekanntlich die einzigen Sturmvögel, welche auch unter Wasser fischen können, pfeilschnellen Fluges über das Meer dahinstreichen und unbekümmert um das Schiff ihren Weg in einer mehr oder weniger geraden Richtung fortsetzen. Einzelne von ihnen tauchen aus der Flut empor, fliegen mit schwirrenden

Schlägen ihrer Fittige hart über den Wellen weg, jeder Biegung derselben folgend, und versenken sich nach wenigen Augenblicken wiederum in die Tiefe. Währenddem sind andere aufgetaucht, eilen genau in derselben Weise vorwärts und verschwinden ungefähr zu derselben Zeit, welche die ersteren wieder an das Tageslicht bringt. So gewahrt man denn ein beständiges Auf- und Niedertauchen, ein ewig wechselndes Erscheinen und Verschwinden dieser merkwürdigen Geschöpfe, welche in stets gleichmäßiger Weise die Luft und ebenso die Wellen zertheilen, da sie auch im Wasser sich hauptsächlich mit Hilfe ihrer Flügel vorwärts bewegen. Trifft nun ein Flug von Sturmtauchern auf wandernde Fische, so wird, wie leicht erklärlich, das Schauspiel noch weit lebendiger und anziehender. Die von ihren gewandten Feinden in der Tiefe bedrohten Fische suchen sich durch dasselbe Verfahren, welches sie vor den Delphinen sichert, zu retten, indem sie mit möglichster Kraftanstrengung zur Oberfläche emporschwimmen und mit einem mächtigen Satze sich hochauf in die Luft schnellen. Hier aber warten die eben heraufgekommenen Sturmtaucher, treiben sie günstigsten Falles wieder in die Tiefe zurück oder ergreifen mit bewunderungswürdiger Gewandtheit einen und den anderen während seines Sprunges in der Luft. Man sieht also beständig Fische und Vögel durcheinander wimmeln, und es gewinnt den Anschein, als ob beide miteinander im heftigsten Kampfe ständen, also auch die Fische ihrerseits einen Angriff machten, wie, um die Vögel in die Tiefe hinabzustoßen.

Währt solche Fischjagd der Sturmtaucher längere Zeit, so finden sich bald auch andere geflügelte Fischräuber ein, welche die günstige Gelegenheit, Beute zu machen, benutzen wollen. Sturmvögel, deren reiches Federkleid ein Eintauchen unter die Wellen unmöglich macht, sammeln sich über den Jägern und ihrem Wilde; Möven und Seeschwalben, auch wol Tropikvögel (Phaëthon) eilen herbei, schweben in einer Höhe von 50 bis 60 Fuß über dem fortwährend wechselnden Kampfplatze, stoßen im rechten Augenblicke mit angezogenen Fittigen in schiefer Richtung auf die erspähete Beute hernieder, erheben sich einen und den anderen Fisch, welcher den Sturmtauchern glücklich entronnen war, und vermehren das Getümmel. —

Hatten anfangs widrige Winde das Schiff zurückgehalten, so hinderten in den letzten Tagen der Reise häufig eintretende Windstillen das Weiterkommen: die Fahrt, welche unter günstigen Umständen etwa zwei Tage in Anspruch nimmt, währte eine volle Woche. Erst am Morgen des 7. Oktober ging die Dau im Hafen von Kiloa vor Anker.

Kiloa wird von den Eingeborenen Kitoſu, das ist „Nabel" der Küste genannt, vielleicht deshalb, weil die Stadt den Mittelpunkt des Handels zwischen Sansibar und Mosambik bildet, und hier die hauptsächlichsten Adern des Verkehrs jener Gegend sich vereinen, möglicher Weise auch deshalb, weil hier das Land eine nabelartige Ausbuchtung zeigt. Es gibt zwei Städte Namens Kiloa: die, mit welcher wir uns zu beschäftigen haben, Kiloa Kissiwani der Suaheli, Inselkiloa zu Deutsch, unter 8° 57′ südlicher Breite gelegen, und Kiloa Kibendsche, ein Ort, welcher vierzehn Seemeilen nördlich davon an einer kleinen Bucht des Festlandes liegt. Die Tagebücher Deckens vermehren unsere bisherige Kenntniß von Kiloa, welche wir hauptsächlich Krapf verdanken, kaum wesentlich, weil sie vorzugsweise persönliche Erlebnisse enthalten; wir sehen uns deshalb genöthigt, der Reiseschilderung Krapfs und anderen Quellen zu entnehmen, was zum Verständnisse der Erzählung dienen kann.

Kiloa Kissiwani, die ältere der beiden Städte, soll in ihrer Blütezeit dreihundert Moscheen gezählt haben; gegenwärtig besteht sie nur aus einer Anzahl von Hütten, welche von höchstens zehn wohnlichen Steinhäusern überragt werden.

Im Jahre 1505 landete der portugiesische Admiral Francisco D'Almeyda mit siebenhundert Mann auf der Insel, eroberte sie und verbrannte die Stadt. Die Portugiesen errichteten ein Fort, hielten sich jedoch nicht lange, sondern mußten die neu erworbene Besitzung bald wieder den Arabern überlassen; wahrscheinlich vertrieb sie ein schlimmerer Feind als diese, das bösartige Sumpffieber. Von nun an herrschten eigene Sultahne über Stadt, Insel und Festland, und ihre Macht dehnte sich allmählich im Norden bis Mombas und bis Kap Delgado im Süden aus. Unter ihnen erholte sich Kiloa von den Wunden, welche ihr die portugiesische Herrschaft geschlagen; der früher so lebhafte Handel blühte wiederum auf, insbesondere der Sklavenhandel erlangte große Wichtigkeit.

Dieser war es auch, welcher Ende des vorigen Jahrhunderts die Aufmerksamkeit der Franzosen auf Kiloa lenkte. Der Platz schien ihnen, trotz seines schlechten Klimas, in hohem Grade begehrenswerth, weil trefflich geeignet, ihren Kolonien in und um Madagaskar den Bedarf an Arbeitskräften zuzuführen.

Genau dieselben Ansichten hegten auch die Imahme von Maskat. Schon seit geraumer Zeit war der größte Theil aller Skaven, welche in Kiloa zu Markte kamen, nach dem Norden, namentlich nach Südarabien gebracht worden: einen so unentbehrlichen Markt sich zu erhalten, mußte selbstverständlich von größter Wichtigkeit sein, kurz — man kam den Franzosen zuvor und nahm Besitz von dem Gebiete.

Gegenwärtig hat Kiloa Kissiwani nicht mehr die frühere Bedeutung für den Menschenhandel, weil Kiloa Kibendsche sich nach und nach zum hauptsächlichsten Ausfuhrorte für Sklaven aufgeschwungen hat. Hier laufen zur Zeit die verschiedenen Sklavenstraßen aus dem Inneren zusammen, und hier, wo die Unsicherheit des Hafens sie gegen englische Kriegsschiffe sichert, sammeln sich alljährlich die Fahrzeuge, welche die vielbegehrte Waare nach anderen Märkten bringen.

Kiloa Kibendsche dehnt sich weithin an dem flachen Strande aus, gewährt daher das Ansehen einer großen Stadt, obwol ihre Einwohnerzahl schwerlich 15,000 übersteigt und ihre elenden Hütten keinen Vorzug vor denjenigen der Negerviertel Sansibars verdienen. Rings um die Stadt zieht sich, den Hintergrund bildend, ein prächtiger Kokoswald, in welchem die ausgedehnten Schambas der Bewohner liegen. Das wichtigste Gebäude ist das Zollhaus. Etwa hundert Schritte von diesem entfernt erhebt sich ein kleines, von einer geringen Anzahl Belutschen besetztes Fort, welches, wie die ganze Stadt, unter einem Dschemnedari steht. Die Stadt ist sumpfig und deshalb außerordentlich ungesund.

Kiloa Kissiwani hat durch seine Lage auf der Insel eine gewisse Aehnlichkeit mit Mosambik, dem Mittelpunkte der portugiesischen Macht in Ostafrika, und gleicht diesem auch hinsichtlich seines verderblichen Klima. Die Bucht von Kiloa nimmt von Norden her die zwei Arme des Flusses Kuavi und von Süden her den Kisimafugo auf, beide vielleicht nicht eigentliche Flüsse, sondern nur Salzwasseradern, in welche sich zur Regenzeit die Wasser der Höhen ergießen. Vor jenem dehnt sich die Insel Kiloa, vor dem anderen Songa Mnara aus, ein mit den Pflanzungen der reichen Einwohner der Nordinsel bedecktes Eiland. Die Westufer beider Inseln verlaufen in gerader Linie mit der Festlandsküste, sodaß es den Anschein gewinnt, als ob früher ein Zusammenhang mit dieser stattgefunden und das mächtig flutende Meer, begünstigt durch die von beiden Wasseradern gebahnten Wege, die trennenden Kanäle erst später ausgespült habe. Was für zerstörende Wirkungen hier die See hervorbringt, beweist das kleine Fort, welches jetzt einige Fuß hoch vom Meere bespült wird, während es doch früher gewißlich ganz im Trockenen stand: Theile desselben sind bereits dem Anpralle der Wogen erlegen, und von den noch stehenden Thürmen droht dem einen baldiger Einsturz.

Von See aus gewährt dieses Kiloa durchaus keinen großartigen Anblick. Das Zollhaus ist das einzige zweistöckige Gebäude, welches man wahrnimmt; der reizende Palmenhintergrund der nördlichen Stadt fehlt; sogar die umgebenden Hügel des Festlandes scheinen unfruchtbar und von der Sonne verbrannt zu sein. Der Hafen aber ist bedeutend besser als der der gleichnamigen Stadt des Festlandes, weil er, gegen alle Winde geschützt, zu allen Jahreszeiten auch größeren Schiffen Sicherheit gewährt. Der Ankergrund nimmt indessen nur äußerst langsam an Tiefe zu, und die Fahrzeuge müssen deshalb in großer Entfernung von der Stadt liegen; selbst kleinere Daus können nur etwa 1500 Schritte vom Strand ab ankern und gerathen auch hier noch täglich bei eintretender Ebbe aufs Trockene; denn der Unterschied zwischen hohem und niedrigem Wasserstand ist sehr beträchtlich. Damit die Fahrzeuge dann nicht umfallen, binden die Matrosen schon bei Hochwasser an beiden Seiten derselben starke, bis auf den Grund reichende Stangen fest.

Zur Zeit ist Kiloa Kissiwani die Hauptstadt des südlichen Theiles der Suahelíküste. Ein Statthalter (wali) und ein Zolleinnehmer vertreten die Regierungs- und Militärgewalt und die Finanzen Seid Madjids und sind als solche die bedeutendsten Personen der Stadt. Außer ihnen genießt auch der Richter (kadi) ein hohes Ansehen, und ebenso haben die Häuptlinge der einzelnen Stämme mitzureden. Wegen dieser Zersplitterung der Macht ist es schwierig, in Kiloa etwas durchzusetzen; der Wali ist allerdings Stellvertreter des Sultahns und als solcher der Gebieter, ohne den guten Willen der anderen Angesehenen aber vermag er durchaus nicht Alles auszuführen, was er wünscht. Ebenso können auch Seid Madjids höchsteigene Befehle nicht auf unbedingten Gehorsam rechnen. —

In den ersten Stunden des Tages ging Decken an Land und gab im Zollhause die ihm vom englischen Konsul und von dem Zollpächter Ludda ausgefertigten Empfehlungsbriefe ab, ließ dann den Statthalter herbeirufen und überreichte ihm die Befehle seines Gebieters. Der Wali zeigte sich, wie alle Araber, anfangs überaus zuvorkommend und höflich, versicherte auch, den Reisenden in jeder Hinsicht unterstützen zu wollen, that aber in Wirklichkeit nicht das Geringste: nur durch entschiedenes Auftreten konnte Etwas von ihm erlangt werden.

Ein bewohnbares Haus fand sich nicht vor; glücklicher Weise war jedoch die Hütte, in welcher Roscher gewohnt, noch zu haben. „Hütte" ist eigentlich zu viel gesagt; denn unter einer solchen versteht man doch wenigstens einige Wände und ein Dach; bei Deckens neuer Wohnung fehlte aber letzteres, bis auf einige Latten oder Sparren, welche bei einem früher stattgehabten Brande nur theilweise zerstört und späterhin von dem bequemen Eigenthümer nicht wieder hergestellt worden waren — und die Wände bestanden aus gestampfter Erde, welche bei jeder Berührung abbröckelte und überdies Scharen von Ameisen beherbergte. Außer diesen kleinen Bewohnern hatten sich Ratten in Menge angesiedelt; das gebotene Obdach ließ daher, selbst nachdem man drei Tage gearbeitet, um es wohnlicher zu machen, noch Vieles zu wünschen übrig. Man half sich indessen, so gut man eben konnte, und baute und besserte, wo Dies möglich war.

Ohne Aerger ging diese Arbeit freilich nicht ab; denn die Werkleute hier sind so faul, und ihre träge Gleichgiltigkeit ist so beispiellos, daß man nur dann mit ihnen vorwärts kommt, wenn man den wesentlichsten Theil der Verrichtungen selbst übernimmt. Dies Alles und außerdem die beschwerliche Löschung der Dau nahm die Reisenden derartig in Anspruch, daß sie, wann der Abend hereinbrach, viel zu abgespannt waren, um alsbald die wohlverdiente Ruhe im Schlafe finden zu können.

Auch die folgenden Tage brachten eine ununterbrochene Reihe von Unannehmlichkeiten aller Art. Der sogenannte Hauswirth, welcher die Wirthschaft mit Trinkwasser versorgen sollte, ließ statt dessen eine schlechte, brackige Flüssigkeit herbeischleppen, suchte sich auch seiner anderen Verpflichtungen soviel als möglich zu entledigen, betrog bei Einkäufen, wo er konnte, und erwies sich überhaupt als ein höchst eigennütziger und ungefälliger Gastfreund. Zahlreiche Besuche von

Zudringlichen und Neugierigen belästigten den schlecht Beherbergten, welcher vielleicht mehr in Folge des Aergers als einer Erkrankung fieberte und trotzdem die nothwendigen Arbeiten überwachen mußte, in empfindlicherer Weise, als Dies die uns gewohnten Verhältnisse für möglich erscheinen lassen. Wohl oder übel mußte er dem kindisch-albernen, aber mit wichtigthuendem Ernste vorgebrachten Geschwätze zuhören, den oft unverschämten Anforderungen genügen, sämmtliche Geräthe, Waffen u. s. w. vorzeigen; denn die Besucher waren größtentheils Häupter der Stadt und Umgegend, mit denen man es nicht verderben durfte. Für diese Mühseligkeiten war der rauschende Ausbruch staunender Bewunderung auch über die unbedeutendsten Gegenstände, welcher unwillkürlich zur Heiterkeit stimmte, ein karger Lohn. Die ewig währende Unruhe machte Decken schließlich wirklich krank; aber erst nachdem er sich zu Bette gelegt, fand er einen glaubwürdigen Vorwand, seine neuen Freunde fern zu halten.

Abderrahman, der mit Versicherungen seines Diensteifers früher und jetzt so verschwenderische Schwiegervater Sadiks, zeigte sich gänzlich unbrauchbar. Er hatte schon mehrere Tage vor der Abreise Deckens Sansibar verlassen, um in Kiloa Herberge zu verschaffen, traf aber erst am zweiten Tage nach der Ankunft Deckens ein, weil er in Mafia ungebührlich lange mit Privatangelegenheiten beschäftigt gewesen war. Bei seiner Ankunft floß ihm der Mund von Entschuldigungen und neuen Versprechungen über; dabei aber blieb es auch, denn, anstatt sich hülfreich zu erweisen, verursachte er eher Hemmungen. Ihm lag es beispielsweise ob, die Verhandlungen zu führen, welche zur Vorbereitung der Reise nöthig waren; allein er hatte hierfür Nichts gethan und gestand endlich offen, daß er keinen Einfluß besitze, daß Decken Alles selbst besorgen müsse. Seine Saumseligkeit ging so weit, daß er den Brief Seid Madjids, welcher an alle Häupter der Stadt gerichtet war, nicht einmal dem einflußreichen Kadi mitgetheilt hatte. Und diese Nachlässigkeit wurde noch von seiner Umständlichkeit übertroffen.

Noch am fünften Tage nach der Ankunft in Kiloa standen die Angelegenheiten ziemlich ebenso schlecht wie im Anfange. Inzwischen waren jedoch die Reisepläne des Msungu in der Stadt bekannt geworden, und ein angesehener Mann aus der Umgegend, Salem ben Abdallah, hatte sich gemeldet, um seine Dienste für die Reise anzubieten. Decken ging nicht hierauf ein, weil dieser Salem derselbe war, mit welchem Roscher so unglücklich gereist hatte, befolgte aber des Mannes Rath, eine Versammlung der einflußreichsten Personen der Stadt zu berufen.

Die verlangte Versammlung der Häuptlinge war für den 18. Oktober zugesagt. Früh 9 Uhr hatte sich des Barons Barasa mit den ernst und würdig auftretenden Männern gefüllt. Als nach langer Pause weder der Wali noch der alte Abderrahman das Wort nahmen, sah sich der Msungu genöthigt, die Verhandlung selbst zu eröffnen mit einer Rede, von deren Fassung vielleicht das Schicksal seiner Unternehmung abhing.

Es ist eine außerordentlich schwierige Aufgabe, den rechten Ton zu treffen, in welchem mit Leuten solchen Schlages verhandelt werden muß. Allzugroße Nachgiebigkeit wird als Schwäche angesehen: man glaubt mit dem höflichen Fremden weniger Umstände machen zu dürfen; ein allzugroßes Maß von Strenge hingegen oder gebieterisches Auftreten ruft Verstimmung hervor. Im Allgemeinen kann man annehmen, daß sich mit sanften Worten weniger ausrichten lassen wird als mit Entschiedenheit, und daß man leichter von Strenge zu Güte übergehen kann als umgekehrt: die Achtung, welche man sich anfangs zu verschaffen weiß, bleibt stets von dem günstigsten Einflusse für die Folge. Unserem Reisenden kamen bei dieser Ueberlegung seine in Algier gesammelten Erfahrungen zu Statten; er hatte dort bereits gelernt, mit ähnlichen Leuten umzugehen. Er sagte den Versammelten, er sei in hohem Grade verwundert, daß sie, trotz der ausdrücklichen Befehle ihres Herrn und Gebieters, ihm nicht mehr Bereitwilligkeit gezeigt hätten, daß einige unter ihnen selbst verabsäumt hätten, ihm ihren Besuch abzustatten; er habe sich aber die Namen Aller bemerkt und werde sie Seid Madjid melden, damit dieser hinfüro seine treuen Diener kenne und erfahre, wie seine Gebote beachtet werden.

Alle kamen nun herbei, um sich zu entschuldigen, der Eine wegen Krankheit, der Andere, weil er verreist gewesen, Alle aber ohne Ausnahme baten, mit dem Schreiben noch zu warten. Decken ließ sich zureden und versprach, seinen Brief nicht abzusenden vor Beendigung aller Vorbereitungen zur Abreise; dann werde er Diejenigen, welche ihm behilflich gewesen, lobend gegen den Sultahn erwähnen, zugleich aber auch das Benehmen der Anderen nicht verschweigen. Eine längere, lautlose Pause folgte dieser Rede, und erst nach wiederholter Aufforderung zu antworten erwiederte der Wali, daß er ganz der Meinung des geehrten Herrn Vorredners sei. Nach ihm nahm auch der Kadi das Wort und bat für sich und die anderen Häupter um eine Frist von vierundzwanzig Stunden, während deren sie Alles reiflich erwägen und sich bereden wollten, in welcher Weise die Angelegenheit am besten gefördert werden könne. Auch diese Frist wurde zugestanden.

Nunmehr, nachdem alle Besorgnisse beseitigt worden waren, trat die bisher nur mühsam verhaltene Neugierde der Besucher in ihre vollen Rechte. Man bat, ihnen doch die wunderbaren Gegenstände zu zeigen, welche der Msungu in so großer Mannigfaltigkeit besitzen solle, und erschöpfte sich, als auch diese Bitte erfüllt ward, in Ausdrücken staunenden Beifalls. Die Hütte hallte wieder von Versicherungen der Größe Gottes, welcher den weißen Fremdlingen doch gnädig sein müsse, weil er ihnen so ausgezeichnete Gaben verliehen und sie befähigt habe, so überaus merkwürdige Dinge anzufertigen. Wie alle Araber betrachteten sie insbesondere die Gewehre mit größter Aufmerksamkeit: — konnte es auch etwas Merkwürdigeres geben, als eine Flinte, welche man mit einem einzigen Handgriffe zu zerbrechen, mit dem zweiten zu laden, mit dem dritten wieder in Stand zu setzen vermochte? Die Waffe wanderte von Hand zu Hand, wurde von jedem Einzelnen aufs Genaueste geprüft und, nachdem ihnen der Bau verständlich geworden, abwechselnd auf und wieder zugeklappt, bis endlich einer der Weisesten insofern einen glücklichen Wurf that, als er den unaussprechlichen Fremdnamen „Lefaucheux“ mit **bundika ja ku fungika**, Gewehr zum Zerbrechen, übersetzte. Nur einen großen Mangel schien die vielgepriesene Waffe zu haben: die Läufe waren doch gar zu kurz und die Patronen unzweifelhaft viel zu schwach; hatten die erfahrenen Alten doch die Gewohnheit, ihre mehr als mannshohen Luntengewehre mit fast einer Hand voll Pulver zu laden! Auch das schlichte Aussehen der Gewehre schien sie nicht zu befriedigen, und eine Vergleichung derselben mit ihren reich ausgelegten Waffen schien auch deshalb zu Gunsten der letzteren auszufallen.

Größeren Beifall noch erntete ein Gummiboot. Von einem Schiffe, welches man unter dem Arme tragen, mit Luft aufblasen und zu einem für drei Personen genügenden Fahrzeuge umwandeln kann, hatten sie bisher noch keine Ahnung gehabt; ihr Erstaunen wuchs mit jedem Drucke der kleinen Pumpe, welche das die wenigen Breter verbindende, wasserdichte Zeug füllte.

Zum Entsetzen steigerte sich die Verwunderung, als der Msungu schließlich seine beiden riesigen Hunde vorführte. Diese Thiere zeichneten sich allerdings durch gewaltige Größe, seltene Schönheit und wilde Kraft vor den kleinen, gelben, dürftigen Kötern, welche die arabischen Schambas bewachen, so wesentlich aus, daß man keinen Vergleich wagen mochte; diese Doggen schienen dem Löwen ungleich näher verwandt zu sein, als jenen Hunden, und zweifellos zu den gefährlichsten aller Raubthiere zu gehören. Wenn der Msungu demungeachtet mit solchen Ungeheuern zu spaßen wagen durfte, so mußte offenbar Zauber mit im Spiele sein; denn solche Gewalt konnte nur vom Schedani (Satanas) — vor welchem der Herr alle Gläubigen bewahren möge — herrühren. So schwer es den ehrbaren Häuptern der

Stadt geworden, sich von der fesselnden Besichtigung der Wunder Ulaias (Europas) zu trennen, dieser offenbare Teufelsspuk erleichterte ihnen den Abschied. Einer nach dem Anderen erhob sich und verließ kopfschüttelnd die Hütte des bedenkenerregenden Fremdlings. —

. Am Abend erschienen Abderrahman und der Banian bei dem Reisenden, um ihn wegen seiner ausgezeichneten Rede zu beglückwünschen. Anfangs, meinten sie, wären die Häupter allerdings sehr erstaunt gewesen über die Sprache, welche der Msungu geführt, schließlich aber habe das Ganze sie doch überaus befriedigt, und jedenfalls werde die gute Wirkung nicht ausbleiben. Beide wiederholten auch ihrerseits die Versicherung, daß die bestimmte Rückäußerung am anderen Tage zu erwarten sei.

Aber die Antwort blieb aus, und man entschuldigte sich damit, daß einige Angesehene der Umgegend, welche brieflich von der Verhandlung in Kenntniß gesetzt worden wären, ihre Entschließung noch nicht gemeldet hätten. Unter solchen Umständen schien auch die Versicherung des Wali, bei Seid Madjid Klage über die Säumigen führen zu wollen, nur wenig tröstlich; denn es war deutlich zu ersehen, daß man den unbequemen Fremden mit leeren Vorwänden hinhalten wollte. Wider Erwarten traf am folgenden Tage wirklich eine Antwort von den Häuptlingen ein, freilich nicht die erwünschte: man erklärte geradezu, die Reise nicht nur nicht begünstigen, sondern sie nicht einmal gestatten zu wollen.

Eine solche Anmaßung durfte Decken sich unmöglich gefallen lassen. Er erklärte deshalb den Häuptlingen unumwunden, daß er seine Reisepläne auch gegen ihren Willen durchführen werde. Keiner von ihnen habe ein Recht, ihm, dem Freunde Seid Madjids, Befehle zu ertheilen, Keiner vermöge ihn an der Ausführung seiner Pläne zu hindern. Er werde thun, was ihm beliebe, und seinen hohen Gastfreund ersuchen, sie, die widerspenstigen Unterthanen, gebührend zu bestrafen. Jetzt suchten die Häuptlinge einzulenken und den entrüsteteten Msungu zu besänftigen. Ihre glatten Worte und Betheuerungen konnten den Baron allerdings nicht bestechen; die Hoffnung auf ein möglicher Weise noch zu erzielendes, gütliches Uebereinkommen bewog ihn aber doch, sich noch einmal willfährig zu zeigen, sich zu einer zweiten Verhandlung, welche auf den folgenden Tag festgesetzt wurde, herbeizulassen.

Wie voraus zu sehen, hatte auch diese so gut als keinen Erfolg. Der Wali, Kadi und Banian erschienen allerdings dreimal im Laufe des Tages, aber Abderrahman, welcher doch der Anwalt des Reisenden sein sollte, fehlte, und so wurde nur eine vorläufige Zusage über Stellung der zur Begleitung nöthigen Beludschen erlangt; doch auch diese wurde den folgenden Tag wieder zurück genommen. Decken sah ein, daß er mit einem bloßen Briefe an Seid Madjid Nichts ausrichten würde, und entschloß sich kurz, nach Sansibar zurückzukehren, um seine Sache selbst zu verfechten. Abderrahman und der Zolleinnehmer pflichteten ihm hierin bei, der Wali und Kadi hingegen versuchten erklärlicher Weise abzurathen, und erst als sie sahen, daß der Msungu fest bei seiner Absicht beharrte, gestanden sie zu, daß er doch wol Recht haben möge.

Dieser Entschluß verfehlte seine Wirkung nicht. Die Kunde verbreitete sich schnell in der Stadt, und Jeder beeiferte sich, bei dem Msungu noch einen Besuch zu machen, unzweifelhaft in der Absicht, seine Person in ein möglichst günstiges Licht zu stellen. Sogar die Soldaten hielten es für angemessen, sich zu entschuldigen; sie erschienen noch am Abende vor der Abreise und erklärten, daß sie ihrerseits den Msungu gern begleiten möchten, aber durch den Wali, welcher sich vor den anderen Häuptlingen fürchte, verhindert würden. —

Das erbärmliche Fahrzeug, welches der Reisende am Morgen des 19. Oktober bestieg, besaß nicht einmal ein Schutzdach gegen Sonnenschein und Regen; außerdem war es mit Weibern und Kindern überfüllt, die Ueberfahrt daher eine keineswegs angenehme, glücklicher Weise jedoch eine ziemlich kurze, da man schon am Nachmittage des dritten Reisetages Sansibar erreichte.

Hier hatte sich mittlerweile Manches geändert. Es herrschte eine allgemeine Verwirrung: Seid Madjid war mit dreien seiner Schiffe im Geleit eines englischen Kriegsdampfers nach Mombas gegangen, nachdem er Seid Soliman als seinen Stellvertreter eingesetzt. Der englische Konsul hatte den Verkehr mit diesem abgebrochen, weil einer seiner Schutzbefohlenen durch ein Glied der Herrscherfamilie in seinem Rechte gekränkt worden war, der französische Konsul sich diesem Schritt einer ähnlichen Veranlassung halber angeschlossen. Es lag also genügender Grund zu neuen Weiterungen und Verzögerungen vor, und nur den freundlichen Vermittelungen des hanseatischen Konsuls, Herrn Witt, und des Zollpächters Ludda war es zu verdanken, daß die Verhandlungen endlich ein günstiges Ergebniß herbeiführten.

Dschemmedar Moluk stellte diesmal mäßigere Forderungen und verpflichtete sich, mit neunzehn Beludschen die Wachmannschaft der Karawane zu bilden. Er verlangte monatlich zehn Thaler für sich und sechs für seine Leute; auf fünf Monate sollte das Gehalt im Voraus bezahlt werden. Mit seinen Vorbereitungen versprach er in vier Tagen fertig zu sein.

Währenddessen drängte sich dem Reisenden die Gewißheit auf, daß von europäischer Seite aus hinter seinem Rücken Ränke gesponnen worden waren, in der nicht zu verkennenden Absicht, ihm, dem vermeintlichen Nebenbuhler anderer Forscher, den Weg zu versperren. So unangenehm jene feindseligen Bestrebungen sein mußten, so vermochten sie doch das Unternehmen Deckens nicht mehr zu hindern. Nach vielfachen neuen Verzögerungen war er am 29. Oktober so weit gekommen, daß er sich mit seiner Reisegesellschaft einschiffen konnte; schon in den ersten Morgenstunden des 2. Novembers langte er in Kiloa an. —

Wir übergehen die Widerwärtigkeiten, welche Decken auch hier bei seiner Ankunft erfahren mußte, und berichten nur kurz über den Gang und die Ergebnisse der weiteren Verhandlungen. Der Brief, welchen der Zollmeister von Sansibar für den Wali ausgefertigt hatte, lautete ungefähr ebenso wie die früheren; er forderte die Angesehenen der Stadt auf, dem Reisenden allen Vorschub zu leisten, und machte sie verantwortlich für jeglichen Unfall, welcher diesem widerfahren würde. Das erste Schauri wurde für den folgenden Morgen zugesagt. Zur festgesetzten Stunde stellten sich die von Sansibar mitgebrachten Beludschen vor dem Hause des Msungu auf und empfingen die erscheinenden Aeltesten feierlichst. Die Verhandlungen verliefen wiederum ziemlich erfolglos. Auch an den nächsten Tagen schritt die Reiseangelegenheit nicht schneller vorwärts: es schien, als ob die Araber die Absicht hätten, durch die widerwärtigsten Verzögerungen und Ränke den Msungu zu ermüden und ihn zu veranlassen, von seinem Reiseplane abzustehen. Wahrscheinlich fürchteten sie, sein Unternehmen werde ihrem Handel nach dem Inneren zu Schaden bringen, und setzten in Folge dessen Alles daran, es zu verhindern.

Lange Tage waren wiederum verstrichen; Decken hatte sich allmählich so an die Lügen der Leute gewöhnt, daß er keiner ihrer Reden mehr zu trauen wagte. Als daher Abderrahman eines Tages erzählte, „ein großer Häuptling habe sich zur Begleitung angeboten, er verlange acht bis zehn Tage Bedenkzeit, bitte aber um die größte Verschwiegenheit, damit die Anderen Nichts von seiner Absicht erführen, ehe Alles beendet sei“, konnte der Baron nicht umhin, auch diese Nachricht für eine Erfindung zu halten, darauf berechnet, ihn wieder für einige Zeit zu beruhigen. Er wurde in dieser Meinung noch dadurch bestärkt, daß der vermeintliche Karawanenführer nicht einmal im Geheimen sich ihm vorstellen wollte.

Wiederum verflossen einige Tage in ermüdender Erwartung. Endlich brachte Abderrahman die Nachricht, daß der geheimnißvolle Karawanenführer nun wirklich in Kiloa angekommen sei. Abdallah ben Said, so nannte er sich, ein Mann von gegen fünfzig Jahren, versprach, bis spätestens zum 17. November mit seinen Vorbereitungen fertig zu sein, und verlangte als Entschädigung für seine Dienste 500 Thaler, von denen 400 sofort bezahlt werden sollten. Er hielt vierzig bis fünfundvierzig Träger für nöthig und drang darauf, daß eine große Menge Pulver mitgenommen werde; denn, Lärmen, meinte er, sei bei einer Reise ins Innere die Hauptsache. Sonderbarer Weise wünschte er jetzt, man solle Jedermann erzählen, daß er die Karawane begleiten werde.

Die Angelegenheit ging so rasch nicht vorwärts, als es der Abschluß des so vortheilhaften Vertrages hatte erwarten lassen; hemmend wirkte namentlich eine schwere Erkrankung des Banians, welcher bis hierher die Reise am meisten begünstigt hatte. Man hoffte von Tag zu Tage, daß er wieder gesunden werde, und verschob die wichtigsten Verhandlungen; allein sein Fieberleiden wurde schlimmer und schlimmer, und endlich verschied er nach schwerem Leiden. Viele Schwierigkeiten verursachte auch die Beschaffung der Träger; der anfangs zur Abreise bestimmte Tag war bereits verstrichen, ehe der kleinste Theil derselben zusammengebracht war. Endlich ging Abdallah ben Said nach seiner Schamba Mukapunda, um von dort aus die fehlenden Leute zu schicken. Er versprach unter den heiligsten Eiden, daß nun bis zum 21. November Alles in Ordnung sein solle.

Decken war mit seinen Vorbereitungen und Einkäufen längst fertig, hatte also nur noch müßig auf die Anderen zu warten, ein keineswegs beneidenswerther Zustand. „Reines Hindämmern", schrieb er am 18. und 19. in sein Tagebuch, „die Arbeiten sind sämmtlich beendigt, ich habe Nichts zu thun, als Betrachtungen über die Niederträchtigkeit und Verlogenheit der Leute anzustellen."

Noch ehe die zuletzt bewilligte Frist verstrichen, schickte Abdallah ben Said seinen Bruder nach der Stadt, um einen neuen Aufschub der Abreise auszuwirken. Dies war denn doch zu viel, der bisher nur mühsam verhaltene Unmut kam jetzt zum Ausbruch: der lange genarrte Reisende ließ den unglücklichen Boten heftig an und drohte ihm und seinem Bruder sogar mit Stockschlägen. Zwar mußte er sich sagen, daß hierdurch Nichts gebessert würde; aber welcher Mensch vermag in solcher Lage sich zu beherrschen?

Einige Bewohner der Stadt schienen es gut mit dem Msungu zu meinen; sie besuchten ihn und bemühten sich, ihm ihre Theilnahme zu zeigen, thaten Dies aber auf so ungeschickte Weise, daß er in Folge dessen nur noch unwilliger werden mußte. Es sei, erzählten sie, in der ganzen Stadt bekannt, daß Abderrahman ihn mit Versprechungen hinhalte; man glaube sogar, der Aufbruch werde vor einer Woche nicht stattfinden. —

Wir haben hier nur die Unannehmlichkeiten der endlosen Schauris erwähnt; sie allein wären genügend gewesen, dem jungen Afrikareisenden sein erstes Unternehmen schon beim Beginne gründlich zu verleiden. Dazu gesellte sich aber noch täglicher Aerger über die Beludschen, welche sich im höchsten Grade unruhig und bettelhaft zeigten, bald Träger forderten für Waaren, mit denen sie Handelsgeschäfte auf eigene Faust zu treiben gedachten, bald Geld, Fleisch und dergl., und unausgesetzt Unfug in der Stadt verübten, Kokosnüsse stahlen oder durch unvorsichtiges Schießen Leute verwundeten, sodaß fast stündlich Klagen über sie einliefen. Auf der Reise mußte ihr widerwärtiges Benehmen voraussichtlich Anlaß zu noch größeren Uebelständen, ja vielleicht zu gefährlichen Verwickelungen und Streitigkeiten geben, und doch waren sie nicht zu entbehren, weil kein Karawanenführer es gewagt haben würde, ohne den Schutz einer Anzahl von Soldaten nach dem Inneren aufzubrechen. Von einer Bestrafung dieser unbändigen Söhne Beludschistans konnte nicht wohl die Rede sein, da man sie bei guter Laune zu erhalten suchen mußte: sicherlich wären sie eher entlaufen, als daß sie sich dem Urtheil unterworfen hätten. Um jedoch Nichts unversucht zu lassen, rief Decken sie eines Tages vor sich und ließ sie von Abderrahman in feierlicher Rede ermahnen, daß sie sich hinfüro anständiger benehmen und besser mit den Leuten vertragen sollten; daß eine solche Ermahnung viel nützen würde, stand freilich nicht zu erwarten.

Glücklicher Weise fand der Reisende auf verschiedenen Ausflügen, welche er in der Umgegend von Kiloa unternahm, Erholung und Erquickung und so gewissermaßen ein Gegengewicht für all den gehabten Aerger. Wann die lästigen Väter der Stadt ihn verlassen, nahm er seine Büchse über die Schulter und wanderte hinaus in das Freie, dort die dumpfe Hütte mit ihren unangenehmen Erinnerungen vergessend. Anfangs fesselte ihn besonders das bunte Leben und Treiben der Menschen, später die hier sehr ergiebige Jagd.

In der Nähe der Stadt befand sich ein Lager der Wabisa und Wahiao, derjenigen Stämme des Inneren, welche die meisten Sklaven liefern. Wol über tausend dieser dunkelfarbigen, prachtvoll gewachsenen Menschen waren hier versammelt. Sie hatten, unter Führung ihres Sultahns, Elfenbein und andere Erzeugnisse ihres Landes nach Kiloa gebracht und waren bemüht, ihre Schätze mit möglichstem Vortheil an den Mann zu bringen. Schon auf dem Sklavenmarkte zu Sansibar hatte Decken diese Menschen mit Aufmerksamkeit betrachtet: hier erregten sie als freie Menschen in ihrer ganzen Naturwüchsigkeit, noch ungebeugt vom Joche der Sklaverei und von den schrecklichen Erlebnissen, in Folge deren Sklaven nach Sansibar kommen, seine Theilnahme in noch höherem Grade. Ein in „Ebenholz" handelnder Amerikaner würde entzückt gewesen sein von den hohen, kräftigen Gestalten und im Stillen nachgerechnet haben, wie viel tausend Dollars er mit diesem „Schwarzfleisch" gewinnen könne. Und über diese Riesen ragte, wie Saul über die Juden, ihr Führer und Gebieter, der Sultahn Kamaria von Pembe, noch um eine Kopfeslänge empor: Decken versichert, niemals einen größeren und stärkeren Mann gesehen zu haben.

Aber nicht blos der Körperbau, auch die Tracht der Fremden nahm die Aufmerksamkeit des Reisenden in Anspruch. Namentlich die Wabisa zeichneten sich durch Ursprünglichkeit ihrer Kleidung aus; sie trugen als einzige Bedeckung ein kleines Ziegenfell um die Lenden, oft auch blos einen dürftigen Beutel zur Verhüllung ihrer Blöße. Ebenso leicht geschürzt gingen die Frauen umher; nur machte sich bei ihnen noch die Putzsucht ihres Geschlechtes geltend: sie hatten ihr Haar mit Tausenden von bunten Glasperlen durchflochten und dadurch dem Haupte das Ansehen eines beerenbehangenen Busches verliehen.

So groß übrigens auch die Theilnahme war, welche Decken anfangs diesen Fremdlingen schenkte, so mußte er doch bald von jeglichem Verkehr mit ihnen absehen; denn die Schwarzen waren nicht blos überaus neugierig, sondern auch im höchsten Grade zudringlich, und einige Tage, nachdem er sie kennen gelernt, sah er sich sogar genöthigt, eine Wache auszustellen, um das lästige Gesindel von seinem Hause fern zu halten.

Fortan beschäftigte sich der Reisende in seinen Erholungsstunden ausschließlich mit der Jagd. Allerdings kommen hier noch nicht die Riesenthiere Afrikas vor — Elephanten und Nashörner, Zebra, Girafen und Strauße meiden die von Menschen bewohnten Oertlichkeiten und treten erst weiter landeinwärts auf — doch trifft man schon unmittelbar an der Küste mit mancherlei jagdbarem Wilde zusammen. Die zahlreichen Flußarme und Kanäle wimmeln von Wassergeflügel, an den Uferrändern treiben sich Wildschweine umher, in den entlegeneren Gewässern haben sich Flußpferde angesiedelt, auf der rothen Ebene landeinwärts tummeln sich Antilopen, die Berggehänge werden von Pavianen und die Waldungen von Meerkatzen belebt, anderer Säugethiere, welche wenig in das Auge fallen, und der artenreichen Vogelwelt dieser Gegend nicht zu gedenken.

Vor allem Anderen reizten den leidenschaftlichen Jäger die Wildschweine, deren es hier zwei Arten gibt, die einen, ihrem Aussehen nach verwilderte Hausschweine, die anderen aber — welche an Körpergröße und Gefährlichkeit des Gewehrs sogar unsere Wildschweine übertreffen — so verschieden von jenen, daß selbst der urtheilloseste Nachbeter Darwins nicht wagen würde, sie als Nachkommen der von den Portugiesen hinterlassenen Schweine zu bezeichnen, ihre veränderte Bildung aus nur dreihundertjähriger Einwirkung des Klimas und der veränderten Lebensweise zu erklären: die sog. Larven- oder Warzenschweine. Auch auf Sansibar kommen ähnliche, aber viel kleinere Wildschweine vor; aus Schädeln dieser Thiere, welche nach Berlin geschickt wurden, konnte Peters die Art, um welche es sich handelt, als Choeropotamus africanus Schreb. bestimmen. Nach Deckens allerdings nur kurzer Beschreibung müssen wir jedoch annehmen, daß die Wildschweine von Kiloa, von den Eingeborenen Bangos genannt, sich von denen Sansibars unterscheiden, dagegen den bosch vark oder Waldschweinen (Potamochoerus africanus) Südafrikas nahe stehen, wenn nicht gar dieselben sind. Die Gestalt Letzterer unterscheidet sich im Allgemeinen nicht auffallend von der unserer Wildschweine. Der Leib ist gestreckt, der Kopf stumpf kegelförmig, da sich seine Höhe zur Länge von der Schnauze bis zu den Haarbüscheln an der Stirn verhält wie 2 : 3¼. Die Schnauze ist in einen kurzen, schmalen, vorn abgestumpften Rüssel verlängert, welcher die Unterlippe überragt; die Beine sind ziemlich niedrig, die Vorder- und Hinterfüße vierzehig, die Ohren groß, doch nicht sehr breit, vielmehr auffällig zugespitzt, an den Rändern dicht

Das bosch vark oder Waldschwein Südafrikas.

behaart, an der Spitze mit einem pinselartigen Büschel besetzt. Eine große, stark aufgetriebene, warzenartige Erhöhung auf den Backen oberhalb der Eckzähne, welche in eine stumpfe, nach rückwärts gewendete Warze ausläuft, verleiht dem Gesicht einen höchst eigenthümlichen Ausdruck und begründet den angegebenen Namen. Die Haut ist dicht mit borstigen Haaren bekleidet, welche auf Hinterkopf und Rücken eine Mähne und an der Spitze des ziemlich langen, schlaff bis zu den Fersen herabhängenden Schwanzes eine Borstenquaste bilden. Ein lichtes Graugelb oder Braun ist die Grundfärbung; die Mähne sieht weißlich, gelblich oder lichtbraun aus, ebenso die Stirngegend und die Innenseite der Ohren. Das Auge wird durch einen großen, schwarzen Fleck, welcher sich nach unten hin ausbreitet, umrandet, die Borstenbüschel an den Spitzen der Ohren sind schwarz. Diese Färbung ist jedoch manchem Wechsel unterworfen, möglicher Weise dem verschiedenen Alter des Thieres entsprechend, wenigstens hebt A. Smith die Veränderlichkeit der Färbung als bezeichnend für diese Schweine hervor und sagt, daß einige auf schwarzem Grunde weiße Haare zeigen, oder auf lichtroth-braunem und selbst röthlichem Grunde mehr oder weniger weiß überflogen sind. Genanntem Reisenden, welcher das Waldschwein Jahre lang in den östlichen Gebieten des Kaplandes beobachtet hat, verdanken wir es auch, daß wir im Stande sind, über dessen Lebensweise einige Worte beizufügen; denn von der Decken spricht nur von der Art und Weise der Jagd, nicht aber von dem Leben und Treiben der Thiere.

„Das Buschschwein ist vermöge seines Kopfschmuckes ein fürchterliches Thier. Ueberall wo ein ungestörter Ort sich darbietet mit Busch, in welchem das Schwein sich verbergen kann, dürfen wir erwarten, es zu finden. Seine Spur ist wie der Buchstabe M d. h. die Spitzen der Zehen bilden zwei getrennte Punkte, zum Unterschiede von den Antilopen, bei denen sie fast stets zusammen laufen, sodaß die Spur ihres Fußes zumeist die Gestalt eines A mit einem abtheilenden Striche in der Mitte hat. Die bosch varks streichen in Heerden durch die Wälder und nähren sich von Wurzeln und jungem Gesträuch; ihre Lieblingsnahrung aber bildet eine große, hartschalige, mit Samenkörnern erfüllte Orangenart, welche in großer Menge auf den Niederungen in der Nähe der Natalwälder wächst. Abends kommen die Schweine aus dem Busche heraus auf die Ebene, um die von dem Winde herabgeworfenen Früchte zu suchen."

„Die Kaffern, welche das Fleisch des Hausschweines verschmähen, essen das von seinem wilden Bruder ohne irgend welche Gewissensbisse. Sie halten diese Thiere für sehr gefährlich und fürchten sich, ihnen im Walde zu begegnen; ihrer Ansicht nach heilen die von solchen Schweinen beigebrachten Wunden niemals ordentlich. Der Burawald in Natal ist ein Lieblingsaufenthalt dieser wilden Schweine, doch begegnet man ihnen nur äußerst selten, obgleich der Boden mit ihren Spuren bedeckt ist."

„Nicht mit Unrecht sind die Kaffern sehr erbost auf die bosch varks, weil diese ihre schlechten Umzäunungen durchbrechen, die Pflanzen auf den Feldern herausreißen und die Wassermelonen in den Gärten zerstören. Die schlauen Schwarzen wissen sich jedoch einigermaßen vor solchen Verwüstungen zu schützen. Sie lassen hier und da kleine Oeffnungen in den Zäunen; wenn nun ein Schwein diesen schon fertigen Thorweg benutzt, so fällt es in eine tiefe Grube und spießt sich dort auf einem am Boden befestigten, spitzen Pfahl. Ertönt dann das Gequik des gequälten Thieres, so kommen die auf der Lauer stehenden Kaffern mit lauten Freudenbezeugungen herbei und bemächtigen sich der willkommenen Beute. Das Fleisch wandert in die Küche, die Höcker oberhalb der Hundezähne werden, an einem Faden oder Riemen befestigt, als geschätzter Schmuckgegenstand um den Hals getragen."

Decken versuchte die Jagd auf Bangos in verschiedener Weise. Ein Treiben mit Hilfe der Beludschen erwies sich als unthunlich; seine Hunde waren nicht zu gebrauchen, und ebensowenig diejenigen des Landes, vermutlich weil hier die Schweinejagd von den Eingeborenen nicht betrieben wird, wie auf Sansibar, Mafia u. a. O.; der Birschgang ohne Menschen und Hunde stellte sich endlich als die ergiebigste Methode heraus. Auf diese Art erlegte der Reisende viele der großen und grimmigen Thiere und hätte deren leicht noch mehrere erlegen können, wäre ihm ein nutzloses Morden nicht zuwider gewesen. Nur die großen Hauer waren zu verwerthen, das Fleisch wurde von den Eingeborenen nicht angerührt. Er fand, daß die Bangos sehr schwer zu tödten sind, jedenfalls in Folge der Dicke und Zähigkeit ihrer Haut, welche sogar einem guten Messer beträchtlichen Widerstand entgegensetzt.

Wildschweine sind durch ganz Ostafrika verbreitet, vom Somalilande an bis herab nach Natal und Madagaskar. Wie vielen Arten sie angehören, läßt sich noch nicht bestimmen, doch bilden sie jedenfalls mehrere Arten, zumal erst neuerdings von Grandidier ein neues Schwein auf Madagaskar entdeckt worden ist. —

Gelegentlich eines Ausfluges wurde die Aufmerksamkeit des Reisenden durch ein sonderbares Bellen auf Thiere gelenkt, welche sich an dem Gehänge eines Hügels umhertrieben und hier eifrig beschäftigt zu sein schienen. Anfangs glaubte er, es mit Raubthieren zu thun zu haben; die Bewegung der Thiere, ihre ewige Unruhe, die Gelenkigkeit und Gewandtheit, mit welcher sie sich auf größeren Felsblöcken und Steinen zu schaffen machten, ließ jedoch bald Hundsaffen erkennen. Mehrere Arten dieser Gruppe oder, wie man neuerdings will, Familie der Vierhänder bewohnen im Osten Afrikas, von Abyssinien bis herab nach dem Kapland, geeignete, d. h. Abwechselung bietende, bebaute Gegenden, zum Leidwesen der Eingeborenen oft in sehr großer Menge. Man trifft sie stets in zahlreichen Gesellschaften an, welche unter sich einen geschlossenen Verband bilden und von einem oder mehreren alten Männchen geleitet und beherrscht werden. Ein solcher Häuptlingsaffe, welcher in gewissem Sinne auch als Stammvater der Heerde betrachtet werden darf, gelangt erst spät zu Amt und Würden; denn er hat vorher mit allen Gleichgesinnten, also mit allen Affenmännchen überhaupt, schwere Kämpfe zu bestehen. Hierbei ist freilich zu bemerken, daß diese Kämpfe viel ernsthafter aussehen, als sie wirklich sind; die Hundsaffen zeigen sich bei allen ihren Handlungen als echte Prahlhänse und verursachen ungleich größeren Lärm als eigentlich nöthig wäre. Man meint, daß zwei von ihnen, welche wegen einer Aeffin zusammen gerathen, sich mindestens in Stücke zerreißen werden, während es in der That kaum zu einem wirklichen Angriffe kommt. Mit zornfunkelnden Augen und verzerrten Mienen, aus denen der tiefste Ingrimm spricht, zähnefletschend und die etwas verlängerten Haare des Vorderleibes gesträubt, stehen sie sich gegenüber; knurrend, kläffend, wie unsinnig vor Wut schlagen sie mit der Hand auf den Boden und — lassen es hierbei bewenden.

Genau in derselben Weise benehmen sie sich gegen Menschen. Es ist oft behauptet worden, daß sie dem Jäger kühn zu Leibe gehen und ihn sogar ernstlich gefährden: jede unbefangene Beobachtung beweist das Gegentheil. Vor einem Hunde nehmen sie unter lautem Geschrei und Gebelfer so eilig als möglich die Flucht; wird aber einer von ihnen gepackt, dann wehrt er sich seiner Haut nach besten Kräften, wird auch wol von anderen unterstützt. So lange es einen Ausweg für sie gibt, erwählen sie diesen; in die Enge getrieben gehen sie indessen auch auf den bewehrten Menschen los, und ihre Gewandtheit, die Schnelligkeit ihrer Angriffe, die erstaunliche Kraft ihrer Hände und die Stärke ihres raubthierähnlichen Gebisses sind dann wirklich zu fürchten. Doch, wie bemerkt, nur im äußersten Nothfalle bedienen sie sich ihrer Waffen: — Feigheit und lärmende Prahlerei sind Grundzüge ihres Wesens.

Es erscheint uns angemessen, an dieser Stelle einige Worte Brenners, des späteren Begleiters unseres Reisenden einzuschalten, weil sie unserer Ansicht nach ein sehr anschauliches Bild von dem Freileben dieser Affen gewähren: „Die Beobachtung einer zahlreichen Pavianheerde im Freien“, sagt unser Gewährsmann, ein leidenschaftlicher Jäger und Thierfreund, „gewährt einen Genuß, wie ihn Thierbuden oder Affenhäuser der Thiergärten niemals zu bieten vermögen. Ich bin oft auf Pavianheerden gestoßen und hatte am Djubaflusse fast täglich Gelegenheit, sie zu belauschen; ich traf alte, fünf Fuß hohe, breitbrustige Burschen mit bitterbösen Gesichtern, erkläre aber die Behauptung, daß sie den Menschen jemals angreifen oder verfolgen, für eine Fabel. So oft ich Morgens an den hohen, feuchten Uferwäldern genannten Flusses auf eine Pavianheerde stieß, wurde ich mit dumpfem Knurren und mörderlichem Geschrei der jungen Familie begrüßt. Alles flüchtete so eilig als möglich über Steine und Büsche hinweg, einem hohen, weitästigen Baume zu, offenbar in der Absicht, sich zunächst zu sichern. Die alten, braunen Burschen ließen sich auf den untersten Zweigen nieder, gleichsam als Wächter und Vertheidiger der hellfarbigen Jungen, welche in den höheren Zweigen Platz nahmen. Ein derartig besetzter Baum gewährt ein höchst ergötzliches Schauspiel: hinter jedem Aste, hinter jedem Blattbüschel fast blickt ein Gesicht hervor, in welchem sich Neugier und Angst um den Vorrang zu streiten scheinen. Mit größter Aufmerksamkeit verfolgte die Gesellschaft mein Näherkommen. Einzelne junge Feiglinge flohen wol in mächtigen Bogensätzen einem der nächsten Baumwipfel zu, die meisten hingegen, insbesondere die älteren, erfahrenen Häupter verließen ihre einmal gewählte Stellung nicht, oder spazierten höchstens unter lärmendem Bellen und Kreischen auf den unteren, starken Aesten hin und her, zogen die Lippen auseinander und sperrten den Rachen so weit auf, als sie konnten, in der nicht zu verkennenden Absicht, mich durch solche Drohung zu schrecken, beugten den Kopf hernieder, als ob sie sich zu einem Sprunge bereit machten, und gaben ihrer Stellung durch den kühn gebogenen Schwanz noch einen besonderen Ausdruck. Blieb ich dann ruhig stehen, so beruhigte sich nach und nach die Gesellschaft; namentlich die Jungen, denen es langweilig zu werden schien, beständig auf mich zu achten, begannen in der Regel, im Gefühle des durch die Eltern gewährten Schutzes, bald wieder mit ihren läppischen Spielen, während die Alten, auch wenn sie anscheinend sorglos waren, mich niemals ganz aus den Augen ließen."

Zuweilen nehmen einzelne Glieder einer solchen Heerde die sonderbarsten und lächerlichsten Stellungen an. In dem Wesen dieser Affen scheint sich das Bestreben auszudrücken, ihr Leben sich unter allen Umständen so behaglich als möglich zu gestalten; so sieht man einzelne, wie Brenner ebenfalls ganz richtig hervorhebt, in bequemer Lage auf einem Aste sitzen, den Rücken gegen einen senkrechten Zweig oder den Stamm gelehnt, den Kopf auf die Brust herabgesenkt, als ob er mit den tiefsten Gedanken beschäftigt wäre, oder bemerkt andere, welche sich der Länge nach auf einen stärkeren Ast gelegt haben und von den jüngeren Familiengliedern das Fell reinigen lassen: wahre Zerrbilder eines bequemen Menschen, welcher sich von willigen Sklaven bedienen läßt. Reinhaltung des Felles macht sich allerdings bei den Affen in mehr als einer Hinsicht höchst nothwendig. Bei ihren Streifereien durch das Gezweig oder durch das Gras hängen sich nicht blos allerlei Pflanzenreste, sondern auch mancherlei Schmarotzerthiere in ihrem Felle fest; durch letztere scheinen sie in demselben Grade belästigt zu werden, wie wir Menschen. Nach jedem Ausfluge haben sie nichts Wichtigeres zu thun, als sich gegenseitig das Fell abzusuchen. Diese Arbeit geschieht unabänderlich mit äußerster Sorgfalt und dementsprechend mit dem größten Ernste. Jedes Härchen wird genau untersucht, jeder Haarbüschel auseinandergelegt, auch der geringste Gegenstand genau besichtigt, ungenießbare Pflanzenreste werden herausgeklaubt und verächtlich weggeworfen, Schmarotzerthiere anderweitig verwendet: sie nämlich bilden den Lohn für die mühevolle Arbeit. Mit lüsternem Schmatzen ergreift der Affe das gefundene Thierchen, klemmt es geschickt zwischen die Nägel des Daumens und des zweiten Fingers, hält es vor das Auge, betrachtet es unter fortwährendem Schnalzen — man möchte sagen mit beifälligem Schmunzeln — und steckt es in den Mund; er verfährt also genau ebenso, wie der Eskimo und tiefer stehende Stämme der Mongolen überhaupt. An gefangenen Pavianen, welche alle Scheu vor den Menschen verloren haben, kann man bemerken, daß diese Arbeit ihnen Vergnügen gewährt, da sie das Durchsuchen des Felles auf alle Thiere ausdehnen, welche sich Dies gefallen lassen; ja, es scheint fast ein Beweis von Freundschaft zu sein, wenn sie einem anderen Säugethiere solchen Liebesdienst erzeigen — versuchen sie doch selbst auf Menschenköpfen ihrer Jagd obzuliegen, und zwar, wie ausdrücklich bemerkt werden mag, nicht blos auf solchen, welche Erfolg versprechen, sondern auch auf denen reinlicher Europäer.

Man nimmt gewöhnlich an, daß die Paviane und Affen überhaupt sich mehr oder weniger ausschließlich von Pflanzenstoffen nähren, weil man sie in Gefangenschaft bei solchem Futter Jahre lang erhalten kann. Schon das eben Mitgetheilte, der Eifer, mit welchem sie Kerbthiere verfolgen, widerlegt diese Annahme. Wer nun Gelegenheit gehabt hat, wie wir, diese „Halbmenschen“ in ihrem Freileben zu beobachten, lernt bald erkennen, daß sie in demselben Sinne Allesfresser sind, wie der Mensch selbst. So lange sie sich bewegen, beschäftigen sie sich mit Aufsuchung ihrer Nahrung und bezüglich mit einer höchst vielseitigen Jagd, pflücken sich Blätter und Blattknospen, Blüten und halbreife Früchte, graben Knollen und Wurzeln aus und stellen nebenbei allen Thieren nach, welche sie bewältigen können. In gebirgigen Gegenden bemerkt man ihr Vorhandensein gewöhnlich zuerst an den über die Felsenwände und Bergabhänge herabrollenden Steinen, welche von ihnen umgedreht wurden, in der Hoffnung, einige Kerbthiere in dem nun bloßgelegten Verstecke zu finden. Unter diesen bilden die Puppen der verschiedenen Ameisen ihre größte Leckerei; aber auch Käfer und deren Larven, Schmetterlingspuppen, glatthäutigen Raupen, Fliegen und dergl. sind ihnen willkommen, und die Klasse der Spinnen liefert ihnen ebenfalls erwünschte Beute. Sie begnügen sich jedoch keineswegs mit niederen Thieren, sondern stellen auch verschiedenartigen Wirbelthieren nach. So gehören sie zu den ärgsten und unerbittlichsten Nesträubern, welche die Gleicherländer aufzuweisen haben, fressen Eier und Nestlinge aller nicht zu großen Vögel, versuchen selbst flügge Junge zu fangen, greifen Mäuse und andere kleine Säugethiere und verzehren deren Wildpret mit ersichtlichem Behagen.

Der aufmerksame Beobachter bemerkt bald, daß sie zwischen vertheidigungsunfähigen und bewehrten Thieren sehr wohl zu unterscheiden wissen. Ohne Bedenken greifen sie eine Spinne, während sie ihre Kenntniß des derselben Klasse angehörigen Skorpions, den sie unter einem Steine fanden, durch einen hohen Luftsprung beweisen und sich nur dann an ihn wagen, wenn sie ihn vorher unschädlich machen, d. h. mit einem Steine zu Brei klopfen können. Nur eine einzige Klasse gibt es, welche ihrem Speisezettel keinen Beitrag liefert: die der Lurche; ihnen gegenüber geberden sie sich ebenso albern als die meisten Menschen. Nicht blos die unschuldige Natter, sondern selbst die harmlose Eidechse flößt ihnen unendliches Entsetzen ein, ein Frosch ist im Stande, die ganze Heerde in die Flucht zu schlagen. So eilig als möglich strebt jedes Mitglied der Gesellschaft, einen sicheren Platz zu erreichen; hier aber hält sie die Neugier fest, und mit angstverzerrten Mienen betrachten sie das Scheusal, den Urheber ihres namenlosen Schreckens.

Fast jedes europäische Schiff, welches Sansibar verläßt, hat einen oder mehrere dieser Hundsaffen an Bord; denn sie insbesondere werden sehr häufig lebend nach der Hauptstadt gebracht, weil sie hier jederzeit willige Abnehmer finden. Im Allgemeinen kann man die Ostafrikaner nicht eben Freunde gezähmter Thiere nennen; sie haben noch nicht einmal daran gedacht, die Nutzthiere ihrer Heimat sich dienstbar zu machen. Perlhühner und Frankoline, welche man in anderen Theilen Afrikas wenigstens als Zierde der Gehöfte und Gärten hält, kann der thierfreundliche Europäer blos dann erwerben, wenn er sich dieselben ausdrücklich bestellt oder mit einem Eingeborenen zusammentrifft, welcher die Kauflust der Europäer zu würdigen gelernt hat. An eine Zähmung und Einbürgerung einheimischer Nutzthiere denkt dort Niemand, obgleich man die Vortheile, welche derartige Thiere dem Hausstande gewähren, durchaus nicht verkennt. Affen bilden eine Ausnahme von dieser Regel, denn es will scheinen, als ob man keine Gelegenheit vorübergehen ließe, sich dieser leicht zu zähmenden, leicht zu haltenden und leicht verkäuflichen Thiere zu bemächtigen. In welcher Weise man die Hundsaffen fängt, ist uns unbekannt; doch glauben wir annehmen zu dürfen, daß sie nicht sowol menschlicher List zum Opfer fallen, als ihrer eigenen Lüsternheit und Leckerhaftigkeit.

Die Menschen, mit denen Decken und seine Leute auf dem flachen Lande und auf den Schambas zusammentrafen, benahmen sich im Allgemeinen freundlich und gefällig; doch ließ sich nicht verkennen, daß man sich nicht mehr unter den zahmen Bewohnern der Insel Sansibar, sondern unter Leuten befand, deren unbändiger Sinn nur allzuhäufig die Schranken durchbricht, welche der, wenigstens scheinbar die Sitten mildernde Islahm ihnen gezogen. Ein kleines Abenteuer zeigte dem Reisenden, daß man in diesem Lande Ursache habe, im Umgange mit den leicht und oft ohne alle Ursache aufbrausenden Eingeborenen vorsichtig zu sein. Durstig und ermüdet von der Jagd kam Decken eines Tages an eine Hütte und sandte seine Begleiter in das Innere derselben, um sich einen Trunk Wassers zu erbitten. Noch ehe er sich zur Ruhe niedergelassen, stürzte Assani, der eine derselben, mit mächtigen Sätzen wieder zur Thüre heraus, verfolgt von einem Neger, welcher ihn mit hochgeschwungenem Messer bedrohte. Ohne Besinnen warf sich Decken dem Wütenden entgegen, fing den seinem Diener zugedachten Messerhieb mit seinem Stocke auf und warf den Gegner zu Boden; jedoch erst nach längerem Ringen und nachdem er selbst leicht verwundet worden, gelang es ihm, dem stämmigen Schwarzen das Messer zu entwinden. Während er ihn noch an der Gurgel festhielt, sprang ein zweiter Neger, gleichfalls in offenbar feindlicher Absicht auf ihn ein; aber auch dieser neue Feind wurde rasch bewältigt, denn einen Augenblick vorher war Koralli auf dem Wahlplatz erschienen, und konnte somit der in allen Leibesübungen gewandte Decken sich ausschließlich mit dem zweiten beschäftigen. Nunmehr kamen auch die tapferen Beludschen, die Sicherheitswächter unseres Reisenden, Einer nach dem Anderen herbei und bekundeten ihren Eifer durch theilnehmende Fragen über die Entstehung des Streites. Es entspann sich eine lange Verhandlung, welche zunächst Nichts weiter zur Folge hatte, als daß es währenddessen dem ersten Angreifer gelang, zu entkommen. Der zweite wußte seine Befreiung auf andere Weise zu bewirken. Er beschwerte sich über die ihm zu Theil gewordene Behandlung und behauptete, daß seine edeln Absichten gänzlich mißverstanden würden; er habe dem Msungu zu Hilfe eilen wollen, verdiene also eher Lob und Belohnung als Mißhandlung. Trotz der gerechten Zweifel an der Wahrheit der Aussagen dieses Schurken gab man auch ihn schließlich frei, berichtete jedoch das Geschehene sofort dem Wali.

Wider alles Erwarten erschien der Letztere nach einigen Tagen in Deckens Wohnung, um Gericht über den inzwischen eingefangenen Missethäter zu halten und sich wegen des Vorgefallenen zu entschuldigen. Auch hier gewährt man, wie in Sansibar, dem Beleidigten, insbesondere wenn derselbe eine Ausnahmestellung einnimmt, in vielen Fällen das Recht, die ausgleichende Strafe zu bestimmen. Decken war es also, welcher das Urtheil sprach, und dem Unverschämten eine tüchtige Tracht Schläge zuerkannte. Mit diesem Urtheil war der Wali nicht nur vollständig einverstanden, sondern meinte auch seine Dienstfertigkeit gegen den Msungu und seinen Verdruß über die Ungehörigkeit des Negers nicht besser zeigen zu können, als indem er dem Schuldigen vor den Augen des Beleidigten höchsteigenhändig die von Letzterem beliebte Anzahl Prügel aufzähle. Mit nicht geringer Ueberraschung vernahm er, daß der Reisende sich dieses Schauspiel in seiner Gegenwart verbat, dagegen aber verlangte, den Mann vor der Bestrafung noch einmal zu sehen. Letzteres geschah, weil Decken hoffte, in dem zwar jähzornigen aber doch mutigen Menschen einen treuen Diener zu gewinnen; das Galgengesicht des Erscheinenden und sein feiges Zittern brachte ihn aber sofort von seiner Meinung zurück. —

Solche Spaziergänge und Jagdausflüge waren allerdings geeignet, dem Reisenden Erholung zu gewähren und die Spannkraft seines Geistes zu erhalten, wurden andererseits aber auch wieder Ursache zu neuen Beschwerden und Leiden. Das ungewohnte Klima machte seine Rechte geltend. Fast auf jeden größeren Ausflug folgte ein mehr oder minder schweres Unwohlsein, und wenn Decken sich immer rasch wieder erholte, so verdankte er diese Zähigkeit nicht nur der Gesundheit seines strapazengewohnten Körpers und der leiblichen und geistigen Frische, welche er noch von Europa her besaß, sondern auch der ihm eigenen, unbeugsamen Willenskraft, welche ihn aufrecht erhielt, wann Andere erlagen. Ihm schadete der Aerger beim Umgange mit den Arabern mehr als körperliche Anstrengung allein.

Nicht wenige Reisende meinen, daß man sich auch an Sonnenbrand und übermäßige Anstrengung gewöhnen und fortdauernd gegen die Verhältnisse und seine eigene Natur ankämpfen könne, werden aber nur zu bald gewahr, daß sie solchem Kampfe nicht gewachsen sind. Allerdings hält es schwer, seinen Jagd- und Forschungseifer zu beschränken, so lange man sich gesund und frisch fühlt; Derjenige aber, welcher aus Erfahrung weiß, was es bedeuten will, stundenlang unter der glühenden Sonne Afrikas zu wandern, alle Bodenschwierigkeiten wegeloser Gegenden zu überwinden, dabei die Qualen eines unstillbaren Durstes auszustehen, auf gewohnte Speisen zu verzichten, mit einem Worte, sich in all die neuen Verhältnisse zu fügen, spart, besonders im Anfange, fast ängstlich seine Kräfte, mit denen er ja noch jahrelang haushalten soll. Schonung der Gesundheit muß dem Reisenden vor Allem am Herzen liegen; denn der Kranke ist unfähig, den Beschwerden und Gefahren, welche jeder Tag ihm bringt oder bringen kann, zu widerstehen, unfähig, der Wissenschaft zu nützen.

Achter Abschnitt.

Die erste Reise ins Innere.

Vorläufiger Aufbruch. — Abdallahs Schamba. — Der Reisende und die Frauen. — Endgiltige Abreise. — Lebensmittelnoth. — Sitten und Gebräuche der Eingeborenen. — Beginn der Regenzeit. — Ein Kranker. — Musik und Tanz. — Sonderbare Felsbildung. — Empörung im Lager. — Ein trauriger Weihnachtsabend. — Charakterzüge der Beludschen und Küstenaraber. — Rückkunft nach Kiloa. — Aerger und Verluste. — Schwere Krankheit.

Noch abgespannt nach der Aufregung der letzten Tage erhielt Decken am 22. November die erfreuliche Mittheilung, daß, nachdem nun alle Vorbereitungen beendet, der Aufbruch am folgenden Morgen wirklich stattfinden könne. Anfangs wagte er allerdings nicht, den Versicherungen Abderrahmans Glauben zu schenken, traf jedoch sofort die nöthigen Anstalten zur Abreise, damit nicht etwa er selbst die Ursache eines neuen Verzuges würde. Er besuchte die Angesehenen der Stadt, mit denen er in Verkehr stand, berichtigte seine Rechnungen, verschenkte die überflüssigen Sachen und packte bis spät in die Nacht hinein.

Am anderen Morgen begann er schon einige Stunden vor Sonnenaufgang mit dem Ordnen der kleinen Karawane. Hierbei stellte es sich heraus, daß einer der Beludschen entlaufen war und ein anderer an einer so bösartigen Geschlechtskrankheit litt, daß auch er zurückgelassen werden mußte, nachdem er einen Ersatzmann gestellt. Gegen sechs Uhr brach der Zug denn wirklich auf. Er bestand außer dem Baron, Koralli und mehreren farbigen Dienern aus neunzehn Soldaten und einigen vierzig Trägern, welche 3000 Ellen weißen Baumwollenzeugs, eine Menge bunter Baumwollentücher, ein und einen halben Centner Glasperlen, einen Centner Messingdraht, Glasspiegel, Messer, Feuersteine, Pulver, Tabak und dergl. fortschaffen sollten. Der Wali, der Kadi und die Aeltesten der Stadt gaben dem Msungu noch auf ein gutes Stück Weges das Geleit. Außer diesem sogenannten ersten Aufbruche hat der Reisende in Ostafrika zumeist noch einen zweiten und vielleicht auch noch einen dritten Aufbruch zu erwarten: bei dem ersten entfernt man sich nur wenige Meilen vom Ausgangspunkte; erst nach einigen Tagen, während deren man Fehlendes ergänzt und sich auf den beschwerlichen Marsch vollständig vorbereitet, beginnt die wirkliche Reise.

Das Ziel der heutigen Wanderung war Mukapunda, eine Schamba Abdallah ben Saids, auf welcher die Träger vollzählig gemacht werden sollten. Sie liegt in gerader Linie zwölf Seemeilen von Kiloa entfernt. Der Weg führte durch anfangs sumpfiges, später hügeliges, schattenloses Gebiet. Schon auf der Schamba Pangapanga, etwa in der Mitte zwischen Kiloa und Mukapunda, mußte die Karawane der zahlreichen Schwachen halber einige Zeit rasten, und erst gegen Sonnenuntergang erreichten die rüstigsten Leute die Schamba Abdallahs, während die Hälfte der Träger am späten Abende dort anlangte, ein Beludsche sogar ganz ausblieb, vermutlich, weil er seinem gestern entlaufenen Kameraden sich angeschlossen. Abderrahman, der verweichlichte Araber, war halbtodt vor Ermüdung und empfahl sich bereits am anderen Tage, um nach der Stadt, nach seinem bequemen Hause zurückzukehren.

Am meisten hatten die armen Hunde bei dem immerhin anstrengenden Marsche zu leiden gehabt. Mit weit heraushängender Zunge und lechzend vor Durst und Erschöpfung rannten sie unterwegs von einem der nur dürftig Schatten gewährenden Sträucher zum anderen, um dort auf weniger brennendem Boden etwas zu verschnaufen. Nur die kleinen Köter Deckens kamen, obschon im höchsten Grade erschöpft, am Ziele an, die großen Hunde fehlten: die schöne Dogge Diana war unterwegs verendet, und der Riese Leo wurde vermißt. Der Reisende war nicht wenig besorgt um das Schicksal des schönen und starken Thieres, welches von den Eingeborenen und Arabern so sehr gefürchtet und deshalb von ihm so werth gehalten wurde; es stand zu erwarten, daß der Hund die Leute belästigen und von einem mutigen Flintenbesitzer als Raubthier niedergeschossen werden würde. Glücklicher Weise kam am anderen Tage die Nachricht, daß Leo zwei Stunden von hier in einer Hütte sich niedergelassen habe. Sofort ging Koralli mit sechs Leuten aus, um ihn zu holen. Sie vermochten das mächtige Thier nicht anders fortzubringen, als indem sie es auf eine Kitanda legten und auf dieser als auf einer Bahre trugen: in solch' lächerlichem Aufzuge kam das Ungethüm Nachts ein Uhr im Lager an. Leo hatte sich die bequeme Beförderungsweise recht wohl gefallen lassen: hatte er doch früher schon, als er bei einem beschwerlichen Jagdausfluge vor Ermüdung nicht mehr zu laufen vermochte, mit großem Behagen und vielem Geschicke zu seinem Weiterkommen einen Esel benutzt, welchen der Baron eigentlich zu seiner Bequemlichkeit mitgenommen.

Abdallahs Schamba Mukapunda ist gut bebaut und von beträchtlicher Ausdehnung, leidet jedoch an einem großen Uebelstande: es fehlt ihr an Trinkwasser, wenigstens für eine so große Anzahl von Menschen, wie sie Decken mit sich führte. Man mußte den Bedarf über eine Stunde weit in Töpfen herbeiholen.

Tags nach der Ankunft des Reisenden versammelten sich die Angesehenen der Umgegend zur Bewillkommnung. Mehrere langweilige Schauris, deren Hauptgegenstand das Grigri oder Zaubermittel zur Sicherung einer glücklichen Reise war, mußten mit ihnen überstanden werden. Die handwerksmäßigen Zauberer, welche bei festlichen Gelegenheiten jeder Art das Grigri liefern und damit viel Geld verdienen, sind oftmals nur Sklaven der Reichen; das Grigri für diese Reise wurde von einem Indier angefertigt. Es bestand aus einem Pferdeschwanze, einem beschriebenen Papierchen und einer Zaubermischung in einer Flasche; hierfür forderte der verschmitzte Hexenmeister dreißig Thaler. Er that ganz recht daran, seine Preise so hoch zu stellen; denn die Anderen waren einfältig genug, die für dortige Verhältnisse beträchtliche Summe zu bezahlen. Als Decken von der unverschämten Prellerei vernahm, drang er auf Bestrafung des Betrügers, und es mußte dieser auch das Geld wieder herausgeben und auf einige Zeit in das Gefängniß wandern.

Befremdend mag es erscheinen, daß Mahammedaner auch der höheren Klassen, wie Abdallah, solch' abgeschmackten Gebräuchen huldigen. Der Glaube der hiesigen Araber, besonders derjenigen, welche entfernt von anderen, sie immerhin etwas überwachenden Muslimīn wohnen, steht dem Heidenthume sehr nahe: durch den fortwährenden Umgang mit heidnischen

Völkern, deren Aberglauben sie sonst gar pfiffig auszubeuten wissen, sind sie endlich selbst fast ebenso abergläubisch geworden wie diese.

Eine passende Erläuterung zu den traurigen Zuständen, welche man unter diesen Gläubigen findet, gibt ihr Familienleben. So war Abdallah mit acht Frauen und zwei Surias (Favoritinnen) verheirathet, von denen die eine seine eigene Tochter. Daß der Sohn seine Mutter, der Bruder die Schwester heirathet, ist hier nichts Seltenes. Wie das Familienleben sind alle anderen Verhältnisse beschaffen.

Beobachtung des inneren und häuslichen Lebens der Völker hatte unseren Reisenden stets mächtig angezogen. Mukapunda bot ihm eine besonders günstige Gelegenheit, seine Kenntnisse zu bereichern; denn die eine Frau Abdallahs wandte ihm ihre ganze Theilnahme zu. Sie war von ihrem Gatten, nachdem sie ihm seinen Hauptsohn geboren, verstoßen worden und bewohnte nun eine Hütte in der Nähe. Abdallah benahm sich nicht gerade feindselig, aber doch gleichgiltig gegen sie, und so schloß sich die einsame Frau mit schüchterner Zuneigung dem freundlichen Msungu an. Decken brachte den größten Theil des Tages in ihrem kleinen Hause zu und ergötzte sich höchlich an ihrer kindlichen Neugier und ihrem Erstaunen über Alles, was er ihr zeigte. Die gute Frau, welche wol in ihrem ganzen Leben nicht soviel Merkwürdiges als in diesen wenig Tagen zu sehen und zu hören bekommen hatte, bemühete sich, ihm ihre Dankbarkeit zu beweisen, indem sie ihm alltäglich vortreffliches, arabisches Brod und sonstige Leckerbissen zuschickte. Abdallahs zweite Frau aber beneidete die Andere um die Gunst des Fremden und beklagte sich schmollend bei diesem, daß sie von ihm vernachlässigt werde.

Decken ließ sich die Zuneigung der beiden Araberinnen umsomehr behagen, als die Umgegend der Schamba keine Veranlassung zu bemerkenswerthen Ausflügen bot. Namentlich am letzten Tage seines Aufenthalts gewährte ihm das Frauenhaus einen willkommenen Zufluchtsort, weil seine schlechte Hütte durch einen Nachts gefallenen, wolkenbruchartigen Regen fast unbewohnbar geworden war. Wie an trüben Tagen ein Sonnenblick den Wanderer heiter stimmt, so wurde hier, bei monatelangem, kaum überwundenen Aerger und allerlei schmerzlichen Enttäuschungen, das Gemüt des Reisenden durch das freundliche Wesen dieser Frauen erquickt; es war eine anheimelnde und anmutige Geselligkeit, wie sie bei gebildeten Völkern zu Hause ist, wie man sie aber nicht in einer Familie der sittlich so tief stehenden Kiloaaraber zu finden erwartet.

Schon hier erfuhr Decken, daß es der Reisende niemals mit den Frauen verderben darf. Wenn er kleine Aufmerksamkeiten, welche oft Nichts als eine ehrerbietige Zuneigung bedeuten, annimmt und die unschuldigen Naturkinder durch artiges Benehmen und kleine Geschenke zu verpflichten und an sich zu fesseln weiß, wird er sich nicht nur manche einsame Stunde erheitern, sondern auch oft Gelegenheit finden, tiefe Blicke in das innere Leben der einzelnen Familien zu thun. Seine gute Stellung zu dem schönen Geschlechte kann sogar von der größten Bedeutung für ihn werden; denn bei vielen Völkern wird Derjenige, welcher in der Gefahr eine Frau berührt, als unverletzlich betrachtet.

Es währte lange, bis man die fehlenden Träger zusammengebracht. Ein Araber Namens Banafumo, welcher versprochen hatte, eine Anzahl seiner Sklaven zur Verfügung zu stellen, war am dritten Tage nach der Ankunft noch nicht erschienen; der Reisende wurde also auch hier daran erinnert, daß Geduld und immer wieder Geduld das nothwendigste Erforderniß beim Umgange mit derartigen Menschen ist.

Bei der Langweiligkeit des Wartens kamen Deckens Leute auf allerlei unnütze Gedanken. Die Träger, welche mit dem Umpacken zu schwer befundener Msigo einigermaßen beschäftigt wurden, benahmen sich noch erträglich; die müßigen Beludschen aber klagten am Tage über mangelndes oder zu schlechtes Essen und verführten in der Nacht mit Tanz und

Singen einen entsetzlichen Lärm. Alle Ermahnungen ihres Dschemmedar, ein wenig Rücksicht auf die ermüdeten Schläfer zu nehmen, fruchteten Nichts, sodaß endlich der Baron, als ihm das Treiben gar zu arg wurde, mit dem Stocke dazwischen sprang, den Einen zu Boden warf, den Anderen am Genick ergriff und jeden mit einer tüchtigen Tracht Prügel bedachte. Erwünschte Ruhe folgte dem unerwarteten Ausfall, und die Stille der Nacht wurde fortan nur noch bisweilen durch das leise Winseln der Schambahunde oder das Gackern eines schlaflosen Huhnes unterbrochen.

Der Aufenthalt auf Mukapunda wurde schließlich fast unerträglich. Abdallah, welchem es oblag die Träger bis zur Abreise zu beköstigen, hatte seine letzte Ziege geschlachtet und knauserte schließlich sogar mit dem Trinkwasser. Nicht Decken allein, auch alle seine Leute begrüßten daher den wirklichen Aufbruch mit Freuden. Am 28. November früh 8½ Uhr setzte der Zug sich in Bewegung; am Nachmittag erreichte er das acht Seemeilen entfernte Mnasi. Der Besitzer dieser Schamba, ein wohlhabender Araber, empfing die Karawane mit drei Kanonenschüssen und brachte eine Ziege und zwei Säcke Mtama zum Geschenke dar; der Msungu belohnte seinen Gastfreund mit einem Terzerol und einem Maria-Theresia-Thaler. Mnasi, zu deutsch Kokospalme, ist übrigens ein erbärmliches Nest; seinen Namen führt es nach dreien dieser Bäume, welche gewissermaßen die Merkwürdigkeit der Schamba bilden. Auch hier herrschte Mangel an Wasser; es waren wol mehrere Quellen vorhanden, doch lieferten alle zusammengenommen den Tag über nur wenige Eimer voll.

„Am 29. November", so schreibt der Reisende, „langten wir nach fünfstündigem Marsche in Mpuemu an. Der Weg führte über eine dicht bewaldete Hochebene, deren fester, rother Boden zahlreiche Fährten, namentlich von Zebras und Zweihufern, zeigte. Eine unbeschreibliche Mattigkeit und Abspannung, welche mich unterwegs überkam, ließ mich fürchten, daß eine Krankheit bei mir zum Ausbruche kommen werde. Nur mit Mühe konnte ich mich bis zum Halteplatze schleppen; dort aber mußte ich mehrere Stunden lang ruhen, bevor ich mich fähig fühlte, irgend Etwas zu unternehmen. Endlich raffte ich mich auf, in der Hoffnung, auf einem Spaziergange mich zu erfrischen, mußte jedoch, gequält von heftigen Brechruhranfällen, bald wieder umkehren und kam zum Tode erschöpft im Lager an. Ich nahm zu vier verschiedenen Malen Opiumtinktur mit Pfeffermünzöl, das Hauptmittel gegen solche Leiden: die Leibschmerzen, welche mit den Anfällen verbunden waren, verschwanden darnach, aber eine große Schwäche blieb zurück; der Durchfall währte fort, und ein brennender Durst, welchen ich umsonst mit Reißwasser zu löschen versuchte, marterte mich. Am folgenden Tage fühlte ich mich ein wenig besser; doch wagte ich nicht, in der Tageshitze den Marsch fortzusetzen, wartete vielmehr bis zum Abende."

„Um Mitternacht brachen wir auf und wanderten durch nicht enden wollenden Wald bis wir gegen acht Uhr Morgens Narissu erreichten. Ich selbst hatte es trotz meiner Schwäche ermöglicht, diesen beschwerlichen Weg zurückzulegen; den Beludschen war es zu viel gewesen. Unterwegs schon machten sie in lauten Klagen ihrem Unmute Luft; nach der Ankunft in Narissu beschwerten sie sich wenigstens noch über schlechte Kost. Nur zwei von ihnen, welche den armen Eseln ihr sämmtliches Gepäck aufgeladen, waren fortwährend munter und guter Dinge."

„Der nächste Marsch, am 2. Dezember, wurde wieder zum Theil in der Nacht zurückgelegt. Unser Weg zog sich in einer sanft ansteigenden Ebene dahin, anfangs in gleicher Richtung mit der Kette der Kiluendama- und Matumbiberge, später zwischen einzelnen Hügeln weiter, welche mir durch ihre kühnen Formen auffielen. Einen derselben, den nah am Wege liegenden Kilole, erstieg ich. Er besteht aus einer Aufhäufung von mächtigen Basaltblöcken, auf denen ich hier und da Quarzstücke und einen schweren, grauen Eisenstein bemerkte; eine weite, wechselvolle Aussicht, vorzüglich nach Osten hin, dem ähnlich gebauten Randangaberge zu, belohnte mich reichlich für die Mühe der Besteigung. Im Laufe des Tages kamen wir noch an mehreren, ähnlich gebildeten Felsblockhügeln und an einigen von Norden nach Süden streichenden Basaltstreifen vorüber. Zahlreiche Erdrisse machten den letzten Theil des Weges ungemein beschwerlich und nöthigten uns oft zu weiten Ausbiegungen. Das Land war vortrefflich bebaut und stark bevölkert. Ueberall, wohin wir kamen, erregten wir das größte Aufsehen; denn die Leute hatten noch nie einen Msungu gesehen. Aber fast noch mehr, als wir Europäer, wurden allerorts unsere Esel bewundert; die Möglichkeit des Vorkommens solcher Thiere erschien den Eingeborenen geradezu unerhört."

„Rahigongo, unser heutiger Ruhepunkt, kann nicht wol mit dem Namen Dorf oder Stadt bezeichnet werden, ist vielmehr, wie die meisten afrikanischen Ortschaften, nur ein Bevölkerungsmittelpunkt, besteht aus zahllosen Hütten inmitten der gegen eine Meile weit ausgedehnten Mtamapflanzungen."

„Während der zwei Tage unseres Aufenthaltes in Rahigongo streifte ich in den südlich davon gelegenen Bergen umher. Alle zeigten die nämliche Bildung wie der Kilole, und als ich von einem derselben die weite Ebene mit dem Fernrohre überblickte, gewahrte ich noch mehrere ähnliche Basaltblockhaufen von wunderbar zackiger Form, welche ebenfalls schroff und steil über die Grundfläche emporsteigen. Die Eingeborenen hatten nur für eine größere Hügelkette einen Namen, Ranguale; alle übrigen Hügel wußten sie nicht zu nennen."

„Eine Entdeckung, welche ich hier machte, kam mir in hohem Grade merkwürdig vor. Auf halber Höhe des erstiegenen Berges bemerkte ich mehrere Holzstöße, welche, da sie offenbar von Menschen zusammengetragen waren, meine Aufmerksamkeit sofort auf sich lenkten. Bei genauerer Besichtigung erkannte ich in ihnen Scheiterhaufen. Auf einem von ihnen fand ich ein weibliches Skelet, auf den übrigen Schädel und verschiedene andere Knochen. Die unteren Stämme waren verkohlt, die oberen wenig vom Feuer angegriffen; offenbar war eine Verbrennung beabsichtigt gewesen, aber durch eingetretenen Regen unterbrochen worden. Ungeachtet der eingehendsten Erkundigungen und Fragen vermochte ich im Dorfe nichts Genaues zu erfahren; durfte ich auch annehmen, daß es sich um Verbrennung von Leichen gehandelt habe, so blieben doch andere Vermutungen keineswegs ausgeschlossen. Den Eingeborenen schien es unangenehm zu sein, daß ich in ihre Geheimnisse eingedrungen; denn sie bemühten sich, mich zu täuschen, und wollten mich sogar glauben machen, daß sie gar Nichts von dem Vorhandensein der Holzstöße und Gebeine wüßten. Eigentlich hatte ich eine andere Auskunft kaum erwartet, weil ich wußte, daß ungesittete Volksstämme fast überall die bei Bestattung ihrer Todten üblichen Gebräuche geheim halten und dem Fremden unter keiner Bedingung gestatten, einer Beerdigung beizuwohnen, während die Araber in Sansibar und an der Küste, welche ihre Todten allerdings nicht mit Gepränge oder auffallenden Gebräuchen beerdigen, einem Europäer es nicht verwehren, dem Trauerzuge beizuwohnen."

„Abends besuchten mich mehrere Häuptlinge des Dorfes, wahrscheinlich in der Absicht, Geschenke zu erhalten; Abdallah wenigstens rieth mir, ihnen solche zu geben. Ich glaubte, keine Veranlassung zu haben, seinen Rath zu befolgen, konnte aber doch nicht umhin, mit Hilfe eines Stückes Amerikano um die Freundschaft eines alten, widerlichen Kerls zu buhlen. Der Betreffende nämlich besaß einen großen Ruf als gefürchteter Zauberer, von dessen Willen nach Ansicht der Eingeborenen das Schicksal beabsichtigter Unternehmungen abhing. Meine Leute beschworen mich, ihn zu befriedigen, weil sie fest überzeugt seien, daß er andernfalls durch seine Zaubermittel unsere Reise zu einer unheilvollen gestalten werde. Soweit ich meine Beludschen und Träger bisher hatte kennen lernen, mußte ich allerdings annehmen, daß sie sämmtlich davongelaufen sein würden, hätte ich der unverschämten Forderung des Schurken nicht genügt. Auch hier bewährte es sich, daß Derjenige, welcher auf die Dummheit der Menschen rechnet, ein gutes Geschäft macht: besagter Zauberer, welcher von allen Karawanen einen „Schutzzoll" erhebt, galt als ein sehr reicher Mann."

„Die Beschaffung der Lebensmittel verursachte fortdauernde Schwierigkeiten; die Einwohner von Nahigongo wollten um keinen Preis von ihren Vorräthen verkaufen. Ein Jagdausflug, welchen ich selbst unternahm, war erfolglos gewesen; dagegen erlegte einer der Beludschen eine Büffelantilope (?) von der Größe eines Ochsen. Aber was wollten einige Centner Fleisches besagen soviel en hungrigen Afrikanern gegenüber? Fast roh noch wurde das Genießbare verschlungen, und ehe eine halbe Stunde vorbei, lagen nur noch abgenagte Knochen umher. Die Gier meiner Leute war jedoch noch keineswegs gestillt; sie verließen in kleinen Trupps das Lager, um nach pflanzlicher Nachkost sich umzusehen. Mit den hier wachsenden Pflanzen gänzlich unbekannt, vermuteten sie in jedem Gewächs ein köstliches Gemüse und schleppten demzufolge alles ihnen genießbar Scheinende herbei. Darunter befand sich auch ein Knollengewächs von vielversprechendem Aussehen, welches zunächst gekocht werden und auch auf unseren Tisch kommen sollte. Zu unserem Heile versuchten Koralli und die Suria des Dschemmedar noch vor dem Kochen den Geschmack. Kaum hatten sie die Knollen mit dem Munde berührt, als sie einen heftigen, brennenden Schmerz empfanden, welchem schnell auflaufende Blasen auf Zunge und Lippe folgten. Wir waren somit hinreichend über die giftigen Eigenschaften dieses Gewächses belehrt, welches leicht uns Allen hätte verderblich werden können, und Keiner bezeigte mehr Lust, die Versuche noch weiter auszudehnen." —

„Mit dem 4. Dezember begann ein neuer Jahresabschnitt, die Regenzeit. Schon die vorhergehenden Tage über hatte eine unerträgliche Schwüle geherrscht. Allabendlich thürmten sich im fernen Osten dunkele Wolken auf, kommenden Regen verkündend. Zuweilen erreichte auch das Rollen fernen Donners unser Ohr. Jedermann erfreute sich der Hoffnung auf die Kühle und Frische, welche das nahende Gewitter bringen mußte. In später Abendstunde des angegebenen Tages hatten die Wolken, vom beginnenden Nordostmonsume getragen, unsere Nähe erreicht, und gegen Mitternacht brach das Gewitter los. Der Sturm heulte und pfiff durch die elenden Hütten, jagte Sand und Steinchen bis in die verborgenste Ecke und weckte im Nu selbst die vom tiefsten Schlafe Umfangenen. Unter heftigem Blitz und Donner entlud sich endlich das Wetter, aber keineswegs wolkenbruchartig, wie ich erwartet, sondern nur in einem kräftigen, bis zum Morgen andauernden Regen."

„Bald nach unserem Abzuge begann es von Neuem zu regnen. Die oft allerliebste Landschaft verschleierte sich, der Lehmboden weichte auf; die Schlüpfrigkeit der Wege sowie das zahlreiche Vorkommen angeschwollener Bäche hinderten ein schnelles Vorwärtskommen und machten den Marsch zu einem überaus beschwerlichen. Nach der Menge von Hütten zu schließen, welche wir überall trafen, mußte die Gegend stark bevölkert sein; zu unserer Ueberraschung aber bekamen wir die Bewohner selbst nicht zu sehen. Sie waren, wie wir darnach erfuhren, vor uns geflüchtet, weil einige Araber aus Kiloa erzählt hatten, daß weiße Männer kommen würden, welche abgerichtete Löwen mit sich führten, um durch diese alle Schwarzen vertilgen zu lassen. Unsere nächste Haltestelle, Lukose, fanden wir fast ganz von Menschen verlassen; der zurückgebliebene Häuptling benahm sich indessen freundlich und war, nachdem er sich von der Harmlosigkeit der Wajungu überzeugt, vernünftig genug, eine Botschaft in die Berge zu senden und die dort versteckten Dorfbewohner zurückzurufen. Geraume Zeit später kamen sie an, zeigten sich aber noch immer sehr zurückhaltend und weigerten sich, wie auch die Bewohner der früher berührten Ortschaften, uns ihren Mtama zu verkaufen. Ob ihnen oder Abdallah die größere Schuld beizumessen, lasse ich unentschieden; jedenfalls war Letzterer unverantwortlich saumselig in Erfüllung seiner Pflichten als Karawanenführer und Reisemarschall."

„Meine Streifereien in der Umgegend, welche ich trotz des wieder beginnenden Regens unternahm, boten wenig des Anziehenden; nur ein kleines Denkmal, in der Mitte des Dorfes gelegen und mit Akazien und einem Rohrzaune umgeben, erschien mir einigermaßen auffällig. Ein aus dunklem Lehm errichteter Aufbau trug am Kopfende einen kleinen Spiegel und war, nebst einem daneben befindlichen Brunnen, von einem Dache geschützt, von welchem zahllose Bänder und Zeugfetzen herabhingen. Man erzählte mir, daß ein liebender Ehemann seine abgeschiedene Gattin hierdurch habe ehren wollen."

„Am Abende vergnügten sich die Einwohner von Lukose mit einer Musikaufführung, sei es, daß sie unsere Ankunft feiern, sei es, daß sie ihre Freude bekunden wollten, weil ihre Besorgniß wegen der mörderischen Absichten der Wasungu unnöthig gewesen. Ihr Musikinstrument ähnelt einem Hackebrete: acht Stäbe von Holz, den acht Tönen der Oktave entsprechend, ruhen mit ihren Enden auf zwei Strohseilen. Zwei Leute bearbeiten es vierhändig nicht ohne Geschick. Die Erfindung eines solchen Instrumentes und die dadurch bewiesene Bekanntschaft mit musikalischen Gesetzen, welche den alten Griechen so lange fremd geblieben, gereicht den Leuten jedenfalls zur Ehre. Es ist nicht anzunehmen, daß die edle Musika ihnen von außen her bekannt geworden sei; denn die Küstenbewohner stehen ihnen in diesem Punkte an Geschicklichkeit und Erkenntniß nach, da sie nur kleine, aus Holz, drei Darmsaiten und der Hälfte eines Flaschenkürbisses verfertigte Tonwerkzeuge besitzen".

„Das Wetter änderte sich noch immer nicht; in der Nacht entlud sich wiederum ein heftiges Gewitter. Hätte ich meine Guttaperchadecke nicht über mir aufgespannt gehabt, ich wäre gründlich durchweicht worden; denn das Dach der Hütte wehrte dem Regen nicht. Auch am anderen Tage blieben die Schleußen des Himmels geöffnet; ich konnte mich indessen nicht entschließen, in dem dumpfen Raume zu bleiben, sondern wanderte gewiß vier Stunden lang umher. Die benachbarten Berge zeigen anmutige Partien; nur fehlen ihnen zu wirklicher Schönheit noch die munteren Bäche und plätschernden Wasserfälle, welche in heimatlichen Waldgebirgen den Wanderer entzücken."

„Den 6. Dezember setzten wir unsere Reise fort und überschritten den sogenannten Muirafluß. Trotz des starken Regens der letzten Tage enthielt er noch kein Wasser. Im Dorfe gleichen Namens schlugen wir unser Nachtlager auf. Ich kam mit wenigen Leuten zuerst an; da Abdallah sich unterwegs von mir entfernt hatte, mußte ich die nöthigen Einkäufe allein besorgen. Lange verhandelte ich vergeblich mit den Leuten: sie wollten ihr Korn nicht hergeben, bevor sie den gleichen Werth an Baumwollenzeug in Händen hätten; ich aber konnte ihrem Verlangen nicht entsprechen, weil der Träger, welcher den zum Tausche geöffneten Baumwollenballen trug, noch nicht angekommen war. Nach vieler Mühe erlangte ich glücklich sechs Mäßchen Getreide, so daß ich wenigstens den Heißhunger der Beludschen, als der Hauptschreier, vor der Hand befriedigen konnte. Eine unerquickliche Nacht beschloß den feuchten, verdrießlichen Tag; der Regen fiel in Strömen und träufelte an hundert Stellen durch das Dach."

„Am folgenden Morgen setzte sich Abdallah, wie schon mehrmals vorher, der Weiterreise entgegen. Alle erdenklichen Vorwände suchte er heraus, um mich von der Nothwendigkeit eines längeren Aufenthaltes zu überzeugen, mußte aber endlich doch einsehen, daß ihm sein Reden Nichts helfe. Der Weg durch das niedrige, versumpfte Land war langweilig und beschwerlich, die Luft darüber dumpfig und schwül. Gegen vier Uhr Nachmittags erreichten wir Merui, ein großes Dorf, wenn man die einzelnen Hütten zwischen ausgedehnten Pflanzungen so nennen will. Der größte Theil der Einwohnerschaft besteht aus Wagindo, welche sich dadurch kennzeichnen, daß sie sich an Armen und Brust bis zum Leibe herab die sonderbarsten Figuren, wie Männer, Fische, Vögel und dergl. einätzen und die vorderen Schneidezähne zur Verschönerung ihres Gesichtes spitz feilen. Eine besonders darauf eingeübte Klasse von Leuten betreibt dieses einträgliche Verschönerungsgeschäft gewerbsmäßig. Auch einzelne Wahiao finden sich in Merui; sie unterscheiden sich durch ihre glatte, unverzierte Haut, während sie die Vorderzähne befeilen wie Jene."

„Wiederum hatte ich dieselbe Noth, mir Lebensmittel zu verschaffen. Die Einwohner sind so störrig, daß man kaum mit ihnen handeln kann; zehnmal messen sie das eingetauschte Zeug nach und verlangen nicht selten, noch ehe sie ihre Waare überhaupt gezeigt oder gebracht haben, den entsprechenden Gegenwerth. Dabei stellen sie wirklich unerhört hohe Preise: sie scheinen keinen geringeren Werth als ein Mgono (eine Ellenbogenlänge, etwa vierzehn Zoll rheinisch) Amerikano zu kennen und verlangen für ein Huhn sowol als für zwei Eier Dasselbe (15)."

„Unterwegs waren neun Träger abhanden gekommen. Da sie auch am anderen Morgen nicht bei Zeiten eintrafen, sah ich mich genöthigt, noch den 8. Dezember über im Dorfe Merui zu bleiben, setzte aber die Abreise bestimmt auf den folgenden Tag fest. So hatte ich also Ruhe, oder vielmehr Unruhe; denn als Abdallah meinen Befehl vernahm, gerieth er außer sich vor Wut und Aerger. Die Soldaten unterstützten ihn in seiner Widerspenstigkeit und murrten dabei fortwährend, daß sie nicht genug zu essen bekämen, obgleich ich ihnen Hühner geschenkt, Mahogo selbst für sie eingekauft, kurz, mir alle erdenkliche Mühe gegeben hatte, um sie zu befriedigen. Glücklicher Weise erlegte der eine Beludsche, welcher sich schon früher als guter Schütze erwiesen, ein Stück Wild. Nun gab es wieder einige Stunden lang ein großes Fressen — anders konnte man das hastige Verschlingen und Zerreißen des Fleisches nicht nennen."

„Unser Aufenthalt in Merui verlängerte sich in höchst unangenehmer Weise. Zuerst weigerte sich Abdallah, die Reise weiter fortzusetzen, und entlief, als ich dennoch darauf bestand, nach Muira. Dann wurde Koralli, wol in Folge des längerwährenden nassen Wetters, von einem heftigen Fieber ergriffen, dessen Vorwehen ihn schon seit Langem nicht zu völligem Wohlbefinden hatten kommen lassen; jetzt verlor er alle Hoffnung, und vergeblich suchte ich ihn damit zu trösten, daß der endliche Ausbruch des verborgenen Leidens bereits der Anfang der Besserung sei."

„Auch in Merui erhoben die Beludschen wiederholt Geschrei wegen des Essens. Zwar hatten sie am ersten Tage bei dem großen Schlachtfeste zweimal soviel verschlungen als 45 Träger zusammen und in Folge dessen sich auch theilweise ein Unwohlsein zugezogen; trotzdem aber war ihrer Gier noch keineswegs Genüge gethan. Um sie endlich gefügig zu machen, versuchte ich, da Güte bisher Nichts geholfen, einmal Strenge, und gab ihnen den folgenden Tag über gar Nichts zu essen."

„Meine Schwarzen hingegen waren lustig und guter Dinge und tanzten, lachten und schrieen, ohne auf den Kranken Rücksicht zu nehmen, den ganzen Tag über. Ihr Tanz gleicht einem Gesellschaftsspiele, bei welchem es darauf ankommt, daß jeder der beiden sich gegenüberstehenden Tänzer immer denselben Fuß aufhebt; thut der Eine dies nicht, so muß er abtreten, und ein Anderer nimmt seine Stelle ein. Das Fußwechseln geht mit beispielloser Geschwindigkeit vor sich: ich konnte den schnellen Bewegungen kaum mit den Augen folgen; die Neger hingegen, welche daran gewöhnt sind, bemerkten jeden Fehler."

„Bei meinen öfteren Spaziergängen überraschte mich einmal ein förmlicher Wolkenbruch. Ehe zehn Minuten vergangen, watete ich bis an die Kniee im Wasser und mußte alle Kräfte aufbieten, um mich gegen die rauschenden Fluten und den begleitenden Sturm auf den Beinen zu halten. Keine Hütte, unter der ich hätte Zuflucht finden können, fand sich in der Nähe, und die Bäume, welche allerdings, auch wenn mit dem dichtesten Laube bedeckt, nur geringen Schutz gewährt hätten, waren gänzlich blattlos. Mit vieler Mühe erreichte ich meine Hütte, als das Unwetter ziemlich vorübergegangen. Ich fand, daß das Wasser im Regenmesser in einer Zeit von 34 Minuten die Höhe von 5½ englischen Zoll erreicht hatte. Diese Regenmenge erschien mir außerordentlich bedeutend, weil ich früher während eines sehr starken Gewitterregens binnen 24 Stunden nur 5,1 Zoll, und in Sansibar, in der Zeit vom 1. August bis 28. September, sogar nur 2,9 Zoll Regen gemessen hatte."

„Als Koralli's Befinden sich nach Verlauf von mehreren Tagen noch nicht gebessert hatte, entschloß ich mich, ihn auf einer Kitanda weiter zu befördern. Ein längerer Aufenthalt in Merui erschien mir bedenklich, weil hier die Beschaffung der nöthigen Lebensmittel mir große Mühe verursachte, und insbesondere, weil zu hoffen war, daß der nächste Halteort gesunder sei und dort die Besserung des Kranken eher eintreten werde. Uebrigens komme ich allmählich zu der Ansicht, daß es für mich besser gewesen wäre, ohne die Begleitung Koralli's zu reisen, weil mir sein fortwährendes Unwohlsein viele Sorgen verursacht. Reist man allein und wird selbst krank, je nun, so steht man in Gottes Hand; ein anderer Kranker dagegen versetzt Einen fortwährend in Angst und Noth."

„Am Morgen des 12. Dezember erklärte Koralli, daß er nun weiter reisen könne und kein Tragbett bedürfe. Sofort ordnete ich den Aufbruch an, gab aber dem Genesenden meinen Esel zum Reiten, damit er sich nicht durch übermäßige Anstrengung von Neuem schade. Es war ein schlechter Marsch, von sechs Uhr Morgens bis vier Uhr Nachmittags in unaufhörlichem, heftigen Regen, auf grundlosen Wegen, welche häufig durch kleine, mit Wasser gefüllte Thäler und Erdspalten fast ungangbar gemacht wurden. Durch ein unglückliches Versehen hatte ich am Morgen ein Paar zu weite Stiefeln angezogen: sie drückten mir die Füße wund; ich versuchte nunmehr, barfuß zu gehen, doch meine Schmerzen wurden nicht geringer; zuletzt konnte ich mich kaum mehr weiter schleppen. Mit schlimmem Kopfweh langte ich in Kiangara an und legte mich nieder, ohne Etwas genossen zu haben."

„Ich erholte mich, Gott sei Dank, bis zum anderen Tage wieder; Koralli aber war bedeutend schlimmer geworden, die sofortige Weiterreise mithin unmöglich. Um den fortwährenden Verzögerungen ein Ende zu machen und zugleich dem Kranken die nöthige Ruhe gewähren zu können, ließ ich aus Rohr und Stricken eine Kitanda anfertigen und miethete sechs Leute, welche den Kranken abwechselnd darauf tragen sollten. Ihr täglicher Lohn betrug, außer Beköstigung, für jeden der Leute sechs Armlängen Amerikano im Werthe von etwa einem halben Dollar — gewiß ein übertrieben hoher Preis."

„Tags darauf wanderten wir früh acht Uhr weiter. Noch war die Landschaft eben und einförmig. Wald wechselte mit stark bevölkertem Kulturlande ab. Der übermäßige Wasserreichthum des Landes verursachte uns viele Schwierigkeiten. Bereits gestern hatten wir einen 25 Fuß breiten und gegen zwei Fuß tiefen Fluß, den Kiperele, überschritten; heute hielten uns der Namitelle und Mihuhu lange auf, namentlich der letztere, dessen Ufer so steil waren, daß die Esel mit Gewalt in das Wasser hinab gestoßen und an der anderen Seite wieder empor gezogen werden mußten. Im Uebrigen ging Alles gut; die Träger des Kranken verrichteten ihre Arbeit mit Geschick, und bei unserer Ankunft in Rahilala fanden wir freundliche Aufnahme."

„In Kipindimbi, der nächsten Ortschaft, verweigerte uns der Herr desjenigen Hauses, in welchem die Führer der Karawane zu übernachten pflegen, hartnäckig ein Unterkommen. Durch halbstündiges, vergebliches Hin- und Herreden ermüdet, ließ ich meine Zelte aufspannen und richtete mich darin ein. Sogleich kam der unfreundliche Wirth und stellte mir mit höflichen Redensarten sein Haus für einen viel geringeren Preis, als ich ihm vorher geboten, zur Verfügung. Ich blieb indeß meinem Grundsatze „an dem zuerst gesprochenen

Worte festzuhalten" getreu, zu nicht geringem Aerger des habsüchtigen Mannes, welcher darauf gerechnet hatte, von dem Msungu eine theuere Miethe zu erpressen."

„Der Abend bot meinen Leuten eine große Festlichkeit. Ein Bänkelsänger kam in das Lager und musicirte auf einem eigenthümlich geformten Instrumente, einem sauber geschnitzten, mit acht Saiten bezogenen Kasten. Die Töne, welche der Mann seiner Laute zu entlocken wußte und mit seinem Gesange begleitete, klangen durchaus nicht unangenehm. Hierzu führte er zum großen Vergnügen Aller einen Tanz mit unanständigen Stellungen und Bewegungen aus. Ich konnte es auf den Gesichtern meiner Träger und Beludschen lesen, daß sie den Darsteller für einen großen Künstler hielten."

„Auf dem Wege nach Luere, unserem nächsten Reiseziele, hatten wir wiederum mehrere Gewässer zu überschreiten: zuerst ein sumpfartiges, stehendes Wasser, Kilimatembo genannt, später den Ruhuhu, einen reißenden Fluß von der Größe des Kiperele. Als die Träger das wildrauschende, rothe Wasser des Ruhuhu erblickten, warfen sie ohne Weiteres ihre Msigo ab und stürzten sich, ohne auf vorherige Abkühlung Rücksicht zu nehmen, in die Flut, um sich vom Schmutze der letzten Woche zu reinigen. Man sollte meinen, daß ein solches Bad nach stark anstrengendem Marsche von schädlichster Wirkung auf den erhitzten Körper sein müsse, den Schwarzen aber scheint es trefflich zu bekommen; denn niemals lassen sie eine solche Gelegenheit, sich zu erfrischen und zu reinigen, unbenutzt vorüber gehen. Umsoweniger vermochten die Esel sich mit dem Wasser zu befreunden; auch hier mußten sie wieder gewaltsam hindurch geführt werden. Dicht vor Luere galt es noch einen dritten, langsamer strömenden und deshalb ziemlich hellfarbigen Fluß, von gleichem Namen wie die Ortschaft, zu durchwaten. Luere zählt nur zwei Häuser, bietet aber Lebensmittel in Menge, namentlich Mehl und Hühner zu billigen Preisen, und eine Art Erbsen von kleiner, eckiger Gestalt, an Größe und Geschmack unseren Linsen ähnlich (Dschirokko der Suaheli?)."

„Nunmehr schien sich Alles gut anlassen zu wollen. Wir kamen am folgenden Tage zeitig fort; Träger und Beludschen belästigten mich nicht mehr mit Klagen; Koralli fühlte sich wieder so kräftig, daß er aus eigenem Antrieb auf das Tragbett Verzicht leistete. Mit Ausnahme weniger Stellen war das Land sehr stark bewohnt und vorzüglich bebaut. Fast überall hielten die Leute Lebensmittel am Wege feil in einer Fülle und Mannigfaltigkeit, welche uns an die gesegneten Küstenlandschaften erinnerte. Man bot uns Ziegen, Hühner, Erbsen, Bohnen, Negerhirse, süße Kartoffeln, Mehl, Zuckerrohr, Mango und Pistaziennüsse zum Kaufe an, wenn auch nicht gerade zu billigen Preisen. Erschwerten die Leute durch fortwährende betrügerische Versuche den Handel einigermaßen, so wußten wir doch unseren Zweck zu erreichen und schwelgten dann im Ueberflusse. Nächsten Tages erreichten wir nach Mittag den zwischen Bergen und Höhenzügen in einer anmutigen, reichbewässerten Landschaft gelegenen Ort Nangungulu. Ein wol tausend Fuß hoher Berg, der Lukunde, einige Meilen nordwestlich von unserem Lager, nahm durch seine auffallende Form meine Aufmerksamkeit in hohem Grade in Anspruch: auf der einen Seite schräg aufsteigend, fällt er nach der anderen zu fast senkrecht ab, ein mächtiger Trümmerhaufen, gleich einem Denkmale, von Riesenhänden aus unbehauenen Felsblöcken aufgebaut. Ich bestieg ihn. Oftmals verzweifelte ich an der Möglichkeit fortzukommen, aber immer wieder fand sich eine hervorragende Felsecke, welche mir gestattete weiter zu klimmen, und nach anderthalb Stunden mühsamen Kletterns erreichte ich den Gipfel. Eine weite Aussicht eröffnete sich den erstaunten Blicken. Grotesk und zerrissen erheben sich im Süden die Mbaha- und Makundueberge mit ihren zackigen Hörnern und Spitzen, eine Masse ungeheuerer Kegel in allen Lagen des Umsturzes, hier nach oben spitz zulaufend, dort mit der Spitze im Boden wurzelnd, nicht unähnlich den seltsamen Sandsteinbildungen Sachsens und Böhmens."

„Abdallah bemerkte es mit sichtlichem Mißvergnügen, daß einige Tage ruhig und angenehm verlaufen waren, und that sein Möglichstes, daß es nicht in dieser Weise fortgehe, weigerte sich auf das Entschiedenste, an dem Weitermarsche Theil zu nehmen, gab vor, es wären Träger krank und man müsse sich bis zu ihrer Besserung hier aufhalten, wollte noch vierzehn seiner eigenen Träger erwarten sowie sich der großen Karawane unter seinen Freunden Salem ben Abdallah und Banasume anschließen und meinte endlich, ein Weitergehen sei ganz unmöglich, weil an dem Niassasee Krieg herrsche. Ich erklärte ihm unwillig, daß ich jedenfalls weiter gehen würde, schon um den bisherigen Zeitverlust einzubringen, da ich für die zurückgelegte Wegstrecke bereits einundzwanzig Tage, mithin über doppelt soviel als Roscher gebraucht hätte. Wolle er seinen Verpflichtungen nicht nachkommen und mich nicht selbst begleiten, so solle er mir wenigstens die für mich bestimmten Träger geben. Abdallah hörte mich nicht und entlief zum zweiten Male. Noch hoffte ich, daß er sein Unrecht einsehen werde, und ließ ihm beim Weggehen sagen, daß ich ihn und die Träger in Messule erwarten wolle. Anstatt nachzugeben, schickte er mir auf halbem Wege einen Mann nach, welcher mich zur Rückkehr bewegen sollte, ließ mir heftige Vorwürfe machen, daß ich ihn treulos verlassen, und drohte, bei Seid Madjid und Seid Soliman, dem Stadtkommandanten von Sansibar, Klage über mich führen zu wollen. Trotzdem versuchte ich nochmals, den Widerspenstigen zum Gehorsam zurückzuführen, bot ihm eine Bedenkzeit von vierundzwanzig Stunden an und sprach die Hoffnung aus, ihn dann in Messule zu treffen."

„Gefolgt von einer geringen Anzahl meiner eigenen Leute und von den lange unschlüssigen Soldaten kam ich in Messule an und quartirte mich ohne Umstände in dem besten Hause des Ortes ein, obwol der Besitzer, der alte Sultahn Djemao, abwesend war. Weit entfernt, mir zu zürnen, beschenkte mich der freundliche Mann bei seiner Heimkunft mit Eiern, Kassavewurzeln u. dergl. m., stellte mir seinen hübschen, kleinen Sohn vor und änderte auch dann sein Benehmen nicht, als ich ihm bemerkte, ich könne seine Geschenke nicht erwiedern, weil meine Msigo noch nicht angekommen seien. Weniger gastfreundlich zeigten sich die Bewohner des Dorfes. Sie wucherten mit den im Ueberflusse vorhandenen Lebensmitteln, forderten einen gewissen Preis, weigerten sich aber zu verkaufen, wenn ich diesen zahlen wollte, und stellten ihre Forderungen noch höher."

Die Frist verstrich; Abdallah meldete sich nicht. Der Dschemmedar rieth mir auf mein Befragen, noch einmal die Hand zur Versöhnung zu bieten. In Folge dessen schickte ich ihn und Assani nach Nangungulu zurück und ließ Abdallah sagen, ich wolle mich noch einen Tag gedulden, erwarte aber dann bestimmt, daß er entweder sich füge, oder wenigstens die mir zukommenden Träger nicht länger zurückhalte. Die abgesandten Leute kehrten zurück mit der Botschaft, daß Abdallah wol bereit sei, nach Messule zu kommen, aber allein und ohne Träger; er müsse unbedingt auf die große Karawane warten. Darauf kündigte ich ihm an, daß ich morgen nach Nangungulu zurückkehren, dann aber, wenn er sich nicht anders entschlösse, ungesäumt nach Sansibar aufbrechen würde, um mich bei Seid Madjid über den Vertragsbruch zu beklagen. Eine andere Entschließung war nicht möglich, wollte ich nicht, bei der Unzuverlässigkeit meiner zwanzig Soldaten, ganz in die Gewalt der täglich näher kommenden, aus über 1500 Mann bestehenden, großen Karawane gerathen und mich dem Schicksale Roschers aussetzen."

„Als ich am 20. Dezember gegen Mittag wieder in Nangungulu anlangte, hatte Abdallah sich bereits entfernt und hinterlassen, daß er, falls ich nach Kiloa zurückkehren wolle, den Trägern gestatte, mich zu begleiten. Er ließ sich nicht mehr vor mir sehen, obschon er noch in der Nähe weilte, vielleicht, weil er fürchtete, daß ich ihn festhalten werde. Er mochte nicht ganz Unrecht haben; denn, hätte ich ihn in meine Gewalt bekommen, so würde ich ihn sicherlich nicht leichten Kaufes wieder losgelassen haben."

„Unter solchen Umständen mußte mir Alles daran liegen, so schnell als möglich, und zwar noch vor Abdallah, nach Kiloa zurückzukommen, um Klage bei dem Wali zu führen und auf Bestrafung des Schuldigen zu dringen, ehe der Verräther Vorsichtsmaßregeln zu ergreifen vermochte. Somit beschloß ich längere Tagereisen zu machen und von der drittnächsten Station Kiangara an einen kürzeren, nicht so weit nach Norden abbiegenden Weg einzuschlagen."

„Am Morgen des 21. Dezembers gelangte ich zeitig zum Aufbruche. Während des Marsches ging Alles viel besser und ruhiger als unter Abdallahs Leitung. Ein einziger Beludsche versuchte, seinen Willen zur Geltung zu bringen; er wollte, anstatt mit mir zurückzukehren, sich der zu erwartenden großen Karawane anschließen, weil er sich an meiner Reise nur aus dem Grunde betheiligt hätte, um für seine Rechnung zu handeln und Sklaven zu kaufen. Genau genommen hätte es mir nur angenehm sein können, den widerspenstigen Menschen los zu werden; der Ordnung halber hielt ich es jedoch für besser, in durchgreifender Weise zu handeln. Ich befahl dem Dschemmedar, Jenem seine Sklaven und die Waaren, mit denen er Handel treiben wollte, wegzunehmen und ihn, nöthigenfalls gebunden, weiterzuführen. Dies wirkte; der Rebell entschloß sich, mir nachzugeben, und fortan kam kein Fall des Ungehorsams mehr vor."

„Wir kamen zeitig nach Luere. Diesmal lernte ich die andere Hütte kennen, weil der Besitzer derjenigen, welche mich das erste Mal beherbergte, mich von der Thüre wies. Ich vergnügte mich Nachmittags mit der Jagd auf wilde Tauben und Abends an einer Musikaufführung der Einwohner. Das hierzu verwendete Instrument war von anderer Art als die früher gesehenen, übertraf an Einfachheit sogar die an der Küste üblichen: es war ein „Monochord", eine einsaitige Geige, bestehend aus einem kleinen Bogen ähnlich denen, welche zum Schießen gebraucht werden, und aus einem in der Mitte desselben angebrachten Flaschenkürbisse, dem Resonanzboden; ein nasser Strohhalm diente als Fiedelbogen. Durch Verkürzung der Saite mit dem Finger wußte der Künstler dem sonderbaren Geräth eine immerhin überraschende Mannigfaltigkeit von Tönen zu entlocken."

„Nach Mitternacht weckte mich ein Geräusch in der Nähe der Hütte; ich trat ins Freie und sah einen Neger vorsichtig um die Wohnung schleichen, offenbar in der Absicht zu stehlen. Als ich ihn anhielt und nach seinem Begehren fragte, erwiederte er ohne jegliche Verlegenheit, er sei gekommen, mir ein Huhn zu verkaufen. Mit dieser lächerlichen Entschuldigung mußte ich mich begnügen, hielt es aber, nachdem der Strolch davon gegangen, doch für gerathen, den übrigen Theil der Nacht auf meiner Hut zu sein, um die Gelegenheit zu gewinnreicheren Geschäften abzuschneiden. Trotzalledem fehlte uns am anderen Morgen ein Trägergewehr; das vergebliche Suchen darnach verursachte viel Lärm und langen Aufenthalt."

„Der Ruhuhufluß wurde heut an einer anderen Stelle überschritten; sein felsiges Bett enthielt etwa ebensoviel Wasser als vor acht Tagen. An seinem Ufer trafen wir eine Menge Leute Salem ben Abdallahs; sie sagten, daß er und Banafumo Kiloa noch nicht verlassen hätten. Wir übernachteten in dem stark bevölkerten Landstriche Nassoro, welcher mitten zwischen unsern früheren Stationen Nahilala und Kipindimbi liegt. Obgleich der Marsch kaum sechs Stunden gewährt hatte, waren doch viele von den Abdallah gehörigen Trägern mit ihren Msigos abhanden gekommen. Dies hinderte mich aber nicht, am anderen Morgen weiter zu gehen. Ueberall wimmelte es von Leuten, welche die große Karawane erwarteten; in Kiangara, wo wir über Nacht blieben, hatten sie bereits unser früheres Haus besetzt, sodaß ich auch hier in einem anderen herbergen mußte."

„Folgenden Tag trafen wir wiederum Hunderte von Salem ben Abdallahs Leuten und endlich ihn selbst. Er war höchlich verwundert, mich auf dem Rückwege zu finden und erbot sich, an Abdallah ben Saids Stelle bei mir einzutreten, drang jedoch nicht weiter in mich, als ich ablehnend antwortete. Mit großer Freundlichkeit gab er mir Empfehlungsbriefe für die Rückreise, schenkte mir auch, da wir Mangel an Allem litten, eine Ziege. Die von mir nach Lebensmitteln ausgeschickten Leute kehrten mit nur wenig Korn u. dgl. zurück und erzählten, daß alle Bewohner geflohen seien, weil in der Nähe ein Kampf zwischen den Wagindo und Wagao stattfände. Bei aufmerksamen Horchen konnten wir in der That ein entferntes Schießen vernehmen."

„Es war der 24. Dezember, also der Weihnachtsabend — für mich ein trauriges Fest mit unangenehmen Erinnerungen, düsteren Aussichten und einem Wetter wie es dazu paßte! Ich gedachte der Heimat, bereitete zur Feier des Tages ein Glas Grog und leerte es auf künftige, bessere Zeiten. Auch die beiden Weihnachtsfeiertage boten wenig Erfreuliches. Wir wurden abwechselnd vom Regen durchweicht und von der Sonne versengt und fanden, kamen wir Abends ermüdet am Halteplatze an, nicht einmal ein geeignetes Unterkommen, oft nicht genügende Nahrung; denn meine Träger kamen zum Theil erst nach mir an, hatten mich auch zum Theil verlassen, und Niemand wollte mir Etwas auf Borg geben."

„So hatten wir bis zum 28. des Monats täglich ein gutes Stück Weges zurückgelegt und waren durch stark bevölkerte Landstriche bis Namguira gelangt. Der Ortsvorsteher, für welchen mir Abdallah ben Salem einen Empfehlungsbrief gegeben, nahm uns freundlich auf und versorgte uns sogleich mit nöthigen Lebensmitteln. Doch bereits am anderen Tage, als er merkte, daß ich seine Gastfreundschaft etwas länger in Anspruch nehmen würde, änderte sich sein Benehmen. Koralli wurde nämlich wieder vom Fieber befallen, und sein Zustand gestaltete sich so bedenklich, daß er unmöglich gehen konnte; auch Dschemmedar Molluk erkrankte. Ich beschloß, meinen Gastfreund keinen Tag länger zu belästigen und die Reise fortzusetzen, koste es, was es wolle. Um Koralli, wie früher, auf einer Tragbahre fortzuschaffen zu können, bat ich meinen Wirth, mir acht Leute zu vermiethen, welche dieselbe tragen sollten. Er forderte das Zehnfache des üblichen Preises, verlangte, als ich zur Vermeidung längeren Aufenthaltes einwilligte, Vorausbezahlung und zwar in baarem Gelde, „weil er augenblicklich keinen Bedarf für Waaren habe". Der schlaue Spitzbube wußte wohl, daß ich nur Waaren zu bieten hatte, und benutzte diesen Umstand geschickt, um seine Forderungen noch um die Hälfte zu erhöhen. Ohne Weiteres brach ich die Verhandlung ab und nahm sie auch dann, als er mir mäßigere Bedingungen bot, nicht wieder auf, sondern ließ meine beiden Kranken mit einer Anzahl von Beludschen und Trägern zurück, versah sie mit soviel Waaren als nöthig, um Nahrung für eine Woche zu kaufen, und eilte noch am selben Abende weiter. Während man sich zum Aufbruche rüstete, durchstreifte ich die Umgegend und erbeutete in kurzer Zeit gegen dreißig Tauben, eine köstliche Mahlzeit für die Kranken und für mich."

„Anfangs kostete es einige Mühe, die Träger im Gange zu erhalten; dann aber gingen wir einige Stunden lang, bis nach Mitternacht, stetig fort. Plötzlich stieß einer der Beludschen einen fürchterlichen Schrei aus, warf sich zu Boden und sagte unter schmerzlichem Wehklagen, daß ihn eine Schlange gebissen. Ich untersuchte ihn genauer und entdeckte in der That an seiner Ferse zwei kleine Wunden, welche einen und einen halben Zoll von einander entfernt waren, mithin von einem beträchtlich großen Thiere verursacht sein mußten. Wahrscheinlich war es von dem Beludschen getreten worden und sogleich nach dem Bisse in das hohe Gras verschwunden; wenigstens hatte keiner meiner Begleiter, den Verwundeten nicht ausgeschlossen, etwas Kriechendes gesehen. Der Träger der Arzeneikiste befand sich wol eine Viertelstunde hinter mir; ich konnte also in der Schnelligkeit der Wirkung des etwanigen Giftes nicht anders vorbeugen, als indem ich die Wunde mit meinem stumpfen Taschenmesser ausschnitt. Der Beludsche schrie mörderlich und wehrte sich mit Händen und Füßen: ich ließ ihn von vier Leuten halten, schnitt ruhig weiter und brannte zuletzt, der

Vorsicht halber, die Wunde noch mit einer der stets brennenden Lunten der Soldaten aus. Hierauf umschnürte ich das Bein oberhalb der Wade so fest als möglich mit meinem Taschentuche, um die zu erwartende Geschwulst vom Knie abzuhalten, lud den Kranken auf einen Esel und brachte ihn nach einigen in der Nähe befindlichen Hütten. Die inzwischen angekommenen Träger ließ ich weiter marschiren, weil der Gebissene in Ohnmacht gefallen war, und ich ihm noch etwas Ruhe gönnen wollte. Nach einer halben Stunde folgte ich auf einem höchst beschwerlichen Wege nach; breite Erdrisse und steil abfallende Ufer zahlreicher, trockener Flußbetten machten es nöthig, daß der Kranke fortwährend vom Esel herabgenommen und wieder aufgeladen wurde, weil das Thier ihn nicht bergauf zu tragen vermochte. Alle diese Mühseligkeiten lagen allein auf mir: die Genossen des Beludschen weigerten sich beharrlich, „dem Vergifteten“ und „dem Tode Verfallenen“, wie sie sich ausdrückten, hilfreiche Hand zu leisten, forderten mich sogar zu wiederholten Malen auf, ihn im Stiche zu lassen, damit wenigstens wir rascher fortkämen. So ermüdet ich auch war, und soviel mir daran lag, möglichst schnell nach Kiloa zu gelangen: den Unglücklichen hilflos in der Einöde zurückzulassen, konnte ich mich nicht entschließen; ich hätte mich meiner Gesittung schämen müssen, hätte ich nicht mehr Barmherzigkeit gezeigt als jene Mahammedaner. Ich strengte also alle meine Kräfte an, trug den Kranken selbst an den beschwerlichsten Wegstrecken und kam endlich um drei Uhr Nachmittags an dem vorher bestimmten Halteplatze Kunguruha an.“

„Hier fand ich keinen meiner Träger vor; sie waren sämmtlich nach Mukapunda gelaufen. Obschon aller Hilfsmittel beraubt, hoffte ich doch noch, daß mir die Einwohner des Dorfes mit Nahrung aushelfen und zu meinem Weiterkommen behilflich sein würden, weil einige von ihnen mich in dem nur anderthalb Tagereisen entfernten Kiloa gesehen hatten: ich täuschte mich — nicht die geringste Kleinigkeit erhielt ich ohne Bezahlung, auch nicht auf das Versprechen hin, die Gefälligen nach meiner Rückkehr in die Stadt reichlich zu belohnen. Sie hätten mich sicherlich abgewiesen, selbst wenn ich Haus für Haus vor den Thüren gebettelt hätte: ihr Europäer- oder Christenhaß übertraf ihre Habgier! Eine mitleidige Seele fand sich aber doch — die junge Frau des gerade abwesenden Häuptlings. Sie brachte mir einige Mangofrüchte zum Geschenk und wollte mich auch mit etwas Milch erquicken, wurde jedoch hieran verhindert. Endlich gelang es mir, für mein Taschentuch und mein vorletztes Hemd ein wenig Korn zu kaufen, und später half mir mein treues Gewehr, welches mir so oft in Verlegenheiten gute Dienste geleistet, zu einer schmackhaften Zukost: ich erlegte beim Umherstreifen etwa ein Dutzend Tauben.“

„Früh fünf Uhr, am 31. Dezember, verließen wir den ungastlichen Ort. Wir kamen langsam von der Stelle, weil der kranke Beludsche, dessen Beine stark geschwollen waren, fortwährend von zwei Leuten auf dem Esel festgehalten werden mußte. Erst gegen Mittag erreichten wir ein unbedeutendes Dorf, Namens Lungu, in welchem sich ein großes Gewese eines der Angesehenen von Kiloa befindet. Auch hier verweigerte man uns jegliche Gastfreundschaft unter dem Vorgeben, daß in der Abwesenheit des Herrn der Schamba Nichts verabreicht werden dürfe. Mein Gaumen war wie ausgedorrt nach dem anstrengenden Marsche durch die heiße Ebene; das Trinkwasser war schlecht und salzig, aber vergeblich bat ich die Leute, mich mit einigen der in Menge vorhandenen und fast werthlosen Kokosnüsse zu erquicken. Ich sah mich genöthigt, eine List anzuwenden, um meinen brennenden Durst zu befriedigen. Um die Argwöhnischen sicher zu machen, erlegte ich vorläufig einige kleine, auf den Palmen sitzende Vögel; dann feuerte ich mit der Büchse nach den Früchten, war auch glücklich genug, einige derselben herabzuschießen. Die Leute geberdeten sich wie rasend vor Wut, zumal, als ich ihnen versicherte, daß ich die Nüsse nur aus Versehen getroffen hätte, wagten aber nicht, mir meine Beute streitig zu machen; ich würde diese auch unter keiner Bedingung ausgeliefert haben."

„Als die stärkste Sonnenhitze vorüber, wanderten wir noch vier Stunden weiter nach einer anderen Schamba. Wie wenn sich Alles wider uns verschworen hätte, gewährte man uns auch hier kein Obdach, schlug uns im Gegentheile, wenn wir bescheiden klopften, die Thüre vor der Nase zu. Wir zündeten also im Freien ein Feuer an, streckten uns auf der Erde nieder und gedachten sanft in das neue Jahr hineinzuschlafen, in dem frohen Bewußtsein, morgen wieder in Kiloa zu sein und dort von unseren Anstrengungen ausruhen zu können. Da weckte uns gegen neun Uhr ein heftiger Regenschauer und durchweichte uns in wenigen Minuten bis auf die Haut. Unter solchen Umständen war an Schlafen nicht zu denken; wir setzten unsern Marsch fort und erreichten gegen vier Uhr Morgens am 1. Januar 1861 die ersten Häuser der Stadt."

„Alles schlief noch, als wir durch die Straßen zogen. Unser altes Haus fanden wir bereits wieder besetzt. Da ich nicht die mindeste Lust hatte, auch in Kiloa die Nacht wieder im Freien zuzubringen, befahl ich meinen Leuten, an den Thüren des Wali, des Zolleinnehmers, des Kadi und anderer öffentlicher Personen so lange zu lärmen, bis die hohen Herren aufständen und sich zu mir begäben. Bereits nach einer halben Stunde waren die Väter der Stadt versammelt, in hohem Grade erstaunt und betreten, mich schon nach vierzigtägiger Reise wieder ankommen zu sehen, und völlig unbekannt mit den Ereignissen, welche meine Rückreise herbeigeführt. Zehn Minuten später war mein Haus von seinen jetzigen Insassen geräumt, und schon gegen Mittag befanden sich acht Leute mit Reis, Mangos und anderen Erfrischungen beladen auf dem Wege, um Koralli und die bei ihm Zurückgebliebenen abzuholen; ebenso war ein Bote nach Kiloa Kibendsche gegangen, Abderrahman zu mir zu bescheiden."

„Die würdigen Alten waren ungemein begierig, meine Erlebnisse und die Ursache des Mißlingens meiner Reise ausführlich zu vernehmen, doch vertröstete ich sie auf morgen — ich war ermüdet und wollte mir vor Allem Ruhe gönnen. Zur Vermeidung jeglicher Störung schloß ich die Hausthüre und schlief von zwei Uhr Nachmittags bis sieben Uhr am anderen Morgen. Beim Erwachen fühlte ich mich ziemlich gestärkt, aber hungrig wie noch nie; hatte ich doch während der letzten vier Tage sehr schlecht gelebt und auch gestern noch vor Aufregung Nichts zu essen vermocht!"

„Den ganzen Tag über drängten sich die Besucher in meinem Hause, um etwas Näheres zu erfahren. Ohne mich auf Einzelheiten einzulassen, erzählte ich nur ganz im Allgemeinen, Abdallahs Benehmen sei so schlecht gewesen, daß ich, auch wenn er nicht entlaufen wäre, nach Kiloa hätte zurückkehren müssen, um auf seine Bestrafung zu dringen. Selbst Dieses äußerte ich erst, nachdem mir der Statthalter und der Zolleinnehmer noch einmal den mit Abdallah ben Said eingegangenen Vertrag vor Zeugen vorgelesen hatten; denn ich befürchtete, man möchte später, die Bedingungen desselben anders zu deuten oder gar abzuleugnen versuchen. Dem Wali stellte ich die Nothwendigkeit vor, entscheidende Schritte in meiner Angelegenheit zu thun, schrieb dann noch am selbigen Tage an den hanseatischen und an den englischen Konsul in Sansibar, benachrichtete sie von dem gehabten Mißgeschick und bat, bei Seid Madjid die Bestrafung des wortbrüchigen Führers und Ersatz für meine Verluste auszuwirken."

„Unangenehme Tage waren es, welche ich nun verlebte. Es fehlte Alles. Ich hatte kein Kochgeschirr, keine Bücher, kein Papier zum Schreiben, keine Arzeneien und würde sogar mit meinem zerlumpten und beschmuzten Anzuge in größte Verlegenheit gerathen sein, hätte ich nicht zufällig einige Kleidungsstücke zurückgelassen gehabt. Dazu kam die Sorge um Koralli's Schicksal und der Aerger über die Saumseligkeit der Aeltesten der Stadt, denen sich schon am Tage nach meiner Ankunft Abderrahman zugesellt hatte. Sie weinten heuchlerische Thränen über mein Unglück, fanden sich aber nicht zum Handeln bewogen, sondern vertrösteten mich nur immerdar auf die in Kurzem zu erwartende Antwort des Sultahns."

„Zu meiner großen Beruhigung kehrte am 5. Januar Koralli zurück, außerordentlich schwach zwar, doch frei von Fieber. Der Dschemmedar war gleichfalls wieder genesen; diese Nachricht aber ließ mich, soviel Mühe mir auch der Mann verursacht hatte, ziemlich kalt, da sämmtliche Beludschen meine Theilnahme verscherzt hatten."

„Um der Ungewißheit meiner Lage ein Ende zu machen, sandte ich in der Nacht desselben Tages einen meiner Leute nach Mukapunda. Er sollte auskundschaften ob mein Gepäck noch nicht angekommen. Der Mann kam zurück und berichtete, es fehlten nur noch wenige Msigo, dagegen wäre Abdallah noch nicht angelangt. Nun forderte ich die Häupter der Stadt nochmals auf, mir schleunigst mein Gepäck zu verschaffen; denn ich war müde, Mangel zu leiden, während einige Stunden von mir mein Ueberfluß gesichert lag. Als sie mich immer wieder durch Versprechungen und ausweichende Antworten hinzuhalten suchten, erklärte ich, daß ich mir mein Eigenthum selbst zu verschaffen wissen würde. Ich gab den Beludschen Befehl, sich zum Aufbruche bereit zu machen, versah sie mit Pulver und Blei und wies sie an, ohne Weiteres auf alle Leute Abdallah ben Saids zu schießen, wenn diese sich hindernd in den Weg stellen sollten, und sich keinesfalls auf Verhandlungen einzulassen."

„Da erschien der Wali in Begleitung Abderrahmans und des Kadi; Einer wie der Andere beschwor mich zu bleiben, und, wie sie sich kindlich ausdrückten, nicht böses Blut zu machen; mit der Zeit werde noch Alles in Ordnung kommen; ich solle Nichts von meinen Sachen verlieren. Sie sahen aber bald, daß meine Geduld jetzt zu Ende, und daß all ihr Reden Nichts half; Abderrahman erbot sich daher, an meiner Stelle nach der Schamba zu gehen und das Gepäck nach der Stadt bringen zu lassen. Nach zwei Tagen kehrte er auch wirklich zurück, brachte jedoch leider die Msigo nicht in mein Haus, sondern ließ sie übernacht bei dem mir befreundeten Banian Dungursi liegen und zeigte mir erst am anderen Morgen, als Abdallahs Leute sich bereits wieder entfernt, seine Ankunft an, wahrscheinlich, weil er befürchtete, daß ich mich ihrer bemächtigen werde, um ein Unterpfand für den zu leistenden Schadenersatz zu haben."

„Bei dem Untersuchen meiner Sachen fand ich, daß man fast jedes Msigo geöffnet und geplündert hatte. Bei einigen fehlten über vierzig Ellen Zeuges, bei anderen zehn Pfund Pulver, bei wieder anderen Lebensmittel; einige Gepäckstücke, sowie sämmtliche, den Trägern gelieferte Gewehre waren gänzlich verschwunden: ich war jedoch froh, wieder im Besitze des Nothwendigsten und vor Allem meiner Arzeneikiste zu sein, welche ich in diesen Tagen, als das afrikanische Festland begann, seinen Tribut zu fordern, schwer vermißt. Noch in der ersten Zeit nach meiner Rückkunft hatte ich mich, zu meiner Verwunderung, wohl gefühlt, denn ich hatte erwartet, daß sich die Folgen der übermäßigen Anstrengung schneller geltend machen müßten; demnach hatte ich gehofft, daß mein starker Körper diesmal die Gefahr überwinden könne. Ich täuschte mich schmerzlich: als die erste Aufregung vorüber war, stellte sich ein heftiges Fieber ein — nicht ein gewöhnliches Fieber (16), wie ich es schon in Sansibar gehabt welches einige Stunden andauert und dann sich erst am zweiten Tage wieder zeigt, sondern ein Fieber der gefährlichsten Art, welches Tag und Nacht andauerte und mir zu wiederholten Malen das Bewußtsein raubte. Es währte mehrere Tage, ehe ich wenigstens wieder einzelne freie Stunden hatte; dann lag mir begreiflicher Weise Alles daran, sobald als möglich aus dieser Fieberhöhle fortzukommen. Aber erst nach vielen Bemühungen gelang es mir, eine Dau zur Reise nach Sansibar zu miethen. Ich mußte an Bord des Fahrzeugs getragen werden; denn ich war so schwach, daß ich in Ohnmacht fiel, sobald ich zu stehen versuchte. Acht Tage langweiliger Fahrt brachten uns nach Sansibar. Hier genas ich unter Behandlung des trefflichen, dem englischen Konsulate beigegebenen Dr. Frost, freilich langsam genug: es verging beinah ein Monat, ehe ich mich wieder mit einiger Sicherheit bewegen konnte; auch mein früher so vortreffliches Gesicht stellte sich nur ganz allmählich wieder ein, noch nach Wochen wurde mir bei der geringsten leiblichen und geistigen Anstrengung schwarz vor den Augen, und fortwährende Schwindelanfälle verhinderten mich, etwas Ernstliches zu unternehmen."

Neunter Abschnitt.

Rückblicke und Ergebnisse.

Roschers Schicksale. — Abdallahs Handlungsweise. — Kurzarmige Gerechtigkeit. — Aussichten für künftige Reisende. — Stand unserer bisherigen Kenntniß. — Der Niassasee. — Ergebnisse der Decken'schen Unternehmung: Bodenbeschaffenheit und Gewässer, Vorkommen von Thieren, Ackerbau und Sklavenhandel.

Ehe wir das Gebiet des Niassasee verlassen und uns dem Inneren der Suahelikūste, dem eigentlichen Entdeckungsgebiete von der Deckens, zuwenden, wollen wir versuchen, in einem kurzen Rückblicke einiges Licht über die dunklen Ursachen zu verbreiten, welche das Mißlingen dieser zweiten „Niassareise" zur Folge hatten. Hierbei wird es nicht ohne Nutzen sein, sich der Schicksale Roschers zu erinnern, wie sie sich aus den Berichten seines den Mördern entronnenen Dieners Raschidi ergeben.

Nach der Rückkehr von einer ergebnißreichen Küstenwanderung (17) reiste Roscher Ende August 1860 von Kiloa aus nach dem Inneren ab. Er nahm nur zwei Diener mit sich, besagten Raschidi und dessen Bruder Omar, außerdem neunzehn Leute zum Tragen seiner Waaren. Während der ganzen Reise, welche etwa drei Monate in Anspruch nahm, litt er fast ununterbrochen an Unwohlsein, gegen Ende derselben sogar in solchem Maße, daß er sich auf einer Kitanda tragen lassen mußte; über schlechte Behandlung von Seiten Salem ben Abdallahs soll er jedoch nicht zu klagen gehabt haben, im Gegentheil immer reichlich mit Lebensmitteln und Erfrischungen versorgt worden sein. Bei den letzten Märschen eilte er der großen Karawane etwas voraus und kam, in Begleitung des ihm freundlich gesinnten Wahiao-Sultahns Kingomanga, welcher in dem Dorfe Mamemba dreieinhalb Tagereisen vom See entfernt wohnt, mehrere Tage vor Salem in Nusewa am Niassasee an. Hier wurde er von dem Sultahn Makaua nicht nur mit großen Ehrenbezeigungen empfangen, sondern auch während der ganzen Dauer seines Aufenthaltes (gegen drei Monate lang) auf das Beste behandelt und gepflegt. Es fehlte ihm an Nichts: die Leute brachten ihm Reis, Milch, Fleisch, Geflügel und Fische, und als der wandernde Stamm der Mafiti das Land umher unsicher machte und Nusewa selbst anzugreifen drohte, fand er Aufnahme und Schutz im Hause des Sultahns. Nach der Abreise Salem ben Abdallahs und der großen Karawane blieb Roscher allein mit seinen beiden Dienern zurück. Er hatte die Hälfte seiner Waaren in der Nähe des Flusses Ruvuma zurückgelassen, welcher unterwegs überschritten werden mußte, und Salem beauftragt, ihm diese zuzuschicken, wartete aber lange Zeit vergeblich, sodaß er sich endlich entschloß, selbst nach dem Ruvuma zu gehen, um in Besitz seiner Habseligkeiten zu gelangen. Seine Mittel scheinen nicht beträchtlich gewesen zu sein; denn bei der Abreise der Karawane hatte er in einem Briefe die Herren O'Swald u. Co.

in Sansibar dringend gebeten, ihm sobald als möglich neue Waaren zu schicken, da er außerdem zu überschneller Rückkehr genöthigt sein oder in Verlegenheit gerathen würde — eine Bitte, welcher genannte Herren auf das Bereitwilligste und Schnellste durch Absendung von vierundzwanzig belasteten Trägern entsprachen.

Roscher begab sich am 17. März 1860, vier Tage nach Abgang jener Sendung, in Gesellschaft seiner Diener und zweier Lastträger von Nusewa aus auf die Reise, gelangte unter dem Schutze von einigen Leuten des Sultahns Makaua glücklich bis an die Grenze des Gebietes von Nusewa, wo ihn die Eingeborenen wieder verließen, und erreichte am Mittage des dritten Tages Kisunguni. Ohne Bedenken leistete er der Einladung des dortigen Sultahns Makokota, in seinem Hause zu wohnen, Folge. Nachdem er ein schnell bereitetes Mahl genossen, streckte er sich im Inneren der Hütte zur Ruhe nieder; seine Diener legten sich als Wache vor die Thür. Nach einiger Zeit bemerkt Raschidi, daß vier Männer vorsichtig auf allen Vieren an das Haus herankriechen, geht hinein, weckt seinen Herrn und berichtet ihm das verdächtige Beginnen Jener; Roscher beruhigt ihn aber und schickt ihn zum Wasserholen an einen Fluß in einiger Entfernung vom Dorfe. Auf dem Rückwege hört Raschidi seinen Bruder schon von Weitem rufen, er solle eilen, weil sie angegriffen würden, und bemerkt in der That vor dem Hause eine Schar bewaffneter Eingeborener, an ihrer Spitze den verrätherischen Makokota. Sie strecken Omar durch einen Pfeilschuß nieder, nähern sich der Thür, in welcher Roscher soeben erscheint, verwunden auch diesen mit Geschossen an der Brust und am Halse und dringen hierauf in die Hütte, um sich seiner Waaren zu bemächtigen. Jetzt kommen Einige auch auf den entsetzten Zeugen der Schandthat zu, verfolgen ihn mit Pfeilschüssen, verletzen ihn jedoch nur leicht am Finger: da entläuft Raschidi so schnell er kann und verbirgt sich in einem Mahogefelde.

Als es dunkel geworden und die Leute sämmtlich sich entfernt hatten, kehrte Raschidi nach dem Hause zurück. Hier lagen völlig leblos die beiden von Pfeilen Getroffenen, an derselben Stelle, wo sie gefallen. Sie waren nicht geplündert worden; wenigstens hatte man Roscher seiner Kleider nicht beraubt. Um zu sehen, was weiter geschehen möchte, verbarg sich Raschidi in der Nähe. Gegen Mitternacht kamen mehrere Männer herbei, hoben die Leichen auf und trugen sie hinweg. Am Morgen kehrte der dem Tode entronnene Diener nach Nusewa zurück und meldete dem Sultahn das Geschehene.

Makaua zeigte sich äußerst betroffen, sandte aber sofort zu Kingomanga, in dessen Gebiete das Dorf Kisunguni liegt, um ihn zur Ergreifung der Mörder zu veranlassen. Kingomanga schickte fünf Krieger aus; diese nahmen auch den Mörder, in dessen Händen sie eine Drehpistole des Reisenden fanden, gefangen, ließen ihn aber wieder frei, weil viele Bewohner des Dorfes ihrem Häuptlinge zu Hilfe kamen. Hierauf erschien Kingomanga selbst mit fünfzig Mann und erlangte von den Einwohnern, obgleich diese sich anfangs zur Wehre stellen wollten, die Auslieferung von vier als Mörder Roschers bezeichneten Männern: zwei von ihnen, darunter Makokota, den Besitzer des Hauses, erkannte Raschidi als Betheiligte; von den beiden übrigen aber sagte er aus, daß sie einem anderen Dorfe angehörten. Die Gefangenen wurden nach Mamemba, dem Dorfe Kingomangas gebracht, wohin auch Raschidi kam, nachdem er von dem freundlichen Makaua mit Leuten versehen und dadurch in Stand gesetzt worden war, die in Nusewa zurückgelassenen Habseligkeiten Roschers nach Sansibar zu bringen. Inzwischen waren auch die Träger mit der Nachsendung der Herren O'Swald in Mamemba eingetroffen; sie kehrten mit den Anderen auf dem gewöhnlichen Wege über den Ruvuma nach Kiloa und von da nach Sansibar zurück. Unter den geretteten Sachen befanden sich leider Roschers Tagebuch und andere Aufzeichnungen nicht; sie waren nach der Ermordung weggenommen worden und konnten später nicht wieder erlangt werden. Mit den Gefangenen wurde schneller Prozeß gemacht: zwei von ihnen, welche Raschidi als Schuldige bezeichnete, erlitten noch vor Deckens Abreise die Todesstrafe; die anderen wurden, wenn wir uns recht entsinnen, nach ihrer Heimat zurückgeschickt.

Die englische Regierung, unter deren Schutze der vom Könige von Bayern empfohlene und unterstützte Roscher reiste, glaubte Makaua und Kingomanga für ihre guten Dienste belohnen zu müssen und übergab Herrn von der Decken mit rühmenswerther Freigebigkeit ein Paar gestickte Röcke als Geschenk für die beiden Häuptlinge und Briefe, in denen sie ihnen Dank für ihr Benehmen sagte. Diese wohlangebrachten Zeichen der Anerkennung sind jedenfalls mit einer späteren Gelegenheit an ihre Adresse gelangt. —

Bei seiner Abreise von Kiloa war Decken wol mit den Erlebnissen Roschers bekannt, stand jedoch den aufregenden Ereignissen allzu nahe, um die verschiedenen Berichte, welche nach Sansibar gekommen waren, ruhig prüfen und das Wahrscheinliche von dem Zweifelhaften trennen zu können. Er hatte dem Gerede Glauben geschenkt, daß Salem ben Abdallah den jungen Reisenden schlecht behandelt, ihn, den Kranken und Hilflosen, in seinem Bette den sengenden Sonnenstralen ausgesetzt habe, um einige für ihn werthvolle Gegenstände, namentlich ein Gewehr, zu erpressen, und, als er seinen Zweck nicht erreichte, sich immer unfreundlicher gezeigt habe. Gegenwärtig finden wir Dies allerdings unwahrscheinlich: hätte Salem doch leicht jenes Gewehr mit Gewalt nehmen können, wenn überhaupt der Besitz eines Gegenstandes von höchstens vierzig Thaler Werth den reichen Araber zu solcher Grausamkeit zu veranlassen vermochte — eine Annahme, welche auch durch Raschidis Aussagen durchaus bekräftigt wird. Decken glaubte das Schlimmere, fühlte sich dadurch zur äußersten Vorsicht veranlaßt, vermied es ängstlich, sich wieder in Abhängigkeit von einer großen Karawane und deren habsüchtigem Führer zu begeben, bildete sich seine eigene kleine Reisegesellschaft unter Abdallah ben Said und reiste mehrere Wochen vor Jenen ab.

Anfangs gab das Benehmen seines Führers keinen Grund zu Mißtrauen. Zwar führte Abdallah den Reisenden nicht auf geradem Wege, sich entschuldigend, daß dort zur Zeit kein Wasser zu finden sei; indessen konnte Dies recht gut möglich sein: mußte er doch die Verhältnisse besser kennen als der Fremde. Bald aber begann Abdallahs Widersetzlichkeit. Aus verschiedenen Gründen wünschte er, was Decken gerade zu vermeiden suchte, sich der großen Karawane anzuschließen; jedenfalls dachte er mit dem des Ortes und der Verhältnisse unkundigen Msungu leichtes Spiel zu haben. Seine Ränke und Winkelzüge zeigten sich der Festigkeit und Thatkraft Deckens gegenüber machtlos. Er mußte sich in seinem Stolze tief verletzt fühlen, daß er, der reiche Schambabesitzer, der angesehene Kaufmann und Gebieter über Hunderte von Sklaven, von dem Willen des unbekannten und ganz in seine Hände gegebenen Fremdlings abhängig sein, und gehorchen sollte, wo er zu leiten gedachte. Dieses bittere Gefühl konnte ihn leicht vergessen lassen, daß er durch Annahme der im Vertrage festgesetzten fünfhundert Thaler gebunden und verpflichtet war, den Anordnungen des Weißen Folge zu leisten. Er begann nun das Vorwärtskommen auf jede ihm mögliche Weise zu hemmen, um durch List zu erreichen, wozu er in der That weder Macht noch Recht besaß: er sorgte nicht für den Bedarf an Lebensmitteln, reizte wahrscheinlich selbst die Beludschen zu ihrem störrischen Gebaren auf und versuchte endlich, durch offene Widersetzlichkeit den Msungu zur Nachgiebigkeit zu zwingen — aber ohne allen Erfolg. Abdallah löste also das ihm unerträglich dünkende Verhältniß, entlief und ließ sich weder durch Bitten noch Drohungen zur Rückkehr bewegen. Hierdurch geriethen die Träger des Reisenden, größtentheils Sklaven Abdallahs, in üble Stellung: konnte man es ihnen verdenken, daß sie ihrem Brodherrn, in dessen Hand ihr Schicksal stand, bei welchem sie ihr Leben lang auszuharren hatten, mehr folgten als dem Fremden, dessen Absichten sie nicht begriffen und mit dem sie sich kaum zu verständigen vermochten? Einzig auf die geringe Anzahl seiner eigenen Leute angewiesen, durfte Decken nicht an Fortsetzung der Reise denken; gewöhnt, sich in das Unvermeidliche zu fügen, strebte er schnell dem neuen Ziele Kiloa zu und ließ sich, wie es nach dem früher Gesagten nicht anders möglich, selbst durch Abdallah ben Salems Anerbietungen nicht aufhalten.

Begreiflicher Weise war es der lebhafteste Wunsch des Reisenden, den Urheber seines Mißgeschickes streng bestraft zu sehen, Ersatz für die bezahlten Summen sowie Entschädigung für den Raub an seinen Waaren zu erlangen. Er begab sich also, da er in Kiloa Nichts erreichte, in Eile nach Sansibar, um den Sultahn zu nachdrücklicher Handhabung der Gerechtigkeit zu veranlassen. Auch diese Bemühungen waren vergeblich, sei es nun, daß Seid Madjid keine Macht besaß, den angesehenen Araber, dessen Gut eine Tagereise von dem Fort zu Kiloa entfernt lag, zu bestrafen, sei es, daß es ihm an gutem Willen dazu fehlte, zumal seine Ansichten über diesen Rechtsfall vermutlich weit von denen des Europäers abwichen. In seinem Zorne über das erlittene Unrecht, und reizbar in Folge der kaum überwundenen, schweren Krankheit, ließ Decken nach langem Hin- und Herreden dem Sultahn sagen, er würde, wenn er von ihm Gerechtigkeit und Genugthuung nicht erlangen könne, sich selbst zum Richter aufwerfen, nach Kiloa zurückgehen und nicht eher ruhen, bis er Abdallah ben Said gefangen hätte, ihn dann gefesselt nach Sansibar bringen und zum abschreckenden Beispiele am höchsten Baume in der Umgebung der Stadt aufknüpfen. Es blieb bei dieser Drohung, da Decken, als er wieder wohler wurde, einsehen mochte, daß solches Verhalten ihm Schaden für seine späteren Reisen bringen mußte; wäre er hingegen, von seinem ersten Mißgeschicke abgeschreckt, nach Europa zurückgekehrt, so würde er unzweifelhaft sein Wort wahr gemacht und dadurch künftigen Reisenden einen wesentlichen Dienst geleistet haben. Ohne Eindruck scheint übrigens dieser Vorfall nicht am Sultahn vorübergegangen zu sein; wenigstens waren die Empfehlungsbriefe, welche er dem Msungu auf seine nächste Reise mitgab, ganz anderer Art als die früheren und verschafften ihm einen ausgezeichneten Empfang; doch mag auch sein, daß Seid Madjid sich aus Theilnahme für den so schwer von Unglück und Krankheit Getroffenen zu solcher Empfehlung bestimmen ließ.

Zweimal ist es also deutschen Forschern mißglückt, die schon von Alters her berühmte Karawanenstraße von Kiloa nach dem Niassasee zu erforschen und Kunde von dem Ostufer dieses langgestreckten Seebeckens zu erlangen. Sollen wir deshalb an der Möglichkeit des Gelingens einer späteren Reise verzweifeln?

Wir glauben diese Frage verneinen zu müssen. Wie wir aus Deckens und Roschers Berichten ersehen, war es durchaus nicht die Feindseligkeit der Bewohner des Inneren, welche die Reisen beider Männer vereitelte. Roschers Ermordung ist der Habgier eines Einzelnen zuzuschreiben, und unserem Reisenden wurden eigentliche Schwierigkeiten nur durch das Widerstreben und die Eifersucht der Küstenaraber bereitet. Letztere bieten begreiflicher Weise Alles auf, um neue Reisen zu erschweren oder zu vereiteln, weil sie den wissenschaftlichen Zweck des europäischen Reisenden nicht zu begreifen vermögen, vielmehr fürchten, daß ihnen der Msungu unter der Maske der Neugierde ihren einträglichen Zwischenhandel verderben werde.

Hätte Decken damals noch eine zweite Reise auf derselben Straße versucht, so würde er voraussichtlich keinen besseren Erfolg gehabt haben, weil durch sein Mißgeschick seine eigene Zuversicht herabgestimmt, der Mut der ungünstig Gesinnten aber erhöht worden, und die bösen Gerüchte, welche Abdallah zu seiner Entschuldigung verbreitet haben mochte, noch in vollem Umlauf waren. Spätere Reisende, welche von den Erfahrungen ihrer unglücklichen Vorgänger Nutzen ziehen, werden sicherlich ohne beträchtliche Schwierigkeiten den nur sechs Längengrade von der Küste entfernten See erreichen und uns genauere Nachrichten von seinen reichen Gestaden verschaffen: der Beweis ist in neuester Zeit von Livingstone (18) geliefert worden. Bis die genaueren Berichte über diese Reise in die Oeffentlichkeit gedrungen sein werden, beschränkt sich unsere Kenntniß vom Niassasee auf Das, was Livingstone in früheren Jahren von dem Süd- und Westufer des Sees erforscht hat, für die östliche Straße aber auf Deckens Berichte. Die Portugiesen, obwol sie das Küstengebiet in der Breite des Niassasees in Anspruch nehmen und seit Jahrhunderten besitzen, verdanken wir kaum eine Erweiterung unserer Kenntnisse; sie haben in einer engherzigen, aufgeklärter Nationen unwürdigen Weise verheimlicht und gefälscht was sie wußten, und durch den Sklavenhandel, welchen sie selbst betrieben und förderten, das Gedeihen des Landes und die Entwickelung seiner Bewohner für lange Zeiten gehemmt.

Um das Ziel, welches Decken vergeblich zu erreichen bestrebt war, wenigstens einigermaßen in seiner Wichtigkeit zu kennzeichnen und somit gleichsam eine Grundlage für die Darstellung der von der Deckenschen Ergebnisse zu erlangen, müssen wir aus den Erzählungen Livingstones schöpfen. Der berühmte Missionär und Reisende erreichte am 16. September 1859 dem See an seinem Südende, also zwei Monate vor Roscher, welcher am 19. Novbr. 1859 in Nusewa ankam. Der Niassa oder Niandscha Mkuba (großer See) ist ein unübersehbarer See mit prächtig tiefblauem Wasser wie das offene Weltmeer und wird von Stürmen durchtost, welche den dort wütenden Nichts nachgeben; man könnte ihm nach seinem Entdecker den Namen „See der Stürme“ geben. Von den über dreitausend Fuß erhabenen Hochlanden brausen die Winde, ohne daß der Schiffer es vorher ahnt, auf die nur 1300 Fuß über dem Meeresspiegel gelegene Seefläche herab: Boote und Schiffe, welche von solchem Unwetter überrascht werden, dürfen sich als verloren betrachten, weil ein Ankern in der Mitte des Sees wegen der beträchtlichen Wassertiefe (bis hundert Klaftern) unthunlich, und das Herannahen an die brandende Küste verderbenbringend ist. Trotzdem wird der große See, welcher sich in südnördlicher Richtung, in Gestalt einem Fische nicht unähnlich, über zweihundert Meilen erstreckt und eine Breite bis zu fünfzig Meilen besitzt, von Hunderten und aber Hunderten großer und kleiner Baumkähne, den Booten der Fischer, belebt, und neuerdings haben unternehmende Araber sogar große Fahrzeuge von Art der an der Küste üblichen auf ihm flott gemacht. Doch was nützt dieser Verkehr, da, soweit man die Gestade des Wassers kennt, insbesondere auf dem Ostufer desselben, fast allerorts Unsicherheit, Raub, Mord, oder mit Einem, der Sklavenhandel herrscht, hervorgerufen und befördert von den Jüngern Christi und Mahammeds? An glücklicheren Stellen, wo weder Sklavenhändler noch räuberische Nachbarstämme hingedrungen, gewahrt der Reisende eine Fülle des Segens, welche ihn entzückt nach dem Elende, welches er vorher gesehen — aber wie lange wird es dauern, bis der böse Feind auch hier seine Opfer sucht?

Livingstone erzählt, daß er nirgends in Afrika eine dichtere Bevölkerung gesehen, als an gewissen Küstenstrecken des Niassa. Dörfer grenzen hier an Dörfer, das offene Land ist entweder mit Feldfrüchten bestellt oder dient zahlreichen Viehheerden als Weideplatz, das Wasser selbst nährt durch seinen Fischreichthum Tausende von Menschen, und die Berge bieten vortreffliches Eisen, welches in kunstreicher Weise verarbeitet wird. Wo die Waniassa so durch das Wohngebiet begünstigt werden, sind sie ehrlich, freigebig und höflich und fallen dem Reisenden nicht durch zudringliches Betteln oder durch unverschämte Zollforderungen, sondern höchstens durch eine leicht erklärliche Neugierde lästig. Ganz dasselbe hat Roscher am Nordostende des Sees erfahren (die geographische Lage von Nusewa ist nicht genau bekannt): er fand die gastfreundlichste Aufnahme bei Leuten, welche nie vorher einen Europäer gesehen, und traf Ueberfluß an Allem, was zum Leben nöthig, so daß er begeistert ausrief: „Ein schöneres Land als das am Niassa kenne ich nicht!“

Es führen mehrere Straßen von Osten her nach dem großen See; die wichtigste und belebteste ist diejenige, welche Decken von Kiloa aus betrat. Sie berührt etwa halbwegs den nördlich vom Kap Delgado mündenden Fluß Ruvuma, von welchem die

Eingeborenen sagen, daß er oder wenigstens einer seiner Arme im See seinen Ursprung habe, und erreicht das Wasser bei Ngombo (d. i. Fährstelle) Rusewa. Solcher die beiden Ufer verbindenden Ngombo gibt es mehrere; einige von ihnen, vorzüglich die an breiteren Stellen gelegenen, führen an Inseln vorüber, welche als Halteplatz und Zufluchtsort bei der langen Fahrt dienen.

Vom Nordende des Sees weiß man wenig mehr, als daß es etwas nördlich vom elften Grade südlicher Breite liegt. Durch Livingstone, welcher es auf seiner letzten Reise erreichte, werden wir Näheres erfahren, namentlich auch darüber, ob die Aussage der Leute, daß zwischen dem Niassa- und dem Tanganikasee eine Verbindung bestehe, auf Wahrheit beruht. Im Süden gabelt sich der See: der westliche Arm bildet einen vortrefflichen Hafen, der östliche sendet einen stark fließenden Fluß, den Schire, dem Sambesi zu. Von Westen her münden fünf Gewässer in den Niassa, doch hält ihre Wassermenge nicht einmal dem Abflusse durch den Schire, geschweige denn der beträchtlichen Verdunstung das Gleichgewicht; falls also die östlichen Gelände ihn nicht speisen, wird er hauptsächlich durch die Regengüsse gefüllt. Diese müssen allerdings sehr beträchtlich sein; denn aus untrüglichen Zeichen an den Uferfelsen kann man deutlich sehen, daß nach der Regenzeit das Wasser drei Fuß höher steht als gewöhnlich. Wegen seiner geschützten Lage in einem Bergkessel und wegen seiner großen Wassertiefe zeigt der Niassasee eine sehr gleichmäßige Temperatur, etwa 18° R.; frühmorgens, oder wenn kalte Winde aus den umgebenden Hochlanden herabwehen, steigen dichte Nebel aus ihm auf — ein gewiß nicht unbedeutendes Hinderniß der Schiffahrt. Livingstone durchforschte das Gebiet des Niassa vom 2. September bis 27. Oktober 1861 zu Wasser und zu Lande und erreichte 11° 20′ südlicher Breite.

Deckens Beobachtungen beziehen sich zwar nur auf eine etwa 150 Seemeilen lange Strecke, sind auch wegen der kurzen Dauer der Reise und wegen der mannigfachen Schwierigkeiten derselben nicht sehr ausführlich, aber von großer Wichtigkeit, weil sie die ganze Summe unserer Kenntniß von diesem Theile des Binnenlandes ausmachen. Wir stellen die Ergebnisse derselben, welche sich in dem Tagebuche hier und da zerstreut finden, in nachfolgender Uebersicht zusammen. Unser Reisender war versehen mit Allem, was zur Ausrüstung einer derartigen Unternehmung gehört; er besaß Sextanten und künstlichen Horizont, Siedethermometer (19), Regenmesser, Pedometer (20) u. dgl. m.; aber was ihm fehlte, das war Zeit und Ruhe; er konnte bei einer so aufreibenden, mit sovielen Widerwärtigkeiten verbundenen Reise nicht alle Beobachtungen in so ausgedehnter Weise vornehmen, wie er Dies ursprünglich beabsichtigt hatte. Dennoch legte er seine Route durch astronomische Längen- und Breitenbestimmungen (21), und die zwischen den Hauptpunkten liegenden Strecken durch Aufzeichnung der Wegerichtung und durch Pedometermessungen fest: er erzielte hierdurch eine Uebereinstimmung auf fünf bis sechs Meilen, welche den Erdkundigen in hohem Grade befriedigen muß, da der Fehler einer astronomischen Längenbestimmung allein ebensoviel betragen kann. An jedem Halteplatze bestimmte er die Ansteigung des Bodens aus der Abnahme des Luftdruckes, und zwar nach der Wärme des siedenden Wassers, welche bekanntermaßen genau dem jedesmaligen Barometerstande entspricht. Zum Sammeln von Gegenständen der Naturgeschichte kam er nicht, weil er von der Sorge für den Lebensunterhalt u. A. m. allzu sehr in Anspruch genommen wurde; die Naturgeschichte ist mithin das durch diese Reise am wenigsten bereicherte Gebiet.

Von Kiloa nach dem Inneren zu steigt der Boden stetig; schon Mukapunda, die Schamba Abdallahs, liegt 509 Fuß über der Oberfläche des Meeres. Der Weg dahin führt durch ein mit niedrigen Hügelketten durchzogenes Land, in welchem zahlreiche Schambas der Küstenbewohner liegen. Zwischen der zweiten Station Mnasi und zwischen Nahigongo nimmt die Bodenerhebung nur um etwa 150 Fuß zu. Auch hier zeigen sich noch einzelne

Bergketten oder Landrücken, dagegen führt der Weg nicht mehr durch steppenartige Ebene, sondern durch ausgedehnten Wald, welcher größtentheils aus Akazien mit sechs bis neun Zoll dicken Stämmen besteht, überragt von einzelnen, hohen Platanen. Schlingpflanzen zwischen Bäumen und Büschen erschweren das Vorwärtsdringen, und die zahlreichen Dornen der Akazien belästigen die barfüßigen Eingeborenen; um den Weg zu verbessern, hat man an den meisten Stellen rechts und links davon den Wald durch Feuer zerstört.

Jenseit Rahigongo steigt das Land wieder stärker als vorher, bleibt aber immer noch ziemlich flach und einförmig. Erst bei der 1300 Fuß hoch gelegenen Ortschaft Rangungulu beginnt ein gebirgiges Land von eigenthümlicher Bildung. Anhäufungen von Basaltblöcken treten auf, bald zu kleineren Gruppen vereinigt, bald hohe Berge darstellend, alle von sonderbarer, zackiger und zerrissener Form. Vermutlich nimmt die Bodenerhebung bis nach dem Niassasee hin stetig zu wenigstens schätzt Roscher den Rand des Hochlandes, welches jäh nach dem Wasser zu abfällt, auf dreitausend Fuß Höhe; Genaueres ist uns nicht bekannt.

Ebenso ist uns ein Einblick in die Verhältnisse der fließenden Wasser versagt; wir erfahren nur, daß alle Gewässer des durchwanderten Landstriches sich nach Süden und Osten wenden. In den letzten Tagen des Marsches war der Wasserreichthum ein sehr beträchtlicher; außer den kleinen Bächen, welche täglich in großer Anzahl überschritten wurden, hemmten auch größere Flüsse, wie der Kiperele und der Ruhuhu, öfters den Marsch. Keiner ist schiffbar; der größte von ihnen, der Ruhuhu, würde, seines überaus felsigen Bettes wegen, nicht einmal mit Baumkähnen befahren werden können. Die Leute behaupten, der Ruhuhu münde mit dem beträchtlicheren Runkuru vereint in einen der großen Flüsse im Süden; dies könnte nur der Ruvuma sein: Decken ist jedoch der Ansicht, daß der Runkuru südlich von Kiloa Kisiwani unmittelbar in das Meer fließt. Beim Beginne der Reise zeigte sich das Wasser außerordentlich spärlich, die meisten Quellen und Brunnen waren vertrocknet, ebenso auch die Flußbetten, von denen, nach den Berichten der Leute, nur der Mavujifluß das ganze Jahr über Wasser enthalten soll. Diese Wasserarmut darf nicht allein aus dem langen Ausbleiben des Regens erklärt werden, sondern wird jedenfalls mit durch die einförmige Bodenbildung bedingt.

Auffälliger Weise wurde verhältnißmäßig wenig Wild gesehen, sei es nun, daß die lebhafte Karawanenstraße von den Thieren gemieden wird, oder daß der starke Anbau des Landes sie nach entlegenen Gegenden vertreibt; in größerer Entfernung von den Wohnungen der Menschen werden sicherlich auch die der afrikanischen Wildniß eigenthümlichen Thiere, Elephanten und Nashörner, Zebra, Girafen und Strauße in Menge zu finden sein. Nur einige Male wurden ansehnliche Antilopen erlegt, welche Decken als Kuh- oder Elenn-Antilopen bezeichnet; von kleineren Säugern wird ein eichkatzenähnliches Thier und ein anderes, in der Gestalt zwischen Ratte und Eichhörnchen stehend, erwähnt. Unter den Vögeln fällt vorzüglich die Häufigkeit der Tauben auf; außer diesen berichtet der Reisende nur von einem Papagei und einigen Nachtschwalben, welch' letztere ihm in den Bergen bei Rahigongo aufgefallen waren. Als Hausthiere halten die Eingeborenen Hühner, Ziegen, Schafe und Kühe; Esel sind ihnen unbekannt und erregen überall das größte Aufsehen.

Wo Wassermangel Dem nicht entgegenstand, war der Anbau des Landes in blühendem Zustande; besonders die letzten Stationen zeichneten sich durch eine wunderbare Fruchtbarkeit aus. Lebensmittel, namentlich Mahogo und Mtama, waren im Ueberflusse vorhanden.

Wie in ganz Afrika hatten sich auch hier die Eingeborenen vorzugsweise in der Nähe der Berge angesiedelt — eine sehr erklärliche Liebhaberei, denn die Berge gewähren Schutz gegen Ueberfälle und liefern das unentbehrliche Wasser in Menge. Aber auch die offene Ebene war nicht unbewohnt; es fanden sich öfters mitten im Walde einzelne Lichtungen mit ausgedehnten Ortschaften, nicht eigentliche Dörfer in unserem Sinne, aber weithin sich erstreckende Pflanzungen und Hütten: in der wasserreichen Landschaft jenseit des Ruhuhuflusses führte der Weg bisweilen sogar eine bis zwei Stunden lang zwischen Hütten und Feldern hin.

Wenn trotz des Ueberflusses Lebensmittel nur mit Schwierigkeiten zu haben waren, so rührte Dies vielleicht weniger von angeborener Böswilligkeit der Einwohner her, als von einer Verschlechterung der Sitten, wie man sie überall an großen Karawanenstraßen findet, wo halbgebildete Völker mit solchen noch nicht von der Kultur berührten verkehren — möglicher Weise aber wurden die Verkäufer auch zur Zurückhaltung veranlaßt durch die Erwartung, in Kurzem noch bessere Preise von der herannahenden großen Karawane erzielen zu können. Im Allgemeinen hatte Decken weniger über die Ungastlichkeit der Bewohner des Inneren zu klagen, als über die alle Vorstellungen überschreitende Hartherzigkeit der verderbten Araber an der Küste.

Bei beschleunigten Märschen, welche nur ab und zu einen Aufenthalt von längstens einigen Tagen gewähren, kann man begreiflicher Weise von Sitten und Wesen der Leute wenig kennen lernen, zumal bei Tage die Hütten verlassen sind, weil die Bewohner auf dem Felde arbeiten; dennoch hatte Decken bisweilen Gelegenheit, interessante Züge und Eigenthümlichkeiten zu belauschen. Sehr bemerkenswerth erscheint die Befähigung der Eingeborenen für Musik: in diesem Punkte müssen sie, nach dem oben Gesagten, ziemlich hoch gestellt werden, da ihre, wenn auch einfachen Instrumente, diejenigen der Küstenbewohner bei Weitem übertreffen. In ganz besonderem Grade verdient der gesellschaftliche Zustand der Wagindo und Wagao, welche vorzugsweise diese Gegend bewohnen, hervorgehoben zu werden: sie verkaufen keine Sklaven, selbst für die höchsten Preise nicht. Unser Reisender hatte an der Küste vernommen, daß dieser Theil Ostafrikas die meisten Sklaven liefere. Der ausgezeichnete Anbau des Bodens machte ihm dies schon von vornherein unwahrscheinlich; um sich jedoch Gewißheit zu verschaffen, ließ er durch einen seiner Leute für einen achtjährigen Knaben, welcher in Sansibar höchstens acht bis zehn Dollars, also im Sklavengebiete kaum zwei gekostet haben würde, die ungeheuere Summe von fünfzig Dollars bieten: umsonst, man verkaufte den Knaben nicht. Die Sklavenbesitzer behandeln ihre Leute, welche im Hause dienen oder auf dem Felde arbeiten, fast ausnahmslos gut; denn der Ackerbau nimmt viele Kräfte in Anspruch, und tüchtige Arbeiter sind selten. Aus eben demselben Grunde verhandeln sie auch ihr Eigenthum nicht, weil ihnen der Sklavenhändler niemals einen Preis zu bieten im Stande ist, welcher dem Werthe der Arbeit Jener entspricht. Die größte Anzahl der Sklaven, welche Kiloa ausführt, kommt von den südlicher wohnenden Wabisa und Wahiao; selbstverständlich kann bei ihnen der Anbau des Bodens nur höchst unvollkommen sein.

Man sieht hieraus, das beste Mittel, den Menschenhandel mit der Wurzel auszurotten, ist das, den Ackerbau zu heben. Niemand, der Sklaven selbst nothwendig braucht, wird sie verkaufen können, oder wenigstens nur zu Preisen, bei denen der Abnehmer nicht mehr seine Rechnung findet. So lange aber der Vortheil der Käufer sowie der Verkäufer für solch' elenden Schacher spricht, wird man sich vergeblich bemühen, durch Kriegsschiffe das Uebel zu tilgen; man wird höchstens erreichen, daß die Sklavenhändler ihre Waare mit mehr Vorsicht, zugleich aber auch mit mehr Grausamkeit bis auf den Verkaufsplatz bringen und dort, zur Entschädigung für die ausgestandenen Sorgen und Gefahren, einen umso höheren Preis verlangen.

Kilimandscharo.

Zehnter Abschnitt.

Mombas.

Sansibars Nordwestküste. — Erster Eindruck von Mombas. Lage. Geschichte. — Verschiedenartige Pflanzenwelt: Kigelia, Dumpalme, Affenbrodbaum. — Thierleben: Webervogel, Schmarotzermilan, Zwergantilope, Stachelschwein. — Die ersten Ansiedler. Wanyika und Wakilindini. — Die Herrschaft sonst und jetzt. — Die Stadt Mombas. — Die Ruinen der Insel. — Besuch beim Kommandanten und im Inneren der Festung.

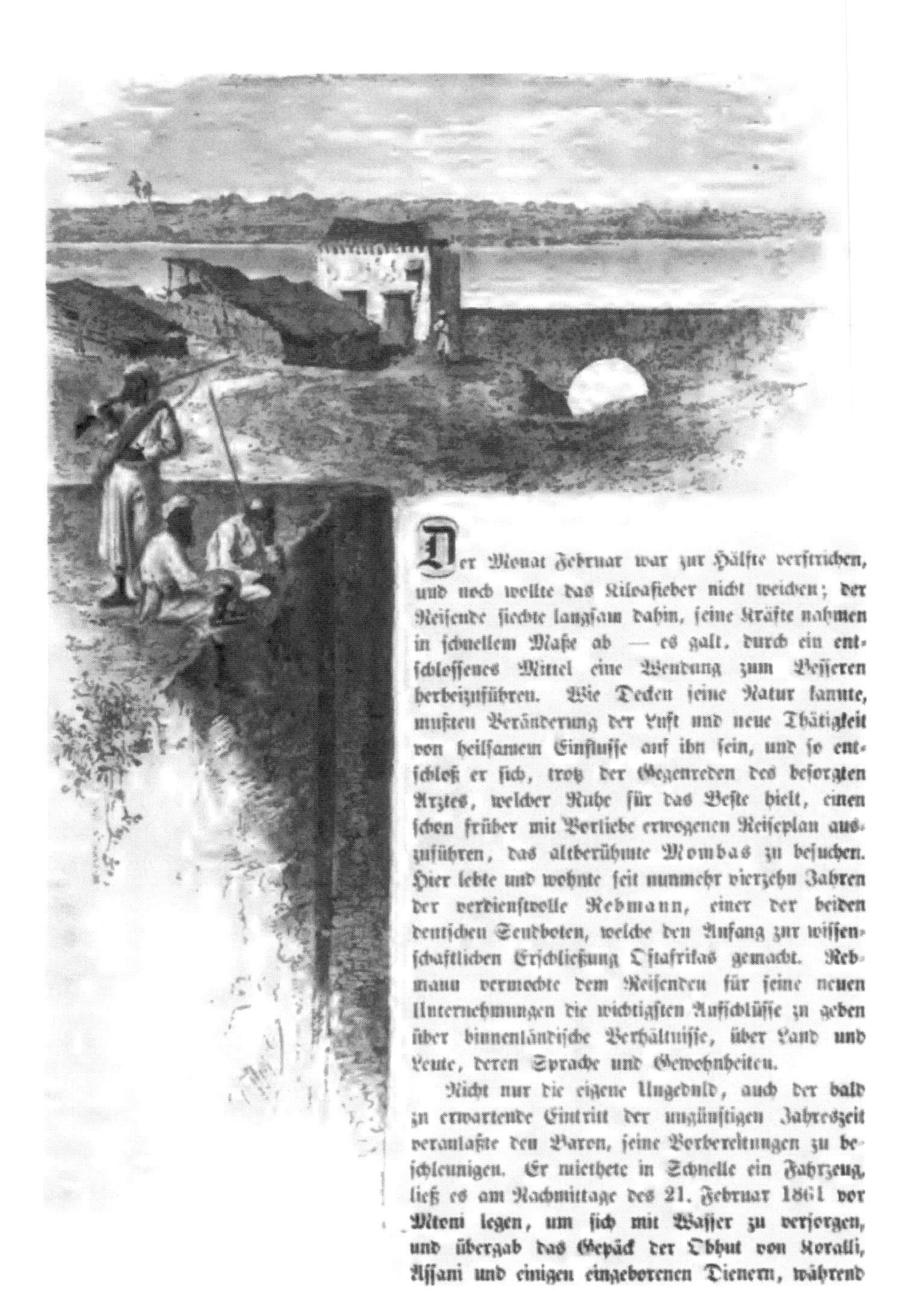

Der Monat Februar war zur Hälfte verstrichen, und noch wollte das Kiloafieber nicht weichen; der Reisende siechte langsam dahin, seine Kräfte nahmen in schnellem Maße ab — es galt, durch ein entschlossenes Mittel eine Wendung zum Besseren herbeizuführen. Wie Decken seine Natur kannte, mußten Veränderung der Luft und neue Thätigkeit von heilsamem Einflusse auf ihn sein, und so entschloß er sich, trotz der Gegenreden des besorgten Arztes, welcher Ruhe für das Beste hielt, einen schon früher mit Vorliebe erwogenen Reiseplan auszuführen, das altberühmte Mombas zu besuchen. Hier lebte und wohnte seit nunmehr vierzehn Jahren der verdienstvolle Rebmann, einer der beiden deutschen Sendboten, welche den Anfang zur wissenschaftlichen Erschließung Ostafrikas gemacht. Rebmann vermochte dem Reisenden für seine neuen Unternehmungen die wichtigsten Aufschlüsse zu geben über binnenländische Verhältnisse, über Land und Leute, deren Sprache und Gewohnheiten.

Nicht nur die eigene Ungeduld, auch der bald zu erwartende Eintritt der ungünstigen Jahreszeit veranlaßte den Baron, seine Vorbereitungen zu beschleunigen. Er miethete in Schnelle ein Fahrzeug, ließ es am Nachmittage des 21. Februar 1861 vor Mtoni legen, um sich mit Wasser zu versorgen, und übergab das Gepäck der Obhut von Koralli, Assani und einigen eingeborenen Dienern, während er selbst die Nacht am Lande, in Gesellschaft seiner Freunde zubrachte. Am anderen Morgen, vor Sonnenaufgang, ritt er, vom Hamburger Konsul begleitet, zur Stadt hinaus, bald nah am Strande hin, bald durch die duftigen Schambas, auf dem belebten, breiten Wege, welcher nach Mtoni führt. Scharen von Negern beiderlei Geschlechts begegneten ihm, die Einen Getreide und Früchte zu Markte bringend, die Anderen in röthlichen Mtungis die Stadt mit Wasser versorgend. Die herrliche Morgenluft, der Anblick der großartigen, vom Thaue der Nacht erfrischten Pflanzenwelt, das fröhliche Leben und Treiben der geschäftigen Menge, die Begleitung des theilnehmenden Freundes, endlich die frohe Aussicht in die Zukunft übten einen erheiternden und erquickenden Einfluß auf das Gemüt des Reisenden. Bald war der Ankerplatz erreicht, das plumpe Boot des Bethens nahete dem Strande, noch ein fröhliches „mit Gott" ertönte zum Abschied, und fort ging es, dem neuen Ziele zu.

Die Sonne, obwol erst seit einer halben Stunde dem Meere entstiegen, hatte bereits in steilem Bogen eine beträchtliche Höhe erreicht und den Morgenduft über dem waldigen Inneren der Insel zerstreut. Schon jetzt erschien das sich allmählich entrollende Bild, welches bei einer Fahrt nach dem Norden der Insel nicht weniger anziehend ist, als bei der Einfahrt von Süden her, in all' seiner Farbenpracht. Durch zwei Tonnen bezeichnet zieht sich die enge Fahrstraße zwischen Sansibar und Schampani, dem nördlichsten der Hafeneilande, hin, der Begräbnißinsel der Europäer, wo schon Mancher seine Ruhestätte gefunden und erst vor wenigen Jahren noch der englische Konsul Hamerton. Rechter Hand liegt Mtoni, der Lieblingssitz Seid Saids und, nach dessen Tode, Landaufenthalt eines seiner Söhne. Von See gesehen bieten die geschmackvollen Anlagen mit ihren steinernen und hölzernen Bauten einen überaus anmutigen Anblick, in weit höherem Grade als vom Lande aus; sie stellen hier ein abgeschlossenes Bild in glänzendem Rahmen dar: zu unterst die blaue, weiterhin grüne See, dann blendendweißer Strand, schlanke Palmen, mit Nelkenbäumen gekrönte Höhen, und darüber der dunkle und doch leuchtende Himmel. Kaum hat das Auge sich an diesem Schauspiele gesättigt, so nehmen neue Gegenstände die Aufmerksamkeit in Anspruch. Ein mächtiger, weißgetünchter Steinbau, mit hohen Mauern umgeben, auf einem Vorsprunge des Strandes errichtet, rückt näher und näher — es ist Bet el Ras, der seiner Bestimmung entfremdete Harehm Seid Saids. Haus reiht sich nun an Haus, Pflanzung an Pflanzung längs des gesegneten Strandes; mancher dieser Punkte weckt freundliche Erinnerungen, weil ihn der Reisende schon auf anderem Wege besuchte, darunter vor Allem ein allerliebstes, dem englischen Konsul gehöriges Landhaus. Weiterhin erglänzen die Häuser von Bububu, dann kommt hinter der Oswawembaspitze die Insel Tumbatu zum Vorscheine, die Bucht von Kokotoni mit den englischen Zuckerrohrpflanzungen an ihrem Strande abschließend. Jetzt gibt es Nichts mehr zu sehen, weil von hier an das Schiff die Küste verläßt und sich in gerader Richtung dem erstrebten Punkte des Festlandes zuwendet.

Bei unserem Reisenden, welcher noch schwach von langer und schwerer Krankheit war, machte sich das Gefühl der Sättigung, der Ermüdung geltend, zugleich traten auch die Unannehmlichkeiten der Fahrt, welche bisher bei dem mit jedem Augenblicke erscheinenden Neuen und Schönen übersehen worden waren, in den Vordergrund. Der Aufenthalt an Bord des Schiffleins war wirklich unausstehlich. Die letzte Ladung hatte aus getrockneten Fischen bestanden — nur Derjenige, welcher bei einem Haifischhändler Sansibars vorübergewandelt, kann wissen, was Das zu bedeuten hat — außerdem hatte es vor Kurzem frische Oelung erhalten, sodaß, selbst wenn die Brise nicht so frisch gewehet hätte, schon hiervon allein manch' seefestem Manne der Magen in Bewegung gerathen wäre; doch nicht genug. Millionen summender Fliegen und Mücken schwärmten, gelockt durch die verschiedenartigen Düfte, umher und belästigten, Ruhe oder Nahrung suchend, den Müden auf das Unausstehlichste.

Ruhelos lag der Vielgeplagte auf seinem Bett; gleichgiltig und ohne sich daran zu freuen, ließ er am anderen Tage die hafenreiche, gesegnete Insel Pemba an sich vorüberziehen, die vielbesungene (22) Djesiret el Chotera (Insel der Pflanzen) der Araber.

Erst am dritten Tage gegen Morgen tauchte das Wahrzeichen von Mombas auf, die Koroa Mombasa der Portugiesen, eine dreigipfelige Hügelgruppe, Ngu sa Mombasa von den Suaheli genannt. Beim Näherkommen bietet das Land einen überraschend schönen Anblick. Jenseits der Nguhügel faßt ein Kranz von bewaldeten Höhen die von Ferne kaum bemerkbare Bucht ein, in welcher die Insel Mombas liegt. Die Stadt selbst ist noch nicht sichtbar; nur im Süden der Insel erscheinen auf dem hohen Strande einzelne Ruinen, Befestigungen und Denksäulen — eine der letzteren mit einem christlichen Kreuze geschmückt! Wir nahen einem Lande, von welchem die Geschichte nicht wenig zu erzählen weiß,

einem Lande, in welchem vor Jahrhunderten europäische Entdecker und Eroberer sich niederließen, Festungen, Kirchen und Denkmäler baueten, Kriege führten, Gräuelthaten verübten und endlich hinweggetrieben wurden, ohne daß von ihrer Thätigkeit andere Spuren zurückgeblieben wären, als der Zerstörung trotzende Steine und Trümmer eingeäscherter Städte! Links von dem schäumenden Riffe im Norden, auf welchem Fischer in elenden Kähnen dem Meer eine Beute abzugewinnen suchen, erhebt sich auf steilem Fels die Zwingburg der Unterdrücker, ein großartiges, massives Steingebäude, die Festung, welche nächst den Portugiesen in buntem Wechsel nacheinander Suaheli und Araber, Engländer und Söhne Beludschistans beherbergte: sie beherrscht den schmalen Eingang zu dem Nord- und Südhafen, unseren Blicken die tiefer liegende Stadt noch verdeckend. Jetzt wendet sich das Schiff nordwärts. Ferne Hütten kommen zum Vorscheine, jemehr es sich dem Kastelle nähert; aber erst wenn dieses zur Seite liegt, bietet sich ein umfassender Blick über die Stadt — eine geringe Anzahl weißer Steinhäuser in einem Gewirre von Hütten.

Unser Mombas ist nicht mehr das alte, welches die portugiesischen Entdecker besangen, weil es durch Schönheit der Bauart sie an die heimatlichen Städte erinnerte, von welchem sie rühmten, daß es die höchsten Thürme, die schönsten Frauen und die kühnsten Reiter habe: die Herrlichkeit der alten Mombasa ist gesunken, die Wut der Eroberer hat sie zu mehreren Malen vernichtet; was jetzt noch steht, ist ein aus Schutt emporgewachsener, ärmlicher Anfang. Mombas kann sich nicht mit Sansibar vergleichen in Bezug auf stattliches Aeußere, Größe und Lebhaftigkeit des Verkehrs; aber Sansibar ist ein Emporkömmling von gestern: die Größe von Mombas liegt in der Vergangenheit, von welcher Ruinen und Inschriften zeugen, und in der Zukunft, welche sein Hafen und seine Lage ihm verschaffen werden. Mombas wird wieder aufblühen unter der Herrschaft eines gesitteten Volkes, über lang oder kurz; denn die Vortheile, welche es bietet, sind auch dem Blinden nicht verkennbar.

Fassen wir in wenigen Worten die traurigen Schicksale der Stadt Mombas zusammen, um zu zeigen, in wie hohem Grade dieser altehrwürdige Boden unsere Theilnahme verdient. Mit bewunderswerther Kraftentfaltung bemächtigte sich im Anfange des sechzehnten Jahrhunderts das kleine Portugal der unermeßlichen Küstenstrecken Afrikas und Asiens, von den Säulen des Herkules bis zum Kap der guten Hoffnung und nach Arabien hinauf, und von Indien bis nach China. Der zum Vizekönige von Indien ernannte Franzisko d'Almeida segelte 1505 von Lissabon nach Goa ab, um das von Vasko de Gama entdeckte Reich in Besitz zu nehmen, die Macht seines Herrn und Königs zu befestigen. Noch in demselben Jahr erschien er an der ostafrikanischen Küste, eroberte Kiloa und baute hier eine Festung. Darauf griff er die Insel Mombas an, welche sich ihm freiwillig nicht unterwerfen wollte, und verbrannte die Stadt.

Mombas erhob sich wieder, der Scheich der Stadt befestigte den Hafen, besetzte die Festung mit Kanonen und unterhielt gegen sechstausend Bogenschützen, in der Hoffnung, den Portugiesen bei der zu erwartenden Erneuerung ihrer Angriffe widerstehen zu können. Aber das Stündlein der Unterdrücker hatte noch nicht geschlagen: im Jahre 1528 erschien Nuno, der Sohn des Tristan da Cunha, warf mit Hilfe des Scheichs von Malindi die Aufständischen zu Boden und verbrannte die Stadt von Neuem. Später siedelten sich Augustiner-Mönche auf der Insel an und baueten Kirchen und Klöster; endlich pflanzten auch die Jesuiten ihr Banner hier auf mit dem berühmten I. H. S. (23)

Ueber ein halbes Jahrhundert lang blieb Mombas ruhig. Da erschien im Jahre 1586 ein türkischer Bei Namens Ali, welcher schon in Südarabien sich den Portugiesen fürchterlich gemacht, vor den Städten Ostafrikas und forderte sie auf, im Namen seines Herrn, des Beherrschers aller Gläubigen, sich ihm zu unterwerfen und die Christen zu vertreiben. Ueberall, nur in Malindi nicht, wo man von jeher treu zu den Portugiesen gehalten, gab man ihm Gehör. Der Scheich dieser Stadt benachrichtigte den Statthalter Thome de Suza Cutinho von dem Geschehenen, und dieser sandte ohne Verzug zwanzig Schiffe aus und ließ das aufständische Mombas, wo Ali Bei gerade weilte, belagern. Zur selben Zeit kam von Süden her ein wilder Volksstamm, die Wasimba, versprach den Belagerten Beistand gegen ihre Bedränger und bethörte sie, daß sie die Thore öffneten — ein verhängnißvoller Fehler, denn, kaum eingelassen, wüteten die Wasimba in entsetzlichster Weise unter den Bewohnern und mordeten Alles, was ihnen in den Weg kam. Wer nur vermochte, suchte sein Heil in der Flucht; viele der im eigenen Hause Angegriffenen, unter ihnen auch Ali Bei, stürzten sich in die Fluten, doch nur, um von den Portugiesen niedergemacht oder gefangen zu werden. Letztere rückten nun in die Stadt ein und züchtigten sie in ihrer Weise, indem sie nochmals die Fackel in die Häuser schleuderten. Kaum aber hatten sie die Küste verlassen, als der dem doppelten Gemetzel entronnene Sultahn von Mombas wieder Besitz von der Insel ergriff, freilich nur für kurze Zeit: ein anderer Stamm, die Wasegedschu, welche es mit dem portugiesischen Malindi hielten, besiegten ihn im Kampfe, tödteten ihn, bemächtigten sich der Insel und trugen die Herrschaft dem Scheich von Malindi an. Hiermit war die alte mombasische Herrscherfamilie von persischer Abstammung beseitigt.

Um den unternehmenden und zähen Geist der Bewohner von Mombas für immer niederzudrücken, befahl im Jahre 1594 der Vizekönig Mathias d'Albuquerque, dort eine Festung zu errichten, und setzte einen Statthalter ein. Diese Stelle bekleidete im Jahre 1614 Manuel de Melo Pereira, ein stolzer, habsüchtiger und hinterlistiger Mann, welcher den treuen Scheich Achmed von Malindi seines Amtes in Mombas entsetzte und ihn durch Meuchelmörder umbringen ließ.

Die blutige Saat sollte blutige Früchte tragen. Achmeds siebenjähriger Sohn Jussuf, welcher nach Goa geschickt und dort von den Augustinermönchen unterrichtet worden, brütete Rache. Um seine Pläne mit desto größerer Sicherheit ausführen zu können, heuchelte er, auch als er erwachsen war, Willfährigkeit gegen den Mörder seines Vaters, ließ sich taufen, zeigte Eifer für den ihm aufgedrängten Glauben, schrieb sogar einen Brief an den Papst und verlieh darin seiner vollständigen Hingebung Worte. Der Betrug gelang vollständig; Niemand hegte Argwohn gegen den jungen Mann, ja, man betraute ihn in seinem dreiundzwanzigsten Jahre mit der Regierung von Mombas. Auch jetzt warf Jussuf seine Maske nicht ab, herrschte vielmehr, wie die arabische Chronik sagt, „tyrannisch, d. h. im Sinne der Portugiesen, zwang die Gläubigen Mahammeds, Schweinefleisch zu essen, und war „gottlos und ungläubig", d. h. ein guter Christ und Katholik. Im Geheimen aber besuchte er das Grab seines Vaters, weinte an der ihm heiligen Stätte und verrichtete daselbst Gebräuche des Islahm. Einstmals wurde Dies bemerkt; man beschloß, den Abtrünnigen nach Goa zu senden und ihn der Inquisition zu überliefern. Doch Jussuf, sonderbarer Weise von seinem Angeber selbst hiervon in Kenntniß gesetzt, versammelt in Schnelle dreihundert ihm ergebene Einwohner der Stadt und begibt sich mit ihnen nach der Festung, unter dem Vorgeben, dem Befehlshaber de Gamboa aufwarten zu wollen. Kaum hier angekommen, werfen seine Begleiter sich auf die wachthabenden Soldaten, während er den Gamboa mit eigener Hand erdolcht; Frau und Tochter des Letzteren werden am Altar ermordet nebst dem Priester, welcher ihnen gerade Messe las. Siegesberauscht eilen die Verschwörer in die Stadt, verbrennen die Häuser der Portugiesen und tödten Jeden, welcher den verhaßten Namen trug.

Nur wenige der unerwartet Ueberfallenen entrannen in das Augustinerkloster. Sieben Tage lang leisteten sie tapferen Widerstand; die Belagerer vermochten Nichts gegen die festen Mauern auszurichten. Da verlegte sich Jussuf auf die Künste, welche er in der Schule der Portugiesen gelernt, forderte die Vertheidiger auf, ihre Waffen abzulegen, und versprach ihnen freien Abzug. Die Unglücklichen trauten den glatten Worten und verließen das sichere Haus: sie wurden erbarmungslos gemordet. Ein schreckliches Blutbad fand statt. Nicht Weiber und Kinder noch Priester wurden verschont. Alles, was zur Kirche gehörte, ward entweiht und vernichtet. Darauf warf der Sieger seinen Christennamen Dom Geronimo Chingulia ab, welchen er so lange mit Widerwillen getragen, sandte Boten in alle Städte und ließ sie zur Vertreibung der verfluchten Fremdlinge auffordern: Tanga, Mtone und Tangata folgten seinem Beispiele.

Als die Kunde von dem Entsetzlichen nach Goa gedrungen, rüstete man siebzehn Schiffe aus mit achthundert Soldaten und sandte sie vor Mombas. Drei Monate lang belagerte man die Stadt; dann kehrte man unverrichteter Sache und mit bedeutenden Verlusten wieder heim. Zwei Schiffe nur blieben als Wache vor dem Hafen, verfehlten jedoch gleichfalls ihren Zweck, da sie nach Kurzem von den Blockirten genommen wurden. Jussuf aber gefiel sich nicht mehr in der Stadt, welche er so tapfer vertheidigt hatte; getrieben vom Geiste der Rache wollte er die ganze Insel zu einem Grabe machen zum Angedenken seines Vaters, zerstörte Stadt und Festung, daß kein Stein auf dem anderen blieb, und hieb sogar die Bäume um, sammelte seine Schätze und floh mit seinen Getreuen auf den genommenen Schiffen nach Arabien. Hier irrte er lange Zeit flüchtig umher. Später begab er sich nach der Westküste von Madagaskar, nach einer alten Niederlassung der Araber; selbst da verfolgten ihn die Portugiesen, wurden jedoch nochmals mit Schanden zurückgetrieben. So hatten die Scheichs von Malindi in der Geschichte der Ostküste Afrikas ausgespielt. —

Die Portugiesen auf Sansibar, welche bald erfuhren, daß Mombas wüste liege und von den Bewohnern verlassen sei, sandten zwei Schiffe aus, ergriffen Besitz von der Insel und begannen im Jahre 1635 unter Franzisco de Teixas Cabrera, Stadt und Festung wieder aufzubauen. Teixas stellte auf der Küste die verlorene Herrschaft wieder her; seine Thaten sind auf einer steinernen Tafel über dem Eingangsthore des Forts verewigt (s. Anhang). Nunmehr kamen auch wieder portugiesische Ansiedler aus Sansibar herbei, legten ausgedehnte Pflanzungen auf dem Festlande an und gediehen bald mehr als zuvor. Um diese Zeit hören wir zum ersten Male von den Wanika: sie hatten, weither aus dem Inneren kommend, das vorher unbebaute Land, die Wildniß (Nika) in Besitz genommen und durch ihren Fleiß in Felder und Gärten umgewandelt und wurden von den Portugiesen als Lehensleute angesehen, auch zu Sklavenarbeit herbeigezogen, im Ganzen aber gut behandelt. In friedlichen Zeiten tauschten sie mit ihnen Kopal und Getreide gegen Kleiderstoffe aus; wenn sie sich gefährlich machten, erhielten sie Geschenke.

Eine Zeit lang hatten die Portugiesen die Absicht gehegt, Mombas ganz aufzugeben und dafür Pemba zum Sitz ihrer Regierung zu erheben; bald jedoch standen sie davon ab und wendeten ihre ganze Kraft wieder der alten Hauptstadt zu: Mombas ward von Neuem ein Mittelpunkt des ostafrikanischen Handels und gewann von Jahr zu Jahr an Macht und Wichtigkeit. Aber mit dem Reichthume der Beherrscher wuchs auch deren Härte und Grausamkeit. Die gedrückten Bewohner von Mombas boten, da ihre Klagen Nichts fruchteten, alle ihre Kräfte auf, um das Joch der Tyrannen abzuschütteln. Wie sie Dies mit Hilfe der mächtigen Imahme von Omahn bewerkstelligten, wie sie unter eigenen Herrschern ihre Unabhängigkeit zu behaupten suchten, schließlich aber durch Verrath und Hinterlist ihre Freiheit verloren, haben wir bereits in der Allgemeingeschichte gesehen.

Die Insel Mombas liegt zwischen 4° 2′—5′ südl. Breite und 39° 42′—44′,5 östlicher Länge von Greenwich, zwischen zwei schmalen Meeresarmen, von denen der südliche sich im Osten der Insel zu einem geräumigen Becken erweitert; sie ist eine Stunde lang und eine halbe Stunde breit. Beide Kanäle, zusammen eine von der Insel zur Hälfte ausgefüllte Bucht bildend, verzweigen sich nach dem Inneren des Landes zu in kleinere Salzwasseradern, welchen in der Nähe der Berge, wenigstens zur Regenzeit, Bäche zufließen. Im Nordwesten, bei Malupa, steht das Eiland durch eine Untiefe mit dem Festlande gewissermaßen in Verbindung; denn hier fällt das Wasser zur Zeit der größten Ebben so tief, daß man fast trockenen Fußes hindurchwaten kann. Zum Schutze dieser Furt, ursprünglich wol gegen Uebergriffe der Wanika, ist eine von wenigen Beludschen bewachte Befestigung angebracht.

Mombas ist wie Sansibar und der größte Theil des Küstenrandes eine Korallenbildung: das durchlässige Gestein erhebt sich, von einer überaus fruchtbaren Erdschicht bedeckt, etwa zwanzig bis dreißig Fuß über die Oberfläche des Wassers, an einigen Stellen senkrecht abfallend, an anderen allmählich in einen sandigen Strand verlaufend: dort vermögen die Schiffe ohne künstliche Vorrichtungen zu löschen, hier können sie, unterstützt von der zwölf bis sechzehn Fuß steigenden Flut, sich gefahrlos trocken legen, um etwa nöthige Ausbesserungen vorzunehmen. Ein üppiges Grün, ein dichter, durch Lianen und Gebüsch fast unzugänglich gemachter Wald, zwischen welchen einige lichte Stellen mit Pflanzungen oder mit Fluren mannshohen Grases liegen, bedeckt die gesammte Oberfläche — die Insel ist also schlecht bebaut, sie vermöchte, bei größerer Betriebsamkeit der Bewohner, einen zehn- bis zwanzigfach höheren Ertrag zu liefern. In weit besserem Zustande befindet sich das von dem ackerbautreibenden Stamme der Wanika bewohnte Festland, die Mombas einschließende und gewissermaßen zu seinem Gebiete gehörende Landschaft, namentlich im Norden der Meeresbucht: der Fleiß der Ansiedler, unterstützt von dem Wasserreichthume des Landes und einer üppigen Fruchtbarkeit des Bodens, hat sie stellenweise zu einem Paradiese gestaltet, welches weder durch lange fortdauernde Kämpfe noch durch die Einfälle räuberischer Stämme zerstört werden konnte. Sie erzeugt dieselben ergiebigen Nutzgewächse, welche wir auf Sansibar zu bewundern Gelegenheit hatten, bietet aber einen erhöhten Reiz durch den anmutigen Wechsel von Berg und Thal und durch das Hereinragen der Wildniß mit ihren sonderbaren Pflanzenformen, mit ihren von keiner Gesittung beleckten Bewohnern — wir stehen hier an der Pforte des eigentlichen Afrika, von hier aus führen nach allen Richtungen die Wege in das wunderreiche Land.

Ein beträchtlicher Unterschied zwischen Sansibar und Mombas macht sich schon in der Stadt bemerklich: dort haben wir es mit einer wirklichen Stadt zu thun, hier mit einer mehr ländlichen Anhäufung von Häusern und Hütten, welche bunt mit Fruchtbäumen und mit Baobabs, den Riesen der Wildniß, durchsetzt ist. Noch merklicher wird dieser Unterschied im Freien, auf der Schamba: nur selten gewahrt man hier die lebenden Hecken des falschen Krotonstrauches, welche dort die Grenzen der Besitzungen bilden; hier verrichten zumeist stachlige Euphorbienarten diesen Dienst.

Nach kurzem Marsche hat man die angebauten Strecken hinter sich; man wandelt zwar noch auf gebahntem Wege, doch inmitten in einer urkräftigen, urwüchsigen Vegetation. Kein Pflanzenkundiger hat hier die Arten gezählt, aus denen der „Busch" sich zusammensetzt; wir vermögen daher nur wenige der auffälligsten Formen zu nennen. Vor Allem erregt die riesige Kigelia (Kigelia pinnata DC.) die Aufmerksamkeit des Reisenden, ein Baum von 80 Fuß Höhe und 24 Fuß Stammumfang, in der Belaubung unseren Nußbäumen täuschend ähnlich; an sechs bis acht Fuß langen Stielen sitzen in schönen Trauben dunkelpurpurrothe Blüten, und aus deren jeder entwickelt sich eine zwei Fuß lange und einen halben Fuß dicke Riesenfrucht von der Gestalt einer etwas plattgedrückten Gurke. Es kann nicht befremden, daß an eine so wunderbare Pflanze sich eine eigenthümliche Sage knüpft; wunderbarer aber ist es und kaum zu erklären, daß diese Fabel überall, wo die Kigelia vorkommt, hier wie im fernen Senahr und in Habesch, in derselben Weise erzählt wird. Es handelt sich um einen Aberglauben und um einen Gebrauch, welcher an unsere sympathetischen Kuren erinnert, welcher den Eingeborenen helfen soll in gewissen Fällen, in denen sie oft den Rath des Msungu in Anspruch nehmen. Man behauptet nämlich, daß das Wachsthum der riesigen Frucht in Zusammenhang mit dem Wachsthume eines beliebigen Körpertheiles gebracht werden könne, indem man in diesen und in die junge Frucht einen Einschnitt mache und etwas von dem herauslaufenden Safte auf das Glied, und umgekehrt von dem Blute auf die Frucht bringe. Beide Theile gedeihen nun in gleichem Maße; wünscht der „Blutsbruder" des Baumes, mit dem Ergebnisse zufrieden, weitere Entwickelung zu hemmen, so braucht er nur die Frucht vom Stamme zu lösen. Wie bei jeder Zauberei und bei allem Spiele mit dem Teufel lauert aber auch hier die Gefahr. Falls nämlich der unglückliche Unzufriedene die Frucht sich nicht ordentlich merkt und sie nicht rechtzeitig abschneidet, währt an seinen Leibe das Wachsthum fort und fort und findet erst dann ein Ende, wenn die Frucht ihre volle Größe erreicht hat und abfällt. Und Dies soll keineswegs ein Märchen sein; man könne, wird behauptet, tagtäglich Leute sehen mit den schrecklichen Auswüchsen (sie meinen die in Anmerkung 16 erwähnte Form der Elephantiasis). — Die Kigelia hat bereits Eingang in einzelnen botanischen Gärten Europas gefunden.

Einen anderen Baum von noch auffälligerer Form aber weniger sonderbaren Eigenschaften haben wir öfters auf der Insel und in deren Nähe gefunden, wissen ihn aber nicht zu nennen; er findet sich auf der Tafel „See Teka" im folgenden Buche abgebildet.

Betreten wir das Festland, so fällt uns vor Allem der Tyrann der Wildniß, wie Krapf ihn so passend nennt, in die Augen, der Dornbusch, welcher von jedem Reisenden Blutsteuer fordert. Selten in dicken Hecken, einzeln zumeist erhebt er sich hier und da aus dem dünnbegrasten Boden. Ebenso gewahren wir hier zum ersten Male die Dumpalme, einen Baum von nicht geringerer Verbreitung als die Kigelia, welchen man sowol jenseit der Sahara als auch bis weit hinab im Süden findet. Von allen Fächerpalmen ist sie die auffälligste, weil der Stamm sich in etwa halber Höhe in zwei Aeste theilt, deren jeder sich wieder in derselben Weise verzweigt. Ihre fächerartig gefiederten Blätter, welche an langen, dünnen Stielen hängen und bei dem leisesten Winde rascheln, bleiben auch, nachdem sie abgestorben, noch längere Zeit an dem Stamme hängen; einzelne Blattüberreste und Stielansätze verbleiben sogar den ältesten Stämmen noch. Nächst der Astbildung des Baumes ist das Merkwürdigste jedenfalls seine Frucht, eine faustgroße, apfelartige Bildung, welche zu langen, schweren Trauben vereinigt dicht am Stamme hängt und in Farbe und Geschmack dem Pfefferkuchen ähnelt. Bei Affen und Negern ist sie ungemein beliebt (24); selbst Europäer knabbern bisweilen an ihr, weil ihr spärliches Fleisch die Feuchtigkeit des Mundes zusammenzieht. Eine Gruppe Dumpalmen wird auf dem Marsche mit Jubel begrüßt; man hält, pflückt die Früchte, und in Kurzem ist Alles mit der Vertilgung des sonderbaren Gewächses beschäftigt. In ihrer Bildung hat die Pfefferkuchenfrucht einige Aehnlichkeit mit der Mango, nur daß bei dieser, wenigstens bei der kultivirten, das Fleisch viel reichlicher vorhanden, und die durchwachsenden Haare oder vielmehr Borsten spärlicher und dünner sind. Es ist nicht unwahrscheinlich, daß die Frucht der Dumpalme durch sorgsame Pflege von kundiger Gärtnerhand einst ebenso veredelt werden wird, als es die ehedem gleichfalls ungenießbare Mangofrucht oder die lederartige wilde Banane bereits ist. In ihrem jetzigen Zustande gleicht sie einer harten, grobhaarigen Flaschenbürste, zwischen deren Borsten ein wenig Pfefferkuchenteig eingerieben und deren Oberfläche mit einem bräunlichen Leder überzogen worden ist.

Das Wunder aller Bäume ist der Affenbrodbaum (Adansonia digitata L.). Das Riesenhafte und das Ungewöhnliche ist das Gesetz seines Wachsthums. Jahrtausende wird er alt, doch ist sein Holz so schwammig und weich wie das verwitterter Weiden; sein Stamm ist dicker als hoch und erreicht bisweilen den Umfang von 150 Fuß und mehr; in geringer Höhe theilt er sich in mächtige, über hundert Fuß lange Aeste, welche an Stärke unseren größten Eichen Nichts nachgeben und nur wenig dünnes Gezweig tragen; den größten Theil des Jahres über steht er kahl und dürr, wie abgestorben da, nur mit zahlreichen, flaschenförmigen Früchten behangen, deren graubraune Farbe sich eigenthümlich von dem Weißgrau der Rinde an Stamm und Aesten abhebt: zur Zeit der Regen aber sprossen, das Gerippe des Baumes verdeckend, große, handförmige Blätter in Fülle hervor, und prachtvolle, schneeweiße Malven, an Gestalt und Schönheit unseren Rosen nicht unähnlich, schmücken das großartige Laubgewölbe. Leider prangt er nur kurze Zeit in seiner Schöne:

Mombas-Bäume.

nach wenigen Monaten ist die Herrlichkeit entschwunden, und der Riese steht entblättert da, als ob er ermattet wäre von der Anstrengung, welche die Entwickelung solcher Pracht erforderte. Es ist ein einziger Baum, die Adansonia; Afrika hat nur dieses eine Geschlecht und nur die eine Art desselben hervorgebracht. Sie ist diesem wunderreichen Erdtheile eigenthümlich, und nur das ähnlichgestaltete und -geartete Australien weist eine ähnliche aber kleinere Art auf, die erst neuerdings entdeckte Adansonia Gregorii F. Müll. Ueberall zwischen den Wendekreisen, also beinah in ganz Afrika, findet man den Affenbrodbaum, und überall steht er in Verehrung, seiner ungeheuren Größe, seines ehrwürdigen Alters, seiner wunderbaren Eigenschaften wegen. In Westafrika dient er Negerfamilien zur Wohnung und als Begräbnißplatz für Zauberer, mit deren Gebeinen man die Erde nicht entweihen will; im Ostsudahn beherbergt er Heerden von Kleinvieh in dem Bauche seines zumeist hohlen Stammes; in Senegambien genießt man die Blätter als wohlschmeckendes und zuträgliches Gemüse, und allerorts erfrischt man sich an dem saueren Marke seiner Früchte. Die früheren Eroberer Afrikas, die Portugiesen, hielten den fast Unvergänglichen für geeignet, die Erinnerung an ihre Thaten, an ihre Gegenwart aufzunehmen; sie gruben in seine weiche Rinde Namen und Jahreszahlen, nach denen man mit Verwunderung das Alter der Bäume schätzt. Aus Messungen der Jahresringe an solchen mit Inschriften versehenen Bäumen und an anderen gefällten Bäumen fand man, daß ein zwei Fuß dicker Stamm dreißig Jahre zählt, ein vier Fuß dicker hundert Jahre, ein Stamm von vierzehn Fuß tausend, von achtzehn Fuß zweitausendvierhundert, und von dreißig Fuß über fünftausend Jahre; man darf also diese Dickhäuter unter den Bäumen, wie Brehm sie so passend nennt, diese Methusalems unter ihnen, mit größtem Recht als „Zeugen der Sündflut“ bezeichnen.

Der Affenbrodbaum (wir wissen nicht, woher diese Benennung rührt, da wir nicht erfahren haben, daß jemals Affen sich von seinen Früchten nähren) ist unter verschiedenen Namen bekannt. Adansonia heißt er nach Adanson, dem berühmten Botaniker und Zoologen, welcher der Wissenschaft die Schätze des Senegal erschloß; Baobab, auch Boabab nennen ihn die Eingeborenen Westafrikas, Tabaldie die Sudanesen, Mbuju die Bewohner der Ostküste von Afrika. Letzterer Name kommt zuweilen in geographischen Benennungen vor, gewöhnlich mit der ortsbezeichnenden Endsilbe „ni“, also Mbujuni, d. i. an oder bei dem Affenbrodbaume. So gibt es südlich von Ras Puna ein Ras Mbujuni, welches die Engländer in Kap Bouillon umgestaltet haben, vermutlich weil sie sich unter Mbujuni Nichts zu denken wußten und doch das Bedürfniß fühlten, mit der Bezeichnung welche sie gaben, auch einen Sinn zu verbinden.

In unregelmäßiger Bildung steigt der Stamm der Mbuju bald als stark sich verjüngender Kegel empor, die ungeheueren Aeste wagerecht oder nach oben streckend, bald in Gestalt einer Säule mit zahlreichen, nischenbildenden Vorsprüngen oder Nebensäulen, die riesigen Aeste mehr nach unten, bis auf die Erde geneigt; bisweilen auch theilt er sich schon in geringer Höhe über dem Boden. Deshalb und wegen des veränderten Aussehens zu den verschiedenen Jahreszeiten bleibt eine Beschreibung dieses wunderbaren Baumes immer unzulänglich: besser als alle Worte verdeutlicht eine Abbildung die Gestalt dem Fremden. Es würde jedoch auch einem geschickten Zeichner Mühe machen, die mannigfachen Verzweigungen genau aufzufassen und darzustellen, wenn ihm nicht die gerade in solchen Fällen unschätzbare Photographie zu Hilfe käme. Der Baobab wächst zumeist einzeln, seltener in Gruppen, entweder in der Steppe oder mitten im Walde; auffälliger Weise gewahrt man niemals einen jungen Baum. In Mombas findet er sich auf der Insel selbst und auf dem Festlande in mannigfachster Form. Auf Sansibar ist er gleichfalls häufig, sowol innerhalb wie außerhalb der Stadt und auf einigen der benachbarten Inseln, doch sieht man hier selten so riesige und sonderbare Formen, als auf der der Wildniß näher stehenden Küste. Den

Reisenden ist der Affenbrodbaum gleich der Dumpalme angenehm und nützlich, weil der Inhalt der fußlangen, einer dickbauchigen Gurke ähnlichen Früchte durch seine säuerlichen und kühlenden Eigenschaften wesentlich zur Verbesserung des Trinkwassers beiträgt. Zerschlägt man die ziemlich feste, doch spröde, mit einem graubraunen Filz überzogene Schale, so findet man, in zehn bis zwölf durch faserige Scheidewände getrennte Fächer vertheilt, ein weißes, trockenes, leicht zerreibliches, zusammengebackenem Mehle ähnliches Mark vor, in welchem zahlreiche, braune, nierenförmige Kerne eingebettet liegen; im Wasser erweicht es sich, und sein Hauptbestandtheil, die organische Säure, löst sich auf. Um Baobablimonade zu bereiten, schlägt man einen Theil der Schale ab, gießt Wasser in die ganz gebliebene untere Hälfte und rührt, mit den Fingern die Kerne ihrer Umhüllung entkleidend, die Masse durcheinander, bis der Geschmack der Flüssigkeit hinlänglich kräftig geworden. In besonderer Weise, durch einen Einschnitt an der Seite geöffnet, dienen die Mbujufrüchte als Schöpfgefäße für Wasser, wie sonst auch die Schalen der Kokosnüsse; wegen dieser Verwendung nennt man die Mbuju bisweilen Kalabassenbaum, aber mit Unrecht; denn der eigentliche Kalabassenbaum ist eine Kürbispflanze, der Mbuju aber ein Malvengewächs.

Zu derselben Familie, aus welcher wir bereits die Stinkfrucht und den Affenbrodbaum kennen gelernt, zählt auch der in Mombas, besonders in der Nähe der Hütten häufige Msuffi oder Baumwollenbaum. Er hat einen wirtelförmigen Wuchs, wie unsere Fichten, ist nur dünn belaubt und trägt Früchte, welche an Gestalt denen des Baobab ähnlich, doch nur halb so groß sind und eine grobe, kurzhaarige, nur zum Stopfen von Matratzen geeignete Baumwolle enthalten.

Auch die Thierwelt von Mombas unterscheidet sich wesentlich von derjenigen Sansibars: sie zeigt eine größere Fülle und Mannigfaltigkeit und einige neue Formen, während ihr andere, jener Insel eigenthümliche, fehlen. Die Betrachtung der niederen Thiere, vorzüglich der Kerbthiehre, versparen wir auf eine spätere Gelegenheit, wo wir sie mit derjenigen der gesammten Küstenregion zu verbinden gedenken; nur die beiden höchsten Klassen der Wirbelthiere mögen hier eine Erwähnung finden, weil sie sich dem Sammler wie dem flüchtigen Wanderer auf Schritt und Tritt aufdrängen. Gehen wir am Strande hin, oder besteigen wir eines der plumpen Boote der Eingeborenen und fahren den Meeresarm entlang, so finden wir überall, wo die steil abfallenden Korallenfelsen zurücktreten und Raum lassen für einen sandigen Strand, oder wo die wunderbaren Manglebüsche in der salzigen Flut üppig grünen und gedeihen, eine reiche Mannigfaltigkeit von Wasser- und Strandgeflügel, Ibisse, Strandläufer, Eisvögel und Reiher, ab und zu wol auch den riesigen Marabu oder einen anderen Vogel aus dem Storchgeschlechte. Ebenso sind die kleinen Regenteiche des Festlandes und der Insel Mombas keineswegs arm an Vögeln; hier findet sich die zierliche Taucherente, welche wir von den Teichen Sansibars her kennen, und auf den Bäumen ringsumher nisten prachtvolle Tauben, von jeglicher Farbe und von der Größe eines Küchleins bis zu der eines Huhnes. Noch reicher zeigen sich die unbebauten Striche des Festlandes: feuerbrüstige Finken (Euplectes) huschen hier von Strauch zu Strauch; in geringer Höhe segelt die Paradieswitwe (Vidua paradisea L.), mit Mühe den Schmuck ihres langen Schwanzes nach sich ziehend; im dichten Grase liegen Laufhühner und Frankoline (Turnix und Francolinus) versteckt, und hoch in der Luft lassen kleine Schwalbenarten (?) ein weitschallendes Klappern ertönen. Die anziehendsten Vögel aber trifft man in der Nähe der menschlichen Wohnungen. Schon die umgebenden Wäldchen werden von zierlichen, kleinen Papageien bewohnt, welche umsomehr auffallen, als man in Ostafrika nur selten Papageien zu sehen bekommt. Betritt man das Dorf, so vernimmt man von den Wipfeln der Kokospalmen herab ein lautes

Zwitschern und Schwatzen; schwarz- und gelbgekleidete Vögel, geschäftigen Bienen vergleichbar, fliegen unablässig in sonderbar geformten Nestern ein und aus — es sind die kunstsinnigen Webervögel (Ploceus), gewissermaßen die afrikanischen Vertreter unserer Sperlinge, obschon auch diese in Afrika nicht gänzlich fehlen. Hoch oben, an den äußersten Enden der schwankenden Zweige, haben sie an einem hohlen Stiele ihre wunderbaren Nester aufgehängt, geflochtene Kugeln mit einem engen Eingange von unten her. In ihnen brüten sie ihre Eier, hier wachsen, vor jeglichem Feinde gesichert, ihre Jungen heran. So sieht man überall in Afrika und Südasien die Webervögel ihre „Siedelungen" bauen, wie der Kunstausdruck lautet, nie allein, stets in Gesellschaft; denn Einsamkeit scheint ihnen, wie unseren Sperlingen, unerträglich zu sein. Hier bauen sie in Palmen, dort in Mimosen, bald einzelne Nester, bald Nestermassen unter einem gemeinsamen Dache, immer aber gleich kunstfertig und schön.

Ein nicht minder häufiger Vogel, doch kein fleißiger Arbeiter, ein frecher Dieb und Räuber nistet hier, ein Vogel, welchen schon sein Name brandmarkt, der Schmarotzermilan (Milvus parasiticus Daud.), welcher sich von Egypten und Arabien bis herab nach Madagaskar und hinüber nach Guinea, in Wald und Steppe und auf den Bergen, vorzüglich aber bei den Wohnungen der Menschen findet. In Ostafrika, wenigstens in den Ortschaften der Küste, tritt die nützliche Seite seines Wesens in den Vordergrund: er verzehrt Aas und mancherlei Abfälle und sättigt sich damit reichlich, sodaß er nicht als Dieb sich zu nähren braucht; im Inneren jedoch wird er bisweilen schon höchst zudringlich und verwegen und schnappt dem Menschen, so zu sagen, den Bissen vor dem Munde weg; in höchster Ausbildung aber zeigt sich sein eigentliches Wesen oder vielmehr die Artung, welche durch Noth und Mangel sich bei ihm ausgebildet, in den Ländern des rothen Meeres, in Egypten, Nubien und Abyssinien. Hier hat ihn A. E. Brehm während seiner Reise nach Habesch beobachtet; wir bekennen uns außer Stande, ein besseres Lebensbild von diesem „Vogel Ueberall" zu geben, als der berühmte Forscher und Thierfreund Dies in seinen „Ergebnissen" thut.

„Der Schmarotzermilan", sagt Brehm, „ist der frechste und zudringlichste Vogel, welchen ich kenne. Ihm gegenüber besitzt der Sperling Anstand und Ehrgefühl. Kein Thier kann diesen Namen besser verdienen als unser Raubvogel. Die Ortschaften sind auch sein Aufenthalt; er siedelt sich auf der Palme im Garten, wie auf der Spitze des Minarets an; er ist im Hofe der tägliche Gast und auf der Dachfirste ebenso sicher zu finden, als bei uns zu Lande der Spatz. Dieser meidet aber doch wenigstens einzelne Orte im Gebirge, während der Schmarotzermilan überall zu treffen ist."

„Gerade diese Allgegenwart ist es, welche ihn lästig und verhaßt macht. Seinem scharfen Auge entgeht Nichts. Sorgfältig achtet er auf das Treiben und Handeln der Menschen, und Dank seinem innigen Umgange mit diesem, hat er eine Uebersicht, ein Verständniß der menschlichen Geschäfte erhalten, wie wenig andere Thiere. Dem Schafe, welches zur Schlachtbank geführt wird, folgt er gewiß, während er sich dagegen um den Hirten nicht kümmert; den ankommenden Fischern fliegt er entgegen, die zum Fischfang ausziehenden berücksichtigt er nicht. Er erscheint über oder sogar auf dem Schiffe, wenn dort irgend ein Thier geschlachtet wird; er umkreist den Koch der feststehenden oder schwimmenden Wohnung, sobald er sich zeigt; er ist der erste Besucher im Lagerplatze, der erste Gast auf dem Aase. Ja, ich möchte behaupten, daß er bereits das sterbende Thier mit Frohlocken beobachtet. Vor ihm ist kein Fleischstück sicher; mit seiner Falkengewandtheit paart sich die Frechheit, mit seiner Gier das tiefe Studium — so will ich mich ausdrücken — der menschlichen Gewohnheiten. Scheinbar theilnahmlos sitzt er auf einem der Bäume in der Nähe der Schlachtplatzes oder auf der Firste des nächsten Hauses am Fleischladen; kaum scheint er die leckere Speise zu beachten: da aber kommt der Käufer, und augenblicklich verläßt er seine Warte und schwebt in schönen Kreisen über ihm dahin, in der Hoffnung, Gelegenheit zu finden, von Jenes Tische zu schmausen. Wehe dem Unvorsichtigen, welcher, nach gewohnter Art, auch das Fleisch im Körbchen oder in der Holzschale auf dem Kopfe heimträgt: er wird wahrscheinlich sein Geld umsonst ausgegeben haben. Ich selbst habe zu meinem großen Ergötzen gesehen, daß ein Milan aus dem Körbchen, welches ein Sudanese auf dem Kopfe trug, sich das ganze, zwei Pfund schwere Fleischstück erhob und trotz alles Scheltens des Geschädigten davontrug. Die Frechheit dieses Schmarotzers ist wirklich belustigend. In Umkullu zerschnitt unser Koch auf einer im Hofe stehenden Kiste einen Hasen in mehrere Stücke, wandte, gerufen, den Kopf nach rückwärts und sah in demselben Augenblicke eines dieser Stücke bereits in den Fängen des Strolches. Aus den Fischerbarken habe ich ihn mehr als einmal Fische aufnehmen sehen, obwol der Eigner sich redlich bemühte, den unverschämten Gesellen zu verscheuchen. Er stiehlt buchstäblich aus der Hand der Leute weg."

„Der Mensch ist übrigens nicht der einzige Brodherr unseres Vogels, sondern dieser erhebt auch von anderen Thieren seinen Zoll. Ich bin fest überzeugt, daß die größeren Edelfalken und Adler kein Thier grimmiger hassen als den Schmarotzermilan. Der scharfäugige Gesell achtet nicht blos auf das Treiben der Menschen, sondern auch auf das Thun seiner Mitgeschöpfe. Sobald einer der stolzen Räuber sich eine Beute erobert hat, wird er umringt von der zudringlichen Bettlerschar. Schreiend, mit Heftigkeit auf ihn stoßend, verfolgen ihn die Milane, und je heftiger die Jagd wird, umso größer wird die Zahl der Verfolger. Die schwere Last in den Fängen hindert den Edelfalken, so schnell als sonst zu fliegen, und so kommt es, daß die trägeren Milane ihm immer auf dem Nacken sitzen. Der Edelfalke ist viel zu stolz, als daß er solch' schnöde Bettelei längere Zeit ertragen könnte; er wirft den erbärmlichen Gegnern gewöhnlich bald seine Beute zu, läßt die gierige Schar nun unter sich um dieselbe balgen, eilt zurück zum Jagdplatz und sucht ein anderes Wild zu gewinnen. Am Mensalehsee habe ich binnen wenigen Minuten unsern Wanderfalken (Falco peregrinus L.) vier Wildenten erheben und den Milanen erbost zuwerfen sehen; erst mit der fünften flog er davon. Auch den Geiern ist der Schmarotzermilan verhaßt. Er fliegt beständig um die Schmausenden herum oder zwischen ihnen hindurch und fängt geschickt jedes Fleischstück auf, welches diese bei ihrer hastigen Mahlzeit losreißen und wegschleudern. Die Hunde knurren ihn an und beißen nach ihm, sobald er sich zeigt; denn sie wissen genau, daß der Vogel die eigennützige Absicht hegt, jeden Fleischbissen, den sie sich sauer genug erworben, mit ihnen zu theilen."

„Man sieht unseren Milan regelmäßig in größeren Scharen; paarweise findet man ihn nur am Horste. Ueber den Schlachtplätzen größerer Städte treibt er sich zuweilen in Flügen von fünfzig bis sechzig Stücken herum; dagegen habe ich nie gesehen, daß er, wie die Königsmilane (Milvus regalis Briss.), vor dem Schlafengehen sich in Flügen sammelt, welche Hunderte zählen, und daß er dann auch in so großer Menge den einmal erwählten Schlafplatz bezieht." —

Unter den Säugethieren suchen wir den liebenswürdigen, nächtlichen Galago Sansibars vergeblich; dagegen gewahren wir hier zum ersten Male eigentliche Affen, kleine, kecke, straffhaarige, langschwänzige Burschen, welche zu jeder Zeit des Tages am Rande des Urwaldes dicht an den gebahnten Wegen sich mit possierlichen Sprüngen ergötzen. Leider vermögen wir ihren Namen nicht zu nennen, weil die Bälge derer, welche hier erlegt wurden, verloren gegangen sind; wir werden indessen kaum irre gehen, wenn wir sie für graugrüne Meerkatzen halten, für den weitverbreiteten Cercopithecus griseo-viridis Desm.

Zwergantilopen finden sich auch hier an geeigneten Orten in Menge, selbstverständlich mit Ausnahme der Sansibar eigenthümlichen Art. Sie werden dem Reisenden von seinen eingeborenen Freunden häufig zum Geschenke dargebracht. Im Anfange freut er sich der reizenden Geschöpfe, welche so unschuldig und mit furchtsamer Zutraulichkeit aus den wundervollen, dunklen Augen blicken, räumt ihnen den schönsten Winkel des Zimmers ein und ergötzt sich an ihren überaus zierlichen Sprüngen, an ihrer zunehmenden Kirre. Er achtet nicht der nächtlichen Störungen durch die Ruhelosigkeit des neuen Stubengenossen; denn dieser ist allzu lieb, als daß man ihm zürnen könnte. Doch schon nach wenigen Tagen wird die

Strandbild von der Ostküste der Insel Sansibar: Zwergantilopen, Pandanusgebüsch und Kasuarinenbaum.

Freude an dem zarten Kälbchen vergällt: das kluge Auge umschleiert sich, die Munterkeit des vordem unermüdlichen Geschöpfes schwindet, es legt sich öfters, und — über kurz oder lang liegt es verendet in einer dunklen Ecke. Der Thierfreund ist aufs Tiefste betrübt über das jähe Schicksal seines Lieblings. Noch ein- oder zweimal macht er dieselbe Erfahrung, dann gibt er es für immer auf, ein Zwergböckchen im Zimmer zu halten; er will sich den Schmerz der baldigen Trennung ersparen.

Mehr Vergnügen gewährt es, ein Stachelschwein (Hystrix cristata L.), Nungwi der Suaheli, zu halten, einen der in den Mafuta- oder Simsimfeldern nicht seltenen, großen Nager. Obgleich durchaus nicht lustig geartet, vielmehr überaus mürrisch und plump, ist doch das Stachelschwein eines der unterhaltendsten Thiere. Es weiß sich nicht sogleich, wenn überhaupt jemals, in die Gefangenschaft zu finden, schnuppert, schnüffelt und grunzt unwillig, wenn der Mensch sich ihm nähert, sträubt die langen, gebänderten Stacheln, wirbelt mit der kastagnettengleichen Klappervorrichtung an dem kurzen, fetten Schwanze in Einem fort und erzittert in machtloser Wut von vorn bis hinten. Berührt man aber das ungeberdige Geschöpf auch nur an der äußersten seiner Stacheln, so läßt es das Grunzen in ein wirkliches Donnern und Poltern übergehen, hebt dabei den einen Hinterfuß und stampft wie ein unartiges Kind, wie ein trotziger, widerbelfernder Mensch mit aller Kraft die nackte Sohle auf den Boden. Eben dadurch aber reizt es den Necker zu neuen Angriffen; denn Jedermann findet es höchst ergötzlich, eine so menschliche Aeußerung bei dem Thiere zu beobachten.

Betrachten wir den Gefangenen etwas näher. Er hat sich in eine Ecke zurückgezogen und verhält sich gerade still, den Murrkopf von uns abgewendet und das Anziehendste, den noch immer von Aufregung und Furcht durchschauerten Leib, uns zeigend. Die Stacheln, die „Haare" des Stachelschweines, sitzen einzeln in warzenförmigen Erhöhungen der schwarzen, glatten, speckig glänzenden Schwarte des Thieres. Am Kopfe sind sie klein, biegsam und dünn wie Stricknadeln, verschmächtigen sich darauf und gehen am Schwanzstummel in die sonderbare Klapperbildung über, fingerlange, dünne Röhrchen in Gestalt dicker, plattgedrückter Federkiele. Das Aeußere der Stacheln ist bekannt genug. Ihr Inneres wird von einem weichen, weißen, in sternenförmigen Zellen vertheilten Marke erfüllt; die Festigkeit des Ganzen, welche übrigens im frischen Zustande nicht sehr beträchtlich ist, wird durch die äußere, farbige Schicht bedingt. Schon diese Weichheit der „Pfeile" des Thieres und der häufige Mangel einer scharfen Spitze macht es unwahrscheinlich, daß sie als gefährliche Waffe abgeschossen werden können, wie man allerorts in Afrika und häufig auch noch in Europa glaubt. Dasselbe ergibt sich aus näherer Untersuchung: der Stachel sitzt in keiner Röhre, aus welcher er sich durch gepreßte Luft ins Weite schleudern ließe, auch ist er an seinem unteren Ende viel zu weich, als daß er, wie etwa ein glatter Kirschkern zwischen den Fingern, von besonderen Muskeln des Thieres losgeschnellt werden könnte. Wir freilich werden belehrt; die Eingeborenen lassen sich nicht so leicht von ihrer Furcht zurückbringen und halten sich stets außerhalb Schußweite. Zur Entstehung jener Sage vom „Stachelschießen" dieses Nagers, scheint das leichte Ausgehen der Stacheln, das seitliche Laufen des Thieres und seine Unart, dem Beschauer stets das Hintertheil zuzukehren, Veranlassung gegeben zu haben. Was kann wol, wenn man das wütend grunzende und klappernde, mit einem kräftigen Gebisse bewehrte Thier seinem Gegner plötzlich den Rücken zuwenden und in dieser Stellung beharren sieht, natürlicher sein, als anzunehmen, daß diese Stellung am geeignetsten zur Vertheidigung, und daß seine Waffe der spitze Stachel oder Pfeil sei?

Das Stachelschwein, der Vater der Dornen in der bilderreichen Sprache der Araber, ist über ganz Afrika verbreitet, findet sich auch, vermutlich durch die Römer verpflanzt, bereits in Italien. Seine Lebensweise ist eine rein nächtliche; deshalb bekommt der Reisende und Jäger es selten anders als in Gefangenschaft zu sehen. Der Thierfreund zahlt mit Vergnügen einen Thaler und mehr, um sich einen so sonderbaren Hausgenossen zu verschaffen, trifft die nöthigen Anstalten zu dessen Pflege, verwahrt den noch unablässig Grollenden in einem vermeintlich sicheren Raume und genießt schon im Voraus die Freude, welche ihm der zahm Gewordene bereiten soll. Aber noch an demselben Tage werden die Schattenseiten dieses Verhältnisses offenbar. Wann es finster geworden und die Müden in tiefem Schlafe liegen, beginnt das Stachelschwein in seinem Schuppen sich zu regen, findet ihn zu enge, sucht einen Weg nach außen und weiß ihn sich zu bahnen, sei es durch Scharren und Wühlen mit den mächtigen Krallen, sei es durch Nagen mit den scharfen Zähnen. Sobald es die Freiheit erlangt hat, beginnt es, das „Terrain zu rekognosciren", tappt treppauf, treppab, durchläuft alle Räume, welche es offen findet, und geräth hierbei zuletzt in das Schlafgemach seines Herrn. Eine Weile läuft es im Zimmer umher, ohne auf Widerstand zu stoßen, endlich aber verirrt es sich unter die niedrige Kitanda, auf welcher der Schläfer ruht; die Spitzen der Stacheln streifen die Unterlage der Matratze, und der kleine Kobold, welcher sich von Jemand berührt glaubt, fängt ein unbändiges Husten, Kollern und Poltern an, rasselt mit Stacheln und Klappern und stampft wütend den Boden. Der Schläfer erwacht, vernimmt halb träumend noch den entsetzlichen Lärmen und glaubt nicht anders, als daß der böse Feind bei ihm eingebrochen, wagt anfangs kaum, sich zu bewegen, bis ihm endlich klar wird, daß der neue Hausgenosse, das Stachelschwein, ihm den Schreck verursacht hat! Nun zündet er das zur Hand stehende Licht an und ruft den vor der Thüre schlafenden „Boy". Beide entfalten mit Stecken und Stangen eine ungemeine Thätigkeit, um den Eindringling zu vertreiben; dieser aber steckt, wie immer, wenn er sich bemerkt weiß, die Schnauze in die Ecke, wankt und weicht nicht vom Platze und kollert immer zorniger. Endlich, vielleicht durch einen seitlichen Hieb bewogen, hält er es doch für gerathen, nachzugeben, und schießt nun mit Windeseile das Gemach entlang, der Thüre zu, wo ihn andere inzwischen herbeigeeilte Diener empfangen, ihn durch Scheuchen und Vorhalten von Stöcken nicht ohne Mühe in seine alte Wohnung treiben und diese von Neuem und fester als vorher verschanzen.

Größere Säugethiere, namentlich auch Flußpferde finden sich bei Mombas nicht. Letztere scheinen überhaupt wählerisch in ihrem Aufenthaltsorte zu sein, da man sie nur an einzelnen Punkten der Küste findet, an anderen aber, welche scheinbar durch Wasserreichthum und passende Verstecke ebensoviele Vortheile bieten, sie vergeblich sucht.

Die Einwohnerschaft von Mombas umfaßt weniger Fremdlinge (Araber und Indier), hat weniger Zufluß von Sklaven der verschiedenartigsten Stämmen, kurz, ist ursprünglicher und gleichartiger in ihrer Mischung als diejenige Sansibars. Damit soll nicht gesagt sein, daß die hiesige Bevölkerung einen einheitlicheren Ursprung hätte als jene: sie ist im Gegentheil aus der Vermischung der verschiedenartigsten Bestandtheile hervorgegangen, nur fand diese Vermischung schon vor langen Zeiten statt und hat seitdem nur geringe Veränderungen erfahren. Außerdem hat die frühere staatliche Abgeschlossenheit von Mombas bei seinen Bewohnern die ursprünglichen Sitten in größerer Reinheit erhalten, die Ausbildung vieler Eigenthümlichkeiten in Gebräuchen und Mundart begünstigt, sowie ein gewisses Gefühl der Zusammengehörigkeit und einigen Sinn für Freiheit und Unabhängigkeit entstehen lassen, welchen das charakterlose Sansibar, wo man von jeher ohne Erregung die Herrschaft wechseln sah, nicht kennt.

Vor vielen Jahrhunderten, als die Insel noch unbewohnt war, kamen Leute von Schiras längs der Küste herab und setzten sich in Mombas fest. Später gesellten sich Fremde anderer Abstammung vom Kilefi- und Osiflusse, von Malindi, von Patta und selbst vom Somalilande zu ihnen. Sie gründeten kleine Städte und traten in gutes Einvernehmen zu den ersten Ansiedlern, hielten sich aber zumeist in Stämmen oder Familien (Kabila) zusammen und wohnten, jeder Stamm auf besonderen Besitzungen, getrennt von den anderen. Gegenwärtig mag die Gesammtzahl der Einwohner des Mombasgebietes sechstausend betragen, dreitausend auf der Insel selbst und ebensoviel auf dem Festlande. Ihrem Ursprunge nach zerfallen sie in zwölf Kabilen unter ebensovielen Scheichs oder Oberhäuptern.

Viele dieser Kabilen aber bestehen nur noch dem Namen nach oder sind so schwach, daß sie sich mit anderen haben vereinigen müssen; auch sind die in früheren Zeiten gewiß stark ausgeprägten Unterschiede in Aeußerem und in Gewohnheiten größtentheils verschwunden, sodaß man jetzt hauptsächlich nur zwei große Abtheilungen, die Wamvita (nach Mvita, dem Suahelinamen von Insel und Stadt genannt) und die Wakilindini (nach der früher angesehenen Stadt Kilindini an der entgegengesetzten Küste der Insel) unterscheiden kann. Erstere umfassen neun Stämme, letztere nur drei, sind aber trotzdem viel zahlreicher als jene. Unter den Wamvita kommen die Wapatta und Wapasa dem arabischen Typus am nächsten; unter den Wakilindini erinnern die Wadschengamwe und die Watanga, welche größtentheils von hellerer Farbe sind als selbst Araber, stark an ihre persische Abstammung. Die Wakilindini im engeren Sinne haben eine ziemlich dunkle Farbe, stark ausgebildete Lippen, etwas hervorragende Kinnladen, spärlichen Bart und schwach sich kräuselnde Haare, im Uebrigen aber eine keineswegs häßliche Bildung, edle Stirn und kleine, fast gerade Nase mit etwas weiten Nasenlöchern. Solche Unterschiede werden jedoch hauptsächlich nur bei den ersten Familien jeden Stammes bemerklich und verschwinden bei dem „Volke“ fast gänzlich.

Außer diesen frühesten Ansiedlern sind noch vierzig bis fünfzig Indier und gegen vierzig arabische Familien, etwa 250 Mann stark, zu erwähnen. War schon in Sansibar der arabische Einfluß ein geringer, wenigstens was die Strenge der muslimitischen Lebensweise betrifft, so tritt er in Mombas, bei dem starken Ueberwiegen der leichtlebigen Suaheli, noch weniger hervor. Zwar verschleiern sich die Frauen der höheren Stände noch außerhalb des Hauses, doch legen sie sich im Inneren desselben keinen Zwang mehr auf und bleiben selbst dort nicht ängstlich von dem Verkehre mit der Außenwelt abgeschnitten. Leider hat die größere Freiheit einen unvortheilhaften Einfluß auf die Sittlichkeit ausgeübt: die Damen von Mombas sind überaus gefallsüchtig und gelten keineswegs als Muster von ehelicher Treue; sie alle — der Berichterstatter Guillains, welchem wir diese Angaben verdanken, nahm sogar seine eigene Frau nicht aus — verlassen, wenn ihre Männer verreist sind, Abends in der fünften Stunde (elf Uhr nach unserer Rechnung) die Wohnungen, um ihr Glück zu probiren. Eltern bezeigen auch in Mombas ihren Kindern große Zärtlichkeit und genießen von diesen hohe Achtung und Ehrerbietung; sie erziehen dieselben, nach muslimitischen Begriffen wenigstens, sorgfältig, entlassen sie aber leider allzu zeitig aus der Zucht, sodaß die kaum herangewachsenen Burschen gar bald durch böse Beispiele verdorben werden.

Weit zahlreicher als die Wamvita und Wakilindini sind die gleichfalls zum Mombas-Gebiete zu rechnenden Wanika, die ersten „Wilden“ (wie manche Reisende zu sagen belieben), denen wir auf diesem Gebiete begegnen. Wir werden sie in ihren Dörfern selbst aufsuchen, um ihre Sitten und Anschauungen, gegen welche seit nunmehr zwanzig Jahren die Missionäre vergebens ankämpften, genauer kennen zu lernen.

Zu ihren ehemaligen Herrschern, den Msara, welche sich persischer Abkunft rühmen, standen die Bewohner im besten Verhältnisse. Der Fürst verkehrte mit seinen Unterthanen nicht unmittelbar, sondern mit den Scheichs der einzelnen Stämme durch einen Vezir, welchen er bei den Versammlungen der Aeltesten zu seiner Linken sitzen ließ. Die Msara waren mild und einfach in ihrem Wesen und zeichneten sich nur durch die weiße Farbe ihres Turbans auch äußerlich vor Anderen aus. Sie bestritten alle Ausgaben zum Besten des Landes aus ihrer eigenen Tasche und bezogen dafür eine geringe Abgabe — einige Pfund Getreide für jeden Sklaven, welche nur in Friedenszeiten zur Deckung der Bedürfnisse genügte. Das Fehlende wußten sie durch Handelsgeschäfte und durch Ausbeutung einiger Vorrechte zu gewinnen: sie hatten sich das Vorkaufsrecht beim Elfenbeinhandel ausbedungen, besaßen das Fischereirecht und hatten alle Schiffe mit einer Art Frohne belastet, d. h. konnten jedem Schiffe gegen eine geringe Entschädigung Waaren mitgeben, auch es im Kriege benutzen. Soldaten wurden sowol unter den Suaheli als unter den Wanika ausgehoben; das unter einem Emir stehende Heer zählte in Friedenszeiten etwa 1500 Mann.

Anders gestaltete sich die Regierung unter Seid Said. Dieser ernannte einen Befehlshaber des Forts, einen Statthalter, einen Kadi oder Richter (in Wirklichkeit gibt es deren jedoch drei) und, zur Vermittelung des Verkehrs mit seinen Unterthanen, drei Scheichs, einen für die Araber, einen für die Wamoita und einen für die Wakilindini. Hatten nun die Einwohner irgend Etwas vorzubringen, so wandten sie sich zunächst an ihren Vorsteher, welcher das Anliegen dem Kommandanten vortrug, und, falls dieser sich nicht zur Entscheidung berechtigt fühlte, dem Sultahn selbst. Als die Scheichs erwählt worden waren, baten sie sich als Entschädigung für ihre Mühewaltung Zollfreiheit aus: Said zog es jedoch der Einfachheit wegen vor, die Zollverpflichtung bestehen zu lassen, dafür aber ihnen achthundert Dollars zu geben. Späterhin, als einmal ein Banian ermordet worden war und man den Thäter nicht verrathen wollte, kürzte der Sultahn diese Summe und beschnitt sie in den folgenden Zeiten unter den verschiedensten Vorwänden immermehr, sodaß das Gehalt der Scheichs, wenn wir uns so ausdrücken dürfen, nur noch dreihundert Dollars beträgt, also einhundert für jeden. Außerdem besaß der Sultahn das Recht, Truppen auszuheben, ohne jedoch auch Waffen und Schießbedarf fordern zu können, und Zoll zu nehmen von den auszuführenden Waaren. Alle diese Einrichtungen waren gut und angenehm; nur die Art und Weise der Zollerhebung mißfiel. Die Vertreter des Hauptbanians in Sansibar schadeten in der That dem öffentlichen Wohlstande ungemein; sie rafften und listeten das wenige im Umlaufe befindliche Geld zusammen und schleppten es auf Nimmerwiederkehr nach Indien. Mit diesen zähen und sparsamen, gewandten und schlauen Indiern konnten die trägen Araber es nicht aufnehmen — ihr früher blühender Seehandel kam herab, sie verarmten von Jahr zu Jahr. Hierzu trugen allerdings auch die räuberischen Stämme des Inneren, welche die Karawanenstraßen unsicher machten und plündernd und mordend selbst bis zur Küste vordrangen, nicht wenig bei; aber so fein unterscheiden die Bewohner von Mombas nicht. Sie schreiben das Sinken ihres Stammes einzig der arabischen Herrschaft zu und wünschen die vertriebenen Msara zurück; sogar Diejenigen, welche durch ihren Verrath den Umschwung der Dinge herbeiführten, blicken jetzt mit Bedauern in die Vergangenheit. Aller Orten hört man die Weisheit und Stärke, die Ritterlichkeit und Freigebigkeit der Herrscher aus dieser Familie rühmen, hört erzählen, wie sie den Bedürftigen in Zeiten der Noth zu Hilfe kamen, wie sie die Kinder der Armen beschneiden und ihnen auf eigene Kosten das dabei übliche Fest bereiten ließen, vernimmt Sagen und Lieder zum Preise der Tapferkeit und Hochherzigkeit Mabruks, des Vertheidigers von Pemba, des letzten Vertreters dieser Herrscherreihe, welcher die lockenden Anerbietungen des arabischen Sultahns stolz zurückwies und es vorzog, in Armut zu sterben, anstatt den Titel, welchen er mit Recht und mit Bewußtsein trug, zu verkaufen. Solche Gefühle und Aeußerungen sind jedoch nicht gefährlich: die Vornehmsten und Unternehmendsten der Msara sind ja in der Verbannung umgekommen, und von den Anderen hat Niemand den Mut und das Geschick, gegen die Macht der Araber anzukämpfen.

Die Stadt Mombas zieht sich nördlich vom Fort in einer Länge von 1200 bis 1500 Schritt am Strande hin und zerfällt in zwei Viertel: das der Festung näher liegende, auf drei Seiten mit einer Mauer umgebene Gawana — welches die wenigen Steinhäuser enthält, im Uebrigen aber schlechte Hütten aus Stangen und Lehm und dazwischen winklige Gäßchen, ausgenommen eine einzige, breite, nach Norden zu führende Straße — und die

Stadt und Festung Mombas.

Gesehen von Südwesten.

größere Altstadt, Charā el Kedīme, mit noch weniger ansehnlichen Gebauden. Bemerkenswerth in Mombas sind nur: einige mit Mühe kenntliche Ueberreste portugiesischer Häuser, Kirchen oder Klöster in Gawana, welche theils in Trümmern liegen, theils überbaut sind und als Wohnungen für Vieh und Menschen dienen; ferner der Kirchhof der Msara, an dem offenen Theile von Gawana nach der Festung zu gelegen, welcher die einfachen, mit Inschriften (25) versehenen Gräber aller Herrscher aus der ruhmreichen Familie enthält mit Ausnahme eines Einzigen, welcher in Sansibar seine Ruhestätte fand; endlich eine unterirdische Landungstreppe neueren Ursprungs, aus der Zeit der englischen Oberherrschaft, und neben ihr, nahe dem Strande, eine in den Felsen gehauene Badewanne.

Um andere Merkwürdigkeiten aufzufinden, müssen wir die Stadt verlassen und uns am Strande der Insel umsehen. Wenden wir uns zunächst südwärts, dem Kreuze zu, welches

dem sich nahenden Schiffer vor Allem in die Augen fällt. Der Weg ist schwierig, sowol zu Wasser, weil man in Booten nur zu gewissen Zeiten an dem steilen Ufer landen kann, als auch zu Lande, weil man hier eine lange Strecke dichten, dornigen Gestrüppes zu durchdringen hat. Hieraus erklärt es sich, daß diese Ruinen, vielleicht die merkwürdigsten von allen, welche Mombas besitzt, so lange unbekannt blieben. Decken wußte sich mit Axt und Hirschfänger einen Weg zu bahnen durch das „undurchdringliche Dickicht", wie Burton es nennt, durch die mit Schlingpflanzen verstrickten Euphorbien- und Mimosendornenbüsche — freilich nicht ohne Schaden für Kleider und Haut, doch ward er in hohem Grade befriedigt von Dem, was er sah. Es scheint dort, etwa eine Viertelmeile südlich vom Fort, eine vollständige Befestigung errichtet gewesen zu sein. Gegenwärtig steht nur noch eine halbzerfallene Bastion in Hufeisenform und ein stark mitgenommener Thurm, vor welchem ein junger Wolfsmilchbaum seine sonderbaren Aeste armleuchterähnlich emporstreckt. In geringer Entfernung hiervon befindet

sich, von dem Buschwerke halb verdeckt, der Eingang zu einer steinernen Treppe, offenbar ein geheimer Ausweg für die Belagerten. Die Wände sind feucht, mit Moos überzogen und von kleinen Schnecken bewohnt; sie sehen morsch und hinfällig aus, allein der Fels ist fest, wir brauchen uns nicht zu scheuen, in die Tiefe zu steigen. Vierundzwanzig in den Stein gehauene Stufen führen durch den dunklen, gewölbten Gang nach dem rauhen Strand, an welchem zur Flutzeit die Wogen sich tosend brechen. Von See aus ist dieses Ausfallspförtchen, dieser Sicherheitsgang kaum zu bemerken, selbst wenn man seine Lage kennt; noch keines der vielen aus- und eingehenden Schiffe und Boote hat dieses Thor gesehen oder von seinem Vorhandensein berichtet. Von dem Platze vor dem eben erwähnten Thurme genießt man einen reizenden Blick auf die Festung, auf die dahinter liegende Stadt, auf die friedliche Meeresbucht und die waldigen Höhen im Hintergrunde (von hier aus ist auch unsere Ansicht aufgenommen); nach Süden zu gewahrt man eine kreuzgezierte Säule auf dem nächsten Vorsprunge.

Ein weit bequemerer Weg führt an einem tiefen, ausgemauerten Brunnen vorbei nach der Bucht von Pombaraki (pua ja Mbaraki = Nase des Baraki, von der Gestalt der Bucht so genannt) im Südwesten der Insel. Hier steht im Osten der Bucht ein Minaret, der Sage zufolge das Denkmal eines Scheichs, dessen Stamm einstmals das umliegende Land besaß. Weiter südwärts liegt im Dickicht eine hufeisenförmige Batterie, von den Arabern Kaberas genannt, zur Erinnerung an das gleichnamige Schiff des Sef ben Sultahn ben Sef, dessen Mannschaft mit Heldenmut dem wütendsten Geschützfeuer getrotzt und im Sturme die Schanze genommen hatte. Einige tausend Schritt nordwestlich von dem anderen Ufer der Bucht finden sich jüngere Ruinen, die der vormals blühenden Stadt Kilindini. Nur eine verfallene Moschee steht noch, und auch diese wird bei der schlechten Bauart der Araber den an ihr rüttelnden Gewalten nicht lange mehr widerstehen. Kilindini ward im Jahre 1837 von seinen Einwohnern verlassen, nachdem die Truppen Seid Saids einen Theil der Stadt zerstört — vierundzwanzig Jahre also haben genügt, die arabische Stadt den Ueberbleibseln der jahrhundertealten Bauten der Portugiesen ähnlich zu machen!

Auch nach Makupa, einem von den Portugiesen erbauten und von den Arabern wieder hergerichteten Kastelle im Nordwesten der Insel, gelangt man mühelos. Hier soll Seid Said gelandet sein, als er von der Insel Besitz nahm; jetzt hausen hier einige Beludschen zur Ueberwachung der vom Festlande herüber kommenden Marktleute. Bei späterer Gelegenheit durchsuchte Decken das Gebäude mit größter Sorgfalt, fand aber nur ein Relief an der Wand eines großen Gemaches (s. Anhang) mit einer verwischten Inschrift, von welcher sich blos der erste Buchstabe II entziffern ließ. Zwei andere, kleine Forts in der Nähe sind in einem noch schlechteren Zustande der Erhaltung.

Zwischen Pombaraki und der zuerst besuchten Bastion gibt es außer einigen kleinen Vertheidigungswerken ausgedehnte Ruinen von abweichendem Aussehen, welche auf ein vormals ansehnliches Gebäude schließen lassen; in der That findet man auf alten portugiesischen Karten an dieser Stelle eine Kapelle Nossa Senhora da Esperanza, die Kirche unserer lieben Frauen zur Hoffnung, angezeigt.

Noch manch' andere merkwürdige Denkmäler mag die Insel bergen, doch sind sie unbekannt geblieben wegen der Unzugänglichkeit des mit dichtem Wald und Gestrüppe bedeckten Bodens.

Trotz der Mittagssonnenglut begab sich Decken sofort ans Land und überreichte dem Vorsteher der Zollstätte die Empfehlungsbriefe, welche ihm Ludda mitgegeben. Er kam sehr gut mit dem Banian aus, weil dieser die Sitten der Europäer kannte und sogar etwas Englisch sprach, und erfuhr von ihm das Wichtigste über die Zustände und Persönlichkeiten der Stadt.

Am Nachmittage stattete der Reisende dem Kommandanten der Festung seinen Besuch ab. Nach wenigen hundert Schritten gelangte er vom Zollhause aus vor das ansehnliche Thor der Festung. Der kam ihm alte Tangai mit einem schnell zusammengerufenen Gefolge von gegen hundert der vornehmsten Araber der Stadt entgegen, begrüßte ihn auf äußerst höfliche und zuvorkommende Weise und führte ihn in die zum Empfange bestimmte Baraja. Zwar nur ein elendes Gebäude, bestehend aus zwei niedrigen Steinmauern mit steinernen Bänken zur Seite und überdacht mit Makuti, ist diese Baraja; aber in ihr wurde mehrmals das Schicksal von Mombas entschieden: hier trat im Jahre 1785 der kühne Emir Achmed vor die versammelten Häupter der Stadt, allein und ohne Waffen und fragte, ob man es mit dem Imahm halte oder von ihm abgefallen sei, worauf die ob solcher Keckheit Betroffenen ihm ihre Ergebenheit bezeugten und eine Urkunde darüber ausstellten; hier hatten sich Ende 1823 die Msara versammelt, als der Imahm mit seiner Macht herannahte und sie zu vernichten drohte, baten in ihrer Noth die Engländer auf das Flehentlichste, sich ihrer anzunehmen, und trugen den durch Glaube und Sitten ihnen so fern stehenden Fremdlingen die Oberherrschaft über ihr Gebiet an, um nur nicht in die Hände der verhaßten Omahnen zu fallen; hier endlich nahm im Jahre 1837 der falsche Seid Chalid im Auftrage Seid Saids die Häupter der Msara gefangen, nachdem er sie mit süßen Worten zu einer Besprechung herbeigelockt, ließ sie in Ketten werfen und führte sie dem Verderben entgegen. Und diese Baraja nennt Burton ein — Palaverhaus!

Das Gebäude war festlich geschmückt zum Empfange, die steinernen Bänke prangten mit schöngeflochtenen Matten, die Ehrenplätze mit persischen Teppichen und seidenen Kissen. Nachdem man Platz genommen, erschienen Diener mit Kaffee und Scherbet und mit einer Kuka oder Wasserpfeife. Dies war das erste Mal, daß man dem Reisenden eine solche anbot; er verschmähte aber die vielgebrauchte und zündete sich eine Cigarre von seinen eigenen an. Tangai versicherte einmal über das andere, daß er, in Folge des erhaltenen Briefes, dem Reisenden Alles zur Verfügung stelle, daß aber dieser Brief durchaus nicht nöthig gewesen wäre, da er die Weißen im höchsten Grade verehre und ihn ganz besonders bereits wie seinen eigenen Bruder liebe; er trieb seine Höflichkeit so weit, daß er, als Decken im Laufe der Unterhaltung das damascirte, reich mit Silber verzierte Gewehr eines der anwesenden Beludschen bewunderte, ihm dieses trotz wiederholter Weigerung als Geschenk aufnöthigte. Unser Reisender, welcher bereits das Geschenke-Unwesen kannte und sich für alle Fälle vorgenommen hatte, das Erhaltene nur durch den wirklichen Werth zu erwiedern, fragte den anwesenden Banian, was das Gewehr wol werth sein möge, und ließ dem Geber den genannten Preis von fünfundzwanzig Thalern auszahlen. Tangai nahm das Geld mit freundlichster Miene, mochte aber wol innerlich einige Enttäuschung fühlen, denn er hatte jedenfalls gehofft, ein vortheilhaftes Geschäft zu machen. Schon von Guillain wird Tangai als derselbe beschrieben, der er noch jetzt ist: ein alter, dunkelfarbiger Beludsche von stattlichem Wuchse und gewinnenden Manieren, dem sein weißer Bart etwas Ehrwürdiges verleiht, sodaß man ihn ohne den Pallasch an seiner Seite eher für einen frommen Hadschi als für einen rauhen Krieger halten würde. Auch seine Kunst, auf feine Weise zu betteln, bekundete er damals schon in hohem Grade und gab dadurch dem französischen Kapitän Stoff zu den ergötzlichsten Geschichtchen. Trotzdem aber ist mit dem alten Dschemmedari recht wohl auszukommen; er ist keineswegs, wie ihn Andere darstellen: „ein verrätherischer, roher Mann, welcher den Reisenden ihre Drehpistolen und Flinten rauben will."

Decken hatte von dem höflichen Dschemmedari schon Abschied genommen, als er auf den Gedanken kam, auch das Innere der Festung anzusehen. Auf seine Frage erklärte sich Tangai nach kurzem Bedenken bereit, ihn selbst herumzuführen, und bat nur um einige Augenblicke Geduld, bis er die nöthigen Anordnungen getroffen hätte. Der Reisende war erfreut und überrascht, daß er die Erlaubniß so leicht erhalten; denn seit der Besitznahme des Forts durch die Araber war solche Vergünstigung noch keinem Europäer, weder dem englischen Admiral Trotter, noch den Kapitänen Burton und Speke, noch auch britischen Seeleuten zu Theil geworden. Er war in Zweifel, wie er diese Bereitwilligkeit erklären sollte, ob das Verbot des Besuches blos auf Officiere ausgedehnt war (Tangai konnte natürlich nicht wissen, daß Decken gedient hatte), oder ob die Briefe Seid Madjids eine ganz außergewöhnliche Empfehlung enthielten. Wie Dem auch sei, er nahm die Vergünstigung mit bestem Danke auf, bat jedoch den höflichen Alten, welchem das Steigen offenbar beschwerlich fiel, sich nicht mit der Begleitung zu bemühen, sondern einen seiner Untergebenen damit zu beauftragen. Der Weg führt durch einen dickwandigen Thurm mit starkem, eisenbeschlagenen Thore, über welchem die oben erwähnte Gedenktafel angebracht ist.

Zwei Geschütze vertheidigen den Eingang, zwei andere bestreichen den im Thurme rechtsum sich wendenden Weg. Hat man die wenig gefährlichen Feuerschlünde hinter sich, so befindet man sich inmitten der Feste. Hier sieht es wüst genug aus: mehrere steinerne Häuser und eine Anzahl Lehmhütten, von den Beludschen und deren Familien bewohnt, füllen den weiten Raum. Nach der Seeseite zu sind zwei Batterien errichtet, die eine über der anderen, jede mit elf Geschützen auf gut erhaltenen Lafetten: sie bestreichen das gegenüberliegende Festland und den Eingang zum Hafen. Steigt man nach der obersten Batterie empor, welche sich auf einer Terrasse neben der Hauptwache befindet, oder besser noch, auf einen der beiden Wachtthürme daselbst, so bietet sich eine prächtige Aussicht über das Meer auf der einen Seite, auf der anderen über die Stadt und den weit in das Land hineingestreckten Meeresarm bis nach den höheren Bergen, welche weiterhin den Gesichtskreis abgrenzen; gerad unterhalb bespült die See den steilen Felsen.

Die Festung von Mombas vereinigt natürliche und künstliche Stärke. Auf einer mächtigen Felsstufe erbaut, mit Mauern, deren keine unter vier Fuß, wenige unter sechs Fuß Dicke haben, auf der einen Seite dicht am Meere stehend, auf der anderen durch einen breiten, tiefen Graben von dem höheren Lande geschieden, mit geräumigen Vorrathskammern und Wasserbehältern versehen, muß sie den Arabern für uneinnehmbar gelten und kann selbst Europäer für kurze Zeit täuschen; bei genauerer Prüfung jedoch findet der Kundige Fehler in der Ausführung, besonders sogenannte *todte Winkel*, welche von den Geschützen nicht bestrichen werden, und außerdem allerorts Verfall und Vernachlässigung — ein europäisches Kriegsschiff würde diese Mauern, an denen seit der Vertreibung der Portugiesen Nichts wieder gethan worden, nach einem Feuer von wenigen Stunden niederwerfen, wiederum aber würde eine europäische Macht dem Platze bei seiner natürlichen Stärke leicht eine große Festigkeit verleihen können.

Elfter Abschnitt.

Das Missionsgebiet.

Nach Kisoludini. — Missionsthätigkeit Krapfs und Rebmanns. Aeußeres, Lebensweise und Sitten der Wanika. — Ein Jahrmarkt zu Emberria. — Glaube und Aberglaube. — Der Muansa. — Herrschaft der Aeltesten. — Verhältniß der Wanika zu Suaheli und Arabern. — Gottesdienst in der Landessprache. — Rabbai Mpia. — Nächtliche Fahrt auf dem Panganistrome.

Es war spät am Nachmittage, als der Reisende das Fort verließ. Eine frische Brise erhob sich und rief in ihm den Wunsch hervor, noch an demselben Tage eine Bootfahrt anzutreten nach Kisoludini, wo Rebmann derzeit wohnte; er ging an Bord des Fahrzeugs und packte in Schnelle seine Sachen. Zwei Stunden nach Sonnenuntergang erschien ein Boot mit der nöthigen Mannschaft und fünf Beludschen als Ehrenwache, von deren Mitgabe der alte Dschemmedari nicht hatte absehen wollen, und bald darauf segelte man den Meeresarm hinauf. Als ob es auf eine Fopperei abgesehen sei, wurde der Wind kaum einige hundert Schritte hinter der Stadt flauer und flauer und endlich ganz unmerkbar. In Folge dessen gelangte die kleine Gesellschaft erst nach dreistündiger, angestrengter Ruderarbeit an den Landungsplatz. Die Ausschiffung begann sofort. Trotz der herrschenden Dunkelheit und der Steilheit der Ufer ging Alles glücklich von Statten, und Nichts von dem Gepäcke ward verloren, nur nahm ein Beludsche, welcher ausglitt und den Abhang hinunterrollte, ein unfreiwilliges Bad. Unter einem hart am Uferrande befindlichen Regendache hinterließ Decken, da es ihm an Trägern mangelte, die entbehrlichsten Gepäckstücke nebst zwei Soldaten zu deren Schutze; dann begab er sich auf den Weg. Der Himmel war dicht mit Wolken bezogen, und kein Lichtschimmer erhellte den holperigen und steilen Weg, sodaß Alle sich freuten, als sie nach anderthalb Stunden, gegen drei Uhr Morgens, die Mission erreichten; um die schlafenden Insassen nicht zu stören, zündeten sie ein Feuer an und verbrachten daneben den Rest der Nacht. Man stelle sich Rebmanns Ueberraschung vor, als er beim Erwachen den europäischen Besuch vorfand — solcher Besuch war der Mission während ihres vierzehnjährigen Bestehens nur dreimal zu Theil geworden — er und seine Frau, eine geborene Engländerin begrüßten den Reisenden auf das Herzlichste und boten ihm vollste Gastfreundschaft. Decken blieb drei Tage lang, unterhielt sich mit dem erfahrenen Missionär über dessen frühere Ausflüge, pflog Berathungen mit ihm über die beste

Art und Weise, eine Reise nach dem Inneren einzurichten und sah sich Land und Leute an. Dr. Krapf, welcher den Anfang mit der ostafrikanischen Mission gemacht, weilte damals bereits seit sechs Jahren in Europa, gedachte jedoch später, wenn es sich so fügen sollte, nochmals nach Mombas zurückzukehren. —

Als Krapf im Jahre 1844 nach der Suahaeliküste kam, wußte er nicht, mit welchem der Heidenvölker er sich zuerst beschäftigen sollte. Anfangs hegte er die meiste Theilnahme für die Galla, weil er diese in ihren nördlichen Stammesabtheilungen in Abyssinien bereits kennen gelernt und hervorragende Eigenschaften, sogar hier und da noch Spuren früherer christlicher Einwirkung an ihnen gefunden hatte; er glaubte sich durch ihre Tapferkeit, Geradheit und Sittenstrenge berechtigt, die Galla oder Orma, wie sie sich selbst nennen, mit den alten Germanen zu vergleichen, und hegte die Hoffnung, daß Ormanien, das Land der Galla, dereinst das Germanien Afrikas werden, daß von diesem Lande der Anstoß ausgehen könne zu einer Umgestaltung der gesammten afrikanischen Verhältnisse. In Mombas angelangt bestimmten ihn die günstige Lage des Ortes und die freundliche Aufnahme, welche er bei Arabern, Suaheli und Wanika fand, einstweilen seinen Sitz hier aufzuschlagen, umsomehr, als er ja den Galla so nahe war, zu gewissen Jahreszeiten auf Märkten mit ihnen verkehren, sie auch leicht in ihrem eigenen Lande aufsuchen konnte. Mit bewunderswürdigem Eifer legte er sich auf die Erlernung der nöthigen Sprachen und überwand in Kurzem alle die Schwierigkeiten, welche sich einer beginnenden Mission entgegenstellen: seinem unermüdlichen Fleiße verdanken wir Wörterbücher, Sprachlehren und Uebersetzungen von Bruchstücken des neuen Testaments in sechs bis acht der ostafrikanischen Mundarten. Mit rührender Hingebung widmete der begeisterte Mann sich der Bekehrung der in Elend, Laster und Unwissenheit lebenden Stämme der Küste und ließ sich nicht entmutigen durch das Ausbleiben des Erfolges, sondern ersann immer neue, kühne Pläne, um auch anderen Völkern die Himmelsbotschaft wenigstens zu verkünden. Ohne Waffen und Gefolge, mit Bibel und Regenschirm allein, wie er selbst sagt, unternahm er jene gefährlichen Reisen nach Ukambani, wohin seitdem noch Niemand wieder vorgedrungen, besuchte zu wiederholten Malen das Bergland Usambara, um sich zu überzeugen, ob hier vielleicht für seine Thätigkeit ein günstiger Boden sei, wanderte tagtäglich, wenn seine Gesundheit Dies gestattete, in die Weiler und Dörfer der Wanika, verkehrte mit den Galla und Wakamba und arbeitete rastlos, getragen von dem Bewußtsein, daß er im Auftrage des Herrn handle, und gestärkt von der Ueberzeugung, daß er so handeln müsse, auch wenn ein augenblicklicher Nutzen sich nicht zeige. Sein Mitarbeiter Rebmann, welcher im Jahre 1846 in Mombas ankam, betheiligte sich getreulich bei diesen Thaten, baute Häuser und Hütten und gründete die stattliche Niederlassung, welche Burton und Speke zu bewundern Gelegenheit nahmen, arbeiteten in Haus und Umgegend, um einige der Wanika zu christlichem Lebenswandel zu bekehren, und besuchte dreimal das hundert Stunden von der Küste entfernte Dschaggaland und das Gebiet der kriegerischen Wateita.

Noch Andere schafften an demselben Werke; aber Keiner mit solcher Ausdauer wie jene Beiden. Leider ist der Erfolg dieses ihres Mühens im Verhältnisse zu den aufgewandten Mitteln nur unbedeutend, sei es nun, daß die Art und Weise der Missionsthätigkeit nicht die richtige war, oder daß die Völker Ostafrikas noch nicht reif sind, höhere Gesittung zu empfangen. Dasselbe hat man auch anderwärts beobachtet, sodaß es beinahe scheinen will, als ob die Heidenlehrer nicht genug Rücksicht auf den geistigen Zustand und die Verhältnisse der Eingeborenen nähmen und das Licht des Evangeliums allzu plötzlich und blendend in die Finsterniß einbrechen ließen. Behelligt man Leute, deren kindlicher Geist nur das Einfache zu fassen weiß, ohne Weiteres mit den schwierigsten und feinsten Begriffen, welche selbst von nur Wenigen unter uns verstanden werden und vielleicht Nichts weiter sind als Auswüchse und Mißbildungen des wahren Christenthums, im Laufe der Jahrhunderte entstanden und durch scharfsinnige und spitzfindige Lehrer befördert, so kann man unseres Erachtens nach auf Erfolg nicht rechnen. Welcher Neger soll die Lehre von der Dreieinigkeit erfassen; wie soll er sich überzeugen, daß Vielweiberei eine Sünde sei, da er es ganz selbstverständlich findet, daß Jeder sich soviel Weiber, Sklaven und Vieh hält, als er ernähren und bezahlen kann, da er die so hoch über ihm stehenden Araber dasselbe thun sieht; wie darf man hoffen, einem Volke, welchem das Trinken berauschenden Palmsaftes zur zweiten Natur geworden, dieses Laster durch bloßes Predigen abzugewöhnen? Jedenfalls haben die glaubensmutigen Männer, welche vor mehr als tausend Jahren in unser Land kamen, die Boten des Christenthums, welche den Römern und Griechen predigten, es besser verstanden, Anhänger zu gewinnen: sie ließen heidnische Feste und andere volksthümliche Einrichtungen bestehen und nannten sie nur mit christlichen Namen; sie schafften die alten Götter nicht ab, sondern brachten sie in Verbindung mit heiligen Sagen oder setzten sie nöthigenfalls an die Stelle passender Heiligen und bauten so gewissermaßen eine Brücke zum Uebergang in den neuen Glauben. Hiermit soll nicht gesagt sein, daß bei anderen Völkern, unter anderen Umständen nicht auch andere Wege zum Ziele führen könnten: nur das Predigen ohne Vorbereitung und ohne erleichternde Zugeständnisse erscheint uns vergeblich; es ist ein Säen, wo man nicht gepflügt hat.

In der Wahl der Mittel sind manche katholische Missionen den protestantischen überlegen. Sie versuchen vorerst, wie wir es bei den Franzosen zu Sansibar kennen gelernt haben und es weiterhin auf Bourbon bemerken werden, dem Neger Geschmack an der Arbeit beizubringen, unterrichten ihn in weltlichen und geistlichen Dingen, ohne ihm irgend eine Lehre aufzudrängen, und zeigen ihm durch ihr Beispiel den Segen eines geordneten, christlichen Haus- und Familienlebens; erweist sich dann der Eine oder Andere als würdig, den Namen Christi zu tragen, und spricht er den Wunsch zum Uebertritte selbst aus, so wird er getauft, nachdem man sich von seiner Festigkeit überzeugt — keineswegs aber sucht man ihn durch äußere Mittel für die Bekehrung zu gewinnen, weil man weiß, daß ein Rückfälliger der guten Sache nur Schaden bringen kann. Andere Missionäre gehen in ihrem Eifer weiter und suchen Heiden an sich zu fesseln, indem sie ihnen Kleidung und Nahrung geben, gewissermaßen als Entschädigung dafür, daß sie den Predigten zuhören, nehmen sie auch wol als Diener und Handlanger an, halten sie gut und lassen sie wenig arbeiten; die armen Schlucker thuen dann den gütigen Herren den Gefallen, sich taufen zu lassen — freilich nur, um bei erster Gelegenheit, wenn Islahm oder Heidenthum größere Vortheile bieten, das nie in ihr Wesen aufgenommene Christenthum abzulegen wie ein Kleid. Und warum sollten Sie Dies nicht? wissen wir doch aus sicherster Quelle, daß im Morgenlande selbst Europäer den blinden Bekehrungseifer durch öfteren Wechsel des Bekenntnisses geschäftlich ausnutzen!

Die Wanika bewohnen den Küstenstrich von der Bai von Kilesi in 3° 37′ südlicher Breite bis zur Bai von Tanga in 4° 55′, verbreiten sich im Norden bis an das Gebiet der Galla, im Süden bis an jenes der Waschensi, das Vorland des gebirgigen Usambara, und wohnen westwärts bis an die Ebenen des Inneren. Ihre Zahl mag 50,000 betragen, 20,000 Walupangu oder Wanika im engeren Sinne, im Norden von Mombas, und 30,000 Wadigo südlich davon.

Die Wanika stammen, wie ihre alten Sagen melden, aus Dschagga, dem Kilimandscharolande. Dort lebte im Gebiete Kilema ein König Namens Munie Mkoma; der schlachtete einst eine Kuh und nahm bei der Vertheilung die besten Stücken für sich, weil er in seinem Lande ein großer König sei. Nur die eine Hälfte seiner Unterthanen erkannte solche Ansprüche als berechtigt an, die andere wanderte entrüstet aus nach dem benachbarten Rombo. Auch hier geriethen sie in Streitigkeiten, sodaß viele von ihnen wiederum auszogen, um sich eine neue, fernere Heimat zu suchen. Unter Führung der Gebrüder Msumo und Ndikao fanden sie den geeigneten Ort endlich in Rabbai an der Küste, im Norden von Mombas. Wie lange diese Wanderungen währten, wissen wir nicht; jedenfalls vollendeten sie sich nicht auf einmal, es hatten die Leute ihr Glück erst hier und da versucht, ehe sie sich dauernd für die Gegend von Mombas entschieden. Ihre Ankunft fällt nur wenige Jahrhunderte zurück, muß aber jedenfalls noch vor der völligen Vertreibung der Portugiesen stattgefunden haben.

Durch die Abgeschlossenheit des Landes und die Gleichmäßigkeit der Lebensweise hat sich in den Gesichtszügen der Wanika ein sehr bestimmtes Gepräge erhalten, eine überraschende Stammes- und Familienähnlichkeit, wie man sie in gleich hohem Grade nur bei Chinesen, Hottentotten und amerikanischen Indianern findet. Ihr Aeußeres wird von Burton folgendermaßen beschrieben: „In physiologischer Hinsicht sind die Wanika keine untergeordnete afrikanische Rasse; sie haben die Gesichtszüge des Negers nur von den Augen abwärts. Wie bei den Galla und Somali ist der Schädel pyramidal und länglichrund, abgeplattet, wo die Phrenologen den Sitz der Moralität annehmen, und an den Seiten zusammengedrückt, das Gesicht ziemlich breit und flach mit stark vorspringenden Jochbeinen, die Stirn mäßig hervortretend, hoch und breit, während Nase, Lippen und Kinnladen negerartig sind. Ihr Haar wächst lang und straff und hängt in dünnen Korkzieherlocken fettstarrend herab; nur über der Stirn wird es von Ohr zu Ohr wegrasirt. Wie ihre Züge, so ist auch ihr Körper oben, d. i. am Rumpfe, semitisch, unten, in den Gliedern, negerartig. Ihre Haut ist weich und chokoladenbraun, selten schwarz von Farbe — letzteres nur, wenn die Mutter eine Sklavin aus dem Süden war — ihre Ausdünstung echt afrikanisch. Stiere Augen, hastige Bewegungen, barsche, laute, bellende Stimme kennzeichnen den Wilden. An den Weibern fällt der Gegensatz zwischen Gesicht und Gestalt in hohem Grade auf: von den unteren Gliedmaßen, namentlich den Hüften einer mediceischen Venus trifft das enttäuschte Auge auf ein häßliches, faltenbedecktes Gesicht."

„Die Kleidung der Männer besteht in einem gegerbten Felle oder einem Stück Baumwollenzeug um die Lenden, der Schmuck aus allerlei Zierrathen von Kupfer und Eisen; Tätowiren ist selten, und zwar fast nur bei Weibern im Gebrauch. Entfernen sich die Männer von ihren Wohnungen, so führen sie Bogen bei sich und Rohrpfeile mit vergifteten Spitzen aus Holz oder Eisen, einen Sper, ein langes, roh gearbeitetes Schwert, ähnlich dem geraden Schwerte der Omani, und im Gürtel Messer und Wurfkeule. Auf Reisen tragen sie außerdem einen kleinen, dreibeinigen hölzernen Stuhl auf dem Rücken (um nicht auf bloßer Erde sitzen zu müssen), einen langen dünnen Stab, an dessen Spitze ein kleines Kreuz sich befindet (zum Mischen eines unter ihnen gebräuchlichen Gerichtes aus Blut und Milch) und einige andere Geräthschaften. In ähnlicher Weise kleiden sich die Frauen. Ein Fell oder Stück Zeug um die Hüften, bisweilen auch ein anderes zur Verhüllung des Busens, sind die Hauptkleidungsstücke neben mancherlei Schmuck, Ohr-, Arm- und Beinringe, Halsketten u. s. w. Eine um den Hals getragene, flache Scheibe von dickem Kupferdraht macht, daß es aussieht, als stände der Kopf auf einem Teller." — So wenig gewissenhaft auch Burton sonst bei seinen Schilderungen sein mag, in dieser Beschreibung rein äußerlicher Dinge stimmen wir mit ihm überein.

In ihren geistigen Eigenschaften unterscheiden sich die Wadigo wesentlich von den Walupangu, den nördlichen Wanikastämmen. Sie sind kriegerischer und benehmen sich schicklicher als diese; auch halten sie regelmäßige öffentliche Märkte ab, ein sicheres Zeichen höherer geselliger Ausbildung. Die Wanika im engeren Sinne sind selbstisch und habsüchtig, betteln daher in lästiger Weise und halten Versprechungen nicht, wenn Wortbruch ihnen

Vortheil schafft; dagegen stehlen sie höchst selten und bringen Gefundenes ehrlich zurück. Als ihr größtes Laster muß ihre gewohnheitsmäßige Trunksucht gelten. Namentlich zu gewissen Zeiten des Jahres, nach der Ernte und bei festlichen Anlässen, fröhnen sie tagelang dem Genusse des berauschenden Tembo und versetzen sich mit Behagen in einen thierischen Zustand, ohne jedoch dabei in ungewöhnlichem Grade rauflustig zu werden. Todtschlag kommt bei ihnen höchst selten vor, wenn er nicht durch eine später zu erwähnenden Sitte veranlaßt wird. Begreiflicherweise hat die vor Geschlechtern begonnene, von den Vätern auf die Söhne vererbte Trunksucht einen überaus nachtheiligen Einfluß auf das Aeußere sowie auf den geistigen Zustand der Wanika ausgeübt: ihre niedrige Stellung im Vergleiche zu den Wadigo ist hauptsächlich diesem Laster zuzuschreiben. Auf die Ausrottung der Trunkenheit müßte, wenn jemals Europäer jene Gestade unter ihren Schutz nehmen sollten, das erste Augenmerk zu richten sein — bloßes Predigen dürfte hierbei freilich wenig helfen. Derartige Bemühungen würden die segensreichsten Folgen nach sich ziehen, wie man schon bei den von ihrer Heimat entfernten Wanika beobachten kann, welche, wenn sie keine Gelegenheit zum Trinken haben, durchaus brauchbare und tüchtige Menschen sind.

Die Wanika sind mißtrauisch gegen Europäer, weil ihnen das Gebaren der Portugiesen von ehedem noch in Erinnerung steht, oder weil sie die Wasungu mit den gehaßten Arabern verwechseln, wie Dies ja auch bei den Volksstämmen im Inneren vorkommt: ihr Mißtrauen gegen Araber und Suaheli ist übrigens vollberechtigt, weil diese sie bei jeder Gelegenheit übervortheilen und ausbeuten.

Bei der Arbeit sind die Wanika ausdauernd und unermüdlich, wenn ihr eigener Vortheil Dies gebietet oder man sie passend anzuregen weiß; auf Reisen z. B. laufen sie, mit schweren Bündeln beladen, täglich zehn bis vierzehn Stunden und zeichnen sich durch ordentliches und ruhiges Betragen sowie durch die Willigkeit, mit welcher sie ihre Arbeit verrichten, vor Anderen aus. Ihre Hauptbeschäftigung besteht im Ackerbau; sie versorgen Mombas zum größten Theile mit Lebensmitteln und würden diese in noch größerer Menge erzeugen, wenn sie Absatz dafür fänden. Die freie Zeit, welche der Ackerbau ihnen läßt, füllen sie mit Mattenflechten aus; mit Schwatzen und Zechen erholen sie sich. Einige Stämme, namentlich im Süden von Mombas, beschäftigen sich auch mit Fischerei; andere graben Kopal, und die meisten, denen sich Gelegenheit bietet, treiben einträglichen Handel mit den umwohnenden Galla und Wakamba. In dem Weiler E m b e r r i a im K i r i a m a g e b i e t e namentlich kommen zu bestimmten Zeiten die Handelsleute aus dem Inneren und von der Küste zusammen. Es entwickelt sich ein Treiben wie auf der Leipziger Messe: Suaheli und Araber, die „Grossisten", deren Ankunft mit Musik und Tanz gefeiert wird, nehmen für die Dauer des Jahrmarktes von den besten Hütten Besitz; die Galla beziehen als „Kleinhändler" ein Lager außerhalb des Dorfes, eine Anhäufung von kleinen, aus Baumzweigen errichteten und mit Gras bedeckten Hütten. Es werden hauptsächlich Kühe, Schafe, Ziegen und Elfenbein gegen Baumwollenzeuge, Messingdrath und Glasperlen eingetauscht. Bei diesem Schacher übersteigt der Gewinn der Suaheli und Wanika oft den Einkaufspreis der Waaren; in Folge dessen sind auch die Wanika von Emberria die reichsten unter ihren Verwandten, wozu allerdings nicht wenig beiträgt, daß auch der Kopal sich gerade in ihrem Gebiete findet. Solcher Handel übt einen sittigenden Einfluß auf die Stämme, welche er verbindet; denn wilde Stämme bequemen sich, wenn auch nur für kurze Zeit, zu einem ruhigen, seßhaften Leben, und Streit und Fehde schwinden für einige Wochen. Sobald nämlich eine Gallakarawane bei Emberria ankommt und sich außerhalb des Ortes gelagert hat, müssen die Führer Urfehde schwören, d. h. die feierliche Zusage geben, daß sie während ihres Aufenthaltes sich friedlich verhalten, Streitigkeiten vermeiden und für dennoch entstehende Unruhen haften wollen. Die Wanika trauen indessen dem Landfrieden nicht unbedingt, sie stellen bei Nacht Wachen in die Nähe des Lagers und überlassen sich auch bei Tage nicht gänzlich dem Gefühle der Sicherheit.

Wanika-Wohnungen gleichen, wie die Hütten fast aller Afrikaner, Bienenkörben oder umgekehrten Fingerhüten an Gestalt und stehen, in Gruppen oder Dörfern (Kaia) vereinigt, zumeist innerhalb eines hohen, dichten Zaunes, durch dessen niedrigen Eingang man nur kriechend gelangen kann. Oft findet man zwei bis drei Reihen solcher Vertheidigungswerke errichtet, theils zum Schutze gegen wilde Thiere (Panther), namentlich aber zur Abwehr der Ueberfälle räuberischer Stämme. Für gewöhnlich wohnen die Wanika auf ihren Pflanzungen, und nur zu gewissen Zeiten ziehen sie sich in die Kaia zurück.

Gleich den meisten Ostafrikanern sind auch die Wanika beschnitten, und wie wol alle huldigen sie der Vielweiberei. Ihre Ehe ist ein lockeres Band, welches abseiten der Männer ohne Schwierigkeiten gelöst werden kann; kranke und zur Arbeit unfähig gewordene Frauen wenigstens werden nicht selten verstoßen. Für Ehebruch sucht der Beleidigte sich durch Tödtung des Schuldigen zu rächen.

Ehemals mußten die Weiber, wann ihre Stunde nahte, in der Kaia bleiben, weil man glaubte, daß durch die Geburt eines Kindes die Schamba verunreinigt, das Feld unfruchtbar werden würde; jetzt dürfen sie ihre Niederkunft auch auf den Pflanzungen abwarten, nur müssen sie darnach ein Sosonga, ein Reinigungsopfer, darbringen. Sie lieben ihre Kinder zärtlich und ziehen sie mit großer Sorgfalt auf; Dies hindert sie jedoch nicht, mißgestaltete Säuglinge zu tödten in der Meinung, daß in solche der böse Geist eines Verstorbenen gefahren sei. Irgend ein zufälliges Ereigniß bestimmt den Namen der Neugeborenen; reist z. B. ein Europäer durch das Gebiet, so finden sich viele Eltern veranlaßt, ihre zu dieser Zeit geborenen Kinder mit dem Namen Msungu zu belegen. Im achten oder zehnten Jahre oder noch später findet die Beschneidung statt, aber nicht an Einzelnen, wie bei den Mahammedanern, sondern, wie bei der Firmung in katholischen Ländern, an einer großen Anzahl, an der gesammten gleichalterigen Jugend zugleich, und zwar aller fünf bis sechs Jahre einmal.

Bei der Mannbarwerdung angesehener junger Leute, besonders der Söhne von Häuptlingen, herrscht ein grauenvoller Gebrauch, Wagnaro genannt: die Jünglinge von demselben Alter begeben sich in völlig nacktem Zustand in den Wald und bleiben dort, bis sie einen Mann erschlagen haben. Zur Zeit, wann ein Wagnaro gefeiert wird, ist es gefährlich, sich in die Nähe des betreffenden Dorfes zu begeben, weil den aufgeregten jungen Leuten jede Person recht ist, um an ihr der „Sitte" Genüge zu leisten.

Zu gewissen Zeiten des Jahres ritzen sich die Jünglinge die Brust mit einem Messer, um, wie sie sagen, frisches Blut an Stelle des alten zu erhalten und dadurch stark und tapfer zu werden; hierbei wird, wie bei allen Festlichkeiten der Wanika, getrommelt, getanzt, gejubelt und Palmwein in Menge getrunken.

In einem anderen Brauche, einer Art Mummenschanz, welcher darauf berechnet ist, die Aufmerksamkeit Anderer auf sich zu ziehen und die Anknüpfung von Liebesverhältnissen zu erleichtern, könnten die Wanika unseren „Löwen und Löwinnen" zum Vorbilde dienen: junge Leute beiderlei Geschlechts hängen nämlich bisweilen eine Menge Glöckchen an ihre Kleider und ziehen damit in Dorf und Landschaft umher.

Ueber die Förmlichkeiten beim Heirathen haben wir Nichts erfahren können; vermutlich werden die Ehen mit ebensowenig Umständen geschlossen als gelöst. - Todesfälle und Begräbnisse geben zu den bedeutendsten Festlichkeiten Anlaß. Sterben gilt den sinnlichen Wanika, wie billig, als das größte Unglück. Sie heulen und jammern über den Tod von Verwandten in entsetzlichster Weise, benutzen aber zugleich solche Erinnerung an die Vergänglichkeit alles Irdischen, um die zeitlichen Güter noch einmal im vollsten Maße zu genießen, d. h. sie tanzen, trommeln und schreien am Grabe, verüben schamlosen Unfug aller Art und schwelgen und zechen Tage lang, bis sie die Besinnung verlieren. Die Bestattung selbst geschieht in folgender Weise: zuerst salbt man den Leib des Verschiedenen und sein Kleid mit Oel von den Bohnen des Ricinusstrauches (dieses Salben nennt man Sara), dann legt man ihn auf eine aus dicken Stäben zusammengefügte Bettstelle (Luttara) und trägt ihn nach dem Grabe, wo der erwähnte Tanz (Uira) u. s. f. beginnt; endlich schlachtet man eine Ziege oder Kuh, schneidet ein Stück von der Stirnhaut des Thieres ab und legt es in die Hände des Todten, während mit dem Blute das Grab auf drei Seiten besprengt, das Fleisch aber unter die Anwesenden vertheilt wird. Das Grab ist so weit ausgetieft, daß ein Mann darin aufrecht stehen kann; der Todte kommt darin mit dem Haupte nach Südwesten (?) gewendet zu liegen, von welcher Gegend die Stammväter der Wanika gekommen sein sollen. Gewöhnlich liegt das Grab in der Kaia, im Mittelpunkte der Ansiedelung, in dem Hauptversammlungsorte, weil man glaubt, daß hier der Todte am ungestörtesten ruhe. Neuerdings nimmt man auch Begräbnisse auf entfernteren Pflanzungen vor, um das beschwerliche Fortschaffen der Leiche zu vermeiden; dann aber gräbt man nach einiger Zeit das Haupt des Todten aus, um wenigstens dieses in der Kaia zu beerdigen. Gräber werden heilig gehalten; auf ihnen bringt man den Geistern der Verstorbenen Speise- und Trankopfer dar, d. h. man schüttet zu gewissen Zeiten ein Gemenge von Wasser, Mais und Durrha auf dasselbe, spendet auch sonst von Mahlzeiten und Gelagen eine Kleinigkeit an demselben Orte, um damit die Verstorbenen zu befriedigen, welche sonst über die Genüsse der Lebenden neidisch werden oder sich erzürnen könnten.

Schon hieraus erhellt, daß die Wanika in gewisser Weise an ein Fortleben nach dem Tode glauben. Noch bestärkt und näher bestimmt wird diese Ansicht durch die allgemein verbreitete Meinung — wonach man die Aehnlichkeit der Kinder und Eltern erklärt — daß die Geister der Verstorbenen in Kinder vor deren Geburt übersiedeln. Diese Geister (Koma) sollen bald im Grabe, bald über der Erde, bald im Donner, bald im Blitze weilen, aber nicht gesehen werden können, obwol sie dargebrachte Gaben annehmen und sich dadurch den Gebern geneigt stimmen lassen. Sie genießen also Verehrung, werden jedoch nicht bildlich dargestellt und angebetet, etwa in der Weise wie die Penaten oder Hausgötter der alten Römer, sondern nur als rein geistige Wesen. Die Wanika kennen überhaupt keine Götzenbilder, falls man nicht etwa ein von den Portugiesen zurückgelassenes Bild der Maria oder irgend eines Heiligen, welches in Zeiten der Noth in feierlichem Aufzuge umhergetragen wird, als Fetisch betrachten will.

Außerdem glaubt man noch an Geister von Quellen und Bäumen, also an Dryaden, Nymphen u. dergl., und erweist insbesondere den Geistern der Kokospalmen große Ehre. Dies erscheint ganz natürlich, wenn man bedenkt, wie großen Nutzen dieser Baum gewährt, und vor Allem, wie hoch sein gegohrener Saft geschätzt wird. Das Umhauen einer Kokospalme gilt als unsühnbares Verbrechen, wird dem Muttermorde gleichgestellt. Man opfert der Palme bei jeder Gelegenheit, so oft irgend Etwas geschieht, was mit ihr in Verbindung steht: fällt z. B. Jemand beim Pflücken der Nüsse herab, so wendet man die sonderbarsten Mittel an, um den Geist des Baumes, welcher Dies in seinem Zorne veranlaßte, wieder zu versöhnen. Bei dieser Vielgötterei fehlt der Glaube an ein höchstes Wesen nicht; die Vorstellung von demselben ist freilich eine überaus unklare. Man bezeichnet es mit dem allen Stämmen der südafrikanischen Sprachfamilien gemeinsamen Worte Mulungu und glaubt, gleich den Anhängern gewisser Abtheilungen unserer christlichen Kirche, daß die oberste Gottheit viel zu erhaben sei, den Menschen viel zu fern stehe, als daß man sie unmittelbar behelligen dürfe, wendet sich also an die näher stehenden, noch menschlich denkenden und fühlenden Untergottheiten, an die Geister der Verstorbenen, der Bäche und des Waldes.

Fast noch weiter als das Gebiet des Glaubens dehnt sich dasjenige des Aberglaubens: außer der Regenmacherei, welche ja bei allen Afrikanern bekannt und angenommen, gibt es noch Zauberei, Traumdeutung, Vogelschau und andere solche Dinge, wie sie eine furchtsame Einbildungskraft ohnmächtiger und unwissender Völker nur hat ausdenken können. Die Schlauen und Mächtigen — die mahammedanischen Bewohner der Küste und die Aeltesten der Wanika — befördern diesen Aberglauben auf jede Weise und wissen den größten Vortheil daraus zu ziehen, jene, um die Leichtgläubigen auf wirklich schamlose Weise zu betrügen und zu übervortheilen, diese, um ihren Aussprüchen und Gesetzen größere Geltung zu verschaffen.

Eines der Hauptmittel, die dumme Menge in Gehorsam und Unterwürfigkeit zu halten, ist der Muansa. Fragt man einen Mnika, was der Muansa eigentlich sei und zu bedeuten habe, so antwortet er, Dies könne er nicht sagen; denn Niemand außer den Aeltesten dürfe das „Muansa" genannte Geräth sehen, Unberechtigte würden von dem Anblicke todt niederfallen, und Weiber würden unfruchtbar werden. Soviel ist indessen bekannt, daß der Muansa ein hohler Baum oder ein hohles Stück Holz ist, vermittelst dessen man, ähnlich wie mit unsern „Waldteufeln", ein starkes Brummen hervorbringt! Nur Wenige werden in das Geheimniß eingeweiht, nachdem sie eine reiche Gabe von Geld, Reis und Fleisch darangewendet. Eingeweihte oder gar Besitzer eines Muansa genießen große Vortheile, nicht nur an Ansehen und Einfluß, sondern auch dadurch, daß sie bei allen Saufgelagen ihren Antheil erhalten. Der Muansa bildet den Mittelpunkt des bürgerlichen und religiösen Lebens. Bei allen wichtigen oder feierlichen Angelegenheiten wird er in Bewegung gesetzt: wenn geopfert oder Regen erfleht werden soll, wenn man ein mißgestaltetes Kind im Walde erdrosseln oder neue Gesetze einführen will, so muß immer das Brummen des Muansa die Gemüter darauf vorbereiten. Er wird zuerst im Walde gespielt, damit er von Unbefugten nicht gesehen werde. Sobald diese sein Herannahen merken, verstecken sie sich eiligst in Gebüsch oder Häusern, da sie die Strafe fürchten, welche das frevelnde Auge treffen soll, und, kommt der Popanz in das Dorf selbst, so schließen sie in ihrer Angst alle Thüren.

Derartiger Mittelchen bedürfen übrigens die Aeltesten, um sich Ansehen und Gehorsam zu verschaffen; denn von einem Gehorchen allein aus Achtung vor dem Gesetze ist auch bei den Wanika nicht die Rede. Leider mißbrauchen die Gewalthaber ihre Macht nicht selten, um sich zu bereichern, um Andere zu unterdrücken oder um den Fortschritt aufzuhalten. Hiervon erzählt Rebmann ein ergötzliches Beispiel: Ein junger Mnika, welcher längere Zeit in Mombas als Tischler oder Zimmermann gearbeitet hatte, kehrte mit seinen Werkzeugen zu seinem Stamme heim, um diesem mit der mühsam erlernten Kunst zu dienen. Anstatt sich hierüber zu freuen, nahmen die Aeltesten ihm seine Geräthe weg und machten somit seine Thätigkeit unmöglich; sie fürchteten, daß der junge Mann sich überheben könne, und wiesen die Neuerung zurück mit dem Ausspruche, welchen man bisweilen auch noch bei unseren Bauern hört: „unsere Eltern und Voreltern haben es auch nicht so gemacht und sind doch durchgekommen, deswegen ist es besser, es bleibt beim Alten."

Die Herrschaft der Aeltesten kann also recht wohl eine despotische genannt werden, dennoch aber ist im Allgemeinen die Regierungsweise eine republikanische: es bewährt sich auch hier die alte Erfahrung, daß unbotmäßige Gleichheit Aller mit tyrannischer Herrschaft Einzelner zusammengeht. In anderen Punkten nimmt man es allerdings genauer mit den Grundsätzen der Freiheit und Gleichheit; hat z. B. irgend ein Häuptling wider gewisse Gesetze gehandelt, so schützt ihn seine Würde nicht vor der verdienten Strafe.

Alle wichtigen Angelegenheiten werden vor den Aeltesten verhandelt, welche viel bedeutenderen Einfluß besitzen als die eigentlichen Häuptlinge — sind letztere doch oft mittellose Leute, mithin ganz unberechtigt, irgend welchen Einfluß zu üben. Zuerst versammeln sich die

Angesehensten des Dorfes auf einem freien, von großen Bäumen überschatteten Platz inmitten der Kaia; sie setzen sich feierlich auf die an jeder Seite liegenden Palmstämme und halten Rath. Haben sie sich geeinigt, so treten die Scheichs oder Aeltesten in einer benachbarten Hütte zu einer zweiten Berathung zusammen, um die endgiltige Entscheidung abzugeben.

Die Beobachtung solcher Anfänge von Staatsverwaltung und gesetzgebenden Körpern bietet dem Unbefangenen viel des Anziehenden, umsomehr, als er in Ostafrika Gelegenheit hat, fast alle Staatsformen in ihrer Kindheit zu beobachten, von der zügellosen Freiheit bei umherschweifenden Hirtenvölkern bis zu der segensreichen Verwaltung eines aufgeklärten Despotismus im Berglande Usambara, von der Republik unter der Herrschaft der Aeltesten, welche gleich den alten egyptischen Priestern den Glauben und Aberglauben des Volkes benutzen, um ihre Stellung zu behaupten, bis zum Schattenkönigthum im Lande des Schneeberges Kilimandscharo, wo die Soldaten als echte Prätorianer den größten Theil der Macht an sich gerissen haben.

Bald nach ihrer Einwanderung geriethen die Wanika in Abhängigkeit von den früheren Ansiedlern, doch war dieses Verhältniß keineswegs drückend, vielmehr auf freundschaftliche Uebereinkunft zu gegenseitigem Schutze gegründet. Sie wurden in inneren Angelegenheiten berathen und gegen Feinde geschützt, wurden in Theuerungszeiten umsonst gespeist oder wenigstens gegen das Versprechen späterer Zurückerstattung mit Getreide versehen, und ihre Häuptlinge erhielten von den Msara jedes Jahr 150 Kleider geschenkt. Dafür brachten sie ihren Schutzherren alljährlich zwei Frasla Elfenbein und zwanzig oder mehr säugende Kühe, je nachdem das Jahr ein fruchtbares und regenreiches gewesen war; denn sie glauben, der Regen komme von den uferbewohnenden Suaheli und könne von diesen spärlich gemacht oder ganz zurückgehalten werden.

Mit dem Sturze der Msara gingen die staatlichen und gesellschaftlichen Verhältnisse der Wanikastämme der Auflösung entgegen. Langer Friede ließ festes Zusammenhalten unnöthig erscheinen, die großen Häuptlinge verloren ihren Einfluß, Jedermann that, was ihm recht dünkte, und schlug seine Hütte auf, wo es ihm beliebte. Die Omahnen aber gelangten niemals zu größerem Ansehen, weil sie versäumten, durch Freundschaftsgeschenke ein gutes Einvernehmen mit den Wanika aufrecht zu erhalten, sie vielmehr unterdrückten und zufällig eintretende Nothstände in rücksichtslosester Weise ausbeuteten. Jetzt herrscht Gleichgiltigkeit, wenn nicht gar Gereiztheit zwischen beiden Abtheilungen der Bevölkerung, und die Unterthänigkeit der Wanika, welche sich namentlich auch durch Stellung von Soldaten in Kriegsgefahr bethätigte, ist fast völlig verloren gegangen, ja die Achtung vor den Geboten des Sultahns oder seines Statthalters so gering geworden, daß keiner der Wanika zu einer Besprechung erscheint, ohne vorher ein Geschenk von einigen Thalern (Diäten) erhalten zu haben.

An Stelle der Ordnung unter dem weisen und milden Regimente der Msara ist Gesetzlosigkeit und Selbsthilfe getreten: fühlen die Wanika sich gekränkt, so halten sie die Mahammedaner zurück, zwingen sie, Schweinefleisch zu essen u. dergl. m., bis ein entsprechendes Lösegeld bezahlt oder der Beschwerde abgeholfen worden ist; hat dagegen ein Wanika Schulden in der Stadt und vermag, wenn es dem Gläubiger gefällt, nicht sogleich zu bezahlen, so werden seine Stammes- und Familienangehörigen festgenommen und eingesperrt, wol auch als Sklaven verkauft. Daß ein solcher Zustand zu Ausschweifungen aller Art führen muß, zu Schlägereien, zu Verwundungen und selbst zu Mord, ist selbstverständlich; in der That ist der Verkehr zwischen beiden Parteien in Folge solcher Zwistigkeiten nicht selten gänzlich unterbrochen.

Die Hauptschuld hiervon kommt jedenfalls den Bewohnern von Mombas zu, welche sich schwer an den Wanika versündigt haben. Einen Beleg liefert die große Hungersnoth, welche im Jahre 1836 in Folge von Mißwachs und der Verheerung der Felder die Wanika heimsuchte. In ihrer Noth kamen die Armen nach Mombas und baten den Statthalter Ali ben Nasser und Andere um Korn, damit sie nicht verhungerten. Sie erhielten es auch, nachdem sie ihre Kinder als Pfand gegeben; als sie aber später das Geliehene abtragen wollten, und die Kleinen, an denen sie mit so großer Liebe hängen, zurückverlangten, waren diese nicht mehr vorhanden — sie waren als Sklaven verkauft worden, von demselben Nasser, welcher späterhin von Seid Said nach London geschickt ward, um mit der englischen Regierung über Abschaffung der Sklaverei zu berathen, welcher dort mit menschenfreundlichen Redensarten um sich warf und sich als „Fremder von Distinktion" feiern ließ. Schauen wir indessen nicht allzu verächtlich auf die arabischen Menschenwucherer herab; jene Unmenschlichkeiten geschahen zum Theil auf Antrieb und zum Vortheile von Europäern; haben doch Europäer selbst vor nicht zu langer Zeit noch ähnliche Geschäfte auf eigene Faust und ohne Vermittelung ausgeführt, indem sie mit ihren Schiffen in den Hafen einliefen, durch lustige Musik die Eingeborenen verleiteten, an Bord zu kommen, und dann mit der reichen Beute von dannen fuhren nach Märkten, wo schwarze Arbeiter gut im Preise stehen. Uebrigens trägt, hiervon abgesehen, Europa einen Theil der Schuld an den Gräuelthaten von 1836: hätte England ein Jahrzehend früher die ihm angebotene Oberherrschaft und damit die Vormundschaft über jene unmündigen Wanika angenommen, so würden zur Zeit der Hungersnoth längst bessere Zustände eingetreten, wenigstens solche Grausamkeiten unmöglich gewesen sein. Möge den beklagenswerthen Eingeborenen noch einmal ein ähnlicher Stern leuchten, dann aber für längere Zeit, bis sie zu einiger Selbstständigkeit und Sittlichkeit herangewachsen sein werden.

Am Tage seiner Ankunft hatte Decken Gelegenheit, einem Gottesdienste beizuwohnen, welchen Rebmann mit den Wanika in ihrer eigenen Sprache abhielt. Die kleine Gemeinde welcher biblische Geschichte vorgelesen und erklärt wurde, bestand aus zwei Christen, vier unbekehrten Erwachsenen und drei Kindern. Alle folgten dem Vortrage mit Aufmerksamkeit und Spannung, wie Kinder, denen man ein Märchen erzählt; kam ihnen Etwas unklar vor, so fielen sie dem Lehrer ohne Weiteres mit Fragen in das Wort; fanden sie Etwas sonderbar, so brachen sie in helles Gelächter aus, kurz geberdeten sich wie bei uns die Besucher der niedrigsten Klasse einer Elementarschule. Dies waren die Erfolge vierzehnjähriger Missions-Arbeit! Trotzalledem aber gibt es Leute, welche aus diesem Verhalten der Zöglinge Hoffnung zu schöpfen wagen; solchen sei gesagt, daß, selbst wenn die Saat hier Wurzel schlüge, sie dennoch durch die Fäulniß der häuslichen und staatlichen Verhältnisse vergiftet werden müßte, daß alle Predigt vergebens ist, wenn nicht zuvor die äußeren Zustände gebessert werden. —

An einem Nachmittage ging der Reisende in Rebmanns Begleitung nach Rabbai Mpia, um den Platz zu besuchen, wo Dr. Krapf bei seiner Herkunft sich angesiedelt hatte. Der Weg führt durch ein tiefes Thal auf eine bedeutende Höhe, deren Gipfel jenes Wanikadorf einnimmt. Um in die Kaia zu gelangen, muß man durch drei niedrige hölzerne Pforten kriechen, jede etwa hundert Schritte von der anderen entfernt; hinter der letzteren stehen dreißig bis vierzig kleine, ärmlich aussehende Hütten von Bienenkorbform, ohne Plan und Ordnung hier und da errichtet. Vom Hause Krapfs bemerkt man nur geringe Ueberbleibsel, da die Eingeborenen alles Brauchbare hinweggeschleppt haben, um es anderswie zu verwenden. Die Aussicht ist eine prächtige und kann als Gegenstück zu der gelten, welche man im Fort zu Mombas genießt: in deutlicher Ferne die Meeresbucht, die Stadt und die erhabene Festung mit ihren Thürmen und der von hohem Maste wehenden rothen Flagge, und jenseits des fruchtbaren Geländes der weite Ocean. Auf der anderen Seite bietet sich ein weiter Blick in das Innere, über die unabsehbare Ebene, welche im Westen des

Wanikahöhenzuges ausgebreitet liegt. Früher war diese Ebene weithin bebaut und mit Dörfern besät. Sie nährte die Eingeborenen reichlich und weidete deren Heerden. Da kamen im Jahre 1857 die Masai, trieben das Vieh hinweg, zerstörten die Dörfer und mordeten die Einwohner. Die dem Blutbade entronnenen Wanika zogen sich auf die Berge zurück: wenige Jahre genügten, die Felder in Wildniß zu verwandeln.

Nachdem so der Reisende Alles gesehen und erfahren hatte, was er gewollt, verließ er den Ort mit dem Vorsatze, die Entdeckungen der deutschen Missionäre durch eigene Anschauung zu prüfen und wo möglich weiter zu führen, ein Entschluß, welchem wir den umständlichen und sorgfältigen Beweis von der Wahrheit aller Berichte dieser wackeren Männer verdanken.

Unterwegs sprach Decken noch in Pangani vor, einer kleinen Stadt an der Mündung des Panganiflusses, von welcher gleichfalls Karawanen nach dem Inneren abgehen. Er wurde, obwol er keine Empfehlungsbriefe vorzeigen konnte, von dem Banian freundlich aufgenommen, kam dagegen mit dem europäerfeindlichen Statthalter in ernstliche Streitigkeiten. In Folge dessen schien es ihm nicht gerathen, hier längere Zeit zu bleiben, doch unternahm er wenigstens eine Fahrt auf dem stattlichen Panganistrome, dessen Ursprung und mittleren Lauf er auf seiner nächsten Reise erforschen, dessen Quellflüsse, die vom Kilimandscharo herabstürzenden Bergwasser, er zu wiederholten Malen überschreiten sollte. Der Aufbruch geschah um zwei Uhr in einer wundervollen Nacht, bei feenhafter Beleuchtung — Mond und Sterne glänzten um die Wette, und Millionen von Leuchtfliegen suchten es den Lichtern des Himmels zuvorzuthun. In einer Breite wie die Donau bei Wien strömt der Pangani rasch dahin; zu beiden Seiten umsäumt ihn undurchdringliches Gebüsch, überragt von baumhohen und doch buschförmigen Sumpf- und Uferpalmen; Affen und Papageien gaukeln auf den Zweigen und lassen ihre mißtönenden Laute erschallen; im Wasser aber tauchen zackige Krokodile lautlos empor, und ungeschlachte Flußpferde entsteigen dem Strom, um am Lande ihre Spiel- und Weidepätze aufzusuchen.

Etwa fünf Stunden lang fuhr der Reisende in seinem Boote stromaufwärts. Als er sich an all' der Herrlichkeit gesättigt, erwachte die Jagdlust in ihm. Eine Menge der verschiedenartigsten Vögel fielen ihm zur Beute; er hatte sogar das Glück ein riesiges Nilpferd von 5½ Fuß Höhe und 9 Fuß Länge zu erlegen. Um 9 Uhr Abends an demselben Tage kam er von dem genußreichen Ausfluge zurück, ließ sofort das gemiethete Fahrzeug in Bewegung setzen und ruhete am anderen Nachmittage bereits wieder in seinem Zimmer zu Sansibar.

Zwölfter Abschnitt.

Bis an die Grenze der Wildniß.

Ein Wettrennen in der Rasimoja. — Mr. Thornton als wissenschaftlicher Reisebegleiter. — Schwierigkeiten des Reisens in Ost-Afrika. — Festlicher Abschied. — Die ersten Tage in Mombas. — Von der Decken und Rebmann. — Unterhandlungen mit Karawanenführern. — Packen der Msigo. — Auszahlungsfeierlichkeit. — Bestand der Reisegesellschaft. — Ehrengeleit bis aufs Festland.

Decken hatte seinen Körper richtig beurtheilt, als er zur Wiederherstellung seiner Gesundheit einen immerhin mit Anstrengung verbundenen Ausflug unternahm. Anfänglich schien es zwar nicht so; denn wenige Tage nach seiner Rückkehr kam ein Fieberanfall bei ihm zum Ausbruche: aber nicht ein Rückfall der in Kiloa erlangten Krankheit, sondern der Beginn einer neuen, des Klimafiebers, welches unausbleiblich Jeden befällt bei der Rückkehr von dem Inneren nach der Küste oder von der Küste nach Sansibar. Dies einmal überstanden, gewann der Reisende täglich an Kräften und fühlte sich bald wieder ebenso munter wie vordem.

Um diese Zeit ereignete sich ein Vorfall, welcher den Bewohnern Sansibars und der Küste noch jetzt in frischem Gedächtniß ist, und bei dessen Erwähnung man überall mit Bewunderung für den kühnen und gewandten Msungu spricht. Längst schon war Decken zu der Ansicht gekommen, daß die Mischlingsaraber Sansibars eine entartete Rasse wären und sich in keiner Beziehung mit ihren Stammherren und Verwandten in der Wüste, noch weniger aber mit den so mannigfach veredelten Sprößlingen Europas messen könnten. Seine Ansicht stieß auf Widerspruch, man gestand den Arabern eine gewisse Ritterlichkeit zu, Gewandtheit des Körpers, Reitertalente u. dergl. m.; er ließ aber das Alles nicht gelten und vermaß sich geradezu, mit jedem Araber, wer es auch sei, in jeder beliebigen Körperübung, in Springen, Klettern, Reiten, Ringen und Fechten sich messen und den Sieg davon tragen zu wollen. Solch' kühne Behauptung wurde von den jederzeit wettlustigen Wasungu mit Beifall aufgenommen. Sie theilten sich in zwei Lager, die Einen für, die Anderen wider, doch nur klein war die Zahl der Anhänger des Mutigen, kaum daß er einige seiner Landsleute zu ihnen zählen durfte. Es wurde bestimmt, daß eine Entscheidung des streitigen Satzes baldigst herbeigeführt werden, und daß ein festliches Frühstück den Siegespreis bilden solle.

Die Sache ward ruchbar in der Stadt. Seid Sud ben Chalid, der Neffe Seid Madjids, bekannt als der gewandteste Reiter Sansibars, hob den Handschuh auf und ließ den übermütigen Fremden auffordern, mit ihm zu reiten. Der Prinz suchte sich den besten Renner im Marstalle seines Oheims aus, ein edles Thier, welches den Ruf unübertroffener Schnelligkeit besaß; der Reisende bat den hanseatischen Konsul um sein Pferd, welches noch nie Gelegenheit gehabt, seine Fähigkeiten zu zeigen. Als Rennbahn war die Rasimoja auserkehen und hier mit Flaggen ein Bogen von tausend Schritt abgesteckt worden. Am festgesetzten Tage erschienen gegen fünf Uhr, als es kühler wurde, sämmtliche Wasungu und Tausende von Arabern auf dem Platze — selbst der Sultahn und sein Haus fehlten nicht. Trommler und Pfeifer waren aufgestellt, um den siegenden Prinzen zu feiern und im Triumphe zur Stadt zu geleiten; denn daß der kecke Fremde gewinnen werde, hielt man für unmöglich, wenigstens traute man, falls man doch diese Möglichkeit in Erwägung zog, ihm soviel Höflichkeit zu, daß er den hohen Gegner gewinnen lasse. Decken jedoch, welcher ja die Ehre seiner Abstammung vertrat, war fest gesonnen, seine volle Kraft einzusetzen, und betrieb die Vorbereitungen mit größtem Ernste. Beide Männer ließen sich wägen. Der leichtere Seid Sud mußte zur Herstellung gleichen Gewichtes noch 27 Pfund mit sich auf den Sattel nehmen; denn Decken war ein starker Mann, nicht nur in ritterlichen Uebungen, sondern auch durch seinen mächtigen Körper, welcher das gewöhnliche Maß weit überragte und trotz des Mangels an Beleibtheit gegen 170 Pfund wog.

Das Rennen begann. Mit leichter Mühe gewann unser Held einen gewaltigen Vorsprung — es stellte sich heraus, daß die Araber überhaupt nicht reiten können. Seid Sud, ergrimmt ob der bevorstehenden Niederlage, warf die ausgleichende Belastung zur Erde, verzichtete, als trotzdem mit jedem Sprunge des Rosses seine Aussichten sich verringerten, schließlich ganz auf die Vollendung des Laufes und kehrte zurück, ohne das Ziel erreicht zu haben. Die Verblüffung der arabischen Zuschauer war unbeschreiblich. Lautlos und beschämt, anstatt unter dem Klange von Siegeshymnen, verließen sie den Platz, im Geheimen den Ungläubigen verwünschend, der fähig und unverschämt genug gewesen, ihren Prinzen zu schlagen. Seid Sud verließ seine Wohnung mehrere Tage lang nicht. In den Häusern der Vornehmen trauerte man ob der Niederlage, und der Herrscher selbst erkrankte vor Aerger. Das Volk aber, welches es immer mit Denen hält, die sich durch Kraft und Mut, durch Tugenden des Leibes hervorthun, begrüßte jubelnd den Baron, wo er sich zeigte, mit schmeichelhaften Zurufen: er reitet wie der Wind, wie ein Vogel, er steht auf dem Pferde, er ist ein Meister Aller, er ist ein Zauberer, ist der Teufel selbst!

Decken betrachtete seine Aufgabe noch nicht als gelöst, und um den Arabern zu zeigen, daß nicht der Zufall ihm zum Siege verholfen, sandte er am nächsten Tage in den Palast des Prinzen und erbot sich nochmals, auch in anderen Dingen, im Waffenkampfe und in jeglichem Spiele des Körpers ihn und jeden seiner Landsleute zu übertreffen. Keiner nahm die Herausforderung an, es mußte somit als erwiesen gelten, daß die Einbildung der Araber, in körperlicher Beziehung wenigstens den Europäern voranzustehen, grundlos sei.

Inzwischen rüstete Decken unausgesetzt, um nach der Regenzeit seine Reise in das Innere antreten zu können. Damals hielt sich in Sansibar ein junger englischer Geolog, Richard Thornton, auf, welcher vordem mit Livingstone am Zambesifluß und am Schirwasee gereist war, sich aber aus verschiedenen Gründen bewogen gefunden hatte, diese Expedition zu verlassen und seine im Süden begonnenen geologischen Arbeiten auf eigene Faust in nördlichen Gebieten fortzusetzen. Er wurde mit unserem Reisenden bekannt, begeisterte sich für dessen neue Pläne und machte ihm eines Tages das Anerbieten, ihn bei seiner nächsten Unternehmung zu begleiten.

Solche Vereinigung entsprach in hohem Grade den Bedürfnissen und Wünschen Beider; denn Thornton war augenblicklich ohne Mittel und somit nicht im Stande, eine Reise anzutreten, bevor die von daheim erwarteten Sendungen an Geld und Instrumenten eingetroffen, es mußte ihm also lieb sein, sich an einem anderen Reiseunternehmen betheiligen zu können und in dem Baron von der Decken einen Mann zu finden, bei welchem er sich nicht ähnlichen Unannehmlichkeiten wie früher aussetzte; — Decken hingegen, durch seinen ersten Ausflug belehrt, daß Einer allein unmöglich alle nothwendigen Arbeiten zu überwältigen vermag, mußte die sich bietende Gelegenheit als einen ganz besonderen Glücksumstand betrachten, da sie seine Kraft verdoppelte und die bevorstehende Reise zu einer außerordentlich ergebnißreichen zu machen versprach.

In der That sind die Anforderungen, welche an einen wissenschaftlichen Reisenden der Neuzeit gestellt werden, fast unglaublich. Er soll bei tropischer Sonnenhitze alltäglich zehn bis fünfzehn Seemeilen und mehr marschiren, sich mit Führern über Wegerichtung, mit Trägern ob deren Faulheit zanken; soll auf dem Marsche jagen, sammeln oder einer Messung halber kleine Abstecher machen und Berge besteigen; soll des Abends, wann er ermüdet ankommt, sein Tagebuch schreiben, Nachts astronomische Beobachtungen anstellen oder solche berechnen und den zurückgelegten Weg aufzeichnen; außerdem soll er an Ruheplätzen Nahrungsmittel einkaufen, das heißt den in widerwärtigster Weise feilschenden Leuten ihre Waaren zu möglichst hohen Preisen abdingen, soll das Völkerleben beobachten, statistische Notizen sammeln und Wörterbücher unbekannter Sprachen aufzeichnen! Und mehr als irgendwo ist der Reisende in Ostafrika geplagt; denn hier vereinigen sich noch ganz besondere Umstände zur Erschwerung seines Weiterkommens. Ueberall in der Welt reist man bequemer als hier: in Südamerika reitet man auf Pferden und Mauleseln, in Nordafrika auf Kamelen, in Indien auf Elephanten; in Madagaskar sowie in Westafrika bedient man sich tragbarer Palankins oder Hängematten zum Weiterkommen; in Südafrika läßt man Gepäck und Menschen auf Ochsenwagen vorwärts schaffen — aber hier ist der Reisende für seine Person einzig auf seine Beine angewiesen und für sein schwerwiegendes Gepäck, bestehend aus Baumwollenstoffen, Metalldraht und Glasperlen, auf die dicken Schädel und kräftigen Nacken der Eingeborenen. Die Schwerfälligkeit einer solchen Karawane und die Schwierigkeit, soviele Menschen tagtäglich mit Speise und Trank zu versorgen, erhellt hieraus von selbst. Wie kostspielig und wenig förderud das Reisen in diesen Gegenden ist, mag der nachfolgende, flüchtige Ueberschlag zeigen. Die Ladung eines Trägers, selbst wenn sie aus den theuersten Waaren, aus baumwollenen Stoffen besteht, reicht höchstens drei Tage zu Ernährung von hundert Leuten; mithin kann eine Karawane mit hundert solchen Lasten im äußersten Falle dreihundert Tage lang reisen, wenn es ihr nicht etwa gelingt, unterwegs noch einmal Waaren auf Borg zu erhalten. Bedenkt man aber, daß auch eine Menge Güter von geringerem Werthe mitgenommen werden müssen, daß manches Tauschmittel nach Schwankungen des Geschmackes seinen Werth zum Theil oder ganz verliert, daß Durchgangszölle und Geschenke bisweilen nicht weniger kostspielig sind als der Einkauf von Nahrungsmitteln, endlich, daß der starke Besuch einer Straße oder herrschende Hungersnoth ungewöhnliche Theuerung hervorrufen können: so darf es wol nicht als übertrieben gelten, wenn man behauptet, daß hundert Mann durch den Verkauf ihrer Waaren nur für 150 bis 200 Tage Unterhalt finden. Und diese Frist wird bei wissenschaftlichen Reiseunternehmungen noch dadurch in bedenklicher Weise verkürzt, daß viele Leute mitgenommen werden müssen, welche wol essen wie die Anderen, nicht aber Handelsgegenstände tragen, sondern Instrumente, Bücher, Gewehre u. dgl. m. Das Ergebniß wird dadurch, daß man die Karawane stärker rechnet, im Wesentlichen nicht geändert, weil damit zugleich auch die Anzahl der hungrigen Magen vermehrt wird. Hieraus folgt für den Reisenden die Nothwendigkeit, bei dem Einkaufe der Lebensmittel mit der äußersten Sparsamkeit zu Werke zu gehen: er muß Alles in eigener Person einhandeln, weil er außerdem in schändlichster Weise übervortheilt und, vielleicht auf halbem Wege schon, durch Mangel an Tauschmitteln zur Umkehr gezwungen würde.

Hiernach steht das Reisen in Ostafrika noch auf der niedrigsten Stufe der Entwickelung. Dies erklärt sich daraus, daß die Europäer, welche überhaupt erst seit einem Jahrzehend hier zu reisen begannen, zumeist nicht Zeit und Mittel hatten, um sich auf Versuche und Verbesserungen einzulassen, während die Eingeborenen theils zu träge sind, Dies ihrerseits zu thun, theils auch keinen Vortheil in der Erleichterung des Verkehrs mit dem Inneren zu erblicken vermögen — würde dann doch Jedermann reisen können und der Preis der Waaren in kurzer Zeit beträchtlich sinken. Ohne Zweifel werden spätere Reisende diesen Uebelständen abzuhelfen suchen, etwa indem sie die jenseit der Linie befindlichen Kamele einführen oder das überall vorhandene Rindvieh zum Ziehen von Wagen abrichten. —

Zwischen beiden Reisenden wurde nun ein Vertrag vereinbart, nach welchem Decken die Kosten für Geschenke, Abgaben und Einkäufe von Lebensmitteln zu tragen versprach, Thornton aber nur für seine und seines Dieners Ausrüstung und Unterhaltung sorgen sollte, dagegen sich verpflichtete, die wissenschaftlichen Arbeiten, wie geologische und astronomische Beobachtungen, zu übernehmen und die Ergebnisse dem Anderen mitzutheilen, sie jedoch ohne Vereinbarung mit ihm nicht zu veröffentlichen.

Nach vielfachen Schwierigkeiten und Verzögerungen konnte die Abreise auf Dienstag den 28. Mai festgesetzt werden. Seid Madjid hatte sich das Fortkommen des Reisenden sehr angelegen sein lassen, ihm sogar eines seiner Schiffe, die Brigg Afrika, zur Ueberfahrt nach Mombas überlassen. Die Vertreter der europäischen Mächte hatten gleichfalls das Ihrige dazu beigetragen, um dem Baron die Wege zu ebenen und ähnliche Unfälle wie bei seiner ersten Reise unmöglich zu machen. Alle Wasungu zeigten die lebhafteste Theilnahme für das neue Unternehmen, und die meisten von ihnen nahmen noch persönlich Abschied von dem Reisenden. Die Abfahrt des Schiffes, welche durch Seid Madjid auf zwei Uhr Nachmittags festgesetzt worden, bot ein ganz anderes Schauspiel als früher die Abreise nach Kiloa: diesmal war es nicht ein elendes, mit Leuten und Waaren vollgepacktes Küstenfahrzeug, welches die Reisegesellschaft trug, sondern ein Schiff des Sultahns selbst; und nicht verschämt, wie damals, sondern gegrüßt von den Flaggen des Herrschers und der Konsuln verließ es den Hafen. Solch' festlicher Abschied ehrte nicht allein den Reisenden, er erhöhte auch seine Zuversicht und gab dem Volke zu erkennen, daß der Fremde mit den Vertretern aller Mächte auf gutem Fuße stehe.

Es war ein wirres Durcheinander von Mannschaft, Fahrgästen und begleitenden Freunden, vermehrt durch den Eifer einiger Kapitäne Seid Madjids, welche gekommen waren, um sich zu verabschieden, und nun sämmtlich das Kommando führen wollten. Trotzdem ging Alles glücklich von statten, man gelangte ohne Unfall in das offene Fahrwasser jenseits Schampani. Der Wind erfaßte die Segel, und die begleitenden Herren nahmen Abschied.

Begünstigt von einer andauernd frischen Brise nahm die Reise nur achtzehn Stunden in Anspruch: früh acht Uhr am anderen Morgen kam Mombas in Sicht, und anderthalb Stunde später lag das Schiff auf der äußeren Rhede vor Anker. Der Nahosa schien sich vor der engen Einfahrt in den Hafen, welche ein genaues Manövriren erfordert, zu fürchten, ja selbst vor einer Annäherung an die Insel; denn trotz aller Vorstellungen des Reisenden hatte er das Schiff gewiß drei Seemeilen weit vom Lande ab gelegt. Seine Aengstlichkeit war übrigens wohlbegründet, da nur zwei seiner Leute wirkliche Matrosen waren, die übrigen aber kaum je eine Reise an Bord einer Dau gemacht hatten.

Die See ging hoch; die Ausschiffung des Gepäckes und der Esel mußte voraussichtlich mit vielen Schwierigkeiten verbunden sein, deshalb begaben sich die beiden Reisegefährten allein ans Land, um vorerst mit dem Statthalter, mit dem Befehlshaber des Forts und mit dem Banian Rücksprache zu nehmen. Seid Madjids und Luddas Briefe thaten ihre Wirkung. Man empfing die aufs Beste Empfohlenen in zuvorkommender Weise, stellte in den bekannten Redensarten Alles zur Verfügung und that auch wirklich das Mögliche d. h. räumte in wenigen Stunden ein schönes, am Strande gelegenes Haus und besorgte große Boote für die Ausschiffung am nächsten Morgen. Nach einem Besuche bei Rebmann verließen beide Herren die Stadt; nach vierstündiger Arbeit gegen Wind und Flut, abwechselnd rudernd und segelnd, langten sie bei einbrechender Dunkelheit an Bord wieder an.

Gegen alle Erwartung wurde beim Löschen der Ladung Nichts verloren und nur Weniges zerbrochen. Einzig die Esel hatten dabei Viel zu leiden: sie wurden durch das Gestoßenwerden und Umfallen in dem engen Boote für mehrere Tage gelähmt. Mit der ersten Einrichtung des Hauses wurde man rasch fertig, trotz der häufigen Belästigungen durch die beiden Häupter der Stadt, welche alle Viertelstunden kamen, um sich zu erkundigen, ob sie nicht helfen könnten, und, eben höflichst abgewiesen, immer von Neuem ihre Dienste anboten. Um sie nur los zu werden übertrug Decken endlich dem Einen die Wasserlieferung für das Haus und dem Anderen die Sorge für Beschaffung von frischem Grase für die geprellten Esel. Ganz befriedigt waren aber die dienstwilligen Männer noch nicht; sie mußten noch ihre Ankunftsgeschenke übergeben, schafften aber auch hiermit mehr Verwirrung als Nutzen. Der alte Tangai brachte nämlich einen gar unbändigen Ochsen, welcher sich ein Mal über das andere losriß und sogar, die steile Treppe munter erklimmend, wiederholt Besuche im ersten Stockwerk abstattete, sodaß den Bewohnern angst und bange wurde, sowol um der Sicherheit ihrer Glieder, als auch um des braven Wiederkäuers willen. Endlich mußte man das schöne Thier zurückgeben, gewiß zu nicht geringem Aerger der schwarzen Dienerschaft, deren Einbildung es schon geschlachtet und geviertelt vorgeschwebt hatte. Auch Decken erschien nicht mit leerer Hand; er erfreute beide Häupter der Stadt durch Drehpistolen und begeisterte dadurch den Dschemmedari zur Nachsendung von noch einem Ochsen und einem Fettschwanzschafe.

Die folgenden Tage vergingen mit Besuchen und mit weiterer Einrichtung des Hauses. Es wurde vor Allem eine Treppe nach dem flachen Dache gebaut, sowol um oben die Sterne beobachten, als auch um in den kühleren Tagesstunden die allerliebste Aussicht über Hafen und Stadt, nach einer benachbarten Moschee und dem vor ihr befindlichen, jederzeit belebten Brunnen (s. f. S.) sowie nebenbei die nicht minder fesselnde in des Nachbars Hof genießen zu können. Sobald letztere Absicht bemerkt wurde, erhob sich von Seiten des Gekränkten ein lebhafter Widerspruch; denn, wie man bei uns nicht ohne Erlaubniß eine Giebelwand durchbrechen und ein Fenster nach des Anderen Grundstück öffnen lassen darf, so wird es auch von den Arabern nicht gern gesehen, wenn man in ihr Gehöfte blickt, insbesondere wenn der Neugierige ein Ungläubiger ist. Der Hof ist ja das „Heilige“ des Hauses; in ihm halten sich, lustwandelnd oder mit allerlei Arbeiten beschäftigt, die Frauen auf; wie leicht kann es nicht geschehen, daß zwei zündende Blicke sich begegnen? Der Nachbar kam also zu dem Reisenden und bat, unter dem fälschlichen Vorgeben, daß seine Weiber durch das Erscheinen von Fremden auf dem Dache beunruhigt und erschreckt würden, um Absperrung des Daches. Nur mit Mühe ließ er sich belehren, daß von den Wasungu Nichts zu fürchten sei, und nur scheinbar beruhigt ging er wieder heim: innerlich ließ ihm der Gedanke an die Gefahr, welche dem Frieden seines Hauses drohte, keine Ruhe; er sann darauf, wie er sie ganz beseitigen könne und verfiel zuletzt auf ein schlechtgewähltes Mittel. Er meldete sich eines Tages bei dem Baron und beklagte sich, daß ein weißer Mann in der Nacht bei seinen Frauen gewesen. Decken überzeugte sich von der Unrichtigkeit dieser Behauptung und wies dem falschen Kläger, nachdem er ihm sein Unrecht ernstlich vorgehalten, aus dem Hause.

Als der Statthalter von dem Geschehenen erfuhr, ergriff er den Unverschämten, welcher es gewagt, den so hoch in der Gunst des Sultahns stehenden Fremden zu belästigen, und sperrte ihn ins Gefängniß. Allerdings wurde der Missethäter auf Fürbitte eines seiner Verwandten schon am anderen Tage wieder freigelassen, doch hatte die kurze Haft genügt, ihn für künftig zur Vorsicht zu mahnen: er kam mit seiner ganzen Familie bei dem Msungu vor, bedankte sich für gnädige Strafe und bat zerknirscht um Verzeihung.

Wochen vergingen, ehe die Verhandlungen mit Führern und Trägern in Gang kamen. In der Zwischenzeit durchstreiften die Reisenden Stadt und Insel, besahen vor Allem die merkwürdigen Ruinen und kopirten alle vorhandenen Inschriften mit größter Sorgfalt, photographirten, zeichneten oder unternahmen auch weitere Ausflüge — z. B. nach den Antimongruben von Maweni (26) im Dorumalande — um durch Messungen von verschiedenen Aussichtspunkten aus eine Grundlage für die während der Reise zu fertigende Karte des Inneren zu erhalten. Zu eben diesem Zwecke sollte auch die Festung nochmals besucht werden. Sonderbarer Weise machte der alte Tangai diesmal Schwierigkeiten, vielleicht weil ein Engländer dabei war oder weil Meßinstrumente in Thätigkeit gesetzt werden sollten, und gab erst nach längeren Verhandlungen die Erlaubniß dazu.

Die Abende brachte Decken zumeist in Rebmanns Gesellschaft zu, ebenso auch regelmäßig die Sonntag-Vormittage nach dem Gottesdienste, welchen der Missionär in englischer Sprache abhielt. Bei dem häufigen Verkehre beider Männer kam die Verschiedenheit ihrer Ansichten, wie sie durch einen abweichenden Bildungsgang bedingt war, häufig zum Vorscheine: Rebmann, welcher vor seiner Uebersiedelung nach Afrika die engen Grenzen Würtembergs nur selten verlassen und seine spätere Bildung in dem bekannten Baseler Missionshause vollendet hatte, zeigte sich als strenger und strenggläubiger Protestant; Decken hingegen, welcher fast alle Länder und großen Städte Europas, späterhin auch einen Theil Algiers besucht und mit allen Schichten der Gesellschaft verkehrt hatte, dachte freier und duldsamer. Die lebhaften Unterhaltungen, welche sich in Folge solcher Meinungsverschiedenheit entspannen, konnten aber das gute Einvernehmen zwischen beiden Männern nicht dauernd stören: Rebmanns Verdienste um die Erdkunde Ostafrikas, welche mit seinem Berufe zusammenhingen, ließen seine kleinen Schwächen umsomehr übersehen, als er sich des Reisenden mit außerordentlicher Freundlichkeit annahm. Er vermittelte namentlich die in der Landessprache geführten Verhandlungen mit den Karawanenführern, welche ihre Dienste angeboten hatten. Unter diesen schien ein gewisser Kapitao der geeignetste zu sein, weil er mit den zu besuchenden Gegenden am besten vertraut war. Von nun an fanden fast täglich Besprechungen statt über den abzuschließenden Vertrag, über die Erfordernisse der Reise, besonders aber über die Anwerbung von Trägern. Kapitao entsprach jedoch den gehegten Erwartungen nicht; er zeigte in keiner Weise Eifer für den Fortgang der Vorbereitungen, steigerte mit jedem Tage die Forderungen für sich und für die Träger und verlangte endlich sogar die Mitnahme von Soldaten. Rebmann, welcher doch nach fünfzehnjährigen Erfahrungen die Artung der Eingeborenen kennen mußte, glaubte seinen Lügen, unterstützte ihn in seinen Forderungen und suchte den Reisenden zur Nachgiebigkeit zu bewegen, sodaß endlich Decken, um Dem ein Ende zu machen, den Auserwählten verabschiedete. Am fünfzehnten Juni wurde ein neuer Vertrag mit Mkurugensi Faki abgeschlossen: ein Vorschuß von fünf Thalern gab den Verabredungen gesetzliche Giltigkeit.

Jetzt wurden die bisher angenommenen Träger mit Packen und Herrichten der Msigo oder Waarenbündel beschäftigt. In Ostafrika wird jedes Handelsgut zu einem Ballen von 1½ Fraslah oder 52½ englischen Pfund geformt und mit dem bereits erwähnten Maschpatta (s. S. 101) in so geschickter Weise umnäht, daß man meint, die ganze Umhüllung bestände aus einem Stücke. Man schiebt nämlich die spitzen und steifen Blätter derselben Pflanze, welche zur Verfertigung des schmalen Maschpattageflechtes dient, zwischen die einzelnen Windungen bald dieses bald jenes Bandes und verstärkt darnach das Gefüge durch kräftigeres

Anziehen. Begreiflicher Weise kann man auf diese Art jeden Körper von beliebiger Form mit Flechtwerk umspinnen und ihm Schutz gegen äußere Beschädigungen verleihen. Die Msigo selbst sind von verschiedener Gestalt und Größe: Baumwollenzeug verpackt man als Ballen von etwa vier Fuß Länge, anderthalb Fuß Breite und einem Fuß Dicke, Eisendraht in Ringen von ein bis zwei Fuß Durchmesser und die schweren, auf Fäden gereihten Perlen zu kleinen Rollen.

Obwol sich erst ein Theil der nöthigen Träger hatte anwerben lassen, wurde doch schon der Zahltag, an welchem diese die Hälfte ihres Lohnes bekommen sollten, und der Tag der Abreise bestimmt; es war zu hoffen, daß andere Reiselustige hierdurch zu schleuniger Meldung bewogen würden. Diese Voraussetzung erwies sich als richtig: zwei Tage später war die Trägerliste bereits vollzählig, wenngleich Rebmann es für eine Unmöglichkeit erklärt hatte, für den üblichen Preis von zwölf Thalern auf die Dauer der Reise, an welchem Decken festhielt, eine genügende Anzahl von Leuten zu finden.

An dem vorherbestimmten Tage, am 24. Juni, erschienen Morgens 9½ Uhr der Statthalter Ali ben Nasser (ein anderer als der früher erwähnte; dieser war 1845 in einer Schlacht gegen die Bewohner von Siwi auf der Insel Patta gefallen), Mustafa (der Sohn des Fortkommandanten), die beiden Banianen vom Zollhause, einige Angesehene der Stadt und später auch Rebmann, um der Auszahlungsfeierlichkeit beizuwohnen. Nach einer kleinen Ansprache des Wali empfingen einige vierzig Leute je sechs Thaler als die Hälfte ihres Lohnes und einen halben Thaler zur Beköstigung bis zur ersten Station, dem Kadiaroberge, der Führer Faki aber dreißig Thaler; sie benahmen sich dabei ruhiger und gesetzter, als es die lärmende Art der Neger erwarten ließ. Der Zolleinnehmer schrieb die Namen Aller auf, um Die, welche sich schlecht betragen würden, später zur Rechenschaft ziehen zu können. Einer der Angeworbenen, ein Aufseher Namens Hammis, zeigte sich, wie schon mehrmals vorher, saumselig, erschien zwei Stunden zu spät und entschuldigte sich mit allerlei Flausen; danach brachte er dem Baron, „um ihn zu versöhnen", wie er sich ausdrückte, eine ganze Ananas im Werthe von drei Pfennigen zum Geschenk! Bereits am Nachmittage sagten drei der Träger ihren Dienst auf und brachten ihr Geld zurück. Ihre Herren, Beludschen von der Besatzung des Forts, hatten die im Voraus gezahlte Summe für sich in Anspruch genommen; die Sklaven aber wollten sich hierauf nicht einlassen und lösten einfach das eben erst eingegangene Verhältniß — solche Fälle kommen hier häufig vor, wenn auch nicht gerade so oft wie in Kiloa. Dieser Ausfall ließ sich leicht ergänzen und hatte weiter keinen Nachtheil zur Folge, als daß der Banian eine neue Liste anfertigen mußte.

Mit allem Ernste wurden nun die Vorbereitungen zur Abreise betrieben, Rechnungen bei den Kaufleuten der Stadt berichtigt, Besuche empfangen und erwiedert sowie Briefe nach Europa und Sansibar geschrieben. Als Tangai und einige der Angesehenen von den Briefen erfuhren, kamen sie schleunigst zu dem Baron und baten, er möchte nur recht viel Gutes von ihnen berichten und sie der Gnade des Sultahns anempfehlen.

Zur Feier des Abschieds von Rebmann stellte Koralli mit den wenigen verfügbaren Mitteln ein vorzügliches Mahl her, bei welchem die Reisenden noch einige Stunden in heiterer Stimmung verbrachten. Auch die Träger sollten nicht leer ausgehen: nach alter Karawanensitte wurde am Tage vor der Reise ein Ochse geschlachtet und das Fleisch desselben nebst Zukost unter sie vertheilt. Die letzte Nacht über mußten sie im Hause des Reisenden schlafen, damit der Aufbruch am folgenden Morgen nicht durch Nachlässigkeit Einzelner verzögert würde. Dank dieser Vorsicht waren am 28. früh sechs Uhr Alle vor der Thür versammelt, erhielten ihre Bündel und, falls sie mit Feuerwaffen umzugehen wußten, auch Radschloßgewehre (alte, englische Towermusketen). Wunderbarer Weise und trotz der Versicherung aller Erfahrenen, daß vor Nachmittag nicht an Aufbruch zu denken sei, konnte der Zug sich schon anderthalbe Stunde später in Bewegung setzen.

Die Reisegesellschaft bestand aus den drei Europäern (Baron von der Decken, Mr. Thornton und Koralli), einer Dienerschaft von fünf Mann und der eigentlichen Karawane d. i. Mukurugensi Faki, zwei Kilongolo oder Wegweisern (Mnubie und Hammis) und 47 Trägern, von denen mehr als die Hälfte Sklaven. Unter den Trägern zeichneten sich zwei aus: Muansalini, der Sklave eines Arabers, welcher als Elephantenjäger die Gebiete von Pare, Dschagga, Dafeta, Aruscha, Ukambani u. a. zu verschiedenen Malen bereist, und Schangame, ein freier Neger, welcher als Träger dieselben Länder besucht und seine Reisen sogar bis Kikuju, nördlich von Ukambani, ausgedehnt hatte und deshalb in hohem Ansehen stand — eine Reise nach Kikuju gilt sogar in Mombas als Heldenthat oder Herkulesarbeit. Die Diener verdienen sämmtlich genannt zu werden, weil ihre Namen im Verlaufe der Reise öfters vorkommen. Oberster von ihnen war Assani ben Edi, ein Komorianer, welcher als Aufwärter und Matrose auf französischen Kriegsschiffen gefahren hatte, dabei bis Marseille gekommen war und trefflich Französisch gelernt hatte; schon während der Niassareise hatte er sich als Dolmetscher sehr nützlich gemacht, danach, wie es schien, Zuneigung zu dem Msungu gefaßt und sich verpflichtet, ihn auf allen seinen Reisen in Ostafrika zu begleiten. Ein anderer vom Hauche der Gesittung angewehter Komorianer Namens Hammadi, hatte früher als Matrose auf französischen, als Koch auf arabischen und amerikanischen Schiffen gedient und bekleidete jetzt wiederum eine hervorragende Stelle in der Küche. Ein Landsmann jener Beiden, Namens Redjabu, früher Diener des englischen Konsuls, ferner der vierzehnjährige Mhiao Anamuri, ein geschickter und treuer Diener, und der elfjährige Segnat, ein von Thornton mitgebrachter Neger vom Sambesi, machten die Zahl voll. Segnat sprach Portugiesisch und Suaheli und dolmetschte seinem Herrn, welcher nach langem Aufenthalt in den portugiesischen Besitzungen erstere Sprache gelernt, aber noch nicht Zeit gefunden hatte, sich das Suaheli anzueignen; durch seine Sprachfertigkeit und durch die Erforschung der Bedürfnisse und Gewohnheiten Thorntons hatte er sich diesem unentbehrlich zu machen und dessen unbegrenztes Vertrauen zu gewinnen gewußt. Leider log und stahl er in unverschämtester Weise, wie sich noch während des Aufenthaltes in Mombas herausstellte. Er hatte nämlich drei Thaler entwendet; als er trotz seines hartnäckigen Leugnens mit einer Züchtigung bedacht und in der Festung eingesperrt worden war, gestand er, durch die eisernen Armbänder und die schmale Kost bewogen, sein Vergehen und entschuldigte sich mit großer Unbefangenheit: „er habe das Geld ja blos seinem Herrn genommen". Thornton mochte den Knaben nicht missen und behielt ihn in seinen Diensten, in der Hoffnung, daß die Strafe wenigstens für einige Zeit nachhalten werde.

Außer diesen 58 Menschen gingen fünf unbelastete, nur mit Sattel und Zaum versehene Esel mit, welche den Europäern in Ausnahmsfällen, bei Unwohlsein oder Ermüdung, als Reitthiere dienen sollten.

Nach reiflicher Ueberlegung hatte der Reisende sich für den Weg über die Schimbakette entschieden, welche von Süden her bis an die Bucht von Mombas reicht. Allerdings war diese Straße seit einiger Zeit „todt" d. h. nicht mehr begangen, doch schien Dies nicht von Belang zu sein gegenüber dem Umstande, daß der südliche Weg, im Anschluß an die nördlich von Mombas gemachten Messungen, eine ausgedehntere Grundlage für die Kartenaufnahme des Binnenlandes ermöglichte.

Geleitet von Rebmann, Tangai, Mustafa, den beiden Banianen, mehreren angesehenen Indiern und Arabern sowie von einer Anzahl Belutschen als Ehrenwache, schlug die Karawane den Weg nach Kilindini ein. Dort lagen bereits zwei kleine Daus, welche Mann und Vieh und Gepäck nach der anderen Seite des Meeresarms zu bringen sollten; nach dreimaliger Fahrt war der Uebergang vollendet. Noch wurde Aufenthalt dadurch verursacht, daß mehrere der Begleiter, trotz der Widerrede des Reisenden, auf das Festland gefolgt waren und erst hier sich verabschiedeten, weiter durch einen Häuptling der Wanika des Schimbagebirges, welcher den Msungu begrüßte und mit Kokosnüssen beschenkte. Endlich war Alles vollbracht, die Zurückkehrenden erhielten einige Zeilen zur Besorgung an den Hamburger Konsul zu Sansibar, in denen dieser von der glücklichen Abreise Nachricht erhielt, und fort ging es, in das unbekannte Land hinein. Nach vierstündigem Marsche wurde auf einem freien Platze im Wanikadorfe Bombo Halt gemacht und das Lager aufgeschlagen für — die erste Nacht im Freien.

Dreizehnter Abschnitt.

Reiseleben.

Der Aufbruch. — Marschordnung. — Leiden des Trägerstandes. — Zeiteintheilung. — Ankunft im Lager. — Sorge für den Magen bei Herr und Dienern. — Tagebuchschreiben. — Verschanztes Lager. — Annehmlichkeiten der ersten Nacht. — Wanikadörfer. — Bei den Wakamba. Tracht, Wohnung, Sitten. — Die Wildniß. — Eselreiten. — Faki's Führertalente. — Schlafende Wachen. — Ein geschickter Bogenschütz. — Aufgescheuchte Girafen. — Die ersten Ngurunga's. — Am Kilibassi. — Die erste Station für Einkauf von Lebensmitteln.

Die erste Nacht im Freien, die erste Nacht allein! Allein — so darf man sagen, auch wenn man in einem Dorfe nächtiget: so neugierig die Bewohner am Tage sind, nach Sonnenuntergang halten sie sich vom Lager fern. Bald verstummt die Unterhaltung, ein Jeder überläßt sich seinen Gedanken, sei es nun, daß sie in der fernen Heimat schweifen oder sich mit Dem beschäftigen, was die Zukunft in ihrem Schoße trägt; die Gegenwart entschwindet, immer seltener und matter kommen Eindrücke von der Außenwelt zum Bewußtsein, immer allgemeiner und unbestimmter werden die Vorstellungen, und bald umfängt der Schlummer den Müden.

Lange vor Tag ruft das Krähen der Hähne zum Aufbruch. Die zuerst Erwachten erheben sich, wecken die Anderen, und bald herrscht reges Leben überall. Die Diener bereiten in Schnelle Thee für die Gebieter und satteln die Esel; die Träger packen ihr Schlafgeräth zusammen und befestigen es an ihren Bündeln: so arm diese Neger auch sein mögen, eine Matte hat ein Jeder zur Decke oder Unterlage, bereitet von der kunstfertigen Hand seines Weibes oder seiner Freundin. Der Morgen grauet; Alles ist bereit, und langsam setzt der Zug sich in Bewegung, voran die beiden Kilongolo, dann die Esel, danach die Träger und zuletzt die Europäer mit dem Mukurugensi. So wenigstens geschieht es zumeist in den ersten Tagen, so lange der Marsch noch durch Weiler und Dörfer führt, wo leicht der Eine oder Andere zurückbleiben und entweichen kann; späterhin in der Wildniß ist solche Vorsicht nicht mehr nöthig, weil Furcht die Leute zusammenhält.

Die Europäer gehen in leichter Tracht, in wollenem Hemde, Beinkleidern und Jacke von Flanell oder Baumwollenzeug, Leibbinde, Mütze oder Hut mit Shawlumwickelung oder mit einem Futter von frischgepflücktem Grase gegen die Wirkung der Sonnenstralen, in dicken, dreisohligen Stiefeln — nur selten barfuß, weil um die Mittagszeit mehrere Stunden lang der Boden so heiß ist, daß die verwöhnten Füße sich verbrennen würden — und ledernen Gamaschen bei dornigem Wege. Sie tragen nur ihr Jagdgewehr und diejenigen kleineren Gegenstände, welche sie fortwährend zur Hand haben müssen; die übrigen Gewehre, ebenso Instrumente, Küchengeräthe u. dergl. werden von den Hausdienern getragen. Dem jüngsten unter letzteren fällt die Sorge für das Kleinvieh zu d. h., für eine nachzuziehende Ziege oder für die Hühner, welche mit den Beinen nach oben in langer Reihe an eine Stange gebunden und in dieser unbequemen Lage stundenlang getragen werden, trotzdem aber sich ganz wohl zu befinden scheinen — wenigstens bleiben sie kräftig und fett, ja, wir haben eine Henne mit uns geführt, welche jeden Abend, wann sie losgebunden wurde, munter gackernd ein Ei legte.

Führer und Aufseher gehen gleichfalls ledig, müssen aber, wenn einer der Träger erkrankt, dessen Gepäckstück abwechselnd übernehmen. Umsomehr sind die Pagasi oder Träger beladen. Außer ihrem Msigo von verschiedenartiger Gestalt — lange Amerikanoballen, Drahtrollen oder Perlenpäckchen, Kisten, Kasten und Säcke — welches sie ausnahmslos auf dem Kopfe tragen, führen sie eine Kitoma oder Kürbisflasche voll Wasser, einen Pack mit Lebensmitteln, ihr Schlafgeräth und kleine Vorräthe an Zeug, Kauris u. dgl. zum Selbstgebrauche oder um Dies und Jenes, was ihnen während der Reise in die Augen sticht, erwerben zu können, ein Paar lederne Sandalen, welche angezogen werden wo Dornen auf dem Wege liegen, eine schwere Muskete, wenn sie die Berechtigung dazu nachgewiesen haben, und jeder fünfte oder sechste einen Kochtopf: es ist in der That schwierig, auf Kopf, Rücken, Schultern und Lenden noch ein Plätzchen für Etwas mehr zu finden. Das Los eines Pagasi, mit derartiger Bepackung sechs bis acht Stunden täglich zu marschiren für Bohnenkost und wöchentlich ein- bis zweimal Fleisch und die Aussicht, nach Verlauf mehrerer Monate sechs Thaler zu erhalten (der Vorschuß ist selbstverständlich schon wenige Tage nach der Auszahlung verjubelt), kann somit kein beneidenswerthes genannt werden; dennoch aber sind diese Träger immer munter und guter Dinge und selbst zu außergewöhnlichen Anstrengungen bereit, wenn man sie nur zu behandeln weiß.

Aller anderthalb oder zwei Stunden Weges wird gerastet, damit die Karawane sich wieder sammele. Man benutzt die kurze Ruhe, um einen Schluck Wasser oder ein Stück Schiffszwieback zu nehmen — denn der an regelmäßiges Frühstücken gewöhnte Magen wird in den ersten Tagen der Reise ungeduldig bei der Aussicht, erst am Abende für sich gedeckt zu sehen — man hilft kleinen Unbequemlichkeiten an Kleidung und Schuhwerk ab, bringt einige Bemerkungen zu Papier u. dergl. m., kurz, die zwanzig bis dreißig Minuten, welche der Führer gönnt, entschwinden schnell genug. In solchen Märschen geht es weiter, den ganzen Tag über, bis eine oder zwei Stunden vor Dunkelheit. Nur wenn besondere Umstände es veranlassen, wenn das einzig mögliche Lager früher erreicht wird oder wenn lange wasserlose Strecken bevorstehen, weicht man von dieser Regel ab, d. h. man rastet eher oder setzt die Reise auch nach Einbruch der Dunkelheit fort.

Nachdem ein passender Platz fürs Lager erwählt worden — am liebsten eine schattige Stelle unter einem Baum in der Nähe eines Gewässers — legen die Träger ihre Msigo in der Mitte desselben zusammen und gehen aus, die Einen um Brennholz zu suchen, die Anderen um Wasser in Töpfen und blechernen Eimern herbeizuholen, während die Dritten für die Küche sorgen d. h. je drei Steine zu einem Herde zusammenbauen und auf die Ränder derselben einen dickwandigen irdenen Kochtopf stellen. Um ein Feuer nach dem anderen gruppiren sich die fünf bis sechs Mann starken Kochgesellschaften, welche gemeinschaftlich ihre Rationen empfangen. Während es kocht und brodelt, wird eine Banane hervorgelangt, ein Knoten Zuckerrohr gekaut — für Zuckerrohr und Honig vertauscht ein Neger sein letztes Kleidungsstück — oder ein Maiskolben im Feuer geröstet. Leckermäuler, welche die Kunst, den Genuß zu verlängern, verstanden, bringen ein dünnes Stäbchen mit sonderbaren Bissen zum Vorscheine: aufgespartes Fleisch, welches sie in zollgroße Scheibchen zerschnitten und, dicht auf das Hölzchen gespießt, für die Reise geröstet hatten. Eine halbe Stunde später ist Alles im besten Schmausen, und kurz darauf Topf und Tiegel geleert.

Minder bequem haben es die Europäer. Man meint vielleicht, sie, die Herren, hätten Nichts zu thun und könnten sogleich nach der Ankunft sich der Ruhe überlassen, doch ist es nicht an Dem. Zuerst müssen sie alle Anordnungen überwachen, namentlich aufpassen, wenn die Diener Gras und Gewurzel abhauen und die Stätte reinigen und ebenen, welche für ihr einfaches Lager bestimmt ist; denn, thun sie Dies nicht, so suchen sie möglicher Weise in der Nacht vergebens die Ruhe, deren sie bedürfen, sie finden das Lager schief und rutschen herab, oder sie werden von Ameisen überrascht, welche der flüchtige Arbeiter nicht bemerkte oder nicht bemerken wollte. Dann sucht sich ein Jeder, der kein tragbares Bett besitzt, fünf gleichmäßige Ballen Amerikano aus, legt zweimal je zwei in der Längsrichtung nebeneinander, den fünften auf die hohe Kante quervor und darüber einen Eselsattel oder ein schmächtiges Perlenmsigo als Kopfkissen; auf das Ganze kommt eine wollene Decke als Unterlage und eine zweite als Zudecke zu liegen und zur Seite eine Gummidecke zum Schutze gegen Regen und Thau. Nun ist das Bett bereitet, aber Ruhe gibt es deshalb noch nicht; jetzt heißt es, Tagebuch schreiben und die Erinnerungen aufzeichnen, welche außerdem entschwinden würden. Der Vielgeplagte ist ermattet, möchte gern sich dehnen und strecken, doch Nichts hilft ihm von der Verpflichtung los, er muß sich zum Schreiben zwingen: thäte er es heute nicht, er thäte es später nimmer, und aus dem Tagebuche würde ein Wochen- oder Monatsbuch werden, wenn überhaupt etwas. Daß die unter solchen Umständen entstandenen Aufzeichnungen nicht immer fesselnd und geistreich geschrieben sind, darf uns nicht Wunder nehmen. Dem Reisenden erscheinen und sind Alltäglichkeiten wichtig, welche dem späteren Leser ein Lächeln abnöthigen; so beginnt Thornton sein Tagebuch gewöhnlich mit: slept well, poor night's rest, hard dreaming all the night (gut geschlafen, elende Nachtruhe, schwer geträumt die ganze Nacht über) oder ähnlichen Bemerkungen. Daher können nur in seltenen Fällen Tagebücher von Entdeckungsreisenden ohne Bearbeitung und sorgfältige Durchsicht zum Druck gebracht werden. Decken sprach einst ein wahres Wort, als er sagte: „Wenn ich einmal des Reisens überdrüssig werde, so ist es, weil ich ein Tagebuch führen muß!“ Er kannte die Stenographie nicht, welche beim Schreiben auch dem minder Geübten eine vierfache Zeit- und Kraftersparniß sichert. Für Niemand ist die edle Kunst Gabelsbergers ersprießlicher als gerade für den Reisenden; wir sind der festen Ueberzeugung, daß sie dem Reisenden der Zukunft ebenso unentbehrlich sein wird, wie die Photographie es jetzt schon ist.

Noch während dieser Arbeit beginnt der Magen immer gewaltiger zu knurren. Dort sitzen die Neger bereits bei dampfenden Schüsseln, wie gern möchte man sich betheiligen — man darf es nicht, darf keine Schwäche zeigen, muß warten, bis Koch und Diener Alles zugerichtet haben, wie es sich für den Herrn und Gebieter geziemt; man möchte den Geschäftigen gern alle Umstände erlassen, allein sie halten auf Etikette, und — man fügt sich.

Wer es versucht hat, seinen Magen mit einer Mahlzeit täglich zu befriedigen, wird ermessen können, was der Wanderer leistet, welcher einen vollen Tag im Sonnenbrande marschirte, ohne einen Bissen genossen zu haben. Man glaube nicht, daß tropische Wärme den Magen erschlaffe, den Hunger benehme; im Gegentheil, mit doppelter Schnelle gehen alle Verrichtungen des Körpers von statten: der Hunger, welchen man Abends nach einem Reisetage fühlt, ist unbeschreiblich. Daß nach Beendigung solch' einer Mahlzeit, welche darauf berechnet ist, vierundzwanzig Stunden widerzuhalten, keine lange Unterhaltung mehr geführt wird, kann nicht befremden; Müdigkeit und Sättigung fallen schwer auf die Lider, die immermehr überhand nehmende Dunkelheit und das Beispiel der längst auf ihre Mkekas (Matten) ausgestreckten Neger tragen das Ihrige dazu bei, kurz, der Reisende liegt, so sehr er sich auch später schämt, es zu gestehen, bereits um sieben Uhr in tiefem Schlafe.

Unterwegs, in der Wildniß, lebt man einfach genug von Dem, was man mit sich führt, anfangs von Reis, später hauptsächlich von Bohnen und einer Art Erbsen, da Reis im Inneren nicht mehr zu haben ist, und genießt dazu das vom letzten Halteplatz mitgenommene Fleisch, einige der verkehrt aufgehängten Hühner oder das Fleisch einer frischgeschlachteten Ziege. An bewohnten Orten hingegen schwelgt man zumeist im Ueberflusse. Milch und Honig fließt dann in Wahrheit, und nicht nur die Zahl der Mahlzeiten, auch die der Gerichte wird vervierfacht: süße Milch oder perlender Bananenwein bilden das Tafelgetränk, und der vorher ungezuckerte Thee wird mit dem gewürzhaften Honig des Landes versüßt; Hammel und Rinder werden geschlachtet, süße Kartoffeln und Bananen geben herrliche Zukost — man lebt so gut man kann, um die folgenden vier bis fünf Tage des Mangels desto besser überstehen zu können.

An den ersten Wandertagen fällt dem Reisenden die ungewohnte Anstrengung des Gehens und Fastens schwer genug; ist aber einmal erst das faule Fleisch und Fett verzehrt, welches sich beim Wohlleben an der üppigen Küste angesetzt, ist man erst so zu sagen „drainirt", so fühlt man sich nirgends wohler als auf der Reise, in der herrlichen, stärkenden Luft der Ebene, wo Tag und Nacht nur Himmel Einen deckt.

Für gewöhnlich schlägt man des Abends keine Zelte auf; nur bei längerem Aufenthalte an demselben Orte, oder wenn Regen droht, gönnt man sich diese Bequemlichkeit, baut wol auch leichte Hütten. Anders gestaltet sich das Bild in unsicherem Lande, wo Gefahr von den umherschweifenden räuberischen Horden der Masai droht: hier wird des Abends ein verschanztes Lager errichtet. Binnen einer halben Stunde ist eine Befestigung hergestellt, welche durch Zuverlässigkeit alle anderen übertrifft. Die Bausteine dazu liefert die Wildniß selbst in Menge. Mit allen verfügbaren Aexten ziehen die Träger aus, fällen eine Anzahl der nirgends fehlenden Dornbäume dicht am Boden, schleifen sie nach dem Lager und legen sie, die Krone nach außen, in einem Kreise ringsum. Zwar luftig sieht diese Verschanzung aus, aber sie ist fest und sicher; kein Thier springt über sie hinweg, kein Mensch vermag hindurchzudringen oder sie zu zerstören; dafür sind die fürchterlichen Dornen und die Unverbrennlichkeit des grünen Holzes gut.

Wie es unterwegs zugeht, welche kleinen Leiden und Freuden Veränderung in das Einerlei des Wegabschreitens bringen, erfahren wir am besten aus den mit soviel Selbstüberwindung zu Papiere gebrachten Aufzeichnungen des Reisenden selbst.

In der ersten Nacht, schreibt Decken, ließen uns mehrere starke Regengüsse bereuen, daß wir die Zelte nicht aufgeschlagen hatten; ich half mir indessen mit meiner unschätzbaren Gummidecke, unter welcher ich zwar jeden Tropfen fühlte, aber warm und trocken blieb, und Thornton kroch in die Hütte eines Dorfbewohners. Späterhin vertrieb der glänzende Mond die Wolken, schaffte uns aber eben dadurch neues Ungemach; denn er verführte Koralli, uns schon um zwei Uhr zu wecken. Kaum hatten wir in neuem Schlaf unseren Aerger vergessen, als wir wiederum, diesmal zu rechter Zeit, geweckt wurden. Wir brachen um sechs Uhr auf und erreichten nach zwei Stunden die Wanikadörfer Schigoto und Matuga, beide mit Dornenhecken umgeben und mit einem Thore verwahrt, welches nur auf allen Vieren durchkrochen werden kann. Fast alle Bewohner befanden sich auf den Feldern und suchten hier, von den Bäumen herab, durch entsetzliches Geschrei die Vögel (unzweifelhaft Feuerfinken und andere Webervögel) von dem reifenden Mtama und Mahindi abzuhalten. Nach kurzem Halte wanderten wir nach Senderení weiter, wo wir, da sich ein hübscher Blick nach dem Südhafen von Mombas und nach den Nguhügeln bot, einige Kompaßwinkel nach hervorragenden Punkten maßen. Um die Leute zu schonen, bis sie sich an die Anstrengung gewöhnt haben würden, ließ ich schon im nächsten Dorfe, Malobeni halten, jenseit einer der Küste gleichlaufenden, etwa 400 Fuß hohen Hügelkette, deren Kamm wir bei Schigoto überschritten hatten. Das Lager wurde innerhalb der Umzäunung unter dem Schatten eines prächtigen Baumes aufgeschlagen, in dessen ausgebreitetem Geäste riesige Schoten von sechs bis acht Zoll Länge und zwei Zoll Breite hingen; geöffnet und auseinandergeklappt gleichen die Schoten einem reichen Schmuckkästchen, so schön geordnet liegen die schwarzen Bohnen mit prächtigrothem, sammetmatten Fruchtbecher in dem weißen Marke eingebettet. Die Suaheli nennen den Baum Bombakoffi.

Nach einer regnerischen Nacht brachen wir am 30. Juni mit Tagesanbruch auf und erklommen in Kurzem den höchsten Punkt der Schimbaküstenkette, auf deren flachem Rücken mehrere Wanikadörfer erbaut sind. So oft wir Leute sahen, rief Faki, sich mit seiner neuen Würde als Mukurugensi brüstend: „Kennt ihr mich nicht? ich bin der Karawanenführer Faki; sagt nur allen Leuten, daß ich die Weißen nach Dschagga bringe!“ Auf der anderen Seite des Schimba ging es bergauf, bergab, über rauhen, mit Sandsteinblöcken bedeckten Boden, auf welchem hier und da ungeheuere Stücke versteinerten Holzes lagen; mehrere kleine Bäche und ein Moadjinga genanntes, mit gutem Regenwasser gefülltes Becken im Sandgesteine machten es den Trägern möglich, mit leeren Kitomas zu marschiren. Einige Stunden nach Mittag erreichten wir ein großes, mit einem Pfahlzaun umgebenes Dorf der Wakamba, vor dessen Thoren Rindvieh, Schafe und Esel in zahlreichen Heerden weideten. Hier kam uns ein Suaheli aus Mombas, der Handelsmann und Karawanenführer Nasoro, mit freundlichem Gruß entgegen und wies uns innerhalb der Umzäunung einen Platz zum Lager an. Er hatte sich für einige Zeit hier niedergelassen, um Elfenbein aufzukaufen, und genoß, wie es schien, viel Einfluß und Ansehen unter den Wakamba. Nach guter alter Sitte sorgte er sogleich für unsere hungerigen Magen, brachte einen schönen, jungen Ochsen zum Geschenk und bewegte den alten Häuptling des Dorfes, sich durch eine Gabe von zwei Hühnern gleichfalls um unsere Tafel verdient zu machen.

Die Wakamba haben einen schlanken, schmächtigen Körper und eine angenehme Gesichtsbildung, leicht aufgeworfene Lippen, ziemlich große Augen, spitzes Kinn, weiße, spitzgefeilte Zähne und sehr schwachen Bart; sie scheeren das Haupthaar glatt ab oder ringeln es mit reichlicher Anwendung einer rothen Mischung aus Butter und Ocker zu dünnen, korkzieherförmigen Locken und reiben die Haut mit derselben Salbe ein. Spärlich bekleidet, sind sie mit Schmuckgegenständen überladen, da sie Alles, was ihnen gefällt, selbst durchbohrte Thalerstücke, an sich hängen. Gleich den Wanika tragen sie um den Hals uhrfederähnlich zusammengewundene Scheiben von Messingdraht sowie Ringe von Perlen und Eisenkettchen, Armbänder von Holz, Messing- und Eisendraht, Ohrringe aus schneckenförmig aufgerolltem Draht und Streifen von Fell am Knie. Die Weiber hüllen sich in einen Schurz von Amerikano, tragen Schnüre von weißen Perlen um Hals und Leib, Messing- oder Eisendrathringe oberhalb der Knöchel, in einzelnen Fällen auch Drahtkrausen um den Hals.

Anfänglich zeigten die Schönen sich etwas scheu, bald aber bekam ihre Neugier die Oberhand; sie drängten sich in unsere Nähe, ohne uns übrigens lästig zu fallen, und waren gegen Abend bereits so zutraulich geworden, daß sie mir gestatteten, mich im Inneren ihrer Hütten umzusehen. Diese bestehen aus einer Anzahl kurzer, im Kreise in die Erde getriebener Stangen mit einem Pfahl in der Mitte, auf welchem das runde, mit Gras (die Wurzeln nach außen) bedeckte Dach ruht, und sind halbkugelig oder auch von der Form eines an den Enden abgerundeten Bienenkorbes. Durch eine höchstens drei Fuß hohe Thür kroch ich in den Wohnraum. Die Ausstattung desselben ist überaus einfach und nur bei den Wohlhabendsten wie folgt: eine Matte zum Schlafen, eine Kitanda, ein großer Thontopf mit Wasser, ein Feuerplatz zwischen drei Steinen, niedrige Stühlchen zum Sitzen, welche auch auf Reisen überall mitgenommen werden, einige aus Rindenfasern geknotete

Säcke, kleine Beile, Messer, Schwerter, Bogen, Pfeile, Trommeln, Kriegshörner und Tabakspfeifen.

Nach Krapf stammen die Wakamba, deren Seelenzahl sich auf 70,000 belaufen mag, aus den Ebenen in der Nähe des Kilimandscharo. Durch die Masai und Wakuafi von dort vertrieben, siedelten sie sich südlich vom Schneeberge Kenia in dem jetzt Ukambani geheißenen Lande an. Später breiteten sie sich auch südwärts aus, bis zum Gebiete der Wanika nördlich von Mombas. Ihr Land hat fruchtbaren Ackerboden, treffliche Weiden, ist reich an Eisen von vorzüglicher Güte und steht mit den wichtigsten Gebieten des Inneren und der Küste in Verbindung. Viehzucht, Ackerbau und Handel nähren die Wakamba und verhelfen ihnen zu nicht unbedeutender Wohlhabenheit; namentlich bringt der Verkauf von Elfenbein und Vieh den in der Nähe der Küste wohnenden Stämmen beträchtlichen Gewinn. Seit das Verbot der Sklavenausfuhr nach Arabien die Preise der Menschenwaare herabgedrückt, haben die Küstenwakamba angefangen Sklaven zu kaufen; den Bewohnern des eigentlichen Ukambani ist die Sklaverei fremd. Sie wohnen in Dörfern oder Weilern, welche unter Häuptlingen und den Aeltesten stehen; einen Oberherrscher oder König haben sie nicht, obwol ein durch große persönliche Eigenschaften, durch Reichthum, Macht der Rede, sowie durch den Ruf der Zauberei und Regenmacherkunst ausgezeichneter Mann viel Macht und Ansehen unter ihnen erlangen kann. Ihre Nahrung besteht aus Milch, Fleisch und einem Brei von gemahlenem Getreide, ihr Getränk aus Mtamabier und dem gegohrenen Safte des Zuckerrohrs. Die Wakamba heirathen erst nach Eintritt der Mannbarkeit, und zwar erwirbt der Bräutigam die Braut von deren Eltern erst durch eine Anzahl Kühe und raubt sie danach noch mit List und Gewalt. Wohlhabende heirathen mehrere Frauen von denen diejenige, welche sich durch Schönheit, Fruchtbarkeit, Verstand, Erfahrung, Anhänglichkeit und ähnliche Tugenden auszeichnet, als Hauptfrau gilt. Den Weibern kommt es zu, das Land zu bauen, Getreide zu mahlen, Holz zu holen u. dgl. m., während die Männer die Heerden weiden, der Jagd und dem Handel obliegen oder sich mit Plaudern, Schmausen und Trinken die Zeit vertreiben. Sie sind geschwätzig, lärmend, unzuverlässig, habsüchtig; die an der Küste wohnenden sind sogar als Lügner, Bettler und Diebe verschrieen. Dieses Sündenregister scheint jedoch durch die fortwährenden Streitigkeiten, Eifersüchteleien und Uebervortheilungen zwischen Wakamba und Suaheli beeinflußt zu sein; denn Krapf selbst weiß auch vieles Gute von den Wakamba zu erzählen, daß sie mutig, unternehmend und ausdauernd, gastfrei und großmütig sind. Wie alle ungesitteten Völker folgen sie dem Antriebe des Augenblickes, lassen sich durch Kleinigkeiten zu heftigem Aufbrausen, zu Zweikampf, ja sogar zu Mord hinreißen, sind aber unmittelbar darauf oder, wenn man es verstanden, ihre Leidenschaften zu leiten, wieder gefügig und freundlich. Auf ärmere Völkerschaften blicken sie mit Stolz und Verachtung herab; unter sich scheinen sie eng zusammenzuhalten. Auch die Wakamba haben eine schwache Vorstellung von einem höchsten Wesen und werden von sonderbaren Formen des Wahnes beherrscht, glauben namentlich an Zauberer — welche die Güter des Anderen zu verderben, aber auch Reisenden Schutz in Gefahren zu gewähren vermögen — an Regenmacherei, Wahrsagung aus Vogelflug und an böse, durch Opfer zu versöhnende Geister. Götzenbilder sind ihnen unbekannt. —

Heute Nacht regnete es ausnahmsweise nicht. Als wir am ersten Tage des Juli früh sechs Uhr weiter wanderten, geleitete uns Najoro nebst einer Anzahl Wakamba eine Strecke lang und gab uns dann einen Führer mit — eine sehr dankenswerthe Fürsorge, denn Faki verlor schon nach einer Viertelstunde den Weg und, was noch schlimmer, den Kopf. Als wir den westlichen Abfall des Höhenzuges erreichten, gewahrten wir zum ersten Male in voller Deutlichkeit den Kadiaro und den Kilibassi, zwei einsame Berge, welche einige Tausend Fuß hoch die weithin sich vor uns dehnende Grasebene überragen und den

Karawanen als Wegweiser dienen. Nach einem steilen Abstiege befanden wir uns inmitten der Wildniß. Der rothe Thonboden war ziemlich dicht mit Büschen und Bäumen bestanden, welche Dornen statt der Blätter tragen, Dornen der verschiedensten Art, bald kurz und mit Widerhaken, bald mehrere Zoll lang und gerade.

Weiterhin zeigten sich ausgedehnte Flächen mit hohem, üppiggrünen Grase und dazwischen Gruppen von Gebüsch oder Wäldchen von schönen Bäumen. Das Ganze macht den Eindruck eines gewaltigen Parkes. Vermutlich verdanken die Bäume ihr Dasein einer, wenn auch nicht bemerkbaren Feuchtigkeit des Bodens, wenigstens sind Wasseradern überall mit Bäumen umstanden: dunkelgrüne, fast schwarze Laubmassen, welche sich in schmalen Reihen weithin durch die Landschaft ziehen, verrathen mit Sicherheit das Dasein eines Baches oder wenigstens eines halbtrockenen Regenstromes.

Hier, auf dem glatten, nur an einzelnen Stellen mit Brocken von feinem Sandsteine bedeckten Thonboden, konnten wir zum ersten Male die Esel zeitweilig benutzen. Dies gereichte vorzugsweise meinem Begleiter Thornton zum Vortheil, da er, wenn er wegen seiner Messungen zurückblieb, mit seinem kleinen, munteren Thiere uns schnell wieder nachzukommen vermochte. Das Eselreiten hat übrigens seine Schattenseiten; denn Grauchen kennt die Empfindlichkeit der menschlichen Haut für die Berührung mit Dornen und erlaubt sich, so oft es angeht, den Scherz, den Reiter in das stechende Gebüsch hinein zu tragen: dann gibt es kein anderes Mittel als schnell zu Boden zu springen. Um solche Unannehmlichkeiten zu vermeiden, muß man die mutwilligen Thiere fast unausgesetzt am Zaume führen lassen.

Fakis Unfähigkeit in jeder Hinsicht wurde immer mehr offenbar. So oft der Weg sich theilte widersprach er dem anderen Führer und veranlaßte einen Streit über die Wegerichtung, durch welchen wir bisweilen mehr Zeit verloren, als wenn wir den Umweg wirklich gemacht hätten. Bei den Trägern wußte er sich nicht in Ansehen zu setzen; diese lärmten und schrieen fast unablässig und beachteten seine Ermahnungen nicht, sodaß ich selbst sie mehrmals zur Ruhe mahnen und zuletzt sogar handgreiflich einschreiten mußte.

Unser heutiges Lager befand sich mitten im Busch, in einem dichten Gestrüppe von Dornen und Euphorbien, entsprach somit völlig dem Geschmacke der Neger, welcher freien Plätzen abhold ist. Das Wegräumen der hinderlichen Dornen nahm lange Zeit in Anspruch. Wir bildeten von dem abgehauenen Gezweig einen Wall um die Lagerstätte, zum Schutze gegen Hyänen und anderes Raubgesindel, und ließen nur eine schmale Lücke frei, welche durch ein dahinter angezündetes Feuer ungangbar gemacht wurde. Diese Vorsicht erwies sich als überflüssig; nicht ein einziges Mal ertönte das unmelodische Geheul der Aasfresser, auch zeigte sich sonst bei meinen nächtlichen Rundgängen Alles in Ordnung, mit Ausnahme der Wachen, welche sämmtlich eingeschlafen waren! Falls also Wachen wirklich nöthig sind, werden wir Europäer selbst den Dienst übernehmen müssen.

Am 2. Juli gingen die Leute bedeutend besser als vorher; dies Wunder war verschiedenen Stockstreichen zu verdanken, welche ich bei passender Gelegenheit ausgetheilt. Wir wanderten durch niedriges Land, über eine durch Dürre und Hitze zerrissene Fläche von schwarzem, harten Thone. Später trat wieder anmutiges Parkland auf. Nach mehreren Stunden Weges kamen wir in Moamandi, einem inmitten ausgedehnter Pflanzungen von Mtama und türkischem Weizen gelegenen Dorfe an. Meine Träger baten um einen kurzen Halt zum Einkaufe von neuen Lebensmitteln, weil von hier bis zum Kadiaro keine Gelegenheit mehr dazu sei. Aus dem kurzen Halte wurde aber ein sehr langer und endlich ein Rasttag; denn die Einwohner waren auf den Feldern beschäftigt oder auf die Jagd gegangen und kamen erst spät am Nachmittage zurück.

Um mir die Zeit zu vertreiben, ging ich mit einem Mkamba auf die Jagd. Zum ersten Male gewahrte ich großes Wild, ohne jedoch zum Schuß kommen zu können. Mein

Begleiter bewies eine große Fertigkeit im Bogenschießen: er traf auf dreißig Schritt dreimal nacheinander eine Frucht von doppelter Faustgröße, aber immer so unglücklich, daß die werthvolle Eisenspitze vom Pfeilschafte abbrach und im hohen Grase verloren ging. In Folge dessen war er im höchsten Grade verdrießlich und machte seinem Aerger in so ergötzlicher Weise Luft, daß ich mich einigermaßen für die verfehlte Jagd entschädigt fühlte. Einige Vögel bildeten meine ganze Beute, aber diese war theuer genug erkauft — ich hatte mir den Sonnenstich am Arme zugezogen und wurde durch die darnach entstehende Entzündung bei Allem, was ich that, in hohem Grade behindert.

Am Abende kamen mehrere Häuptlinge benachbarter Wanikadörfer in das Lager und boten mir Hühner zum Geschenk; ich wies ihre Gabe zurück, weil sie durch das nöthige Gegengeschenk sehr theuer zu stehen gekommen wäre.

Um noch einmal mein Jagdglück zu erproben, brach ich am folgenden Tage, von nur drei Leuten und einem Mnika begleitet, bereits früh fünf Uhr auf und ließ die Karawane in einiger Entfernung folgen. Wild zeigte sich in Menge, wurde aber schon in solcher Ferne flüchtig, daß ich Blei und Pulver schonen zu müssen glaubte. Selbst Perlhühner, welche doch in Abyssinien und im Sennahr verhältnißmäßig leicht zu erlegen sind, waren außerordentlich scheu. Ich kann mir Dies nicht recht erklären, da doch Jäger mit weittragenden Gewehren niemals hierher gekommen sind; sollte ich selbst die Wildscheuche sein mit meiner ungewöhnlichen Kleidung? Vergnüglich war der Jagdspaziergang immerhin: einmal störte die Karawane hinter mir fünf schlafende Girafen auf, ich schoß auf mehrere hundert Schritt und verwundete die eine; sie drehte sich ringsum wie ein Kreisel, raffte sich aber wieder auf und folgte den anderen, welche in ungeschicktem Galopp das Weite suchten. So schön und stattlich die ruhig äsenden Thiere mit dem mächtigen Halse von doppelter Körperhöhe, dem zierlichen, von leichtem Gehörn gekrönten Haupte, dem abschüssigen Leibe und dem prächtig gelben, dunkelgefleckten Felle sich auch ausnehmen, so häßlich und plump erscheinen sie auf der Flucht: wie ein Pendel bewegt sich der lange Hals bei jedem Sprunge; man glaubt, die sonderbaren Geschöpfe müßten zusammenbrechen oder umkippen bei der Höhe des Körpers und der Schwäche der Läufe.

Gegen zehn Uhr erreichten wir wieder ein kleines, mit Regenwasser gefülltes Sandsteinbecken und dicht dabei den nach dem Kilibassi führenden Fußpfad. Von hier an sei der Weg nicht mehr zu fehlen, sagte der von Nasoro mitgegebene Führer, und bat um seine Entlassung; ich belohnte ihn und gab ihm einige mit Bleistift geschriebene Zeilen zur Besorgung an Herrn Rebmann mit. Nach einer Stunde trafen wir wiederum Wasser, diesmal in kreisrunden Löchern von ein bis drei Fuß Tiefe, sogenannten Ngurunga's: darnach der Name des Platzes Ngurungani d. i. bei den Wasserlöchern.

Da den Aussagen der Leute zufolge der Kilibassi heut nicht mehr erreicht werden konnte und andere Wasserplätze späterhin nicht mehr zu erwarten waren, ließ ich halten und das Mittagsessen kochen. Die Zwischenzeit benutzte ich, um mir die Ngurunga's näher zu betrachten. Ihre Form glaubten wir durch die Annahme erklären zu müssen, daß vor grauen Zeiten hier Bäume standen, welche, als ihr Holz verfault war, in dem später erstarrten Boden die Höhlung zurückließen (s. 21. Abschnitt). Eine Menge Frösche, kleine, braune Krabben und eine Art glattgegürtelter Blutegel von einem halben Zoll Länge bei zwei Linien Breite belebten das Wasser. Nicht weit vom Lager wuchs ein Baum, Njukuffi von den Suaheli genannt, mit kleinen, pflaumenartigen Früchten, welche wie Mispeln schmeckten. Ein Fruchtbaum in der Wildniß ist immerhin ein Ereigniß; außer der Frucht des Pfefferkuchenbaumes und der Mbuju bringt sie nur wenig Genießbares hervor.

Der Nachmittagsmarsch führte bald über schöne Grasflächen, bald durch dichtes Gehölz, eine anmutige, von Antilopenheerden und Straußen belebte Landschaft. Später traten Akazien und stachlige Euphorbien nahe an den Pfad heran, Kleider und Haut in unbarmherziger Weise zerreißend: an meinem Leibe war keine handgroße Stelle, welche nicht zerkratzt und zerritzt gewesen wäre. Bei meinen Streifereien hatte ich in dem hohen Grase eine Menge Wildläuse und Holzböcke aufgelesen und mir die Füße wund gelaufen, sodaß ich vor Schmerzen kaum auftreten konnte — doch das sind kleine Leiden, welche man am Tage darauf vergißt, falls man wieder Wasser findet und den Körper durch ein Bad erfrischen kann.

Schon gegen neun Uhr am 4. Juli erreichten wir den Fuß des Kilibassi und rasteten am südlichen Abhange dieser übergangslos aus der Ebene emporsteigenden Kuppe. Auch hier fanden wir mit Wasser gefüllte, größere Sandsteinbecken; sie waren mit Schilf und schönblühenden Wasserlilien überwachsen. Leider war das Wasser von schlechter Beschaffenheit; vermutlich hatte es Elephanten zur Schwemme gedient, so wenigstens mußten wir schließen nach den zahllosen, riesigen Fußspuren und nach der kopfgroßen Losung, mit welcher der Boden weithin überdeckt war. Anfänglich hatten wir beabsichtigt, hier zu bleiben, den Kilibassi zu besteigen und Messungen anzustellen; wir sahen uns aber genöthigt, davon abzusehen, weil das Haupt des Berges sich dicht mit Wolken umhüllte. Beim Weitermarsche wurde der Pflanzenwuchs spärlicher, der Boden steiniger. Gegen ein Uhr erreichten wir die von Norden nach Süden laufende Rukingakette und rasteten hier ein Stündchen. Zahllose Wildspuren, vorzüglich vom Rhinozeros, waren in den Boden eingedrückt; wir vermuteten das Vorhandensein eines ähnlichen Wasserplatzes wie am Kilibassi, doch suchten wir nicht weiter darnach, benutzten vielmehr den Halt, um Kräfte für den bevorstehenden, langen Marsch zu sammeln.

Um zwei Uhr ging es weiter über denselben rothen, sandigen Boden, abwechselnd gelind auf- und abwärts, gegen Sonnenuntergang aber steil empor nach dem Fuße des Kadiaro. Schon weit ab vom Berge war das Land bebaut; auf umhegten Feldern, durch kunstreich überdeckte Fallgruben vor naschendem Wilde geschützt, harrte der reife Mtama des Schnitters. Nach Kurzem trafen wir zahlreiche, guterhaltene Hütten innerhalb eines Dornenverhaues — ein altes Karawanenlager — und kaum zweihundert Schritt davon einen lebendigen Bach mit Pflanzungen von Zuckerrohr, Bananen und Kokospalmen an seinen Ufern. Hier ließen wir uns nieder und schlugen, so gut es bei der einbrechenden Dunkelheit anging, vor den aufgestapelten Gepäckstücken unsere drei Zelte auf. Noch an demselben Abende, kurz nachdem wir unsere Ankunft durch Abfeuern der Gewehre gemeldet, kamen die Eingeborenen in Menge herbei. Sie staunten uns gebührender Maßen an und versprachen, am anderen Morgen einen Markt zu eröffnen, ein höchst wichtiger Umstand, denn unser Abend- und zugleich auch Mittagstisch trug nur ein wenig kaltes Huhn, Mtama und gekochten, kalten Reis, und mit dem Essen der Träger sah es noch dürftiger aus.

Vierzehnter Abschnitt.

Das Binnenland und seine Bewohner.

Die ostafrikanische Ebene. Bodengestalt und Landschaftliches. — Nur die Berge sind bewohnt. — Sprachverwandtschaft. — Die Wakeila. Wohnsitze. Tracht und Benehmen. — Weissagung aus den Eingeweiden. — Besteigung des Berges. Hindernisse. Das höchste Dorf. — Noth um Lebensmittel. — Die Esel werden geraubt. — Neue Feindseligkeiten. Waffentanz der Krieger. Entschlossenheit Deckens. — Grigri und Schauri. — Nächtlicher Aufbruch. — Fakis Lohn. — Wirkung des Bisses der Donderobofliegen. — In Gefahr zu verdursten. — Der Elephantenfluß. Nachts auf dem Anstande. — Lager am Paregebirge. Die Eingeborenen. — Wie man am billigsten einkauft. — Bluttrinken. — Ein würdiger Herrscher. — Verlassenes Lager in Kisuani. — Ein Stutzer und Usurpator.

Gar wenig ist es, was wir von der Bodengestalt Afrikas wissen, dieses plumpesten aller Erdtheile, dieser unförmlichen Ländermasse ohne Gliederung und tiefere Einschnitte. Wir kennen weder die Höhenschichtung seines Inneren noch die Grundzüge seines geologischen Baues, und Jahrzehende werden noch vergehen, bevor die mühsamen Forschungen wissenschaftlicher Reisenden uns eine annähernd genaue Vorstellung von diesen hochwichtigen Verhältnissen ermöglichen werden.

Dem großen Sir Roderick Murchison, dem langjährigen Vorsitzenden der Londoner Geographischen Gesellschaft, gelang es zuerst, durch scharfsinnige Folgerungen aus dürftigen Angaben einiges Licht über die wahre Natur des „Räthseldreiecks der alten Welt“ zu verbreiten — so wenigstens müssen wir annehmen, da seine Ansichten bisher durch alle Entdeckungen bestätigt wurden. Nach ihm (s. Journal R. G. Society, 1852, CXXII ff.) erhebt sich Afrika von See aus hier allmählich, dort jäher zu ausgedehnten Hochebenen, welche weiterhin sich wieder zu tieferem Lande verflachen, und sendet seine Gewässer theils nach dem Inneren, wo sie sich zu großen Binnenseen ansammeln, theils durch Spalten im Rande des Hochlandes nach dem Weltmeere: solchen Durchbruch wies Livingstone in der That bei dem Sambesiflusse nach, und von solchen Seen kennen wir bereits den Schirwa- und Niassasee im Südosten, den Ukerewe-, Tanganika- und Luta-Nzigesee im Osten, endlich den Tschadsee im Nordwesten des unbekannten Kernes von Afrika. Von den größeren Erhebungen über die allgemeine Ebene und über deren Form, ob sie einzelne Berge, langgestreckte Gebirgsketten oder alpenartige Gebirgsstöcke bilden, weiß selbst Murchison Nichts zu sagen.

Uns Laien wird man verzeihen, wenn wir uns den Bau unseres Nachbarerdtheils dadurch zu versinnlichen suchen, daß wir, in allerdings unwissenschaftlicher Weise, annehmen,

Afrika sei im Beginne der Zeiten wie eine zähflüssige Masse in den Ocean ausgegossen worden und habe sich dann, als das Aeußere erstarrt, in der Mitte ein wenig eingesenkt, eine Annahme, welche zugleich die abgerundete, glattrandige Gestalt Afrikas erklärt. Daß Afrika eine überaus gleichartige Entstehung gehabt haben müsse, beweisen alle Berichte der Reisenden in Nord und Süd, in West und Ost: überall hat man im Wesentlichen eine einförmige Bildung gefunden, eine Ebene, welche an dem einen Orte von Granit- und Syenitbergen, an anderen von vulkanischen Bildungen durchbrochen wird und hier lockeren Sand, dort festeres, geschichtetes Gestein, in den meisten Fällen aber ein rothes, lehmiges Erdreich trägt, wie es sich, in Ostafrika wenigstens nachgewiesener Maßen, durch Zersetzung alter vulkanischer Steine bildet. Und einförmig wie der Boden ist auch die Pflanzen- und Thierwelt Afrikas, was schon die gleichmäßige Vertheilung dieser Ländermasse zu beiden Seiten des Gleichers erwarten läßt.

Nördlich von der Insel Sansibar bis einige Grade südlich von der Linie erhebt sich das Land in starker Steigung nach den Hochebenen des Inneren zu, erscheint also, von See aus gesehen, hoch und bergig: dieser Theil der Küste ist es, welchen die Suaheli Mrima (eine andere Form des Wortes Mlima d. i. Berg) nennen. Zu beiden Seiten der Mrima steigt der Boden nur im Verhältnisse von wenigen Fuß auf die Meile an. Gehen wir, gleich unserem Reisenden, südlich von Mombas aus, so haben wir schon am zweiten Tage einen etwa 600 Fuß hohen, der Küste gleichlaufenden Höhenzug zu überschreiten. Hinter diesem senkt das Land sich wieder, um bald darauf eine noch höhere Welle zu bilden, die gegen 1000 Fuß hohe Schimbakette. Jenseit derselben dehnt sich die unabsehbare Grasebene des Inneren aus, in 300 Fuß Meereshöhe beginnend und nach einigen Tagemärschen bis über 2000 Fuß ansteigend. Sie wird im Süden von dem Alpenland Usambara und den sich nordwestlich daran schließenden Parebergen begrenzt und verläuft nach Norden und nach dem Inneren zu in die große, afrikanische Ebene. Im Allgemeinen zeigt sie einen rothen, bald mehr bald minder sandigen Thonboden mit Muschelbruchstücken und einzelnen glänzenden Theilchen, in der Nähe der Küste aber metamorphische (d. i. durch Feuer umgestaltete) Sandsteingebilde, hier in größeren, festen Massen, dort in einzelnen, lose daliegenden, mit Stücken versteinerten Holzes untermengten Blöcken. An tieferen Stellen bemerkt man dunkle, vielfach zersprungene Erde, die Schlammkruste ausgetrockneter Wasseransammlungen. Das Gepräge der Ebene ist Dürre und, als nothwendige Folge davon, Unfruchtbarkeit. Dünnes, grobes Gras bedeckt den Boden, ab und zu von einzelnen Dornbüschen, neuen Zeichen des Wassermangels, überwuchert. In der Nähe der Küste jedoch, wo der befruchtende Einfluß der feuchten Seewinde sich noch geltend macht, treten bisweilen größere Gebüsch- und Waldgruppen auf, welche im Verein mit den dort üppiger grünenden Grasflächen dem Lande das Aussehen eines anmutigen Parkes verleihen; anderwärts aber erzeugt wiederum dieselbe Feuchtigkeit fast undurchdringliche Dickichte stachliger Euphorbien.

Man sollte meinen, daß eine solche Wildniß von Gras und Dornen einen traurigen Eindruck auf das Gemüt des Reisenden hervorbringen müßte; doch auch sie hat ihre Reize. Eine wunderbare Luft macht das Wandern in der Hochebene so angenehm und erfrischend, daß man sich nirgends wohler fühlen kann als hier; und in dieser reinen, trockenen Luft färben die Berge sich schon in geringer Entfernung mit dem zartesten, duftigen Azurblau, welches immer dunkler wird, jemehr man sich nähert, und wunderbar sich abhebt von dem Schwarzgrün der Laubmassen zu ihrem Fuße; im Frühling aber, nach der Regenzeit, bedecken die vorher blattlosen Akazien sich mit Gelaub und herrlich duftenden Blüten, die köstlichsten Honiggruben für summende Käfer und Schmetterlinge, und das grobe, mehr als mannshohe Gras hat, Dank der Fürsorge wandernder Hirtenstämme, welche es angezündet, einer jungen Rasendecke Platz gemacht. Mit vollem Rechte preisen also Krapf und Rebmann, welche manchen Tag in der Steppe zugebracht haben, in beredten Worten die Schönheit dieser Landschaft.

Die Ebene selbst ist unbewohnt. Wochenlang kann man das Land durchwandern, ohne einen Menschen anzutreffen. Will man Leute sehen, so muß man sie suchen, wo sie wohnen — auf den Bergen, wohin sie sich geflüchtet haben vor den räuberischen Masai und Wakuafi. Diese Nomadenstämme, welche viele Tagereisen weit westwärts, zwischen den riesigen Schneebergen Kilimandscharo und Kenia sitzen, unternehmen Raubzüge oft bis an die Küste hin und schleppen namentlich das Vieh mit sich fort. Ihre kriegs- und beutelustigen, den Tod verachtenden Scharen sind der Schrecken friedlicher Leute, der ansässigen Ackerbauer wie der wandernden Kaufleute, und bringen durch das Ungestüm ihres wilden Anpralls und durch ihren Todesmut den besser bewaffneten Arabern nicht selten empfindliche Verluste bei. Mit dem Worte Masai machen die Küstenbewohner ihren Kindern bangen, dieses eine Wort genügt, ganzen Karawanen heillosen Schreck einzujagen, sodaß die Träger ihre Bündel zur Erde werfen und in wilder Flucht von dannen jagen.

Auf den größeren Gebirgsstöcken, welche Schutz vor jenen Barbaren gewähren, sind zahlreiche, durch Körperbildung und Sprache nahe verwandte Volksstämme seßhaft, schöngewachsene, hellfarbige Leute, zumeist nach dem Namen ihrer Heimatberge benannt (27) als Wapare (Bewohner des Paregebirges), Wabura u. s. w. Dem flüchtigen Beobachter fällt es auf, daß so nahe wohnende, durch geringe, ebene Strecken getrennte Völkerschaften verschiedene Sprachen reden; er bemerkt mit Verwunderung, daß die nächsten Gebirgsnachbarn sich nicht mit einander verständigen können. Diese Sprachverwirrung ist aber nur scheinbar: wer sich die Mühe gibt, eine Anzahl Wörter aus mehreren dieser Sprachen aufzuzeichnen und zu vergleichen, findet bald, daß nur die Verschiedenartigkeit der Aussprache der abweichende Gebrauch der Mundwerkzeuge den fremdartigen Klang hervorbringt, die Worte selbst aber beinahe gleich sind. Zu allen diesen Sprachen oder Mundarten gibt die dem Reisenden geradezu unentbehrliche Suahelisprache den Schlüssel. Mit ihrer Hilfe lernt man jene leicht oder verständigt sich doch allerorts mit den Bewohnern, da überall sich Suaheli finden, welche die Landessprache verstehen, oder Eingeborene, welche das Suaheli an der Küste gelernt haben.

Der Kadiaro oder Kasigao, eine einzelnstehende, mächtige Bergmasse, steigt so steil aus der Ebene empor, daß er als fast uneinnehmbare Festung gelten kann; die Vertheidiger würden allein durch Herabrollen von Steinen eine hundertfach überlegene Macht abwehren können. Mehrere Quellen prächtigen Wassers entspringen seinen von Thau und Regen triefenden Höhen, welche der üppigste Pflanzenwuchs ziert. Er wird nebst den nördlich davon gelegenen Bura- und Endaraberge von den Wateita bewohnt. Man darf diese drei Bergstöcke somit als Teitaland bezeichnen, selbstverständlich jedoch mit Ausschluß der dazwischen liegenden Ebene. Von Rebmann wird die Gesammtzahl der Wateita auf 152,000 veranschlagt, nämlich auf dem Bura 500 Dörfer, auf dem Endara 100, auf dem Kilibassi 8, zusammen 608 Dörfer zu je 250 Einwohnern.

Wir lassen im Folgenden, wo Dies thunlich, den Reisenden selbst sprechen, bemerken jedoch ausdrücklich, daß wir der Einfachheit wegen die uns vorliegenden Tagebücher Deckens und Thorntons verschmolzen haben, indem wir der fortlaufenden Erzählung des Barons die bewunderswürdig genauen Beschreibungen seines Begleiters einfügten, welche Aeußeres, Trachten und Waffen, Sitten und Gebräuche der Eingeborenen behandeln.

Da sich die Wateita schon gestern zudringlich gezeigt, schreibt Decken vom 6. Juli, ließ ich Stricke um den Lagerplatz ziehen, um Unverschämte mir nöthigenfalls vom Leibe halten zu können. Schon am frühen Morgen erschienen Hunderte von Eingeborenen; Jeder brachte ein winziges Beutelchen voll Bohnen, ein halbes Dutzend Mhogowurzeln, ein einzelnes Huhn oder eine Hand voll Mehl, und Jeder verlangte für seine Waare drei Ellen Zeug oder dreißig bis vierzig Stränge Perlen. Von einem Handel konnte unter solchen Umständen keine Rede sein; ich hielt, obgleich wir der Nahrung dringend bedurften, an meinem Grundsatze, mich unverschämten Anforderungen niemals zu fügen, fest. Nach Kurzem stellte sich mir ein alter Mann von unangenehmen Gesichtszügen als Sultahn vor und bat für sich und seine beiden Söhne um ein Geschenk, „für die Erlaubniß zum Wasserschöpfen", wie er sagte. Nach langen Verhandlungen gab ich dem Bettler acht Kitamba (28) Amerikano und zwei Stück Barsati (ein bunter Baumwollenstoff aus Indien) für ihn selbst, sowie vier Kitamba für andere Häuptlinge, welche gleichfalls ein Recht auf das Wasser haben sollten, und verabreichte ihm außerdem im Geheimen, um die Habsucht der Anderen nicht zu reizen, ein zweites Geschenk mit dem Bemerken, daß er ein drittes erhalten werde, wenn er mich auf den Berg führe und mir die oben befindlichen Dörfer zeige. Er versprach, sich die Sache zu überlegen, und entfernte sich, mir einige Kokosnüsse als Gegengabe zurücklassend.

Daß der Häuptling seine Beschlüsse noch heut überbringen würde, stand nicht zu erwarten; wir hatten also Muße genug, die Eingeborenen, welche sich neugierig um uns drängten, etwas näher zu betrachten. Sie sind zumeist von hohem Wuchse, wohlgebaut, eher beleibt als hager und übertreffen durch gefällige Körperbildung und gewecktes Aussehen die Wanika, ihre durch gewohnheitsmäßiges Trinken herabgekommenen Stammesgenossen. Gleich den Wakamba verwenden sie eine rothe mit Fett vermengte Erde, um Haut und Haare zu salben, sowie um das zur Kleidung dienende weiße Baumwollenzeug zu färben und wasserdicht zu machen. Das Haupthaar wird zumeist in kleine Büschel geflochten, nur selten geschoren. Beide Geschlechter kleiden sich beinahe gleichmäßig: sie tragen einen Schurz von Amerikano um die Lenden und hinten, um beim Sitzen eine Unterlage zu haben, ein Stück Leder, wie es unsere Bergleute zu anderem Zwecke gebrauchen. Hierzu fügen die Frauen ein kleineres Fell, welches vorn von den Hüften bis auf die Schenkel reicht; beide Schürzchen haben sie oft sauber mit Perlen gestickt. Männer wie Frauen sind mit Zierrathen der verschiedensten Art, namentlich mit Spangen und Ringen aus Messing und Zinn, Halsbändern und Kettchen aus Eisendraht, Glasperlen, Muscheln und kleinen Gazellenhörnern förmlich bedeckt. Den auffälligsten Bestandtheil des Schmuckes bilden aus dickem Draht gewundene Armspangen in der Form von Sanduhrgläsern oder von Stahlfedern, wie sie zum Polstern der Sofas gebraucht werden: diese sitzen in der Weise auf dem Oberarme, daß ihre mittlere Einschnürung den Mausmuskel dicht umschließt. Ihr aus demselben Drahte gefertigter Halsschmuck, den steifen Halskrausen englischer Rechtsgelehrter oder den „Mühlsteinen" der Geistlichen früherer Zeiten nicht unähnlich, gleicht dem bei den Wanika üblichen, ihr Fußschmuck, Spangen von einer zinnähnlichen Mischung, welche dicht an der Fußbeuge getragen werden, dem der Suaheli und Indier. Wahrhaft übertrieben ist die Anwendung der Glasperlen zu nennen: Frauen namentlich tragen lange, dicke, bis zehn Pfund schwere Perlenschnüre um Hals und Leib, oft auch über beide Schultern. Als Bewaffnung führen die Männer dünne, etwa drei Fuß lange Bogen, dazu Pfeile mit hölzernen Spitzen (in einem ledernen Köcher oder auch in der Hand), Messer und lange, gerade Schwerter in kurzer, nur bis zur halben Länge reichender Lederscheide. Waffen und

Schmuckgegenstände sind recht hübsch gearbeitet, aber leider selbst für hohen Preis nur schwierig zu erwerben.

Aus der Ueberladung mit Kleidern und Schmuck erklärt sich die Theuerung der Lebensmittel: die Leute sind durch den häufigen Verkehr der Karawanen reichlich mit allen ihren Bedürfnissen versorgt und verkaufen deshalb ihre Waaren nur zu ganz außergewöhnlichen Preisen. Diesem Umstande verdankt auch das freie, fast unverschämte Benehmen der Wateita seinen Ursprung: sie gehen Einem kaum aus dem Wege, vermutlich in dem stolzen Bewußtsein, daß der Reisende gänzlich von ihnen abhängt und auf ihre Lebensmittel angewiesen ist.

Wie es scheint, sind die Wateita thätig und arbeitsam; schon am frühen Morgen kommen sie in Menge vom Berge herunter, um nach den Pflanzungen zu sehen, Brennholz zu schlagen oder die zahlreichen Kuh- und Ziegenheerden zu weiden. Sogar der jüngste Nachwuchs ist hierbei in Anspruch genommen; ich sah drei- bis vierjährige Kinder mit beträchtlichen Lasten von Brennholz und Gras auf dem Kopfe, scheinbar ohne Schwierigkeiten, den Berg erklimmen.

7. Juli. Die Nacht war bitterkalt, ich vermochte vor Frost nicht zu schlafen, obwol ich im Zelte und unter zwei wollenen Decken lag. Man wird lächeln, wenn ich sage, daß die Wärme 13° R. betrug; aber solche Abkühlung ist empfindlich genug für Den, welchem 22° bis 23° zur Gewohnheit geworden. Bei Sonnenanfgang hingen schwere Wolken über dem Berge, sodaß man kaum seine Umrisse erkennen konnte.

Gegen neun Uhr erschien der Sultahn (wie die kleinen Häuptlinge sich zu nennen belieben), begleitet von seinem Sohne und dem Hauptzauberer. Er führte einen alten, mageren Ziegenbock an der Hand und erklärte, daß man diesen schlachten müsse, um aus den Eingeweiden zu sehen, ob ich ein gutes Herz habe und ihr Freund sei. Unter sonderbaren Bräuchen, bei denen das Anspucken des Opfers die Hauptrolle spielte, schlachtete man den Bock, legte die Eingeweide auf das am Boden ausgebreitete Fell und unterwarf sie einer umständlichen Prüfung; hierbei murmelte man allerlei verdächtige Worte, wie „es sei nicht Alles in Ordnung" u. dgl. m., und verlangte, ich solle eine andere Ziege kaufen, vielleicht daß deren Eingeweide günstiger für mich stimmten. Endlich ward ich der Fazen, mit denen wir über eine halbe Stunde verloren, müde und erklärte, daß ich die Eingeweide selbst einmal untersuchen würde. Ich legte sie mit grübelnder Miene mehrmals hin und her und sprach, als ich die Erwartung genügend gespannt glaubte, die gewichtigen Worte: „Die Wateita werden ein ansehnliches Geschenk erhalten, wenn sie sich freundlich gegen die Weißen benehmen; andernfalls aber wird der Msungu seine Hand verschließen und sich mit Gewalt den Weg zum Berg eröffnen". Meine Weissagung verwunderte die Wateita sichtlich, ärgerte auch in hohem Grade den Zauberer, welchem ich ins Handwerk gepfuscht, bewog aber doch die Zögernden zum Nachgeben, da sie mich fest entschlossen sahen, meine Worte wahr zu machen.

Meine Vorbereitungen waren in Schnelle beendet. Das Lager überließ ich, nicht ohne Sorge, der Obhut von Faki und Mnubie, indem ich ihnen dringend einschärfte, den Sultahn, dessen Person mir einige Sicherheit für das Verhalten seiner Unterthanen gewähren sollte, unter keiner Bedingung vor meiner Rückkehr entweichen zu lassen. Thornton, Koralli und fünf meiner Leute begleiteten mich.

Des Sultahns Sohn hatte uns etwa zwanzig Minuten lang auf wahrhaft halsbrechendem Pfade bergauf geführt, da stellte sich uns plötzlich ein Häuptling mit zwanzig Bewaffneten entgegen, bot mir ein kleines Gefäß voll Honig — oder richtiger gesagt voll Bienen, Fliegen und Schmutz — und forderte das ihm gebührende Geschenk. Als ich erwiederte, daß ich die für alle Häuptlinge bestimmte Abgabe bereits entrichtet habe, er also den ihm gebührenden Theil von seinen Genossen fordern müsse, brach er in Verwünschungen aus und ließ sich selbst dadurch nicht beruhigen, daß ich versprach, ihm nach meiner Rückkehr ein Geschenk zu geben; er verlangte, daß ich es augenblicklich holen solle, vertrat mir auf meine Weigerung den Weg und gab mir zu verstehen, daß er sich jedem Weiterdringen mit Gewalt widersetzen werde. Die Sache begann, sich ernsthaft zu gestalten: mein tapferer Führer war heimlich entlaufen, eine zweite Abtheilung von Eingeborenen hatte uns den Rückweg abgeschnitten, und mit Gewalt war Nichts dagegen auszurichten, weil ich, um die Leute durch Mitnehmen von Waffen nicht argwöhnisch zu machen, mich nur mit einer einläufigen Vogelflinte versehen hatte. Ich versuchte also nochmals, den Häuptling durch Güte zur Nachgiebigkeit zu bewegen: statt aller Antwort zog er sein langes Schwert aus der Scheide und wetzte es am Felsen. Dieses Gebaren erfüllte meine Begleiter, welche sich im Geiste schon abgeschlachtet sahen, mit Angst und Schrecken, erweckte aber in mir von Neuem Hoffnung; ich gedachte des alten Wortes „viel Geschrei und wenig Wolle". Lachend schritt ich auf den Ungeberdigen zu, drehte ihn einige Male im Kreise und schritt dann ruhig den Berg hinan. Ein wütendes Geschrei erscholl; ich wandelte jedoch meine Straße weiter, und meine Leute, welche sich in meiner Nähe sicherer fühlen mochten, folgten mir nach kurzem Bedenken. Dies änderte mit einem Schlage das Benehmen der Wateita: sie erboten sich selbst, uns den Weg bergauf zu zeigen. In derselben Weise versuchte man noch zweimal, mich aufzuhalten und Geschenke zu erpressen, doch beide Male mit gleichem Erfolg. Es ging mir wie dem Helden des Märchens, welcher den Löwen, Drachen und anderen Ungeheuern nur entschlossen entgegen zu treten brauchte, um sie zu besiegen. Anderthalb Stunden nach Mittag kam ich in der höchsten Kaia (Ortschaft) an.

Anfänglich zeigten die Einwohner einiges Mißtrauen, allgemach aber fügten sie sich in unsere Gegenwart, wurden höflich und zutraulich, setzten uns Wasser und Zuckerrohr zur Erfrischung vor, betrachteten neugierig unsere Meßwerkzeuge, erkundigten sich nach dem Gebrauche derselben und gestatteten mir sogar, einige der Hütten zu besuchen, deren das Dorf mehr denn hundert zählt. Diese ähneln durch ihre runde Gestalt den Wohnungen der Wanika, unterscheiden sich jedoch dadurch, daß die Strohdächer nur wenig überhängen, während sie bei jenen bis auf die Erde reichen. Ein schmaler Gang führt dicht an der Wand hin nach dem einzigen Gemache des unteren Geschosses; darüber befindet sich ein vermutlich zur Aufbewahrung von Geräthen bestimmter Bodenraum.

Nach unseren Beobachtungen liegt das Dorf etwa 4000 Fuß hoch über dem Meeresspiegel und 2600 Fuß über der Ebene. Bei hellem Wetter muß die Aussicht großartig sein. Leider umzogen sich die fernen Höhen, und endlich fing es sogar zu regnen an. Die Wateita versicherten, daß bei solchem Wetter der nur 800 bis 1000 Fuß höher gelegene Gipfel des Berges nicht erreichbar sei. In der That waren die beinahe senkrecht emporstrebenden Felsen so schlüpfrig geworden, daß es Thorheit gewesen wäre, den Versuch weiter fortzusetzen; wir beschlossen daher, uns mit dem heute Erreichten zufrieden zu geben und einen anderen Tag unser Glück von Neuem zu versuchen. Als ich die Leute nach dem See fragte, welcher, wie Rebmann erzählt, sich auf dem Gipfel des Berges befinden soll, lachten sie und sagten, „wie ich nur so Etwas glauben könne".

Nachdem wir noch über eine Stunde vergeblich gewartet hatten, begannen wir den Rückweg. Beim Herabsteigen wurde es heller und heller, und in halber Höhe waren wir im Stande, noch einige Punkte durch Winkelmessungen festzulegen.

Diesmal führte man uns auf bedeutend besserem Pfade; es schien, als ob die Leute vorher die schwierigsten Stellen ausgesucht hätten, um uns von der Besteigung abzuschrecken. Um fünf Uhr langten wir im Lager an. Der Sultahn, welcher mir als Geisel gedient, erhielt zweiunddreißig Armlängen Amerikano und zwei Stück buntes Zeug als Entgelt für die ertheilte Erlaubniß und entfernte sich kurz darauf, da seine Gegenwart nicht weiter nöthig war.

8. Juli. Heut wieder die gestrige Noth: keine Lebensmittel, dafür aber Forderungen von Geschenken! Faki beiferte sich redlich, die Wateita in ihrer Unverschämtheit zu bestärken, indem er unablässig laut erklärte, ich habe ihnen nicht genug gegeben und müsse mich in Allem fügen. Des langen Redens müde, gab ich schließlich den Befehl, das Gepäck zurecht zu machen und die Zelte abzubrechen; ich gedachte nach dem nächsten Dorfe zurückzukehren, mich dort mit neuen Lebensmitteln zu versehen und auf anderem Wege weiter zu reisen. Als die Häuptlinge Dies vernahmen, gaben sie nach, brachten etwas Mhogo und Bananen und versprachen, Sorge zu tragen, daß am folgenden Tage Lebensmittel zu annehmbaren Preisen zu haben wären.

Im Laufe des Tages erschienen Abgesandte der Bewohner des zwei Tagereisen entfernten Buragebirges, in deren Gebiete jüngst eine Suahelikarawane beraubt worden war, und forderten mich auf, sie zu besuchen. Die Führer riethen mir zu einer zustimmenden Antwort; „ich könne ja später immer noch thun, was ich wolle“. Da ich mir aber vorgenommen, den Eingeborenen unter keiner Bedingung eine Unwahrheit zu sagen, erklärte ich den Wabura geradezu, daß die mir zu Ohren gekommenen Uebergriffe ihrer Landsleute nicht geeignet seien, mich zu einem Besuche zu ermutigen.

Meine Leute wurden gegen Abend in Furcht und Schrecken versetzt durch einen Versuch der Wateita, die außerhalb des Lagers weidenden Esel heimlich zu entfernen. Zum Glück bemerkte ich es rechtzeitig; ich schickte ohne Verzug Mnubie mit zwölf Bewaffneten aus und hatte die Genugthuung, sie nach einer Stunde mit den geraubten Thieren zurückkehren zu sehen. Ohne den Vorfall weiter zu beachten, begab ich mich nach einem benachbarten Hügel und zeichnete dort, umringt von Eingeborenen, die Umrisse des Berges. Nach kurzer Zeit erschienen mehrere Träger mit ängstlichen Geberden, „um mich zu vertheidigen“, wie sie sagten, in Wirklichkeit aber, um mich zurückzuholen, weil sie sich allein nicht behaglich fühlten. Ich war allerdings ohne Waffen, doch schickte ich sie zurück, um zu zeigen, daß ich Nichts fürchte, und blieb noch eine Viertelstunde ruhig sitzen; dann ersuchte ich in handgreiflicher Weise einen der Krieger, mir mein Reißbret zu tragen, und langte bei Dunkelwerden wohl behalten im Lager an.

9. Juli. Die gestrigen Versprechungen erwiesen sich als eitel; nur wenige Frauen erschienen im Lager, und alle Versuche, einige Ziegen oder einen Ochsen zu kaufen, scheiterten; offenbar wollte man mich durch Hunger zur Nachgiebigkeit zwingen. Ich setzte den Aufbruch für nächsten Morgen fest, obgleich ich den Trägern nur trockenen Mhogo zu geben hatte, und auch diesen nicht in genügender Menge. Zur Vermehrung des Ungemachs belästigte mich Faki unaufhörlich; er klagte, daß ich ihm nicht genug Waaren zum Einkaufe von Lebensmitteln gegeben, erklärte, daß ich morgen nicht aufbrechen könne, weil Dies den Wateita „böses Blut“ machen würde, suchte mich zur Reise nach Bura zu überreden, weil andernfalls die durch meine abschlägliche Antwort aufgebrachten Leute sich rächen würden, kurz, betrug sich so unleidlich, daß ich ihm mit strenger Strafe bei der Rückkehr nach Mombas drohte. Es war ein beklagenswerther Mißgriff, diesen Faki zum Karawanenführer zu wählen: er ist durchaus unfähig zu seinem Amte, entbehrt jeglichen Ansehens unter den Trägern und spricht in dem einen Augenblicke so, im nächsten anders. Setzt man ihn wegen seiner Doppelzüngigkeit zur Rede, so sagt er einfach, er habe vorher gelogen, spreche aber jetzt die Wahrheit; zehn Minuten darauf wiederholt er dasselbe Spiel.

10. Juli. Während der Vorbereitungen zum Aufbruche wurde mir berichtet, daß zwei Esel fehlten. Ich schickte sofort Leute aus, um sie zu suchen, und ging selbst nach dem Platze, wo die Thiere angebunden gewesen. Die Stricke waren nicht zerrissen, sondern

abgeschnitten, die Esel aber fanden sich ruhig grasend in den Mtamafeldern; offenbar hatten die Wateita Nachts, während die Wachen selbstverständlich schliefen, die Esel befreit und in die Pflanzungen geführt, um später eine übertriebene Forderung für den angerichteten Schaden zu stellen. Kaum waren die Träger mit den Thieren in der Nähe des Lagers angelangt, als plötzlich ein Trupp von dreißig bewaffneten Wateita mit fürchterlichem Geschrei aus den Feldern brach und sich der Thiere wieder bemächtigte. Ich eilte den Kriegern in Begleitung Koralli's entgegen und bedrohte sie mit angelegter Büchse; sie begrüßten mich mit Heulen, Schwerterschwingen und Bogenspannen, zogen sich aber doch endlich langsam zurück. Da währenddessen die Esel von meinen Leuten in Sicherheit gebracht waren, stand ich von der Verfolgung ab und befahl, den Aufbruch schleuniger zu betreiben: da erschienen fünf Abtheilungen vollständig bewaffneter Wateita, jede etwa sechzig Mann stark und aus vier Gliedern unter Führung eines Häuptlings zusammengesetzt, heulten Kriegsgesänge, führten mit vielem Geschick eine Menge Wendungen und Schwenkungen aus und kamen bis dicht an das Lager. Einmal trieb ich sie in angemessene Entfernung zurück; als sie aber immer aufgeregter lärmten und tanzten, und als immer neue Trupps erschienen, verweigerten meine Leute, fast sinnlos vor Furcht, mir den Gehorsam.

Bis gegen elf Uhr dauerte der Lärm fort. Was sollte ich, allein mit zwei zuverlässigen Männern, gegen die Unzahl der tobenden Feinde thun? Vor Allem kam es jedenfalls darauf an, ihnen durch Furchtlosigkeit Achtung einzuflößen. Ich ging also mehrere Male, blos mit dem Revolver im Gürtel, zwischen das schreiende Gesindel, bat, wenn sie einen Augenblick ruhten, die Gesänge und Tänze doch von Neuem zu beginnen, da ich viel Gefallen daran fände, gab einem der übermüthigsten Burschen, welcher mit seinem Schwerte mir gar zu nahe vor dem Gesichte herumfuchtelte, einen tüchtigen Faustschlag — aber alles Das machte der unangenehmen Lage kein Ende. Da gewahrte ich glücklicher Weise den Sultahn. Durch Faki und Hammis ließ ich ihn fragen, was das Toben und Tanzen bedeuten solle? „Sie wollten mich bekriegen", erwiederte er, „weil ich nicht freigebig genug gewesen sei, ihre Lebensmittel nicht zu den geforderten Preisen gekauft, ihren Berg bestiegen, mit meinem Fernrohre den Regen verhindert (es hatte nämlich gestern mehrmals geregnet), Blumen gepflückt und dadurch ihre Ernte verdorben und endlich Feuer angezündet habe (sie meinten eine gestern in Brand gesteckte Rakete), um den Berg zum Einsturz zu bringen". Darauf verlangte er zwei Ziegen und einen Ochsen zum Geschenk, letzteren, um die von der anderen Seite des Kadiaro und vom Bura gekommenen Krieger zufrieden zu stellen. Den Ochsen, oder vielmehr dessen Werth in Waaren, bewilligte ich, um mir wenigstens die entfernt wohnenden Feinde vom Halse zu schaffen, verweigerte aber die Ziegen, da ich hoffte, mit meinen nächsten Nachbarn allein fertig zu werden. Sie gaben sich damit zufrieden und verlangten nur noch, ich solle mich einem Grigri, einer Zauberei unterwerfen, damit sie sähen, daß ich nicht mehr böse sei. Auch Dies gestand ich zu unter der Bedingung, daß Faki mich in dieser den Europäer entwürdigenden Posse vertreten dürfe. Der Hokuspokus begann. Der Zauberer klopfte dem Mukurugensi dreimal (auch hier ist die Drei eine heilige Zahl) mit der Schale einer Kokosnuß auf das Haupt und goß ihm einen aus Kräutern gebrauten Saft in den Hals. Jetzt verlangten die Leute, daß auch ich den Trank probire; ich weigerte mich aber standhaft, obgleich meine Träger mich dringend baten, und ließ mich auch nicht dadurch zur Nachgiebigkeit bewegen, daß die Wateita ihre Feindseligkeiten wieder aufnahmen, ja sogar große Steine in das Lager warfen. Meine Geduld war zu Ende. Ich spannte den Hahn meiner Büchse und erklärte dem Häuptling, ich würde, wenn das Spiel nicht augenblicklich aufhöre, zunächst ihn niederschießen, um zu sehen, welchen Eindruck Dies auf seine Unterthanen hervorbrächte. Er schien mich vollständig zu verstehen; denn er ergriff sofort einen Dornenast, stürzte sich zwischen die tanzenden und schreienden Krieger und schlug unbarmherzig zwischen sie. Die Meisten fügten sich, einige jüngere Leute aber fuhren, als ob sie vom Bösen besessen wären, in ihren Wutäußerungen fort, warfen sich auf die Erde, verrenkten in schrecklicher Weise die Glieder, ahmten dabei Stimmen und Geberden wilder Thiere nach und kamen mir immer näher: diese ließ er mit Gewalt entfernen.

Nunmehr fand ein langes Schauri (Verhandlung, Berathung) statt. Ich erlangte zu meiner Sicherheit zwei Geiseln in der Person eines der Alten und eines Mkambakaufmannes, welcher in großem Ansehen zu stehen schien, und bewilligte, um die Leute nur zufrieden zu stellen, vierundzwanzig Ellen Baumwollenzeug. Kaum aber war der Friede wieder hergestellt, als die Esel auf dem Wege zur Tränke von Neuem von den verrätherischen Wateita genommen wurden. Nochmals nahm ich sie ihnen ab, von Koralli und zehn Trägern begleitet, wiederum, ohne von der Feuerwaffe Gebrauch zu machen, obschon ich gewaltige Lust verspürte, den unverschämten Gesellen, welche jetzt sogar mit Pfeilen zu schießen begannen, eine tüchtige Lehre zu geben.

Eigentliche Feindseligkeiten fanden von nun an nicht mehr statt; es erschienen sogar wieder Verkäuferinnen von Lebensmitteln im Lager: doch hatte ich noch keineswegs Ursache, mit dem Stande der Dinge zufrieden zu sein, denn die Preise waren unsinniger als je, und die Geiseln suchten unter allerlei Vorwänden loszukommen. Beruhigung fand ich erst dann, als der mir ausgelieferte Mkamba versprach, uns nach dem See Jipe zu begleiten, und endlich sogar Blutsbrüderschaft mit meinen Führern schloß. Damals glaubte ich nämlich noch, daß Bluttrinken und Blutsbrüderschaft — überaus feierliche Handlungen, bei denen man die schrecklichsten Plagen und Unglücksfälle auf den Eidbrüchigen herabschwört — mit der größten Treue gehalten würden; später mußte ich freilich erfahren, daß auch hier kein Eidschwur unverletzlich ist, daß der Blutsbruder wol das Leben des Anderen schont, sich aber kein Gewissen daraus macht, ihn um sein Eigenthum zu bringen.

Der Vorsicht halber ordnete ich an, daß die das Lager umgebende Dornenhecke ausgebessert und erhöht, und daß Wasser und Holz für den Fall einer Belagerung herbeigeholt werde; als dann die Wateita sich entfernt, ließ ich das Gepäck bereit legen und die Zelte abbrechen, um vor Tagesanbruch, ehe die Krieger wieder von den Bergen herabkämen, weiterziehen zu können. Begreiflicher Weise war die Nacht eine sehr unruhige. Auf die Neger konnten wir uns nicht verlassen, übernahmen also selbst die Sorge für die Sicherheit des Lagers, Koralli bis 11½ Uhr, Thornton bis 1½ Uhr und ich den Rest der Nacht über. Dann und wann ertönten ferne Stimmen, und Feuer brannten an sonst unbewohnten Stellen, außerdem aber ereignete sich nichts Ungewöhnliches. Um vier Uhr weckte ich die Träger und ordnete den Zug: Thornton sollte ihn führen, Koralli sich mit den Eseln in der Mitte halten, ich wollte mit Faki, welcher vorgab, den Weg zu kennen, im Lager bleiben, bis es völlig geräumt wäre. Mit weniger Geräusch, als ich erwartet, setzten die Träger sich in Bewegung; anstatt aber sich besonnenen Mutes zu entfernen, suchten Alle so schnell als möglich das Weite zu erreichen, und selbst Faki, dem ich streng befohlen, bei mir zu bleiben, konnte seiner Furcht nicht gebieten und entlief mit den Anderen, als ich mich für einige Minuten entfernte, um einen zum Wasser gelaufenen Esel wieder einzufangen. Bei meiner Rückkehr befand sich nur Assani noch im Lager. Es war allzu dunkel, als daß ich den Spuren der Vorausgegangenen hätte folgen können; auch mein Signal mit der Pfeife blieb unbeantwortet — ich mußte, so unangenehm es mir war, zwei Schüsse abfeuern, um die Vorderen von meiner Verlegenheit zu benachrichtigen. Noch ehe Hilfe kam, ließ sich der Sultahn der Wateita mit etwa einem Dutzend seiner Krieger blicken, zog sich aber auf meine Drohung, daß ich feuern würde, wenn er näher käme, in Schnelle zurück. Endlich erschien Koralli, später auch Thornton und Faki. Des Letzteren Maß war jetzt gefüllt: ich ergriff ihn beim Schopf und bearbeitete ihn weidlich mit dem Stocke, um ihn alle seine bisherigen Sünden auf einmal büßen zu lassen. Anfänglich schien er ob solcher Behandlung sehr verwundert und tief verletzt in seiner Führerwürde zu sein; als er aber sah, daß ich mich nicht einschüchtern ließ, kniecte er, während es unausgesetzt Schläge regnete, vor mir nieder, legte mir seinen Turban zu Füßen und bat kläglich um Verzeihung. Er hätte zwar mehr verdient, zumal bei der Züchtigung mein schöner Rohrstock zerbrochen war, doch entließ ich ihn, in der Hoffnung, er werde die Lehre sich merken.

Ein neuer Verzug wurde dadurch bereitet, daß die Wakambaführer sich weigerten, weiter zu gehen, weil sie in der Nacht böse Träume gehabt und am Morgen einen schwarzen Vogel über den Weg fliegen gesehen; nur mit Mühe ließen sie sich bereit finden, uns wenigstens eine Stunde weit zu begleiten. Beim Abschiede bezeichneten sie uns einen entfernten Hügel als Wasserplatz und versprachen, dort am folgenden Tage wieder zu uns zu treffen.

Aus Räuberhand hatten wir die Esel gerettet, doch nur, um sie noch an demselben Tage sterben zu sehen: dreien von ihnen floß Blut und Eiter aus der Nase, Kopf und Geschlechtstheile waren geschwollen und die Luftröhre von Geschwüren derartig verengt, daß das Athmen einem Röcheln glich — sie waren von Donderobofliegen gestochen worden! Ich selbst habe die giftige Fliege nicht zu sehen bekommen, mir auch, trotz der ausgesetzten Belohnung, keine verschaffen können; doch versicherten die Eingeborenen, daß nur der Stich der Donderobo, welche öfters ihren Ziegenheerden gefährlich würde, solche Wirkungen hervorbrächte. Wie Tsetsefliegen das Rindvieh, so fallen die Donderobo hauptsächlich Esel und Ziegen an, seltener Schafe, aber niemals Kühe. Am dritten Tage schon ist das gestochene Thier unfähig, sich zu bewegen, und selten nur erlebt es den fünften.

Auch in anderer Beziehung hatten die Wakamba mit ihrem Unglücksraben Recht: wir wanderten bis Sonnenuntergang bald auf Wildpfaden, bald ohne Weg, fanden aber keine Spur von Wasser und mußten inmitten der Wildniß unter einigen Dornenbüschen übernachten. Schon vor Tagesanbruch setzten wir uns wieder in Bewegung. Mit unheimlichem Glanze stieg die Sonne am stralenden Himmelsgewölbe empor. Die Träger wurden matt und krank und schleppten nur mit Mühe ihre Bündel weiter. Mittag kam heran, und noch gewahrten wir kein Anzeichen von der Nähe eines Wasserplatzes. Um die Kräfte der Leute wenigstens während der stärksten Hitze zu schonen, ließ ich halten. Doch auch beim Ruhen nahmen unsere Kräfte reißend ab, da wir vor Durst Nichts zu essen vermochten.

Zwei der Träger behaupteten, ein etwa vier Stunden entferntes Wasserbecken zu kennen. Darauf hin gingen Koralli und vierzehn Leute mit sämmtlichen Kitomas und anderen Gefäßen aus, um die kostbare Flüssigkeit zu suchen. Nachts regnete es ein wenig. Wir spannten sofort unsere Gummidecken auf; aber das in geringer Menge aufgesammelte Wasser besaß einen so strengen Geschmack, daß es unmöglich war, es zu genießen. Am Morgen spähten wir nach Koralli aus, aber vergeblich. Zum Glück hatte ich am Abend vorher von einem der Träger ein Fläschchen voll Wasser gekauft; ich kochte starken Thee davon und theilte den erquickenden Trank, nachdem er abgekühlt, mit Thornton und meinen Dienern: ein Jeder erhielt einen Schluck. Mein Reisegefährte erklärte schließlich, die Durstesqual nicht mehr ertragen zu können; ich erinnerte mich, daß ich eine Flasche Champagner besaß, welche ich mitgenommen, um sie auf dem Kilimandscharo zu leeren, und öffnete sie: die lauwarme Flüssigkeit wurde mit Wollust getrunken — kein mit Eis gekühlter Schaumwein hat je so köstlich gemundet!

Wir verbrachten peinliche Stunden bis Mittag. Als sich auch dann noch keine Aussicht auf Errettung zeigte, begannen wir, einen äußersten Entschluß vorzubereiten: wir legten das Gepäck zusammen, verwahrten es mit einer starken Dornenhecke und wollten dann ohne Last so schnell als möglich den sicherlich Wasser bietenden Parebergen zuwandern. Da vernahmen wir entferntes Schießen. Der Hoffnung erweckende Schall ertönte näher und näher, und um drei Uhr Nachmittags kamen die ersten unserer Leute an. Koralli erzählte, sie hätten gestern umsonst nach Wasser gesucht und erst heute das unschätzbare Naß in einem scheinbar trockenen Flußbett in zwei Fuß Tiefe gefunden; nach kurzer Rast wären sie zurückgekehrt, mit Wasser in Allem, was Wasser zu halten vermochte. Er hätte selbst sein Pulverhorn dazu benutzt und den Inhalt desselben in einem Päckchen in der Hand getragen; als er dann beim Näherkommen ein Trägergewehr abgefeuert, hätte sein Pulver sich entzündet und ihm Bart, Kleider und Haut versengt. Er war in der That übel zugerichtet worden.

Gegen fünf Uhr trafen die letzten der Träger ein. Der mitgebrachte, ansehnliche Wasservorrath floß zum größten Theile noch selbigen Tages durch die durstigen Kehlen.

14. Juli. Erst um sieben Uhr gelangten wir zum Aufbruch, weil die halbverschmachteten Esel, welche wir herausgelassen, damit sie den Thau vom Grase lecken könnten, sich weit von dem Lager entfernt hatten. Auf beschwerlichem Wege durch mannshohes Gras erreichten wir um ein Uhr den Fluß, welchen die Leute „ku fukua" d. i. „das Graben" genannt hatten. Unterwegs bekamen wir zum ersten Male den Kilimandscharo zu Gesichte: so hoch wie vier Vollmonde übereinander ragt der Riesenberg empor, einem mächtigen Dome gleich, bedeckt von blendend weißem Schnee, welcher den hellen Sonnenschein noch heller zurückstralt — solch' großartigem Anblicke gegenüber können die Trugschlüsse des englischen Stubengelehrten Cooley, daß es in Afrika keine Schneeberge gebe, „weil sie nicht in seinem berühmten Buche stehen", nicht Stand halten.

Das Wasser fand sich in 2½ bis 3 Fuß tiefen Löchern, welche die Thiere der Wildniß in dem scheinbar trockenen Bette gewühlt hatten; grub man tiefer und wartete einige Zeit, so sammelte sich eine klare und ziemlich frische Flüssigkeit. Wir nahmen heut, nach sechstägigem Fasten, ein üppiges Mahl ein von Frankolinen, Perlhühnern, Tauben und frischen Straußeneiern, welche wir unterwegs erbeutet hatten.

Rings um unser Lager und vorzüglich im Flußbette gewahrten wir zahllose Fährten von allerlei Wild; Elephanten, Rhinoceros, Girafen, Büffel, Antilopen und Zebra schienen hier täglich Versammlung zu halten. Gekräftigt durch Speise und Trank beschloß ich, die Nacht auf dem Anstande zuzubringen. Koralli stellte sich etwa fünfhundert Schritt oberhalb des Lagers auf; ich nahm ebensoweit unterhalb desselben Platz. Wir sahen uns bitter getäuscht; denn wir erlegten nicht allein Nichts, sondern bekamen nicht einmal etwas Jagdbares zu sehen. Eigentlich durfte uns Das nicht wundern. Wie konnte ein Thier sich nahen, wenn der vortreffliche Elephantenjäger Muansalini trotz verschiedener ihm gespendeter Fußtritte rasselnd schnarchte und die Anderen durch Zähneklappern das Ihrige zur Vermehrung des Lärmens beitrugen? Durchfroren und ärgerlich kehrten wir nach vier Uhr Morgens zum Lager zurück. Eine Stunde später befanden wir uns auf dem Marsche.

Wie schon gestern, war auch heute der Weg abscheulich: ebene Flächen mit hohem Gras und Dornengestrüpp wechselten ab mit steilen, trockenen Bachrinnen und schwarzem, von der Hitze zerrissenen Sumpfboden, in welchem riesenhafte Dickhäuter ihre Spuren fußtief eingedrückt hatten. Endlich erreichten wir einen, wennschon nur schmalen und steinigen Pfad. Er ward mit Jubel begrüßt. Vorher hatte Niemand die Gegend kennen wollen, jetzt aber wußten Alle genau Bescheid, nannten die Namen von Bergen und Dörfern und zeigten mit den Fingern auf Bananenpflanzungen, von denen ich freilich mit dem Fernrohre Nichts bemerken konnte. Nach zweistündigem Marsche waren sie wieder so klug als zuvor und gestanden, daß sie sich vorher geirrt oder vielmehr gelogen hätten. Keiner wußte mehr, wo aus noch ein; der Eine empfahl, eine westliche, der Andere, eine südliche Richtung einzuschlagen. Ich ließ halten und schickte vier Leute als Kundschafter aus. Zwei von ihnen kamen bald zurück, ohne Etwas erreicht zu haben; die Anderen blieben so lange aus, daß wir endlich aufbrachen, es ihnen überlassend, unserer Fährte zu folgen. Nach Kurzem erreichten wir einen Fußpfad, auf welchem etwas frisch gekautes Zuckerrohr lag, und anderthalb Stunden vor Sonnenuntergang kamen wir an einen Bach in engem, tiefen Thale am Fuße der Pareberge, welche hier bewohnt sein mußten, wie verschiedene in der Nähe aufsteigende Rauchsäulen bewiesen. Wir richteten uns auf einem hübschen, mit natürlichen Steinwällen umgebenen Platze unter dem Schatten großer Bäume häuslich ein und empfingen bald den Besuch mehrerer Eingeborenen, welche sich nicht im Mindesten wunderten, uns hier zu sehen.

16. Juli. Schon am frühen Morgen wimmelte das Lager von Wapare. Viele von ihnen waren von hellerer Hautfarbe als die Wateita, und nicht Wenige zeichneten sich durch spitzgefeilte Zähne aus. Einige hatten das Haupthaar geschoren, Andere es mit Thon-Butter-Salbe roth gefärbt und zu langen Zöpfen geflochten. Mit Schmucksachen waren sie weniger gut versehen als die Wateita, doch sah man die sanduhrförmigen Drahtarmbänder und einfache, dicke Messingringe immerhin häufig, desgleichen bunte Perlen, Eisen- und Messingkettchen, sowie Spangen an den Armen und verziertes Holz oder kleine Flaschenkürbisse in den Ohren. Von Waffen trugen die Männer ziemlich große Schwerter, Bogen, länger und stärker als die der Wateita, und Pfeile mit widerhakigen, jedoch nur in einzelnen Fällen vergifteten Eisenspitzen, seltener auch Schild und Sper. Fast ausnahmslos führten sie kleine Pfeifen von schwarzem Thone bei sich; sogar das schöne Geschlecht schien den Genuß des Tabaks nicht zu verschmähen.

Die Weiber hatten als Hauptkleidungsstück ein großes Fell um die Lenden gebunden und darüber an jeder Seite der Hüfte einen kleinen, einer ungeheueren Tasche gleichenden Sack. Vornehmere Damen prangten mit schönen, perlengestickten Leibgürteln von Leder. Das Haar war zu sonderbaren Verzierungen ausgeschoren und die Brust mit eingeritzten Zeichnungen bedeckt. Im Vergleich zu den Teitafrauen waren sie mit ärmlichen Schmuck versehen; sie trugen nur wenige Perlenschnüre um den Hals und noch seltener Halsbänder von Messingdraht — ein gutes Vorzeichen für den zu eröffnenden Markt.

Man hatte eine überraschende Mannigfaltigkeit von Waaren herbeigebracht, Hühner und fette Ziegen, Bohnen und Erbsen in kleinen, hübschgeflochtenen Säcken, mächtige Bündel Bananen, türkischen Weizen, süße Kartoffeln, Yams und Mhogo, Wassermelonen, eine Art Erdnüsse und Zuckerrohr; auch Tabak, Salz, Butter und Bananenmehl sowie Wasserkitomas fehlten nicht.

Die Preise stellten sich bedeutend niedriger als am Kadiaro, obschon viermal theurer, als Thornton sie am Sambesi gefunden; es gelang mir, in Kurzem einen beträchtlichen Vorrath von Lebensmitteln zu erwerben. Ich befolgte beim Handel den Grundsatz, einen angemessenen Preis für die Waaren zu bieten, von diesem aber nicht abzugehen, soviel man auch dagegen einzuwenden hatte. Er bewährte sich vollständig. Die Leute gewöhnten sich bald an meine Art und zauderten nicht lange, wenn sie überhaupt die Absicht hatten zu verkaufen; sie wußten, daß ich mich mit Demjenigen, welcher mein erstes Gebot verschmähte, nicht wieder einließ und fürchteten, ihre schwere Lasten, ohne etwas verkauft zu haben, wieder forttragen zu müssen. Baumwollenzeug zogen sie den Perlen vor; für Kleinigkeiten, welche nur mit Perlen bezahlt werden konnten, forderten sie immer die theueren, scharlachrothen Perlen (sog. Samsam), fügten sich jedoch, als ich erklärte, daß ich nur weiße (die billigsten) geben würde.

Geräthschaften, Schmucksachen und dergleichen waren nur mit Mühe zu erhandeln, obschon man hier nicht so sehr damit zurückhielt wie am Kadiaro. Ich erwarb vier Tabakspfeifen, zwei Schnupftabaksdosen oder vielmehr -fläschchen (kleine Flaschenkürbisse mit Pfropfen), einige Bogen, Pfeile, hölzerne Löffel und allerliebste Körbe; Schwerter, Halsbänder und Pfeifen mit zwei Köpfen, welche mir besonders gefielen, wurden durchaus nicht verkauft. In ihrem Benehmen waren die Wapare freundlich und anständig, und wenn sie auch, wie man das allerorts findet, späterhin etwas zudringlich auftraten, so genügte doch stets ein Wort, sie in angemessener Entfernung zu halten.

Im Parelande hat jedes große Dorf einen sogenannten Sultahn oder vielmehr einen Mann, der es übel nimmt, wenn man ihn nicht so nennt. Mvuri, der Beherrscher des Gebietes, in welchem wir unser Lager aufgeschlagen, war verhindert, selbst zu erscheinen, weil ihm eine Pfeilwunde, welche er im vorigen Jahre beim Kampfe mit den Wabura erhalten, viel Beschwerde verursachte; er sandte, um mich zu begrüßen, seinen Minister Masambo mit einer schönen Ziege und ließ mich bitten, das nächste Mal doch wieder bei ihm vorzusprechen.

Um die so eingeleitete Freundschaft zu besiegeln, galt es noch, die Ceremonie des Bluttrinkens und der Blutsbrüderschaft vorzunehmen. Da ich mich weigerte, Dies persönlich zu thun, trat Faki an meiner Stelle ein; den Sultahn vertrat Nguatu, der Sohn eines anderen Häuptlings. Beide setzten sich mit ausgespreizten Beinen einander nahe gegenüber auf ein Stück Baumwollenzeug, welches natürlich ich zu geben hatte, und legten sich gegenseitig die Hände auf die Schultern. Hinter jedem von ihnen nahm ein „Sekundant" Platz, welcher ein Schwert und einen Ladestock derart hielt, daß deren Enden die Häupter der künftigen Blutsbrüder berührten. Dann kniff Nguatu mit der rechten Hand die Haut in Fakis Herzgrube zu einer Falte zusammen; ein Anderer ritzte sie mit einem kleinen Messer, während Faki ein Stück von der eben gebratenen Leber eines Huhns ergriff und damit einen Blutstropfen von des Gegners Brust aufnahm. Dasselbe that der Andere mit seinem Gegenüber. Hierauf hielt Fakis Helfer, während er unausgesetzt mit einem Messer auf Schwert und Ladestock klopfte, eine Rede in welcher es hieß, „es möge Keiner mit den Masai, Löwen und Elephanten zusammentreffen; wenn einer von Beiden umkäme dürfe der Andere nicht ruhen, bis er seinen Bruder gerächt habe; es gehöre all ihr Besitzthum Beiden gemeinschaftlich" und dergl. mehr. Eine ähnliche Rede hielt der andere Sekundant. Nunmehr tauschten Faki und Nguatu die auf ein Stäbchen gespießten Leberstückchen aus, Jeder bedeckte des Anderen Gesicht mit der linken Hand, steckte mit der rechten das Fleisch in dessen Mund und verzehrte den ihm selbst zugeführten Bissen. So waren die Beiden Blutsbrüder geworden. Zum Schlusse ergriffen sie die leeren Stäbchen, zerbrachen sie Einer über des Anderen Haupte, faßten sich mit beiden Händen an den Schultern, standen, so verkettet, miteinander auf und umarmten sich.

Das Stück Amerikano, auf welchem sie gesessen, nahm Nguatu in Besitz, wahrscheinlich um zu zeigen, wie ernstlich er es mit der Gütergemeinschaft meinte. Ich forderte Faki auf, sich die Hälfte davon geben zu lassen; er versuchte es, wurde aber tüchtig ausgelacht. Dies erregte in mir die späterhin weiter bestätigte Vermutung, daß die Eingeborenen solche Bräuche blos deshalb vornehmen, um das als Unterlage dienende Stück Amerikano zu bekommen, sowie um die andere Partei sicher zu machen und sie danach leichter übervortheilen zu können.

Während meines Aufenthaltes am Paregebirge lernte ich einige ausgezeichnete Persönlichkeiten kennen, deren Gebaren mir einen tiefen Blick in das Leben und Treiben der kleinen Negerfürsten gestattete und somit des Anziehenden und Belehrenden genug bot, um mich die dadurch verursachten Unannehmlichkeiten vergessen zu lassen. Ein solches Urbild war Häuptling Mkongoli, ein kleiner, dürrer, alter Mann, welcher eines Nachmittags im Lager erschien, mir einen Ochsen anbot und dafür ein Geschenk verlangte. Nachdem ich ihm dieses zugesagt, meinte er zuerst, das Thier werde sogleich gebracht werden, später, es befinde sich auf einer sehr entfernten Weide und könne erst am Abend, und endlich, es werde wol nicht vor morgen früh eintreffen. Ich rieth ihm, sich zu beeilen, weil ich den für den anderen Morgen festgesetzten Aufbruch nicht verschieben könne, und versprach, falls er sein Geschenk noch zeitig genug brächte, ihm zehn Doti (28) Amerikano und zwei Stück Barsati zu geben. Anderen Tages, bei Sonnenaufgang, kündigten mir einige Leute die Ankunft Sultahn Mkongolis an und überredeten mich, unterstützt von meinen Führern, noch ein wenig zu verziehen. Um sieben Uhr kam der Alte. Anfangs that er alles Mögliche, um mich aufzuhalten; als er aber das Unnütze seiner Bemühungen einsah, erbot er sich, uns an einen Bach zu geleiten, wo der Ochse sich befinden sollte, versprach auch, uns Führer nach Kisuani, unserem heutigen Nachtlager, zu verschaffen. Nach einer halben Stunde gelangten wir denn auch an einen rauschenden Bach mit klarem Wasser. Hier verlangte er Perlen und andere Kleinigkeiten für die geleisteten Dienste sowie im Voraus das Geschenk für den versprochenen Ochsen. Da mehrere der Träger das Thier gesehen haben wollten, trug ich kein Bedenken, ihm den Gegenwerth einzuhändigen: sogleich ließ der Spitzbube den Ochsen gegen ein Kalb umtauschen. Ich hatte nicht einmal das Recht, mich darüber zu beschweren, denn das Wort „Ngombe“ bedeutet in der Paresprache ebensowol Ochse als Kalb und läßt höchstens durch Vorsetzen von „groß“ oder „klein“ eine bestimmtere Bezeichnung zu. Der alte Sünder verlangte sogar noch, Blutsbrüderschaft mit mir zu machen, selbstverständlich nur, um das auf die Erde auszubreitende Stück Zeug zu erlangen. Um ihn schnell los zu werden, gewährte ich seine Bitte, ließ mich aber wiederum durch einen meiner Leute vertreten. Die Handlung ging mit viel weniger Umständen als gestern von Statten, wahrscheinlich, weil man einsehen mochte, daß jetzt nichts Erhebliches mehr von mir zu gewinnen sei.

Mit den versprochenen Führern wurde ich gleichfalls getäuscht. Beim Aufbruche meldeten sich mehr als ein Dutzend junger Burschen; keiner ließ sich zurückweisen, und jeder wollte seine Belohnung haben. Nach ziemlich beschwerlichem Wege kamen wir in Kisuani (d. i. „auf der Insel“) an, einem häufig von Karawanen der Pangani- und Tangaleute besuchten, von den Armen des Gondjabaches umschlossenen Platze. Es fanden sich eine Menge geräumiger, gut erhaltener Hütten vor; meine Leute ergriffen von ihnen freudig Besitz, wir Europäer aber zogen es vor, im Freien zu bleiben, weil wir wußten, daß man bei solchen Baulichkeiten mehr mit herausnimmt als man hineingetragen. Die Horde der Führer verließ mich in höchst unzufriedener Stimmung, denn ich hatte nur einen von ihnen sowie denjenigen, welcher das Kalb getrieben, mit einem Geschenk erfreut.

Auch hier machte ich die Bekanntschaft sonderbarer Käuze. Kurz nach unserer Ankunft stellte sich ein Mann als Sohn des Sultahns vor und verbot, die üblichen Signalschüsse abzufeuern, ehe wir ihm und seinem Vater die Abgabe entrichtet. Statt aller Antwort feuerte ich mein Doppelgewehr dicht über seinem Haupte ab. Sehr ärgerlich verließ er das Lager, kam aber bald zurück und verlangte kaltblütig ein Doti als Strafe für die soeben abgefeuerten Schüsse. Auch Dies verweigerte ich in einer Weise, welche keinen Zweifel an der Festigkeit meines Entschlusses aufkommen ließ, worauf er ging und nimmer wiederkehrte.

Nach einer angenehmen Nacht, welche nur einige Male durch das Gebrüll eines Löwen und das laute Gebelfer einer Affenheerde gestört wurde, bereitete ich mich auf den Markt vor, dessen wir dringend bedurften. Ich legte die Msigo mit den gangbarsten Waaren zurecht und ließ nochmals eine Anzahl Gewehre abfeuern. Erst anderthalb Stunden später erschienen einige Verkäufer; nach und nach jedoch vergrößerte sich ihre Anzahl bedeutend. Sie stellten mäßige Preise und zeigten ein zuvorkommendes Benehmen; vermutlich erinnerten sie sich noch einer derben Lehre, welche ihnen vor einigen Jahren ein berühmter Mukurugensi ertheilt hatte, indem er einige Ortschaften mit Feuer und Schwert heimsuchte und gegen fünfzig Mann tödtete, um sie für feindseliges Benehmen gegen ihn zu bestrafen.

Gleichzeitig mit den Verkäufern traf ein sehr hellfarbiger junger Mann ein, mit bunten Stoffen bekleidet und mit Ringen an Armen, Hals und Ohren geschmückt; in der Linken trug er eine Lanze mit breiter Eisenspitze und in der Rechten einen am Ende zierlich mit Messingdraht umwickelten Pferdeschweif, mit welchem er sich Kühlung zufächelte. Zwei Knaben begleiteten ihn, der eine als Pfeifenträger, der andere, mit Schild, Pfeil und Bogen, als Leibknappe. Der gelbe Jüngling, welcher sich durch sein Gefolge ein gewisses Ansehen zu geben suchte, war übrigens durchaus nicht häßlich; er schien Dies auch zu wissen und umschwänzelte uns in echter Stutzerweise, in der nicht zu verkennenden Absicht, unsere Aufmerksamkeit zu erregen. Da Dies ihm nicht gelang, stellte er sich als Hauptsultahn des Kijuanigebietes vor und forderte sein Geschenk. Durch frühere Erfahrungen gewitzigt, weigerte ich mich, ihm Etwas zu geben, bis es sich herausgestellt, daß andere Häuptlinge nicht begründetere Ansprüche erhöben. Darob ergrimmte der Jüngling, drohte mir mit seiner Feindschaft und mit Krieg, beruhigte sich aber endlich, da er sah, daß ich mich nicht einschüchtern ließ, wurde sogar, als ich ihm ein Geschenk zu geben versprach, sobald er das seinige gebracht haben würde, überaus freundlich und erbot sich, uns folgenden Tages als Führer zu einem entfernten Wasserplatze zu dienen.

Bald sollte es sich zeigen, daß ich recht gehandelt; denn wiederum erschien ein buntgekleideter Mann, diesmal mit einem Fasse auf dem Haupt und einem Pferdeschweif in der Hand als Zeichen seiner Würde, stellte sich als Hauptsultahn K i m a r i o von M a s i n a vor und forderte sein Geschenk. Als er vernahm, daß kurz vorher ein Anderer dieselbe Forderung gestellt, ward er im höchsten Grade erzürnt, schwur hoch und theuer, daß Jener die Anmaßung büßen solle, und bat, ihn nur schnell zu befriedigen, damit er sich sofort auf den Weg begeben könne, um den Anderen aufzusuchen und zu bestrafen. Gerad als er im besten Zuge war, tauchte der „Usurpator“ von vorher wieder auf; ich überließ es den Beiden, die Sache unter einander auszugleichen. Nach mehrstündigen Verhandlungen hatten sie sich in der That geeinigt; sie nahmen das vorher bestimmte kleine Geschenk gemeinschaftlich in Empfang und brachten als Gegengabe einige Bananen und etwas Zuckerrohr. Zugleich verpflichtete sich der junge Mann, die Nacht über im Lager zu bleiben, um, da er uns zu führen versprochen, am anderen Morgen keinen Aufenthalt zu verursachen. Doch schon bei anbrechender Dunkelheit reute ihm sein Wort, und er versuchte, zu entweichen; ich bedeutete ihm aber mit meinem Gewehre, daß solche Versuche gefährliche Folgen nach sich ziehen würden, und nahm zu größerer Sicherheit seine Waffen in Beschlag. Scheinbar zufrieden gestellt, machte er sein Feuer für die Nacht zurecht, änderte aber späterhin noch mehrmals seinen Entschluß und war nur durch das entschiedenste Auftreten von meiner Seite zur Erfüllung seiner Zusage zu bestimmen.

19. Juli. Mit Tagesanbruch setzten wir unsere Reise fort. Einige Stunden lang wanderten wir über abgebranntes Land, in welchem wir bei jedem Schritte bis an die Knöchel einsanken, weil der seiner Grasnarbe beraubte Boden sehr mürbe geworden, dann durch eine mit hohem Grase bewachsene Ebene und erreichten gegen Mittag eine zerfallene Hütte, in deren Nähe, dem Führer zufolge, sich jederzeit Wasser finden sollte. Diesmal

suchten wir vergebens, ebenso auch an einem anderen, eine Stunde entfernten Orte. In der festen Ueberzeugung, daß Wasser in der Nähe sei, und daß unser Begleiter es nur aus Böswilligkeit nicht zeige, drohte ich ihm mit Entziehung seines Lohnes, aber ohne einen ersichtlichen Eindruck auf ihn hervorzubringen. Er entgegnete mit Ruhe und Würde, daß er die herrschende Trockenheit nicht verschulde; er habe seine Pflicht gethan und zweifle nicht, daß auch der weiße Mann sein Versprechen halten werde. Meine vorige Ueberzeugung konnte sich dadurch allerdings nicht ändern; ich wurde jedoch von meinen Leuten so ungestüm mit Bitten bestürmt und sogar der Ungerechtigkeit beschuldigt, daß ich endlich nachgab und den Schurken mit einem Geschenk entließ. Im weiteren Verlaufe der Reise stellte es sich heraus, wie sehr ich mit meinem Urtheile Recht gehabt.

Wir zogen weiter durch die dürre Landschaft und schlugen, ohne Wasser gefunden zu haben, gegen Sonnenuntergang am Fuße einer kahlen Anhöhe ein unbehagliches Lager auf.

Fünfzehnter Abschnitt.

Der See Jipe.

Annäherung an den See. — Ein edler Karawanenbrauch. — Marsch längs des Ostufers. — Begegnung mit acht Löwen. Erlegung dreier Nashörner. Anderes Wild. Nächtliche Jagdabenteuer. — Bienenkörbe. — Feierlicher Empfang in Dafeta. — Sultabn Maungu. — Die Ceremonien des Kischongo und der Blutsbrüderschaft. — Großer Rath der Häuptlinge. — Tracht und Schmuckgegenstände der Wadafeta. — Ein Kriegstanz. — Ausflug nach einem Hügel am See. — Beschwerlichkeit der Winkelmessungen. — Der Vertrauensmann Banafumo. — Abschied von Dafeta.

Die Nacht war kalt, und ein rauher Wind blies von den Parebergen her. Bereits vor fünf Uhr trieb ich meine Leute, welche frierend um die erloschenen Feuer saßen, zum Aufbruch. Wir überstiegen einen niedrigen Kamm des Kisunguhöhenzuges und gelangten in eine weite, wellige, leicht nach Norden geneigte Ebene. Sie trug nicht das Gepräge der Dürre, wie die gestern durchschrittene: feines frisches Gras bedeckte den Boden, und an Stelle der kahlen Dornbüsche waren einzelnstehende belaubte Bäume getreten. Vom See Jipe, welcher nach Aussage der Leute nur wenige Stunden entfernt sein konnte, war Nichts zu erkennen weil ein dichter Nebel über der Landschaft lag. Auf einigen der immer zahlreicher werdenden Wildpfade gingen wir nordwärts weiter, einem schroff aus der Ebene emporsteigenden Gebirgszuge, dem Ugonostocke zu, an dessen Fuße ich das Wasserbecken vermutete, kamen jedoch nur langsam vorwärts, weil wir öfters auf die vor Durst ermatteten Träger warten mußten. Gegen zehn Uhr, nachdem wir eine Strecke des bekannten, dunkelgrauen Bodens durchwandert, gewahrten wir die ersten Anzeichen von der Nähe des Wassers: gebleichte Schalen von Süßwassermuscheln und weiterhin einzelne Flecken Schilfes, aber noch kein Wasser selbst — vermutlich reicht der See nur während der Regenzeit bis hierher. Nach zweistündigem, mühsamen Marsche, zuletzt über weichen Schlammboden, entdeckten wir endlich eine trübe Pfütze. Mit Jauchzen beugte sich ein Jeder zu der Lache nieder und schlürfte, als wäre es das köstlichste Getränk, mit vollen Zügen das gelbbraune Wasser.

Sobald der erste Durst gestillt, gedachte man nach guter, alter Karawanensitte auch der schmachtenden Zurückgebliebenen: aus eigenem Antriebe wanderte eine Anzahl der Träger zurück, um den selbst stundenweit Entfernten das belebende Element entgegen zu bringen — gewiß ein schöner Zug edlen Menschenthums!

Beim Weitermarsche scheuchte ich einen herrlichen weißen Reiher auf: meine Flinte krachte, er stürzte herab, und ringsum erhob sich eine Wolke erschreckten Wassergeflügels.

Plötzlich ertönte lautes Geschrei — ein Flußpferd brach aus dem Schilfe hervor, nahm seinen Weg mitten durch unsere Reihen und entschwand, ohne daß die nachgesandten Kugeln ihm Etwas anzuhaben vermochten. Kurz darauf galoppirten noch zwei der plumpen Kolosse an uns vorüber dem Wasser zu.

Immer dichter wurden Schilf und Gras, je weiter wir vordrangen, und immer zahlreicher und ausgedehnter die Wasserpfützen. Auf diesem Wege den Spiegel des Sees zu erreichen, schien unmöglich; wir wandten uns also rückwärts und dann nach Osten und kamen anderthalb Stunde später, nach mancherlei für den Zuschauer allerdings spaßhaften Unfällen wieder auf freien Boden. In nördlicher Richtung an dem schilfumkränzten Ostufer des Sees weiter wandernd, erreichten wir um vier Uhr eine zum Lager geeignete Stelle, an welcher die stattliche Seefläche einigermaßen offen lag. Vor uns und nach Westen breitete sich eine weite, sanft ansteigende Grasebene aus, von Norden her leuchtete der herrliche Kilimandscharo herein, jenseit des Sees schloß das duftig blaue, zackige Ugonogebirge den Gesichtskreis ab, und im Süden zeigten sich die Kisungaberge und die Ausläufer des Pare. Nur wenige der rüstigsten Träger waren noch bei uns; die meisten erschienen in längeren Zwischenräumen Einer nach dem Anderen, und erst bei anbrechender Dunkelheit waren wir vollzählig.

Am Morgen des 21. Juli brach ich etwas früher auf als meine Leute, in der Hoffnung, von der Tränke zurückkehrendes Wild zu treffen; allein ich täuschte mich und sah Nichts als über dem Seespiegel Schnauze und Ohren einiger Flußpferde, welche mit entsetzlichem Stöhnen und Plätschern untertauchten, wenn ich ihnen eine Kugel aus der Elephantenbüchse zusandte. So wanderte ich mit öfterem Aufenthalte mehr denn drei Stunden fort und hielt häufig Umschau, ohne jedoch die nachfolgende Karawane zu gewahren. Ich kehrte zurück und fand nach einer halben Stunde Weges die ganze Gesellschaft gemütlich gelagert und im Begriffe, sich eine Mahlzeit zuzubereiten: die Führer hatten Thornton und Koralli keck vorgelogen, daß ich ihnen gestern Abend diesen Platz bezeichnet und den Befehl gegeben habe, mich dort zu erwarten. Sofort stieß ich die Töpfe um, warf das Feuer durcheinander, theilte hier und da ermutigende Stockschläge aus und brachte in kurzer Zeit Alles wieder in besten Gang.

Auch später wurde ich nicht vom Jagdglücke begünstigt; nur eine Heerde Zebra sah ich, aber viel zu weit ab, um einen sicheren Schuß thun zu können.

Gegen Mittag erreichten wir das Ende des freien Wassers; ein dicker Kranz riesiger Papyrus entzog die Seefläche unseren Blicken: bis zur Höhe von über fünfzehn Fuß erhebt sich hier das berühmte Riedgras, gekrönt von einem federigen, den Blüten des Schnittlauches ähnlichen Kopfe von drei Fuß Durchmesser. Der Pfad führte nun vom Wasser ab, über eine dünnbewaldete Ebene, welche an einigen Stellen mit einer leichten, nach Salpeter und etwas Kochsalz schmeckenden Ausblühung bedeckt war; ich ließ halten und das Mittagessen zurecht machen. Mein unermüdlicher Reisebegleiter stellte auch hier, anstatt sich Ruhe zu gönnen, seine Meßinstrumente auf und nahm Winkel nach den Ugonobergen und anderen sichtbaren Gipfeln.

Etwa um drei Uhr begaben wir uns wieder auf den Weg nach Daseta zu, einer nördlich von hier am Lumiflusse gelegenen Landschaft, in welcher die Dschaggakarawanen häufig verkehren. Unterwegs sahen wir in geringer Entfernung ein Nashorn und zwar ein schwarzes, also eines von der gefährlicheren Art: sämmtliche Träger warfen das Gepäck auf die Erde und suchten auf den benachbarten Bäumen Schutz. Nach schnell entworfenem Schlachtplane feuerte Thornton dem Unthiere eine Kugel aus seiner kleinen Büchse zu, um es zum Angriffe zu reizen, worauf ich es mit einer Elephantenkugel niederzustrecken gedachte.

Es gehörte indeß nicht zu den Mutigen seines Geschlechtes; denn kaum knallte die Büchse, als es in schwerem Galopp von dannen floh. Gegen Sonnenuntergang ward das Nachtlager unter einigen Bäumen an einer Wasserpfütze aufgeschlagen.

Um zu zeigen, in welch' erstaunlicher Menge zu anderen Zeiten hohes und höchstes Wild am See Jipe vorkommt, und wie ungesucht es sich bisweilen der mordenden Büchse stellt, greifen wir dem Gange der Erzählung vor und schalten hier die Erlebnisse zweier späterer Tage ein, um welche wol Mancher unseren Reisenden beneiden wird.

„Ich ging," erzählt Decken auf seiner Rückreise, „am frühen Morgen der Karawane voraus am Seeufer hin, um einiges Wassergeflügel zu erlegen; ich trug ein doppeltes Schrotgewehr nach dem Systeme Lefaucheux, Koralli folgte mir in einiger Entfernung mit meiner Büchse nach. Das Glück war mir günstig; außer manch' schönem Sumpfvogel erlegte ich namentlich eine herrliche Trappe, über welche ich mich ganz besonders freute. Da gewahrte ich etwa fünfzig Schritt von mir am Rande des Schilfes etwas Gelbes. Schon öfters hatte ich kleine, gelb- und schwarzgestreifte Hyänen gesehen, dachte also bei diesem Anblicke zuerst an eine solche und kroch demgemäß, ohne die Schrotladung gegen Kugeln umzutauschen, auf allen Vieren vorsichtig durch das lange Gras vorwärts. Nachdem ich mich unter dem Schutze eines Busches bis auf einige Schritte Entfernung angebirscht, richtete ich mich langsam empor. Der Anblick, welcher sich dem überraschten Auge bot, erregte unbeschreibliche Gefühle in mir. Nicht Angst, nicht Schrecken war es, was mich bewegte — das Schauspiel zog mich an mit Zauberkraft, während meine Vernunft mich fliehen hieß: kaum vier Schritt vor mir lag eine alte Löwin, spielend mit zwei Jungen, welche sich ihr zu nahen suchten, aber immer durch eine leichte Bewegung der Tatzen von ihr zurückgeschleudert wurden; dicht daneben stand der Herr Vater, sichtbarlich erfreut über die Gewandtheit seiner Sprößlinge, und in einiger Entfernung davon, am Rande des Sees, labten sich zwei halberwachsene Brüder oder sonstige Verwandte an einem Morgentrunke. Das Blut rann mir heiß durch die Adern, bald aber gewann die Vorsicht wieder die Oberhand: langsam, wie ich mich aufgerichtet, ließ ich mich hinter dem Busche niedersinken, setzte Kugelpatronen in meinen Lefaucheux, kroch mit möglichster Vorsicht auf Koralli zu und ließ mir meine vertraute Büchse geben. Es wäre Wahnsinn gewesen, mit nur drei Kugeln einen so ungleichen Kampf zu wagen; aber es trieb mich unwiderstehlich, die prächtigen Thiere noch einmal zu sehen. Langsam rückte ich vor, Koralli folgte mit der Doppelflinte — da traten acht Löwen, statt der vorher bemerkten sechs, aus dem Schilfe, unter ihnen drei mit stattlichen Mähnen geschmückte, blieben auf zwanzig Schritt Entfernung stehen, ließen ein dumpfes, unwilliges Geknurr hören, fauchten und zeigten das herrliche Gebiß, mit welchem Mutter Natur sie beglückt. Sie zähnefletschend, ich die Büchse an der Schulter, so standen wir uns wol zwei Minuten gegenüber; endlich bequemten die Bestien sich langsam zum Rückzuge, voran die Jungen, zuletzt die Männchen. Flucht aber war dieser Rückzug nicht zu nennen: aller zwei bis drei Schritte wendete sich einer der alten Herren um, wie wenn er sehen wollte, ob ich den unwillkürlich unter uns geschlossenen Waffenstillstand auch redlich hielte, und erst außerhalb Schußweite begannen sie in langen Sprüngen der Ferne zuzustreben und waren bald hinter Busch und Bäumen verschwunden — vermutlich hatten sie Witterung von der seitwärts herannahenden Karawane erhalten."

„Wir setzten die unterbrochene Reise fort. Die Sonne brannte entsetzlich; kein Lufthauch milderte die noch schlimmere stralende Hitze des Bodens; die Träger konnten sich kaum weiter schleppen. In Rücksicht darauf ließ ich schon um zehn Uhr halten und zwar zum Nachtlager, weil ich Nachmittags die treffliche Jagdgelegenheit noch besser auszunutzen gedachte. Kaum hatten wir es uns bequem gemacht, als ein paar Leute, welche Brennholz zu suchen ausgegangen waren, eiligen Laufes zurückkehrten und meldeten, sie hätten in der Ferne zwei Rhinozeros gesehen. Von Thornton und zwei Trägern mit den Hilfsgewehren begleitet, begab ich mich ohne Verzug nach dem bezeichneten Orte und erblickte bald zwei schöne, ausgewachsene, schwarze Nashörner, das eine etwa vierzig Schritt von dem anderen entfernt. Sie mußten mit einem sehr schlechten Gesichte ausgestattet sein; denn sie ließen uns über die spärlich mit höchstens zwei Fuß hohen Büschen bewachsene Ebene auf etwa dreißig Schritt herankommen. Ich richtete mich, um zu schießen, auf. Dabei gewahrte ich noch ein drittes Thier, ein Junges, welches bisher verdeckt gewesen; natürlich zielte ich nun nach der Mutter, weil jenes meine sichere Beute geworden wäre, falls es mir glückte, diese zu erlegen. Alles lauschte gespannt, ich drückte los — der Schuß versagte! Das Knacken der Zündkapsel hallte uns unheimlich in die Ohren. Mit einem Rucke wandten die unförmlichen Köpfe sich der verdächtigen Seite zu, beruhigten sich aber wieder und fuhren fort zu grasen. Nachdem ich einen neuen Zünder aufgesetzt, feuerte ich, diesmal mit besserem Glück: einer der Kolosse brach zusammen, ehe der Schall verklungen. Jetzt aber stürzte das andere Ungethüm schnaubend vor Wut und mit weit geöffnetem Rachen auf mich los und war, als ich kaum meine andere Büchse ergriffen, mir bereits auf fünf Schritte nahe gerückt: meine achtlöthige Kugel traf es in den Rachen. Wie ein Kreisel drehte sich der fürchterliche Gegner und stürzte, als er noch Thorntons kleine Kugel in die Rippen erhalten, laut brüllend zusammen. Ein dritter Schuß aus meiner kleinen Büchse streckte das Junge nieder, welches schreiend hinter dem Körper der Mutter Zuflucht gesucht. So hatte Sankt Hubertus, was er früher ungnädig versagt, an diesem Tage mir gewährt. Wol Wenige werden sich des Glückes rühmen können, an einem Tage drei Stück von solchem Hochwild erlegt, acht Löwen in solcher Nähe beobachtet und außerdem eine gute Flugwildjagd gemacht zu haben!"

„Wir feuerten dem zuerst gefallenen und immer noch zuckenden Nashorn einige Kugeln in den Kopf, um seine Leiden abzukürzen. Als es völlig verendet, kamen einige Träger herbei und baten sich die Erlaubniß aus, auch ihrerseits noch einige Schüsse darauf abgeben zu dürfen, wahrscheinlich um späterhin mit dem Erlegen eines Rhinozeros prahlen zu können, ohne sich allzu unverschämter Lügenhaftigkeit schuldig zu machen. Alle drei Thiere waren Weibchen. Das eine hatte im Rückgrat eine abgebrochene eiserne Pfeilspitze stecken, in deren Nähe das Fleisch zerfressen war. Obwol die Waffe wahrscheinlich vergiftet gewesen, trugen doch die Neger durchaus kein Bedenken, von dem Fleische an entfernteren Theilen zu essen; sie meinen, daß Pfeilgift nur örtlich wirke."

„Durch das wiederholte Schießen aufmerksam gemacht, sammelte sich bald der größte Theil meiner Leute um mich und begann mit Jubeln und Jauchzen die Zerwirkung der Beute. Trotz des Ueberflusses entstand bei dem Vertheilen des Fleisches Streit, und nur mein Stock verhütete, daß es zu Thätlichkeiten kam."

„Ehe wir hiermit fertig waren, meldeten einige Träger, sie hätten ein Flußpferd erlegt und noch ein Nashorn gesehen. Ich folgte ihnen so schnell als möglich, nur mit meiner kleinen Büchse bewaffnet, und feuerte, da ich nicht näher ankommen konnte, auf zweihundert Schritt: von der zweilöthigen Kugel in den Kopf getroffen, brach das Thier zusammen, raffte sich aber wieder auf und verschwand im Gebüsch, ehe ich Zeit hatte, wieder zu laden; die einbrechende Dunkelheit hinderte mich, der durch starken Schweiß bezeichneten Fährte zu folgen."

„Träger und Führer drängten mich, aus Furcht vor den Masai, deren Feuer am Nordostrande des Sees loderten, zu schleunigem Aufbruche; ich konnte mich jedoch nicht entschließen, das herrliche Jagdgebiet so schnell zu verlassen."

„In der Hoffnung, einiges Raubwild zu schießen, begab ich mich am anderen Morgen noch vor Sonnenaufgang nach dem Platze, wo ich gestern die drei Dickhäuter erlegt. Leider hatten die reichlichen Fleischreste nicht genügt, die Todtengräber der Wildniß die ganze Nacht über zu beschäftigen. Der Platz war bereits geräumt bis auf einige größere Knochen und die zwei Köpfe — den dritten hatte ich für meine Sammlung zubereiten lassen — und derartig zerscharrt und zerstampft von Hyänen oder Hyänenhunden und anderem Raubzeug, daß man keine Hand breit glatten Boden finden konnte."

„Von hier aus ging ich mit Koralli dem See zu, nach einer Stelle, an welcher gestern viel Wild zur Tränke gekommen war; dort verbargen wir uns im Grase. Eine Stunde lang warteten wir vergeblich. Endlich zeigten sich in der Ferne Zebras, Elenns, Antilopen und Gazellen in zahlloser Menge. Truppweise näherten sie sich unserem Verstecke mehr und mehr. Da tauchten auf der Windseite einige Leute auf, welche ich ausgeschickt hatte, um nach dem gestern erlegten Flußpferde zu sehen, und — um meine Jagd war es geschehen. Zwar sandte ich dem flüchtigen Wilde auf vierhundert Schritt einige Kugeln nach, aber, wie zu erwarten, ohne Erfolg."

„Mißmutig ging ich weiter in die Ebene hinaus, während Koralli sich den See entlang schlich. Das Glück lachte mir noch einmal: zwei Gazellen und zwei Schweine traten zu gleicher Zeit aus dem Schilfe; ich erlegte die größte der ersteren. Sie war etwas stärker als eine ausgewachsene Ziege, von rothbrauner Farbe am Leibe, von weißer in den Weichen und trug ein eigenthümliches, nach hinten gekrümmtes Gehörn. Merkwürdiger Weise enthielt das Fleisch, obwol das schönste Gras überall in Menge wuchs, keine Spur von Fett. Ebenso waren auch die gestern erlegten Nashörner vollkommen mager gewesen; nur das Flußpferd hatte ein wenig Schmalz für unsere Küche geliefert."

„Nachmittags vergnügte ich mich mit Schießen von Raubvögeln, welche, durch das Schlachtfest angelockt, unser Lager umschwebten, sich sogar mitten unter die Träger wagten und Dem und Jenem ein Stück Fleisch zu entreißen suchten. Bei einem späteren Spaziergange bemerkte ich in der Nähe des Sees einen Panther, welcher sich im trockenen Schilfe wälzte, jedoch verschwand, ehe ich Zeit hatte, die Büchse anzulegen."

„Am anderen Morgen brachen wir lange vor Tagesanbruch auf. Es war sehr dunkel und die Leute hielten sich dicht bei mir, weil sie sich vor wilden Thieren fürchteten. Kaum hatten wir tausend Schritt zurückgelegt, als einige große, langsam sich fortbewegende Schatten vor uns auftauchten. Einer der Träger schrie aus Leibeskräften: „Pera, Pera!" Nashörner, Nashörner! Im Nu lagen sämmtliche Gepäckstücke an der Erde. Wie eine von Wölfen bedrohte Schafheerde drängten sich die Träger auf einen Knäuel. Meine Büchse krachte, ein lautes Geschrei und Schnauben ertönte und ließ mich die Wanderer als Flußpferde erkennen. Da sie, ohne einen Angriff zu wagen, von dannen zogen, bekamen auch meine Suaheli Mut und feuerten mit lautem Prahlen hinter dem fliehenden Feinde her; ich ließ mich jedoch auf weitere Verfolgung nicht ein."

„Nach einer halben Stunde erschien wiederum eine schwarze Gestalt auf unserem Wege, dem Gestöhne nach zu urtheilen, welches meinem Schusse folgte, ein Nashorn. Einen Augenblick blieb das Thier stehen, dann lief es langsam fort; ich näherte mich so rasch als möglich und sandte ihm noch zwei Kugeln nach. Mehrere Male versuchte das Ungethüm uns anzugreifen, schnaufte und zerwühlte mit seinem Horne den Erdboden, ließ sich aber immer wieder durch Thornton und Koralli abhalten, welche auf der Windseite anschlichen. So erhielt ich Zeit, es durch eine neue Kugel zu Boden zu strecken, dann trat ich vorsichtig heran und bohrte ihm eine Lanze in das Auge — es schlug noch einmal mit dem gewaltigen Körper nach der Seite und zuckte nicht mehr. Nun erst sah ich mir meine Beute genauer an; denn bei der herrschenden Dunkelheit hatte ich bisher einzelne Theile nicht unterscheiden können, vielmehr nur auf gut Glück gefeuert. Es war ein weißes Rhinozeros — leider ein trächtiges Weibchen mit milchgefüllten Eutern — elf Fuß zwei Zoll lang vom Kopfe bis zur Schwanzspitze, fünf Fuß zwei Zoll hoch, mit zehnthalb Zoll breiten Fußsohlen. Von meinen Kugeln war die eine hinter dem Blatte eingedrungen, die andere von hinten in den Leib. Gern hätte ich den Schädel mitgenommen, um daran die Verschiedenheit des schwarzen und weißen Rhinozeros genau bestimmen zu können (alle bisher erlegten Nashörner waren schwarze gewesen); doch war einerseits keiner meiner Träger ohne Ladung, anderseits hatte ich keine Zeit mehr übrig: das Entfernen des Fleisches würde mindestens einen halben Tag gekostet haben. Ich begnügte mich also, die Hörner abzulösen. Diese sind mit denen der anderen Art nicht zu verwechseln; das kleinere Horn namentlich ist bei dem schwarzen Rhinoceros kegelförmig zugespitzt und im Querschnitte vollkommen rund, während es bei dem weißen an den Seiten zusammengedrückt und oben mehr schneidig als spitz ist."

„Unterwegs begegneten wir noch mehreren Nashörnern, doch ohne daß es möglich gewesen wäre, einen Schuß auf sie abzugeben. Uebrigens war ich auch vollkommen zufrieden mit dem bisher Geleisteten und hätte eine sich bietende Gelegenheit wahrscheinlich gar nicht benutzt, weil ich hinreichend mit Fleisch versorgt war; hatte ich doch eigentlich schon das letzte Thier ohne Zweck getödtet. Zu meiner Beruhigung fanden wir beim Ueberschreiten der Kisungukette Gelegenheit, einige Parejäger auf das unbenutzt daliegende Stück Wild aufmerksam zu machen: sie gingen eiligst nach dem genau beschriebenen Orte, um Hyänen und Geiern den seltenen Braten abzujagen."

Nach dieser Abschweifung kehren wir zum Reiseberichte zurück und lassen den Baron seine Erlebnisse weiter erzählen.

Obwol Dafeta nur eine Stunde von hier entfernt lag, heißt es in den Aufzeichnungen vom 22. Juli, ließ ich doch schon vor sechs Uhr aufbrechen, um wo möglich unbemerkt durch die Thore an der Grenze der Pflanzungen zu kommen; die Durchgangsabgabe konnte ich hierdurch allerdings nicht zu ersparen hoffen, wol aber viel Zeit und Unannehmlichkeiten. Unterwegs begegneten uns einige Eingeborene, welche zu unserer Ueberraschung nicht im Mindesten über unsere Gegenwart befremdet zu sein schienen — vielleicht hielten sie uns für eine Abart von Arabern. Sie trugen Bienenkörbe auf dem Haupte, wie wir deren auch auf den Bäumen zu Seiten des Weges aufgehängt sahen: fünf Fuß lange und sechzehn Zoll dicke, sauber ausgehöhlte und außen hübsch geglättete Holzklötze von faß- oder gurkenförmiger Gestalt, die Enden mit Holzscheiben verschlossen, durch welche zahlreiche kleine Löcher gebohrt waren, jedes mit einer Hervorragung unterhalb, damit die Bienen vor dem Einfliegen darauf absteigen konnten.

Nachdem wir einen Gürtel dichten Holzes durchwandert, standen wir an der Grenze von Dafeta, vor einem hohen, aus großen und kleinen Bäumen, Büschen und Schlingpflanzen gewebten Zaune, durch welchen ein aus schweren Holzblöcken errichtetes Thor mit so engem und niedrigen Eingange führte, daß die des Sattels entledigten Esel sich eben hindurchdrücken konnten. Schweigend traten wir ein; dann feuerten wir sämmtliche Gewehre ab, um die Bewohner von unserer Ankunft zu benachrichtigen.

In Kurzem erschienen einige zwanzig Eingeborene. Sie nahmen die übliche Abgabe (zwei Doti Baumwollenzeug für den Eingang der Karawane und ein Doti für jeden Esel) in Empfang und verlangten außerdem ein Stück Kaniki (blaues Zeug), um ein Grigri am Thore zu machen, damit sie nicht wieder in ähnlicher Weise überrascht würden. Da sich unter meinen Waaren kein Kaniki befand, erbot sich einer der Träger, sein Kanikikopftuch zu diesem Zwecke zu überlassen. Nachdem diese Schwierigkeit und die damit verknüpfte halbstündige Unterhandlung überwunden, wanderten wir wol anderthalb Stunden lang ungehindert weiter, durch Pflanzungen von Bananen und Zuckerrohr, durch hohen Wald und dichtes Unterholz, ein üppig grünendes und blühendes, von zahlreichen Bewässerungskanälen durchzogenes Land. Ein Arm des Dafeta- oder Lomiflusses verursachte uns einige Schwierigkeiten, da er auf einer gefährlich schwankenden Brücke aus zusammengebundenen Palmblattrippen überschritten werden mußte; wir schwebten, obschon durch ein Geländer einigermaßen gesichert, in fortwährender Angst vor einem unfreiwilligen Bade.

Immer mehr Leute gesellten sich zu uns, mehrere von ihnen wiederum mit leeren Bienenkörben belastet. Von ihnen geleitet erreichten wir gegen neun Uhr einen freien Platz unter zwei hohen Bäumen; hier brachten wir von Neuem ein Salut durch Abfeuern sämmtlicher Gewehre. Zahlreiche Flintenschüsse antworteten uns. Sonderbar, wie konnten die Wadafeta, wenn sie auch einige Gewehre besaßen, ihr kostbares Pulver auf solche Weise vergeuden! Die Aufklärung ergab sich von selbst, als ein Dutzend Suaheli freundlich grüßend uns entgegenkamen, Elephantenjäger aus dem Küstenstädtchen Tanga, welche unter Führung eines gewissen Simba der Jagd oder vielmehr des Elfenbeinhandels wegen hierhergekommen waren.

Erst gegen Mittag, nachdem wir noch zwei beträchtliche Flußarme auf Brücken von der eben erwähnten Bauart überschritten, langten wir auf dem gewöhnlich von Karawanen eingenommenen Lagerplatze an, einem von mächtigen Bäumen beschatteten Plane von etwa fünfzig bis sechzig Schritt im Durchmesser; wir begannen sogleich, uns häuslich einzurichten, d. h. Zelte aufzuschlagen, Schlafstätten herzustellen u. dgl. mehr.

Zeitig am Nachmittag besuchte uns ein etwa dreißigjähriger Mann von nicht üblem Aussehen mit einem Gefolge von zwanzig Mann, der Sultahn Maungu. Er trug ein blaues Tuch um den Kopf geschlungen, ein langes Stück von gemustertem indischen Zeuge quer über seine rechte Schulter, ein Band von großen, blauen Perlen um den Hals und einen Ring von kleineren in den Ohren; dem ungezwungenen Benehmen seiner Begleiter nach schien er eine keineswegs angesehene Stellung zu behaupten. Er verlangte das Kischongo oder Freundschaftszeichen mit mir zu wechseln und sagte zu seiner Entschuldigung, daß er die Sitten der weißen Leute allerdings nicht kenne, da noch nie ein Msungu in sein Land gekommen, es aber für das Beste halte, wenn ich mich denselben Bräuchen unterzöge, welche die ihn besuchenden Araber beobachteten. Ich willigte ein, und man führte eine Ziege zum Opfer vor. Einer der Träger schlachtete sie, nachdem wir ihr ihr auf die Stirn gespieen hatten, zog darauf die Haut von der Stirn ab, zerschnitt sie vom Mittelpunkt aus nach dem Rande hin in dünne Streifchen und versah jedes derselben mit einem Schlitze. Eines davon steckte der Sultahn an den Mittelfinger meiner rechten Hand; ebenso that ich mit dem Sultahn. Darauf schnitt einer von Maungus Leuten mit einem kleinen Messer, welches er an der Spitze anfaßte, den Rest des Streifens von meinem Finger ab, und umgekehrt einer der Träger bei meinem Gegenüber. Die nämliche Ceremonie wurde zwischen Faki und einem Häuptlinge der Wadafeta vollzogen, zwischen Thornton und dem Dafetahändler Mankburi, zwischen Koralli und einem der Eingeborenen und endlich zwischen dem Elephantenjäger Simba und mir nochmals, sodaß ich also jetzt zwei Kischongostrippen am Finger hatte. Sie sollten sich bald noch mehr ansammeln, da es Sitte ist, die ledernen Freundschaftsringe nicht vor Beendigung der Reise abzulegen.

Hiermit war die eine Feierlichkeit zu Ende, und eine andere, von weniger unschuldiger Natur begann: die sogenannte Blutsbrüderschaft. Man briet ein Stück von dem Fleische der Ziege in der Asche und gab es vor- und rückwärts, Dem und Jenem in die Hand, worauf alle Betheiligten, sechzehn an Zahl, in das Zelt gingen. Die Leinen an der Thüre wurden dicht zugezogen. Nach einem langen Schauri zwischen vielen Rednern, während dessen die Wärme bis nahe zum „menschlichen Schmelzpunkte" stieg, wurde das Stück Fleisch, welches inzwischen noch andere Hände durchlaufen, in vierzehn Theile zerschnitten. Darauf mußte ich mich mit dem Sultahn auf ein am Boden ausgebreitetes Doti Baumwollenzeug setzen, wie es auch Faki und Nguatu in Pare gethan hatten, wobei Andere Reden über uns hinweg hielten, welche nach je zwei oder drei Worten vom Chorus in tiefem Tone beantwortet wurden. Endlich nahm jeder von uns ein Stück des gebratenen Fleisches, spie ein wenig darauf und steckte unter den oben beschriebenen Förmlichkeiten es dem anderen in den Mund. Glücklicher Weise, und obschon mein Herr Blutsbruder mir scharf auf die Finger sah, gelang es mir, den ekelhaften Bissen, welcher mich noch tagelang gewürgt haben würde, bei Seite zu bringen. Nunmehr erhoben sich Alle und verließen, zu unserer großen Freude, das Zelt. Noch hatte ich nicht ausgelitten; es blieb mir noch ein langes Schauri zu bestehen, demzufolge ich für das geschlossene Freundschaftsbündniß Geschenke entrichten mußte, ein größeres an den Sultahn und ein kleineres an jeden der Großen des Reiches. Darauf kündigten mir diese an, ich gehöre jetzt zu den Ihrigen und könne thun und lassen was ich wolle, müsse mich aber für morgen auf eine neue, beträchtlichere Abgabe an die anderen Sultahne gefaßt machen.

Endlich gingen die Ueberlästigen. Erschöpft suchte ich meine Kitanda auf. Doch ich fand nicht die Ruhe, deren ich bedurfte, denn Tausende von großen Stechfliegen umschwärmten mich. Zwar summten sie mehr, als daß sie stachen, doch dieses Summen genügte, um mich in fortwährender Aufregung zu erhalten.

Am 23. Juli gegen neun Uhr erschien ein Dafetamann mit den beiden schon gestern angemeldeten Sultahnen; ich glaube beinahe, das Volk wählt blos deshalb soviele Häuptlinge, um den Reisenden destomehr Geschenke abnehmen zu können! Beide beriethen sich zwei Stunden lang mit den Führern der Karawane, mit dem Kaufmann Banafumo und dem Elephantenjäger Simba. Das Ergebniß war, ich sollte von jedem meiner Gepäckstücke eine Kleinigkeit bezahlen; andernfalls würde mir der Weg nach Dschagga verschlossen sein. War diese Drohung auch nicht wörtlich zu nehmen, so blieb doch zu bedenken, daß man mir viele Hindernisse in den Weg legen konnte; um mir also nicht zuletzt noch selbst die Erreichung des nahen Zieles zu erschweren, fügte ich mich auch in dieses Verlangen, legte mein Geschenk (vierundzwanzig Doti Amerikano, sechs Stück buntes Zeug, drei kleine Spiegel, etwas Messingdraht, Glasperlen und einige Messer) zurecht und stellte mich der Versammlung vor. Ich hielt eine lange Rede, welche von dem weitgereisten Banafumo verdolmetscht wurde und zwar, nach dem Gesichtsausdrucke der Zuhörer zu urtheilen, ziemlich unverändert. „Europäische Großmut", sagte ich, „veranlasse mich, ihnen ein so ansehnliches Geschenk anzubieten; wären sie jedoch damit nicht zufrieden, so würde ich Alles zurücknehmen und mir den Weg nach Dschagga mit Gewalt bahnen oder, falls Dies nicht gelänge, ruhig nach der Küste zurückkehren; dann freilich würde nie ein Europäer sie wieder besuchen, es sei denn in feindseliger Absicht."

Alle verwunderten sich in hohem Grade über meine Worte. Nach kurzer Berathung nahmen sie meine Gabe in Empfang, wiesen jedoch die Messer zurück, weil sie fürchteten, „die Masai könnten die Annahme solcher Waffen als Vorwand zum Kriege benutzen." Als Gegengeschenk überreichten sie ein Schaf und ein Lamm und versprachen, später noch einen Ochsen zu liefern — hielten auch Wort insofern, als sie am Nachmittage das allerdings noch lebende Gerippe eines großen Kalbes brachten.

Zum Schlusse verlangten auch diese Sultahne, mit mir Brüderschaft zu schließen; doch wies ich, um mein Gepäck nicht allzu sehr zu erleichtern, ihr Begehren zurück. Durch die bei den Wateita am Kadiaro gesammelten Erfahrungen belehrt, unterließ ich es nicht, ihnen zu wiederholen, daß ich von nun an Ausflüge in die Umgegend unternehmen, meine Instrumente gebrauchen, Vögel schießen, Blumen pflücken, Steine aufheben würde u. dgl. mehr, selbstverständlich ohne damit Zauber treiben oder ihnen Schaden zufügen zu wollen. Alle waren damit einverstanden, und die Versammlung löste sich auf. —

Am ersten Tage war der Markt nur schlecht besucht und kärglich mit Lebensmitteln versehen gewesen, dann aber richtete sich Alles zu meiner Zufriedenheit ein. Ich kaufte ohne allzu große Schwierigkeiten, was ich brauchte, hauptsächlich Bohnen und Erbsen, in Menge und knüpfte auch Verbindungen an, welche das Leben ein wenig angenehmer machen sollten, d. h. ich bestellte frische Milch, Honig und andere Leckereien mehr. Bei dem Handel hatten wir Gelegenheit, die Wadaseta in ihren Eigenthümlichkeiten kennen zu lernen, welche sich auch hier weniger in Körperbau und in Gesichtsbildung als in Tracht und Schmuck zeigen.

Die Männer tragen bald kürzere, bald längere Stücke Baumwollenzeug oder Leder auf der rechten Schulter, ein Halsband aus großen blauen und kleinen verschiedenfarbigen Perlen, darüber oder darunter ein anderes aus kurzen Eisen- und Messingdrahtkettchen, welche von einem um den Hals gebundenen Faden herabhängen. Alle Eingeborenen haben das Ohrläppchen durchbohrt und die weite Oeffnung mit einer großen, hohlen oder vollen Scheibe Holz oder mit einem ringförmigen Stück Flaschenkürbis ausgefüllt, auch zu einem Ringe geschlungene Schnuren kleiner Perlen daran gehängt oder endlich kurze Stäbchen in den durchlöcherten Rand der Ohrmuschel gesteckt. Sehr auffällig erscheint ein von Vielen getragener Armschmuck, bestehend aus zwei halbkreis- oder parabelförmigen, einige Zoll spannenden Stücken Holz; diese sind derart befestigt, daß die zu je zwei aneinander gebundenen Enden den Oberarm umfassen, die oberen Hälften des Bogens aber den Mausmuskel bis auf den Knochen zusammenpressen. Von Waffen sieht man Spere, Schwerter (ähnlich denen der Wateita, nur kleiner), Schilde, hier und da auch Streitkeulen von hartem, schweren Holze, ähnlich Stäben mit daraufgespießten Citronen, und Messer, seltener Bogen und Pfeile, nämlich nur bei Solchen, welche weder Sper noch Schild besitzen. Die Schilde sind aus dicker Büffelhaut gefertigt, etwa drei Fuß lang und anderthalb Fuß breit, oben und unten gerundet, in der Längsrichtung nach hinten gekrümmt und verstärkt durch eine breite, hölzerne Rippe, welche in der Mitte, einer halbkugeligen Ausbauchung des Leders gegenüber, einen Griff bildet; außen werden sie mit Gelb, Roth und Weiß in verschiedener Weise bemalt. Die Spere haben einen langen, mit Leder umwickelten Schaft; auf diesem sitzt oben eine breite, das Holz umfassende Eisenspitze, am unteren Ende aber ein eiserner Dorn, welcher, sobald die Leute stehen bleiben, in die Erde getrieben wird.

Frauen sind mit Schmuck, vorzugsweise mit Glasperlen, überladen; von diesen tragen sie an verschiedenen Stellen des Ohrrandes eine Menge bis auf die Schultern herabreichende Ringe und über der Brust dicke Wülste, welche wieder mit langen Strängen weißer Perlen behangen sind. Mädchen und jüngere Weiber zeigen sich bescheidener geschmückt, mit wenigen Perlenschnüren am Haupt und einer größeren Anzahl am Halse. Als Ohrringe dienen volle oder hohle, meist hübsch verzierte Stücke Holz oder kleine, schneckenförmig aufgewundene Ringe von Eisen- und Messingdraht, oft von solchem Gewichte, daß das Ohrläppchen davon weit herabgezogen wird. Drahthalskrausen und sanduhrförmige Oberarmspangen fehlen auch hier nicht; außerdem findet sich ein ähnlicher, am Unterarme und an den Beinen getragener Schmuck aus kegelförmig zusammengerolltem, starken Drahte. Weniger häufig gewahrt man Messingringe an den Fußgelenken, und nur bei den vornehmsten Damen, bei Häuptlingsweibern, über dem oberen Theile des Gesiches einen sonderbaren Schleier, bestehend aus reich mit Perlen besetzten Drahtkettchen.

Späterhin bot sich uns Gelegenheit, eine Festlichkeit der Wadaseta zu sehen, einen großen Kriegstanz, zu welchem Gerüchte vom Heranrücken der Masai Veranlassung gegeben. Simba holte uns eines Morgens gegen zehn Uhr ab und führte uns nach dem offenen Platze, an welchem wir bei unserer Ankunft die erste Begrüßungssalve abgefeuert hatten.

Gegen 150 vollständig bewaffnete Krieger und einige hundert Zuschauer waren bereits versammelt, erstere in wundersamer Weise bemalt mit rother und weißer Farbe, viele halb und halb oder in Vierteln (wie mancherorts die Sträflinge gekleidet werden) oder mit Streifen, Ringen und Punkten auf dem ganzen Körper, auf Armen und Beinen oder auf der Brust allein. Ganz besonders scheußlich war das Gesicht beschmiert, bei Einigen mit großen Brillen um die Augen, bei Anderen halb mit Weiß, halb mit Roth. Sogar Spitze und Schaft der Spere prangten bei Vielen in Farbenschmucke, abgesehen von der mit Roth, Weiß und Schwarz in oft geschmackvollen Mustern verzierten Schilden. Um die Stirn hatten Alle einen anderthalb Zoll breiten, mit denselben Farben getünchten Lederstreifen gebunden, welcher eine oder mehrere rothgefärbte Straußfedern trug. Ebenso hatten sämmtliche Krieger eiserne Schellen an den Knieen oder den Knöcheln angebracht, um damit beim Tanzen den Takt anzugeben. Ihre Kleidung bestand aus einem mit Haarbüscheln verzierten Stück Zeug von vier Fuß Länge und anderthalb Fuß Breite; dieses war entweder um den Hals gebunden oder vermittelst eines Einschnittes über den Kopf gehängt und zwar so, daß es bald nur den Rücken, bald nur die Brust bedeckte. Die Theilnehmer sonderten sich in zwei Abtheilungen, eine der jungen und eine der alten Leute, gingen dann in schwerem Schritte, daß die Schellen laut klirrten, umher, rückten vor, halb stampfend und halb springend und nur um einen halben Fuß auf einmal, hielten dabei Schild und Sper über dem Kopfe, letzteren fast am Ende des Griffes, und zischten oder heulten gelegentlich, sangen aber nicht, wie die Wateita es thaten.

In immer größerer Menge fanden sich die Zuschauer ein, alte Männer, Kinder und Weiber, darunter vornehme, mit Kettchen verschleierte Frauen, deren eine von einem riesengroßen Manne getragen wurde. Alle fanden das Schauspiel wunderschön; wir aber, die wir dergleichen viel besser bei dem Auftritte am Kadiaro gesehen, waren anderer Ansicht und entfernten uns nach kurzer Zeit, obgleich uns noch ein Tanz der Weiber zugesagt wurde. —

Eines Tages machte ich mit Thornton von der erhaltenen Erlaubniß zu Ausflügen Gebrauch und begab mich, von Banafumo und einigen Anderen begleitet, nach einem südlich gelegenen Hügel, von welchem aus der Kadiaro, der Kilimandscharo und der See Jipe zu sehen sein sollten. Nach langem Marsche auf schmalen, schmuzigen Pfaden, durch Bananenwäldchen, über Bewässerungskanäle und einen starkfließenden Fluß von 150 Fuß Breite gelangten wir an das von dichtem Gehölz umgebene Thor und unmittelbar außerhalb desselben, jenseit eines breiten Grabens, in die mit hohem Grase bestandene Ebene. Zweieinhalb Stunden später hatten wir den Gipfel des Hügels erreicht. Die Aussicht war in der That belohnend: im Süden liegt die weite Fläche des Sees, welcher von da an, wo wir neulich zu Mittag gelagert hatten, unter einem dichten Walde von Schilf und Papyrus nach Westen biegt; im Osten dieses Sumpfes sieht man deutlich die Flußarme von Daseta einströmen, im Westen aber wieder hervortreten; dunkele Waldstreifen lassen erkennen, daß der Fluß westlich von den Ugonobergen sich südwärts wendet und auf seinem weiteren Laufe mehrere vom Kilimandscharo herabkommende Gewässer aufnimmt. Unter dem Namen Rufu oder Lufu erweitert der schon stattliche Strom den Aussagen meiner Begleiter zufolge sich späterhin zu einem langen, flachen See, umströmt dann Usambara im Westen und Süden und fällt, nachdem er mehrere Unebenheiten des Bodens durch Wasserfälle oder Stromschnellen überwunden, als Pangani bei der Küstenstadt gleichen Namens in das Meer. Leider war die Fernsicht eine beschränkte; der Kilimandscharo zeigte sich nur einige Minuten lang, und der Kadiaro, welcher unsere jetzigen Messungen mit den früheren in Verbindung bringen sollte, gar nicht.

Thornton maß, wie bei allen anderen Gelegenheiten, mit bewunderswürdiger Geduld, Ausdauer und Geschicklichkeit einige Hundert Winkel. Was Das sagen will, kann nur Derjenige ermessen, welcher selbst im Sonnenbrande stundenlang vor dem Theodolit (30) gestanden, das Fernrohr nach Bergspitzen gerichtet, Nonien abgelesen und Winkel aufgeschrieben hat, eine Arbeit, welche in völlig unbekanntem Lande noch dadurch erschwert wird, daß man Namen für alle unbenannten Bergspitzen zu erfinden und Umrisse der Bergprofile zu zeichnen genöthigt ist, um den unangenehmsten Verwechselungen vorzubeugen. Würde eine Erfindung (31) gemacht, welche die beschwerliche Arbeit des Messens einigermaßen erleichterte, so zöge davon nicht allein der vielgeplagte Reisende Vortheil, sondern auch die Erdkunde selbst, welcher genaue Angaben oft nur deshalb so spärlich zufließen, weil es gar zu schwierig und mühsam ist, sie zusammenzubringen.

Ich betheiligte mich nach Kräften an der Arbeit, las Nonien ab, skizzirte die sichtbaren Berge, bestimmte die Höhe unseres Standpunktes nach dem Siedepunkte des Wassers und erfragte von unseren Begleitern die wenigen Namen, welche sie anzugeben wußten. Kurz nach Mittag begaben wir uns auf den Rückweg. Es ging ziemlich steil herab, dann durch dicke Dornbüsche und später durch ein mit widerhakigen Spelzen versehenes Gras (wahrscheinlich Cenchrus echinatus, dasselbe, welches am oberen Nil Askanît genannt wird). Wie kleine Pfeile bohren sich die Spitzen durch die Kleider, dringen bei jedem Versuche, sie herauszuziehen, nur immer weiter hinein und verursachen beim Gehen durch das immerwährende Scheuern ein unerträgliches Gefühl. In zwei Stunden erreichten wir die Grenze von Daseta und eine Stunde danach, zerkratzt, müde und hungrig, das Lager. —

Ich war reichlich mit Lebensmitteln versehen, hatte also keinen Grund, mich noch länger in Daseta aufzuhalten, und bereitete Alles zum baldigen Aufbruche vor. Alle unnöthigen Sachen übergab ich Banasumo zum Aufheben nebst einem Vorrath von Amerikano und Perlen für den Fall, daß ich meine Waaren durch einen Unglücksfall verlöre; zugleich ersuchte ich ihn, während meiner Abwesenheit Lebensmittel für mich zu kaufen, denn man hatte mir gesagt, daß diese später viel theurer sein würden: zum Lohne sollte er nach meiner Rückkehr ein Gewehr erhalten. Endlich berichtigte ich die Forderung meines Milchmannes Mamburi, nahm Abschied vom Sultahn und ließ noch am Abende die Zelte abbrechen und die Gepäckstücke zurechtlegen, um allen unnöthigen Aufenthalt am nächsten Morgen thunlichst zu vermeiden.

Vor Sonnenaufgang am 26. Juli erschienen Banasumo und Thorntons Blutsbruder Mamburi, unsere Führer. Wir hatten diesmal kein Thor zu durchkriechen, dagegen drei schlimme Arme des Dasetaflusses zu überschreiten, von denen der eine uns Schwierigkeiten verursachte durch seine starke Strömung, der andere durch seine steilen Ufer, der dritte durch die schlammige Bodenbeschaffenheit rings umher: die Esel sanken bis zur Mitte des Leibes ein und die mit schwerem Gepäck beladenen Träger bis über die Kniee. Unsere Begleiter vertieften sich in lange Unterhaltungen mit dem würdigen Faki und verließen uns nicht eher, als bis ich ihnen bedeutete, daß ich allzu weit getriebene Anhänglichkeit nicht liebe.

Der Schneeberg Kilimandscharo von Madschame aus.

Sechzehnter Abschnitt.

Das Dschaggareich Kilema.

Der Kilimandscharo, der König der Berge. Seine Gestalt, seine Schneedecke. — Dschaggalandschaften. — Die Paradiesfeige und ihr Nutzen. — Wohnungen der Eingeborenen. — Wasserleitungen und Schanzgräben. — Staatliche Einrichtungen. — Verkehr der Bewohner unter sich und mit den Nachbarvölkern. — Günstige Verhältnisse für eine europäische Niederlassung. — Annäherung an Kilema. — Friedensgruß. — Peinliches Warten. — Lagerplatz der Karawanen. — Stark besuchter Markt. — Gesichtsbildung und Tracht der Wakilema. — Sicherheitswachen. — Besuch des Sultans. — Gegenseitige Geschenke. — Besichtigung der Wunder Europas. — Erlaubniß, Vögel zu schießen. — Tanz zu Ehren der Fremden. — Erste Unannehmlichkeiten. — Das Abfeuern einer Rakete stellt die Ordnung wieder her. — Ein Ausflug. Großartige Rundschau. — Bettelei der Könige und Minister, Betrügereien der Unterthanen. — Langes Hinhalten. — Entschiedenes Auftreten dringt durch. — Vorbereitungen zur Besteigung des Kilimandscharo. — Eine frühere Besteigung. — Empfang im letzten Dorfe. Vereitelte Empörung. Herrlicher Morgen im Urwalde. Zwei Nächte in 8000 Fuß Meereshöhe. Ungunst des Wetters und Treulosigkeit der Führer. Rückkehr. — Was sich inzwischen im Lager zugetragen. — Belagerungszustand. — Eine gut bestandene Prüfung. — Die Verhältnisse bessern sich nicht. — Abbruch der friedlichen Beziehungen. — Umgewandeltes Benehmen. — Abreise trotzalledem.

Wer nur die Gebirge Europas kennt, hat keine Vorstellung von der Großartigkeit einer Bergmasse, welche übergangslos, ohne Vorländer, aus der Ebene aufsteigt. Bei uns sind die Gipfel der höchsten Berge entweder nur aus sehr beträchtlicher Ferne sichtbar und dann wegen der Kleinheit des Höhenwinkels wenig auffallend, oder von nahe gelegenen aber hohen Punkten aus: in diesem Falle schrumpfen sie zusammen durch die Erhabenheit des Standpunktes und durch die Nähe vieler Gipfel von nahezu gleicher Größe; nirgends aber bietet sich das Schauspiel eines vom Fuße bis zum Gipfel sichtbaren, alleinstehenden Riesenberges, wie man es auf See beim Vorüberfahren an hohen, vulkanischen Inseln genießt oder besser noch in der Ebene vor dem Könige der Berge, dem Kilimandscharo (32). Hier bleibt uns Nichts verhüllt; das schneegekrönte Haupt zeigt sich ebenso klar und deutlich als der Wald der tieferen Gebiete, und keine ebenbürtige Erhebung zieht das bewundernde Auge ab, mindert die Größe des Eindrucks.

Aus einer zehn deutsche Meilen breiten Grundfläche erhebt sich der „Berg der Größe" 16,500 Fuß hoch über die Ebene oder 18,700 Fuß über die Meeresfläche. Zwei Gipfel krönen ihn, im Westen ein prachtvoller, mit blendendweißer Schneekappe bedeckter Dom, im Osten eine 2500 Fuß niedrigere, schroffe Masse jäh abfallender Riesenpfeiler und Säulen, beide durch einen langgeschweiften Sattel verbunden — das Zackigrauhe nebst dem Sanftschönen. An den die Schneelinie nur unbedeutend überragenden Abstürzen des Ostgipfels vermag nur wenig von den Staubkristallen des Wassers zu haften; und wie auf der westlichen Kuppel nur selten ein schwarzer Stein die schimmernde Decke durchbricht, so liegen hier nur vereinzelte weiße Felder auf den sanfteren Abhängen des dunklen Felsstocks.

Nicht jederzeit gibt der Kilimandscharo seine Schöne dem Auge des Bewunderers Preis; für gewöhnlich hüllt er sich schon einige Stunden nach Aufgang der Sonne in ein Nebelgewand, und oft legt er tagelang den undurchdringlichen Schleier nicht ab. Immer wickelt er sich von Osten aus ein, weil aus dieser Richtung Jahr aus Jahr ein die Winde wehen. Zuerst verdichtet sich am weniger hohen Felsgipfel ein Theil der Dünste; beginnt hier einmal die Bildung von Nebeln und Wolken, welche an der Schneelinie des Domes westwärts eilen, um jenseits wieder in unsichtbaren Dunst zu zerfließen, dann bleibt die stralende Kuppel nur noch wenige Minuten sichtbar: schnell schiebt sich von unten her die Dunstmasse zusammen, und bald sind beide Häupter mit einer einzigen Wolkenhülle bedeckt. Ebenso wird auch der Berg wieder von Osten her frei, nachmals mit noch hellerem Glanze leuchtend, weil inzwischen neue Niederschläge sich über die alten gelagert haben. Daß es oben wirklich schneit, sieht man am besten nach starkem Gewitterregen in der Tiefe: kurz nach der Enthüllung reicht dann der Schnee am Fuße des Ostpiks bis weit herab, bis unter die Sattelhöhe, wird aber binnen wenigen Stunden von der Sonne wieder hinweggeleckt bis auf die unbedeutenden stehenden Lager.

Aus dem ebenerwähnten Grunde überzieht sich auch der westliche Abhang des Berges, welcher am wenigsten unter dem erwärmenden Einflusse des Seewindes steht, mit einer viel tiefer herabreichenden Schneeschicht als der andere; es scheint die weiße Kappe verwegen auf die eine, dem Wetter abgewendete Seite herabgedrückt zu sein.

Ueber die wahre Gestalt des ostafrikanischen Riesenberges wissen wir nichts Bestimmtes, weil noch Niemand ihn von allen Seiten gesehen, ihn genau untersucht hat; indessen schließt Thornton nach den Ansichten aus Südost bis Südwest und nach den gesammelten Steinproben, daß der Kilimandscharo ein alter, durch Einstürze theilweis zerstörter Feuerspeier sei, von dessen einstiger Größe die meilenweit voneinander entfernten Gipfel, nur unbedeutende Ueberreste des Ganzen, Zeugniß geben.

Der Kilimandscharo ist der Vorposten einer Anzahl ähnlicher, vielleicht noch höherer Schneeberge, welche sich bis jenseit der Linie hinziehen. Den massigen Kenia hat Krapf gesehen, von den anderen haben wir nur Berichte erhalten; sie alle scheinen Vulkane zu sein, wennschon, nach den Aussagen der Eingeborenen, nur einer noch Feuer und Lava speit. Für spätere Reisende wird es eine der wichtigsten Aufgaben sein, das Gebiet der Schneeberge und Vulkane Ostafrikas zu durchforschen, Kunde zu bringen von Bau und Zusammenhang dieser Bodenerhebungen und von der Vertheilung der Wasserläufe, welche den mächtigen Bergmassen entströmen. Möglich, daß alle hier sich sammelnden Regen- und Schneeniederschläge wieder dem indischen Meere zueilen, dem sie entstammen; möglich aber auch, daß von hier aus starke Wasseradern nach Westen fließen, durch unbekannte Ebenen dem großen Ukerewesee zu, welcher, wie wir durch Speke wissen, einen Arm des geheimnißvollen Nil entsendet, oder auch, daß sie mit Uebergehung dieses Wasserbeckens in selbstständigen Strömen sich nach Norden wenden, um dort sich mit dem Segenspender Egyptens zu vereinigen. Der Eifer, mit welchem man jetzt ostafrikanische Erdkunde betreibt, läßt erwarten, daß schon das nächste Jahrzehend uns die Lösung dieser hochwichtigen Fragen bringt, über denen schon die Alten brüteten.

Verlassen wir die Ebene und steigen wir empor nach dem Berge, nach seinen Wäldern, nach den schon von fernher kenntlichen Bananenpflanzungen der Höhe! Der Weg führt am Rande von Schluchten hin, in deren Tiefe wilde Bergwasser rauschen. Hier, wo das Lebenselement, das Wasser, in reichster Fülle geboten ist, entwickelt sich die Pflanzenwelt zu üppigster Pracht. Zwischen ungeheuren Laubbäumen des Urwaldes und zwischen schlanken, zierlichen Palmen grünt ein Rasen, in welchem die herrlichsten Blumen ihre Blüte entfalten, umgaukelt von buntfarbigen Faltern. In einer Höhe von drei- bis viertausend Fuß, bis zu welcher die Räuber der Ebene sich nicht versteigen, beginnen die Pflanzungen der Eingeborenen, reichlich bewässerte Felder mit einer knollentragenden Arumart, Beete mit rankenden, an Stangen befestigten Bohnenpflanzen, Wiesenflächen mit zarten Gräsern und schattige Wäldchen der wunderbar schönen, unschätzbaren Bananenstaude.

Allerorts in den Tropenländern und schon in Südeuropa gibt es Bananen, aber Bananen wie hier, von so mächtigem Wuchse und so vorzüglicher Güte, gibt es wol nirgends. Wir haben treffliche Bananen von Indien, von Sansibar und dem gegenüberliegenden Festlande, von den Seichellen, von Réunion und Madagaskar gekostet, aber keine dieser Arten, vielleicht diejenigen der vulkanischen Insel Großkomoro ausgenommen, besitzt auch annähernd einen so lieblichen Geschmack als die Bananen von Dschagga: diesen Bananen, von denen zwölf zur täglichen Nahrung eines Mannes genügen, wissen wir keine andere Frucht gleichzustellen. Wer einmal in den Bananenhainen Dschaggas gewandelt und in ihrer Kühle, in dem sanften, das dichte, blaßgrüne Blätterdach durchdringenden Lichte die heißen Mittagsstunden verbracht, wird stets nach ihnen zurück sich sehnen und die Eingeborenen beneiden, denen so herrliche Pflanzen fast ohne alles Zuthun erwachsen.

Riesige, zehn bis zwölf Fuß lange und mehr als fußbreite, sammetmatte Blätter bilden die Krone der Staude; sie sind so weich und locker, daß heftiger Wind ihre Ränder in zahllose Streifen und Lappen zerschlitzt. Aus ihnen ist der acht bis zehn Zoll dicke Schaft zusammengewickelt — jedes einzelne Blatt kann man bis an das Ende der Wurzeln verfolgen. Begreiflicher Weise ermangelt ein solcher Stamm der Festigkeit: man kann ihn mit einem gewöhnlichen Messer seiner ganzen Dicke nach durchschneiden und ihn ohne Mühe mit dem Finger durchbohren, wobei ein farbloses, dünnes Blut in Menge aus der Wunde strömt. Trotz ihres losen Gefüges bringt die Bananenstaude doch Fruchttrauben von solchem Gewichte hervor, daß zwei Männer kaum im Stande sind, sie zu tragen. Aus ungeheuren, purpurfarbigen Blüten, welche neben reifen Früchten auf anderen Stengeln dem Baume zur höchsten Zierde gereichen, entwickeln sich die senkrecht vom Stiele abstehenden, schotenförmigen Früchtchen, welche fast zusehends wachsen und nach wenigen Monaten die Gestalt und Länge einer mittelgroßen Gurke erreichen. Reife Bananen haben eine gelbe oder grüne, dicke, glatte Schale, welche sich leicht von dem schmuzigweißen, mehligen und doch saftigen Fleische loslöst, und zeigen einen mehrkantigen Querschnitt. Der gesammte Fruchtinhalt ist genießbar, da die Samenkerne durch lange Kultur verkümmert und nur noch an winzigen, dunklen, das Innerste der Frucht durchsetzenden Pünktchen kenntlich sind. Wildwachsende, nicht durch lange Kultur veredelte Bananen, zeigen kaum eine Aehnlichkeit mit dieser Frucht: eine lederartige Haut überzieht eine Fülle großer Samen, zwischen denen nur wenig Platz für ein braunes, vogelleimartiges Fleisch bleibt.

Da man, dem eben Gesagten zufolge, edle Bananen nicht durch Samen fortpflanzen kann, vermehrt man sie durch Stecklinge, und zwar auf die einfachste Weise; denn jeder abgehauene Bananenstamm treibt aus den Wurzeln neue Schößlinge, welche in neun bis zehn Monaten ihr volles Wachsthum erreichen. Schon im ersten Jahre trägt die schnell aufgeschossene Staude Früchte, im zweiten stirbt sie bereits ab oder wird vielmehr abgehauen, ehe es so weit kommt.

Kaum eine andere Nutzpflanze verlangt weniger Arbeit, und keine überschüttet den Menschen reichlicher mit Segen als die Banane: auf gleichgroßer Bodenfläche bringt sie etwa vierzigmal mehr Nahrungswerth hervor als die Kartoffel und zwanzigmal mehr als der

Weizen. Alles an ihr ist nutzbar. Der zarte, saftige Schaft dient, wo es an Gras mangelt, namentlich auf Seereisen, als Futter für Ochsen und Ziegen: wenige solcher Stämme genügen für eine kleine Heerde, da sie den Nahrungsstoff gewissermaßen in verdichteter Form enthalten; in irgend einer Ecke des Schiffes liegend, halten sie sich wochenlang, ohne zu verderben, und lassen sich mit einem gewöhnlichen Messer schnell in mundrechtes Futter verwandeln. Trockene Blätter dienen zum Dachdecken und zur Feuerung, frische, an der Rippe zusammengeklappte, als Lendenschurz. Nichts Zierlicheres kann man sich denken als eines der jungen, vollkommen schön gewachsenen Dschaggamädchen, welches den bronzefarbenen Leib mit einem saftgrünen Bananenblatte verschämt hat; unwillkürlich denkt man dabei an die Feigenblätter des Paradieses — führt doch jetzt noch die Banane den Namen Paradiesfeige!

Das Beste an dem Baume aber ist seine Frucht, die Banane oder Pisangfrucht, von welcher man in der alten wie in der neuen Welt wol hunderlei verschiedene Arten kennt. Ueberall rühmt man ihren Wohlgeschmack und die Mannigfaltigkeit der Genüsse, welche die daraus bereiteten Gerichte dem Gaumen bieten. Im reifen Zustande stellt ihr Fleisch einen süßen, würzhaften und erfrischenden, halbfesten Brei vor, eine im wahren Sinne des Wortes auf der Zunge zerfließende Speise; in ihrer eigenen Schale gebraten oder in einer Pfanne mit etwas Butter über dem Feuer zerrührt, gibt sie ein unübertrefflich feines Kompot; die unreife Frucht in der Asche gebacken ist trocken und mehlig und läßt sich zu nahrhaftem Mahle verarbeiten oder wie Brod und Kartoffeln, ohne Weiteres sowie in verschiedenartiger Zubereitung, verwenden.

Also Brod, Kartoffeln und Obst ersetzt die Banane, abgesehen von dem Weine, welchen sie liefert; sie kleidet, nährt und ergötzt den Menschen! Wo immer auch unsere Stammeltern ihre ersten Tage verlebt haben mögen, wir können uns nicht vorstellen, daß es an einem Orte gewesen sei, welcher keine Bananen hervorbringt.

Wie im Großen in Ostafrika die einzelnen Völkerschaften getrennt voneinander wohnen, so ist es im Kleinen in Dschagga: jedes Besitzthum ist abgeschlossen, jede Familie lebt von der anderen getrennt. Inmitten der umhegten Fruchtwäldchen stehen die wiederum von hohen Zäunen umgebenen Gehöfte der Eingeborenen. Ein Durchgang von halber Mannshöhe führt in den länglichrunden Hof, in dessen Mitte das große, runde, mit einem bis auf den Boden reichenden Dache bedeckte Haupthaus sich befindet. Vor diesem sind zwei kleinere Hütten von derselben Bauart errichtet, Wohnungen für Sklaven und Diener, und hinter ihm eine noch kleinere, das Vorrathshaus.

Die Wadschagga sind ein Volk, welches sich in verschiedenster Beziehung auszeichnet; Thornton versichert, auf seinen Reisen niemals Neger — um diesen allerdings unpassenden Ausdruck zu gebrauchen — von gleicher Schönheit, Kraft und Fähigkeit gesehen zu haben. Ob sie von Haus aus diese Anlagen besaßen, oder ob sie ihre glückliche Begabung einer Beimischung edleren Blutes (33) oder den günstigen Verhältnissen des von ihnen bewohnten Landes verdanken, vermögen wir nicht zu entscheiden. Die Bewohner des Kilimandscharo lassen sich nicht durch die Ergibigkeit ihres Bodens zu trägem Müßiggange verleiten, bauen vielmehr, außer den beinahe von selbst erwachsenden Bananen, in beträchtlicher Menge auch andere Früchte, welche ihnen Mühe genug verursachen, wie Bohnen, Erbsen und dergleichen. Außerdem treiben sie Viehzucht, und zwar in ähnlicher Weise wie die Bewohner dichtbevölkerter und vorgeschrittener Länder Europas — mit Stallfütterung. Den Weibern kommt es zu, die buntgescheckten Höckerkühe, die Mitbewohner der Hütte, zu versorgen: sie müssen das saftige Gras von oft weit entfernten Bergen herbeiholen und täglich den kostbaren Dünger in Körben auf die Felder schaffen, haben also immer vollauf zu thun. Kaum weniger umfangreich und beschwerlich sind die den Männern obliegenden Beschäftigungen: Dienst des Königs, die Bewachung des Landes, das Herstellen und Instandhalten der großartigen Schanzgräben und Wasserleitungen, welche den Reisenden in Dschagga mehr als alles Andere in Verwunderung setzen, weil er in ihnen die Arbeiten eines ebenbürtigen Geistes erkennt.

Diese Wasserleitungen sind vortrefflich gehaltene, mit Kühnheit über Schluchten hinweggeführte und an Bergwänden hingezogene Kanäle, welche oberhalb der menschlichen Wohnungen beginnen, sodaß Jeder das Nothwendigste unmittelbar vor der Thüre hat. Und die Schanzgräben, künstliche, zwei bis drei Klaftern breite und ebenso tiefe Schluchten, umziehen jeden Staat in mehrfacher Reihe; sie erschweren das Eindringen eines angreifenden Feindes und machen das Fortbringen von erbeutetem Vieh fast unmöglich.

Die Wadschagga haben guten Grund sich mit solchen Schanzgräben zu verwahren, weil sie nicht nur mit den Räubern der Ebene, sondern häufig auch mit den Nachbarn auf dem Berge im Kriegszustande leben. Wie im alten Helvetien und Germanien umstehen auch in Dschagga wachthabende Männer, der Eine in Rufweite von dem Anderen, Tag und Nacht die Grenzen des Landes: kein Feind kann sich einschleichen, schon am ersten Schanzgraben wird er erkannt, es erschallt das weithin tönende Kriegshorn, der Ruf „Wanga, Wanga!" (Krieg, Krieg!) geht durchs ganze Land, und in kürzester Zeit ist Alles in Aufruhr, Alles zur Vertheidigung von Haus und Herd bereit. Ohne diese Nothwendigkeit, fortwährend gerüstet und thätig zu sein, würde das glückliche Bergvolk wahrscheinlich entnervt und verweichlicht sein wie die wehrlosen Küstenvölker, in Trägheit und Laster versunken wie die demselben Blute entsprossenen Wanika.

So sonderbare bürgerliche Verhältnisse müssen auch absonderliche Staatseinrichtungen zur Folge haben. In Dschagga herrscht eine straffe, kriegerische Ordnung. Der Manki (d. i. Sultahn oder König) ist der beinahe unumschränkte Herr des Landes: ihm gehören die Knaben schon von der Geburt an, und ausschließlich für seinen Dienst werden sie herangezogen. Seine Herrschaft erstreckt sich sogar über das andere Geschlecht: keine Ehe wird ohne seine Einwilligung geschlossen, er selbst vereinigt die jungen Leute. Dennoch kann der Manki nicht als Despot gelten, vielmehr ist, wenn man der Sache auf den Grund geht, seine Macht ziemlich nichtig, zum Wenigsten im Frieden, weil die Gesammtheit der Krieger nicht minderen Antheil daran nimmt. Ohne ihren guten Willen vermag er Nichts durchzusetzen; Manches, was er gern möchte, muß er unterlassen, um seine „Prätorianer" bei guter Laune zu erhalten; sogar die Abgaben, welche ihm die Karawanen zahlen, hat er mit ihnen zu theilen. Und mehr noch als von ihnen ist er bisweilen von seinen Verwandten abhängig — sonderbarer Widerspruch, unumschränkter Herr über alles Lebende und dennoch Schattenkönig zu sein!

Nur zwischen 3500 bis 5000 Fuß Meereshöhe sind die südlichen Abhänge des Kilimandscharo bewohnt; 1000 Fuß höher reichen die Bananenpflanzungen; oberhalb dieses Gürtels hört Anbau und Besitz auf, beginnt die herrenlose Wildniß, der Urwald, die Grasflur, das Steinfeld oder wie sonst der Boden beschaffen sein mag. Der schmale, bewohnte Gürtel zerfällt in mehrere „Königreiche", von denen, im Westen beginnend, Madschame, Lambungu, Uru, Pokomo, Kirua, Kilema, Maranga und Rombo, und unter diesen wieder Madschame und das am weitesten nach Süden herabreichende Kilema die bedeutendsten sind, beide durch wechselvolle Bodengestaltung, durch tiefe Thäler und zahlreiche kleinere Berge besonders begünstigt.

Die Bewohner der verschiedenen Staaten verkehren häufig miteinander und besuchen sich, hauptsächlich auf dem Wege durch das oberhalb der Pflanzungen gelegene, herrenlose Land; sie kommen auch mit den anwohnenden Völkerschaften häufig zusammen, mit den Wadafeta, mit den Bewohnern des Ugonogebirges und der Landschaft Kahe in der Ebene westlich davon und mit den Wanasai, zumeist auf „neutralem Gebiete", auf bequem gelegenen Marktplätzen; auch werden sie alljährlich von Suahelikarawanen besucht, welche Elfenbein gegen Baumwollenstoffe, Glasperlen und Metallwaren eintauschen. Das Kilimandscharoland ist ein Mittel- und Anziehungspunkt für den ostafrikanischen Verkehr und würde, wenn gesittete Völker hier Einfluß zu gewinnen suchten, Dies in noch höherem Grade werden können, weil es nahezu in der Mitte liegt zwischen dem indischen Meere und den großen Binnenseen. Für eine europäische Ansiedelung würde kein Tropenland größere Vortheile bieten als eben Dschagga: hier findet der Europäer, komme er als Glaubensbote, Ackerbauer oder Handelsmann, ein herrliches, gesundes Klima in allen Abstufungen von der Bananenregion bis zu den Gebieten, wo Weizen und nordische Pflanzen gedeihen, er findet eine kräftige, unverdorbene Bevölkerung, welche nicht nur das Land zu bauen und zu beschützen weiß, sondern auch viele, das Leben verschönende Künste versteht. Dschagga ist in der That ein Paradies, soweit ein solches denkbar, und Jeder, der das wunderbare Land gesehen, wird mit Entzücken von ihm sprechen, selbst wenn er dort, wie unser Reisender, viel Ungemach durch die Bettelei und den Wankelmut der kleinen Könige erfahren mußte.

Nach einem langen Marsch durch eine sanft ansteigende, von einzelnen Hügeln und Höhenzügen unterbrochene Grasebene, fährt Decken fort, und nachdem wir mehrere Trockenbäche und rasch strömende Flüsse überschritten, gelangten wir an den stattlichen Gonifluß. In einer Breite von siebzig bis achtzig Fuß, zwischen steilen, dichtbewaldeten Ufern rauscht sein eiskaltes Wasser auf felsigem Bette dahin. Ich watete hindurch, da ich nicht Lust hatte, mich den Schultern eines der Träger anzuvertrauen, und ließ am anderen Ufer das Lager aufschlagen in einer natürlichen Laube, unter hohen Bäumen. Das kalte Fußbad hatte üble Folgen; ich bekam nach Kurzem einen steifen Arm, Zahnweh, Rheumatismus und Fieber. Um die Zahl der Plagen voll zu machen, regnete es die ganze Nacht hindurch, und ich vermochte vor Nässe und Kälte nicht zu schlafen. Beim Aufbruch am anderen Morgen fühlte ich mich so matt, daß ich mich kaum auf den Füßen erhalten konnte.

Um acht Uhr erreichten wir den ersten Wallgraben von Kilema. Die gegen fünfzehn Fuß tief hinabführenden Wände waren so steil und glatt, daß die Träger sie gerade eben erklettern konnten, die Esel aber, von einigen Trägern bewacht, zurückgelassen werden mußten. Ein schmales, schlüpfriges Bret führte hinüber; wir zogen es jedoch vor, den mühsamen aber minder gefährlichen Weg über die Sohle des Grabens einzuschlagen.

Auf der anderen Seite der Schlucht angelangt, feuerten wir sämmtliche Gewehre ab. Kurz danach erschienen etliche Eingeborene, pflückten in einiger Entfernung zum Zeichen ihrer freundschaftlichen Gesinnung Grasbüschel ab, hielten sie mit der rechten Hand empor und begrüßten uns, als wir dasselbe gethan, unter wiederholtem Jamberufen auf herzliche Weise. Unter ihnen befand sich ein Großer des Reiches, Namens R e h a n i; er erkundigte sich nach dem Zwecke unserer Reise und verließ uns, um den Sultahn von unserer Ankunft zu benachrichtigen. Andere erboten sich, für ein Doti Entschädigung die Esel auf einem bequemeren Wege nach dem Lagerplatze zu führen, während wir auf dem gewöhnlichen Pfade weiter gingen. Bald mußten wir wieder halten vor einem hohen Zaune mit engem Thorwege, welchen man nur tiefgebückt durchkriechen konnte. Hier sollten wir die Antwort des Sultahns erwarten, eine harte Geduldprobe für mich, der ich noch vom Fieber durchschüttelt war und durchnäßt vom Regen der Nacht und vom Thaue des Morgens.

Inzwischen sammelten sich immer mehr Dschaggaleute um uns, alle in derselben Weise grüßend wie die anderen. Gegen Mittag endlich kam Rehani zurück mit einem

einem anderen Angesehenen, Namens Mgindo, und brachte uns, wiederum Grasbüschel schwenkend, die zustimmende Antwort des Sultahns. Nunmehr hatten wir noch das Kischongo zu überstehen, zu unserer Freude in weniger umständlicher Weise als in Dafeta: die Leute steckten durchschlitzte Streifchen von der Stirnhaut einer soeben geschlachteten kleinen Ziege an ihre und unsere Finger, versahen auch mehrere der Träger mit dem Kischongozeichen, ohne jedoch für jeden ein Gegenüber zu haben; und weil die Stirnhaut für so Viele nicht ausreichte, nahmen sie noch ein Stück von der Haut des rechten Fußes dazu. Auf einem gewundenen Wege führten sie uns durch enge Gäßchen zwischen eingehegten Bananenpflanzungen hin nach dem Gipfel einer Anhöhe, auf welchem die Karawanen Lager aufzuschlagen pflegen. Anfänglich gefiel uns der Platz, weil er eine hübsche Aussicht nach Süden bot, bald jedoch stellte es sich heraus, daß er feucht war und von Termiten wimmelte. Für heute ließ sich daran Nichts ändern; wir schlugen also die Zelte auf, und ich legte mich auf mein Bett, erschöpft vom Fieber und ermüdet durch das Warten und die langen Verhandlungen. Es regnete wieder die ganze Nacht hindurch; in Folge dessen sank die Luftwärme bis auf 11° R., sodaß ich mich kaum erwärmen konnte, obgleich ich dicke Winterkleider anzog.

Wie schon gestern kurz nach unserer Ankunft, füllte sich auch heute wieder das Lager mit Männern und Weibern, mit Neugierigen und Verkäuferinnen.

Die Farbe und Gesichtsbildung der Wakilema deutet auf verschiedene Abstammung. Die Einen sind von sehr lichter Negerfarbe mit einem Stich ins Bläuliche, die Anderen übertreffen Mulatten an Helligkeit der Haut; Viele haben bestimmt gezeichnete Augenbrauen sowie Antlitz, Mund und Glieder von feinen, schönen Formen, Andere wieder sehen negerähnlicher. Durchschnittlich ist der Kopf breiter und nicht so lang als ein gewöhnlicher Negerschädel; das Gesicht scheint auf den ersten Anblick nach oben zu eckig zu sein, doch rührt, wie es sich bei genauer Betrachtung zeigt, dieser Anschein nur davon her, daß die Haare an beiden Seiten der Stirne weggeschoren sind. Männer binden ein langes Stück durch Fett und Erde rothgefärbtes Baumwollenzeug über der rechten Schulter fest, durch einen Knoten, welcher zumeist ein kleines Horn mit Schnupftabak und ein spitzes, in einer Scheide befindliches Messerchen umschließt; dieses Gewand hängt bis herab auf die Knöchel und ist unten mit fußlangen Fransen verziert — eine bei der Kostbarkeit des Stoffes unbegreifliche Verschwendung. Als Schmuck tragen die Meisten in den Ohren zwei Stäbe von einer eigenthümlichen Holzart, am Halse mehrere Stränge feiner Perlen, Spangen von Messing- und Eisendraht, kleine Kettchen oder zahlreiche an eine Schnur gereihte Holzstückchen. Unterhalb des Kniees haben sie an einen Faden schmale Streifen Fell gebunden, deren lange Haare über das Schienbein herabhängen (diese Umschnürung der Waden soll geschickt zu andauerndem Laufen und Bergsteigen machen), an der Fußbeuge aber zierlich gearbeitete Kettchen. Ihre Bewaffnung besteht fast ausschließlich aus einem Spere mit breitem, zweischneidigen Eisen an dem einen und mit einer Spitze am anderen Ende; nur selten sieht man Schilde oder kurze Schwerter.

Verheirathete Frauen binden ein Stück rothgefärbtes, sehr weiches, hübsch gegerbtes Leder, welches zumeist durch zierliche Stickerei mit feinen Perlen verschönt ist, derart um die Hüften, daß an der rechten Seite ein Zipfel bis auf den Fuß herabhängt. Junge Mädchen tragen nur eine kleine, perlengestickte Schürze an einem um die Hüften gebundenen Faden. Frauen wie Mädchen behängen das Fußgelenk mit sicherlich einpfundschweren Ringen von einer silberweißen Zinnmischung, binden um den Hals zahlreiche Stränge und Ringe von bunten Perlen und stecken in die Ohrläppchen Holzpflöcke oder Ringe, durch welche die Bohrung übermäßig erweitert wird. Vornehme Frauen tragen einen Schleier von rothen grünen oder Perlenschnüren über das Gesicht, ärmere begnügen sich mit nur zwei oder drei

Schnürchen. Kinder führen im Allgemeinen ähnlichen Schmuck wie die Anderen, doch in geringerem Maße; bei einigen sahen wir Schellen unter dem Kniee befestigt.

Die jungen Männer machten sich durch Neugierde und Bettelei überaus lästig; sie sagten, Rebmann habe ihnen Zeug und Perlen in Menge gegeben, der neue Msungu müsse ihnen doch auch Etwas schenken. Ich blieb, so sehr man auch über Hartherzigkeit und verschlossene Hand klagte, meinem Grundsatze getreu, Nichts zu geben, bevor man nicht Etwas für mich gethan. Der Sultahn mußte solche Belästigungen voraus gesehen haben; denn er sandte zwei seiner ersten Krieger in das Lager mit dem Befehle, aufzupassen, daß Niemand sich zudringlich benehme, stehle oder betrüge. Leider waren unsere Sicherheitswächter eher Böcke als Gärtner; sie traten ihren Dienst in angetrunkenem Zustand an und versuchten früher als irgend Jemand, zu stehlen — Perlen nämlich. Ich mußte also sie und die anderen Unverschämten selbst abwehren, schaffte auch in kurzer Zeit mit meinem Stocke Ordnung. Es mochte gewagt erscheinen, im fremden Lande, bei einem kriegerischen Volke und gegen Krieger selbst so rücksichtslos aufzutreten; ich hatte jedoch gelernt, solche Leute zu behandeln, und der Erfolg bewies, daß ich recht gethan: die von der Strafe Getroffenen wurden verlacht und verspottet und hüteten sich, meinen Zorn ein zweites Mal herauszufordern.

Es wurden einige Bündel Bananen, etwas Butter und Bohnen zum Verkauf gebracht, Alles zu überraschend billigen Preisen, aber nicht in genügender Menge, um unseren Bedarf zu decken; dagegen schleppte man viel Feuerholz herbei und getrocknete Bananenblätter zum Dachdecken, jedes Bündel für zwei Stränge Perlen. Vielen wird es befremdlich vorkommen, daß hier, mitten im Walde, das Holz gekauft werden muß; der Reisende aber findet es vortheilhafter, so zu handeln, als das Recht des Holzfällens theuer zu bezahlen, zumal wenn, wie am Tage nach der Ankunft, alle Leute von anderer Arbeit in Anspruch genommen sind — sie bauten nämlich emsig an einigen Hütten für sich. Bekanntlich liebt es der Neger nicht, unter freiem Himmel zu übernachten; wo er irgend kann, errichtet er sich ein bescheidenes Obdach, und sollte dasselbe auch nur Kopf und Brust gegen die Unbill der Witterung schützen.

Noch hatte der Sultahn sich nicht im Lager gezeigt, obgleich er seinen Besuch für heute zugesagt hatte. Ich schickte demzufolge eine Botschaft an ihn, des Inhalts, daß, wenn seine Hoheit auch morgen nicht komme, ich Kilema ohne Weiteres verlassen werde, da ich dann annehmen müsse, mein Besuch sei ihm nicht angenehm. Er ließ mir erwiedern, daß er am nächsten Morgen gewiß erscheinen wolle.

Als die Stunde seines Besuches nahte, sandte er von Neuem, daß er den Nachmittag zu kommen gedenke. Es war die höchste Zeit, daß er Wort hielt — wir hatten keinen Bissen Fleisch mehr; die Eingeborenen behaupteten, sie dürften vor dem Besuch ihres Gebieters nicht einmal Ziegen oder Hühner zum Verkaufe bringen. Um möglichst sicher zu gehen, schickte ich, nachdem wir unsere trockenen Bohnen und Bananen hinabgewürgt, noch eine Botschaft zum Manki, ihn dringlich um Beschleunigung seines Besuches bittend.

Gegen zwei Uhr ließ Mambo, Sultahn von Kilema, seine Ankunft melden. Neugierige und Verkäuferinnen wurden vom Lagerplatze weggetrieben. Eine Schar Soldaten erschien und stellte sich im Halbkreis um das Zelt; vor ihnen nahmen einige Häuptlinge oder Minister Platz; hinter ihnen hielt sich mit verhülltem Gesichte der Manki versteckt. Um mir Genugthuung für das lange Warten zu verschaffen und um zu zeigen, daß auch ich ein großer Sultahn sei, trat ich erst nach geraumer Weile aus dem Zelte. Die Reihe der Krieger öffnete sich und ließ Thornton und mich näher treten. Der Sultahn schien etwas ängstlich zu sein, kam aber doch hervor, entschleierte sein Antlitz, schüttelte uns die Hände und reichte uns ein grünes Blatt; darauf verhüllte er sich wiederum, die Reihen der Soldaten schlossen sich, und er verschwand.

Mambo ist ein Mann von etwa fünfunddreißig Jahren. Er macht einen weniger guten Eindruck als die meisten seiner Unterthanen: sein Gesicht zeigt, trotz der hellen, schmuziggelben Hautfarbe, eine ausgeprägte Negerbildung und hat, wie das eines Trinkers, einen schläfrigen Ausdruck, wennschon bisweilen etwas Geist aus seinen Augen blitzt. Von seinen Kriegern, welche fast genau so gekleidet sind wie er selbst, wird er mit geringer Achtung behandelt.

Nach Mambos Rückzug brachte man zwei Kühe als Geschenk des Sultahns, verlangte aber gleichzeitig eine Entschädigung für den Eigenthümer der mit Gewalt entführten Thiere und Perlen für die noch versammelten Krieger. Ich entgegnete, wenn der Manki die Kühe verkaufen wolle, möge er den Preis nennen; schicke er sie aber als Geschenk, so habe er nicht das Recht, Etwas dafür zu fordern. Den Soldaten verabreichte ich die gewünschten Perlenschnüre und ließ durch sie den Manki bitten, am anderen Morgen seinen Besuch zu wiederholen. Schon kurz danach meldete Mambo sich noch einmal, um einen verabsäumten Brauch der Freundschaft nachzuholen: er bespie die geschenkte Kuh ein wenig, worauf wir dasselbe thaten und sie schlachten ließen. Beim Weggehen versicherte er, daß er morgen kommen würde, um sein Geschenk zu besichtigen.

30. Juli. Um zehn Uhr erschien der Sultahn mit dreien seiner Räthe, kam in das Zelt und nahm folgende Gegenstände im Werthe von zwanzig bis fünfundzwanzig Maria-Theresia-Thalern in Empfang:

45 Ellen Amerikano,		4 zinnerne Armspangen, jede 1 Pfd. schwer,
12 bunte Taschentücher,		5 Pfd. Glasperlen verschiedener Größe u. Farbe,
2 Barsati,	in Maskat gewebte	1 großen Spiegel,
1 Kunguru,	bunte Stoffe, jedes Stück	1 Taschenmesser,
1 Debuani,	sieben Ellen lang,	1 kleine Pistole mit Steinschloß.

Nur an der Pistole schien Mambo Vergnügen zu finden, das Andere betrachtete er ziemlich gleichgiltig. Kopfschüttelnd erklärte er, Das sei bei Weitem nicht genug, auch müsse seine Leibwache, welche gestern durchaus nicht befriedigt worden, ein größeres Geschenk haben. Ich ersuchte ihn, sich vor der Hand zufrieden zu geben, da er doch den doppelten Werth seiner Kühe empfangen habe, und sagte, er solle späterhin, bei fernerem guten Einvernehmen, mehr erhalten; begnüge er sich hingegen nicht, so würde ich Alles zurücknehmen und sofort abreisen. Weitere Betteleien schnitt ich dadurch ab, daß ich ihn aufforderte, außerhalb des Zeltes die Gewehre anzusehen. Das Abfeuern einer Elephantenbüchse brachte großen Eindruck auf ihn und seine Leute hervor; sie sammelten die von einem Felsstück abgeschossenen Splitter, wahrscheinlich, um sie später als Zauberarzenei zu benutzen. Noch lebhaftere Bewunderung erregte ein Revolver: als die Schüsse einer nach dem anderen losknatterten, fingen alle Umstehenden laut zu schreien an; Mambo lief zwanzig Schritte zurück, verhüllte sein Haupt und verließ bald darauf das Lager, nachdem er versprochen, in unseren Sammlungen, Ausflügen und Messungen nichts Bedenkliches erblicken zu wollen.

Die Erlaubniß, Vögel zu schießen, erschien besonders wesentlich, weil es hier verboten ist, irgend welches Geflügel zu erlegen: man kennt in Dschagga, was mancher Behörde bei uns unbekannt geblieben, die Wichtigkeit der Vögel im Haushalte der Natur. Am meisten schien man darauf Gewicht zu legen, daß die Vögel Unrat und Aas wegräumen; denn man bat sich einzig Schonung für die Geier aus, weil diese als die größten am besten unter den Leichnamen aufräumen könnten (in Dschagga werden nämlich Männer, welche kinderlos sterben, nicht beerdigt).

Gegen Abend wurden auch die vier Haupträthe des Sultahns bedacht; es erhielten nämlich Ngakui, Mgindo und Rehani je ein Barsati, ein Kunguru, ein Doti Amerikano und einen kleinen Spiegel, Ndugumbuo jedoch nur die drei letzteren Gegenstände. Die zwei Lagersoldaten bekamen je ein Doti und die Zusage von fünf Perlensträngen für jeden Tag ihres Dienstes.

31. Juli. Mambo stellte sich wiederum gegen zehn Uhr ein, diesmal, um den eigentlichen Zweck meiner Reise zu erfahren — daß ich kein gewöhnlicher Händler sei, mochte ihm bereits klar geworden sein. Ich setzte ihm auseinander, es sei meine Absicht, den Schneeberg zu besteigen. Anfangs habe ich Dies von Madschame aus versuchen wollen; weil ich aber gehört habe, daß Rebmann von Masaki, dem früheren Sultahn von Kilema freundlich behandelt und sogar zur Rückkehr aufgefordert worden sei, habe ich mich entschlossen, zuerst hierher zu kommen. Mambo erwiderte, Madschame sei nicht der Ort, wo ich mich wohl befinden und meinen Zweck erreichen könne; dort herrsche kein wirklicher Sultahn, sondern ein Kind ohne Macht, welches nur ein Spielball seiner Verwandten und Räthe sei. Meine Absicht, in ein feindliches Land zu gehen, beweise übrigens von Neuem, was schon meine gestrige Hartherzigkeit dargethan: daß ich sein Freund nicht sei; vermutlich wolle ich die großen Geschenke für den Sultahn von Madschame, aufbewahren. Von Kilema aus, bemerkte er schließlich, sei die Besteigung des Berges viel leichter zu bewerkstelligen; er wolle, wenn ich es wünsche, sofort zwei Leute ausschicken, um den besten Weg zu erkunden. Dieses Anerbieten nahm ich dankend an und versprach dagegen, das für den andern Sultahn bestimmte Geschenk ihm zu geben, wenn er seine Zusage halte.

Nunmehr wurde er zutraulicher, fragte Vieles, ließ sich verschiedene Sachen zeigen und bewunderte Alles, namentlich aber einen Anzug von blauem Düffel: es schien ihm unmöglich, daß selbst die Wasungu, welche doch so große Dinge verständen, so dickes Zeug verfertigen könnten — er hielt den Stoff allen Ernstes für das Fell eines Schafes. Noch mehr setzten ihn Streichzündhölzchen in Erstaunen: daß ich durch einen einzigen Strich mit einem dünnen Stäbchen Feuer zu erzeugen vermochte, ging offenbar nicht mit rechten Dingen zu. Beim Abschied schenkte ich ihm eine rothe, mit Gold gestickte Jacke, wie sie die Araber und Suaheli an der Küste tragen; um sich dankbar zu zeigen, versprach er, uns zu Ehren einen Tanz aufführen zu lassen.

Wir besuchten am Nachmittag einen sehr geschickten Schmied, dessen Arbeiten zu sehen wir schon längst gewünscht hatten. Als wir nach dem Lager zurückkehrten, wo die versprochene Festlichkeit stattfinden sollte, waren bereits viele junge Leute versammelt. Sie schwatzten viel und bettelten lange um Perlen, ehe sie Anstalten zum Tanze trafen. Dann bildeten sie einen weiten Kreis, zumeist die Männer auf der einen, die Frauen auf der anderen Seite, doch auch hier und da Beide gemischt; dabei legte ein Jeder den rechten Arm auf die rechte Schulter des Nachbars zur rechten, den linken um den Leib des Nebenmannes zur anderen Seite. Der ganze Kreis drehte sich leicht von rechts nach links, während in seiner Mitte zwei Leute Einzeltänze aufführten und Andere neben ihnen in einförmiger Weise hin und her sprangen — im Ganzen ein sehr mittelmäßiges Schauspiel und wenig befriedigend nach Dem, was wir bei den Wateita und selbst bei den Wadaseta gesehen.

Wie im gesitteten Europa, geben auch in Dschagga Tanzvergnügungen Veranlassung zu übermäßigem Zechen. Der Vater des Volkes schloß sich bei der allgemeinen Freude nicht aus: noch spät am Abende kam er, süßen Bananenweines voll, ins Lager, und zwar keineswegs als angenehmer Gast; er lärmte über die Maßen, suchte mehrmals Streit anzufangen und forderte ungestüm Geschenke für sich und die das Lager bewachenden Soldaten. Als ich ihm sein unschickliches Verhalten vorhielt, zog er, reizbar wie Betrunkene in einem gewissen Zustande sind, die erst heut Morgen noch bestätigte Erlaubniß zu Ausflügen zurück, sodaß ich endlich ärgerlich wurde und ihn aus dem Lager wies. —

Trübe und unfreundlich begann der folgende Tag, wie um uns zu trösten über Mambos ungnädiges Verbot. Den ganzen Morgen über ließ sich kein Mensch im Lager sehen; doch auch Dies verursachte uns nicht viel Kummer, weil wir Lebensmittel in hinreichender Menge besaßen.

Einige Stunden nach Mittag kam der würdige Sultahn. Auf meine Vorwürfe über sein gestriges Benehmen und über das Ausbleiben der Marktleute antwortete er mit Klagen seinerseits, daß während der vier Tage meines Aufenthaltes in Kilema sein Vieh beinahe verhungert wäre, weil die Frauen, anstatt Gras zu schneiden, sich den ganzen Tag über im Lager aufgehalten; um den Kühen ihr Recht widerfahren zu lassen, habe er befohlen, daß die Weiber nur einen Tag um den anderen zu Markte kommen sollten. Dann erzählte er, daß ihm seine Eltern im Traume erschienen wären und ihn gewarnt hätten, dem Msungu zu trauen, weil dieser keine offene Hand und somit keine Freundschaft für ihn habe. Schließlich äußerte er sogar in drohendem Tone, „ich solle nur versuchen, nach Madschame zu gehen, wenn ich glaube, dorthin kommen zu können". Unter solchen Umständen hielt ich es für das Beste, einzulenken und ihm, seinem Verlangen gemäß, das für die Besteigung des Kilimandscharo bestimmte Geschenk, bestehend aus: 80 Ellen Amerikano, 36 bunten Taschentüchern, 1 Kunguru, 2 Barsati, 4 Armbändern, 6 Pfund Perlen und etwas Pulver, schon im Voraus zu bezahlen; zugleich gab ich ihm fünfzehn Ellen Amerikano für drei seiner Räthe, welche der Verhandlung beiwohnten, und einige Perlen für jede seiner Frauen. Hierfür verpflichtete sich Mambo, unverzüglich zwei Führer zur Untersuchung des Weges auszusenden, ertheilte den Befehl, daß Niemand sich meinen Ausflügen entgegensetzen solle, ließ das Trinkwasser bis dicht an das Lager leiten, ordnete einen täglichen Markt an, überreichte mir einen Stock zum Gebrauche gegen zudringliche Leute, schenkte eine Ziege als Zeichen der Freundschaft und versprach, zwei Kühe sogleich, nach der Rückkehr vom Kilimandscharo aber zwei Schafe und zwei Ziegen zu liefern.

Das gute Einvernehmen war also wieder völlig hergestellt; doch nur für kurze Zeit, denn bald verfiel Mambo wieder in seine alten Sünden und bettelte bald um eine Stalfeile, bald um mein Bett, bald um ein Paar Pistolen. Schließlich wünschte er Thorntons schönes Plaid in seinen Besitz übergehen zu sehen; er wunderte sich höchlich, daß ich meinem Begleiter das Tuch nicht ohne Weiteres wegnahm, um es ihm, meinem neuen Freunde, zu schenken. Um seiner Unverschämtheit Ziel zu setzen, mußte ich wiederum in höflicher Weise von meinem Hausrechte Gebrauch machen.

Nicht minder forderten die beiden zu meiner Sicherheit oder besser, zur Beobachtung meines Thuns und Treibens, im Lager gelassenen Soldaten meine Geduld heraus; sie hatten für die Perlen, welche ich ihnen gegeben, Bananenwein gekauft und verübten in ihrer Trunkenheit allerlei Unfug: an ihnen erprobte ich zuerst den mir vom Manki übergebenen Stock.

2. August. Mambo hatte Wort gehalten; der Markt fand statt und war sehr gut besucht. Ich kaufte Lebensmittel in Menge, sowie auch Kleidungsstücke und Waffen, nach denen ich bisher vergeblich getrachtet. Einzelne Sachen jedoch, und zwar gerade die schönsten, namentlich Messer und Waffen mit eingelegter Arbeit, waren den Leuten durchaus nicht feil, so hohe Preise ich auch bieten mochte.

Am Abende belästigte mich Mambo wiederum, ein sicherer Beweis, daß ich ihn durch meine Nachgiebigkeit und Gutmüthigkeit verdorben hatte. Er forderte in ungestümer Weise Perlen, lachte höhnisch, als ich ihm diese verweigerte, und meinte, er sei ein mächtiger Mann, und habe mich in seiner Gewalt; ich müsse mich doch in Alles fügen! So konnte es nicht weiter gehen. Ich nahm meine Zuflucht zu einem Mittel, welches in ganz Afrika den Reisenden die besten Dienste leistet, ja in gewissen Fällen geradezu unentbehrlich ist. Ohne Etwas zu sagen, ging ich ins Zelt, nahm eine Rakete zur Hand, zeigte sie Mambo und sprach: „Bis jetzt habe ich Dir Sachen geschenkt und Dich wie meinen Freund behandelt;

nun sollst Du sehen, was mir gegen Feinde zu Gebote steht. In dieser Hülle befindet sich ein Feuer, welches mir es möglich macht, in kürzester Zeit Deine Dörfer und Pflanzungen zu verbrennen; und dieses Feuer werde ich benutzen, falls Du Dein Benehmen nicht änderst." Er entgegnete: „Muongo (das sind Lügen)! ein so kleines Stück Papier kann nicht die Gewalt haben, mein Haus in Brand zu setzen oder gar zu zerstören." Doch mochte er seiner Sache nicht ganz sicher sein; denn er weigerte sich, eine Hütte zum Versuche herzugeben. Ich ließ auf seinen Wunsch die Rakete in die Luft steigen: das Sausen, die ungeheuere Höhe der Feuersäule und der Anblick der, wie er glaubte, herabgeschossenen Sterne schüchterten ihn sichtlich ein — ohne der Perlen weiter zu erwähnen, schlich er von dannen.

3. August. Endlich stand unserem längst beabsichtigten Ausfluge nach einem im Norden des Lagers gelegenen Hügel, von welchem aus bei völlig klarer Luft die Berge der Küste sichtbar sein sollten, Nichts mehr im Wege. Das Wetter begünstigte uns einigermaßen; wir genossen eine herrliche, großartige Aussicht. Im Osten sahen wir die Bura- und Endaraberge und weiterhin den Kadiaro, im Süden das massige Ugonogebirge mit dem See Jipe zur einen und dem Flußgeäder des Pangani zur anderen Seite, weiter nach Westen die Aruschakette und jenseit derselben in der Ferne hohe, kegelförmige Berge, in der Ebene aber allerorts kleine, warzenförmige Hügel und Hügelketten, und das Alles überragt und überstralt vom königlichen Kilimandscharo. Nach allen wichtigen Punkten hin maßen wir Winkel. Sonderbarer Weise zeigten sich die Wakilema nicht im Mindesten verwundert oder ängstlich über den Gebrauch der Meßinstrumente, sodaß ich zu der Ansicht gelangte, daß die lächerlichen Verbote, unter denen der Reisende oft leidet, weniger im Aberglauben als in der Habsucht ihren Grund haben.

Gegen zwei Uhr langten wir, in hohem Grade befriedigt von den Ergebnissen unseres Ausflugs, wieder im Lager an. Mambo empfing uns hier mit neuen Betteleien, forderte namentlich Thorntons Plaid mit immer größerer Dringlichkeit. Mich des Ueberlästigen zu entledigen, nahm ich meinen Revolver in die Hand, richtete, wie spielend, den Lauf nach Mambo und ließ den Hahn knacken: der Erfolg war überraschend, der edle Sultahn trat sofort seinen Rückzug an.

Krapf hat vollkommen Recht, wenn er die Bettelei ein Ungeheuer nennt, welches den Reisenden in Ostafrika auf Schritt und Tritt verfolgt; jeder kleine Dorfschulze oder Bettelkönig glaubt ein Anrecht auf die Waaren zu besitzen, welche in die Nähe seines Gebietes gebracht werden. Versteht man es, sich über die dadurch bedingten Widerwärtigkeiten hinwegzusetzen, so mag es in hohem Grade ergötzlich sein, die Pfiffe und Kniffe der Leute zu studiren, die Vorwände kennen zu lernen, unter welchen man hier, namentlich in Dschagga, der Hochschule der Bettelei, ein Wenig oder Viel von des Fremden Eigenthum zu erlisten sucht: die Unverschämtheit und Dummdreistigkeit, welche dabei oft zu Tage kommt, ist wirklich bewundernswerth. So bat einst der Minister Rehani um eine Schnur Perlen, um sich Schnupftabak von seiner eigenen Tochter zu kaufen! Später, in Kilema, verlangte ein Geheimrath sieben Kleidungsstücke für seine sieben nackten Kinder, deren doch jedes eine Bedeckung haben müsse; als ich ihm dies abschlug, bettelte er um ein Brechmittel, zu einer Zauberei, wie er sagte, und um Gift, mit welchem er schädliche Thiere tödten könnte, erkundigte sich aber bald darauf, ob es auch stark genug sei, einen Menschen umzubringen. Einmal schickte Mambo zwei seiner Krieger in das Lager, ließ mir zwei Taschentücher zeigen und sagen, er wünsche ein Kleid davon gemacht zu haben und bäte um Stoff für das Futter; ich schlug die Bitte mit dem Bemerken ab, daß ich kein Schneider sei, doch die Gesandten ließen sich nicht zurückweisen und meinten, einen Mann zum Nähen wüßten sie schon, sie möchten nur das Futter geschenkt haben: ihr Verlangen beweise nur, daß ihr Herr und Gebieter mein wahrer Freund sei. Bei der Ankunft eines fremden Sultahns (von Moschi) forderte Mambo sogar ein Gewehr und einen Turban zum Geschenk für seinen Besuch! Ein anderes Mal überreichte mir Mambos Mutter ein winziges Stück Butter zum Geschenk d. h. in der Erwartung einer stattlichen Gegengabe; ich sagte ihr, daß ich ein- für allemal ihre Geschenke nicht wünsche, weil sie doch nur aus Sachen beständen, welche zu schlecht für sie selbst seien und von denen sie wüßten, daß ich sie zurückweisen würde, wenn sie zum Verkaufe kämen — begreiflicher Weise zog ich mir hierdurch die höchste Ungnade ihrer Hoheit zu. Auch Betrügereien kommen vor, welche der Betteleien nicht unebenbürtig sind und von vielem Scharfsinn zeugen; sie erinnern vielfach an die Kunstgriffe unserer Bauerweiber. Milch z. B. wird von den Verkäuferinnen ansehnlich mit Wasser vermischt, Butter über hölzerne Formen gestrichen, damit ihre Menge recht groß erscheine, Bohnen und Erbsen werden mit Sand und Steinen gemengt. So vorsichtig ich auch stets bei dem Handel zu Werke ging, dann und wann wurde ich doch in der unangenehmsten Weise überlistet, namentlich mit krankem Vieh, welches entweder noch vor dem Schlachten verendete oder doch so verdorbenes Fleisch hatte, daß selbst die Neger nicht davon essen mochten.

7. August. Längere Zeit war verstrichen, ohne daß Mambo sich viel um uns bekümmerte; er sorgte weder genügend für unseren Lebensunterhalt — wir hatten mehrere Tage lang kein anderes Fleisch als Frankoline, welche die Leute in Schlingen gefangen — noch schien er sich auch ernstlich mit den Vorbereitungen zur Bergbesteigung zu beschäftigen; seine Nachlässigkeit entschuldigte er mit Staatsgeschäften, veranlaßt durch den Besuch des Sultahns Kimandara von Moschi. Des fortdauernden Verzuges müde, schickte ich wiederholt zu ihm, bis er meiner Aufforderung, mich zu besuchen, nachkam. Er trat ohne Weiteres in mein Zelt und redete mich zu meiner Verwunderung in Suaheli an. Ich war sehr angenehm überrascht; konnte ich doch nun ohne Vermittelung des furchtsamen und wissentlich falsch übersetzenden Faki ihm meine Meinung sagen! Die günstige Gelegenheit benutzend, stellte ich ihn vorerst zur Rede, daß er mich so lange mit seiner Unkenntniß des Suaheli getäuscht habe. Hiernach entspannen sich Verhandlungen, welche sich begreiflicher Weise nur um Geschenke und Abgaben drehten. Drei volle Stunden hörte ich dem Geschwätze zu, dann aber riß meine so lange in Anspruch genommene Geduld: ich sprang vom Sitze auf und gab dem widerwärtigen Bettler alle Ehrentitel, deren ich mich in der Suahelisprache entsinnen konnte. Er fühlte sich höchst unbehaglich, fuhr bei jeder Zornesäußerung zusammen und kroch in die äußerste Ecke des Zeltes; Faki und Mnubie aber baten flehentlich, ich solle mich doch beruhigen — sie mochten Handgreiflichkeiten befürchten, weil ich in meiner Erregung einen langen Stock heftig hin und her schwang. Die Scene hatte übrigens guten Erfolg. Mambo versprach beim Weggehen, daß die Bergbesteigung morgen stattfinden solle, bat mich aber zugleich, ja keinem anderen Msungu ähnlicher Art den Weg nach Kilema zu zeigen, „denn ich sei ein böser Mann, welcher niemals offene Hand habe und vor dem man sich fürchten müsse."

Kaum hatte er das Lager verlassen, als ein förmlicher Aufruhr unter meinen Leuten ausbrach: Führer und Träger erklärten, sie würden nicht mit mir auf den Berg gehen; der Koch Hammadi allein wollte mich begleiten, aber nur unter der Bedingung, daß ich ihm Schnupftabak gäbe, „die beste Arzenei gegen Kälte". Unter solchen Umständen mußte der Stock Beweisgründe liefern und die Leute überzeugen, daß sie mit mir gehen müßten. Ich wählte fünf Träger nebst den Führern Hammis und Hammadi zur Begleitung aus; wie Schafe, welche zur Schlachtbank geführt werden, fügten sie sich in das Unvermeidliche. —

So war also das längstersehnte Ziel, die Besteigung des Kilimandscharo, nahe herangerückt, Dank der Entschiedenheit meines Auftretens, welche den täglich neuen Weigerungen Mambos ein Ziel setzte. Die nöthigen Vorbereitungen wurden eifrigst betrieben. Koralli wurde beauftragt, zum Schutze des Lagers zurückzubleiben. Meine dunklen

Begleiter erhielten anstatt des verlangten Schnupftabaks jeder ein Stück Amerikano zum Schutze gegen die Kälte; sie verkannten jedoch meine gute Absicht und setzten das Zeug möglichst schnell gegen Honig, Butter und Milch um.

8. August. Unser Gepäck, bestehend aus Meßgeräthen, wollenen Decken und Mundvorrath für acht Tage (hauptsächlich Bohnen), war längst geschnürt, und noch ließen die verheißenen Führer sich nicht sehen. Gegen ein Uhr Nachmittags endlich kam Rehani in Begleitung der beiden Lagerwächter und meldete, daß dem sofortigen Aufbruche Nichts mehr im Wege stehe. Die Soldaten sollten uns bis zu dem äußersten Kilemadorfe begleiten wo wir zwei Führer finden würden; sie erhielten zwei sorgsam gefaltete, frische Bananenblätter, das eine ein Grigri zur Verhütung von Unglück während der Reise, das andere ein Brief an den Häuptling des vorerwähnten Dorfes. Rehani verabschiedete sich mit einer Fülle von Segenswünschen, welche er den Suaheli abgelernt, wie: „Gott möge Dich auf Deinem Wege beschützen, möge Dich der Himmel gesund zurückkehren lassen, mögest Du viel Gold, Silber und Perlen finden“ u. dergl. mehr.

Der Weg führte mit geringen Abweichungen nordwärts, an der Ostseite des früher bestiegenen Hügels hin, zumeist durch unbebautes Land oder über grünende Matten, auf denen Rindviehheerden weideten, eine Strecke lang auch am rechten Ufer des Goniflusses hin, längs der bewunderswerthen Wasserleitungen, welche in einer Höhe von 150 Fuß über dem Flußbette, in mehrfacher Reihe übereinander, an der Thalwand hinlaufen. Gegen fünf Uhr erreichten wir inmitten ausgedehnter Bananenhaine mehrere Hütten der Eingeborenen. Unsere künftigen Führer, welche hier wohnten, empfingen uns keineswegs freundlich, ja, wollten uns nicht einmal erlauben, innerhalb ihres Gehöftes zu übernachten — vermutlich dachten sie an das Schicksal der Unglücklichen, welche einst von Rungua, einem Könige von Madschame, auf den Berg geschickt worden waren, um das Wesen der weißen, leuchtenden Masse auf dessen Gipfel zu untersuchen: nur Einer von ihnen, Namens Kibeia, kehrte zurück mit erfrorenen Händen und Füßen und berichtete das traurige Schicksal der Anderen, welche oben „von bösen Geistern“ getödtet worden waren; von dem vermeintlichen Silber hatte er Nichts mitgebracht, da es ihm durch Teufelstrug in den Händen zerronnen war.

Auch der Häuptling des Weilers, welchem der Brief des Manki galt und der Befehl, mir eine Ziege für zwei Doti zu liefern, zeigte keine Bereitwilligkeit; er lachte höhnisch und meinte, sein Dorf sei weit entfernt von Mambo, und sein Vieh gehöre ihm und nicht dem Sultahn. Das Unbehagliche unserer Lage blieb auf die uns begleitenden Krieger nicht ohne Einwirkung; sie verließen uns, noch ehe die Verhandlungen wegen der Weiterreise zu Ende gediehen.

Nachts regnete es in Strömen. Ich kroch in das Zelt, fand aber dort keinen Schutz; denn von oben träufelte das Wasser durch, und unten bildete sich binnen Kurzem eine große Pfütze: um ihr einen möglichst kleinen Theil meines Körpers Preis zu geben, verbrachte ich die Nacht in sitzender Stellung, begreiflicher Weise, ohne zu schlafen.

Als ich am anderen Morgen zum Aufbruch trieb, erklärten die Führer, zur großen Freude meiner Leute, sie würden nicht weiter gehen, weil es die Nacht geregnet habe und der Himmel noch jetzt bedeckt sei. Bei der sich nun entspinnenden Verhandlung übersetzte der als Dolmetsch dienende Muansalini Alles, was ich sagte, falsch, in der nicht zu verkennenden Absicht, uns zu entzweien und so den Ausflug gänzlich zu verhindern. Schließlich verlangten die Führer, ich solle in ihrem Dorfe warten, bis das Wetter sich ändern werde; Dies hätte jedoch bei der ungünstigen Jahreszeit leicht Monate lang dauern können. Auf meine Erwiederung, daß es sich ja in einigen Tagen, wenn wir die Schneegrenze erreicht, aufklären könne, hörten sie nicht. Hiermit waren die Mittel meiner Ueberredungskunst erschöpft;

ich gab meinen Plan auf und wandte mich rückwärts nach Kilema, um Mambo von dem Ungehorsam seiner Leute zu benachrichtigen.

Kaum befanden wir uns zehn Minuten unterwegs, als die Führer mich zurückriefen und sich zur Ausführung ihres Auftrags bereit erklärten; sie mochten fürchten, daß Mambo, welcher durch ihren Ungehorsam des versprochenen Geschenkes verlustig gegangen wäre, sie streng bestrafe. Wiederum wurden zwei Stunden verloren mit Abschiednehmen und mit Beschaffung von Lebensmitteln. Um neun Uhr endlich kamen wir fort. Wir gingen auf abscheulichen Wegen, bald über steil aufsteigenden, schlüpfrigen Thonboden, in welchen Elephanten ihre riesigen Fußspuren eingedrückt, bald im Wasser bis an die Knöchel, bald durch dichte Büsche, deren nasse Zweige uns in das Gesicht klatschten, bald über umgestürzte Bäume und abgebrochene Aeste hinweg. Der Pflanzenwuchs war wunderbar großartig: ungeheuere Bäume mit dichtem Moos überzogen, mit langen Bartflechten behängt und durch Schlingpflanzen zu einem fast undurchdringlichen Dickichte verwebt; dazwischen Gräser und liebliche Blumen, riesige Farrenkräuter und Alpenrosenbüsche, Alles vom Regen der Nacht noch triefend und im Morgenlichte glitzernd — ein feenhafter Anblick. Eine Minute lang öffnete sich der Wolkenvorhang, uns einen schönen Blick nach Kilema, dem See und den Ugonobergen gestattend; bald darauf aber wurde der Nebel stärker und stärker und verdichtete sich endlich wieder zu Regen. Führer und Träger klagten laut über die Beschwerden des Marsches. Ihren Bitten nachgebend, ließ ich bereits um zwei Uhr halten. Thornton und ich schlugen das kleine Zelt auf und halfen, während die Führer sich in einen hohlen Baum verkrochen, den Trägern beim Bau einer Hütte. Als wir diese vollendet, verbrachten wir wol eine Stunde mit vergeblichen Versuchen, Feuer zu entzünden: eine große Büchse Reibzündhölzer und eine Menge Schwamm und Pulver gingen darauf, ehe es gelang, das mit Wasser getränkte Holz in Brand zu setzen und einigen Rauch, wenn auch noch nicht Wärme hervorzubringen. Mit kurzen Unterbrechungen regnete es den ganzen Abend und einen Theil der Nacht über; die Träger verloren allen Mut, selbst der Schwätzer Hammis fand nur die Worte: „Keiner von uns wird je Kilema wiedersehen!“

Die Unbehaglichkeit unseres Zustandes und die aufregende Ungewißheit, ob das Unternehmen gelingen werde oder nicht, hielten den Schlaf von unseren Augen fern. Erst nach langen Verhandlungen kamen wir am nächsten Morgen zum Aufbruch. Kurz darauf begann es wieder derart zu regnen, daß ich mich dem allgemeinen Bitten fügte und nach unserem Obdach zurückkehrte. Meine Begleiter entmutigten sich gegenseitig durch Klagen immer mehr; um sie nur zu beschäftigen und auf andere Gedanken zu bringen, ließ ich neue Hütten bauen. Es kostete nicht wenig Mühe, die Leute bei der Arbeit zu erhalten; aller Augenblicke entfernten sie sich unter dem und jenem Vorwande, krochen in meine Behausung, kauerten sich am Feuer nieder und sangen mir ein endloses Klagelied ob ihrer Leiden vor.

So verging der Tag in traurigster Weise; die Nacht brachte ich etwas behaglicher zu: zwei Feuer, das eine zu Häupten, das andere zu Füßen, erhielten mich ziemlich warm, und eine über mir ausgespannte Gummidecke schützte mich vor durchtröpfelnder Nässe. Am Morgen dauerte der Regen fort. Ich gedachte trotzdem weiter zu gehen und rief nach den Führern. Sie antworteten nicht. Bei weiterem Nachforschen fand sich ihr Lager, ein hohler Baum, verlassen, ihr Feuer verlöscht, die Asche bereits erkaltet — sie mußten sich schon bei Einbruch der Nacht entfernt haben. Die Träger schienen nicht im Geringsten darüber erstaunt zu sein, jedenfalls hatten sie mit Jenen unter einer Decke gespielt. Was sollte ich thun? Ohne Führer auf unbekannten Wegen weiter zu gehen, wäre Wahnsinn gewesen. Außerdem würden die Träger mir sicherlich den Gehorsam verweigert haben, und ich mußte mich hüten, Etwas zu verlangen, was ich nicht hätte durchsetzen können. Ich bequemte mich also, so schwer der Entschluß mir fiel, zur Rückkehr; vielleicht konnten wenigstens die Hütten uns bei einem zweiten Versuche von Nutzen sein!

War schon der Weg bergauf ein schlechter gewesen, so war er abwärts, nach achtundvierzigstündigem Regen, beinahe ungangbar. Alle früheren Spuren waren verwischt, wir verloren in Kurzem die Richtung und geriethen auf wahrhaft gefährlichen Boden, zwischen künstlich verdeckte Fallgruben. Der feuchte Lehm war so schlüpfrig, daß es nicht geringe Geschicklichkeit erforderte, sich aufrecht zu erhalten; ich war der Einzige, dem Dies gelang: Thornton fiel dreimal hin, doch ohne sich Schaden zu thun, und ebenso machten alle Träger nähere Bekanntschaft mit Mutter Erde. Trotzalledem sammelten wir eine Menge Blumen und Farren — leider gingen sie späterhin durch die Unachtsamkeit eines Trägers größtentheils verloren.

Durchnäßt bis auf die Haut und bis weit über die Kniee mit rothem Schlamme bedeckt, kamen wir gegen zwölf Uhr an die ersten Pflanzungen. Die Träger verlangten zu rasten, ich trieb sie aber weiter, weil ich üble Folgen für sie befürchtete. Wenige Minuten vom Lager entfernt, mußten wir aber dennoch kurze Zeit halten — die Leute brachen buchstäblich vor Ermattung zusammen. Gegen $2^1/_2$ Uhr erreichten wir die Zelte.

Unangenehme Nachrichten erwarteten mich. Der hitzköpfige Koralli hatte sich zu übereilten Handlungen hinreißen lassen, obgleich ich ihn noch vor der Abreise gewarnt. Zuerst hatte er einen von Tembo berauschten Mann geschlagen, weil dieser ihn Mdjinga (Narr) geheißen, und dann, als die in hohem Grade aufgebrachten Wadschagga eben wieder ein wenig beruhigt waren, sich in Händel mit der Hauptfrau des Sultahns verwickelt. Er hatte das Weib, welches einen Butterhandel mehrmals rückgängig gemacht und dadurch allerdings seine Geduld in Anspruch genommen hatte, hart angefahren und sie aus dem Lager hinweggedrängt, zwar ohne sich thätlich an ihr zu vergreifen, doch, was viel schlimmer ist, unter aufbrausendem Schelten und Drohen. Ich selbst habe öfters Leute geschlagen, habe Weibern, welche in zudringlicher Weise ihre Waaren ins Zelt brachten und dasselbe trotz meiner Aufforderung nicht verließen, ihren Kram aus der Hand gerissen und auf die Erde gestreut, ich habe auf der Reise nach Kiloa den Lenker meines Fahrzeugs weidlich mit den Fäusten bearbeitet — alles Dies, ohne mir Unannehmlichkeiten zu verursachen; denn ich lachte hinterher die Betreffenden tüchtig aus und brachte so die schadenfrohe Menge auf meine Seite. Hätte ich aber geschimpft und getobt, wie es Koralli bei solchen Gelegenheiten thut, so würde ich auch die Unbetheiligten gegen mich eingenommen haben und öfters in schlimme Verlegenheit gerathen sein.

Der Vorfall mit Mambos Frau hatte große Aufregung hervorgebracht. Das Weib stellte sich krank in Folge der Schläge, welche sie erhalten zu haben behauptete; der Sultahn, um hieraus Vortheil zu ziehen, forderte Schmerzensgeld, sperrte, als Dies verweigert wurde, das Lager und verbot den Verkauf von Lebensmitteln. Matt und angegriffen, wie ich war, sowol in Folge der großen Anstrengungen und der dürftigen Kost während der letzten vier Tage, als auch in Folge des Aergers über das Fehlschlagen meiner Hoffnungen und über Korallis Verhalten, that ich doch unverweilt die nöthigen Schritte, um die Ordnung wieder herzustellen. Ich bat den Sultahn um eine Unterredung; er schlug sie aus, weil seine arme, gemißhandelte Frau noch krank sei und er sich selbst nicht mehr sicher fühle, seitdem man sich an Weibern vergriffen. „Er hoffe", ließ er sagen, „daß die Fremden eine Entschädigung an seine Frau und das übliche Abschiedsgeschenk bezahlen und dann möglichst bald das Land verlassen möchten."

Einen ganzen Tag lang dauerten die Verhandlungen fort, ohne zu einem befriedigenden Ergebnisse zu führen; im Gegentheile, man begnügte sich zuletzt nicht mehr damit, sich vom Lager fern zu halten und uns die Zufuhr von Lebensmitteln zu entziehen, sondern schnitt uns auch das Trinkwasser ab. Beides konnte mir im Grunde genommen gleichgiltig sein; denn ich besaß noch für eine Woche Bohnen und Bananen und war durch einen glücklichen Schuß Korallis mit dem Fleisch eines jungen Nashorns versehen; frische Lebensmittel für unsere Tafel erhielt ich durch einen Knaben, den Abgesandten einiger Frauen, eingeschmuggelt, und das nöthige Wasser holte ich mir selbst in Begleitung einiger zwanzig Träger aus dem eine Viertelstunde vom Lager entfernten Flusse.

Morgens gegen elf Uhr am 13. August erschien der Sultahn zum ersten Male wieder. Anfangs weigerte er sich, in das Zelt zu kommen, gab aber nach, als er sah, daß ich mich auf eine Unterhandlung im Freien nicht einlassen würde. Meine ziemlich strenge Rede und meine Vorwürfe hörte er still und furchtsam an; er war in der besten Stimmung und zeigte Bereitwilligkeit zur Wiederherstellung des guten Verhältnisses, aber der furchtsame Faki verdarb wieder Alles durch seine Zwischenreden, durch seine übertriebene Höflichkeit und Unterthänigkeit. Schließlich sah ich mich genöthigt, sechs Taschentücher, vier Doti Amerikano, zwei Armbänder und eine Anzahl Perlenstränge als Entschädigung für die kranke Frau zu versprechen. Als Mambo auch damit noch nicht zufrieden war, wies ich ihn ernstlich auf die Gefahr hin, welche ein Bruch mit mir für ihn und sein Land haben könnte; jetzt erst versprach er, den Markt wieder zu eröffnen und die davongelaufenen Führer zu bestrafen, und jetzt erst überreichte ich ihm sein Geschenk. Darauf zeigte ich ihm die Lebensmittel, welche ich während der Lagersperre und ungeachtet seines Verbotes von meinen Freundinnen gekauft hatte: er ward wie toll vor Wut und verlangte ungestüm, die Namen der Leute zu wissen, welche sich des Ungehorsams gegen ihn schuldig gemacht — selbstverständlich ging ich auf solche Forderung nicht ein.

Noch war die Sache durchaus nicht beigelegt. Am Abend, als wir uns kaum zur Ruhe begeben, ließ sich ein entferntes Lärmen und Schreien vernehmen. Wir sprangen aus Bett und Zelt und unterschieden in dem Stimmengewirre deutlich den Ruf: „Wanga, Wanga!" (Krieg, Krieg!) sowie den Schlachtgesang. Das Geschrei kam näher und näher. Ringsum ertönte die Kriegstrommel. Zitternd sammelten die Träger sich um uns Europäer. Ich vertheilte Pulver und Kugeln und sandte die drei Führer der Karawane mit zwölf bewaffneten Leuten nach Mambos Wohnung, um zu erfahren, ob die Wadschagga Etwas gegen uns im Schilde führten, oder ob sie durch einen Einfall feindlicher Stämme beunruhigt wären; ihre Weisung war, dort Stellung zu nehmen und im ersteren Falle sich womöglich der Person des Sultahns zu versichern. Kurze Zeit darauf begann ein gut unterhaltenes Flintenfeuer — kein Zweifel, daß ein Gefecht stattfand. Wir machten uns auf das Schlimmste gefaßt. Ich richtete zwei Raketen auf den Eingang zum Lager, lud die Elephantenbüchsen mit Schrot, gab einige der Merkwürdigkeit halber gekaufte Lanzen und Schwerter an diejenigen unter den Trägern, welche keine Gewehre hatten, gab den Dienern Befehl, sich dicht in meiner Nähe zu halten und bei einem etwaigen Kampfe die abgefeuerten Gewehre wieder zu laden, keinesfalls aber selbst zu feuern, vertheilte die Rollen unter uns, zündete mir eine Cigarre an, um die Raketen geschwind in Brand setzen zu können, und ließ, um auch im Falle einer Niederlage nicht unvorbereitet zu sein, etwas Amerikano und Perlen, Lebensmittel für zwei Tage, eine Kitoma mit Wasser, Zunder und Stal zurecht legen.

Das Schreien und Schießen währte wol zwanzig Minuten fort. Bei ruhiger Ueberlegung wurde es mir allmählich klar, daß die Wakilema keinen Angriff beabsichtigten; denn, weshalb hätten sie uns vorher durch ihren Lärm davon Kenntniß geben sollen? Als das Getöse nach einiger Zeit näher rückte, klang es weniger fremdartig, wie Kriegsgesang der Suaheli — es waren meine eigenen Leute, welche zurückkehrten. Sie erzählten, ein Raubthier habe zwei Ziegen zerrissen und eine Kuh angefallen; ein altes Weib habe Dies gesehen und in ihrer Angst den Kriegsruf ausgestoßen; Niemand habe gewußt, woher die Gefahr käme, Jeder aber der Sicherheit wegen in das Geschrei mit eingestimmt: — auf diese Art sei der Lärm entstanden. Das Schießen rührte von den Trägern her, welche von den Wadschagga gebeten worden waren, nur tüchtig zu knallen, damit der Feind, woher er auch komme, doch sehe, daß Gewehre bei der Hand seien.

Jetzt zeigten die im Lager zurückgebliebenen Träger, welche vorher sich in die Hütten und hinter die Büsche versteckt und wie Weiber gezittert und gejammert hatten, wieder Mut, erzählten von den Heldenthaten, welche sie ausgeführt haben würden, tanzten den Kriegstanz und schrieen und lärmten mehr als vorher alle Wakilema zusammen. Geraume Zeit verging, bis die Uebermütigen sich beruhigten und wir uns wieder zum Schlafe niederlegen konnten.

Da am anderen Morgen das Wetter zu trübe war, als daß wir einen Ausflug hätten unternehmen können, beschloß ich, dem Raubthiere nachzuspüren, welches gestern den Aufruhr verursacht hatte. Ich forderte einen der beiden Lagersoldaten auf, mich an den Platz zu führen, wo die Ziegen zerrissen worden seien. Er weigerte sich unter allen erdenklichen Vorwänden, sodaß ich schließlich zu der Ansicht kam, die Erzählung von dem Raubthiere sei Nichts als eine Finte, darauf berechnet, zu versuchen, wie wir uns benehmen, ob wir nicht, wie Faki wirklich vorschlug, in unserer Angst dem Sultahn ein großes Geschenk schicken würden, um alles Uebel abzuwenden. Wir hatten, Das durften wir uns sagen, die Prüfung gut bestanden und durch unser Verhalten die Wadschagga gewiß nicht zu einem zweiten Versuch ermutigt. —

Mehrere Tage vergingen, Mambo zeigte sich nicht im Lager. Zur Entschuldigung ließ er mir sagen, daß er, weil eine seiner Frauen gestorben, drei Tage lang trauern, dann Bart und Haupthaar abschneiden müsse und sich erst dann wieder sehen lassen dürfe; er ließ mich bitten, noch zehn Tage in Kilema zu bleiben und versprach, bis dahin von Neuem Führer zur Besteigung des Berges zu besorgen. Des langen Wartens müde, gab ich den Bescheid, daß ich schon morgen abreisen würde. „Neunzehn Tage," sagte ich zu den Boten, „sei ich nun in Kilema geblieben, habe während der ganzen Zeit nichts Erfreuliches von Mambo, meinem angeblichen Freunde, erfahren, sei vielmehr belogen, geärgert und hingehalten worden und habe für meine ansehnlichen Geschenke nur Undank geerntet; nach seinem früheren Benehmen könne ich nicht erwarten, daß es ihm wirklich Ernst sei, mich jetzt auf den Berg zu führen. Wolle er übrigens am kommenden Morgen sich zeigen, so würde ich ihm die übliche Abschiedsgabe verabfolgen, anderenfalls aber auch ohne seinen Segen gehen."

In dem Beschlusse, mein Glück wo anders zu versuchen, wurde ich durch folgenden Zwischenfall bestärkt. Simba, der zehnjährige Bruder des Sultahns, welcher, obgleich ich ihm nie Etwas geschenkt, eine kindliche Zuneigung zu mir gefaßt hatte, kam auf die Nachricht von meiner Abreise hin ins Lager und sagte: „Gehe fort, gehe fort, Das ist gut; die Leute sprechen Viel, Du wirst nie den Schnee erreichen." Kinder und Narren sprechen die Wahrheit; ich nahm mir des Kindes Wort zu Herzen, ließ die Mfigo zurecht machen und meine kleine Flagge vom Zelte nehmen.

Letztere Handlung scheint in Dschagga wie in der gesitteten Welt Abbruch der friedlichen Beziehungen zu bedeuten: Bestürzung bemächtigte sich Aller, die es sahen; die Nachricht davon verbreitete sich schnell; zahlreiche Abgesandte des Sultahns, unter ihnen Rehani selbst, erschienen mit Grasbüscheln in der Hand als Freundschaftszeichen und beschworen mich zu bleiben, denn „Mambo liebe mich wie seinen Bruder und seine Worte würden künftig wie Honig sein." Ich fuhr ruhig mit den Vorbereitungen zur Abreise fort.

Am Abende kam Mambo in eigener Person und bat mit Aufbietung aller seiner Beredsamkeit, ich solle noch zwei Monate bleiben, um besseres Wetter abzuwarten; er wolle es mir an Nichts fehlen lassen und gegen geringe Entschädigung mich täglich mit Nahrung versorgen. Ich erwiederte ihm, die Weißen seien nicht gewohnt, mit zwei Zungen zu sprechen; es müsse bei dem einmal Gesagten bleiben. Als er darauf mit verschmitztem Lächeln fragte, ob ich nun nach Madschame gehen werde und auf welchem Wege, bedeutete ich ihm, ich würde gehen, wohin es mir beliebe, und jedes Hinderniß nöthigenfalls mit Gewalt aus dem Wege zu räumen wissen. Kleinlaut sprach er jetzt die Befürchtung aus, ich könne in meinem Zorne vielleicht schon in der Nacht aufbrechen, während er doch gern am anderen Morgen noch eine Kuh zum Abschiede bringen und Blutsbrüderschaft mit uns machen wolle. Da mir noch von Taseta her der unsaubere Brauch verleidet war, lehnte ich für meine Person ab, bot aber Assani als Stellvertreter an, jedoch nur für den Fall, daß kein Verzug dadurch entstände.

17. August. Die Nacht verging unruhig. Mehrere Wadschagga trieben sich in der Nähe des Lagers umher, jedenfalls in der Absicht, uns zu beobachten; auch störte das unmelodische Heulen, Bellen und Lachen einer Hyäne öfters unseren Schlaf.

In früher Morgenstunde kam Mambo mit seiner Kuh. Er war wie umgewandelt, erbot sich, bereits am nächsten Morgen höchstselbst mit zwanzig Mann Bedeckung mich auf den Berg zu geleiten, und fragte, als ich mich darauf nicht mehr einließ, was er denn thun müsse, um die Weißen zum Bleiben zu bewegen? „Diesmal", erwiderte ich, „ist Alles vergebens; doch scheide ich nicht als Feind, will vielmehr noch einmal Kilema besuchen, vielleicht daß Du Dich bis dahin gebessert hast und dann nicht wieder versuchst, mit dem weißen Manne zu spielen wie mit einem Kinde." Als ich ihm das versprochene Geschenk überreichte (acht Doti Amerikano, vierundzwanzig Taschentücher, vier Armbänder und vier bis fünf Pfund Perlen, im ungefähren Werthe der erhaltenen Kuh), forderte er zu meinem Erstaunen — zum ersten Male, so lange ich ihn kannte — nicht mehr.

Das Schlachten der Kuh und das Schließen der Blutsbrüderschaft zwischen Assani und Rehani hielten uns lange auf. Die Träger zeigten den besten Willen, die Abreise noch mehr zu verzögern: obwol sie bereits ihr Morgenbrod genossen, begannen sie, von dem empfangenen Fleische eine zweite Mahlzeit zu bereiten. Erst mein Stock, mit welchem ich die Kochtöpfe umstieß und Säumige ermunterte, brachte Alles wieder ins rechte Geleis.

Um neun Uhr brachen wir auf. Koralli führte den Zug, ich blieb mit Thornton zurück, um nachzusehen, daß Nichts vergessen werde. Beim Abschied erkundigte sich Mambo angelegentlich, wann wir wol wiederkommen würden; ich versprach ihm nichts Bestimmtes, weil ich, falls ich verhindert wäre, nicht vor ihm als Lügner gelten wollte, sagte vielmehr, es sei noch Alles zweifelhaft, weil ich nur wenig Vertrauen in seine Besserung setze. Hierauf versprach er feierlichst, sich auf das Beste betragen zu wollen, und bat unter Thränen, wir möchten doch bald zurückkehren und keinen Groll mit auf den Weg nehmen!

Siebzehnter Abschnitt.

Das Land Madschame.

Staatsverhältnisse. — Einiges aus der früheren Zeit. — Rebmann in Madschame. — Annehmlichkeiten des Weges durch die Ebene. Schwarze Ameisen. Wildfallen. Sumpf und Busch. — Verlaufen nach Kindi. — Falis Sündenregister. — Das Kleeblatt der Geheimräthe von Madschame. — Erklärungen. — Die königliche Familie. — Sturm und Sonnenschein. — Der Kilimandscharo von Südwesten aus. — Wunderkraft der Raketen. — Leere Versprechen. — Abmarsch und Rückkehr. — Drohungen. — Ausflug nach Mankis Grabhügel. — Verbotener Besuch eines Marktes der Weiber. — Harte Geduldprobe. — Ein rettender Entschluß. — Nächtlicher Aufbruch.

Madschame, das bedeutendste und am weitesten nach Westen gelegene der vierzehn oder fünfzehn kleinen Königreiche am Südabhange des Kilimandscharo, verläuft, gleich den anderen Dschaggaländern, nach Norden zu in die mit Wald bedeckten, unbewohnten Gebiete des Berges und nach Süden in die herrenlose, unsichere Ebene; im Osten wird es, wenn wir nur das Land im engeren Sinne, nicht auch die von ihm abhängigen Staaten mit rechnen, vom Weriweriflusse begrenzt.

Die Herrscher von Madschame besitzen einen weithin reichenden Einfluß: selbst diejenigen Staaten, welche ihnen nicht geradezu unterthänig sind, fürchten ihre Macht und wagen selten, Etwas gegen ihren Willen zu unternehmen; nur Lambungu und Kilema haben in der neueren Zeit einige Selbstständigkeit zu behaupten vermocht. Es bildet gegenwärtig, den Berichten der Wadschagga zufolge, Madschame einen Staatenbund mit den kleineren Gebieten Kindi, Naruma und dem eine Tagereise weiter im Westen gelegenen Schira, einen zweiten bildet Lambungu mit dem unbedeutenden Munika, und einen dritten Kilema mit Msai, Mamba, Rombo, Marenga, Sa und Uru, welchem sich auch Moschi und Kirua anschließen, ohne geradezu die Oberhoheit Kilemas anzuerkennen.

Von jeher zogen die großen Suahelikarawanen sich hauptsächlich nach Madschame, weil sie hier gut aufgenommen und gegen die Belästigungen anderer Sultahne geschützt wurden. Dies erregte die Eifersucht aller Staaten, namentlich Lambungus. Kaschengo, der greise Herrscher dieses Nachbarlandes, ergrimmte, daß Madschame allein von solchem Verkehre Vortheil haben sollte; um sich zu entschädigen, überfiel er eines Tages eine zweihundert Mann starke Karawane aus Mombas, vernichtete sie vollständig und bemächtigte sich ihrer Waaren.

Damals herrschte in Madschame Rungua, der Großvater des jetzigen Sultahns. Sobald dieser von dem Geschehenen vernahm, sandte er ein kleines Heer unter seinem tapferen Sohne Mamkinga aus mit dem Befehle, die seinen Freunden widerfahrene Unbill zu rächen: Kaschengo wurde geschlagen und Lambungu schrecklich verwüstet. Der um Gnade bittende Manki erhielt zwar sein Leben geschenkt, wurde jedoch mit dem Reste seines Volkes in die oberen Theile des Landes verwiesen; in der unteren, gesegneteren Hälfte zerstörte man die Hütten und verbot neue Ansiedelungen bei strenger Strafe. Noch stehen hier üppige Bananenwälder, aber ihre Früchte verfaulen, da Niemand sie pflückt — so sah es aus, als Rebmann im Jahre 1849 das Land besuchte, und so fanden auch wir es dreizehn Jahre später noch. —

Auf seiner zweiten Reise nach Dschagga gelangte Rebmann, nachdem er in Kilema durch die Betteleien und Forderungen des damaligen Sultahn Masaki fast alle seine Habseligkeiten verloren, auch nach Madschame; er wollte versuchen, ob er bei einer künftigen Reise hier nicht bessere Unterstützung für seine Pläne zur Erforschung des fernen Westens fände. Mamkinga nahm den Ausgeplünderten mit falscher Freundlichkeit auf, sagte ihm, daß er seine Person, nicht seine Waaren zu haben wünsche, und erbot sich, die beabsichtigte Reise nach dem großen See im Inneren auf das kräftigste zu fördern. Als danach Rebmann, von seinen Auftraggebern mit neuen Mitteln versehen, auf seiner dritten Reise nach Dschagga zum zweiten Male nach Madschame kam, wurde er mit seinem Anliegen kurzweg auf späterhin vertröstet. Jetzt zeigte sich Mamkinga in seiner wahren Gestalt: er beraubte den Getäuschten, wie um sich für dessen frühere, so wenig gewinnbringende Anwesenheit zu entschädigen, auf die schamloseste Weise. Der friedliche Glaubensbote mußte Alles über sich ergehen lassen und rettete nur mit genauer Noth noch soviel Waaren, daß er wieder nach der Küste zurückkehren konnte. Tiefste Wehmut erfüllte ihn, und Thränen traten ihm in die Augen, so oft er daran dachte, zu welchem Zwecke die Güter, mit denen er jetzt die Räuber befriedigen mußte, ihm von Europa aus gegeben waren.

Kein Wunder, daß die Bewohner von Madschame sich sonderbare Begriffe von einem Mjungu gebildet hatten. Als Decken in das Land kam, vermeinten sie, ihn in derselben Weise behandeln zu können, wie den wehrlosen Boten des Friedens; zum Vortheile späterer Reisenden wurden sie aber eines Anderen belehrt.

Beim Verlassen von Kilema, erzählt Decken weiter, wandten wir uns anfangs südostwärts nach Dafeta zu, bogen aber, sobald wir aus Hör- und Sehweite gekommen zu sein glaubten, in einen nach Südwesten führenden Weg ein, um am Fuße des Kilimandscharo hin nach Madschame zu gelangen. Der gewöhnlich von den Wadschagga benutzte Verbindungsweg führt oberhalb des bebauten Landes zwischen diesem und dem Haupte des Berges hin, ist somit näher, aber auch, für den Fremden wenigstens, gefährlicher; denn hier verkehren häufig Soldatenscharen, denen niemals recht zu trauen ist. Doch auch die Straße durch die Ebene bietet nicht zu unterschätzende Unannehmlichkeiten und Gefahren, wie wir bald erfahren sollten.

Kurz nach Mittag erreichten wir den Kilemafluß. Seine Ufer sind überaus steil und so dicht mit Schilf und Gebüsch bewachsen, daß wir erst nach langem Suchen, nachdem wir Leute nach oberhalb und unterhalb ausgeschickt, einen Wildpfad finden konnten, welcher hinabführte. Wir überschritten den zwanzig bis fünfundzwanzig Fuß breiten und knietiefen Strom, dessen reißendes Wasser brausend über Stein und Felsen schießt, und lagerten am anderen Ufer.

Nach eingenommener Mahlzeit begab ich mich mit einigen Leuten auf den Weg, um den morgen zu benutzenden Pfad auszukundschaften. Es galt dabei, die Vorsicht bei keinem Schritte aus den Augen zu lassen; denn das Land umher ist mit zahllosen Wildfallen durchsetzt. Als wir von der Höhe eines kleinen Hügels aus einen nach Westen führenden Fußpfad entdeckt hatten, traten wir den Rückweg an.

18. August. Mir fiel die unangenehme Rolle zu, Bahn zu brechen durch das hohe, vom Regen der vergangenen Nacht benetzte Gras. Der gestern ausgespähete Fußsteig mußte bald verlassen werden, weil er zu weit nach Norden führte. Nach einer Stunde fand sich ein anderer, in günstiger Richtung verlaufender: er war, wie alle Wege der Wildniß von Nashörnern und Elephanten gebahnt und in Folge dessen nicht besonders eben. Ueber einen kleinen Fluß und mehrere Regenbetten hinweg gelangten wir zeitig am Nachmittag an einen Bach, dessen trübes, rothes Wasser deutlich seine Herkunft von den Dschaggabergen bezeugte; wir lagerten hier, weil es ungewiß war, ob wir späterhin noch Wasser antreffen würden, und schlugen der unbeständigen Witterung wegen die Zelte auf. Ungestört ruhten wir bis nach Mitternacht, da wurde ich auf unangenehme Weise geweckt, durch eine Schar schwarzer Ameisen, welche ihren Weg gerade über mein Gesicht hin genommen. Ich räumte den schlimmen Feinden den Platz, floh aus dem Zelte und brachte den Rest der Nacht damit zu, die kleinen, in meinen Anzuge verwickelten Unholde herauszuklauben, neue Kleider anzulegen und diese wiederum nach kurzer Zeit von den lästigen Eindringlingen zu reinigen. Thornton, welcher bisher noch verschont geblieben, verschmähte es, meinem Rath und Beispiele zu folgen. Er mußte schwer büßen: die bissigen Thiere erreichten gar bald auch seine Lagerstätte und zwickten ihn auf das Unbarmherzigste. Wie besessen stürzte er aus dem Zelte, sprang von einem Bein auf das andere und klagte in komischster Weise seine Noth, zu meinem nicht geringen Ergötzen, wie ich gestehen muß — denn ich empfand etwas wie Schadenfreude über die so schnell nachfolgende Strafe und einigen Trost, daß ich nicht das einzige Opfer war.

Die kleinsten sind in der That die schlimmsten Feinde des Reisenden: Löwen und Panther fürchten sich vor dem Menschen oder greifen ihn wenigstens nicht an, da sie ihren Hunger an den zahllosen Wildheerden sättigen können; Elephanten, Rhinozeros und Flußpferde haben nichts Entsetzliches für Den, welcher sie kennen gelernt; andere zudringliche Thiere lassen sich auf diese oder jene Weise verscheuchen — wer aber vermag sich gegen wütende Ameisen, Bienen oder Mücken zu schützen? Nimmt eine Ameisenschar ihren Weg über einen Lagerplatz, so muß der Herr der Schöpfung weichen und weit ab sich eine andere Stätte suchen, wenn er nicht noch rechtzeitig die Gefahr bemerkt und den Boden ringsum mit glühenden Kohlen und heißer Asche sengt, um die vorhandenen Thiere zu vertilgen und neuankommende fern zu halten. Wehe Dem, welcher Nichts ahnend in der Richtung eines nächtlichen Ameisenzuges sein Bett aufgeschlagen: die schwarzen, hartgepanzerten Feinde von einem Viertel- bis zu einem halben Zoll Länge überziehen ihn am ganzen Leibe, kriechen in Kleider und Haare, in Nase und Ohren, ohne daß er Etwas merkt; wendet er sich aber ein wenig zur Seite und drückt dabei einige der bisher noch harmlosen Thiere, so fallen sie mit Wut über ihn her und beißen, wie auf Kommando, an tausend Stellen zugleich. Entsetzt fährt der Schläfer empor, betastet sich hier und dort, und wohin seine Hand gleitet, fühlt er harte, glatte Punkte auf der Haut; unmittelbar nach der Berührung aber senken sich in das Fleisch ein Paar Zangen, welche sich weiter öffnen als der Körper des Thierchens breit ist, und mit unglaublicher Kraft sich schließen und das einmal Gepackte festhalten. Da hilft nur Geduld, man darf die Ruhe nicht verlieren und muß die verbissenen Bestien eine nach der anderen, so gut es eben geht, mit fester Hand loslösen, ohne durch ungestüme Bewegungen die anderen, noch friedlich dahinwandernden gleichfalls zu grimmigem Angriffe zu reizen.

19. August. Früh nach sechs Uhr setzten wir unsere Reise fort. Diesmal ging ich zuletzt, es den Anderen überlassend, den Weg zu treten und den Thau vom Grase zu streifen. Wie auch gestern schon wanderten wir durch eine offene, mit langem, dichten Gras und einzelnen Büschen und Bäumen besetzte Landschaft, anfangs auf einem Wildpfade, später aber ohne jegliche Spur eines Weges. Mit der Zeit wurden Busch und Wald so dicht, daß wir uns auf die beschwerlichste Weise mit Hirschfängern und Beilen hindurcharbeiten mußten. Schließlich geriethen wir in hohes Schilf, in sumpfige Stellen und immer größere Wasserpfützen, gerade wie bei der Annäherung an den See Jipe. Vorwärts dringen zu wollen, wäre thöricht gewesen, ich stieg also auf einen hohen Baum, um die Richtung auszuspähen, in welcher wir am schnellsten aus dem Sumpfe herauskommen könnten. Die Aussicht bot wenig Tröstliches — überall Schilf, Wald oder hoher Busch. Wir entschlossen uns kurz, gingen eine Strecke rückwärts und dann nach Norden, dem Berge zu, wo offenbar der Sumpf sein Ende bald erreichen mußte. Nach einiger Zeit trafen wir einen Weg, verließen ihn aber wieder, da er an den Grenzgraben von Moschi führte und es durchaus nicht in meiner Absicht lag, dem schon von Kilema her durch seine Unverschämtheit bekannten Herrn dieses Ländchens Gelegenheit zur Erleichterung der Msigo zu geben.

Sobald es die Dichtigkeit des Gebüsches gestattete, wendeten wir uns wieder westwärts. Unterwegs begegneten wir einigen mit kleinen Beilen, mit Speren, Schilden, Bogen und Pfeilen bewaffneten Wadschagga; es waren Fallensteller oder Honigjäger, ihrer Ausrüstung nach zu urtheilen, denn sie führten ein langes, starkes, gutgearbeitetes Seil und einen aus Stricken gedrehten Ring mit sich, wie man sie gewöhnlich zum Aufhängen der Bienenkörbe gebraucht. Als diese Leute uns gewahrten, suchten sie in den Büschen zu verschwinden; sie wurden jedoch eingeholt und trotz ihres Widerstrebens herbeigebracht, ließen sich aber nur die eine Aeußerung entlocken, wir möchten sie nach ihren Wohnungen begleiten, wo wir sicherlich von ihrem Manki Führer erhalten würden.

Da wir uns hierauf nicht einlassen wollten, irrten wir auf einem ausgetretenen Elephantenpfade durch Gras und Dickicht weiter. Plötzlich fühlte ich den Boden unter mir weichen — ich war in eine fünfzehn bis achtzehn Fuß tiefe Grube gestürzt, glücklicher Weise ohne mich an dem langen, spitzen Pfahle zu verletzen, welcher in der Mitte der Höhlung aufgerichtet ist, um das hineinfallende Wild zu spießen. Die Wände waren so steil und glatt, daß ich mit Hilfe eines Seiles emporgeholt werden mußte. Solche Fallgruben werden mit großer Geschicklichkeit auf den engen Pfaden angelegt und so kunstreich überdeckt, daß bisweilen Fallensteller selbst sich täuschen lassen und hinabstürzen; oben sind sie gewöhnlich fünf Fuß breit, nach dem Boden zu verengen sie sich. Klotzfallen, wie man sie häufig in Südafrika, namentlich für Flußpferde, errichtet findet, sind hier selten.

Kurz nachdem ich Bekanntschaft mit den Wildgruben gemacht, stolperte einer der zurückgebliebenen Leute und verschwand mit seinem Msigo in der Tiefe einer anderen Falle. Ich rief ihm zu und, da er nicht antwortete, ging ich zurück, um zu sehen, ob ihm ein Unglück zugestoßen sei, fiel aber dabei selbst in eine zweite Grube, welche durch einen fünf Fuß tiefen Ausschnitt oben mit der ersten verbunden war. Wiederum kam ich glücklich auf die Füße zu stehen und entging dem mörderischen Pfahle; meine Unachtsamkeit hatte ich einzig durch blaue Flecken und aufgeschundene Stellen zu büßen, da das mit mir herabrutschende Reisig und Gras die Heftigkeit des Falles gemindert hatte. Schlimmer ging es meinem Unglücksgenossen, welcher außer einer Kiste mit Papier und Schreibgeräth eine große Honigkitoma getragen hatte: letztere war beim Falle zerbrochen und hatte ihn über und über mit dem klebrigen Safte begossen. Dieses Mißgeschick kränkte mich umsomehr, als es uns das kostbare Ersatzmittel unseres täglich knapper werdenden Zuckervorraths raubte.

Noch steif vom Falle langte ich mit meinen Leuten Nachmittags an einem dreißig Fuß breiten und knietiefen Flusse an, dessen rothes Wasser mit beträchtlicher Geschwindigkeit dahinschoß; an seinem jenseitigen Ufer, in prächtigem, hohen Walde lagerten wir. Um anderen Tages nicht wieder mit solchem Wege gestraft zu sein, sandte ich sofort einige Leute auf Kundschaft aus. Nach einer Stunde kamen sie zurück und erzählten ausführlichst, daß überall dickes, pfadloses Holz wäre, widersprachen sich aber in den Einzelheiten so sehr, daß ich versucht ward zu glauben, sie hätten sich ihre Aufgabe leicht gemacht und sich an einem geeigneten Plätzchen ins Gras gelegt, ohne weiter an ihren Auftrag zu denken. Wege ausspüren gehört also ebenso wie das Nachtwachen zu denjenigen Geschäften, welche wir Europäer selbst besorgen müssen, wenn wir einigen Nutzen davon haben wollen.

Am folgenden Morgen ging ich mit Koralli, Fali, Hammis und zwei Trägern eine Viertelstunde voraus, um mit Messern, Aexten und Schwertern einen Weg durch das Dickicht zu hauen. Nach einer Stunde harter Arbeit gelangten wir in einigermaßen freies Land. Wir schlugen darauf eine nordwestliche Richtung ein, unserer Meinung nach gerad auf Madschame zu. Zwei Stunden später stießen wir auf ein neues Hinderniß: einen ansehnlichen, in einer etwa achtzig Fuß tiefen, steilwandigen Schlucht dahinrauschenden Fluß. Als wir lange genug gesucht, fanden wir einen Weg hinab. Wir befestigten ein Seil auf dem diesseitigen und dem gegenüberliegenden Ufer, um den Trägern beim Durchwaten des reißenden Wassers einigen Anhalt zu gewähren; erst nach anderthalbstündigem Aufenthalt waren wir wieder so weit, daß wir unseren Marsch fortsetzen konnten. So ging es den ganzen Tag über. Zuletzt verfolgten wir einen schmalen Pfad zwischen vierzehn Fuß hohem Gras und Schilf, sodaß wir, obwol die Richtung eine ungünstige, nicht rechts noch links hin abweichen konnten. Noch einmal setzten wir Aexte und Beile in Thätigkeit, und nochmalsarbeiteten wir uns glücklich in das Freie.

Hier weidete ein Mann seine Heerde. Er sagte, er sei aus Kindi, einem von Madschame abhängigen Gebiete, und versicherte, sein Sultahn Mischan würde uns gewißlich Führer geben, falls wir nach dem nächsten Dorfe gehen wollten. Wir folgten ihm über Bäche und Wasserleitungen und gelangten nach einiger Zeit auf einen freien Platz. Auf den Schall der zum Gruß abgefeuerten Gewehre versammelten sich in Kurzem gegen hundert Eingeborene um uns, Männer und Frauen, alle gut in Baumwollenstoffe gekleidet, aber in Bildung und Farbe durchaus nicht mit den Wakilema zu vergleichen, da bei diesen der Negertypus weniger stark hervortritt. Nach einigem Warten sandte der Sultahn die gewünschten Führer, zeigte sich aber nicht in Person, vermutlich weil er sich allzu sehr vor seinem Oberherrn, dem Sultahn von Madschame, fürchtete; denn sonst hätte er eine so schöne Gelegenheit, ein Geschenk von uns zu erpressen, wahrscheinlich nicht unbenützt vorübergehen lassen.

Geleitet von den Wakindi erreichten wir, nachdem wir noch einen Fluß überschritten, eine offene Stelle jenseit gut bebauter Gefilde, unseren Lagerplatz für heute Nacht. Eine herrliche Aussicht bot sich uns dar: im fernen Westen lenkte der hohe Meruberg, ein steil aus der Ebene aufsteigender, doppelgipfliger Kegel unsere Aufmerksamkeit auf sich; vor uns leuchtete der schneebedeckte Dom des Kilimandscharo in den letzten Stralen der Sonne und später im Lichte des Vollmondes, und hinter ihm erglänzte ein gleichfalls schneebedeckter Pik von fast derselben Höhe, das Ganze unterhalb durch eine niedrigere, von zwei steilen Schluchten durchschnittene Kette eingerahmt. Der Schnee des Hauptgipfels reichte bei Weitem tiefer herab, als wir es von Kilema aus gesehen, offenbar weil der vorherrschend östliche Wind durch seinen erwärmenden Einfluß die Schneelinie an dem dort sichtbaren Theile des Berges weiter nach oben rückt.

Die Nacht war schön, doch ziemlich frisch; es schien uns Allen, als ob eine kalte Zugluft vom Berge herabwehte. Die Träger klagten am anderen Morgen, daß sie vor Kälte nicht hätten schlafen können: ich bedauerte sie nicht, denn ich hatte sie am Abende noch ermahnt, Brennholz in Menge herbeizuschaffen. Alberner als Alle benahm sich wiederum Faki: er beschwerte sich, daß er die Nacht über gefroren, während ich zwischen Feuern geschlafen und mich zwischen Decken gewärmt hätte! Dieser sogenannte Karawanenführer ist in der That der unverschämteste, dümmste und böswilligste Neger, welchen ich kenne: Nichts führt er zur Zufriedenheit aus, ist so träge, daß ich ihn am Morgen selbst aus seinem Schlafe wecken muß, ist bettelhaft, redet Jedem, welcher übertriebene Forderungen stellt, das Wort, weiß sich kein Ansehen unter den Trägern zu verschaffen, kennt weder Weg noch Steg, versteht die Dschaggasprache nur mangelhaft, lügt auf die unglaublichste Weise und stiehlt auch mit ziemlicher Fertigkeit; bei einer zweiten Reise möchte ich ihn nicht einmal als Träger mitnehmen, obgleich er ein großer und stämmiger Geselle ist.

Bald nach dem Aufbruch erreichten wir das hohe Ufer des Weriweriflusses, die Ostgrenze von Madschame, und hielten hier, weil die Leute behaupteten, wir dürften ohne Erlaubniß des Sultahns nicht weiter gehen. Ich schickte die Führer aus, um mich melden zu lassen. Sie kehrten gegen acht Uhr mit einem Großen des Reiches, Namens Kiwoi, zurück, welcher, wie sie sagten, ein- für allemal beauftragt sei, die Fremden zu empfangen — ein langer, kräftig gebauter Mann mit unangenehmen Gesichtszügen, um dessen Mundwinkel unablässig ein höhnisches oder verächtliches Lächeln zuckte. Noch bevor er uns zu melden versprach verlangte er ein Geschenk und erzürnte sich höchlich, als ich ihm sagte, daß ich unter solchen Umständen die Meldung selbst besorgen oder, falls mein Besuch nicht genehm sei, zu einem anderen Herrscher gehen müsse. Erst als ich mit meiner Drohung Ernst machte und befahl, die Salutschüsse abzufeuern, fügte er sich und begab sich auf den Weg. Nach Mittag erschien er in Begleitung einiger Anderen wieder, mit einem Gruß vom Sultahn, „daß nach vollzogenem Kischongo unserem Weitermarsche Nichts mehr entgegen stehe“. Lange wurde gesucht, ehe man eine passende Ziege fand, und lange hielt uns auch die Ceremonie auf. Dann überschritten wir den Fluß, welcher in einer mit herrlichem Grün geschmückten Schlucht über mächtige Felsblöcke stürzt. Am anderen Ufer angelangt, hatten wir gegen 150 Fuß hoch emporzuklettern, gingen danach auf einem guten Pfade in nordwestlicher Richtung weiter und betraten, nachdem wir eine Hecke durchkrochen und zwei tiefe, breite Gräben überschritten, ein trefflich bebautes, üppig grünendes Land, das eigentliche Madschamegebiet. Durch Felder und Bananenhaine, über einige Bäche und kleinere Flüsse hinweg wanderten wir weiter, bis wir den Lagerplatz der Karawanen erreichten, eine hoch gelegene Grasebene mit schöner Aussicht auf den Kilimandscharo.

Alsbald kam der Zauberer Nasiri herbei und begrüßte uns Alle freundlichst. Nasiri, ein kleiner, bescheidener Mann stammt aus Pangani und heißt eigentlich Munie Wesiri. Einstmals als Karawanenträger hierher gekommen, entlief er, wußte die Gunst des Sultahns Mamkinga zu erschleichen, indem er sich für einen großen Hexenmeister ausgab, und gewann beträchtlichen Einfluß; unter dem jetzigen Herrscher verlor er viel davon, und gegenwärtig behauptet er seine Stellung wol nur noch dadurch, daß er sich bei dem Verkehr mit den Karawanen als Dolmetsch nützlich macht.

Zu Kiwoi und Nasiri gesellte sich als der Dritte im Bunde Kilewo, ein kleiner, gutmütig aussehender Mann, der beste von Allen, wie sich später herausstellte. Er ist ein Anderer als der von Rebmann erwähnte Kilewo: dieser hatte sich mit Makingas Nachfolger entzweit und war in Folge dessen nach Kilema übergesiedelt. Während wir die Zelte aufschlugen, brachten Kiwoi und Kilewo im Auftrage des Sultahns Bananen,

Nasiri aber Brennholz; es ließ sich Alles trefflich an, aber gerade Dies gab mir Veranlassung zu Besorgnissen: meiner Erfahrung nach folgen unverschämte Forderungen auf derartige Höflichkeiten.

Eher, als ich es erwartet, bestätigte sich meine Vermutung. Schon bei Sonnenaufgang des folgenden Tages (21. August) erschien das Kleeblatt Kiwoi, Kilewo und Nasiri, in ungestümen Tone die gebührenden Geschenke fordernd. Ich erklärte ihnen, daß, wenn sie nicht warten wollten bis zur Oeffnung der Msigo, sie sich mit einem gerade zur Hand liegenden Doti Amerikano begnügen müßten. Scheinbar zufrieden nahmen sie das Dargebotene in Empfang, danach aber erhoben sie ein unbändiges Geschrei und drohten, jeglichen Verkehr mit mir abzubrechen, falls ich sie nicht besser bedächte. Ruhig zog ich das verschmähte Doti zurück, worauf Nasiri mit der Drohung hervortrat, sie würden, wenn ich nicht zu Kreuze kröche, mir ohne Umstände meine Waaren mit Gewalt wegnehmen, wie sie es mit dem ersten Msungu gethan. Dies war es, was ich wollte; ich ergriff die sich bietende Gelegenheit, den Unverschämten den Unterschied zwischen Rebmann und mir auseinanderzusetzen. „Einmal“, sagte ich, „habt Ihr allerdings einen Msungu, meinen Bruder, gemißhandelt und beraubt. Jener aber war sanft und friedfertig und in das Land gekommen, um den Leuten zu zeigen, wie sie glücklich werden könnten; er verstand zu lesen und zu schreiben, und sein Buch machte es ihm zur Pflicht, das Unrecht geduldig zu leiden: ich hingegen bin kein so guter Mann, mein Handwerk ist der Krieg, und obwol ich gleichfalls in freundlicher Absicht komme, werde ich mir doch Nichts von Euch gefallen lassen, vielmehr meine Waffen anzuwenden wissen, falls Euer Betragen es erfordern sollte. Ob aber bei einem etwaigen Kampfe der Schaden auf meiner Seite sein wird oder auf der Eurigen, Das könnt Ihr Euch wol selbst sagen. Entfernt Euch, ihr Unverschämten, und laßt Euch nicht eher wieder blicken, als bis Ihr Holz, Bananenblätter und Stroh herbeigeschafft, damit wir Hütten bauen können.“

Eine Stunde später befand sich das Verlangte im Lager, und schon gegen Mittag stand dicht an meinem Zelte eine geräumige Hütte, in welcher ich das Gepäck unterzubringen und zu schlafen gedachte, während das Zelt selbst nur zum Aufenthalte während des Tages und für die Unterhandlungen dienen sollte. Jetzt erst händigte ich den Herren Räthen ihr Geschenk aus, je ein Kunguru, ein Doti Amerikano und einen Spiegel, Nasiri aber ein Doti mehr. Zugleich übergab ich ihnen, wie es hier Brauch, eine Probe von allen meinen Waaren für den Sultahn, damit dieser sehe, welches Geschenk er zu erwarten habe; der Vorsicht halber ließ ich Muansalini die Drei begleiten, um zu verhüten, daß sie schon vorher einen Theil davon für sich nähmen. Es kam darauf die Antwort, daß des Sultahns Bruder noch am Abend erscheinen und gegen Entschädigung von einem Doti die mitgebrachten Geschenke in Augenschein nehmen würde.

Statt *eines* Bruders meldeten sich deren drei; ein jeder wollte Etwas haben, und mit Entrüstung vernahmen sie meine Antwort, „sie sollten das versprochene Doti in drei Stücke schneiden und unter sich theilen“. Lange und sorgfältig prüfend besahen sie das Geschenk des Sultahns, bestehend aus 1 rothen Jacke nebst Mütze, 1 großen Spiegel, 2 Messern (1 Tisch- und 1 Taschenmesser), 2 Stück Amerikano, 24 Taschentüchern, 1 Sahari, 2 Barsati, 3 Kunguru und 6 Pfund Glasperlen, zählten wiederholt die Stücke, fragten, ob Dies Alles sei, und entfernten sich, versichernd, daß der Manki morgen vorsprechen werde.

Inzwischen suchten wir uns wohnlicher einzurichten, bauten einige Hütten mehr und knüpften Verbindungen an, um die folgenden Tage über regelmäßig mit frischer Milch und Honig versorgt zu sein. Eine Menge Leute kamen ab und zu ins Lager, doch ohne Lebensmittel zu bringen, da es Sitte ist, daß solches erst nach dem Besuche des Sultahns geschieht. Sie verkehrten in anständiger und freundlicher Weise mit uns, schienen jedoch nicht so fromm zu sein, wie wir nach ihrem Benehmen glauben mußten, wenigstens ließ uns der Sultahn zu wiederholten Malen vor Dieben warnen und uns ersuchen, sofort von der Feuerwaffe Gebrauch zu machen, wenn wir, namentlich Nachts, etwas Verdächtiges bemerkten.

Am anderen Tage kam das Kleeblatt der Räthe wieder und theilte mir mit, der Manki finde das gestern gezeigte Geschenk durchaus ungenügend, da es nicht einmal zur Befriedigung seiner weitverzweigten Verwandtschaft, geschweige denn für ihn selbst ausreiche; trotzdem habe ihr Herr, um seinem Gaste zu gefallen bereits Alles zur Besteigung des Schneeberges hergerichtet, den Befehl gegeben, einen Weg dorthin anzulegen, und dreißig Mann zu meiner Begleitung ausgewählt. Ich ließ mich aber weder durch die Forderung noch durch die schönen Worte bethören, sondern eröffnete den Herren Räthen, daß ich, des langen Redens müde, von nun an nur mit dem Sultahn selbst verhandeln werde und auch Dies erst dann, wenn wir genügend mit Nahrung und Feuerholz versehen sein würden.

Bald darauf wurden zwei Bund Bananen gebracht — ein königliches Geschenk für sechzig hunrige Leute — dann meldete man, daß der Manki selbst nahe. Ich blieb ruhig in meinem Zelte sitzen. Botschaft über Botschaft kam nun von dem etwa hundert Schritte vom Lager sitzenden Sultahn: zuerst verlangte man ein Geschenk für ein Grigri, welches dem Herrscher den Weg in das Lager rein machen solle, dann Geschenke für des Zauberers Gehilfen, für die Verwandten des Sultahns, für seine Räthe, Soldaten, Frauen, Kinder und was sonst noch. Da ich alles Dies beharrlich verweigerte und die darauf hin gemachten Drohungen belachte, entschloß sich endlich der in Lumpen gehüllte Zauberer, die heilige Handlung auch ohne Bezahlung vorzunehmen. Eine dunkelfarbige Röhre oder Flasche von Leder in der Hand, näherte er sich und spritzte mit einem darein getauchten Kuhschwanz einen schmuzigen Saft auf Zelte, Hütten und Leute. Von den Umstehenden streckten die einen lachend ihre Hände aus, wie um etwas von der segenbringenden Mischung zu empfangen, die anderen bedeckten das Gesicht, um sich zu schützen, keiner jedoch zeigte Achtung vor dem Priester. Als er, vermutlich im Zorn über meinen Geiz, sie etwas reichlicher als gewöhnlich mit seiner „Daua", (Arzenei) bedachte, überschütteten sie ihn mit einer Flut von Schimpfreden und trieben ihn, da er trotzdem das Sprengen nicht unterließ, mit Gewalt von dannen; später aber spotteten sie und sogar der Sultahn selbst über die Fazen des Zauberers. Hieraus kann man deutlich ersehen, daß auch hier der Aberglaube auf äußerst schwachen Füßen steht: daß man den wenig einträglichen Brauch nicht gänzlich abschafft, geschieht wol einzig seines ehrwürdigen Alters wegen.

Nunmehr erschien inmitten eines wenig zahlreichen Gefolges ein Mann von einigen fünfzig Jahren mit häßlichem, von Furchen durchzogenen Gesicht und stellte sich als Sultahn vor. Er hatte durchaus nichts Königliches an sich; nicht einmal sein Anzug, ein rothgefärbtes, gefranstes Stück Baumwollenzeug, unterschied ihn vor Anderen. Ich sprach zu ihm: „Manki, ich habe erfahren, daß mein Bruder Rebmann in Deinem Lande das erste Mal gut aufgenommen worden ist, das zweite Mal aber sehr übel. Ich fürchte mich nicht vor Euch, weil ich Waffen in Menge besitze und sie zu gebrauchen verstehe, und bin gekommen, um zu sehen, ob Ihr Euch gebessert habt. Meine Absicht ist, fremde Länder und hohe Berge zu sehen; hier in Madschame will ich den Kibo (Dschagganame für Schnee und Kilimandscharo zugleich) besteigen. Willst Du mich hierin unterstützen, so soll es Dein Schade nicht sein; zeigst Du Dich aber feindlich gegen mich, so werde ich mich wehren und zuerst Dich selbst, dann eine Menge Deiner Krieger tödten, und an der Küste will ich es allerorts erzählen, daß die Karawanen Dein Land in Zukunft meiden sollen."

Der Sultahn erwiederte: „Schon seit geraumer Zeit vernahm ich von der Ankunft eines Mjungu. Ich glaubte, daß es der schon früher gekommene wieder sei: diesen aber gedachte ich schlecht zu empfangen; denn ich liebe ihn nicht. Zu meiner Freude sehe ich jetzt, daß ich es mit einem mächtigen Manki zu thun habe. Ich werde Alles thun, was Dir gefällt, und Dich zum Berge führen, obwol des vielen Regens wegen Dies jetzt schwierig ist. Weiter jedoch als bis zum Beginne des Schnees kann ich Dich keinesfalls geleiten — es würde Keiner wieder lebend nach unten kommen." Darauf erging er sich in einer Menge schöner Redensarten, verbot aber den Gebrauch der Instrumente, das Tödten von Vögeln und das Fangen von Insekten, also Alles, woran uns Etwas lag, und forderte, wie nicht anders zu erwarten, sein Geschenk. Dieses verweigerte ich ihm rundweg, bevor nicht eine genügende Menge Lebensmittel herbeigeschafft wäre. Zum ersten Male benahmen sich Fali, Mnubie und Hammis wie Männer und Helden: inständigst baten sie, ich solle bei meinem Entschlusse verharren. Der Hunger hatte sie kühn gemacht — sie und die Träger hatten den Tag über nur je fünf Bananen erhalten, also ein Viertel von Dem, was ein Mann zu seiner Sättigung braucht.

Am Nachmittage des 24. August besuchte uns der wirkliche Sultahn; Derjenige, welcher sich gestern als solcher vorgestellt, war sein Onkel Matolo gewesen, ein allerdings einflußreicher Mann. Desarue, der rechte Manki, welcher seiner Heftigkeit wegen von den Eingeborenen sehr gefürchtet wird, ein etwa zwanzigjähriger, starker, junger Mann mit einer großen, fetten Nase, mit zu Zöpfchen geflochtenen Haaren und den Augen eines Trunkenboldes, zeichnete sich ebensowenig als Matolo durch seine Tracht vor den Anderen aus. Er begann dasselbe Gerede wie sein Onkel und erhielt zur Antwort, daß, wer mit leerer Hand komme, auch mit leerer Hand gehen müsse; schaffe er nicht Lebensmittel herbei, natürlich gegen Bezahlung, so werde er auch nicht eine Nähnadel erhalten. Nach langen, vergeblichen Versuchen, mir Etwas abzudringen, verstand er sich endlich dazu, eine vorher im Gebüsche versteckt gehaltene Kuh und ein Bund Bananen zu überreichen. Thörichter Weise ließ ich mich hierdurch verleiten, ihm sein Geschenk zu geben: kaum hatte er es in der Hand, als er mit neuen Forderungen auftrat, Stoffe, Gewehre und Pulver verlangte, eine Kanone, ja sogar zwei Armlängen Amerikano, „um seinen kleinen Spiegel hineinzuwickeln", obwol er vorher die achtzigfache Menge empfangen. Ich sagte ihm, daß ich, falls sein Benehmen sich nicht ändere, am zweitnächsten Tage abreisen werde; mein Aufenthalt sei vergeblich, wenn er mir nicht gestatte, im Lande umher zu gehen, Vögel zu schießen und Blumen zu pflücken.

Desarue und Onkel Matolo hörten trotzdem nicht auf, mich mit ihren Betteleien zu belästigen; sie blieben unausstehlich lange im Zelte und verstanden den Wink nicht, den ich ihnen dadurch gab, daß ich zu lesen anfing. Um Ruhe zu erhalten, mußte ich endlich dem gewaltigen Herrscher sagen, daß ich von meinem Hausrechte Gebrauch machen würde, wenn er nicht bald den Raum verließe. Jetzt versuchten Sultahn und Räthe ihr Heil bei den Trägern, bettelten um Pulver, Feuersteine, Fleisch von der geschlachteten Kuh u. dgl. m., erlangten aber auch hier Nichts, da ich streng verboten hatte, irgend Etwas wegzugeben.

25. August. Noch immer blieben die versprochenen Lebensmittel aus; dagegen kam Nasiri und verlangte ein Geschenk für die Räthe und für des Sultahns Familie. Gäbe ich es, sagte er, so würden Desarue und sein Onkel nun wirklich alles Gewünschte herbeischaffen, andernfalls aber meine Abreise zu verhindern wissen. Auf diese Drohung gab ich eine stumme Antwort: ich rief die Träger zusammen, sah ihre Gewehre sorgfältig nach und vertheilte Pulver und Kugeln. Dies schien dem kleinen Manne wenig zu gefallen; er entfernte sich und versicherte, daß der Sultahn und Matolo sogleich kommen würden.

Und sie kamen wirklich. Ich wiederholte ihnen nochmals meine Forderungen, „daß ich die Erlaubniß haben müsse, Instrumente zu gebrauchen, Vögel zu schießen, Blumen zu sammeln und frei umherzugehen, wohin ich wolle, daß ein Führer nach dem Kilimandscharo beschafft und das Lager sofort mit Lebensmitteln versehen werden solle", und versprach dafür, ihnen am Tage vor der Abreise nach dem Berg ein kleines Geschenk zu geben, nach der Rückkehr aber ein bedeutendes. Mehr denn eine Stunde lang verhandelten wir ohne Ergebniß; endlich wurde ich des Geschwätzes überdrüssig, nahm die Flagge vom Zelt und richtete zwei Raketen auf die dichte Menge der Umstehenden, mit dem Bemerken, daß ich bereit sei, die Feindseligkeiten, welche man zu wünschen scheine, zu beginnen: von panischem Schrecken ergriffen, entfloh das Volk; die königliche Familie aber und die Räthe zeigten sich jetzt ebenso unterwürfig, als sie vorher hochmütig waren. Diese überraschende Wirkung erklärte sich dadurch, daß Assani und einige Andere den Leuten erzählt hatten, ich könne ein Feuer loslassen, welches nicht allein ihre Häuser, sondern auch ihre sämmtlichen Pflanzungen verzehre. Der Sultahn bat, ich möge doch wieder gut sein und, damit er sehe, daß mein Zorn verschwunden sei, eine Kuh zum Geschenk annehmen und mit ihm Blutsbrüderschaft schließen. Da er versprach, mir von nun an in Allem zu Willen zu sein, gab ich nach und ließ die Ceremonie vornehmen. Noch währenddessen wurde mir ein schöner Schafbock überreicht.

Um zu zeigen, daß in Güte mit mir gut zu verkehren sei, schenkte ich den Leuten, welche Kuh und Schaf herbeigeführt, ein Doti und ein Kitamba, ohne daß sie Etwas verlangt hätten. Dies, noch mehr aber meine Versicherung, daß ich immer so handeln würde, wenn sie nicht bettelten, erregte das höchste Erstaunen. Jetzt schien bei Dejarue und seinem Bruder die Furcht völlig geschwunden zu sein; sie scherzten und lachten wie Kinder und waren guter Dinge. Oheim Matolo hingegen war ernst und nachdenklich geworden und frug zitternd nach den Raketen. Ich versprach, ihm beim Dunkelwerden eine zu zeigen. Als Abends Alles hergerichtet war, schickte er Nasiri und ließ sagen, es sei doch besser, das böse Feuer nicht anzuzünden, weil aus Versehen die Bananenwälder in Brand gerathen könnten.

Während des Schauris hatte sich Hammis ergötzlich benommen. Als die Verhandlungen stürmisch zu werden anfingen, verkroch er sich aus Furcht in seine Hütte; danach aber, als ich ihn hierüber zur Rede stellte, erklärte er, daß er nur Alles für den Kampf habe zurecht machen wollen, um, wenn nöthig, für mich zu sterben!

Am folgenden Morgen brachten Matolo und Dejarue ein Kalb, „weil das gestern gebrachte Schaf wol nicht gut genug gewesen sei". Da wir noch hinreichend Fleisch im Lager hatten, schlug ich es aus; sie aber glaubten, auch das Kalb befriedige mich nicht, und versprachen, nächsten Tages eine Kuh zu bringen. Ihre Zusage in Bezug auf die Eröffnung des Marktes hatten sie wahr gemacht. Der Handel ließ sich gut an, sodaß es mir gelang, in Kurzem für sechs Tage Lebensmittel einzukaufen, zwar zu etwas höheren Preisen, doch mit weniger Umständen als in Kilema. Verkäufer und Verkäuferinnen begehrten namentlich Baumwollenzeug und zogen sonderbarer Weise gewöhnlichen Amerikano den besseren arabischen und indischen bunten Tüchern, den sogenannten „Stoffen mit Namen" vor.

27. August. Heut sahen wir zum ersten Mal den Kilimandscharo vom Fuße bis zum Gipfel ohne das geringste Wölkchen dazwischen. All' seine feinsten Linien und Ecken waren so wunderbar deutlich zu erkennen, daß er uns doppelt näher gerückt zu sein schien. Prächtig leuchtete die glänzende Kappe seines stolzen Hauptes, bei Sonnenuntergang mit zartem, rosigen Schimmer übergossen. Am Fuße des Berges läuft ein waldiger Höhenzug querüber, welchen drei tiefeingeschnittene Schluchten durchfurchen, die sogenannten milango ja kibo (Thore des Kilimandscharo). Weit jenseits und rechts davon erhebt der zackige Ostgipfel, eine rauhe, fast wagerechte Plattform bildend, sich jäh aus einer von Osten her in geringem Winkel ansteigenden Fläche; ein dreitausend Fuß niedrigerer Sattel, gleichsam ein Thal

zwischen zwei ungeheuren Wellen, trennt ihn von dem erhabeneren westlichen Dome, hinter welchem ein stumpfgipfliger, schneebedeckter Pik von etwa gleicher Höhe emporragt, das dritte Haupttrümmer des noch großartigeren ehemaligen Kilimandscharoberges. Immer von Neuem nahm hauptsächlich der Dom unsere Bewunderung in Anspruch. Nach Westen zu fällt er, wenn auch sanft, doch immerhin so steil ab, daß der Schnee fast überall im größtmöglichen Winkel liegt und frisch dazu fallender auf der glatten Fläche abrutschen muß; geringe Lufterschütterungen erscheinen genügend, solche Schneestürze hervorzubringen, wie wir in kurzer Zeit deren drei beobachteten: dicke Wolken von rasch herunterrollenden Flocken, wahre Staublauinen. Von einer Gletscherbildung konnten wir Nichts bemerken; der Schnee bildet durchaus eine glatte, gleichmäßig blendendweiße, nur hier und da von Felsstücken oder Steinen durchbrochene Fläche. Schon die Gestalt des Berges und die klimatischen Verhältnisse machen eine Gletscherbildung unwahrscheinlich: es fehlen die Haupterfordernisse dazu, ausgebreitete, sanft sich neigende Schneefelder und, was gewiß nicht minder wichtig, Jahreszeiten mit beträchtlichem Wärmeunterschiede.

Das Märchen Assanis von der Wirkung der Raketen mußte tiefen Eindruck auf den Sultahn und seine Räthe hervorgebracht haben. Von Stund' an hatten sie über dem Gedanken gebrütet, wie sie das schreckliche Feuer sich nutzbar machen könnten, um sicheren Sieg über ihre Feinde zu erlangen. In echter Dschaggaweise gingen sie erst nach langen Umschweifen auf ihr Ziel los. Morgens elf Uhr kam Desarue mit Familie und Gefolge und verlangte, ich solle, da er sich noch vor mir fürchte Blut mit ihm trinken oder, da ich Dies ausschlug, wenigstens ein Gefäß mit Milch leeren, in welches wir Beide zuvor ein wenig gespieen hätten. Ich fand aber auch diesen Brauch nicht annehmlicher und weigerte mich, ihn zu vollziehen. Jetzt erst zeigte sich's, daß Dies nur die Einleitung zu einer wichtigeren Unterhandlung war: Desarue bat, ich solle mit ihm gemeinschaftliche Sache gegen den Sultahn Tatuo von Lambungu machen und mein schreckliches Feuer gegen dessen Land anwenden. Ich erwiederte, es sei mein Grundsatz, nur solche Leute zu bekriegen, welche mir Böses gethan und sich als Feinde gegen mich benommen hätten. Nun drang er in mich, daß ich ihm wenigstens eine oder zwei Raketen überlassen solle, damit der beabsichtigte Krieg auf jeden Fall glücklich für ihn ausfalle. Doch ich hütete mich, die Wadschagga mit der wahren Natur der Raketen bekannt zu machen, weil ich dadurch ein für mich und künftige Reisende wichtiges Mittel, das Volk in Furcht zu erhalten, aus der Hand gegeben hätte, und sagte dem Manki, ich könne ihm die Raketen aus verschiedenen Gründen nicht geben, einmal schon deshalb nicht, weil ich bei seinem treulosen Charakter fürchten müsse, er werde sie gegen mich selbst anwenden, ferner, weil er nicht verstehe, das Feuer anzuzünden, und wahrscheinlicher Weise sich selbst mehr Schaden zufügen würde als der anderen Partei, endlich aber, weil Raketen so theuer seien, daß er nicht im Stande wäre, sie zu kaufen, und ich auch nicht Lust hätte, sie zu verschenken. Letzterer Grund schien ihm der wesentlichste zu sein; denn er ließ mir, offenbar in dem Glauben, daß mit Geld Alles zu machen sei, für jede Rakete zwei kräftige Sklaven, zwei hübsche, junge Sklavinnen nach eigener Auswahl, zwei Elephantenzähne, keinen unter fünfunddreißig Pfund Gewicht, und zwei Ochsen bieten und versprach, jede Mehrforderung zu befriedigen, falls Dies nicht genüge. In dieser Weise dauerte die Unterhandlung eine Stunde lang fort. Um den Zudringlichen los zu werden, mußte ich schließlich mein Hausrecht in Anwendung bringen. Beim Abschiede verordnete Onkel Matolo wieder wie gestern, ich könne thun, was ich wolle, denn ich sei Herr im Lande Madschame.

Trotz aller Versicherungen blieb es beim Alten, und trotz der ertheilten Erlaubniß verhinderte man mich immer noch, im Lande umherzugehen. Bis jetzt hatte ich erst einmal einen unbedeutenden Spaziergang nach Nasiris Hause unternehmen können. Unsere Messungen beschränkten sich auf die vom Lager aus sichtbaren Punkte und standen außerhalb aller

Verbindung mit den früher im Süden und Westen gemessenen Winkeln. Ich drang deshalb mit aller Beharrlichkeit darauf, daß endlich Etwas zur Ausführung gebracht werde, wovon ich große Erwartungen hegte: die Besteigung eines ziemlich freistehenden Hügels nordwestlich vom Lager.

Mehrere Boten, welche ich am Morgen des 28. August zu Nasiri schickte, um die oft versprochenen Führer zu erhalten, kamen erfolglos zurück. Ich ließ deshalb gegen Mittag Desarue sagen, daß ich bis auf Weiteres den Verkehr mit den Wadschagga abbrechen und Niemand mehr erlauben würde, den Lagerplatz zu betreten. Der Manki erschien sofort, entschuldigte sein Ausbleiben mit Geschäften und verlangte, zur Wiederherstellung der Freundschaft Honig mit mir zu essen; wir würden danach wie Brüder leben und der Eine besitzen, was dem Anderen gehöre. Nasiri, sagte er schließlich, solle, bevor die neue Sonne aufginge, bereit sein, uns nach jedem beliebigen Orte zu geleiten. „In friedlicher Absicht", entgegnete ich ihm, „und in gutem Vertrauen kam ich nach Madschame; durch Dein Benehmen aber bin ich belehrt worden, daß ich keinem Deiner Worte, keiner Deiner Versprechungen trauen darf. Deshalb habe ich mich entschlossen, nach Lambungu zu gehen, Tatuo von Deinen bösen Absichten zu unterrichten und mich mit ihm zu verbünden". Die Worte „Lambungu" und „Bündniß" brachten einen tiefen Eindruck auf die Wadschagga hervor; mit verstörten Gesichtern und ängstlichen Mienen baten sie, ich solle von meinem Vorhaben abstehen, und durch neue Versprechungen suchten sie ihren Bitten Nachdruck zu geben. Ich bedeutete ihnen, daß ein Msungu alle leeren Worte hasse; durch ihr Betragen müßten sie zeigen, daß sie meine Freunde seien, bis dahin aber mich nicht weiter belästigen.

Weder Nasiri noch einer seiner Kameraden kam Tags darauf ins Lager, wie sie doch versprochen hatten. Ein Bote, welchen ich nach Nasiris Hause schickte, berichtete, er habe gar nicht dort übernachtet. Hierdurch eröffnete sich den Meinigen ein weites Feld für Vermutungen der bedenklichsten Art. Vor Allen sprach Faki in seiner Angst und Böswilligkeit die albernsten Annahmen aus, verbreitete mit großer Geschwätzigkeit das Gerücht, daß der Einzige, welcher es gut mit uns meine, von Desarue eingesperrt worden sei, daß uns somit ein schlimmes Schicksal bevorstehe, falls ich nicht dem Manki ein großes Geschenk überreiche. Mit seinem Gewäsche regte er die Träger dermaßen auf, daß, als ich nach des Sultahns Haus gehen und die Ursache von Nasiris Verschwinden erfragen wollte, Niemand Lust zeigte, mich zu begleiten. Am entschiedensten weigerte sich der mir schon früher als dickköpfig bekannte Muansalini, und doch war dieser der Einzige, welcher den Weg genau kannte. Ich schüttelte ihn tüchtig ab, gab dann, als Dies nicht half, den Befehl, den Störrigen mit einem Stricke zu binden und ihm eine tüchtige Tracht Schläge zu ertheilen. Jetzt fügte er sich; auch die Träger zogen andere Saiten auf, und binnen Kurzem befand ich mich in Begleitung von Thornton, drei Aufsehern und zwölf Leuten unterwegs. Dennoch erreichte ich Nichts: Muansalini versicherte, er habe den Weg völlig aus dem Gedächtniß verloren. Da auch keiner von den Wadschagga uns führen wollte, mußten wir nach dem Lager zurückkehren, nachdem wir stundenlang vergeblich gesucht. Dort angekommen, befahl ich, die Msigo zurecht zu machen, ließ die Zelte abbrechen, theilte Lebensmittel für sechs Tage aus und schüttete den Rest der in den letzten Tagen in Menge gekauften Bohnen in den Fluß, damit er den Wadschagga nicht in die Hände fiele. Eine Anzahl der Eingeborenen blieben bis zum letzten Augenblicke im Lager, sagten noch während des Abmarsches „kuaheri" (lebe wohl), wiesen sogar Thornton, welcher sich in einer Bananenpflanzung verirrt hatte, auf den richtigen Weg; wahrscheinlich wußten sie nicht, wie sie sich verhalten sollten, und fürchteten sich, ihren Manki von unserem Abzuge zu benachrichtigen — möglicher Weise aber hatten sie auch den Auftrag, uns zu beobachten und zu sehen, ob wir wirklich den Mut hätten, ohne Erlaubniß zu reisen.

An der Spitze des Zuges ging Thornton; er hatte die Weisung, nach jedem Flußübergang ein wenig zu halten, um die Leute sich sammeln zu lassen. Ich ging mit Koralli im Nachtrab, um den Rücken zu decken. Während wir noch dabei waren, den Weriwerifluß zu überschreiten, kamen Kilewo, Kiwoi und zwei andere Krieger, grüne Zweige in den Händen schwingend, athemlos herbeigeeilt und gaben uns die besten Worte, wir möchten doch wieder umkehren. Auf alle ihre Bitten gab ich die Antwort, ich sei ihrer Lügen müde und wünsche nicht, mich aufzuhalten, da ich beabsichtige, möglichst schnell nach Lambungu zu gelangen. Jenseit des Bananenwaldes von Narumu traf ich den Vortrab unter Thornton, letzteren beschäftigt, Theodolitwinkel zu nehmen. Er war einmal von Kiwoi auf einen falschen Weg gewiesen worden, hatte sich jedoch nach eigener Erinnerung glücklich wieder zurecht gefunden bis nach diesem am Weriwerifluß gelegenen Platze, welcher ihm schon beim Hermarsche für Messungen geeignet erschienen war. Jetzt gesellten sich auch Nasiri und der Manki von Narumu zu den Anderen; sie Alle baten mich in dringlichster Weise, doch wieder nach Madschame zurückzukehren. Nasiri und Genossen erklärten im Auftrage der königlichen Familie, daß sie heute noch einen Ochsen, Honig, Milch, Bananen, Bohnen und Bananenwein ins Lager schicken würden, morgen aber ein Geschenk von Sklaven und Elfenbein und jeden folgenden Tag ein Stück Schlachtvieh, daß die Führer nach dem Kilimandscharo bereit seien, daß ich doch nicht als Feind von ihnen scheiden solle u. dergl. mehr. Auch Thornton redete mir zu, und die Führer versicherten, daß nun Alles nach Wunsch gehen werde; ich selbst begann einige Hoffnung zu fassen, daß ich vielleicht doch meinen Zweck erreichen könne — kurz, ich war schwach genug, die Rückkehr anzuordnen. Mit allseitigem Jubel wurde dieser Entschluß aufgenommen. Die Wadschagga aber händigten mir einen Stock und einen Sper aus zum Zeichen, daß ich beide gebrauchen könne, falls ich die Worte des Sultahns unwahr fände.

Gegen zwei Uhr langten wir bei unseren Hütten an. Ich ließ die Träger in der Mitte des Platzes neben ihren Msigo niedersitzen und untersagte ihnen streng, die früheren Wohnungen wieder zu betreten, bevor die Erfüllung des Versprochenen gesichert wäre. So saßen wir in Erwartung Dessen, was da kommen sollte, mehrere Stunden da. Wol hundert verschiedene Boten des Sultahns kamen ab und zu und baten, wir möchten nicht ungeduldig werden, der Manki würde sofort erscheinen. Endlich zeigten sich die Brüder Desarue und Msam und ihre Oheime Matolo und Marenga mit ihrem Gefolge auf der einen Seite, während auf der anderen im Hintergrund eine Kuh zum Vorschein kam. Ich glaubte, man würde nach dem Vorhergegangenen nachgiebig oder wenigstens bescheiden sein; aber nein, man schrie und rannte ohne Rücksicht hin und her. Dazu klang es, so oft der Lärm ein wenig nachließ, von der Ferne wie Kriegsgesang — bereits fürchtete ich, in eine Falle gelockt worden zu sein, doch ließ ich mir Nichts merken, sondern ging, nur mit einer Drehpistole bewaffnet, in Begleitung Assanis auf den in der Mitte des Trupps befindlichen Sultahn zu. Desarue klagte, daß ich ihn, der doch der beste Freund der Wasungu sei, heimlich verlassen und mich sogar mit seinem Feinde Tatuo habe verbünden wollen, beschwerte sich, daß die Träger öfters Bananen gestohlen hätten, und schloß seinem Charakter getreu mit dem Wunsche, ich solle, da doch Alles zur Besteigung des Kilimandscharo bereit sei, ihm jetzt schon das versprochene Geschenk übergeben, damit er sähe, daß kein Groll in meinem Herzen zurückgeblieben sei. Ich entgegnete, er solle es erhalten, sobald er die versprochene Kuh geliefert und die Führer zur Besteigung des Berges bestellt haben würde; im Betreff der diebischen Träger ersuchte ich ihn, auf die Leute aufzupassen und sie auf frischer That gehörig abzustrafen. Erst als er sah, daß alle Versuche, etwas Anderes von mir zu erlangen, vergeblich seien, überreichte er mir Brennholz, Bananen und die versprochene Kuh. Nunmehr schlugen wir die Zelte auf, befestigten die Flagge und richteten uns wieder so gut wie möglich ein.

Anderen Tages erschienen Desarue, Matolo und Genossen sehr zeitig, verlangten schreiend und mit den Armen fechtend ihr Geschenk und sprachen, als ich es verweigerte, vom Verhindern der Abreise und vom Vernichten der Karawane. Kaum hatten die Träger Dies vernommen, als einunddreißig von ihnen mit den gestern erhaltenen Lebensmitteln das Weite suchten; binnen Kurzem waren wir drei Europäer mit den Führern und sieben Mann allein auf dem Platze! Die wenigen Zurückgebliebenen vermochten sich vor Furcht kaum aufrecht zu erhalten und beschworen mich, nachzugeben, damit der Zorn des Sultahns abgewendet werde. Ihnen sowol wie dem Zwischenhändler Nasiri wiederholte ich die Antwort, daß ich Nichts geben würde, bevor man nicht den gestrigen Versprechungen gemäß Honig und Milch gebracht und die Führer bestellt haben würde. Der Lärm dauerte fort. Die aufgeregten Wadschagga, denen beim Entlaufen der Träger der Kamm gewaltig geschwollen war, umtobten uns noch stundenlang; da ich mich jedoch nicht einschüchtern ließ, vielmehr die Gewehre und einige Raketen in Bereitschaft setzte, um etwaige Angreifer warm empfangen zu können, entfernten sie sich schreiend und schimpfend: die entlaufenen Träger aber schlichen sich einer nach dem anderen in ihre Hütten.

Nachmittags besuchte uns die Herrscherfamilie nochmals; sie bot mir ein großes Gefäß voll ausgezeichneten Honig zum Geschenk und bat um Entschuldigung, daß die Milch erst den nächsten Tag kommen werde. Ich hielt es für gerathen, ihnen vorläufig wenigstens Etwas zu geben und überreichte Desarue: $1^1/_2$ Stück Amerikano, 1 Kunguru, 1 Barsati, 18 Taschentücher, 1 großes Taschenmesser und Perlen, Matolo: $1^1/_2$ Stück Amerikano, 6 Taschentücher, 1 Barsati, 1 großes Messer und 1 Spiegel.

Nun erfolgten wieder die besten Versicherungen von Freundschaft und Liebe; Brennholz und Bananen wurden noch für heute versprochen; die drei Räthe erhielten aufs Neue den Befehl, mir in Allem zu Willen zu sein, und Matolo gestattete sogar, man solle, wenn er diesmal sein Wort nicht hielt, Einen von ihnen tödten und ihn selbst einen Lügner schelten! Nach solchen Reden zogen sie ab, nicht ohne nochmals fein darauf hingedeutet zu haben, daß sie, nachdem sie auf diese Weise gezeigt, wie sehr sie den Europäer liebten, es verdient hätten, später mit einer Rakete beschenkt zu werden, falls ich es nicht vorziehen sollte, selbst mit ihnen in den Krieg zu ziehen.

Thornton hegte wieder die schönsten Hoffnungen; ich aber sah keine Aenderung in dem Benehmen der Leute und gelangte immermehr zu der Ueberzeugung, daß in Madschame Alles umsonst sei, daß es von hier aus nicht möglich sein werde, den Kilimandscharo zu besteigen, noch auch weiter nach Westen vorzudringen. Darum beschloß ich, das Land zu verlassen, sobald wir wieder Lebensmittel zur Rückreise gekauft haben würden; denn ich besorgte, die Wadschagga möchten ihre Furcht vor unserer Ueberlegenheit verlieren und dann einen Ueberfall wagen.

31. August. Den ganzen Morgen warteten wir vergeblich auf einen der Räthe: sie waren zu einem Gelage versammelt, man konnte deutlich das ferne Toben und Schreien der berauschten Menge vernehmen. Erst gegen Mittag nahte Kilewo und fragte mit kindlicher Unbefangenheit, ob wir vielleicht die Absicht hätten, uns in den nächsten Tagen ein wenig in der Umgegend umzusehen. Mit einiger Mühe wußte ich ihn dahin zu stimmen, daß er sich bereit finden ließ, sogleich mit uns nach einem entfernten Aussichtspunkte aufzubrechen. Wir gönnten uns kaum soviel Zeit, einige Bissen von dem halbgaren Mittagessen zu verzehren, und befanden uns schon nach wenigen Minuten in Begleitung von Assani, Seguat, Nasiri und vier untergeordneten Wadschagga unterwegs. Am rechten Ufer des Flusses hin wandernd über welliges, gut bebautes Land, gelangten wir bald an einen zweiten, in der Sohle eines drei- bis vierhundert Fuß tiefen Thales dahinströmenden Fluß. Ohne weiteren Unfall, als daß des übereifrigen Thorntons Hitze durch ein unvorhergesehenes Bad etwas

abgekühlt wurde, gelangten wir über Fluß und Schlucht hinweg; dann ging es wieder durch Bananenpflanzungen, über grasige Abhänge und liebliche Thäler, bis wir das Ziel unseres Ausflugs erreichten: einen ziemlich dicht bewaldeten Hügel, auf welchem, wie man uns sagte, die verstorbenen Manki beerdigt werden. Mit dieser heiligen Bestimmung des Hügels entschuldigte man auch die Schwierigkeiten, welche man bisher seiner Besteigung entgegengesetzt hatte, und fügte Dem die Bitte zu, wir sollten hier nicht schießen, überhaupt nicht den Ort durch Lärm entweihen. Mir schien diese Erzählung ein Märchen zu sein, ersonnen, um meinen Unwillen über die früheren Verzögerungen zu besänftigen; den Namen Manki's Grabhügel jedoch behielten wir für unsere Karte des Landes bei. Die Aussicht war wirklich lohnend: westlich vom Kilimandscharo, welcher den ganzen Tag über unverhüllt glänzte, sahen wir, durch eine weite Ebene von ihm geschieden, den bereits von einem Hügel bei Kilema aus bemerkten Meruberg; in derselben Richtung, nur zwei Tagereisen näher, zeigte man uns das hügelige, zu Madschame gehörige Gebiet von Schira, welches Rebmann irrthümlicher Weise auf den Meruberg selbst verlegt; im Süden schweifte unser Blick bis weit hinaus in die Ebene jenseit der Ugono- und Aruschaberge, aus welcher in der Ferne kegelförmige, hohe Berge emporragten.

In Kurzem sammelten sich über fünfzig Wadschagga um uns. Alles, was sie sahen, bewunderten sie, vorzüglich aber das Fernrohr, dessen Linse ich als Brennglas benutzte, um vor ihren Augen Feuer anzuzünden: sie baten sich die verkohlten Blätter und Papierstückchen als Heilmittel und Amulete aus, in der Meinung, daß diesen durch die Sonne eine große Kraft mitgetheilt sein müsse.

1. September. Nasiri hatte keine Zeit, sich mit uns zu beschäftigen, und der Sultahn ließ uns sagen, daß er erst am Nachmittage kommen würde. Ich beschloß, die freien Stunden zu benutzen, um einen gerad heute stattfindenden Markt der Wadschagga kennen zu lernen. Unter dem Vorwande, Vögel zu schießen, entfernte ich mich aus dem Lager und folgte vorsichtig von Weitem einigen Frauen, welche mit Waaren belastet nach der etwa eine Stunde entfernten Sangara gingen, einem freien, von einigen Bäumen umstandenen Platze, auf welchem sich etwa vier- bis fünfhundert Dschaggaweiber feilschend und schwatzend bewegten. Sie tauschten in regstem Verkehr irdene Töpfe, Holzgefäße, Bananen, Bohnen, Erbsen, süße Kartoffeln, Milch, Fett, Bananenwein und Bananenmehl, rothe Erde zum Färben und Emballa, eine salzhaltige und als Salz dienende Erde. Ohne daß Marktpolizei zu bemerken gewesen wäre, herrschte die beste Ordnung, wennschon, wie begreiflich, der Lärm der Hunderte von Stimmen weithin vernehmbar war. Kein einziger Mann befand sich unter den Verkäuferinnen; ich erfuhr, daß es Männern aufs Strengste verboten sei, am Markte Theil zu nehmen, vermutlich, weil früher blutige Streitigkeiten unter den Handelnden stattgefunden hatten. Man beschwor mich, schleunigst von dannen zu gehen, und sagte, ich würde durch mein Bleiben alle Anwesenden in die größten Unannehmlichkeiten und mich selbst in Gefahr bringen. Es wäre unhöflich gewesen, hätte ich die armen Frauen noch länger ängstigen wollen; ich kehrte also nach kurzem Verweilen in das Lager zurück.

Bald nach mir kam der Sultahn und kündigte die angekündigte Unterhandlung auf, weil Nasiri nicht zu finden und Faki nicht fähig sei, richtig zu dolmetschen. So war also auch dieser Tag für den eigentlichen Zweck meiner Reise verloren, und die Angelegenheit, wegen welcher ich mich schon so mancherlei Widerwärtigkeiten unterzogen, wurde aufs Neue verschoben! Ich fühlte mich unbeschreiblich abgespannt von dem endlosen Warten und der fortdauernden Ungewißheit: mit solchen Menschen zu verhandeln und dabei die Ruhe und den Mut nicht zu verlieren, erfordert fast übermenschliche Geduld.

Nachdem ich am folgenden Morgen wiederum vergeblich auf Nasiri gewartet, erschien endlich gegen Mittag der ganze Troß. Auf meine Vorwürfe erwiderte Desarue Nichts weiter, als daß er, wie ich wisse, mein Freund sei und mich außerordentlich liebe; Nasiri sei durch Krankheit abgehalten gewesen, übrigens wäre ja auch seine Gegenwart bei meinen Ausflügen nicht nöthig, da ich nach Belieben im Lande umhergehen und über alle seine Leute verfügen könnte. Der Schluß war — Bettelei um eine Rakete. Meine beharrliche Weigerung mochte sie auf die Vermutung gebracht haben, daß ich gar nicht im Besitze so fürchterlicher Waffen sei und davon nur erzählt habe, um sie zu ängstigen; in der That mußte es ihnen sonderbar erscheinen, daß ich solche Zerstörungswerkzeuge nicht benutzte, um Herrscher und Volk meinem Willen unterthänig zu machen und Elfenbein und Sklaven von ihnen zu erpressen. Sie baten also, ich solle ihnen eine Rakete doch wenigstens zeigen. Dies sagte ich ihnen für den Abend zu. Der Sultahn wollte die Wirkung des bösen Feuers von seinem Hause aus beobachten, „weil Dies sicherer sei", und befahl vieren seiner Vertrauensleute, statt seiner in der Nähe zu bleiben und ihm über das Geschehene berichten. Beim Weggehen bat er wiederholt, man möchte recht vorsichtig sein, damit die Hütten und Pflanzungen nicht zerstört würden, und versprach, heute noch Lebensmittel, morgen früh aber die gewünschten Führer zu schicken. Nach Dunkelwerden versammelte sich eine neugierige Menge im Lager. Plaudernd und scherzend umstanden sie mich, während ich eine mit Schwärmern gefüllte Rakete zurecht machte: als sie feuersprühend emporsauste, hatte Lachen und Schwatzen ein Ende, und schüchtern entfernten sich die Herren mit der bestimmten Zusage, daß morgen früh Alles zum Aufbruche bereit sein solle.

Das „Morgen" kam, aber die Führer kamen nicht. Bis Mittag blieb ich ohne Nachricht; erst Nachmittags traf der Sultahn ein, doch ohne Führer. Er fand es nicht einmal für nöthig, sich zu entschuldigen, forderte vielmehr immer wieder Raketen und sonstige Geschenke und zwar in so stürmischer Weise, daß ich die letzte Hoffnung, Etwas zu erreichen, aufgab und Madschame möglichst schnell zu verlassen beschloß. Mnubie und Muansalini, denen Böses ahnte, stimmten für Aufbruch bei Nacht; bei Tage, meinten sie, würden wir uns nicht entfernen können, ohne uns der Gefahr eines Angriffs auszusetzen. Obgleich ich nächtliche Unternehmungen nicht liebe, weil man die Träger, welche bei jeder Gefahr selbstverständlich zu entlaufen suchen, nicht im Auge behalten kann, und weil der Hauptgrund unserer Ueberlegenheit über die Eingeborenen — die Feuerwaffe — beinahe nutzlos wird, gab ich den Bitten der Leute nach, ordnete jedoch an, daß Koralli mit Mnubie, Muansalini und sechs anderen Leute den Weg vorläufig untersuchen sollte. Ich entschied mich, um die stark bevölkerten und mit Madschame verbündeten Gebiete von Narumu und Kindi zu umgehen, für einen mehr südlichen, nach Kahe zu führenden Weg, wennschon dieser uns unbekannt war und lange Zeit an den Hütten der Eingeborenen vorbeiführen sollte. Dem Sultahn ließ ich sagen, daß morgen für mich ein Festtag sei, an welchem ich nicht gestört zu werden wünsche. Dies war durchaus keine Nothlüge; denn ich war des Aufenthaltes in Madschame so überdrüssig, daß ich den Tag, an welchem ich von dannen käme, als einen Tag der Freude betrachtete.

4. September. Bereits früh vier Uhr zog Koralli mit seiner Schar aus; nach mehrstündiger Abwesenheit kamen sie, Jeder zum Schein mit einem tüchtigen Bündel Brennholz beladen, zurück. Ihre Nachrichten lauteten nichts weniger als erfreulich: man kommt auf dem erkundeten Wege erst nach anderthalb Stunden aus den dichtbewohnten Gebieten heraus, hat öfters auf schlüpfrigen oder steinigen Pfaden längs einer tiefen Wasserleitung und am Rande eines steilen Thales hinzugehen, einen kleinen Fluß zweimal zu durchwaten und einen besonders gefährlichen Schanzgraben, dessen Boden mit Dornen gefüllt ist, auf einem Baumstamm oder Brete zu überschreiten. Dennoch entschloß ich mich, noch diese Nacht den Versuch zu wagen.

Wie um mir zu zeigen, daß ich richtig handele, schickte am Nachmittage der Sultahn die Botschaft, „daß er, wenn er morgen zu mir käme, ein großes Geschenk haben müsse", bestimmte sogar mit bisher unerhörter Dreistigkeit die einzelnen Gegenstände, aus denen es bestehen solle, und forderte unter Anderem die Auslieferung von wenigstens zwei Raketen, welche aber ganz besonders stark sein müßten, damit sie den Kriegern von Lambungu möglichst viel Schaden thäten. Ich ließ ihm sagen, er möge den folgenden Tag abwarten. Im Uebrigen that ich Alles, um Verdacht zu vermeiden, verlangte Lebensmittel und Holz für die Leute, Stroh, um die Hütten besser decken zu können und dergleichen Dinge mehr, welche zu einem längeren Aufenthalte nöthig sind.

Schon am Morgen hatte ich die Träger jeden einzeln in mein Zelt kommen lassen und ihnen ihre Msigo bezeichnet. Mittags war ich mit Allem fertig und erwartete nun sehnsüchtig die Nacht.

Einzig Faki suchte mir Hindernisse in den Weg zu legen. Er überredete die Leute, daß sie sich weigern sollten, die Nacht aufzubrechen, weil Dies zu gefährlich sei, und meinte, es sei nothwendig, dem Sultahn die Hälfte aller Waaren zu geben, damit er uns freien Abzug bewillige. Vermutlich spielte dieser Elende mit den Wadschagga unter einer Decke und hoffte, von den mir abzuschwindelnden Geschenken späterhin seinen Antheil zu erhalten; ich trug Assani auf ihn streng zu bewachen und ihm zu sagen, daß ich ihn ohne Bedenken niederschießen würde, falls er das Lager auch nur auf einen Augenblick verließe.

Nach Dunkelwerden gab ich für fünf Tage Lebensmittel aus; dann vertheilte ich die Msigo, damit Kochgeschirre, Schlafgeräthe und andere Kleinigkeiten daran befestigt werden könnten, und befahl, daß die Leute neben ihren fertigen Bündeln schlafen sollten. Die Zelte ließ ich erst gegen Mitternacht wegnehmen, eine keineswegs überflüssige Vorsicht; denn noch spät am Abend kamen Krieger vorüber — scheinbar zufällig, in Wirklichkeit aber wol, um uns zu beobachten — und es ertönte in einiger Entfernung ein Lärmen, welcher allzu sehr an Kriegsgesang erinnerte, um angenehm zu sein.

Ich weckte jeden Träger einzeln. Fast lautlos verließen wir gegen ein Uhr den Lagerplatz. Es war so finster, daß der Weg fast nur durch Tasten mit dem Stocke sich finden ließ. Thornton ging mit Mnubie und Muansalini voran, Koralli in der Mitte, ich in der Nachhut; Faki sollte in meiner Nähe bleiben, entwischte jedoch schon nach wenigen Schritten und schloß sich der Spitze der Karawane an, wo er sich sicherer fühlen mochte.

Kaum waren wir fünf Minuten unterwegs, so wurde mir gemeldet, daß drei Träger fehlten. Zum Lager zurückgekehrt, fand ich sie ruhig neben ihren Bündeln liegend: es schien, als ob sie beabsichtigten, hier zu bleiben, bis wir uns weit genug entfernt hätten, dann aber auf einem anderen Wege, mit den gestohlenen Gütern Handel treibend, sich nach der Küste durchzuschlagen. Ich trieb die ob meiner Rückkehr nicht wenig erstaunten Missethäter vor mir her; zum Glück war einer von ihnen mit dem Wege bekannt. Als wir an Nasiris Hause vorbeikamen, verspürte ich gewaltige Lust, den Schurken zu binden und mit mir zu nehmen, um ihm für seine Lügen und Niederträchtigkeiten eine derbe Züchtigung angedeihen zu lassen; da ich aber keinen meiner europäischen Begleiter in der Nähe hatte, mußte ich hierauf verzichten. Nach etwa einer Stunde traf ich auf Koralli und erfuhr von ihm, daß ein Träger mit einer Kiste in das tiefe Thal hinabgerollt sei und man das Msigo, welches ein Chronometer, Vogelbälge und getrocknete Pflanzen enthielt, noch nicht wieder gefunden habe. Beim Schein eines Wachslichtes fanden wir nach halbstündigem Suchen die Kiste wieder, leider im Wasser, sodaß die getrockneten Sachen, mit denen wir so viel Mühe gehabt, verdorben waren. Erst gegen $3^1/_2$ Uhr erreichte ich den Nachtrab der Karawane. Hier traf ich Thornton meiner wartend, in nicht geringer Besorgniß wegen unseres langen Ausbleibens. Auch er hatte Unglück gehabt: er war ausgeglitten und in die dunkle Tiefe gerutscht, doch hatte er glücklicher Weise noch halbwegs einen Anhalt gefunden und sich wieder emporgearbeitet (fortunately I succeeded in stopping myself, wie er selbst sagte). Den Uebergang über das schmale Bret des Schanzgrabens bewerkstelligten wir glücklich; eine halbe Stunde später erreichten wir einen nicht zu Madschame gehörigen Ort, von welchem an der Weg wieder in dichten Wald führt. Um die Träger nicht unnöthig zu ermüden, ließ ich, bis es zu tagen anfing, halten.

Wer es kennt, wie unbeliebt Nachtmärsche selbst bei geschulten, europäischen Soldaten sind und wie langsam dabei Alles von Statten geht, Der wird begreifen, daß ich mit einigem Stolz auf diesen Rückzug hinblicke, bei dem ich es mit Negern zu thun und auf Wegen zu gehen hatte, welche selbst bei Tage nicht angenehm sind. Später habe ich mich noch oft gewundert, daß Alles so gut von Statten ging; denn, daß einige Leute unterwegs fielen und mehrere Sachen zerbrochen wurden, muß unbedeutend genannt werden im Vergleich zur Schwierigkeit des Unternehmens. Am wunderbarsten erscheint mir, daß wir, ohne Jemand zu wecken, stundenlang durch die Hütten der Eingeborenen hatten marschiren können; nur der übergroßen Furcht der Leute hatte ich Dies zu verdanken — mein Befehl allein hätte sicherlich nicht vermocht, die Träger auch nur für kurze Zeit zum Schweigen zu bringen.

Achtzehnter Abschnitt.

Letzte Versuche.

Was noch zu thun blieb. — Durch die Ebene nach Dafeta. — Unangenehme Neuigkeiten. — Die alte Freundschaft durch den Blutseid erneuert. — Ankunft in Kilema. — Entscheidung der Ungewißheit. — Nochmals in Dafeta. — Forderungen der Aeltesten. — Ein Abenteuer Thorntons. — Meuterei unter den Trägern. — Abschied.

Sowol in Kilema wie in Madschame hatte der Reisende nicht eigentlich über die Bevölkerung zu klagen gehabt, sondern nur über die Herrscher und ihre Räthe; es blieb daher die Möglichkeit nicht ausgeschlossen, daß späterhin unter anderen Sultahnen eine Besteigung des Kilimandscharo ebenso leicht sein konnte, als sie jetzt schwierig erschien — selbst ein neuer Versuch noch vor der Rückkehr nach der Küste bot, in Anbetracht der veränderlichen Stimmung der Wadschagga, einige Aussicht auf Erfolg. **Mambo** von Kilema wenigstens hatte durch sein bisheriges Verhalten bewiesen, daß er guten Eingebungen zugänglich war: er hatte sich benommen wie ein Kind, welches den Wallungen des Augenblickes folgt, jetzt unartig ist und, wenn man es nur zu behandeln versteht, im nächsten Augenblicke wieder herzensgut und lenksam. Nicht zu unterschätzende Schwierigkeiten mußten freilich Mambos Unzuverlässigkeit und lügenhaftes Wesen bereiten. Indessen war anzunehmen, daß Deckens Aufenthalt in Kilema von günstigem Einfluß auf ihn gewesen, daß die beim Abschied ertheilte Lehre noch jetzt nicht vergessen sei. Der Reisende entschloß sich also, sein Glück nochmals in Kilema zu versuchen, zuvor aber nach Dafeta zurückzukehren, um hier nach seinen Sachen zu sehen.

Gegen Sonnenaufgang, erzählt Decken vom 5. September weiter, ermunterte ich meine Afrikaner, welche die kurze Rast zu einem Schläfchen benutzt hatten, und führte sie in südlicher und südöstlicher Richtung weiter. Wir kamen wiederum an zahlreichen Wildfallen vorbei. In einer derselben lagen die Gebeine eines Elephanten, daneben stand eine Hütte, welche der glückliche Eigner der Grube wol errichtet hatte, um sich mit Bequemlichkeit an dem Fleische des gefangenen Thieres mästen zu können.

Die Landschaft war anfangs parkartig, nahm aber späterhin die Beschaffenheit der trockenen Flächen südlich vom See Jipe an. Nur hier und da überragten höhere Bäume die in der Grasfläche zerstreuten Dornbüsche; fast ausnahmslos waren sie mit Bienenkörben von der früher beschriebenen Form behangen: auf einem derselben zählten wir siebzehn Stück. Lautlos marschirten die Träger darunter hinweg, aus Furcht, die kleinen Insassen zu erschrecken und zu reizen, nicht ohne Grund — denn gereizte Bienen sind gefährliche Feinde der Karawanen und haben öfters schon Leute durch ihre Stiche getödtet. Erschallt der Ruf „Niuki" (Bienen), so werfen die Schwarzen ihre Bündel zur Erde, kauern am Boden nieder und beharren so lange unbeweglich in dieser Stellung, bis die geflügelten Angreifer sich völlig verzogen haben. Nach zwei Uhr erreichten wir einen geeigneten Platz am Ostufer des Weriweriflusses, an welchem wir Herberge machten; bald nach Sonnenuntergang lagen wir in tiefem Schlafe — es galt, die Ruhe zweier Nächte zu genießen.

Unser Weg führte folgenden Tages über mehrere reißende Flüsse und Bäche. Jenseit des dritten erhoben die Leute ein Geschrei: „ein Nashorn! ein Nashorn!" Thornton und ich sprangen eiligst vor und sahen ein riesiges weißes Rhinozeros. Es stampfte mit den Füßen, als es uns gewahrte, und zerwühlte mit seinem Horne die Erde, offenbar im Zweifel, ob es angreifen oder dem ungewohnten Gegner das Feld überlassen sollte. Da ich Letzteres befürchtete, feuerte ich und fast gleichzeitig mit mir Koralli: es brach auf dem Flecke zusammen. Mit Jubelgeschrei sprangen die Träger herbei, um das Thier auf muselmitische Weise zu schlachten d. h. ihm den Hals abzuschneiden; aber noch ehe sie es erreicht hatten, erhob es sich und galoppirte, zwar bisweilen strauchelnd aber dennoch ziemlich schnell, dem Dickicht zu und war unseren Augen entschwunden, ehe wir einen neuen Schuß anbringen konnten. Bei diesem Zwischenfalle, welcher einen Zeitraum von nur wenigen Minuten ausfüllte, benahm sich Faki höchst ergötzlich: sobald das Geschrei ertönte, erkletterte er mit der Geschwindigkeit eines Affen den nächsten Baum; als aber das schwerverwundete Thier verschwand, sprang er schleunig herab, feuerte sein Gewehr in die Luft und verhöhnte laut schreiend das feige Nashorn, welches sich in keinen Kampf mit ihm einlassen wollte.

Es schien, als ob der Regen der vorigen Wochen die Ebene mehr bevölkert habe; denn wir trafen noch am selben Tage auf Heerden von Zebra, jagten einige Völker Perlhühner auf und erblickten gegen Abend sogar noch ein Rhinozeros und zwar ein feuerfarbenes — es hatte sich auf dem feuchten Lehmboden gewälzt und war über und über mit rothem Schlamm überzogen.

Durch eine Biegung weithin nach Süden umgingen wir das dichte Gestrüpp und den Sumpf, welche uns das vorige Mal soviel Aufenthalt verursacht hatten, und ermöglichten es, an diesem einen Tage nicht weniger Weges zurückzulegen als früher an dreien.

7. September. Koralli und ich litten an Dysenterie, wol in Folge des schlechten Wassers, welches wir am Tage zuvor genossen; wir beschleunigten unseren Marsch, um sobald als möglich nach Daseta zu gelangen, wo wir uns nach soviel Anstrengung ein wenig Ruhe gönnen konnten. Gegen vier Uhr kamen wir an den Mambafluß und schlugen, da der Ort uns zusagte, an seinem diesseitigen Ufer das Lager auf. Hierüber waren die Träger höchlich entrüstet; sie murrten, Dies sei gegen alle Sitte und Ordnung, und wollten lieber mit einem schlechteren Platze vorlieb nehmen, als von dem alten Karawanenbrauche lassen.

Auf beschwerlichem Wege durch verbranntes Land, wo weder Gras noch Busch mehr zu sehen war, erreichten wir Tags darauf die Grenze von Daseta. Wiederum schlichen wir uns unbemerkt durch die Thore ein und feuerten erst, als wir an Ort und Stelle angelangt waren, die Gewehre ab. Unsere alten Bekannten eilten herbei, begrüßten uns durch Händeschütteln und Jamborufen, Alle sichtlich erfreut, uns wieder zu sehen. Auch Banafumo stellte sich ein, brachte uns ein halbes Lamm und einige Stengel Zuckerrohr zum Geschenk und berichtete, daß die ihm übergebenen Waaren in bestem Zustande sich in seinem Hause befänden, und daß er mehrere Packete Bohnen und Mais für mich gekauft habe. Seine anderen Neuigkeiten lauteten schlimm. „Die Masai", erzählte er, „sind raubend und plündernd von Aruscha bis zum See Jipe vorgedrungen; in Ugone aber herrscht Krieg und arge Hungersnoth, sodaß die Leute sich von Bananenwurzeln nähren müssen." Zuletzt beklagte er sich, daß er bei seinen Landsleuten in Verdacht gerathen sei, mit uns Zauberei getrieben und dadurch den Regen verhindert zu haben; drei Ziegen und ein Schaf habe man ihm genommen und sie geschlachtet, um das Grigri unschädlich zu machen — doch vergebens, und noch jetzt stehe er beim Volke in Verruf und werde auf alle Weise angefeindet.

So uneigennützig Banafumo sich bisher benommen hatte, letzteres Geschichtchen schien er erfunden oder wenigstens vergrößert zu haben, um sich bei mir in Gunst zu setzen und eine Belohnung zu erhalten. In dieser Vermutung wurde ich dadurch bestärkt, daß die Eingeborenen ein unverändertes Benehmen gegen uns beobachteten. Nichts verrieth, daß sie aufgebracht wären oder sich vor uns fürchteten; im Gegentheil, der Markt war gut besucht, der Handel ging leicht, und es gelang nicht nur, Lebensmittel in Menge zu kaufen, sondern auch Hausgeräthe, Schmuckgegenstände, Waffen u. dergl. einzutauschen. Vor Allem mußte ich aus dem Benehmen Arusch'a's, einer meiner Freundinnen, schließen, daß die Verhältnisse nicht so schlimm lagen, als Banafumo sie darstellte. Schon früher hatte Arusch'a, die aus Kilema gebürtige Witwe eines Tafetahäuptlings, eher als alle anderen Weiber ihre Schüchternheit verloren, uns mancherlei Freundlichkeiten erzeigt, kleine Geschenke von Milch und frischen Erbsen gebracht u. dergl. m., ohne jemals um Etwas zu betteln oder mehr zu fordern, wenn sie eine Gegengabe erhielt; diesmal hatte sie uns zuerst das Willkommen geboten, uns sogleich mit Milch versorgt und versprochen, Alles zu schaffen, was wir sonst noch begehren würden.

Etwas war aber doch an Banafumos Gerede; denn Nachmittags erschien einer der Häuptlinge und beschuldigte mich, nachdem er die Neuigkeiten aus Dschagga erfragt, daß ich einen Zauber gegen sie hinterlassen habe, nämlich ein an einem Stocke befestigtes Stück Messingdraht, welches sie auf dem Kilemawege gefunden haben wollten. Es fiel mir nicht ganz leicht, die auf diesen Schwindel begründeten Entschädigungsansprüche des Mannes zurückzuweisen. Damit war aber die Sache durchaus noch nicht abgethan. Am anderen Morgen schickte Arusch'a einen Knaben zu mir mit der Botschaft: „Bleibe zu Hause!" Ich gehorchte dem Winke, gab meinen Morgenspaziergang auf und erwartete nicht ohne Spannung, was da geschehen sollte. Keine der Frauen ließ sich im Lager sehen, um Etwas zu verkaufen, dagegen kamen etwa fünfzig Wakuafi und hundert Wadafeta, alle in vollem Waffenschmuck; etwas später erschienen die Häuptlinge mit ihrem Gefolge. Ueber vier Stunden lang belästigten sie mich mit ihrem Gewäsch, warfen mir vor, ich hätte das Land verzaubert und ihnen zu wenig, den Wadschagga aber zu viel Regen zugewendet, hätte den Weg nach Kilema durch mein Grigri unsicher gemacht, Blumen gepflückt und Bienen gefangen, um dadurch die Ernte und den Honig zu verderben, und ähnlichen Unsinn mehr. Ferner erzählten sie mit bedenklichen Gesichtern, ich hätte die Frau des Sultahns Mambo getödtet und ein anderes Weib vergiftet oder wenigstens durch Zauberei ihren Tod verursacht (sie meinten die Frau des Kriegers Msindo, welche von mir Arzenei erbeten hatte, aber gestorben war, ehe ich ihr Etwas gegeben), und Koralli hätte eine dritte Frau derartig gemißhandelt, daß sie jetzt noch krank daniederläge. Ich erklärte ihnen lachend, daß ich mich auf so alberne Anklagen nicht vertheidigen könnte; um ihnen übrigens zu zeigen, daß ich mit den Wadschagga auf gutem Fuße stände, würde ich bereits morgen nach Kilema zurückkehren. Endlich, da sie die Nutzlosigkeit ihrer Bemühungen einsahen, gaben sie ihre Entschädigungsforderungen auf und verlangten nur, ich solle mit ihnen den Blutseid schwören. Als ich einwilligte, führten sie eine Ziege, welcher zwei Männer mit acht Speren voraufgingen, siebenmal im Kreise um mich, Koralli und die Führer und sangen dazu einen schrecklichen Eid, „daß unsere Frauen uns untreu werden, daß wir keine Kinder bekommen, unsere Besitzthümer verlieren und frühzeitig sterben würden, wenn wir schlechte Absichten hätten; anderufalls sollte das Glück uns begünstigen und alles Eigenthum der Wadafeta auch uns gehören." Darauf schnitten sie der Ziege ein Ohr ab und ließen jeden von uns einen Tropfen des hervordringenden Blutes trinken. Nachdem ich, was ihnen jedenfalls die Hauptsache war, vier Doti für die gelieferte Ziege gegeben, war die Angelegenheit abgethan. Noch einmal versuchten sie ihr Glück: sie verlangten von Neuem eine Durchgangsabgabe für meine Reise nach Kilema, ließen aber auch von dieser Forderung ab, als ich ihnen sagte, daß ich unter solchen Umständen ihr Land auf dem Wege nach Mombas verlassen und erst außerhalb der Grenzen mich in einem Bogen nach Kilema wenden würde. Beim Abschiede schenkte ich ihnen von freien Stücken fünf Doti, mit dem Bemerken, daß ich immer so handeln d. h. Nichts geben würde, wenn sie bettelten, und sie reichlich beschenken, wenn sie sich anständig betrügen.

Mein Entschluß, Kilema nochmals zu besuchen, erfreute sich nicht der Billigung der Träger; sie meinten, für diese Reise eine besondere Entschädigung beanspruchen zu dürfen. Viele von ihnen, vermutlich durch Faki aufgewiegelt, meldeten sich krank; ich zeigte jedoch kein Mitleid mit ihnen und ließ nur einen zurück, welcher sich bei genauer Untersuchung als wirklich krank erwies.

Am 12. September früh sechs Uhr brachen wir auf. Ich führte mit Thornton den Zug und ließ Koralli bis zuletzt im Lager bleiben, damit Nichts vergessen würde. Im Freien angelangt, wartete ich eine Weile, um die zurückgebliebenen Leute sich sammeln zu lassen, als Koralli erhitzt und aufgeregt herbeikam und sich bitterlich beklagte, daß Muansalini seine Ermahnung, sich zu beeilen, mit den Worten zurückgewiesen habe, „er möge doch nicht soviel sprechen und schimpfen, man würde auch ohnedies gehen". Es sei, meinte Koralli, gegen seine Ehre, sich Derartiges von einem Neger sagen zu lassen; er würde sich kein Gewissen daraus machen, beim nächsten derartigen Falle dem Widersetzlichen eine Kugel durch den Kopf zu jagen. Auf mein freundliches Zureden ging er nicht ein, und für Ermahnungen, doch künftig bei solchen Gelegenheiten ruhiges Blut zu behalten, war er unzugänglich; er fuhr mit Schimpfen und Drohen gegen die Schwarzen fort und ließ, als ich ihm Dies ernstlicher verwies, sich zu der Aeußerung hinreißen, daß er sich von mir trennen würde, wenn ich nicht seine Partei nähme.

Auf bekannten Wegen erreichten wir gegen Mittag unseren alten Lagerplatz am Gonifluß und am anderen Tage nach zweistündigem Marsche Kilema. Innerhalb des ersten Grabens feuerten wir einige Gewehre ab; bald darauf zeigten sich die beiden Schutzleute des Lagers, ängstlich zwischen den Büschen durchlugend und erst dann sich hervorwagend, als eine größere Anzahl ihrer Landsleute sich versammelt hatte. Sie wußten bereits, daß wir an der Grenze von Moschi gewesen, aber umgekehrt wären; dagegen war es ihnen noch nicht bekannt, wie es uns in Madschame und Dafeta ergangen. Ich trug den Soldaten auf, Mambo einen Brief zu übergeben, bestehend aus mehreren Stückchen Holz, deren jedes eins der für ihn mitgebrachten Geschenke vorstellte; durch die Annahme der Stäbchen sollte er mir anzeigen, daß er Willens sei, uns innerhalb vier Tagen eine Besteigung des Kilimandscharo zu ermöglichen. Eine Stunde später kamen die Abgesandten mit günstigem Bescheide zurück. Nachdem sie noch einige vergebliche Versuche gemacht hatten, eine Eingangsabgabe zu erlangen, gestatteten sie uns, wieder Besitz vom alten Lagerplatze zu ergreifen; kurz darauf war Alles in früherer Weise hergerichtet. Die Frauen schienen glücklich zu sein, daß ihnen durch den Handel wieder Gelegenheit wurde, ihre Putzsucht zu befriedigen; sie kamen in Scharen und verkauften zu mäßigen Preisen und ohne viele Redensarten — jedenfalls eine erfreuliche Nachwirkung meines früheren Verkehrs mit ihnen.

Zwei Uhr Nachmittags kam Mambo mit seinem Gefolge. Wie bei seinem vorigen Antrittsbesuche versteckte er sich zwischen seinen Leuten, verhüllte das Gesicht und lief, sobald er das Kischongo mit mir und Thornton gewechselt, mit seinem Hofstaat schleunigst von dannen, jedenfalls um beim Bananenwein seine sichtliche Angst und Verwirrung zu vergessen. Vorher hatte er mir heimlich zugeflüstert, daß er mich Abends allein aufsuchen und sein Geschenk holen würde; wenn er es jetzt nähme, meinte er, würden seine Begleiter ihm wenig übrig lassen. Anstatt des Sultahns erschienen jedoch die zwei Lagersoldaten, entschuldigten ihn wegen Unwohlseins (sollte wol heißen Trunkenheit) und baten sich das versprochene Geschenk aus. Auf Zureden meiner Leute händigte ich ihnen die Waaren ein, ließ jedoch der Vorsicht halber Assani mitgehen, um mich zu versichern, daß sie in richtige Hände kämen.

Die Entscheidung der Ungewißheit, in welcher ich wegen der Besteigung des Kilimandscharo schwebte, nahete schnell. Am Nachmittage des 14. Septembers besuchte mich Mambo in völlig berauschtem Zustand. Er schwatzte unablässig, hörte nicht auf Das, was ich ihm sagte, verlangte Gewehre, Revolver u. A. mehr; dazwischen hielt er, wie es die vier- bis fünfjährigen Kinder in Dschagga häufig thun, einen kleinen Bogen an den Mund, schlug mit einem Stäbchen darauf und pfiff dazu. Auch die ihn begleitenden Krieger waren in hohem Grade betrunken, beraubten die Marktweiber und würden sie sicherlich auch gemißhandelt haben, hätte ich mich nicht ins Mittel geschlagen. In Folge dessen verliefen die Verhandlungen ohne Ergebniß: ich schlug die Betteleien Mambos rundweg ab, und er entfernte sich mit der Drohung, daß er sich all' mein Besitzthum mit Gewalt zu verschaffen wissen würde. Vergebens hoffte ich, daß er anderen Tages ernüchtert im Lager erscheinen sollte; er ließ sich entschuldigen, daß er durch Regierungsgeschäfte verhindert sei, daß er keine passende Kuh für mich finden könne und was dergleichen Vorwände mehr sind. Nachdem ich bis fünf Uhr gewartet, nahm ich die Flagge vom Zelt und befahl den Leuten, Alles zum zeitigen Aufbruch am nächsten Morgen bereit zu machen; es schien mir keinem Zweifel zu unterliegen, daß ich auch diesmal in Kilema Nichts ausrichten würde.

Währenddessen kam Rehani, meiner Ansicht nach der beste von den Räthen des Sultahns, mit Grasbüscheln in der Hand herbei und bat mich dringend, von meinem Entschlusse abzustehen; als er mich dabei verbleiben sah, ging er nach der Wohnung des Sultahns. Schon nach zehn Minuten traf Mambo selbst ein. In der Erwartung, daß ich ihn anreden werde, setzte er sich in einiger Entfernung vor meinem Zelte nieder; da ich ihn jedoch nicht beachtete, ließ er mich um ein Schauri bitten. Assani erwiederte ihm in meinem Namen, daß ich allerdings jede Unterredung überflüssig fände, aber dennoch, wenn er es wünsche, mit ihm im Zelte verhandeln wollte. Es erfolgte die Rückantwort, daß der Mangi im Freien zu bleiben wünsche. Darauf sagte ich in Suaheli und so laut, daß Jeder es hören konnte: „mit Mambo, dem Lügner und Trunkenbold, mag ich Nichts mehr zu thun haben; so Gott will, werde ich schon morgen weit von Kilema sein!"

Der Sultahn verhielt sich hierbei ruhig und fast gleichgiltig; es schien, als ob er noch Etwas im Hinterhalte habe, wovon er sich eine gewaltige Wirkung versprach. Ich beobachtete ihn weiter und sah nach Kurzem ein Lächeln der Zufriedenheit auf seinen Lippen spielen: zwei seiner Leute brachten eine schöne, fette Kuh herbei und boten sie mir zum Geschenk — daß ich diesem verlockenden Braten widerstehen könne, schien ihm außer dem Bereiche der Möglichkeit zu liegen. Faki, welcher sich bis dahin ruhig verhalten, wurde, als er Fleisch sah, auf einmal lebendig, befürwortete beredt den längeren Aufenthalt in Kilema und versicherte, jetzt würde man dem Sultahn gewißlich trauen können. Meine Antwort auf das Alles war: „der Mangi mag seine Kuh behalten, ich brauche sie nicht."

Ueber diesen Bescheid geriethen Mambo und die Seinen außer sich vor Wut. Ihren tollen Geberden nach zu schließen, hatten sie nicht übel Lust, uns Alle in Stücke zu zerreißen; einzig die Furcht schien ihrem Zorn ein Ziel zu setzen. Der große Herrscher erklärte zähneknirschend, daß kein Europäer je wieder sein Reich betreten solle; der Hofstaat schimpfte weidlich und spuckte voller Verachtung vor mir aus; der Krieger Msindo war sogar unverschämt genug, mit lauter Stimme zu rufen, er wolle ein Grigri machen, durch welches ich mein Leben verlieren würde: sein Mut verrauchte jedoch schnell, und in mächtigen Sätzen suchte er das Weite, als ich mit erhobenem Stock auf ihn zuschritt. Nur Rehani machte eine rühmliche Ausnahme, er schüttelte traurig das Haupt über das Benehmen seiner Landsleute und bat, nachdem sie sich entfernt hatten, laut schluchzend um Verzeihung und um Gnade für die Thoren, daß meine Rache sie nicht verderbe.

Das Einpacken dauerte bis spät in die Nacht. Da ich diesmal Dafeta in einem Tage zu erreichen gedachte, ließ ich sogar die Zelte noch am Abend abbrechen. Nach vollbrachter Arbeit setzten die Träger sich um die hellodernden Feuer und füllten sich den Magen mit den reichlich vertheilten Bananen; essend und schwatzend fand ich sie noch, als ich sie am Morgen wecken wollte. Bereits früh fünf Uhr erschienen Rehani, Mgindo und die beiden Lagersoldaten, still und mit ernsten Mienen, und baten, ich solle doch die Ankunft des Sultahns noch abwarten, welcher der Sitte gemäß eine Abschiedskuh bringen wollte. Aus dem erwähnten Grunde verweigerte ich jeden weiteren Aufenthalt. Um sieben Uhr verließen wir den Platz.

Die Oeffnung des wegen kriegerischen Nachrichten aus Madschame und Lambungu verrammelten Thores nahm einige Zeit in Anspruch; ebenso hielt uns die Begegnung mit einer wol hundert Mann starken, mit salzhaltiger Erde beladenen Karawane aus Kahe etwas auf; dennoch aber erreichten wir, da wir in gutem Schritt marschirten und nur einmal unterwegs rasteten, schon Nachmittags zwei Uhr unser Ziel. Von allen Seiten begrüßte man uns mit Händeschütteln und lautem Jamborufen auf das Herzlichste; wiederum war es meine Freundin Aruscha, welche ihre Freude über unsere Rückkehr am lebhaftesten zu erkennen gab.

Banafumo hatte inzwischen einen guten Vorrath Lebensmittel eingekauft, sodaß ich für die Dauer meines hiesigen Aufenthaltes und für die ersten Tage der Weiterreise reichlich versehen war; Dies mußte mir um so angenehmer sein, als die Frauen fast Nichts zum Verkaufe brachten und das Wenige zu übertriebenen, jeden Handel ausschließenden Preisen. Auch in anderer Hinsicht waren Banafumos Dienste nicht gering anzuschlagen; hatte er uns doch durch Aufbewahrung zahlreicher Msigo die Reise wesentlich erleichtert. Fast schien es, als ob er eine rühmliche Ausnahme unter den Negern gewöhnlichen Schlages bilden wollte. Die angeborenen Untugenden seines Stammes kamen jedoch auch einmal, wennschon nur für kurze Zeit, zum Vorschein: durch meine Freigebigkeit wahrscheinlich verwöhnt, versuchte er mehrere Betteleien, ja, er wagte sogar, ein Msigo Messingdraht zurückzubehalten mit dem Bemerken, daß er es nur gegen ein Geschenk ausliefern werde. Als ich Anstalt traf, mich mit Gewalt in Besitz meines Eigenthums zu setzen, gab er freilich nach und suchte die Sache so zu drehen, als ob ein Mißverständniß obgewaltet habe.

Am Morgen des 18. September, am zweiten Tage nach meiner Ankunft, hielten die Sultahne von Dafeta mit ihren Räthen ein großes Schauri; nach dreistündiger Berathung ersuchten sie mich, in ihre Mitte zu treten. Nachdem sie, wie üblich, die Neuigkeiten aus Dschagga erfragt und mir zum Gruß ein Schaf geschenkt hatten, theilten sie mir ihre Beschlüsse mit: „Du bist“, sagten sie, „unser Freund und Blutsbruder, und wir möchten Dich gern noch einen Monat bei uns behalten; da aber die Masai rasch herannahen, müssen wir Dich bitten, bis übermorgen unser Land zu verlassen. Denn die Masai, wenn sie Dich finden, werden Streit anfangen und sagen: was beabsichtigt der weiße Mann, daß er in kurzer Zeit dreimal nach Dafeta kommt? gewiß hat er mit euch ein Grigri gegen uns gemacht. Ueberdies werden sie auch Deine Sicherheit gefährden, welche uns so sehr am Herzen liegt. Aus Furcht vor den Masai haben wir bereits die Thore nach dem See zu verrammelt; deshalb bitten wir Dich ferner, verlaß unser Land auf einem anderen als dem gewöhnlichen Wege. Vor dem Abschied aber öffne noch einmal Deine Hand und zeige auch Du Dich als unser Freund und Bruder."

Allerdings hätte ich mich gern noch einige Tage in Dafeta aufgehalten, sowol der Jagd wegen als auch, um weitere Messungen in der Umgegend vorzunehmen; doch sah ich ein, daß mir Nichts übrig blieb, als dem Rath und Wunsche der Aeltesten zu folgen. Wäre ich in Dafeta mit den Masai zusammen getroffen, so würde ich um einen großen Theil meiner ohnehin schon sehr in Anspruch genommenen Waaren gekommen sein; eine Begegnung unterwegs aber wäre noch schlimmer gewesen, weil ich, wie vielfache Erfahrung gelehrt hatte, in der Stunde der Gefahr durchaus nicht auf meine Träger rechnen durfte. Ich willigte also in die Forderungen der Häuptlinge und überreichte ihnen zum Abschied ein Geschenk, wenn auch nur von dem Werthe des eben erhaltenen Schafes; denn im Gebiete von Dafeta hatte ich bereits nicht weniger verausgabt, als während meines langen Aufenthaltes in Dschagga.

Um die Zeit noch bestens auszunutzen, unternahm mein Reisebegleiter am folgenden Tag einen Messungsausflug nach einem südwestlich von Dafeta gelegenen Hügel. Weder unterwegs noch bei der Ausschau vom Hügel hatte er Anzeichen von der Nähe der Masai bemerkt; auf dem Rückwege jedoch wurde er auf einige Eingeborene aufmerksam gemacht, welche sich auf dem freien, abgebrannten Lande an der Grenze des hohen Grases bewegten und augenscheinlich ihn und seine Begleiter beobachteten. Er war ungewiß, wofür er die verdächtigen Gesellen halten sollte: ihrem Aussehen nach schienen sie weder Träger der Karawane, noch aber auch Masai zu sein. Ihnen entweichen zu wollen, wäre thöricht gewesen; es schien am gerathensten, geradwegs auf sie zuzuschreiten. Die furchtsamen Begleiter aber weigerten sich dessen und verlangten, daß man die Feinde in weitem Bogen umgehen solle. Gleiche Bedenken mußten auch die Anderen gehegt haben; denn erst, als sie den Rückzug der ihnen gegenüber Stehenden gewahrten, näherten sie sich, Grasbüschel über dem Kopfe schwingend. Auf Thorntons Erwiederung des Friedenszeichens traten eine Menge der Ihrigen aus dem Grase hervor, Männer, Weiber und Kinder, erstere mit Bogen und Pfeilen bewaffnet, alle mit langen, dünnen, in Bananenblätter gehüllten Msigo belastet, mit Bohnen, Kalebassen und Fett, wie sie sagten, zum Eintauschen von anderen Waaren in Dschagga. Mit freundlichen Wünschen trennten sich beide Parteien. Ohne weiter angefochten zu werden, erreichte Thornton mit seinen Leuten gegen fünf Uhr das Lager.

Es war meine Absicht, auf der Rückreise die Straße über Mbaramu, den äußersten Posten von Usambara, einzuschlagen und von Wanga an, wo ich die Küste erreichen mußte, nordwärts längs des Strandes hin nach Mombas zu marschiren. Sobald die Träger Dies vernahmen, rotteten sie sich fast ohne Ausnahme unter Anführung von Faki, Hammis und Mnausalini zusammen und erklärten, mich auf diesem Wege nicht begleiten zu wollen. Da ich auf ihre Redereien nicht achtete, riefen sie, nachdem sie sich einigermaßen in Sicherheit gebracht, daß sie eher entliefen als mir auf einem unbekannten Wege folgten, auf welchem sie aus Mangel an Wasser umkommen müßten. In der Erwartung, daß die Leute ihr Unrecht einsehen und mich um Verzeihung bitten würden, fuhr ich unbeirrt mit den Anordnungen zur Abreise fort. Als aber am letzten Tage die Dinge noch ebenso standen, verbot ich Allen auf das Strengste, das Lager unter irgend einem Vorwand zu verlassen. Trotzdem entfernten sich einige Träger, um sich den Weg anzusehen, auf welchem sie in der Nacht entweichen wollten. Ich ermahnte die Leute nochmals zum Guten und wiederholte meine Drohung ernstlicher; ich würde," sagte ich ihnen, Jeden, welcher Miene mache, sich heut aus dem Lager oder während des Marsches aus der Trägerreihe zu entfernen, ohne Bedenken niederschießen, Denjenigen aber, welcher dennoch entkäme, bei seiner Rückkehr nach Mombas auf das Strengste bestrafen und ihm nach muslimitischem Gesetze die Hand abhauen lassen, falls er eine mir gehörige Sache, ein Gewehr, Lebensmittel u. dergl. mitgenommen hätte. Hierauf ließ ich die Zelte wegnehmen und die Msigo zusammenpacken. Gegen Abend beschenkte ich die Wenigen, welche treu zu mir gehalten hatten, mit Fleisch und Zuckerrohr. Dies war von tiefer Wirkung auf die Anderen; denn für den Neger gibt es, nächst dem Zwange zur Arbeit, keine härtere Strafe als Entziehung seiner Lieblingsspeisen. Die Nacht verbrachte ich mit Rauchen einiger Pfeifen und mit häufigen Rundgängen um das Lager. Ich war zwar fest überzeugt, daß die Leute mich allzu gut kannten, um einen Fluchtversuch zu wagen; doch hielt ich es für meine Pflicht, Nichts zu verabsäumen, was dazu dienen konnte, ein Entweichen zu verhindern. Alles blieb ruhig und die wenigen Leute, welche aufgestanden waren, legten sich, als sie mich auf der Wacht sahen, sofort wieder nieder. So löste sich diese Angelegenheit, welche leicht hätte verderblich werden können, Dank meiner Vorsicht in Nichts auf.

Die zur Reise nöthigen Lebensmittel vertheilte ich gegen Karawanensitte erst am Morgen. Hierdurch sowie durch die ungewöhnliche Langsamkeit der Träger aufgehalten, kamen wir erst gegen acht Uhr zum Aufbruch. Der Sultahn, Banafumo und einer der Aeltesten zeigten uns den Weg und schlachteten außerhalb des Thores ein Schaf, ein erbärmliches Thier, welches unterwegs mehrmals in Folge von Krampfanfällen niedergefallen war und ganz schwarzes und verdorbenes Fleisch hatte, sodaß selbst die nicht sehr eklen Träger es verschmähten, davon zu essen. Beim Abschied forderte Banafumo noch ein Geschenk dafür, daß er durch das Ausstreuen des Unrates und der Eingeweide dieses Viehs unsere Heimreise gesichert habe; der Weg, meinte er, führe ununterbrochen bis an den See.

Sobald die drei großen Herren sich entfernt, hörte jegliche Spur des Weges auf. So wurden wir denn in der unvortheilhaften Meinung, welche wir bereits von den Wadafeta hatten, noch im letzten Augenblicke bestärkt.

Neunzehnter Abschnitt.

Die Rückreise.

Brunnen in der Wüste. — Wiederum in Kisuani und am Paregebirge. — Ein Messungsausflug. — Ueber Gondja nach Mbaramu. — Raubzug der Wateita vom Kadiaro. — Das Königreich Usambara. Lage und Bodenbeschaffenheit. König Kmeri und sein Haus. Reichthum des Landes. — Sultan Rufundu. — Die ersten Wadigodörfer. — Ankunft im Küstenstädtchen Wanga. — Austausch von Neuigkeiten. — Lästige Neugier. — Diwani Pinda und seine Zauberkünste. — Die Nachbarorte Wanga und Magugu. — Marsch nach Pongue. — Frechheit einer Hyäne. — Bestrafte Ungastlichkeit. — Wie die Suaheli ihre Gewehre abfeuern. — Ein Küstenmarsch und seine Leiden. — Letzte Nacht im Freien. — Großartiger Empfang in Mombas. — Lohn und Strafe. — Ergebnisse und neue Pläne. — Böse Nachwirkungen. — Zurück nach Sansibar.

Die herrlichen Jagdgründe am See Jipe mit ihren aufregenden Abenteuern (s. 15. Abschnitt) lagen weit hinter uns, als wir am vierten Abende nach der Abreise von Dafeta unser Lager aufschlugen. Wir hatten die nichts weniger als angenehme Aussicht, Tags darauf mit wunden Füßen noch fünf Stunden durch die sonnenverbrannte Einöde marschiren zu müssen, ehe wir Kisuani, den nächsten bewohnten Ort, erreichten. Dazu stand uns Wassermangel bevor; denn die Träger hatten in unbegreiflicher Sorglosigkeit und Faulheit ihre Wassergefäße nur halb gefüllt und überdies dem geringen Vorrathe bereits so stark zugesprochen, daß den meisten von ihnen nicht ein Tropfen von dem Labetrank mehr blieb.

Als wir am anderen Morgen uns der Stelle näherten, an welcher vor siebenundsechzig Tagen unser Wegweiser von Pare aus, der gelbe Jüngling, uns verlassen hatte mit der Versicherung, daß er keinen Wasserplatz in der Nähe wisse, entdeckten wir in geringer Entfernung seitwärts in einem trockenen Flußbett, oberhalb eines Absturzes der Felsen, mehrere Ngurunga, und zwanzig Minuten weiter unten im Bette desselben Flusses eine noch größere Anzahl solcher Wasserlöcher; mit nicht geringem Verdrusse mußte ich erkennen, wie thöricht es gewesen, dem böswilligen Führer seinen Lohn zu geben. Die halbverdursteten Leute tranken mit Gier von der trüben Flüssigkeit und füllten, durch die Noth des vorigen Tages belehrt, ihre Kitoma bis oben an. Nur wer die Qualen des Durstes kennt, weiß die Wichtigkeit solcher Brunnen in der Wüste zu schätzen; der Reisende aber, welcher in ihnen Erquickung und Rettung gefunden, erinnert sich ihrer mit Entzücken und Dankbarkeit, selbst wenn sie ihm nur halbverdorbenes Wasser geboten hätten.

Gegen Mittag erreichten wir Kisuani. Unser alter Lagerplatz war kaum mehr zu erkennen: Asche und halbverkohlte Stangen bedeckten den Boden, die einzigen Ueberbleibsel der vielen, guterhaltenen Hütten, welche wir vor zwei Monaten vorgefunden. Die Eingeborenen hatten, wie wir alsbald erfuhren, das Lager angezündet, aus Furcht, daß die Masai Gefallen an dem Platze finden und sich hier ansiedeln könnten. Nach Kurzem kamen einige unserer alten Bekannten herbei, unter ihnen auch der junge Häuptling und Stutzer, welcher meine Ehrlichkeit in so niederträchtiger Weise ausgebeutet hatte. Sie baten, wir möchten einige Tage bei ihnen bleiben, doch ließen wir uns hierauf nicht ein, da wir noch genügend mit Lebensmitteln versehen waren.

In unserem alten Lager am Paregebirge, welches wir am folgenden Tage früh elf Uhr erreichten, hielten wir uns bis zum 27. September auf. Thornton benutzte die Gelegenheit zur Besteigung eines entfernten, kegelförmigen Berges, welcher eine umfassende Aussicht zu bieten versprach. Er hatte sich tüchtig plagen müssen, um die für unsere Karte so wichtigen Winkel zu erhalten. Als er sich durch Dornendickicht und Gestrüpp mühsam hindurchgearbeitet und die steile Höhe bis etwa zur Hälfte erklommen hatte, vernahm er vier Flintenschüsse vom Lager her. Lange Zeit war er ungewiß, ob ich ihn habe zurückrufen wollen, ob ein Gefecht mit den Eingeborenen entbrannt oder was es sonst sei, verfolgte jedoch schließlich seinen Weg weiter, weil er in der Gegend des Lagers mit dem Fernrohre nichts Verdächtiges entdecken konnte und er, falls wirklich ein Kampf stattfände, doch zu spät im Lager angekommen sein würde. Auf der bewaldeten Kuppe bot sich ihm nur von einem ungeheuren, von der Sonne durchglühten Felsblock aus, welcher in einem Winkel von 25 Grad geneigt war, eine Umschau nach allen Seiten des Gesichtskreises. Hier pflanzte er sein Instrument auf und maß — barfuß dastehend, weil er in Stiefeln ausgerutscht wäre — mehrere hundert Winkel nach wichtigen Aussichtspunkten. Mit halbgerösteten Fußsohlen kam er nach zweistündigem Marsche gegen Sonnenuntergang im Lager an und vernahm hier zu seiner Beruhigung, daß wir mit den Flintenschüssen nur die Eingeborenen zu Markte zu rufen bezweckt hatten.

Ich lernte hier einen merkwürdigen Neger kennen. Einer der entfernt wohnenden Parehäuptlinge ließ mich ersuchen, nach einer etwa zehn Minuten vom Lager entfernten Stelle zu kommen, weil er, wie sein Bote sagte, mit den hiesigen Leuten in nicht besonders gutem Einvernehmen stände. Ohne vorher und nachher eine Forderung zu stellen, überreichte er mir ein Kalb und bat mich, ich möchte, wenn ich wieder einmal nach Pare käme, doch in seinem Gebiete lagern, damit auch seine Leute Vortheil aus dem Verkaufe von Lebensmitteln zögen. Ein Mpare, welcher nicht bettelt und dem Fremden Zutrauen schenkt, verdient gewiß alle Anerkennung! Selbstverständlich entschädigte ich ihn sofort nach meiner Rückkehr ins Lager in angemessener Weise.

Da der Markt nicht so ergiebig war, als ich erwartet, beschloß ich nach Berathung mit dem getreuen Mnubie, mich ohne weiteren Aufenthalt nach Mbaramu an der Nordgrenze von Usambara zu wenden. Beim Aufbruch am Morgen des 28. fand sich wider Erwarten kein Führer ein; wir gingen also auf gut Glück in östlicher Richtung, jedoch mit weiten Bogen nach beiden Seiten, verwärts. Gegen zehn Uhr erreichten wir einen Platz Namens Gondja, welcher häufig von Karawanen besucht wird; er liegt drei Viertelstunden von der Parekette entfernt, durch einen schilfbewachsenen Sumpf von ihr getrennt. Das zackige, blaue Gebirge, auf dessen Höhe wir einen prächtigen Wasserfall, einem silbernen Faden vergleichbar, bemerkten, gewährt einen überaus schönen Anblick. Wir blieben einige Stunden lang und bereiteten unser Mittagessen, weil, den Aussagen der Leute zufolge, bis Mbaramu kein Wasser mehr zu finden war. Auch diesen Halt benutzte mein unermüdlicher Begleiter zur Vervollständigung seiner Winkelmessungen.

Der weitere Weg führte durch eine einförmige, rechter Hand von den Pare- und Usambarabergen begrenzte Ebene. Tiefe Risse von solcher Breite, daß man den Fuß hineinsetzen konnte, durchzogen den dürren, von hohem, stachlichen Grase und einzelnen Dornbüschen bestandenen Boden und erschwerten das Gehen ungemein. Da uns auch unsere wunden Füße viel Ungemach verursachten, kamen wir nur langsam vorwärts. Inmitten der Einöde, an einer Stelle, wo wir den herrlichen Kilimandscharo während dieser Reise zum letzten Male zu sehen bekamen, schlugen wir das Lager auf.

Mnubie bat mich, nächsten Tages schon um vier Uhr aufzubrechen, damit wir Mbaramu möglichst zeitig erreichten. Trotz der Nähe des Zieles marschirten die Träger ungewöhnlich langsam, sodaß die Karawane sich oft auf eine halbe Meile verlängerte. Viele klagten, daß ihre doch so sehr erleichterten Mſigo zu schwer wären: um dem Uebelstande abzuhelfen, nahm ich den Unzufriedenen die Gegenstände, welche sie unterwegs für sich erhandelt hatten, und streute sie auf den Weg — Keiner wagte wieder, sich zu beschweren.

Ermüdet und durstig kamen wir eine Stunde vor Mittag auf dem Karawanenhalteplatze Mbaramu an. Die Eingeborenen, welche sich kurz nachher einfanden, sahen durchschnittlich gut aus und benahmen sich bescheiden und höflich. Im Aeußeren glichen sie den Wapare. Viele von ihnen trugen Bogen und Pfeile, andere führten Suahelimesser und einer sogar eine Flinte; alle aber hatten Tabakspfeifen bei sich. Sie waren zumeist der Suahelisprache mächtig und erboten sich auf meine Anfrage, drei meiner Leute zum Sultahn Rufundu, dem Sohne des Königs Kmeri von Usambara, zu geleiten, um ihn aufzufordern, einen Markt für die Karawane zu eröffnen.

Im Verlaufe der Unterhaltung erfuhren wir, daß die Wateita vom Kadiaro vor zwei Monaten, also kurz nachdem wir sie verlassen, in Usambara eingefallen und bis zur Hauptstadt Fuga vorgedrungen wären, unterwegs sämmtliche Dörfer verbrannt und Weiber, Kinder und Vieh in Menge mit sich fortgeschleppt hätten — vermutlich um sich dafür schadlos zu halten, daß sie uns nicht hatten berauben können. Die Wasambara fürchten die Wateita über alle Maßen und behaupten, daß diese im Besitze mächtiger Arzeneien sind, durch welche sie sich selbst bei gefährlichen Verwundungen am Leben erhalten. Nur durch diesen Glauben wird es erklärlich, daß die mit Flinten bewaffneten und gutgeschulten Kriegerscharen der Wasambara von ihren Gegnern soweit zurückgetrieben werden konnten.

Usambara ist eines der merkwürdigsten Gebirgsländer des an Gegensätzen so reichen Ostafrika. Abyssinien bildet ein hohes, von Schluchten zerrissenes Tafelland; Dschagga besteht aus einem bewohnten Gürtel Landes rings um den einzelnstehenden Riesenberg Kilimandscharo: Usambara gleicht einem Walde von Bergen, welche auf der einen Seite sich steil erheben und, ohne breite Kuppen zu bilden, auf der anderen wieder ebenso schroff abfallen, breitere und schmälere, fruchtbare Thäler zwischen sich lassend. Wie seine Bodenbeschaffenheit unterscheidet sich auch seine Einwohnerschaft von jener der uns bisher bekannt gewordenen Länder — die Wasambara betteln nicht; ebenso ist auch die Regierungsform abweichend — ein mächtiger König herrscht unumschränkt, alle Bewohner des Landes sind seine Sklaven, und alle Statthalter- und sonstigen Beamtenstellen ruhen in den Händen seiner Familienglieder, werden von den Hunderten seiner Söhne und Töchter bekleidet.

Wir kennen Usambara hauptsächlich durch die Berichte, welche Krapf über seine beiden Reisen nach diesem Lande veröffentlichte. Was Burton und Speke bei ihrem Besuche im Jahre 1857 hinzufügten, ist im Allgemeinen unwesentlich; denn beide unternehmende Reisende kamen zur schlechten Jahreszeit ins Land und hatten nicht wie der Missionär die Absicht, Land und Leute genauer kennen zu lernen, wollten vielmehr mit ihrem Besuche nur einen Theil der freien Zeit ausfüllen, welche ihnen bis zum Beginn ihrer grossen Reise blieb. Ihr Hauptverdienst, die Bestimmung der Lage von Fuga, der Hauptstadt des Landes, ist nicht so fest begründet, wie Viele meinen; uns will es vorkommen, als ob

Usambara nach wie vor noch in der Luft schwebte, als ob vor Allem die Verbindung mit den benachbarten Gebieten Pare und Mbaramu fehlte oder durch einen viel zu weiten Zwischenraum gestört wäre. Usambara bietet also künftigen Reisenden noch ein reiches Feld der Forschung, umsomehr als auch über die Beschaffenheit seiner Berge, über die Schätze, welche sie enthalten, und über das Thier- und Pflanzenreich noch gar Nichts bekannt ist, trotzdem daß dieses Land nur wenige Meilen von der Küste entfernt und der Insel Sansibar gerade gegenüber liegt. Daß Usambara Wunder bergen muß, verräth schon seine eigenthümliche Bildung und seine Lage am Beginne der großen Ebene des Inneren, dafür spricht Alles, was wir bisher von dort erfahren.

Die bequemste Straße von See aus führt längs des stattlichen Panganistromes hin, welcher bis mehrere Meilen oberhalb seiner Mündung befahren werden kann, späterhin aber durch großartige Wasserfälle und durch zahlreiche, bewaldete und bewohnte Inseln unschiffbar wird; sie geht jenseit des schmalen, von Suaheli bewohnten Küstensaumes durch das Land der bereits von Usambara abhängigen Waschensi (d. i. Unterworfene, Besiegte), dann an den südlichen Ausläufern der Gebirge hin durch ein Gebiet, welches alle Schönheiten einer tropischen Berglandschaft in sich vereinigt. Andere Wege eröffnen sich dem Reisenden von Osten oder Norden her; aber sie führen über Berg und Thal in ununterbrochener Folge und ermüden deshalb den nicht ans Klettern Gewöhnten ungemein; in Bezug auf sie sagt Krapf, daß er lieber die weite Reise nach Ukambani und dem Keniaberge wiederholen als über die Berge nach Fuga gehen wolle, wo er die steilen Kämme zu erklimmen habe, nur um auf der anderen Seite wieder hundert und tausend Fuß tief in die Thäler hinabzusteigen, und so tagelang in Einem fort sich abmühen müsse, bis er endlich halbtodt vor Erschöpfung das Ziel erreiche.

Wie in Abyssinien, ist auch in Usambara der Reisende, sobald er des Landes Grenze betritt, des Königs Gast; er wird vom Landesherrn mit Lebensmitteln versehen, erhält Träger zum Weiterschaffen des Gepäcks und, wo er rasten will, ein Haus, um darin wohnen zu können. Dafür muß selbstverständlich dem König ein Geschenk überreicht werden, doch befreit diese einmalige Abgabe von den fortwährenden Erpressungen der kleinen Häuptlinge, welche anderswo so lästig werden. Hier wagt es keiner der Statthalter, zu betteln oder auch nur ein Geschenk anzunehmen, weil er weiß, daß er sich dadurch der strengsten Strafe seines Herrn aussetzen würde; ebenso untersteht sich auch Niemand, dem Fremden in anderer Weise zu nahe zu treten. Krapf kann die Annehmlichkeit des Reisens in Usambara, „wo das Ungeheuer der Bettelei unbekannt ist", nicht genug rühmen und wünscht anderen, unbotmäßigen Stämmen, bei denen jeder Dorfschulze sich die Rechte eines Sultahns anmaßt, eine ebenso straffe Regierung: ihm ist die republikanische Verfassung bei ostafrikanischen Völkerschaften ein Gräuel.

Kmeri, der jetzige König von Usambara, ein steinalter, unansehnlicher Mann, ist der vierte Herrscher seines Stammes. Sein Urgroßvater, von den Ngubergen am Panganiflusse stammend, gründete das Reich. Anfänglich umfaßte es nur Usambara im engeren Sinne, das eigentliche Alpenland; hierzu eroberte Kmeris Vater noch den östlich gelegenen Bezirk Bondei und Kmeri selbst das Gebiet der Waschensi sowie theilweise das der Wadigo. Späterhin gingen Theile der Herrschaft, namentlich in Folge der Einführung von Feuergewehren, verloren: die im Süden des Reiches seßhaften Wasegua schafften sich zuerst die neuen Waffen an und gewannen dadurch eine gefährliche Ueberlegenheit über Kmeris Macht. Ebenso wurde das Verhältniß zu den die Küste bewohnenden Suaheli immer lockerer.

Der König genießt die größte Achtung und Verehrung bei seinen Unterthanen. Oefters kommen angesehene Leute, um ihn zu fragen, womit sie ihm zu Diensten sein, ihm ihre Ergebenheit beweisen könnten, und unterziehen sich dann mit Eifer der ihnen gestellten Aufgabe, welche gewöhnlich darin besteht, daß sie ein Stück Land umgraben. Jedenfalls hat dieser ungewöhnliche Einfluß hauptsächlich darin seinen Grund, daß Kmeri, so zu sagen, allüberall im Lande gegenwärtig ist, zwar nicht persönlich, aber doch durch seine Familie, durch seine Söhne und Töchter, welche alle wichtigen Stellen einnehmen. Er besitzt dreihundert Frauen, theils von ihm selbst gewählte, theils solche, deren berechtigt erfundene Gesuche er genehmigte. Die diesen Verbindungen entsprossenen Kinder, nicht weniger als vierhundert an Zahl, werden zum königlichen Geschlechte gerechnet und bei ihrer Volljährigkeit mit einer Regierungsstelle betraut. Kmeri hat also die Vielweiberei nicht allein aus sinnlichen, sondern wesentlich mit aus politischen Gründen eingeführt, ganz im Gegensatz zu dem Beherrscher von Schoa, welcher die mit seinen fünfhundert Weibern gezeugten Kinder einsperrt und von der Regierung fern hält. Einzig durch dieses „System“ ist es Kmeri möglich geworden, eine hundertarmige Gewalt herzustellen, welche eigenmächtige Regungen und Aufstände unterdrückt, Ordnung und Ruhe erhält. Nur einmal fand in Usambara eine Empörung statt: ein Bruder des Sultahns warf sich zum unabhängigen Beherrscher des entfernt liegenden Berges Msihi auf.

In Usambara herrscht eine regelmäßige Thronfolge. Kronprinz oder Sebuke ist aber nicht der älteste Sohn des Königs, sondern der nach seiner Krönung zuerst Geborene; und dieser, sobald er mannbar geworden, hat seinen Sitz in dem Gebiete von Bumburri, welches er nicht verlassen darf. Wenn der herrschende König gestorben ist, zieht der Sebuke feierlich als Herrscher in der Hauptstadt Fuga ein. Er hat das Recht, alle bisherigen Statthalter abzusetzen und die so erledigten Stellen an seine Nachkommen zu vergeben.

Simba wa Muĕne („der Löwe ist er selbst“ — so wird Kmeri gewöhnlich genannt) hält sich eine als Waïngrese oder Engländer bezeichnete Leibgarde. Eine andere Abtheilung seines Heeres bilden die Waduruma, die Soldaten des Kronprinzen in Bumburri, und eine dritte die Wapuna oder Soldaten der Statthalter. Die Hauptaufgabe der Krieger besteht darin, den Befehlen des Königs Nachdruck zu verschaffen und die Steuern einzutreiben; im Kampfe werden sie selten gebraucht, weil die seßhaften Nachbarstämme nicht daran denken können, das bergige Usambara zu erobern, einfallende Raubstämme aber, wie Masai und Wakuafi, das Land wieder allzu schnell verlassen, als daß die bewaffnete Macht sich ihnen entgegenstellen könnte.

Die Wasambara sind kräftig gebaute, hellfarbige Leute, welche in Bezug auf Ausdauer bei der Arbeit die Bewohner der Küste und der Ebene bedeutend übertreffen. Behend und mit Leichtigkeit klettern sie, schwere Bündel auf dem Haupte tragend, ihre steilen Berge auf und ab, während die Wanika z. B. selbst unbelastet die Anstrengung des Steigens nur kurze Zeit zu ertragen vermögen. Sie leben hauptsächlich von Ackerbau und Viehzucht. Trotz des Reichthums ihres Landes sind sie arm zu nennen, weil ihnen der König ihren Ueberfluß nimmt und sie sich scheuen, blos zum Besten des Herrschers Reichthümer zu sammeln, zugleich aber auch, weil der Handel ein außerordentlich beschränkter ist. Allerdings stehen ihnen die Wege nach dem reichen Dschagga, nach dem Lande der Masai und Wakuafi und nach der Küste offen; mit ein wenig Unternehmungsgeist würden sie in Kurzem alle umwohnenden Völker an Wohlhabenheit übertreffen: aber sie überlassen die Ausbeutung dieser Vortheile den Suaheli und Arabern an der Küste! Daß sie nicht daran denken, andere Schätze ihres Landes, wie das ausgezeichnete Zuckerrohr ihrer Thäler und den Tabak, welcher auf ihren Bergen wächst, in angemessener Weise zu verwerthen, darf uns hiernach wenig verwundern.

Eben diese Verhältnisse, welche die Wasambara selbst am Aufschwunge hindern, würden für unternehmende Fremde, welche sich im Lande niederlassen wollten, von größtem Vortheile sein; sie brauchten die Eingeborenen und ihren Herrscher nur ein wenig zu beeinflussen und zu leiten, um den reichsten Gewinn zu ziehen. Ein Beispiel hierfür genüge. Es würde ein Leichtes sein, den König Kmeri, welcher den Europäern überaus freundlich gesinnt ist und deren Niederlassung im Lande wünscht, zu einem ähnlichen Geschäfte zu bewegen, wie es der Sultahn von Sansibar schon früher einmal eingegangen ist: daß er nämlich Zuckerrohr in gewünschter Menge bauen läßt, während die Europäer es weiter zu Zucker verarbeiten. Solches Geschäft würde in Usambara mit noch viel größerem Erfolge betrieben werden können, als in Sansibar; denn hier sind Arbeitskräfte und Lebensmittel billig, und ergiebige Wasserkräfte machen die kostspielige Aufstellung und Erhaltung von Dampfmaschinen unnöthig. Usambara liegt nahe genug an der Küste, um das Erzeugniß dieser Industrie ohne große Kosten auf den Markt bringen zu lassen; man würde die nöthigen Träger entweder vom Könige selbst erhalten oder könnte sie für 1/2 bis 3/4 Thaler monatlich miethen. Daß Kmeri durchaus nicht abgeneigt ist, Europäern in seinem Lande Aufenthalt zu gestatten, dafür finden wir in den Aufzeichnungen Krapfs einen Beleg: der Missionär erhielt auf seine Bitte ohne Weiteres den Berg Tongüe geschenkt, um darauf eine Schule errichten zu können! Wie viel mehr müßte Kmeri nicht zur Abtretung von Land geneigt sein, wenn er greifbaren Vortheil von solcher Niederlassung ziehen könnte?

Kurz nach Mittag des 30. September kehrten die abgesandten Boten zurück und berichteten, daß sie erst gestern Abend die Stadt Rufundu's erreicht, aber von den früheren vierhundert Hütten nur noch drei vorgefunden hätten. Rufundu wäre anfangs nicht Willens gewesen mit ihnen zu gehen, weil er den Europäern Nichts anbieten könne und sich seiner Armut schäme; doch hätte er endlich noch eine Ziege aufgetrieben und sich damit auf den Weg gemacht. Eine halbe Stunde später erschien er.

Rufundu ist ein großer, starker Mann in den vierziger Jahren, von heller Farbe, doch mit ausgeprägten Negergesichtszügen. Ein Feß, ein buntes, um die Lenden geschlagenes und ein über die Schultern geworfenes Tuch bildeten seine Bekleidung. Sein Gefolge bestand aus seinem ersten Rath und Zauberer, sechs halb mit Bogen und Pfeilen, halb mit Lanzen und Schilden bewaffneten Soldaten und drei Knaben, von denen der eine sein Gewehr, der andere sein Schwert, der dritte seine Pfeife trug. Er benahm sich höflich und zuvorkommend, versicherte zu wiederholten Malen, daß er mir wirklich nichts Besseres anzubieten habe als die mitgebrachte Ziege und bat, seinen Vater Kmeri Nichts wissen zu lassen, daß er mich so wenig standesgemäß aufgenommen habe. Nachdem er sein Geschenk empfangen, ersuchte er mich, nach einem zwei Meilen entfernten Marktplatze mitzukommen. Dort fand ich eine Menge Leute mit Lebensmitteln vor; aber es gelang mir nicht, ein Geschäft mit ihnen abzuschließen: sie behaupteten, das Baumwollenzeug sei zu schlecht gemessen, maßen es aber auch nicht selbst ab, wie ich ihnen vorschlug — denn sie wußten, daß sie dabei viel schlechter wegkommen würden — und hörten auch auf die Ermahnungen ihres Sultahns nicht. Ohne das Geringste gekauft zu haben, entfernte ich mich. Die Wasambara hielten Dies anfänglich nicht für Ernst; als sie aber sahen, daß ich nicht zurückkehrte, riefen sie mir Schmähungen nach, klagten dann, daß sie ihre Waaren umsonst herbeigebracht haben sollten, und forderten den Wiederbeginn des Handels. Meinen alten Grundsätzen getreu, ließ ich mich auf ihr Begehren nicht ein. Freilich hätte ich hierdurch leicht in schlimme Lage kommen können, da ich nur noch Lebensmittel für zwei Tage besaß, während der nächste bewohnte Ort vier Tagereisen entfernt war; doch glückte es mir, folgenden Tages im Lager noch soviel zusammenzukaufen, daß ich nothdürftig fünf Tage damit auskommen konnte.

2. Oktober. Zum letzten Mal auf dieser Reise verließen wir heute das Gebiet der Binnenländer. Vor uns lag die weite Einöde, doch zugleich auch die Aussicht, nach der

Ankunft an der Küste aller Mühsal überhoben zu sein. Beschwerliche Tage waren es freilich, welche uns noch bevorstanden; denn das Fußleiden von uns Europäern war eher schlimmer als besser geworden. Auf vielfach gekrümmten Wegen, zur Linken den Umbafluß, zur Rechten die nördlichen Ausläufer von Usambara, die sonderbar geformten Bergmassen des Dalaoni, Sosi und Msihi, näherten wir uns der Jerewihügelkette. Auf dem tagelangen Marsche begegneten wir keinem menschlichen Wesen. Früher soll die Ebene theilweis bewohnt gewesen sein; wenigstens befand sich noch vor Kurzem auf dem Hügel Sogoroto eine Ansiedelung der Wakuafi.

Am 5. Oktober erreichten wir Jeja Mkuba, ein nicht unbeträchtliches, ringsum mit einem starken Pfahlzaun umgebenes Dorf der Wadigo, inmitten ausgedehnter Pflanzungen von Mhogo und Mtama, von Bananen und Kokospalmen gelegen: der Anblick der königlichen Palmen, des sichersten Anzeichens von der Nähe der See, erfüllte uns mit Entzücken. Wir rasteten unter einem Baume nahe dem Thor des Dorfes und wurden von den in Menge herbeigeeilten Eingeborenen mit Herzlichkeit begrüßt.

Die Wadigo zeichnen sich in mehrfacher Beziehung vor ihren nördlichen Brüdern, den Wanika, aus, nicht nur durch Gesichtsausdruck und Benehmen, sondern auch durch die Bauart ihrer Hütten, welche viereckig sind, wie die der Suaheli, und nicht von der sonst üblichen Bienenkorbform. Die Männer sind reichlich mit weißem und buntfarbigem Baumwollenzeug versehen. Sie brauchen zwei Stücke davon, das eine als Leibschurz, das andere, um es über die Schulter zu legen. Einige von ihnen haben schöngearbeitete Schwerter und mannslange Bogen, für welche sie die nöthigen Pfeile in der Hand bei sich führen. Weiber tragen um die Lenden einen reich mit Perlen verzierten, doppelten Schurz oder Unterrock, um den Hals wenige Schnüre von Glasperlen.

Auch im nächsten Dorfe, in Jeja Mikueni, wo wir unser Nachtlager aufschlugen, fanden wir freundliche Aufnahme. Ich erhandelte, allerdings zu ziemlich hohen Preisen, Lebensmittel für zwei Tage und gewann eine Bereicherung für meine Sammlung, nämlich zwei Bogen und einige Pfeile; Schwerter wollte man sonderbarer Weise nicht verkaufen.

6. Oktober. Mit Beginn der Tageshelle setzten wir unseren Weg fort durch ausgedehnte Pflanzungen von Bananen und Getreide. Nach einer Stunde langten wir am Rande des Hochlandes an und sahen zum ersten Male wieder das Meer. Für den Reisenden, welcher von langer Landreise zurückkehrt, hat der Anblick der herrlichen See etwas tief Ergreifendes; die Küste erscheint ihm als ein Stück Heimat, als das gelobte Land! Wir fühlten uns neubelebt, achteten der Ermüdung und der schmerzhaften Wunden nicht und schritten rüstig auf steilem Wege bergab, dem nahen Wanga zu. Noch hatten wir indeß nicht alle Schwierigkeiten überwunden; denn, nachdem wir einen Marktplatz der Wadigo und das ausgedehnte Dorf Jassini hinter uns gebracht, geriethen wir in Manglesümpfe, in zeitweise überschwemmtes, von schlammigen Salzwasseradern durchzogenes Land, mußten darauf noch den hier brackigen Umbafluß sowie eine Strecke knietiefen Schlammes durchwaten und kamen erst nach neun Uhr wieder auf festen Boden. Sobald wir die Häuser von Wanga erblickten, gaben wir eine Freudensalve ab. Die halbe Einwohnerschaft strömte heraus, freundlich grüßend und höchlich verwundert, daß wir lebendig zurückgekommen: sie hatten von Mombas aus gehört, daß wir bis auf den letzten Mann von den Wateita getödtet wären. Wie wilde Thiere wurden wir angestaunt und wie Kriegshelden bewundert. Mit süßen Schauern lauschten die vor Neugier fast Vergehenden den unglaublichen Lügen der Träger über den fabelhaften Schneeberg Kilimandscharo und über die bestandenen Fährlichkeiten.

Naia, der einzige Banian des Ortes, überließ uns sein Haus, eine erbärmliche Hütte zwar, welche nicht einmal gegen Regen geschützt hätte, in unseren Augen aber ein Palast;

denn wir hatten gerade hundert Nächte im Freien zugebracht, und ein behagliches Gefühl durchdrang uns bei dem Gedanken, wieder einmal unter Dach und Fach zu sein und — mit Bequemlichkeit ausschlafen zu können. Der Banian versorgte uns mit Wasser, Kokosnüssen, Bananen und Ananas; ein Suaheli, Namens Raschidi, schickte uns Datteln, und ein Araber, Sani ben Soliman aus Mombas, bewirthete uns in seinem Hause mit köstlichem Reis und Curry. Solch freundlicher, durch keinen Empfehlungsbrief erzwungener Empfang that unserem Herzen wohl, nachdem wir soviel Ungemach durch die Habsucht und Bettelei der Bewohner des Inneren erduldet.

Wir waren die Löwen des Tages, allerdings mehr zum Vergnügen der Einwohner als zu unserem eigenen. Unablässig wogte die Menge im Hause ein und aus; es entstand in Kurzem eine Hitze zum Verzweifeln, doch wollten wir die Zudringlichen, da sie überaus freundlich waren, nicht ohne Weiteres entfernen lassen. Nachdem die Neuigkeiten aus dem Inneren erfragt worden waren, kramte man die hiesigen aus: man erzählte, zwei große Dampfer aus Indien hätten Seid Bargasch, den Bruder des Sultahns, aus der Verbannung zurückgebracht und den englischen Konsul abgeholt; ein großes, französisches Schiff mit sicherlich tausend Soldaten an Bord hätte Sansibar besucht und heimwärts Briefe mitgenommen, in denen der Sultahn sich über das Verhalten des englischen Konsuls beschwerte; die Engländer hätten sich auf Seeraub gelegt, sie nähmen längs der ganzen Küste alle Fahrzeuge, welche sie in ihre Gewalt bekämen, und verbrennten sie u. s. w. u. s. w. So dauerte es wol eine Stunde lang, bis die Besucher sich ausgeschwatzt hatten und uns in Ruhe ließen. Wir benutzten unsere Freiheit, um uns mit einem Bade zu erquicken, und vergönnten uns die mehrere Tage lang nicht gekannte Wohlthat reiner Wäsche; kaum aber wir mit waren Ankleiden fertig, so kamen die Wangalente von Neuem herein und brachten wiederum eine wahre Ofenhitze hervor, welche wir, da draußen kein Lüftchen wehte, nicht einmal durch Offenlassen der Thüre beträchtlich mildern konnten.

Nachmittags besuchte ich den Diwani oder Bürgermeister des Städtchens, einen steinalten Araber Namens Pinda, welcher schon dem Vater Seid Madjids als vertrauter Rath gedient hat. Er ist seit nunmehr siebenunddreißig Jahren im Amte und genießt bedeutenden Einfluß in Stadt und Umgegend. Bei allen wichtigen Gelegenheiten, bei schweren Krankheiten und dergl. m. wird Pinda als Arzt und Zauberer um Rath gefragt. Seine Berühmtheit gründet sich hauptsächlich auf folgende Thatsache: vor etwa zehn Jahren erschien ein Streifzug der Masai in der Nähe von Wanga; man hatte die Stadt bereits aufgegeben und sich auf Fahrzeuge geflüchtet, um wenigstens das Leben zu retten; da ging Pinda allein und ohne Waffen auf die Feinde zu und schleuderte ihnen ein kräftiges Zaubermittel (ein schwarzes Huhn und eine reife Kokosnuß) entgegen — die gefürchteten Horden ergriffen sofort die Flucht. Von dieser Zeit an wagt keine Karawane mehr, eine Reise in das Innere anzutreten, ohne mit einem Grigri Pindas, mit einer geweihten Flagge, versehen zu sein; man glaubt steif und fest, daß Pindas Zaubermittel die Karawane unsichtbar mache und so vor den Angriffen räuberischer Stämme schütze, daß es Raubthiere fern halte u. dergl. mehr. Pinda hat sich durch den Verkauf dieser sogenannten Bendera — welche nur aus kleinen, mit arabischen Worten und Geheimzeichen beschriebenen, bunten oder weißen, wollenen oder baumwollenen Lappen bestehen, aber je nach der Größe der Karawane und nach dem Reichthum des Unternehmers mit zwanzig bis dreihundert Thalern bezahlt werden — ein bedeutendes Vermögen erworben. Als ich meine Reise in Mombas vorbereitete, fragten die sich meldenden Träger fast ausnahmslos, ob ich eine solche Bendera hätte, und vernahmen mit Erstaunen und Unwillen, daß ich ohne diesen Grigri durchzukommen gedächte. Der schlaue Afjani, welcher voraussah, daß meine Ehrlichkeit mir Unannehmlichkeiten bereiten könne, sagte den Leuten geheimnißvoll, „ob sie denn nicht wüßten, daß ich eine neue

Zauberflagge von noch viel größerer Kraft als die arabische mitnähme? die Wasungu pflegten eine solche nicht vor der Karawane herzutragen, sondern auf den Knopf des Zeltes zu befestigen“ (er meinte meine Windfahne). Wie viel Bedeutung man im Inneren einer Flagge zumißt, hatte ich bei mehreren Gelegenheit in Dschagga erfahren.

Der Diwani saß, geschmückt mit einem schönen, seidenen Turban, in der Barasa seines großen Hauses und begrüßte uns beim Herankommen freundlich, doch mit kaum vernehmbarer Stimme. Das Alter hatte ihm stark zugesetzt, obschon sein kräftiges Aussehen Dies nicht vermuten ließ. Gehör und Gesicht waren in merklicher Weise geschwächt, und auch sein früher so mächtiger Einfluß schien im Laufe der Zeiten gelitten zu haben. Hiervon erlebten wir selbst ein Beispiel. Einem der Träger war über Nacht ein Gewehr gestohlen worden. Pinda, welchem Dies alsbald gemeldet wurde, gerieth außer sich vor Scham und Zorn und ließ unverweilt in der Stadt bekannt machen, daß er eine mächtige Medicin bereitet habe, in Folge deren der Dieb, wenn er das Gewehr nicht schleunigst zurückbrächte, noch in derselben Nacht unter fürchterlichen Schmerzen sterben würde. Der mit der Verkündung dieser Botschaft betraute Mann schlug, um die Leute aufmerksam zu machen, an ein Büffelhorn, ganz ebenso, wie man bisweilen in Sansibar zu beobachten Gelegenheit hat. Dort, ruft der Hornschläger, nachdem das Volk sich um ihn gesammelt: „mbiu ja Seid Madjidi ben Saidi ben Sultahni; mbiu ja ngambo jekilia innjambo!“ (Das ist das Horn Seid Madjids, des Sohnes Said ben Sultahns; das Horn klingt nicht umsonst, es klingt um einer wichtigen Sache willen!), und nach dieser feststehenden Formel folgt die Bekanntmachung, daß ein Sklave abhanden gekommen ist und der ehrliche Finder zehn Thaler erhalten, Derjenige aber, welcher ihn bei sich versteckt, für ein Jahr ins Gefängniß geworfen werden soll, sobald der Sultahn Nachricht erhält; — oder vor dem Ende des Nordostmonsuns: Jedermann, der einem Banian oder Indier oder Araber etwas schuldig ist, soll es zurückgeben, bevor diese abreisen; thut er es aber nicht, so wird er auf Lebenszeit eingesperrt werden, und Aehnliches. Hier in Wanga berief sich der Hornschläger auf den alten Diwani Pinda statt auf Seid Madjid. Ob er nun nicht laut genug geschrieen, sodaß dem Missethäter die Nachricht nicht zu Ohren kam, oder ob dieser die Zaubermacht Pindas für nicht gefährlich hielt, der Erfolg war, daß das Gewehr nicht abgegeben wurde. Pinda schämte sich gewaltig.

Am Morgen des 7. Oktober kamen die Besucher wieder scharenweise, theils unter dem Vorwande, Etwas zu verkaufen, theils, „um dem Msungu ihre Ehrfurcht zu beweisen“. Diese Ehrenbezeugung oder Neugier wurde so lästig, daß ich mich schließlich doch genöthigt sah, die Wohnung räumen zu lassen und zwei Leute als Wache davor zu stellen, damit Niemand mehr ohne Erlaubniß einträte.

Im Laufe des Tages kaufte ich eine Sammlung von Lanzen, Schwertern, Pferdeschweifsceptern, Schellen, Löffeln, Armbändern u. dergl., welche von den Karawanen aus dem Inneren gebracht worden waren. Sonderbarer Weise erkannte man die noch in Mombas so beliebten Pesa nicht als Tauschwerth an, verlangte vielmehr, daß ich erst Reis oder Mtama für das Geld kaufte und mit diesem unmittelbar zu verwerthenden Stoffe Zahlung leistete: Pesa waren nur als Geschenk loszuwerden. Diese Eigenthümlichkeit des Wangahandels rührt jedenfalls daher, daß der Seeverkehr mit Sansibar und anderen Küstenorten sehr unbedeutend ist, obschon der Landhandel nach dem Inneren durchaus nicht unterschätzt werden darf.

Wir unternahmen am Nachmittag einen Spaziergang in Begleitung des Banians, welcher uns bat, die Stadt ein wenig zu durchwandern, weil die Weiber überaus neugierig wären, uns zu sehen, und doch bei Tage ihre Wohnungen nicht verlassen dürften. Wanga zählt etwa dreihundert mit Palmblättern gedeckte Lehmhütten. Die geraden, breiten Straßen, einige mit Palmen bestandene Plätze und die überall herrschende Sauberkeit gefielen uns ausnehmend, wenigstens im Vergleiche zu Dem, was wir in Mombas und Sansibar gesehen hatten. Jetzt wird der Ort, zum Schutze gegen die Masai, mit einer Mauer umgeben. Ein kaum zwanzig Schritt breiter Meeresarm, welcher selbst bei Hochflut nur für kleine Fahrzeuge zugänglich ist, verbindet Wanga mit der See. Auf den übrigen Seiten ist die Stadt zumeist von sumpfigem, oft überfluteten Lande umgeben. Trotzdem und obgleich es nur brackiges Trinkwasser gibt, ist der Gesundheitszustand der aus Suaheli und einigen arabischen Mischlingen bestehenden Einwohnerschaft kein schlechter.

Nachdem wir alles Bemerkenswerthe gesehen, führte der Banian uns nach dem Nachbarstädtchen Magugu. Wol eine halbe Stunde lang hatten wir durch Manglesümpfe zu waten, ehe wir die zu Wasser kaum fünf Minuten entfernte Ortschaft erreichten. Magugu liegt womöglich noch schlechter als Wanga; dort wenigstens wird nur die Umgebung vom Meere überschwemmt, hier aber stehen die Straßen selbst bei Hochflut anderthalb Fuß hoch unter Wasser. Als Merkwürdigkeit wissen wir nur eine kleine, steinerne Moschee zu erwähnen, welche vor einigen Jahren von einem glücklichen Elephantenjäger gestiftet wurde. Die Bewohner von Magugu empfingen uns freundlich und mit den üblichen Ehrenbezeugungen: sie schlugen die große Trommel, brachten Kokosnüsse zum Geschenk und begleiteten uns beim Abschied bis nach Wanga zurück. Gegen Abend gaben die jungen Leute beider Städte uns zu Ehren Kriegsspiele zum Besten, Scheinkämpfe in zwei Abtheilungen, von denen die eine sich Engländer, die andere Franzosen nannte, „denn“, sagte man, „es gibt keine schlimmeren Feinde als diese Beiden“. Leider hatten sie Grund zu dieser Annahme; beide große Nationen haben, zum Nachtheile des Reisenden und der Gesittung überhaupt, ihre kleinen Eifersüchteleien bis an diese entlegene Küste getragen, sodaß schon die Kinder die Zusammenstellung „Franzosen und Engländer“ in demselben Sinne, wie wir „Hund und Katze“, gebrauchen.

Spät am Abende sammelten sich noch viele Kranke vor unserem Hause. Wir halfen ihnen bereitwillig, soweit unsere Kunst und unser Vorrath von Arzeneien reichte. Unter den Hilfesuchenden wurden mehrere unverschleierte Mädchen von vierzehn bis sechzehn Jahren zu uns gebracht; sie thaten fast unbegrenztes Zutrauen in unsere Wissenschaft kund, klagten, sobald ihre Verwandten sich entfernt, unbedenklich ihre Leiden und entblößten sogar, um eine schmerzhafte Wunde oder Beule zu zeigen, ohne Scheu die Brust: die strenge muslimitische Sitte hat hier an der Küste bei den Eingeborenen nur wenig Eingang gefunden, bei den eingewanderten Arabern aber sich größtentheils wieder verloren.

Inzwischen war Alles zur Weiterreise vorbereitet worden. Schon am Tage unserer Ankunft hatte ich an den Banian Dungursi in Mombas geschrieben und ihn ersucht, bis zu meiner Ankunft ein Haus herzurichten, danach Herrn Schulz, den Hamburger Konsul in Sansibar, von meiner glücklichen Rückkehr benachrichtigt und ihn gebeten, mir Empfehlungsbriefe für Takaungu und Malindi und ein Fahrzeug zu schicken, welches mir bei weiteren Ausflügen dienen sollte; endlich hatte ich einen großen Theil meiner Waaren an den Banian verkauft, um meinen Trägern den letzten Theil des Weges soviel als möglich zu erleichtern. Am 8. Oktober setzten wir uns in Bewegung, und zwar ziemlich spät am Morgen, weil wir auf das Ablaufen der Flut warten mußten. Der Banian Raia und andere Angesehene gaben uns eine Strecke weit das Geleit.

Der Weg, falls man so sagen darf, führte etwa zwanzig Minuten lang durch knietiefes Wasser, die Ueberreste der Ueberschwemmung, welche zur Zeit des Voll- und Neumondes täglich zweimal stattfindet, dann durch theilweise bebautes Land. Erst drei Stunden nach Mittag erreichten wir das nur wenige Meilen entfernte Pongue, ein etwa dreißig Häuser zählendes Dorf an der Bucht gleichen Namens auf der anderen Seite der Landzunge von

Wassin. Nur einer unserer Freunde, ein Mann mit verstümmelter Hand, welcher fünfmal in Dschagga und zweimal bei den Masai gewesen, folgte uns bis hierher; einmal über das andere verwünschte er die Träger, welche mit so leichten Bündeln auf gutem Wege so langsam gingen und vermaß sich, die ganze Strecke trotz seines Alters mit voller Last im Trabe zurücklegen zu wollen.

Abdallah ben Kammis, der Häuptling des Orts, ließ uns durch eine Salve von einigen Dutzend Flintenschüssen begrüßen; er kam uns bis außerhalb des Pallisadenzaunes entgegen, brachte Kokosnüsse und Honig zum Geschenk und räumte uns die Hälften zweier verschiedener Häuser ein. Auch die Bewohner des Ortes waren, ihre lästige Neugier abgerechnet, überaus höflich und zuvorkommend. Eine Menge Kranke, unter ihnen viele vom schönen Geschlechte, baten um Rath und Beistand, wiederum ohne die geringste Scheu vor den fremden Männern an den Tag zu legen.

Unsere Wohnung war sehr sauber gehalten. Bis drei Uhr Morgens genossen wir auf den mattenbelegten Kitanda einer angenehmen Ruhe, als plötzlich ein entsetzlicher Weheruf uns weckte. Erschrocken sprang ich auf, ergriff die neben mir liegende Büchse und verließ in Eile das Haus; ich sah eben noch, wie ein großes Thier schattengleich an mir vorüber glitt und verschwand, ehe ich Zeit hatte, ihm eine Kugel nachzusenden. Da eine Verfolgung nutzlos gewesen wäre, begab ich mich nach der Stelle, von welcher aus das Geschrei noch unvermindert erschallte: es rührte von einem der Träger her, welchem, während er sanft schlafend auf der Seite gelegen, ein Raubthier einen Biß in das Sitzfleisch und Wunden mit den Klauen beigebracht. Der arme Teufel war so schlimm zugerichtet, daß ich ihn als „invalid" in Pongue zurücklassen mußte. Die nähere Besichtigung der Fährte ließ mich vermuten, ein Leopard habe die Unthat verübt, doch behaupteten die Bewohner des Dorfes auf das Bestimmteste, es gäbe nur Hyänen in der Nachbarschaft.

Ich miethete, als es Tag wurde, um den Preis von vier Pesa täglich einen Ersatzmann für den kranken Träger. Beim Abschied beschenkte ich meinen Wirth mit einem Thaler. Ein zahlreiches Ehrengefolg brachte mich bis außerhalb des Weichbildes. Wir hatten bald Mangrovesümpfe, bald tiefe Salzwasseradern zu durchschreiten, kamen häufig über lockeren Sand und nur bisweilen, an höher gelegenen Stellen, auf festen Grund, auf weite, mit einzelnen Dumpalmen und Kopalbäumen bestandene Grasflächen: hier gewahrten wir überall tiefe Löcher, welche die Eingeborenen, um Kopal zu suchen, in den sandhaltigen Boden gegraben hatten. Eine Strecke lang wanderten wir auch dicht am Strande hin. Gleichwie den Schiffer nach monatlanger Seereise das Rauschen der Baumwipfel entzückt, so klang uns das Brausen des brandenden Meeres, das wir hier zum ersten Male wieder vernahmen, wie köstliche Musik, und mit wahrer Theilnahme betrachteten wir die Bewegungen einiger Baumkähne, in denen ärmlich gekleidete Fischer auf schäumenden Riffen mit dem Gewinn ihres Lebensunterhaltes beschäftigt waren.

Nachmittag drei Uhr erreichten wir eine kleine, landwärts mit Manglebäumen bedeckte Bucht, an welcher die aus der Geschichte der Msara bekannte, mit einem Holzzaun verschanzte Ortschaft Gasi liegt. Durch das Knattern unserer Gewehre herbeigerufen, kam eine Menge Volkes aus den Thoren. Man verweigerte uns den Eintritt, weil zuvor eine Berathung abgehalten werden müsse. Zwanzig Minuten wartete ich, ohne daß eine Einladung erfolgte; dann ließ ich die Bündel wieder aufnehmen und das Lager an einem etwa tausend Schritt entfernten Teiche aufschlagen, dem einzigen Wasserplatz in weiter Umgegend, wie ich bald erfahren sollte. Die Leute, welche uns vorher höhnisch abgewiesen, weil sie meinten, wir wären von ihrer Gefälligkeit abhängig, wurden jetzt kleinlaut; sie kamen unter Anführung ihres Oberhauptes in das Lager, versicherten mich ihrer Freundschaft und baten um Entschuldigung, daß ich durch ein unangenehmes Mißverständniß so lange aufgehalten worden wäre; „jetzt", meinten sie, „ständen uns Lebensmittel in Fülle und alle ihre Häuser zur Verfügung; wir sollten ihnen doch den Schimpf nicht anthun, an ihrer Stadt vorüber zu ziehen." Da mir der Lagerplatz ganz wohl gefiel und ich noch reichlich mit Speise versehen war, bedeutete ich dem Häuptling, er möge sich schleunigst mit seinen Leuten entfernen; habe man mir vorher den Eintritt in Gasi verweigert, so gestatte ich ihm jetzt den Eintritt in mein Lager nicht. Weitere Verhandlungen wurden durch einen Griff nach dem Gewehre kurzweg abgeschnitten. Später versuchte man mehrmals, sich nach dem Wasser durchzuschleichen, namentlich kamen Weiber mit ihren Töpfen, in dem Wahne, daß man sie wenigstens schonen würde; doch hatten wir kein Erbarmen und veranlaßten sie durch einige blinde Schüsse zu schleunigem Rückzuge. So wurden die Einwohner für ihre Ungastlichkeit mit zwölfstündigem Wassermangel bestraft. Meine Träger, hiermit noch nicht zufrieden, machten ihrer Entrüstung in heftigen Worten Luft und durch einen Scheinangriff, welchen sie am Abend auf das Städtchen unternahmen. Unter fürchterlichem Geschrei und mit lauten Drohungen liefen sie bis an den etwas morschen Zaun heran, entluden ihre blind geladenen Flinten, schwangen einige unterwegs erhandelte Spere, schlugen rasselnd mit den Schwertern zusammen und vollführten einen Heidenlärm, bei welchem es den Wagasi jedenfalls angst und bange wurde.

Bei dieser Gelegenheit zersprengte ein besonders tapferer Schreier sein Gewehr. Dies war die dritte der stark gebauten Towermusketen, welche er binnen drei Monaten zu Grunde gerichtet; er würde seiner Lust am unbändigen Knallen vielleicht auch jetzt noch kein Ziel gesetzt haben, hätte ich ihn nicht endlich mit Entziehung der Waffe bestraft. Bei den Suaheli gilt es als Ehrensache, die Flinten so stark als möglich zu laden — ein Händchen Pulver ist der gewöhnliche Satz — und Derjenige, bei dessen Flinte der aufgesetzte Ladestock am weitesten hervorragt, ist der Tapferste. Wollten sie das überladene Gewehr auf gewöhnliche Weise abfeuern, so würden sie durch den heftigen Rückschlag unfehlbar zu Schaden kommen; deshalb halten sie es mit beinahe gestrecktem Arme in ziemlich steiler Richtung nach vorn, sodaß der gewaltige Stoß, ohne zu schaden, sich an der Federkraft der Arme bricht. Die Suaheli wissen recht wol, daß eine starke Ladung unter Umständen das Gewehr zersprengt; um Dem vorzubeugen, setzen sie keinen Pfropfen auf und lassen sich auch durch den Msungu, welcher ihnen sagt, daß sie bei Anwendung eines solchen dieselbe Wirkung mit der Hälfte Pulver hervorbringen könnten, nicht eines Besseren belehren: sogar beim ernstlichen Schießen legen sie ihre Rollkugeln unmittelbar auf das Pulver. Genau genommen handeln die Leute gar nicht so unrecht, wenn sie das hier allgemein übliche amerikanische „Pulver" in uns unglaublich erscheinender Menge verwenden; die so benannte Masse, welche von den schlauen Yankees eigens für den Bedarf der Afrikaner bereitet wird, besteht nämlich aus mindestens linsengroßen, mattgrauen, eckigen Stücken und gehört, wie folgendes Geschichtchen beweist, eigentlich gar nicht zu den feuergefährlichen Körpern. In Sansibar ging einst eine Hütte, unter welcher eine beträchtliche Menge amerikanisches Pulver, nur mit Matten bedeckt, lagerte, in Flammen auf. Mit Zittern und Zagen harrte man des Augenblickes, in welchem die fürchterliche Verpuffung stattfinden sollte. Nur der amerikanische Kaufmann blieb ruhig, weil er seine Waare allzu gut kannte. Endlich prasselten die Sparren, das brennende Dach brach nieder, und das Pulver — entzündete sich nicht! Dafür hat dieses Barutti, wie die Suaheli das Pulver nennen, eine andere, hochgeschätzte Eigenschaft: es knallt nämlich nicht nur, sondern gewährt auch bei dem Abfeuern der Gewehre, vorzüglich bei Abend, den prächtigen Anblick eines klafterlangen Funkenregens, welcher, in flachem Bogen nach vorn sich senkend, dem sich entladenden Rohre entsprüht.

10. Oktober. Ein langer Marsch stand uns bevor, da wir heute noch Mombas zu erreichen gedachten. Ich weckte die Leute schon zwei Stunden vor Tagesbeginn. Beim

Zusammenpacken stellte es sich heraus, daß sämmtliche Messer, Gabeln und Löffel fehlten, welche man noch am Abend vorher in ein Tuch zusammengebunden; nähere Untersuchung bei Laternenscheine ließ die Fußtapfen einer Hyäne in der Nähe des Platzes erkennen. Da mir die Hyänen schon als freche Diebe bekannt waren, welche, wenn sie nichts Genießbares finden, alle erdenklichen anderen Gegenstände fortschleppen, folgte ich der Spur. Ich war glücklich genug, einige Messer und Gabeln auf ihrem Wege wiederzufinden; nach den Löffeln hingegen, welche ihr wol ganz besonders gefallen hatten, suchte ich vergebens.

Es war ein qualvoller Tag, dieser letzte unserer Reise. Die Sonne brannte unbarmherzig, und das schlechte Wasser aus Gasi war mehr denn lauwarm geworden. Meine Füße waren derartig geschwollen und mit Blasen und tiefen Wunden überdeckt, daß ich vor Schmerz die Stiefeln nicht anzuziehen vermochte. So wanderte ich denn barfuß weiter. Anfangs ging Dies ohne Schwierigkeit, weil der Weg über sandigen und erdigen Boden führte; später aber, als wir an ein Korallenfeld mit seinen fürchterlichen Zacken kamen, blieb mir keine Wahl: ich mußte meine gequälten Füße in die harten Schuhe zwängen; die Zähne aufeinander beißend schritt ich langsam vorwärts. Aehnlich, wenn auch nicht so schlimm, ging es Thornton und Koralli. Auch die Träger litten ungemein; immer häufiger und immer länger mußten wir auf die Zurückgebliebenen warten, einmal, zur Mittagszeit, sogar zwei Stunden.

Um fünf Uhr Abends langten wir mit einem Gefolge von nur wenigen Leuten in Liloni am südlichen Meeresarme von Mombas an, gegenüber der ehemaligen Suahelistadt Kilindini. Zu meiner nicht geringen Verwunderung fanden sich die Boote nicht vor, welche ich vor mehreren Tagen bei dem Banian bestellt. Wir mußten also noch einmal ohne Obdach lagern; die Gewißheit, daß nur noch eine kurze Nacht und eine Stunde Wegs uns von der Häuslichkeit in Mombas trennten, tröstete uns. Sogleich nach unserer Ankunft schickte ich Assani ab mit dem Auftrage, den Banian zur Eile zu mahnen sowie von Herrn Rebmann ein Paar Schuhe zu entlehnen, da ich nicht im Stande war, in den meinigen weiter zu gehen. Noch lange mußten wir warten, ehe wir uns an Trank und Speise erquicken konnten: um sieben Uhr erst hatte man Wasser gefunden, eine Stunde später war das Essen bereit.

Erfrischt und gestärkt erwachten wir am andern Morgen. Gegen sieben Uhr in kamen kurzen Zwischenräumen drei Fahrzeuge an. Ich erfuhr, daß mein Brief aus Wanga erst gestern Abend eingetroffen war, somit zu spät, als daß das Nöthige noch hätte besorgt werden können. Mustafa, der uns schon das Abschiedsgeleit gegeben, hatte es sich nicht nehmen lassen, uns auch wieder festlich einzuholen; etwa zwanzig seiner Beludschen empfingen uns am anderen Ufer, auf der Insel selbst, mit Freudensalven. Hier trafen wir auch Herrn Rebmann, ferner den Zolleinnehmer, einige Indier sowie viele Freunde und Verwandte der Träger. Unter fortwährendem Abfeuern der Flinten wurde der kurze Weg zurückgelegt, und in gleich feierlicher Weise der Einzug in die Stadt gehalten, an deren Thoren uns der Kadi und mehrere vornehme Araber begrüßten. Ohne uns weiter aufhalten zu lassen, eilten wir nach Rebmanns gastlichem Hause, wo wir endlich die ersehnte Ruhe fanden. Für mich lagen Briefe aus Sansibar und Europa da, denen ich mit unbeschreiblicher Freude die besten Nachrichten vom Wohlbefinden aller meiner Lieben entnahm. Den Rest des Tages widmete ich der Familie meines Gastfreundes.

Leider erhielt ich das früher von mir eingenommene Haus nicht wieder. Der Wali fühlte sich beleidigt, daß meine Bitte ihm durch Vermittelung des Banians bekannt geworden, mit welchem er gerade auf schlechtem Fuße stand, und hatte Nichts für mich gethan; in seinem Unmut hatte er sogar Streit mit Mustafa angefangen, „weil dieser mir einen Empfang bereitet habe, als ob ich Seid Madjid selbst sei.“ Jetzt freilich entschuldigte er sich mit allerlei Vorwänden; aber ich beachtete ihn nicht und ließ mir vom Banian ein anderes, in Rebmanns Nähe gelegenes Haus einräumen, in welchem der Missionär Ehrhardt und später Burton und Speke eine Zeit lang gewohnt hatten. Da sich unter den angekommenen Briefen auch ein Empfehlungsschreiben von der französischen Gesandtschaft in Berlin an den französischen Konsul in Sansibar befand, säumte ich nicht, durch des letzteren Vermittelung mich über den Wali zu beschweren. Ali ben Nasser hatte Dies kaum erfahren, als er mir sagen ließ, das alte Haus sei bereit, und mich fragte, zu welcher Stunde ich seinen Besuch empfangen wolle: kurz vorher aber hatte er noch geäußert, daß er Nichts mehr für mich thun würde, weil ich ihm vor meiner Abreise kein großes Geldgeschenk gegeben! Natürlich konnte sein jetziges Anerbieten das Geschehene nicht ändern.

Am 12. Oktober Morgens zehn Uhr sollte die Auszahlungsfeierlichkeit stattfinden. Schon um sieben Uhr meldeten sich einige der Träger und gaben Kürbisflaschen, Gewehre, Schwerter u. dergl. ab, welche ich ihnen zum Gebrauch während der Reise übergeben. Zur festgesetzten Stunde erschien der Banian mit der Musterrolle. Ich zahlte Jedem das ihm gebührende Theil aus, nämlich dem Mukurugensi dreißig Thaler, den Trägern je sechs Thaler, und außerdem, als besondere Vergütung für die zweite Reise nach Kilema, je einen Thaler. Mehrere der Leute, welche sich gut benommen, erhielten bis fünf Thaler Belohnung und Mnubie, der beste unter den Anführern, sogar elf Thaler. Wo es nöthig war, zu strafen, that ich es nicht durch Geldabzüge, obwol Dies am empfindlichsten gewesen wäre, sondern durch Zuerkennung einer längeren oder kürzeren Gefängnißhaft. Die zwei Sprecher der Aufständigen in Dafeta und ein Träger, welcher Fleisch vor der Vertheilung gestohlen, bekamen je einen Tag, Muansalini und Hammis, welche die Träger mehrmals zum Ungehorsam und zum Entlaufen aufgefordert, drei Tage, Faki aber einen ganzen Monat Gefängniß in Eisen.

Alle waren sehr befriedigt; denn sie hatten nicht gehofft, Das, was ich früher auf ihre Forderung abgeschlagen, jetzt als Geschenk zu erhalten. Sogar die Bestraften freuten sich, so gnädig weggekommen zu sein. Während der Reise hieß es: „wir werden nie wieder mit einem weißen Manne gehen, der uns so streng behandelt;“ jetzt aber meinte man: „der Bana mkuba ist doch ein guter und tüchtiger Mann; er hat ganz Recht, die Leute zu bestrafen; thäte er es nicht, so müßte er ja, da er es im Voraus gesagt, als Lügner erscheinen!“ Die Meisten baten um Berücksichtigung bei einer späteren Reise.

An Löhnen hatte ich etwa 750 Thaler verausgabt; die Gesammtkosten der Reise beliefen sich auf nahezu 2300 Thaler.

Im Ganzen genommen müssen die Ergebnisse dieser Reise befriedigend genannt werden. War es auch nicht gelungen, den Kilimandscharo bis zur Schneegrenze zu besteigen, so war doch durch zahlreiche Messungen von verschiedenen Punkten aus die Lage des berühmten Berges festgelegt und seine Höhe so genau bestimmt worden, daß auch die Bedenken des ärgsten Zweiflers verstummen mußten. Außerdem hatten die Reisenden die wahre Lage und Gestalt des Sees Jipe bestimmt, den Oberlauf des Panganiflusses und seiner Nebenströme erforscht sowie die wichtigsten Volksstämme des Innern und deren merkwürdige Sitten und Gebräuche kennen gelernt.

Verglichen mit Dem, was noch zu thun übrig blieb, war Dies freilich wenig genug; die gewonnene Erkenntniß machte den Wunsch nur um so lebhafter, das unbekannte Land noch weiterhin zu erforschen. Der Gedanke an eine neue Reise in das Innere nach dem Gebiet der fürchterlichen Masai, nach den räthselhaften Schneebergen und Vulkanen jenseit Ukambani und den großen Seen im fernen Westen beschäftigte den Baron fast unausgesetzt, und kein Tag verging, ohne daß diese Pläne gefördert oder neue, nützliche Verbindungen angeknüpft worden wären. Decken verkehrte mit allen in der Umgegend von Mombas befindlichen Karawanenführern, unter diesen auch mit dem Suahelihändler Nasoro (s. S. 235), ließ sich ihre Reisen erzählen, erwog hin und her die Möglichkeiten, welche sich boten, und verabredete vorläufige Bedingungen, unter denen die Führer ihm zu Diensten sein würden.

Später unternahmen die Reisenden einen mehrtägigen Ausflug nach Kisoludini, von wo aus sie mehrere wichtige Aussichtspunkte im Wanikalande besuchten und die während der Reise angestellten Winkelmessungen ergänzten. So vergingen zehn Tage in unablässiger Thätigkeit, in fortwährender Aufregung kann man sagen. Die Ermüdung, welche eine so beschwernißreiche Reise zur Folge haben mußte, und die nachtheilige Einwirkung des Küstenklimas nach so langem Aufenthalt in dem Inneren hatten währenddessen nicht zur Geltung kommen können; aber sie holten nach, was sie versäumt hatten. Zuerst wurden Koralli und der Baron von heftigem Fieber und von Brechruhr ergriffen, dann mehrere der Diener. Da es schien, als ob die Krankheit ansteckend sei, brach man den Verkehr mit Rebmanns Hause ab, nach welchem, auf Deckens Wunsch, der einzig gesund gebliebene Thornton übergesiedelt war. Mehrere Tage lang trat keine Besserung in dem bedenklichen Zustande der Kranken ein; endlich aber siegte ihre gute Natur, und in Kurzem erholten sie sich wieder, Dank der Ruhe, welche sie sich gönnen konnten, und Dank den Erfrischungen, welche Herr Schulz in vorsorgender Freundlichkeit aus Sansibar geschickt.

Am 29. Oktober kam eine Dau mit den gewünschten Empfehlungsschreiben aus Sansibar an; zwei Tage darauf begaben sich die Reisenden auf demselben Fahrzeuge nach Takaungu und dem altberühmten Malindi, hauptsächlich zu dem Zwecke, dort neue Erkundigungen einzuziehen. Bereits am 8. November trafen sie nach beinahe halbjähriger Abwesenheit wieder in Sansibar ein, von allen Europäern auf das Herzlichste bewillkommt. Nachdem sie sich einigermaßen erholt und den theilnehmenden Freunden ihre Erlebnisse erzählt hatten, beschäftigten sie sich wieder ernstlich mit der Zukunft: Thornton bereitete sich auf geologische Untersuchungen längs des ostafrikanischen Küstenrandes vor, und Decken schrieb nach Europa, um zwei Begleiter zu erhalten für die nächste Reise, welche er in noch größerem Maßstabe auszuführen gedachte.

Anmerkungen zum ersten Bande.

---

(1) Seite 19.

Das Wort Sánsibâr kommt her von dem persischen Zendsch, die Schwarzen, und Bar, das Land, bedeutet sonach das Land der Schwarzen. Das Wort Suaheli wird wol am einfachsten und richtigsten von dem arabischen Sauahil, Mehrheit von Sahel, die Küste abgeleitet, bedeutet also die Küstenbewohner. Hiernach ist es eine Wiederholung, wenn man den zum Sansibargebiete gehörigen Küstenstrich Suaheli-Küste nennt; weit passender würde es sein, ihn das Sahel oder Suahel zu nennen, falls man überhaupt bei dieser Bezeichnung stehen bleiben will.

(2) Seite 19.

Wir entnehmen dem vortrefflichen Werke von M. Guillain, Documents sur l'histoire, la géographie et le commerce de l'Afrique orientale, publiés par ordre du Gouvernement, folgende Notiz über die Monsune im Westen des indischen Oceans: „In offener See wehen die Monsune im Allgemeinen von Nordosten und Südwesten; in der Nähe des Landes aber sowie zu Anfang und zu Ende ihrer Periode ändern sie ihre Richtung nicht unbeträchtlich. In der Breite von Sansibar beginnt der Nordostmonsun Mitte November und verschwindet Ende März; am stärksten weht er von Mitte December bis Mitte Februar und zwar zu dieser Zeit von Nord und Nordnordwest. Der Südwestmonsun, welcher stärker ist als der Nordost, dauert von der letzten Hälfte des April bis Mitte November und führt, in Sansibar wenigstens, seinen Namen mit Unrecht, weil er hier bei Tage öfters von Südsüdost und Südost weht. Araber und Suaheli nennen seine erste, kräftigere Hälfte, welche bis Anfang September dauert, „Kusi" und die zweite, mit dem Oktober endigende „Dimani". Ende Oktober wendet sich der Wind, durch häufige Stillen unterbrochen, von Südwest bis Ost, bis er in den Nordostmonsun, Kaskasi, übergeht."

„In der Nähe der Linie fängt der sogenannte Nordostmonsun bereits Ende Oktober an, bläst anfangs aus Ostnordost, geht dann allmählich in Ost und Ostsüdost über, im Februar und März sogar, wenigstens bei Tage, nach Südost, während er zur Nachtzeit mehr in nördlicher Richtung und mehr vom Lande her weht. Der Südwestmonsun hingegen setzt Mitte April in südsüdwestlicher und südlicher Richtung ein, zuletzt nach Südsüdost und Südost übergehend."

„Am Ende eines jeden Monsuns und bevor der andere beginnt, machen sich in Sansibar von Mittag an bis Sonnenuntergang und noch später Seebrisen bemerklich, welche sich mehr oder weniger der allgemeinen Richtung des einen dieser Winde anschließen. Nach einigen Stunden Stille tritt dann um zwei oder drei Uhr Morgens eine gemeiniglich aus West und Südwest wehende Landbrise ein, welche bis acht oder neun Uhr Vormittags andauert und wiederum mit Windstille endigt."

(3) Seite 21.

Unter Meilen verstehen wir, falls Nichts dazu gesetzt ist, immer die bei allen Nationen üblichen Seemeilen = 1/60 Aequatorgrad = 1/4 deutsche Meile. Von diesen Seemeilen rechnet man, je nach der Beschaffenheit des Terrains, zweieinhalb bis drei auf eine Wegstunde.

(4) Seite 33.

Im Portugiesischen ist coco ein Wort, mit welchem Mütter ihre Kinder bange machen. Hiervon soll die Kokosnuß ihren Namen haben, weil ihr oberer Theil einer häßlichen Maske oder einem grinsenden Todtengesichte ähnelt, mit welchem man Jemand coco (Furcht) erregen kann. Der Name „Kokos" hat sich dann über alle Sprachen und Länder verbreitet.

(5) Seite 55.

Die Portugiesen nennen diese Stadt Magadoxa; nach ihnen schreibt Rigby Magadoscha, Playfair Magdaschoa. Guillain sagt Moguedschou, Andere sagen Maldischu. Wir folgen Krapf, indem wir Muldischa schreiben.

(6) Seite 61.

Ch. Coquerel beschreibt (Guérin, Rev. et Mag de Zool. 2. sér. XI. 1859, p. 459, Tab. XVII u. XVIII.) den Galago Sansibars nach einem jungen Exemplare wie folgt: „Der Kopf ist weniger sphärisch als bei den Cheirogalen, die Ohren sind groß, länglichrund, am Ende in eine stumpfe Spitze verlaufend, die Augen etwa ebenso groß, wie bei den Cheirogalen und zehn Millimeter voneinander entfernt. Die sehr hervorspringende, leicht konische Nase überragt die untere Kinnlade. Der Körper ist kurz, dick, cylindrisch, und zeigt ein Verhältniß der oberen zu den unteren Gliedern, wie es sich bei den Cheirogalen findet. Die Finger sind dünn und lang, die Nägel platt und klein; die pfriemenförmige Kralle der zweiten Zehe ragt weit hervor. Gleich den meisten Lemuren hat der Otolemur (unser Galago) sechsunddreißig Zähne, nämlich an der oberen Kinnlade jederseits zwei Schneidezähne, welche von den entsprechenden auf der anderen Seite durch einen Zwischenraum getrennt sind, einen starken Hundszahn, einen sehr kleinen Backzahn, welcher durch einen Zwischenraum von dem folgenden und von dem Hundszahne getrennt ist, einen zweiten, kleinen Backzahn, welcher dicht neben dem folgenden steht, und vier große, von denen die beiden mittleren sich durch ihre Größe und durch die Entwickelung der zwei Augenhöckerlein auszeichnen — auf jeder Seite der unteren Kinnlade zwei stark vorspringende, mit den entsprechenden der anderen Seite einen nach vorn gerichteten Kamm bildende Schneidezähne, einen gleichfalls vorgeneigten Hundszahn, welcher jedoch in einer höheren Ebene steht als jene, zwei zugespitzte und nach vorn gerichtete Backzähne und vier große, mit vier Höckern (Tuberkeln) versehene Backzähne.

Die Länge des Körpers beträgt 20½ Centimeter, die des Kopfes mit der Schnauze 5 Centimenter, die des Schwanzes 22. Das Fell ist von einem gelblichen, leicht braungefärbten Grau; das Braun findet sich jedoch nur an der äußersten Spitze der Haare, während deren Basis gleichförmig aschgrau ist. Die großen Ohren sind beinahe kahl und von aschgrauer Farbe, die Schnauze und die ganze Nasengegend ebenso wie die Finger schwarzgrau, Kinn und Wangen von einer grauweißen Farbe, welche allmählich in die der benachbarten Partieen übergeht. Brust, Bauch und Innenseiten der Glieder haben eine ähnliche aber etwas hellere Färbung. Der Schwanz ist braunroth an der vorderen und schwarzbraun an der hinteren Hälfte. Die Feinheit und Weichheit der Haare giebt dem Fell ein lockeres, wolliges Ansehen. Am Schwanze sind die Haare länger als am Körper, aber nicht minder fein; sie haben überall dieselbe Länge, sodaß der Schweif Nichts von der buschigen Beschaffenheit zeigt, welche den Galago crassicaudatus so sehr ziert.

(7) Seite 89.

Scherif (Mehrheit Scharafa) werden die Nachkommen des Profeten genannt. Sie genießen u. A. die Auszeichnung, Mahammeds Farbe, Grün, tragen zu dürfen. Gewöhnlich sind sie gebildet, von feinen Sitten und große Schriftgelehrte; doch findet man unter ihnen auch sehr unwissende Leute sowie solche, deren Gesichtsbildung und Farbe deutlich zeigt, daß nur äußerst wenig, wenn überhaupt etwas, von dem heiligen Blute Mahammeds in ihren Adern fließt.

(8) Seite 91.

Currypulver besteht nach Böttchers Kochbuch „Kraft und Stoff" aus zwei Loth Koriander, zwei Loth Kurkuma, ein Loth weißem Pfeffer, ein Loth Ingwer, dreiviertel Loth Kardamom, ein Loth Kümmel und einviertel Loth spanischem Pfeffer; diese Gewürze werden feingepulvert, gut gemengt und in wohlverkorkten Glasflaschen aufbewahrt. Der auf diese Art bereitete Curry ist jedenfalls viel billiger und vielleicht nicht minder gut als der „echt importirte, keinerlei schädliche Bestandtheile enthaltende" indische Curry, welcher in den größeren Delikatessenhandlungen Hamburgs und auch Berlins verkauft wird. Um aus dem einen wie aus dem anderen Pulver die berühmte Currysauce zu bereiten, verfährt man nach der indischen, jedenfalls bedeutender Abänderungen fähigen Anweisung wie folgt: „Man zerschneide zwei Enten oder Hühner wie für Frikassée, wasche sie rein und thue sie in eine Pfanne mit soviel Wasser, daß das Fleisch bedeckt ist, füge einen Löffel voll Salz dazu, setze sie ans Feuer und nehme von Zeit zu Zeit den Schaum ab, halte aber sonst immer die Pfanne gut bedeckt. Ist das Fleisch gar, so gieße man die Brühe davon ab und stelle sie bei Seite. Dann schmelze man in einer anderen Pfanne ein halbes Pfund frische Butter schneide zwei Knoblauchzehen sowie eine große Zwiebel dazu und lasse Alles zusammen unter öfterem Schütteln der Pfanne braten bis es braun ist. Endlich gebe man das Fleisch in die Butter, streue zwei oder drei Löffel voll Currypulver darüber, decke die Pfanne wieder dicht zu und lasse sie unter öfterem Schütteln so lange stehen, bis auch die Enten braun geworden sind. Gießt man nur die bei Seite gestellte Fleischbrühe über das Ganze und läßt es zusammen dämpfen, so ist die Sauce fertig. Wer Säure liebt, kann ein wenig Citronensaft zufügen."

Am gewöhnlichsten genießt man die Currysauce mit trocken gekochtem Reis; doch kann man sie auch zu anderen Sachen, namentlich zur Würzung mancher Suppen benutzen, sowie überhaupt ein wenig Currypulver, anstatt Pfeffer und anderer Gewürze angewendet, keiner Fleischspeise schadet. Will man den Vollgenuß vom Curryreis haben, so muß man den Reis auf arabische, türkische oder Negerart kochen. Gut gekochter Reis muß die Form jedes einzelnen Kornes unverändert zeigen und so weich sein, daß er sich mit der Zunge zerdrücken läßt. Dies erreicht man dadurch, daß man bei dem Kochen etwas Milch von zerriebener Kokosnußmasse (s. Seite 35 unten) oder statt dessen auch Butter zufügt und den Reis erst halb weich kocht, dann aber das Wasser abgießt und ihn dämpfen läßt, bis er vollständig gar geworden.

Hierbei können wir nicht unterlassen, den trocken gekochten Reis wegen seiner vielfachen Verwendbarkeit allen Hausfrauen auf das Wärmste zu empfehlen. Nach dem Kochen in eine Schüssel gedrückt und auf einen Teller gestürzt, bildet er ein fein aussehendes, die Tafel zierendes Gericht und läßt er sich ebensowol zur Herrichtung von Curryreis verwenden, indem man einige Eßlöffel Reis mit einem Theelöffel voll der Gewürzsauce übergießt und mengt, wie auch als Einsatz in die Bouillonsuppe (ein Jeder nimmt nach seinem Geschmack viel oder wenig davon) und zur Bereitung eines ganz vortrefflichen, namentlich zur Sommerszeit unschätzbaren Milchreises, wie wir ihn täglich in Sansibar vor dem Frühstück genossen: man rührt den trockenen Reis in einen Suppenteller mit kalter oder warmer Milch zusammen und fügt nach Bedürfniß Zucker zu.

Wer diese verschiedenen Verwendungen des Reises kennt, lernt ihn als fast unentbehrliches Gericht schätzen und stellt ihn dem Brode und der Kartoffel gleich, diesen universalen Nahrungsmitteln, welche man bei jeder Mahlzeit genießen kann, ohne ihrer überdrüssig zu werden. Wir würden uns glücklich schätzen, wenn diese Winke ein wenig dazu beitrügen, dem Reis auch bei uns die Stellung im Haushalte zu verschaffen, welche er so sehr verdient und in anderen Ländern bereits inne hat.

(9) Seite 98.

Sicut dedecus habetur in patria nostra si qua mulier imperita est domus curandae, ita feminae cuiquam in Agisymbana insula (Sansibar) non potest injici majus opprobrium quam si dicis: „ignorat digitischa." Digitischa autem est motus quidam rotatilis ventris, haud facile comprehensu et necessarius in coitu; non rotatio totius ventris, sed tantum muscularum rotabilium minima atque subtilissima, quam sentis, si manum supponis, sed oculis non cernis. Etiam hanc artem filiae Suahelenses a magistra illa docentur. Guid autem in eruditione comprehenderint, in eo festo, quod disciplina finita celebrari solent, ostentant, saltantes et ventrem obscoene vertentes contorquentesque: haud raro fit, ut homo profanus has exercitationes clam cernat. Postea puellae, in connubio, coitu ipso sese exercentes ad eam scientiam artis quae dicitur digitischa pervenire student, quam magistra eas docere nequierit.

(10) Seite 107.

Das Wort Msungu (Mehrheit Wasungu) soll soviel als Wissender, Unterrichteter bedeuten; es läßt sich etwa durch Weißer (Europäer und Amerikaner), allenfalls auch durch Christ wiedergeben, insofern die Weißen meistens Christen sind. Meinem Lehrer Hammadi den Asmani zu Folge heißt Msungu (oder vielleicht Msungo?) auch soviel wie Unbeschnittener. Juden würden demnach keine Wasungu sein, und Neger mit Vorhaut könnten auch mit diesem Namen bezeichnet werden, wie man denn in der That nicht selten die Zusammenstellung msungu meusi oder schwarzer Msungu hört.

(11) Seite 108.

Engländer dürfen keine Sklaven kaufen, selbst nicht, wenn sie dieselben frei lassen wollten; man sagt, daß dadurch mittelbar der Sklavenhandel befördert werde. Deutsche und Franzosen können wol Sklaven erwerben, doch sind diese, sobald der Preis bezahlt, durch den Kauf an und für sich frei und dürfen, falls sie sich andere Dienste suchen wollen, nicht mit Gewalt zurückgehalten, noch auch, wenn sie entlaufen, wieder eingefangen werden.

(12) Seite 110.

Das Wasser, wie es von den Wassermädchen in das Haus gebracht wird, schmeckt angenehm süß, ist jedoch noch mit einer bläulichweißen Trübung erfüllt; vor dem Gebrauche klärt man es durch Anwendung eines Sand- oder Kohlenfilters. Dann sieht es nicht mehr unappetitlich aus und ist auch, soviel man hat beobachten können, ohne nachtheiligen Einfluß auf die Gesundheit. Der Gedanke an den Ursprung und an die mögliche Verunreinigung dieser Flüssigkeit hat trotzdem immer etwas Unangenehmes; der englische Konsul zog es daher vor, selbstgesammeltes Regenwasser zum Trinken und Kochen zu benutzen. Er leitete den von den geräumigen, platten Dächern seines Hauses abfließenden Regen in eine gemauerte Cisterne und setzte, um das Eintreten der Fäulniß zu verhindern, einige kleine Fische hinein, welche alle thierische Substanzen, Mückenlarven u. dgl., aufzehrten: dieses Wasser, von welchem schon einige starke Regengüsse genug für ein ganzes Jahr lieferten, blieb auch während der heißen Zeit immer kristallhell und gut.

(13) Seite 115.

Eine übersichtliche Tafel der ostafrikanischen Geschichte nach ihren Hauptjahreszahlen findet sich in einem besonderen Anhang des wissenschaftlichen Theiles. Wir benutzten hierzu den ersten Theil des obengenannten, vortrefflichen Werkes von Guillain.

(14) Seite 127.

Gonje (vielleicht das indische gunny) nennt man einen aus Maschpatta (s. S. 101) geflochtenen Nelkensack welcher vier Frasla oder hundertfünfzig Pfund des Gewürzes faßt. Gewöhnlich nennt man diese Säcke makanda (Einh. kanda).

(15) Seite 168.

In Afrika hat man fast nirgends von Theilwerthen der größeren Münzeinheiten einen Begriff. In den oberen Nilländern, in Abyssinien z. B., verlangt man für jedes Ding einen Maria-Theresia-Thaler; erst in neuester Zeit scheint sich dort ein Umschwung anzubahnen, seit die Befehlshaber der englischen Expedition bei den Häuptlingen einiger Landstriche die Einführung von englischem und indischem Kupfergeld durchgesetzt haben. Derselbe Mangel an Kleingeld drückt auch anderorts den Verkehr, doch weiß man sich hier und da einigermaßen zu helfen: an einigen Küstenplätzen des Sansibargebietes z. B. kauft man Getreide für die Silberthaler und tauscht mit diesem die nöthigen Kleinigkeiten ein; in Madagaskar aber und auf den Komoren zertheilt man den französischen Thaler mit Messer und Hammer in Viertel, Achtel und Sechzehntel — gewiß die ursprünglichste Art, sich Scheidemünze zu verschaffen.

(16) Seite 176.

Ein leichtes Sansibarfieber verläuft gewöhnlich in folgender Weise: zuerst fühlt der davon Befallene ein Ziehen in den Gliedern, eine Neigung zu gähnen und sich zu dehnen und ein bald leichtes bald stärkeres Frieren; hat man die Frostschauer, gegen welche weder dicke Kleider noch warme Getränke sich nützlich erweisen, geduldig überstanden, so tritt starke Hitze mit Brennen in den Augen ein. Jetzt verschaffen einige Glas Limonade große Linderung: die Hitze verfliegt unter lebhaftem Schwitzen, und der Kranke fühlt sich wieder verhältnißmäßig wohl, namentlich wenn er noch einige Zeit geschlafen. Der Eine wird mehr vom Frost, der Andere mehr von der Hitze geplagt; Alle aber klagen während der Dauer des Fiebers über Eingenommenheit des Kopfes und verspüren ein eigenthümliches Drücken im Hinterhaupt und ein Sausen in den Ohren, wie es auch durch starke Gaben Chinin hervorgebracht wird. Mit wirklichem Schmerz ist das leichte Sansibarfieber nicht verbunden; oft ist es sogar ohne Einfluß auf die heitere Laune des Patienten: ich wenigstens habe selbst in der schlimmsten Periode desselben lustige Lieder singen und pfeifen und mit Freunden, welche mich besuchten, lebhaft und scherzend sprechen können.

Solche Fieber werden hauptsächlich durch die Regelmäßigkeit, mit welcher sie sich zumeist in den Nachmittagsstunden jedes zweiten Tages wiederholen, und durch die Mattigkeit, welche sie hinterlassen, auf die Dauer unangenehm. Deshalb darf man nicht zögern mit Anwendung der bekannten Heilmittel, etwa: zuerst einen Löffel Ricinusöl oder ein Brechpulver, um den zumeist gleichzeitigen Verdauungsstörungen abzuhelfen; dann ungefähr zwölf Gran schwefelsaures Chinin; am zweiten, vierten und sechsten Tage nach dem Anfalle, einige Stunden bevor man die Wiederholung erwartet, Chinin in Gaben von acht, sechs und vier Gran und endlich, um Rückfälle abzuschneiden, noch einige Tage lang ein bis zwei Gran, statt dessen auch kurz vor Frühstück und Mittagsbrod einen Theelöffel voll Chinarindenpulver mit einem Eisenpräparat in Cognak oder Sherry gerührt, oder ein Glas Chininwein (einen leichten Wein, welcher eine Zeitlang mit Chinarinde in Berührung war).

Schlimmere, perniciöse Fieber, welche mit Schwindel und Ohnmacht beginnen und bisweilen an einem Tage mit dem Tode endigen, kommen im Sansibargebiete sehr selten vor, eigentlich nur im Süden desselben, in Kiloa, und weiterhin in Mosambik und ähnlichen verrufenen Plätzen.

Dem Fieber entgeht fast Niemand, der von einer Reise aus dem Inneren nach der Küste oder von einem Küstenausfluge nach Sansibar zurückkehrt. Viele meinen wol, man könne sich durch tägliches Einnehmen kleiner Mengen Chinin schützen, Andere aber sind der Ansicht, daß der häufige Gebrauch von Chinin der Gesundheit mehr schadet als ein leichter, in den meisten Fällen nicht einmal sehr beschwerlicher Fieberanfall. Auffällig ist es, daß die ersten Spuren des leichten Klimafiebers sich erst lange Zeit, oft zwei bis drei Wochen und noch später, nach dem Einwirken der bösen Einflüsse zeigen. Neulinge, welche an einem Jagdausflug nach dem Festlande Theil nahmen und in den ersten Tagen darauf noch Nichts vom Fieber merkten, geben sich bisweilen der Hoffnung hin, sie würden, als von der Natur besonders Begünstigte, frei ausgehen: aber das Fieber kommt sicher wenn auch langsam, und von Zwanzigen einer solchen Reisegesellschaft kommen selten mehr als zwei bis drei ungestraft davon.

Auch der im gesunden Sansibar wohnende Europäer bleibt oft nicht ganz vom Fieber verschont, obwol er demselben durch Mäßigkeit in Genüssen aller Art sowie, wenn er heftige Anstrengungen und Aufregungen vermeidet und seinem Körper regelmäßige Bewegung verschafft, in den meisten Fällen entgehen kann. Nothwendig ist es, die Haut durch Tragen von wollenen Unterkleidern und den Leib durch eine Bauchbinde warm zu halten — wollene Kleider sind unter dem Gleicher weniger entbehrlich als in den Polargebieten — und empfehlenswerth, sich nicht ohne Noth der unmittelbaren Einwirkung der Sonnenstralen auszusetzen, vielmehr die landesüblichen Schutzmittel (mit dickem Stoff umwickelten Hut, weiß überzogenen Regenschirm) anzuwenden, falls es nöthig wird, zur heißen Tageszeit auszugehen.

Es scheint hier am Platze zu sein, auch über die anderen im Suaheligebiete vorkommenden Krankheiten einige Worte zu sagen. Europäer haben nächst dem Fieber am meisten die Dysenterie oder rothe Ruhr zu fürchten; doch auch diese ist hier bei Weitem nicht so gefährlich als anderwärts. Sie entsteht leicht durch Erkältung, namentlich des Magens, sowie durch den Genuß von schlechtem Wasser und wird eigentlich nur, wenn sie lange andauert, gefährlich. Vor Dysenterie kann man sich durch Vermeidung der erwähnten schädlichen Einflüsse, vor Allem aber durch Warmhalten des Unterleibes vermittelst einer wollenen Leibbinde schützen. Hat man sich trotzdem einen Anfall zugezogen, so wendet man gewöhnlich zuerst eine gute Gabe des stark abführenden Ricinusöles an (aus dem zeckenähnlichen Samen des Wunderbaumes (Ricinus communis L.), dann stopfende Mittel, wie Opiumtinktur und Pfeffermünzöl, und trinkt dabei Abkochungen von Reis mit etwas Auflösung von arabischem Gummi vermengt, oder mit Eisenchlorid versetztes Wasser. Außerdem sind Europäer öfters von vorübergehenden Hautkrankheiten geplagt, am häufigsten von dem sogenannten rothen Hunde, einem entzündlichen Aufschwellen der Haut, welches vorzüglich Nachts in der heißen Jahreszeit eintritt und durch unerträgliches Jucken den Schlaf stört. So unangenehm dieses frieselartige Leiden ist, so fürchtet man es doch nicht, weil man glaubt, daß es während seiner Dauer vor Fieber schützt, auch sucht man es nicht (z. B. durch jähe Abkühlung der Haut) zu vertreiben, weil man sich dadurch das Fieber zuzuziehen meint. Seltener leiden Wasungu an Beulen (Furunkeln), welche an allen Theilen des Körpers hervorkommen und nicht nur sehr lästig sondern auch gefährlich werden können.

Bei der eingeborenen oder eingewanderten Bevölkerung sind die Krankheiten der Haut die allgemeinsten. Bezeichnend für ihre Häufigkeit ist es, daß die Sprache acht bis zehn verschiedene Wörter für Pusteln, Beulen, Blütchen u. s. w. besitzt. An ihnen leiden besonders die untersten Stände, zumeist in Folge ihrer Unreinlichkeit oder des Genusses von halbverdorbenen Fischen und Sepien. Nächstdem sieht man am häufigsten böse Wunden, welche indeß weniger aus äußeren Verletzungen des Körpers als aus Beulen entstehen und besonders dadurch gefährlich werden, daß man sie mit Pech, Kuhkoth und anderen Schmierereien bekleistert. Das Uebel greift dann schnell um sich, die Eiterung dringt bis auf die Knochen, die Wunde wird übelriechend, und es kann, wenn nun nicht endlich vernünftige Behandlung angewendet wird, leicht der Brand dazutreten. Die Mehrzahl der Kranken, welche die Hilfe des Reisenden begehren, sind mit solchen Wunden behaftet; durch Reinigung derselben, durch häufige Umschläge von kaltem, mit Arnikatinktur versetzten Wasser sowie durch Wegätzen der bösen Ränder mit Höllenstein gelingt es in den meisten Fällen, nach Verlauf von einigen Wochen des Uebels Herr zu werden. Unsere Heilmethode war, besonders wenn wir uns nur kurze Zeit aufhielten, sehr energisch: wir machten in das umgebende wilde Fleisch zahlreiche, tiefe Einschnitte bis auf das gesunde Fleisch und ätzten dann mit starker Höllensteinlösung; nach einigen Tagen, wann das gebeizte Fleisch schwarz geworden und abgestorben war, zogen wir es ab und verfuhren mit der darunter befindlichen Schicht nochmals auf dieselbe Weise, bis endlich die vorher bleistiftdicken Ränder verschwanden und die Wunde ein gutes, reinliches Aussehen bekam. Hierbei muß die Gelassenheit und Geduld anerkannt werden, mit welcher sich selbst Kinder dieser nicht gerade angenehmen Behandlung unterzogen: niemals hat einer unserer Kranken seinen Empfindungen durch Verziehen des Gesichtes oder gar durch laute Ausdruck gegeben!

Augenkrankheiten sind nur an einzelnen Orten häufig.

Die Allerweltskrankheit „Lustseuche“ fehlt auch auf Sansibar nicht; doch scheint sie weniger verheerend aufzutreten als an anderen Orten; vielleicht übt das Klima, vielleicht auch die bei den Männern allgemein übliche Beschneidung diese günstige Wirkung aus.

Vorzugsweise bei den Reicheren, bei Indiern und Arabern, zeigt sich nicht selten der Wasserbruch. In seiner ausgebildetsten Form macht er das Skrotum der Männer derartig anschwellen, daß es beim Aufstehen und beim Gehen durch ein schleppenartig nachgetragenes Tuch gestützt werden muß; bei der Operation fließen oft unglaubliche Mengen Wasser aus, man spricht von vierzig bis fünfzig Pfund. Auch Europäer leiden bisweilen an dieser Krankheit, doch nicht in solchem Maße. Eine ausschließlich bei Eingeborenen Indiern und Arabern vorkommende Krankheit ist die Elephantiasis, ein Anschwellen des Bindegewebes der Haut an den Beinen, welches sich durch eine ungewöhnliche Verdickung der Schenkel und Waden offenbart. Die davon befallenen ärmeren Neger, bei denen die Mißgestaltung nicht wie bei den Arabern durch langes Hemd oder Kaftan verhüllt wird, sehen in der Ferne täuschend so aus, als ob sie mächtige Wasserstiefeln angezogen hätten.

Von Zeit zu Zeit wird das Sansibargebiet von epidemischen Krankheiten heimgesucht: sie kommen in der Regel vom rothen Meere herab und verbreiten sich langsam nach dem Süden bis nach Mosambik und darüber hinaus. Bei der Gleichgiltigkeit der mahammedanischen Bevölkerung gegen Leben und Sterben und bei ihrer Abneigung, passende Schutzmittel zu benutzen, richtet fast jede Seuche große Verheerungen an. So raubte im Jahre 1859 die Cholera auf der Insel Sansibar allein etwa 20,000 Menschen das Leben und entvölkerte auf der gegenüberliegenden Küste mehrere Städte. Auch Pocken wüten zuweilen arg unter den Schwarzen, da bei diesen von einer Schutzblatterimpfung nicht die Rede ist. Gelang es doch erst in jüngster Zeit dem englischen Arzte Dr. Seward, das heilsame Gift der Lymphe in verschlossenen Glasröhren noch vollständig wirksam nach Sansibar zu bringen. Es steht zu hoffen, daß wenigstens die Reichen und die Gebildeten sich dessen bedienen werden.

Die Heilkunde liegt bei den Suaheli sehr danieder: Amulete und Beschwörungsformeln oder Gebete sind die am häufigsten angewendeten Mittel! Demnächst ist auch der Gebrauch von glühendem Eisen und von Kupfervitriol zum Brennen und Aetzen und von Schröpfköpfen zum Blutentziehen beliebt. Um Wunden und Beulen an empfindlichen Stellen (etwa am Schienbeine) vor Stößen zu schützen, bindet man in nachahmenswerther Weise bisweilen über diese ein aus Ruthen geflochtenes Kästchen, welches die Wunde einem Gewölbe gleich überdeckt. Badewannen fehlen in keinem arabischen Hause; See- und Flußbäder werden von Aermeren häufig gebraucht. Allen Eingeborenen, welche es wünschen, kommen der Arzt des englischen und des französischen Konsulats zu Hilfe. Uebrigens wird solcher Beistand nur selten begehrt: die Suaheli befinden sich schon längst auf demselben Standpunkte, zu welchem wir uns erst nach jahrhundertelangem Mühen aufgeschwungen haben, sie nehmen an — daß der beste, ja alleinige Arzt die Natur ist!

(17) Seite 178.

Das Wenige, was von Roschers eigenen Aufzeichnungen nach Europa gekommen ist, bezieht sich hauptsächlich auf eine im Februar und März 1859 unternommene Wanderung an der Küste zwischen Kondutschi und Kiloa Kibendsche. Diese uns gütigst von Dr. Petermann in Gotha überlassenen Berichte erschienen wegen ihrer Undeutlichkeit und Lückenhaftigkeit fast werthlos; doch gelang es, das Wesentlichste davon, die astronomischen Bestimmungen, zu entziffern und zu berechnen und so dem Kartographen des Werkes, B. Hassenstein, die Grundlage zu liefern zur Konstruktion der Route nach den halbverwischten Roscher'schen Bleistiftskizzen. Von besonderem Interesse ist diese Konstruktion namentlich auch dadurch, daß sie dem Hamburger Reisenden das Prioritätsrecht der Entdeckung des schönen Hafens von Msisima wahrt, welchen Dr. Kirk im Jahre 1867 zuerst besucht zu haben meint. Wegen des Näheren über die Küstenwanderung Roschers müssen wir auf Petermanns Geogr. Mittheil. 1862 S. 1—4, sowie auf Hassensteins Memoire zu den Karten des v. d. Decken'schen Reisewerkes (s. wissensch. Theil) verweisen.

(18) Seite 181.

Livingstone reiste im September 1866 von der Mikindanibai ab und erreichte ungefährdet nach sieben Monaten die Ufer des Njassasees; von dort umging er das Südende des Sees, durchzog das Hochland im Westen desselben und gelangte im Oktober 1867 zu Udschidschi am Tanganikasee an. Während der Reise bis zum Njassa hat er nur über das Benehmen seiner eigenen Leute, niemals aber über das der Eingeborenen zu klagen gehabt. Sehr lobend spricht er sich über den großen Häuptling Mataka aus, dessen Stadt, etwa tausend Häuser umfassend, fünfzig Meilen westlich vom See und dreitausend Fuß über dem Meeresspiegel liegt, in dem fruchtbarsten Lande mit dem angenehmsten Klima. Kein Ort von allen, die er bisher gesehen, scheint Livingstone so trefflich für eine Ansiedelung und Missionsstation geeignet zu sein, als des europäerfreundlichen Mataka's Residenz (Proceedings R. G. S. 10th meeting April 27th 1868).

(19) Seite 183.

Die bequemsten Siedethermometer (Hypsometer) erhält man bei Casella in London; sie reichen von 212° F. bis ungefähr 20° unterhalb 200 und lassen eine genaue Ablesung von 1/10° F. (etwa 1 Millimeter Quecksilbersäule entsprechend) zu, gestatten also, Höhenunterschiede von gegen fünfzig Fuß zu messen. Sich allein auf Siedethermometer zu verlassen, ist immerhin eine mißliche Sache, weil der Siedepunkt sich bisweilen durch Zusammenziehung der Glaskugeln ein wenig ändert. Um entstandene Unregelmäßigkeiten entdecken zu können, muß man mehrere solcher Thermometer im Gebrauche haben, oder besser noch, sie ab und zu mit einem guten Quecksilberbarometer vergleichen. Derselbe Vorwurf der Veränderlichkeit und Unzuverlässigkeit trifft in weit höherem Grade die Aneroidbarometer aller Art, selbst die besten nicht ausgenommen: sie sind fast nur bei steter Vergleichung mit dem Quecksilberbarometer zuverlässig, leisten jedoch, wie auch die Hypsometer, bei kleineren Ausflügen gute Dienste.

(20) Seite 183.

Pedometer oder Schrittzähler — kleine Instrumente von der Gestalt und Größe einer Uhr, namentlich in England sehr beliebt — bestehen im Wesentlichen aus einem wagerechten, gut balancirten Balken mit einem kurzen und einem langen Arme. Letzterer nickt bei der durch jeden Schritt hervorgebrachten Erschütterung herab und setzt durch ein Räderwerk einen Zeiger in Bewegung, dessen Vorrücken, gewöhnlich in Meilen ausgedrückt, man an einem Zifferblatt ablesen kann. Eine besondere Vorrichtung gestattet, den Gang des Werkes zu beschleunigen oder zu verzögern, sodaß man den beim Abschreiten einer gemessenen Meile gefundenen Fehler leicht wegschaffen, also die „Schrittuhr" mit den Schritten übereinstimmend machen kann.

(21) Seite 183.

Gewöhnlich beschränken sich die Reisenden auf astronomische Beobachtungen der allereinfachsten Art. Sie bestimmen die geographische Breite, indem sie mit einem Sextanten, seltener mit einem feststehenden Kreise, die Mittagshöhe der Sonne messen, oder die größte Höhe, welche ein Stern erreicht; aus der Vergleichung dieser Höhe mit der (aus den astronomischen Ephemeriden zu entnehmenden) Entfernung des Gestirnes vom Himmelsäquator ergibt sich die Entfernung des Himmelsäquators vom Zenith oder die Höhe des Poles über dem Gesichtskreise, und Das ist eben die geographische Breite. Zur Längenbestimmung dienen zumeist die sogenannten Monddistanzen, die im Winkelmaß ausgedrückten Entfernungen des Mondes von der Sonne oder von hellen, dem Thierkreis oder der Mondesbahn nahe gelegenen Sternen. Da die Stellung des Mondes, also auch seine scheinbare Entfernung von den Gestirnen sich sehr rasch ändert (an einem Tag um zwölf bis dreizehn Grad), so kann man, wenn man die Zeit genau bestimmt hat, zu welcher die gemessene Distanz stattfand, durch Vergleich mit den in den astronomischen Jahrbüchern verzeichneten Distanzen leicht die Zeit finden, zu welcher an anderen Orten, z. B. in Greenwich, die Distanz ebenso groß war, und hieraus nach Anbringung der nöthigen Reduktionen den Zeitunterschied oder den Unterschied der geographischen Längen beider Orte bestimmen (vier Minuten Zeit — ein Grad der Länge).

(22) Seite 191.

Pemba ist eine Koralleninsel wie Sansibar und erhebt sich nicht höher als zweihundert Fuß über die Meeresfläche. An ihrer Ostküste verläuft die Insel glatt, an ihrer Westküste enthält sie mehrere, zumeist durch vorliegende, kleinere Inseln gebildete Buchten. Der beste Hafen ist Port Tschaltschak, vor der Hauptstadt gleichen Namens. Von Naturprodukten liefert die Insel vortreffliches Bauholz (auch Ebenholz soll vorkommen), namentlich aber ausgezeichneten Reis: sie gilt als die Kornkammer Sansibars. In den Gesängen der Neger spielt das gesegnete Pemba eine große Rolle. Eines dieser Lieder, welches wir mehr als hundertmal von den dächerstampfenden Knaben und Mädchen gehört haben, lautet:

Pemba ngema mnō, Pemba ngema mnō!
Sina sebombo ju kwentĕa. Pemba ngema mnō!

zu Deutsch: Pemba ist sehr schön, und ich habe kein Fahrzeug dahin zu gehen; wörtlich: Pemba — schön — sehr — ich habe nicht — Fahrzeug — des — Gehens.

(23) Seite 192.

Die Abkürzung I. H. S. brachten die Jesuiten fast überall an, wo sie sich längere Zeit aufhielten. Man erklärt sie verschieden, entweder durch Iesus Hominum Salvator (Jesus der Menschen Heiland), oder durch Iesum Habemus Socium (wir haben Jesus zum Genossen), oder durch In Hoc Signo sc. vinces (in diesem Zeichen wirst du siegen), oder endlich dadurch, daß man das H als griechisches η betrachtet, somit das Ganze als Abkürzung des Wortes Ies(us). Letztere Erklärung wird als die wahrscheinlichste betrachtet.

(24) Seite 196.

Baker erzählt, daß die Dumpalme die Hauptstütze der Wüstenaraber am Atbarafluß bildet, wann in Zeiten der Dürre und des Mangels der Kornvorrath erschöpft ist. Die Früchte dienen zur Nahrung für Mensch und Vieh; man zerreibt sie zwischen zwei Steinen und erhält hierdurch das Eßbare in der Form eines harzigen Pulvers, welches man entweder roh verzehrt, oder mit Milch zu einer köstlichen Suppe verkocht. Selbst die mehr als wallnußgroßen, harten Kerne der Frucht verwerthet man, indem man sie einen

Tag lang in Wasser einweicht, dann in Haufen schichtet und an einem Feuer durchräuchern und beinahe trocknen läßt: in einem schweren Mörser zerstoßen, geben die nun Bratkastanien ähnelnden Nüsse ein gutes Futter für Jungvieh ab. Die Blätter liefern vortrefflichen Stoff für Seile und Matten, aus denen man die herkömmlichen Zelte fertigt.

(25) Seite 206.

Von diesen Grabschriften, deren einige Guillain in seinem Buche aufgenommen hat, führen wir nur zwei in ungefährer Uebersetzung an, um eine Probe von der Art und Weise der Abfassung zu geben. Guillain versichert, daß von den vielen Inschriften, welche er sich lesen und übersetzen ließ, auch nicht zwei in denselben Ausdrücken gegeben seien, und spricht seine Verwunderung aus über die Abwechselung, welche man einem so einfachen Thema zu geben wußte.

1) Im Namen Gottes, des Barmherzigen. Ich bezeuge, daß es keinen anderen Gott gibt als Allah, und daß Mahammed sein Profet ist; möge er ihn mit Segnungen überschütten und ihn selig machen. Dieses ist das Grab des Scheich Mahammed ben Osmahn ben Abdallah el Msurui. Allah, wirf einen Schleier auf seine Fehler und auf diejenigen seines Vaters und seiner Mutter sowie auf die aller Muselmänner.

1159 (1746 nach Christi Geburt).

8642 (kabbalistische Zahl, welche dienen soll, Unglück zu beschwören und das Grab zu erhalten).

2) Ich bezeuge, daß es keinen anderen Gott gibt als Allah, und daß Mahammed sein Profet ist; möge er ihn mit Segnungen überschütten und ihn selig machen! Dieses ist das Grab des ausgezeichneten Scheich, des seligen Gouverneurs Abdallah ben Mahammed ben Osmahn ben Abdallah ben Mahammed ben Abdallah ben Kehelahn el Msurui, welcher gestorben ist Mittwoch den 12. des Monats Mharrem im Jahre 1197 (18. December 1782) der Hedschra. Der Segen und die Bitten der Besten seien über Denen, welche in dieser Zeit gestorben haben . . . (unleserliche Worte). Wirf einen Schleier auf Diejenigen, welche der Erde wieder vereinigt sind, und welche erfahren haben die Züchtigung Deines brennenden Feuers. O, unser Herr, lasse sie eintreten in den Garten Eden, welchen Du versprochen hast Denen, die gute Werke vollbracht und einen frommen Wandel geführt haben! Denn Du bist der Gott der Liebe und der Gerechtigkeit.

(26) Seite 227.

Thornton brach am Morgen des 14. Juni 1861 in Begleitung einiger Träger und Führer auf. Nachdem er den Meeresarm bei Makupa überschritten, wanderte er über drei Stunden lang durch fruchtbares und gutbebautes Land, in welchem die Korallenformation der Küste mit dem Sandstein und dem Thonschiefer des Inneren zusammentrifft. Dann erstieg er die Rabbaikette zwischen den Hügeln von Maweni und Reali. Auf ihrer Höhe finden sich in eisenhaltigem Quarzsande zahlreiche Löcher, welche die Eingeborenen gegraben haben, um Antimon zu suchen. Nicht weit von dieser Stelle stehen die Hütten des Eigenthümers dieser Gruben. Hier blieb Thornton den Rest des Tages über, um nähere Erkundigungen über das Vorkommen des Erzes einzuziehen. Die Häuptlinge der Umgegend, deren es beinahe soviel gibt als Einwohner, suchten, vielleicht durch die Freigebigkeit früherer Besucher verwöhnt, dem Reisenden eine Menge Geschenke abzupressen. Glücklicher Weise hatte dieser nur einen geringen Vorrath von Amerikano mitgenommen, konnte also die Forderungen der zudringlichen Bettler mit bester Berechtigung zurückweisen. Am anderen Morgen ging er, von einer Anzahl Wanika geleitet, zurück nach den Gruben. Auf der Südseite des Mawenihügels, etwa in halber Höhe desselben, begannen die Leute mit Stöcken zu graben, fanden aber Nichts von dem Erze. Ebensowenig Erfolg hatten sie etwas weiter unterhalb, doch behaupteten sie, daß man hier, wenn man tiefere Löcher grübe, an jeder beliebigen Stelle Antimonerz (Schwefelantimon?) fände, nicht selten sogar Stücke von doppelter Faustgröße. Ziemlich unbefriedigt trat hiernach Thornton seinen Rückweg an, sei es nun, weil er den Aussagen seiner Begleiter keinen Glauben beimaß, oder weil er wenig Hoffnung hegte, daß diese ihm die wirklichen Gruben zeigen würden. Diesmal ging er über den Realihügel, übernachtete in dem tieferen Lande in einem bereits von Suaheli und Arabern bewohnten Dorfe und traf am Vormittage des 16. Juni wieder in Mombas ein. Für das Verfehlen seines eigentlichen Reisezweckes entschädigten ihn die zahlreichen Winkelmessungen, welche er von verschiedenen Punkten aus genommen hatte. Wie es sich mit den Antimongruben bei Maweni im Durumagebiete verhält, bleibt demnach immer noch zu untersuchen; ein länger dauernder Ausflug nach den Minen verspricht umso lohnender zu sein, als die Entdeckung solchen Erzes in Ostafrika nicht nur wissenschaftlich interessant wäre, sondern auch zu einer ergiebigen Ausbeutung führen könnte.

(27) Seite 217.

Die Völkernamen Wanika, Wakamba, Wateita u. s. f., denen wir auf den Karten des Suaheligebietes begegnen, sind Mehrheitsformen von den Wörtern Mnika, Mkamba, Mteita (ein Einzelner des Stammes oder Volkes der Wanika 2c.). Dieselbe Bildung hat auch das Wort, mit welchem Europäer bezeichnet werden: Msungu, Mehrheit Wasungu. Zur Bezeichnung des Landes der betreffenden Völker wird das vorlautende M oder Wa mit einem U vertauscht und außerdem am Ende des Wortes oft die ortsbezeichnende Endsilbe ni angehängt (Ukambani das Land der Wakamba, Ugallani das Land der Wagalla, Usambara das Land der Wasambara). Solche Ortsnamen bildet man, wie es scheint, übrigens nur dann, wenn die Völker ein gut abgegrenztes Gebiet bewohnen; man sagt z. B. nicht Usuahelini für das Land der Suaheli — denn diese sind überall an der Küste zerstreut und mit Angehörigen anderer Stämme gemischt, auch nicht Uteitani für das Land der Wateita — denn diese bewohnen verschiedene, weit voneinander entfernte Berggebiete. Bei den Völkernamen Wabura und Wapare (Bewohner des Bura- und Paregebirges) und Anderen läßt sich nicht bestimmt entscheiden, ob wirklich das Volk den Namen vom Gebirge hat oder umgekehrt, doch ist Ersteres wahrscheinlicher. Die von den Völkernamen (etwa zur Bezeichnung der Sprache u. s. w.) abgeleiteten Eigenschaftswörter haben an Stelle des Wa die Silbe ki. So bedeutet Kisuaheli soviel als Suahelisch oder die Sprache der Suaheli; ebenso bildet man Kinika, Kiteita u. s. w.

(28) Seite 243 und 253.

Ein Doti = zwei Kitamba oder Schuka ist gleich acht Armlängen (Migono, Einheit Mgono); sieben bis elf Doti machen ein Gorab oder Stück Zeug aus. Zwei Armlängen kann man ungefähr einem Yard oder drei Fuß englisch gleichsetzen. Wegen der übrigen Maße verweisen wir auf einen besonderen Anhang im wissenschaftlichen Theile.

(29) Seite 257.

Die Oberfläche des Jipe kommt etwa der des Zürcher Sees gleich.

(30) Seite 266.

Ein Theodolit (die Ableitung des Wortes ist zweifelhaft) dient dazu, um Horizontal- und Vertikalwinkel nach Himmelskörpern oder irdischen Gegenständen zu messen. Er besteht im Wesentlichsten aus einem auf passendem Fuße angebrachten, in Grade, Minuten und Sekunden getheilten Horizontalkreise, aus einem ebensolchen Vertikalkreise (beide um ihre Achsen drehbar) und aus einem Fernrohre, welches ein scharfes Anvisiren der zu messenden Gegenstände gestattet. An einem jeden der zwei Kreise sind Vorrichtungen angebracht, welche ein weit über die Genauigkeit der Theilung hinausgehendes Ablesen ermöglichen, die nach ihren Erfindern benannten Nonius oder Vernier; die Ablesung selbst geschieht vermittelst kleiner, über den Nonien angebrachten Lupen.

(31) Seite 266.

Eine solche Erfindung hat A. Meydenbauer in Berlin mit seiner Ingenieurphotographie bereits gemacht. Sein Apparat ist eine Verbindung von Theodolit und photographischer Kamera und gestattet, in einer Minute alle denkbaren Höhen- und Ebenwinkel nach den im sechsten Theile des Gesichtskreises befindlichen Gegenständen auf einmal aufzunehmen. Später mit Muße gemessen, werden die in dem Bilde enthaltenen Winkel in außerordentlich sinnreicher Weise zur Konstruktion der Karte verwerthet. Der ungeheure Vortheil des Meydenbauerschen Verfahrens ist der, daß es dem Reisenden gestattet, den größten Theil der bei der früheren Methode im Freien vorzunehmenden Arbeiten zu Hause zu thun oder thun zu lassen. Nur wer die Beschwerlichkeit des Messens im Freien kennt, weiß diesen Vortheil gebührend rend zu würdigen. Der Staat hat die Wichtigkeit dieser Erfindung anerkannt und es Meydenbauer ermöglicht, seine Versuche im Großen fortzusetzen. Bewährt sich die Ingenieurphotographie beim Gebrauch auf Reisen auch nur zum kleinsten Theile, so wird sie voraussichtlich einen bedeutenden Umschwung zur Folge haben, und kein Reisender der Zukunft, welcher den Ansprüchen der Wissenschaft genügen will, wird ohne Meydenbauers Apparat auskommen können.

(32) Seite 267.

Man erklärt den Namen Kilimandscharo aus der Zusammensetzung von Kilima, Berg, und Ndscharo oder Dscharo; er bedeutet entweder Berg der Größe d. i. großer Berg, oder Berg der Karawanen, welcher weithin sichtbar ist und den Reisenden als Wegweiser dient.

(33) Seite 270.

Nach Rebmann stammen die Herrscher von Kilema vom Panganiflusse. Dort wanderte vor 170 Jahren ein Mann Namens Munie Mkoma nach Dschagga aus, gewann hier großen Einfluß und wurde endlich zum Manki erwählt; er ist derselbe, welcher, wie früher erwähnt, Veranlassung zu der Auswanderung des jetzt „Wanika" genannten Stammes gab. Munie Mkoma's (oder Rongoma's, wie ihn die Wadschagga nennen) Sohne Kombo folgte Dschegno nach und diesem Masaki, der Vater des jetzigen Herrschers Mambo. Die zahlreichen Abkömmlinge dieser Herrscherfamilie zeichnen sich äußerlich durch ihre schöne, hellbraune Farbe vor den anderen Bewohnern Dschaggas aus; in ihren Sitten aber, im Glauben und in Religionsgebräuchen verrathen sie keine Spur mehr von ihrer mahammedanischen Herkunft.

Erklärung zu der Tafel „Portugiesische Ruinen und Inschriften I.“

(Vergl. S. 206 u. ff.)

I.

Ein doppelter Adler ohne Mittelschild mit Krone (oder Mitra?). Die Inschrift oberhalb ist gut erhalten, blos der dritte Buchstabe undeutlich, man könnte ihn ebenso gut für I als für L halten. Das S ist von zwei Komma oder Punkten eingeschlossen. Die Worte lauten: BALVTE, S, ALBERTO d. h. Bastion S. Alberto. Die etwa vier Fuß hohe und drei Fuß breite Tafel, auf welcher der Adler erhaben und die Inschrift vertieft eingehauen, ist in eine Außenbastion des Forts von Mombas eingemauert.

II.

Ein quadrirter Schild mit den Wappen von Kastilien und Leon, darüber abermals die Krone (oder Mitra?). Die Tafel, etwa drei Fuß hoch und eineinhalben Fuß breit, ist am Fort vom Mombas in eine Mauer eingelassen; die Inschrift ist gut erhalten bis auf den vierten und fünften Buchstaben und lautet: ALV . . I.S. PHELIPE. Die undeutlichen Buchstaben sind wol A und R. Die Namensform „Phelipe“ ist nicht portugiesisch, sondern spanisch; das Ganze soll jedenfalls Bastion S. Phelipe heißen.

III.

Ein quadrirter Wappenschild im Fort von Mombas. Er zeigt im Kreuz einen einfachen Adler, in den entgegengesetzten Feldern vier Flüsse, darüber einen offenen Helm mit dem Adler des Feldes. Das Wappen ist erhaben, die Schrift eingehauen; sie ist gut erhalten bis auf den drittletzten Buchstaben, welcher wol ein mit H verbundenes E ist.

IV.

Tafel aus Sandstein im Inneren des Forts von Mombas, neben der Thür eines Hauses, welches zu gleicher Zeit eine Eckbastion bildet. Die etwa achtzehn Zoll hohe und drei Fuß lange Tafel ist mehrfach stark beschädigt. Undeutlich oder unleserlich sind in der ersten Reihe ein kleines Zeichen im O, in der dritten der sechstletzte Buchstabe E oder F, in der sechsten zwischen A und M ein oder zwei Zeichen, in der vorletzten der erste Buchstabe, wahrscheinlich A, in der letzten Zeile der erste Buchstabe. Die Inschrift ist wol so zu lesen:

. . . . . . 48 veio entrar . . . da Silva de Menezes . . fortaleza e achando-a mui dan(i)-ficada t(r)aton de repara(r) de casas de soldados e tres armazens e huma boa casa d'hospital e mandou fazer este baluarte cavaleiro por nome St. Antonio.

Zu Deutsch:

. . . . 48 zog . . . . . da Silva de Menezes in die Festung ein. Da er sie sehr beschädigt fand, versuchte er, sie zu repariren mit Soldatenhäusern und drei Magazinen und einem guten Hospital und ließ diese Kavalierbastion mit Namen St. Antonio bauen.

V.

Das im ersten großen Gemache des verfallenen Forts von Makupa befindliche Relief, sechs Fuß hoch und dreieinviertel Fuß breit, zeigt eine Krone mit einem Kreuz, auf jeder Seite mit einer Arabeske, darunter vier Säulen, deren Kapitäle große Lanzenspitzen zu sein scheinen. Zwischen den Säulen befindet sich eine Nische in Muschelform, darüber eine gänzlich verwischte Inschrift, von welcher blos der Anfangsbuchstabe X zu erkennen ist. Nach von der Decken's Meinung befand sich im Inneren der Nische wahrscheinlich die Statue irgend eines Heiligen. Das Fort selbst ist im Viereck gebaut, fünfzig Fuß lang und breit und zwanzig Fuß hoch. Drei große Schießscharten öffnen sich nach der See hin, eine vierte ist in der Nische der Eingangsthür angebracht. Ein verfallener Thurm nach der Seeseite zu diente zum Auslugen. Einige andere, zwei Fuß dicke und von kleinen Schießscharten durchbrochene Mauern bestehen theilweise aus Steinen, welche nicht auf der Insel Mombas vorkommen.

VI.

Eine aus Korallensteinen gemauerte Säule auf einem doppelten Sockel, welche auf den Karten „Vasco de Gama Pillar“ genannt wird, auf einer Landzunge in der Nähe von Malindi. Ihre ganze Höhe beträgt sechzehn Fuß, die Breite unten sechs, oben vier Fuß. Das zwei Fuß hohe, aus Sandsteinen gebauene Kreuz hat in der Mitte einen Schild mit fünf quincunxweise gestellten Schilden, jeder mit fünf in Gestalt eines Andreaskreuzes darauf gelegten Münzen. Jegliche Inschrift fehlt.

„Weiter“, sagt Decken, „habe ich in Malindi keine Spur von portugiesischen Ruinen gefunden: alle Bauten rühren von den Arabern oder vielleicht auch von den Persern her, wie die vielen Inschriften beweisen.“ (Vergl. Brenner's Bemerkungen im zweiten Bande.)

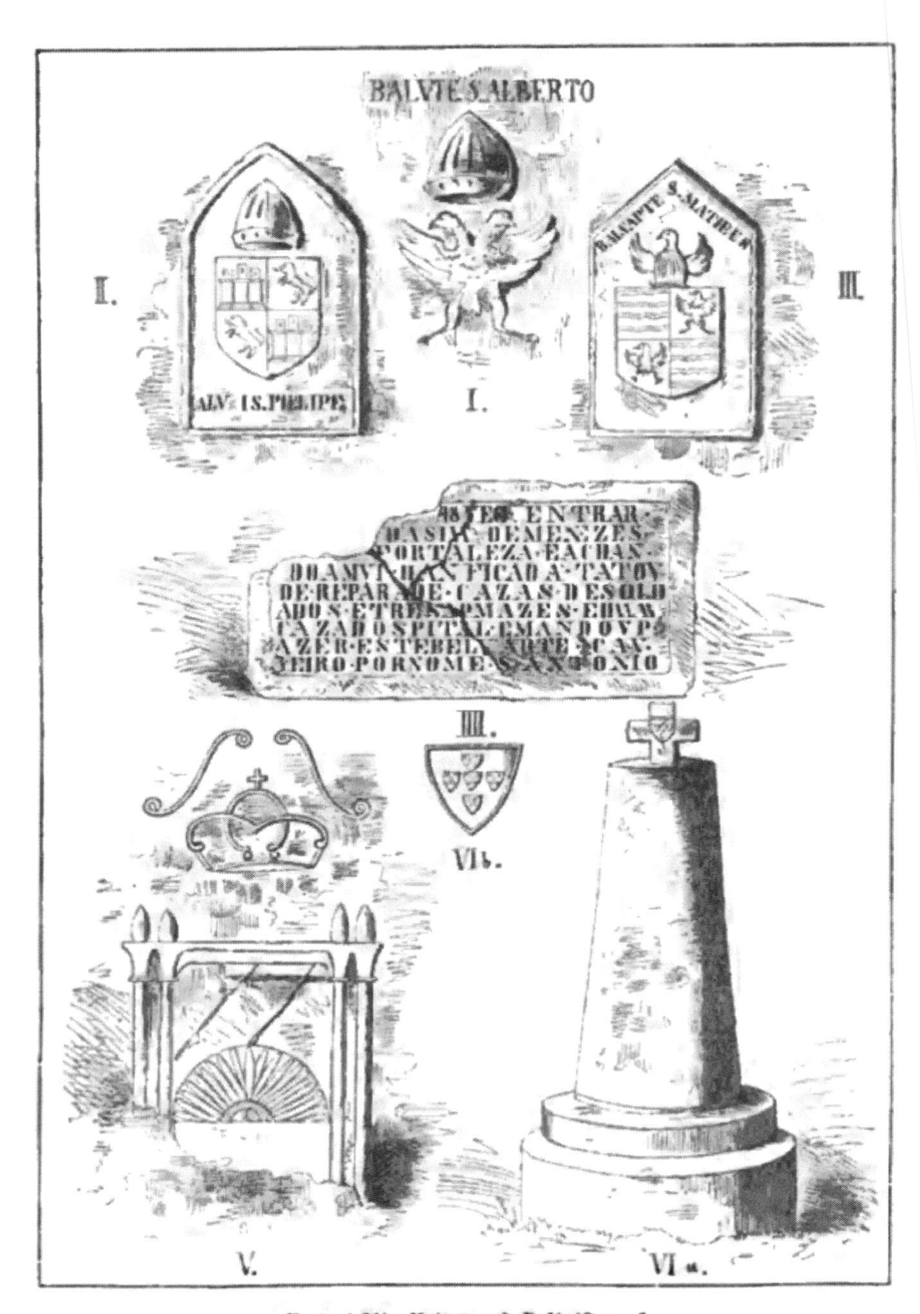

Portugiesische Ruinen und Inschriften. I.

Erklärung zu der Tafel „Portugiesische Ruinen und Inschriften II."

(Vergl. S. 194.)

Inschrift über dem Thore des Forts von Mombas. Die Buchstaben sind vertieft in eine Sandsteinplatte von etwa drittehalb Fuß Höhe bei viereinviertel Fuß Breite eingehauen. Darüber (s. die unterhalb befindliche, aus Owen's „Narrative of Voyages" entlehnte Ansicht des ganzen Festungsthores) befindet sich ein freies Feld von gleicher Größe, auf dessen einer Seite ein Schild steht in der Form eines Herzens mit zwei Kreuzen und drei Kreisen, während die andere Seite überkalkt ist. Der Giebel zeigt eine Sonne mit einem Kreuz und dem I. H. S. der Jesuiten, darunter ein Herz mit drei Flammen. Die Inschrift weicht in Etwas von der in Krapfs Buche angegebenen ab; da sie indessen vom Baron dreimal genommen wurde, ist sie wol genau. Auf unserer Tafel ist sie treu nach der Kopie des Reisenden wiedergegeben, auf welcher einige der Zeilen nicht ganz ausgefüllt sind, wie Dies in der Wirklichkeit vermuthlich der Fall ist. Sie lautet:

En 1635 o Capitão Francisco de Siexas (? Seixas) de Cabral e foi desta fortaleza por 4 annos sendo de idade de 27. e a re(e)dificou de novo, e fez este corpo de guarda, e reduzio a Sua Magestade a costa de Melinde, achando-a levantada, pelo Rei tirano, e fez-lhe tributarios os reis de Tondo, Mandra, Luziva e Jaca, e deo pessoalmente a Pate e Sio hum castizo não esperado na India, athé arrazar-lhe os muros, e apenou os Muzungulos, castigou Pemba matando a sua custa os Regederes alevantados e todos os mais de fama, e fez pagar as parias que havião negadas a Sua Magestade, e por os taes serviços o fez fidalgo de sua casa tendo-o despachado por outros taes com o habito de Christo 500 mil reis de tença e 6 annos de Governador de Jafamapatão, e 4 de Biligão com a faculdade de poder nomear, tudo em sua vida e morte, sendo Vice-Rei Pedro da Silva. Era de 1639 annos. Zu Deutsch:

Im Jahre 1635 ist Francisco de Seixas de Cabral — 27 Jahre alt — vier Jahre lang Kommandant dieser Festung gewesen; er hat sie von Neuem aufgebaut, hat diesen Wachtposten eingerichtet und seiner Majestät die Küste von Melinde (Malindi) unterworfen, welche er durch ihren tyrannischen König in Aufruhr fand, hat die Könige von Tondo, Mandra, Luziva und Jaca*) tributpflichtig gemacht, hat auch selbst (den Städten) Pate und Sio eine in Indien nicht erwartete Züchtigung angedeihen lassen und ihre Mauern geschleift. Er hat den Muzungulos Lieferungen auferlegt, Pemba bestraft, indem er auf seine Verantwortung die ergriffenen Anführer sowie andere Angesehene tödtete, und hat sie Tribut bezahlen lassen, welchen sie seiner Majestät verweigert hatten, für welche Dienste (der König) ihn zum Fidalgo seines Hauses machte, nachdem er ihn zum Ritter des Ordens Christi mit 50 Milreis Pension und auf sechs Jahre zum Statthalter von Jafamapatão ernannt hatte, sowie auf vier (? Jahre) von Biligão mit der Vollmacht seinen Stellvertreter zu ernennen, sowol für seine Lebenszeit als für den Todesfall. Zur Zeit, da Pedro da Silva Vicekönig war. — Im Jahre 1639 unserer Zeitrechnung.

Außerdem finden sich nach Deckens Aufzeichnungen noch auf Mombas:

1) Ein sechzehn Fuß hoher Obelisk aus Korallengestein mit einem anderthalbfüßigen Kreuz auf der Spitze (wahrscheinlich die S. 207 Z. 12 erwähnte Säule). Der gemauerte Sockel ist etwa zwei Fuß hoch. Leider ist der Stein zu verwittert, um irgend eine Inschrift erkennen zu lassen.

2) Die Jahreszahl 1639 über einer in den Felsen eingehauenen Treppe von vierunddreißig (nicht vierundzwanzig, wie im Texte S. 207 steht) Stufen. Ueber der Eingangsthüre des Thurmes sowie in einem Fenster befinden sich Skulpturen in Sandstein; Inschriften fehlen.

3) Eine Inschrift an einer Bastion der Festung:

. . . . . do Capitão Mor Joseph . . . . novo este balnarte Santo Angelo . . . . ia toda em ro(n)da de parapeitos ce os (?) coa ro(n)da (ba)luar(t)es fez o mesmo . . . do e abrio hum poço dentro . . . muitas obras de que esta (nece)ssitava por estar des(a)barse . . . d. h. (soweit es lesbar ist) Kommandant Joseph . . . . diese Bastion Santo Angelo . . . ringsum Brustlehnen . . . . (?) ringsum Wälle errichtete er. Derselbe . . . grub im Inneren einen Brunnen . . . (? und errichtete) viele Bauten, welche diese (? Festung) nöthig hatte, da sie den Einsturz drohte.

4) Ein Kreuz in Sandstein ohne weitere Inschrift über der Eingangsthür zu der kleinern nach der See zu liegenden Batterie des Forts von Mombas.

Im Inneren der Festung erinnern noch an die Portugiesen: zwei Steinhäuser, die Batteriestände, ein sehr tiefer, im Quadrat gemauerter Brunnen, eine ausgemauerte Cisterne und ein unterirdischer Gang, welcher nach der See führt.

*) Ein Ort an der Küste, nicht zu verwechseln mit dem Kilimandscharolande Dschagga.

EN·1635·O CAPITAÕ·[illegible]·D·SILVA S·D[illegible]CABR[illegible]·ESTA
[illegible]·POR·[illegible]·ANS·SEN[illegible]·D·[illegible]·EM·LIMBIC·OV·
DEN[illegible]SE·ESTE·C[illegible]PO·DGVARDA·E·[illegible]·A·S·MG·AC
STADEMEL[illegible]DE·ACHANDO·[illegible]·AN·DA·P[illegible]·SE[illegible]TIRANO
E·F·S·LHE·TRIBVT[illegible]ROS·OS·R[illegible]·S·DO·[illegible]·MORA·[illegible]VA·E
IAC·E·DEV·[illegible]ES·AL·M[illegible]·APAT·ES·[illegible]·EST[illegible]CO·NAÕ·
E·PERAD[illegible]AINDA·ATHE·RAZA[illegible]·E·OS·[illegible]VR·SAPENVO·S·MVZYNG[illegible]·ESTIGO·PER
MANDA·SV·[illegible]STA·O·[illegible]·ALVAN·[illegible]·COM·AIS·
D·[illegible]·M·F·S·PAGRA·A·PRIA·F·AVIAÕ·NEG·DAS·A·S·[illegible]·PRITA
[illegible]SE·VIGO·OF·S·FIDAL·O·D·SVA·CZA·T·NDO·IA·DE·P·[illegible]
OTRO·TA·[illegible]·XPO·[illegible]·MIL·[illegible]·S·DET·N·[illegible]·AN·D
G·D·[illegible]·F·MP·[illegible]·4D·[illegible]·G·[illegible]·FO·F·FLADE·D·P·DE·[illegible]NEAR·
TVDO·[illegible]·SVA·VIDA·EMORT·E·S·[illegible]D·VREI·P·DA SILVA·E·A·D·1639·A

Portugiesische Ruinen und Inschriften. II.

FSC
www.fsc.org

Druck:
Customized Business Services GmbH
im Auftrag der
KNV Zeitfracht GmbH
Ein Unternehmen der Zeitfracht - Gruppe
Ferdinand-Jühlke-Str. 7
99095 Erfurt